U0615577

中国文学编年史

隋唐五代卷（下）

主编◇陈文新
本卷主编◇霍有明

霍 中南

湖南人民出版社

《中国文学编年史》编纂委员会

顾　问　（按姓氏笔画排序）

卞孝萱　邓绍基　冯其庸　曹道衡　傅璇琮

霍松林

主　编　陈文新

编　委　（按姓氏笔画排序）

石观海　李建国　汪春泓　陈文新　张思齐

张玉璞　於可训　赵伯陶　赵逵夫　胡如虹

诸葛忆兵　曹有鹏　熊治祁　熊礼汇　霍有明

本卷撰稿人（按姓氏笔画排序）

李永平　黄芸珠　霍有明

总序

纪传体、编年体是中国传统史书的两种主要体裁，而编年体的写作远较纪传体薄弱。《四库全书总目》卷四七史部编年类小序已明确指出这一事实：“司马迁改编年为纪传，荀悦又改纪传为编年。刘知幾深通史法，而《史通》分叙六家，统归二体，则编年、纪传均正史也。其不列为正史者，以班、马旧裁，历朝继作。编年一体，则或有或无，不能使时代相续。故姑置焉，无他义也。”① 与古代历史著作的这种体裁格局相似，在20世纪的中国文学史写作中，也是纪传体一枝独秀，不仅在数量上已多到难以屈指，各大专院校所用的教材也通常是纪传体，这类著作的核心部分是作家传记（包括作家的创作经历和创作成就）。编年类的著作，则虽有陆侃如、傅璇琮、曹道衡、刘跃进等学者做了卓有成效的工作，但就总体而言，仍有大量空白，尤其是宋、元、明、清、现、当代部分，历时一千余年，文献浩繁，而相关成果甚少。这样一种状况，自然是不能令人满意的。这套十八卷的《中国文学编年史》的编纂出版，即旨在一定程度地改变这种状况。

文学史是在一定的空间和时间中展开的。纪传体的空间意识和时间意识以若干个焦点（作家）为坐标，对文学史流程的把握注重大体判断。其优势在于，常能略其玄黄而取其隽逸，对时代风会的描述言简意赅，达到以少许胜多许的境界。若干重要的文学史术语如“建安风骨”、“盛唐气象”、“大历诗风”等，就是这种学术智慧的凝

① 永瑢等撰：《四库全书总目》，第418页，北京，中华书局，1965。

结。但是，由于风会之说仅能言其大概，“个别”和“例外”（即使是非常重要的“个别”和“例外”）往往被忽略，不免留下遗憾。一些跨时代的作家，如李煜、刘基、张岱等人，在文学史中的时代归属与其代表作的实际创作年代也常有不吻合的情形。例如，李煜被视为南唐作家，而他最好的词写在宋初；刘基被视为明代作家，而他最好的诗、文写在元末；张岱被视为明代作家，而其代表作多写于清初。比上述情形更具普遍性的，还有下述事实：我们讲罗贯中的《三国志通俗演义》，往往以毛宗岗修订本为例；我们讲施耐庵的《水浒传》，往往以百回繁本为例；我们讲兰陵笑笑生的《金瓶梅》，往往以崇祯本为例。这就出现了两方面的问题：第一，我们讲的并不是作家的原著；第二，我们忽略了读者的接受情形。这类涉及风会与例外、作家时代归属与作品实际创作、传播与接受两方面的问题，以纪传体来解决，由于受到体例的限制，往往力不从心，采用编年体，解决起来就方便多了：不难依次排列，以展开具体而丰富多彩的历史流程。

与纪传体相比，编年史在展现文学历程的复杂性、多元性方面获得了极大的自由，但在时代风会的描述和大局的判断上，则远不如纪传体来得明快和简洁。作为尝试，我们在体例的设计、史料的确认和选择方面采用了若干与一般编年史不同的做法，以期在充分发挥编年史长处的同时，又能尽量弥补其短处。我们的尝试主要在三个方面：其一，关于时间段的设计。编年史通常以年为基本单位，年下辖月，月下辖日。这种向下的时间序列，可以有效发挥编年史的长处。我们在采用这一时间序列的同时，另外设计了一个向上的时间序列，即：以年为基本单位，年上设阶段，阶段上设时代。这种向上的时间序列，旨在克服一般编年史的不足。具体做法是：阶段与章相对应，时代与卷相对应，分别设立引言和绪论，以重点揭示文学发展的阶段性特征和时代特征（现当代文学因时间周期较短，拟省略阶段，不设引言）。其二，历史人物的活动包括“言”和“行”两个方面，“行”（人物活动、生平）往往得到足够重视，“言”则通常被忽略。而我们认为，在文学史进程中，“言”的重要性可以与“行”相提并论，特殊情况下，其重要性甚至超过“行”。比如，我们考察初唐的文学，不读陈子昂的诗论，对初唐的文学史进程就不可能有真正的了解；我们考察嘉靖年间的文学，不读唐宋派、后七子的文论，对这一时期的文学景观就不可能有准确的把握。鉴于这一事实，若干作品序跋、友朋信函等，由于透露了重要的文学流变信息，我们也酌情收入。其三，较之政治、经济、军事史料，思想文化活动是我们更加关注的对象。中国文学进程是在中国历史的背景下展开的，与政治、经济、军事、思想文化等均有显著联系，而与思想文化的联系往往更为内在，更具有全局性。考虑到这一点，我们有意加强了下述三方面材料的收录：重要文化政策；对知识阶层有显著影响的文化生活（如结社、讲学、重大文化工程的进展、相关艺术活动等）；思想文化经典的撰写、出版和评论。这样处理，目的是用编年的方式将中国文学进程及与之密切相关的中国思想文化变迁一并展现在读者面前。

《中国文学编年史》是一个基础性的重大学术工程，文献的广泛调查和准确使用是做好编纂工作的首要前提。《四库全书》、《续修四库全书》、《四库存目丛书》、《四库禁毁书丛刊》、《丛书集成》、《笔记小说大观》等是我们经常使用的典籍，近人和今人整理出版的别集、总集，大量年谱（如徐朔方《晚明曲家年谱》），以及文、史、哲方面的编年史，均在参考范围之内，限于体例，未能一一注明，谨此一并致谢。在使用上述文献的过程中，我们采取的是一种如履薄冰、如临深渊的谨慎态度。这是因为，相当一部分典籍是由我们第一次标点，这一工作的难度是不言而喻的。即使是前人已经整理的典籍，我们也并不直接采用，而是根据自己的理解再整理一次。这样做当然增加了工作量，但确有许多好处，若干错误就是在这一过程中得到纠正的，有些错误的纠正涉及基本事实的澄清。比如，张大复《皇明昆山人物传》卷八记梁辰鱼晚年情形，有云："（梁氏）当除夕遇大雪，既寝不寐。忽令侍者遍邀诸年少，载酒放歌，绕城一匝而后就睡。曰：'天为我辈雨玉，可令俗人蹴踏之耶？'时年已七十矣。亡何，中恶，语不甚了。有老奴李用者，颇省其说，尚有注记。得岁七十有三。"一位学者将"中恶，语不甚了"标点为"中恶语，不甚了"，并就此推论说："梁辰鱼七十岁时遭遇暧昧不明的事件。""《皇明昆山人物传》的上述记载本意是为贤者讳，事实上倒很可能为统治者隐盖了迫害异己文人的一件罪行。"这就不免弄错了事实。"中恶"即突然患急病，正所谓"老健春寒秋后热"，老年人得急病是常见的情形。而"中恶语"的表述，明显不符合古人的语言习惯。再如，陈田《明诗纪事》将正德时期的傅汝舟与明末的傅汝舟混为一人，将两人的生平搅在一起，其按语云："丁戊山人诗初矜独造，晚遁荒诞，择其入格者录之，亦是幽弦孤调。山人享大年，具异才，谈佛谈仙，亦作北里中艳语。初与郑少谷游，晚乃与茅止生、卓去病、张文寺、文太青倡和，支离怪诞，无所不有。少谷集中无是也。论者乃专谓山人刻意学少谷，何哉?”《明诗纪事》近三百万言，卓有建树，是研究明诗的必备案头书。但关于傅汝舟，陈田的确弄错了。郑善夫（1485—1523）号少谷，以学杜著称，学郑少谷的是正德年间的傅汝舟；文翔凤号太青，万历三十八年（1610）进士，与文太青等唱和的是明末的傅汝舟。两个傅汝舟之间相距约百年，陈田想当然地将二者合为一人，说他“享大年”，又说他前期学郑少谷，后期学竟陵派，曲意弥缝，令人哑然失笑。其他种种，如部分文学家辞典对作家生卒年的误注，若干点校本的断句错误等，我们都在力所能及的范围内做了纠正。提到这些情况，不是想证明我们的水平有多高，而意在告诉读者：我们的工作态度是认真的，有志于为读者提供一部值得信赖的编年史著述。

《中国文学编年史》的编纂得到了北京大学、武汉大学、南京大学、中国人民大学、中国社会科学院、中国艺术研究院、中华书局、陕西师范大学、西北师范大学、华中师范大学、山东师范大学、山东曲阜师范大学、中南民族大学、中南财经政法大学等单位专家和领导，尤其是武汉大学领导的支持；湖南省新闻出版局、湖南出版投资控股集团及湖南人民出版社鼎力支持编年史的编纂出版，所有这些，我们将永远铭记在心。

陈文新

2006 年 7 月 23 日于武汉大学

凡　例

一、《中国文学编年史》以编年形式演述中国文学发展历程，凡十八卷：第一卷周秦、第二卷汉魏、第三卷两晋南北朝、第四卷隋唐五代（上）、第五卷隋唐五代（中）、第六卷隋唐五代（下）、第七卷宋辽金（上）、第八卷宋辽金（中）、第九卷宋辽金（下）、第十卷元代、第十一卷明前期、第十二卷明中期、第十三卷明末清初、第十四卷清前中期（上）、第十五卷清前中期（下）、第十六卷晚清、第十七卷现代、第十八卷当代。

二、编年史各卷据文学发展的不同阶段划分为若干章（如无必要，或不分章）。章的标目方式是："××章　××年至××年，共××年"。关于某一阶段文学的总体评论放在该章的首年之前，如明前期卷"第一章　洪武元年至建文四年，共35年"，在章目下，"洪武元年"之前，单列明前期卷"引言"一目。关于某一时代文学的综合论述，放在卷首。如元代卷，在第一章前，单列元代文学"绪论"。

三、编年史各卷所收录内容的构架大体统一，重点包括七个方面：1. 重要文化政策；2. 对文学发展有显著影响的文化生活（如结社、讲学、重大文化工程的进展、相关艺术活动等）；3. 作家交往（唱和、社团活动等）；4. 作家生平事迹；5. 重要作品的创作、出版和评论；6. 争鸣（团体之间、个人之间在重要问题上的论辩等）；7. 其他。

四、叙事以纲带目，即在征引相关文献之前有一句或数句概述。如，先总叙一句"俞宪编《盛明百家诗》成书"，再征引相关序跋、著录、评议。前者为纲，后者为目，纲、目配合，旨在完整地呈现文学史事实。少量见于常用工具书的重要史实，或不必展开的文学史事实，则列纲而略目，以省篇幅。

五、公历纪年年初与中国传统纪年年末不属同一年份，如公元1899年元月1日至12月31日对应于光绪二十四年戊戌十一月二十七日至光绪二十五年己亥十一月二十九日，而不对应于光绪二十五年己亥正月初一至十二月三十日。我们采用变通的处理方法，以公历纪年，而以农历纪月，比如，凡光绪二十五年己亥正月至十二月之内的内容均置于公元1899年下。作家生卒年，仍据公历标注，其他以此类推。现、当代文学部分，纪年、纪月均据公历。

六、同一年内之文学史实，按月份先后顺序排列。月份不详而仅知季度的，春季置于三月之后，夏季置于六月之后，其他以此类推。季度、月份均不详者，另设“本年”目统之。

七、一部分重要文学史实，年月不详而仅知大体时段者，在年号之末另设“××年间”目统之，如嘉靖四十五年之后另设“嘉靖年间”一目。

八、引用序跋，一般采用“作者+篇名”的方式，如“臧懋循《唐诗所序》”。引用序跋之外的诗文等作品，一般采用“集名+卷次+篇名”的方式，如“《有学集》卷三一《隐湖毛君墓志铭》”，采用“作者+篇名”的方式，如“钱谦益《隐湖毛君墓志铭》”。无篇名者则省略，如“《艺苑卮言》卷三”。某作者集中所收为他人别集所作的序跋，亦采用这一方式，如“《太函集》卷二二《弇州山人四部稿序》”。引用正史，一般采用“正史名+本传或××传”的方式，“如《明史》本传”或“《明史》李攀龙传”，不标卷次。引用《四库全书总目提要》，或用全称，或简称“四库提要”，只标明卷次。如“四库提要卷一五三”。引用地方志，标明纂修年代，如“光绪《乌程县志》卷三一”。据类书转引时，注明原出处，如“《太平广记》卷二〇《阴隐客》（出《博异志》）”。引用报刊，注明年月日或卷次。

九、作者小传一般置于生年。有些作家，虽生年在上一卷，但在上一卷无文学活动，其小传酌情移入本卷首次出现时。如杨士奇，元亡时才4岁，其小传置于明前期卷，出生时只交代：“杨士奇（1365—1444）生”，不列小传。现、当代作者，因传记资料常见，相关作家小传酌情收录。

十、对于某一作家的总体评论和重要著录一般置于卒年。某作者卒年在下一卷，但在下一卷无重要文学活动，主要评论材料酌情置于本卷。如易顺鼎（1858—1920），其评论材料集中于晚清卷，不入现代卷。

十一、作家代表作一般不录原文，但收录重要评论材料，并酌情说明相关选本收录情形。

十二、需要补充交待而占用篇幅较大的文学史事实，设少量“附录”。对若干需要辨证的史实，设按语加以说明。以提供文献线索为主，不详加征引。

目 录

第三章　后梁太祖开平元年至后周世宗显德六年
（公元907—公元959年）共53年

绪 论

欧阳修《六一诗话》：唐之晚年，诗人无复李、杜豪放之格，然亦务以精意相高。

沈括《梦溪笔谈》：晚唐士人，专以小诗著名，而读书灭裂。

蔡居厚《诗史》：晚唐诗句尚切对，然气韵甚卑。郑棨《山居》云：“童子病归去，鹿麑寒入来。”自谓铢两轻重不差。有人作《梅花》云：“强半瘦因前夜雪，数枝愁向晓来天。”对属虽偏，亦有佳处。

晚唐人诗多小巧，无风骚气味。（同上）

吴可《藏海诗话》：老杜句语稳顺而奇特，至唐末人，虽稳顺，而奇特处甚少，盖有衰陋之气。

唐末人诗，虽格调不高而有衰陋之气，然造语成就，今人诗多造语不成。（同上）

晚唐诗失之太巧，只务外华，而气弱格卑，流为词体耳。（同上）

张戒《岁寒堂诗话》：李义山、刘梦得、杜牧之三人，笔力不能相上下，大抵工律诗而不工古诗，七言尤工，五言微弱，虽有佳句，然不能如韦、柳、王、孟之高致也。义山多奇趣，梦得有高韵，牧之专事华藻，此其优劣耳。“地险悠悠天险长，金陵王气应瑶光。休夸此地分天下，只得徐妃半面妆。”李义山此诗，非夸徐妃，乃讥湘中也。义山诗佳处，大抵类此。咏物似琐屑，用事似僻，而意则甚远，世但见其诗喜说妇人，而不知为世鉴戒。“玉桃偷得怜方朔，金屋妆成贮阿娇。谁料苏卿老归国，茂陵松柏雨萧萧。”此诗非夸王母玉桃、阿娇金屋，乃讥汉武也。“景阳宫井剩堪悲，不尽龙鸾誓死期。肠断吴王宫外水，浊泥犹得葬西施。”此诗非痛恨张丽华，乃讥陈后主也。其为世鉴戒，岂不至深至切。“内殿张弦管，中原绝鼓鼙。舞成青海马，斗杀汝南鸡。不睹华胥梦，空闻下蔡迷。宸襟他日泪，薄暮望贤西。”夫鸡至于斗杀，马至于舞成，其穷欢极乐不待言而可知也；“不睹华胥梦，空闻下蔡迷”，志欲神仙而反为所惑乱也。其言近而旨远，其称名也小，其取类也大。杜牧之《华清宫三十韵》，铿锵飞动，极叙事之工，然意则不及此也。“卜肆至今多寂寞，酒垆从古擅风流。浣花笺纸桃花色，好好题诗咏玉钩。”此诗送入蜀人，虽似夸文君酒垆，而其意乃是讥蜀人多粗鄙少贤才尔。义山诗句，其精妙处大抵类此。往年过华清宫，见杜牧之、温庭筠二诗，俱刻石于浴殿之侧，必欲较其优劣而不能。近偶读庭筠诗，乃知牧之之工，庭筠小子，无礼甚矣。

刘梦得《扶风歌》、白乐天《长恨歌》及庭筠此诗，皆无礼于其君者。庭筠语皆新巧，初似可喜，而其意无礼，其格至卑，其筋骨浅露，与牧之诗不可同年而语也。其首叙开元胜游，固已无稽，其末乃云"艳笑双飞断，香魂一哭休"，此语岂可以渎至尊耶。人才气格，自有高上，虽欲强学不能，如庭筠岂识《风》、《雅》之旨也。牧之才豪华，此诗初叙事甚可喜，而其中乃云："泉暖涵窗镜，云娇惹粉囊。嫩岚滋翠葆，清渭照红妆。"是亦庭筠语耳。

罗大经《鹤林玉露》：农圃家风，渔樵乐事，唐人绝句模写精矣。余摘十首题壁间，每菜羹豆饭饱后，啜苦茗一杯，偃卧松窗竹榻间，令儿童吟诵数过，自谓胜如吹竹弹丝。今记于此。韩偓云："闻说经旬不启关，药窗谁伴醉开颜。夜来雪压村前竹，剩看溪南几尺山。"又云："万里清江万里天，一村桑柘一村烟。渔翁醉著无人唤，过午醒来雪满船。"【略】薛能云："邵平瓜地接吾庐，谷雨乾时偶自锄。昨日春风欺不在，就床吹落读残书。"韦庄云："南邻酒熟爱相招，蘸甲倾来绿满瓢。一醉不知三日事，任他童稚作渔樵。"杜荀鹤云："山雨溪风卷钓丝，瓦瓯蓬底独斟时。醉来睡著无人唤，流下前滩也不知。"陆龟蒙云："雨后沙虚古岸崩，渔梁移入乱云层。归时月落汀洲暗，认得妻儿结网灯。"郑谷云："白头波上白头翁，家逐船移浦浦风。一尺鲈鱼新钓得，儿孙吹火荻花中。"李商隐云："城郭休过识者稀，哀猿啼处有柴扉。沧江白石渔樵路，薄暮归来雨湿衣。"

胡仔《苕溪渔隐丛话》：古今诗人，以诗名世者，或只一句，或只一联，或只一篇，虽其余别有好诗，不专在此，然播传于后世，脍炙于人口者，终不出此矣，岂在多哉。【略】温庭筠有"鸡声茅店月，人迹板桥霜"，【略】杜荀鹤有"风暖鸟声碎，日高花影重"，【略】周朴有"晓来山鸟闹，雨过杏花稀"，【略】徐铉有"井泉分地脉，砧杵共秋声"，【略】以至【略】"残星数点雁横塞，长笛一声人倚楼"，乃赵嘏也；"禅伏诗魔归静域，酒重愁阵作奇兵"，乃韩偓也；"蝴蝶梦中家万里，杜鹃枝上月三更"，乃崔涂也；"烟横博望乘槎水，月上文王避雨陵"，乃唐彦谦也；"水暖凫鹥行哺子，溪深桃李卧开花"，乃郑文宝也；【略】郑谷《咏海棠》云："秾艳最宜新着雨，妖娆全在欲开时。"【略】凡此，皆以一联名世者。【略】"宣室求贤访逐臣，贾生才调更无伦。可怜夜半虚前席，不问苍生问鬼神。"此李商隐也。"蜡屐经过满径踪，隔溪遥见夕阳春。当时诸葛成何事，只合终身作卧龙。"此薛能也。【略】"芳草和烟暖更青，闲门要路一时生。年年点检人间事，惟有春风不世情。"此罗邺也。【略】凡此，皆以一篇名世者，余今姑叙其梗概如此。

葛立方《韵语阳秋》：杜荀鹤、郑谷诗，皆一句内好用二字相叠，然荀鹤多用于前后散句，而郑谷用于中间对联。荀鹤诗云"文星渐见射台星"、"非谒朱门谒孔门"、"常仰门风维国风"、"忽地晴天作雨天"、"犹把中才谒上才"，皆用于散联。郑谷"那堪流落逢摇落，可得潸然是偶然"、"身为醉客思吟客，官自中丞拜右丞"、"初尘芸阁辞禅阁，却访支郎是老郎"、"谁知野性非天性，不扣权门扣道门"，皆用于对联也。

杨万里《黄御史集序》：诗至唐而盛，至晚唐而工。盖当时以此设科而取士，士皆争竭其心思而为之；故其工，后无及焉。时之所尚，而患无其才者，非也。诗非文比也，必诗人为之，如攻玉者必得玉工焉，使攻金之工代之琢，则窳矣。而或者挟其深博之学，雄隽之文，于是櫽栝其伟辞以为诗，五七其句读，而平上其音节，夫岂非诗哉？至于晚唐之诗，则呓而诽之曰："锻炼之工，不如流出之自然也。"谁敢违之乎？

杨万里《周子益训蒙省题诗序》：晚唐诸子虽乏二子［按，指李、杜］之雄浑，然好色而不淫，怨诽而不乱，犹有《国风》、《小雅》之遗音。

严羽《沧浪诗话》：晚唐之下者，亦堕野狐外道鬼窟中。

俞文豹《吹剑录》：近世诗人好为晚唐体，不知唐祚至此，气脉浸微，士生斯时，无他事业，精神伎俩，悉见于诗。局促于一题，拘挛于律切，风容色泽，轻浅纤微，无复浑涵气象，求如中叶之全盛，李、杜、元、白之瑰奇，长章大篇之雄伟，或歌或行之豪放，则无此力量矣。故体成而唐祚亦尽，盖文章之正气竭矣。今不为中唐全盛之体，而为晚唐哀思之音，岂习矣而不察耶？

刘克庄《韩隐君诗序》：古诗出于情性，发必善；今诗出于记问，博而已，自杜子美未免此病。于是张籍、王建辈稍束起书袋，铲去繁缛，趋于切近。世喜其简便，竞起效颦，遂为晚唐，体益下，去古益远。

魏庆之《诗人玉屑》中引韩驹语：唐末诗人虽格致卑浅，然谓其非诗则不可；今人作诗句语轩昂，止可远听，而其理则不可究。

郝经《与撖彦举论诗书》：呜呼，自李、杜、苏、黄已不能越苏、李，追三代，矧其下乎。于是近世又尽为辞胜之诗，莫不惜李贺之奇，喜卢仝之怪，赏杜牧之警，趋元稹之艳。又下焉则为温庭筠、李义山、许浑、王建，谓之晚唐。轰轰隐隐，啅噪喧聒，八句一绝，竞自为奇。推一字之妙，擅一联之工，呕哑嚼拉于齿牙之间者，只是天地风雷、日月星斗、龙虎鸾凰、金玉珠翠、莺燕花竹、六合四海、牛鬼蛇神、剑戟绮绣、醉酒高歌、美人壮士等，磨切锱铢、偶韵较律、饾饤排比而以为工，惊嚇喝喊而以为豪；莫不病风丧心，不复知有李、杜、苏、黄矣，又焉知三代、苏、李性情风雅之作哉。

王祎《练伯上诗序》：古今诗道之变非一也。气运有升降，而文章与之为盛衰，盖其来久矣。【略】韩退之、柳宗元起于元和，实方驾李、杜。而元微之、白乐天、杜牧之、刘梦得，咸彬彬附和焉。唐世诗道之盛，于是为至，此又一变也。然自大历、元和以降，王建、张籍、贾浪仙、孟东野、李长吉、温飞卿、卢仝、刘叉、李商隐、段成式，虽各自成家，而或沦于怪，或迫于险，或窘于寒苦，或流于靡曼，视开元远不逮。至其季年，朱庆馀，项子迁、郑守愚、杜彦之、吴子华辈，悉纤弱鄙陋而无足观矣。此又一变也。

辛文房《唐才子传》：观唐诗至此间，弊亦极矣。独奈何国运将弛，士气日丧，文不能不如之。嘲云戏月，刻翠粘红，不见补于采风，无少裨于化育，徒务巧于一联，或伐善于只字，悦心快口，何异秋蝉乱鸣也。于濆、邵谒、刘驾、曹邺等，能返棹下流，更唱瘖俗，置声禄于度外，患大雅之凌迟，使耳厌郑、卫，而忽洗云和；心醉醇酰，而乍爽玄酒。所谓清清泠泠，愈病析酲，逃空虚者，闻人足音，不亦快哉？晋处士戴颙春日携斗酒，往树下听黄鹂曰"此俗耳针砭，诗肠鼓吹"者，岂徒然哉！于数子亦云。

方回《瀛奎律髓》：晚唐人非风花雪月禽鸟虫鱼竹树，则一字不能作。

予选诗以老杜为主。老杜同时人皆盛唐之作，亦取之。中唐则大历以后、元和以前，亦多取之。晚唐诗人，贾岛开一别派，姚合继之，沿而下亦非无作者，亦不容不取之。(同上)

盛唐律诗体浑大格高语壮，晚唐下细工夫作小结裹，所以异也。(同上)

高棅《唐诗品汇》：开成以后，则有杜牧之之豪纵，温飞卿之绮靡，李义山之隐僻，许用晦之偶对，他若刘沧、马戴、李频、李群玉辈，尚能黾勉气格，将迈时流，此晚唐变态之极，而遗风余韵，犹有存者焉。

晚唐绝句之盛，不下数千篇，虽兴象不同而声律亦未远。如韦庄后出，其《赠别》诸篇尚有盛时之余韵，则其他从可知矣。今自会昌下及五季，得四十人，共诗八十五首，为余响。(同上)

宋濂《答章秀才论诗书》：贾浪仙独变入辟，以矫艳于元、白。刘梦得步骤少陵，而气韵不足。杜牧之沉涵灵运，而句意尚奇。孟东野阴祖沈、谢，而流于蹇涩。卢仝则又自出新意，而涉于怪诡。至于李长吉、温飞卿、李商隐、段成式专夸靡蔓，虽人人各有所师，而诗之变又极矣。比之大历，尚有所不逮，况厕之开元哉？过此以往，若朱庆馀、项子迁、李文山、郑守愚、杜彦之、吴之华辈，则又驳乎不足议也。

杨慎《升庵诗话》：晚唐之诗分为二派：一派学张籍，则朱庆馀、陈标、任蕃、章孝标、司空图、项斯其人也；一派学贾岛，则李洞、姚合、方干、喻凫、周贺、“九僧”其人也。其间虽多，不越此二派，学乎其中，日趋于下。其诗不过五言律，更无古体。五言律起结皆平平，前联俗语十字，一串带过。后联谓之“颈联”，极其用工。又忌用事，谓之“点鬼簿”，惟搜眼前景而深刻思之，所谓“吟成五个字，撚断数茎须”也。余尝笑之，彼之视诗道也狭矣。《三百篇》皆民间士女所作，何尝撚须。今不读书而徒事苦吟，撚断肋骨亦何益哉。晚唐惟韩、柳为大家。韩、柳之外，元、白皆自成家。余如李贺、孟郊，祖《骚》宗谢；李义山、杜牧之学杜甫；温庭筠、权德舆学六朝；马戴、李益不坠盛唐风格，不可以晚唐目之。数君子真豪杰之士哉。彼学张籍、贾岛者，真处裈中之虱也。二派见《张洎集》序项斯诗，非余之臆说也。

许浑《莲塘》诗：“为忆莲塘秉烛游，叶残花败尚维舟。烟开翠扇清风晓，水泛红衣白露秋。神女暂来云易散，仙娥终去月难留。空怀远道难持赠，醉倚西阑尽日愁。”此为许《丁卯集》中第一诗，而选者不之取也。他如韦庄“昔年曾向五陵游”一首，罗隐《梅花》“吴王醉处十余里”一首，李郢《上裴晋公》“四朝优国鬓成丝”一首，皆晚唐之绝唱，可与盛唐峥嵘。惟具眼者知之。

王世贞《艺苑卮言》：灵武回天，功推李、郭；椒香犯跸，祸始田、崔。是则然矣。不知僖、昭困蜀、凤时，温、李、许、郑辈得少陵、太白一语否。有治世音，有乱世音，有亡国音，故曰声音之道与政通也。大力者为之，故足挽回颓运，沉几者知之，亦堪高蹈远引。宋诗如林和靖《梅花》诗，一时传诵。“暗香”、“疏影”，景态虽佳，已落异境，是许浑至语，非开元、大历人语。至“霜禽”、“粉蝶”，直五尺童耳。老杜云：“幸不折来伤岁暮，若为看去乱乡愁。”风骨苍然。其次则李群玉云：“玉鳞寂寂飞斜月，素手亭亭对夕阳。”大有神采，足为梅花吐气。

晚唐诗押二“楼”字，如“山雨欲来风满楼”、“长笛一声人倚楼”，皆佳。又

"湘潭云尽暮烟出（时本皆作"山"），巴蜀雪消春水来"大是妙境。然读之，便知非长庆以前语。（同上）

何孟春《余冬诗话》：诗之讽刺者，如章碣《东都望幸》云："懒修珠翠上高台，眉目连娟恨不开。纵使东巡也无益，君王自领美人来。"高蟾《下第》云："天上碧桃和露种，日边红杏倚云栽。芙蓉生在秋江上，不向东风怨未开。"意自可见。若胡曾之作："翰院何时休嫁女，文昌早晚罢生儿。上林新桂年年发，不许平人折一枝。"只是骂詈语耳。

黄佐《唐音类选序》：晚唐之诗，文宗仅知绝句，而臣民习之，精致已愧盛时。然巨篇阒尔，蔑闻排律，唯应科第，拘拘偶对，恣为绮靡。杜牧、李商隐、温庭筠、许浑，其近焉者也。其音怨以肆，其词曲而隐，其五季之先驱平乎。

胡应麟《诗薮》：唐七言律自杜审言、沈佺期首创工密。【略】张籍、王建略去葩藻，求取情实，渐入晚唐，又一变也。李商隐、杜牧之填塞故实，皮日休、陆龟蒙驰骛新奇，又一变也。许浑、刘沧角猎俳偶，时作拗体，又一变也。至吴融、韩偓香奁脂粉，杜荀鹤、李山甫委巷丛谈，否道斯极，唐亦以亡矣。

五七言律，晚唐尚有一联半首可入盛唐。至绝句，则晚唐诸人愈工愈远，视盛唐不啻异代。非苦心自得，难领斯言。（同上）

晚唐句"日月光先到，山河势尽来"、"树色连关迥，河声入海遥"、"水向昆明阔，山通大夏深"、"朔色晴天北，河源落日东"、"树势飘秦远，天形到岳低"、"大河冰彻塞，高岳雪连空"、"河势昆仑远，山形菡萏秋"，皆有盛唐余韵。（同上）

"数声风笛离亭晚，君向潇湘我向秦"、"日暮酒醒人已远，满天风雨下西楼"，岂不一唱三叹？而气韵衰飒殊甚。"渭城朝雨"自是口语，而千载如新。此论盛唐晚唐三昧。（同上）

晚唐绝句"东风不与周郎便，铜雀春深锁二乔"、"可怜夜半虚前席，不问苍生问鬼神"，皆宋人议论之祖。间有极工者，亦气韵衰飒，天壤开、宝。然书情则怆恻而易动人，用事则巧切而工悦俗，世希大雅，或以为过盛唐，具眼观之，不待辞毕矣。（同上）

王世懋《艺圃撷余》：晚唐诗，萎苶无足言。独七言绝句，脍炙人口，其妙至欲胜盛唐。愚谓绝句绝妙，正是晚唐未妙处。其胜盛唐，乃其所以不及盛唐也。绝句之源，出于乐府，贵有风人之致。其声可歌，其趣在有意无意之间，使人莫可捉着。盛唐惟青莲、龙标二家诣极，李更自然，故居王上。晚唐快心露骨，便非本色。议论高处，逗宋诗之径。声调卑处，开大石之门。

今世五尺之童，才拈声律，便能薄弃晚唐，自傅初盛，有称大历以下，色便赧然。然使诵其诗，果为初邪、盛邪、中邪、晚邪。大都取法固当上宗，议论亦莫轻道。诗必自运，而后可以辨体；诗必成家，而后可以言格。晚唐诗人，如温庭筠之才，许浑之致，见岂五尺之童下，直风会使然耳。览者悲其衰运可也。故予谓今之作者，但须真才实学。本性求情，且莫理论格调。（同上）

许学夷《诗源辩体》：或问："唐末之纤巧，与梁陈以后之绮靡，孰为优劣？"曰："诗文俱以体制为主。唐末语虽纤巧，而律体则未尝亡；梁陈以后，古体既失，而律体

未成，两无所归，断乎不可为法。”

或谓晚唐人多用山水、木石、烟云、花鸟为诗，故其格甚卑，舍此可以观诗矣。予曰不然。诗有赋比兴，山水、木石、烟云、花鸟，即古诗之比兴也。孔子论诗，亦曰“多识于鸟兽草木之名”，故山水、木石、烟云、花鸟，自《三百篇》而下，即初盛唐不能舍此为诗，顾可以责晚唐乎？晚唐之诗，惟是气象萎苶，情致都绝，而徒籍于山水木石以为藻饰，故其格卑下，要不可尽废山水木石而为诗也。逮于唐末诸子，乃欲尽去铅华，专尚理致，于是山水木石之语废，而议论意见之词繁，故必致于鄙俗村陋耳。（同上）

或曰：唐末诗不特理致可宗，而情景俱真，有不可废。赵凡夫云：情真景真，误杀天下后世。不典不雅，鄙俚迭出，何尝不真？于诗远矣！古人胸中无俗物，可以真境中求雅；今人胸中无雅调，必须雅中求真境。如此求真，真如金玉；如彼求真，真如砂砾矣。大抵汉唐之真如此，宋人之真如彼；初盛之真如此，晚唐之真如彼。二法悬殊，不可不辩。（同上）

钟惺、谭元春《唐诗归》：晚唐诗有极妙而与盛唐人远者，有不必妙而气脉神韵与盛唐人近者。“不必妙”三字甚难到，亦难言，妙不足以拟之矣。

看晚唐诗，但当采其妙处耳，不必问其某处似初、盛与否也。亦有一种高远之句，不让初、盛者，而气韵幽寒，骨响崎嵚，即在至妙之中，使人读而知其为晚唐，其际甚微，作者不自知也。（同上）

吴乔《围炉诗话》：开成以后，诗非一种，不当概以晚唐视之。如“时挑野菜和根煮”、“雪满长安酒价高”之类，极为可笑。平浅成篇者，亦不足观。至如《落花》之“高阁客竟去，小园花乱飞”、“五更风雨葬西施”，《节使筵中》之“幕外刀光立从官”，《牡丹》起句之“邀勒东风不早开，众芳飘后上楼台”，《妓人》之“剑截眸中一寸光”、“薄命曾嫌富贵家”、“瘦去谁怜舞掌轻”，《吊李义山》之“九泉莫叹三光隔，又送文星入夜台”，《别妓》之“枕上相看直到明”，《忆妾》之“从此山头似人石，丈夫形状泪痕深”之类，皆是初唐人未想到者，故能发学者之心光，岂可轻视？初盛大雅之音，固为可贵，如康庄大道，无奈被沈、宋、李、杜诸公塞满，无下足处，大历人不得不凿山开道，开成人抑又甚焉。若抄旧而可为盛唐，韦、柳、温、李之伦，其才识岂无及弘、嘉者？而绝无一人，识法者惧也。

吴乔《答万季野诗问》：晚唐虽不及盛中唐，而命意布局，寄托固在。宋人多是实话，失《三百篇》之六义。

贺贻孙《诗筏》：晚唐七言绝句妙处，每不减王龙标。然龙标之妙在浑，而晚唐之妙在露，以此不逮。

唐释子以诗传者数十家，然自皎然外，应推无可、清塞（即周贺）、齐己、贯休数人为最，以此数人诗无钵盂气也。僧家不独忌钵盂语，尤忌禅语。近有禅师作诗者，余谓此禅也，非诗也。禅家诗家，皆忌说理，以禅作诗，即落道理，不独非诗，并非禅矣。诗中情艳语皆可参禅，独禅语必不可入诗也。尝见刘梦得云：“释子诗因定得境，故清；由悟遣言，故慧。”余谓不然。僧诗清者每露清痕，慧者即有慧迹。诗以兴趣为主，兴到故能豪，趣到故能宕。释子兴趣索然，尺幅易窘，枯木寒岩，全无暖气，求所谓纵横不羁，潇洒自如者，百无一二，宜其不能与才人匹敌也。每爱唐僧怀素草书，兴趣豪宕，有“椎碎黄鹤楼，踢翻鹦鹉洲”之概。使僧诗皆如怀素草书，斯可游戏三昧，夺李、杜、王、孟之席，惜吾未见其人也。（同上）

唐诗大振，妇女奴仆，无不知诗，远及外域，亦喜吟咏。妇女则李季兰有诗豪之誉，薛涛有校书之称，鱼玄机、徐月英各著诗集，非烟、崔仲容并骋俪词，然桑、濮之音耳。（同上）

刘大勤《师友诗传续录》：问：“元人诗亦近晚唐，而又似不及晚唐，然乎否耶。”答：“元诗如虞道园，便非晚唐可及。杨铁崖时涉温、李，其小乐府亦过晚唐。他人与晚唐相出入耳。晚唐如温、李、皮、陆、杜牧、马戴，亦未易及。”

田雯《古欢堂杂著》：义山佳处不可思议，实为唐人之冠。一唱三弄，余音袅袅，绝句之神境也。飞卿什之一耳。【略】樊川鬓丝禅榻，翩翩才致。冬郎、都官、表圣、昭谏皆有妙境。松陵两君子，别具风骨，不屑雷同。

顾嗣立《寒厅诗话》：诗家点染法，有以物色衬地名者，如郑都官“雨昏青草湖边过，花落黄陵庙里啼”是也。有以地名衬物色者，如韦端己“落星楼上吹残角，偃月营中挂夕晖”是也。

毛先舒《题倪鲁玉诗》：唐人诗有中晚，余意尝优晚。盖中唐虽若自然，乃多失之俚浅。晚叶诸公，刻画惊挺，而引信多遥思，故为胜也。至金荃、玉豀，尤觉有神来之妙，余昔尝日夕讽咏，描摹莫逮。

查克宏《晚唐诗钞序》：诗莫备于有唐三百年。自初盛之浑雄，变而为中唐之清逸，至晚则光芒四射，不可端倪，如入鲛人之室，谒天孙之宫，文彩机杼，变化错陈。密丽若温、李，奥峭若皮、陆，爽秀条畅若韩、薛、韦、罗……实殿三唐之逸响，著两宋之先鞭者也。所谓锦绣、纂组、雕绘之属，非工力之巧者，孰克为之？若涂泽字句，摹写声律，左初盛者未免有吴下充头之诮矣。故与其古而伪，毋宁近而真。

郎廷槐《师友诗传录》：萧亭答：诗自李、杜以来，大家名家，指不胜屈。毋论贞元、元和。即晚唐温、李、皮、陆辈，各有至处，自成一家。宋人杨文公、钱思公、晏元献、胡文恭皆宗之。欧、苏二文忠公出，而始变其法。

叶燮《原诗》：论者谓晚唐之诗，其音衰飒。然衰飒之论，晚唐不辞；若以衰飒为贬，晚唐不受也。夫天有四时，四时有春秋，春气滋生，秋气肃杀，滋生则敷荣，肃杀则衰飒，气之候不同，非气有优劣也。使气有优劣，春与秋亦有优劣乎？故衰飒以为气，秋气也。衰飒以为声，商声也。俱天地之出于自然者，不可以为贬也。又盛唐之诗，春花也。桃李之秾华，牡丹芍药之妍艳，其品华美贵重，略无寒瘦俭薄之态，固足美也。晚唐之诗，秋花也。江上之芙蓉，篱边之丛菊，极幽艳晚香之韵，可不为美乎？

沈德潜《说诗晬语》：晚唐人诗：“鹭鸶飞破夕阳烟”、“水面风回聚落花”、“芰荷翻雨泼鸳鸯”，固是好句，然句好而意尽句中矣。又张蠙《洞庭湖》诗：“青草浪高三月渡，绿杨花扑一溪烟”，“绿杨”一语，分明村港小景，赋洞庭湖宜尔耶？“破”字、“聚”字、“泼”字、“扑”字，求新在此，不登大雅之堂正在此。

贾长江“秋风吹渭水，落叶满长安。”温飞卿“古戍落黄叶，浩然离故关。”卑靡

时乃有此格。后惟马戴亦间有之。（同上）

纪昀《瀛奎律髓刊误》：晚唐诗但知点缀景物，故宋人矫之以本色为主。

晚唐诗往往露骨，然佳句不可没。（同上）

翁方纲《石洲诗话》：杨诚斋谓“诗至晚唐益工”，盖第挑摘于一联一句间耳。以字句之细意刻镂，固有极工者，然形在而气不完，境得而神不远，则亦何贵乎巧思哉！

翁方纲《七言律诗钞凡例》：晚唐自樊川、玉谿外，几于异曲同声。温虽与李齐称，特以“三十六体”耳，非匹敌也。韩致尧哀音怨乱，不害其为丹山雏凤。

赵翼《瓯北诗话》：少陵以穷愁寂寞之身，藉诗遣日，于是七律益尽其变，不惟写景，兼复言情，不惟言情，兼复使典。七律之蹊径，至是益大开。其后刘长卿、李义山、温飞卿诸人，愈工雕琢，尽其才于五十六字中，而七律遂为高下通行之具，如日用饮食之不可离矣。

管世铭《读雪山房唐诗序例》：七言律至长庆以后，奄奄一息。温、李二集，正如渔歌牧笛，忽闻钟鼓噌吰。晚唐虽雅不胜郑，其秀出者，犹非宋、元人可及。兹选于黄茅白苇中，一律之工，未尝轻掷，正以其难得为可贵也。高廷礼盛许刘沧，今观《怀古》诸篇，全不争工起讫，殆无一篇完善可收。郑谷、曹唐，有识皆嗤，更不具论。唐末七言，韩至尧为第一，去其《香奁》诸作，多出于爱君忧国，而气格颇近浑成。次即吴子华，亦推高唱。司空表圣《归瑎谷作》，有蜕弃轩冕之风。罗昭谏《驾幸蜀》诸章，见不忘本朝之意。全军之殿，数子为多。

袁枚《随园诗话》：诗人家数甚多，不可硁硁然域一先生之言，自以为是，而妄薄前人。须知【略】悱恻芬芳，非温、李、冬郎不可。

阮亭诗话，道晚唐人之“布谷啼春雨，杏花红半村”，不如盛唐人之“兴阑啼鸟缓，坐久落花多”。余以为真耳食之论。阮亭胸中，先有晚、盛之分，故不知两诗之各有妙境。若以浑成而言，转觉晚唐为胜。（同上）

方南堂《辍锻录》：咏物题极难。【略】元和以后，下逮晚唐，咏物诗极多，纵极巧妙，总不免描眉画角，小家举止，不独求如杜之咏马、咏鹰不可得见，即求如李之《早燕》大方而自然者，亦难之难矣。

晚唐自应首推李、杜，义山之沉郁奇谲，樊川之纵横傲岸，求之全唐中，亦不多见，而气体不如大历诸公者，时代限之也。次则温飞卿、许丁卯，次则马虞臣、郑都官，五律犹有可观，外此则邾、莒之下矣。（同上）

黄叔灿《唐诗笺注凡例》：唐诗至中、晚之世语愈工则意愈薄，而格亦渐卑。如《丁卯》、《碧云》、《浣花》诸集，前辈有“诗家乡愿”之讥。

王寿昌《小清华园诗谈》：唐人佳句，有可以照耀古今，脍炙人口者。如【略】李义山之“惜花春起早，爱月夜眠迟”、“池光不受月，野气欲沉山”、“晚凉风过竹，深夜月当花”，马戴之“猿啼洞庭树，人在木兰舟”，张乔之“夜火山头市，春江树杪船”，杜荀鹤之“风暖鸟声碎，日高花影重”，【略】僧齐己之“前村深雪里，昨夜一枝开”，【略】许郢州之“溪云初起日沈阁，山雨欲来风满楼”，李频之“去雁远冲云梦雪，离人独上洞庭船”，赵嘏之“残星几点雁横塞，长笛一声人倚楼”，韦庄之“心如狱色留秦地，梦逐河声出禹门”、“载酒客寻吴苑寺，倚楼僧看洞庭山”，方干之“树影不随明月去，溪声常带落花来”、“鹤盘远势投孤屿，蝉曳残声过别枝”，项斯之“月明古寺客初到，风动闲门僧未归”，僧隐峦之“溪边十里五里花，云外三峰两峰雪”。此等句当与日星河岳同垂不朽。

诗之天然成韵者，如【略】李义山之“五更疏欲断，一树碧无情”，温飞卿之“鸡声茅店月，人迹板桥霜”，【略】杨夔之“数片石从青嶂得，一条泉自白云来”，【略】温飞卿之“波上马嘶看棹去，柳边人歇待船归”，李义山之“内苑只知含凤嘴，属车无复插鸡翎”，李郢之“兰叶露光秋月上，芦花风起夜潮来”，谭用之之“秋风万里芙蓉国，暮雨千家薜荔村”之类是也。(同上)

钟秀《观我生斋诗话》：晚唐渐参弱艳，然亦有未可厚非者。如李义山、温飞卿、许丁卯之流，取其秀劲不失之纤靡者以为师资，亦有裨益。

朱庭珍《筱园诗话》：大历以降，风调渐佳，气格渐损。故昌谷以雄奇胜，元、白以平易胜，温、李以博丽胜，郊、岛以幽峭胜，虽品格不一，皆能自成局面，亦皆力求其变者也。即张、王、皮、陆之属，非无意翻新变故者，特成就狭小耳。晚唐衰极，五代诗亡，几扫地尽。

宋育仁《三唐诗品》：晚唐收《风》、《雅》之尘，沿绮丽之体，词趋绵缛，芳泽粗存，高薄盛唐，卑沦初宋。温、李、韩偓，以温润名家；江东皮、陆，以疏朗揆制；情词芳悱，则表圣为足多焉。自余数家，视兹为亚。综其得失，源始盛音，蕴藉所存，琅然尽致。然或刻镂以伤巧，或枯淡而鲜珍，或铺张以害体，或浮露以略格，此其失也。

丁仪《诗学渊源》：诗至晚唐，思致新颖，务极精巧，虽性灵未泯，风神秀出，而纤巧刻露，格调终非上乘。考其体裁之所自，大抵得子美、太白之一体，即西昆亦实师之，特文采异被而已。

第一章

唐武宗会昌元年至唐懿宗咸通十四年(公元841—公元873年)共33年

·引 言·

黄滔《答陈磻隐论诗书》：咸通、乾符之际，斯道隟明，郑卫之声鼎沸，号之曰“今体才调歌诗”。援雅音而听者懵，语正道而对者睡。噫！王道兴衰，幸蜀移洛，兆于斯矣。

孙光宪《北梦琐言》：咸通中，礼部侍郎高湜知举，榜内孤贫者公乘亿，赋诗三百首，人多书于屋壁。许棠有《洞庭》诗，尤工，时人谓之“许洞庭”。最奇者有聂夷中，河南中都人，少贫苦，精于古体，【略】所谓言近意远，合《三百篇》之旨也。盛得三人，见湜之公道也。

温庭云字飞卿，或云作“筠”字，【略】与李商隐齐名，时号曰“温李”。才思艳丽，工于小赋。【略】李义山谓曰：“近得一联句云：‘远比召公，三十六年宰辅。’未得偶句。”温曰：“何不云：‘近同郭令，二十四考中书。’”（同上）

尤袤《全唐诗话序》：唐自贞观来，虽尚有六朝声病，而气韵雄深，骎骎古意。开元、元和之盛，遂可追配《风》、《雅》。迨会昌而后，刻露华靡尽矣。往往观世变者于此有感焉。

陆游《跋许用晦〈丁卯集〉》：许用晦居于丹阳之丁卯桥，故其诗名《丁卯集》，在大中以后亦可为杰作。自是而后，唐之诗益衰矣，悲夫！

范晞文《对床夜语》：七言律诗极不易，唐人以诗名家者，集中十仅一二，且未见其可传。盖语长气短者易流于卑，而事实意虚者又几乎塞，用物而不为物所赘，写情而不为情所牵，李、杜之后，当学者许浑而已。

高棅《唐诗品汇》：开成后，马戴、陈陶、刘驾、李群玉辈，黾勉气格，尚欲贾前人之余勇。又如司马扎、于濆、邵谒之属，研精覃思，不过历郊、岛之藩翰耳。虽然，时有废兴，道有隆替，文章与时高下，与代终始，向之君子，岂可泯然其不称乎？……合而题曰余响，以见唐音之盛，沨沨不绝，虽非阳春白雪，引商泛徵，而属和者不多，殆与下里巴人，淫哇之声，则有间矣。

杨慎《升庵诗话》：唐诗至许浑，浅陋极矣，而俗喜传之，至今不废。高棅编《唐诗品汇》，取至百余首，甚矣，棅之无目也！棅不足言，而杨仲弘选《唐音》，自谓详于盛唐而略于晚唐，不知浑乃晚唐之尤下者，而取之极多。仲弘之赏鉴，亦羊质而虎皮乎？陈后山云："近世无高学，举俗爱许浑。"斯卓知矣。孙光宪云："许浑诗，李远赋，不如不做。"当时已有公论，惜乎伯谦辈之懵于此也！

许浑《韶州夜宴》诗云："鸜鹆鸜鹆未知狂客醉，鹧鸪先听美人歌。"《听歌鹧鸪词》云："南国多情多艳词，《鹧鸪》清怨绕梁飞。"又有《听吹鹧鸪》一绝，知其为当时新声，而未知其所以。及观李白《云》诗云："客有杜阳至，能吹《山鹧鸪》。清风动窗竹，越鸟起相呼。"郑谷亦有"佳人才唱翠眉低"之句，而继之以"相呼相应湘江阔"，则知《鹧鸪曲》效鹧鸪之声，故能使鸟相呼矣。（同上）

王世贞《唐诗类苑序》：夫诗之体莫悉于唐，而唐莫美于初盛。自武德而景龙者，初也；自开元而至德者，盛也，大历之半割之矣。初则由华而渐敛，以态韵胜；盛则由敛而大舒，以风骨胜。然其所遭之变渐多，而用亦益以渐广……其余者，若元和、会昌为中，中可录也；会昌降为晚，晚可采也。不然，吾惧操觚者之有后言也。

王世贞《艺苑卮言》：义山浪子，薄有才藻，遂工俪对。宋人慕之，号为"西昆"。杨、刘辈竭力驰骋，仅尔窥藩。许浑、郑谷厌厌有就泉下意，浑差有思句，故胜之。

胡应麟《诗薮》：中唐绝，如刘长卿、韩翃、李益、刘禹锡，尚多可讽咏。晚唐则李义山、温庭筠、杜牧、许浑、郑谷，然途轨纷出，渐入宋、元。多歧亡羊，信哉。

七言绝，体制自唐，不专乐府。然盛唐颇难领略，晚唐最易波流。能知盛唐诸作之超，又能知晚唐诸作之陋，可与言矣。盛唐绝句，兴象玲珑，句意深婉，无工可见，无迹可寻。中唐遽减风神，晚唐大露筋骨，可并论乎。（同上）

许学源《诗源辩体》：晚唐五言古诗，温、李而后，作者绝响。大中、咸通间，诸子多习为之，而实无足取。李群玉学太白，尽力摹拟，亦稍有可观，惜才力太弱。司马扎间有远韵，亦能成篇。邵谒学孟郊，而浅鄙者实多。曹邺间学六朝，亦无足采。于濆、苏拯，鄙陋益甚。

元和柳子厚五、七言律，再流而为开成许浑（字用晦）诸子。许才力既小，风气日漓，而造诣渐卑，故其对多工巧，语多衬贴，更多见斧凿痕，而唐人律诗乃渐敝矣，要亦正变也。（下流至韦庄五言律，李山甫、罗隐七言律）（同上）

晚唐诸子体格虽卑，然亦是一种精神所注。浑五七言律工巧衬贴，便是其精神所注也。若格虽初盛，而庸浅无奇，则又奚取焉？（同上）

开成七言绝，许浑、杜牧、李商隐、温庭筠，声皆浏亮，语多快心，此又大历之降，亦正变也。（下流至郑谷七言绝）中间入议论，便是宋人门户。（同上）

胡震亨《唐音癸签》：咸通而后，奢靡极，衅孽兆，世衰而诗亦因之气萎语偷……王化习俗，上下交丧，而心声随焉，岂独士子罪哉。

徐献忠《唐诗品》：元和以还，格调顿变，而清苦、对切之病，俱乏浑成，然意气格力，尚多可采。会昌作者，虞臣有称，然五言之长，自不可掩，而他皆不称。偏师虽捷，未足长驱，才难之叹，要之信然。

元和以后，专事声偶，文藻疏薄而神气萎靡，无足取者。许浑之在当时，独以精密俊丽见称。今观其集，旨趣物理，研穷意象，天然秀出，不可变动。如"湘潭云尽暮山出，巴蜀雪消春水来"，如"石燕拂云晴亦雨，江豚吹浪夜还风"，如"溪云初起日沉阁，山雨欲来风满楼”，为世传诵，不但披沙见宝而已。后来时作，往往祖尚郢州，虽未登于珪璋之列，而烟云风鸟之思，形容揉弄殆已尽其华态，亦何可少耶！（同上）

贺贻孙《诗筏》：中唐如韦应物、柳子厚诸人，有绝类盛唐者；晚唐如马戴诸人，亦有不愧盛唐者。然韦、柳佳处在古诗，而马戴不过五七言律。韦、柳古诗尚慕汉、晋，而晚唐人近体相沿时尚。韦、柳辈古体之外尚有近体，而晚唐近体之中遂无古意。此又中、晚之别也。晚唐人落想之妙，亦有初、盛人所不能道者，然初、盛人决不肯道。今人于晚唐语肯道，又却不能道。

吴瑞荣《唐诗笺要》：丁卯集多选声设色工作，如“风吹药蔓迷樵径，水暗芦花失钓船”、“一樽酒尽青山暮，千里书回碧树秋”，皆律度可仿，胜枯木湿鼓之音远矣。

薛雪《一瓢诗话》：许丁卯思正气清，诗中君子，但苦声调低哑有之，在当时韦端己、杜牧之皆有诗推许可证。杨诚斋［按，当为杨慎之误］诋其浅陋，竟似道听途说，不曾亲读此公诗者。

有唐一代诗人，惟李玉溪直入浣花之室，温飞卿、段柯古诸君，虽与并名，不能历其藩翰，后人以獭祭毁之，何其愚也。试观獭祭者，能作得半句玉溪诗否。（同上）

袁枚《随园诗话》：今人论诗，动言贵厚而贱薄，此亦耳食之言。不知宜厚宜薄，惟以妙为主。以两物论，狐貉贵厚，鲛绡贵薄；以一物论，刀背贵厚，刀锋贵薄。安见厚者定贵，薄者定贱耶。古人之诗，少陵似厚，太白似薄，义山似厚，飞卿似薄，俱为名家。犹之论交，谓深人难交，不知浅人亦正难交。

叶矫然《龙性堂诗话》：晚唐之马戴，盛唐之摩诘也。晚唐之曹邺，中唐之孟郊也。逸情促节，似无时代之别。

许浑“溪云初起日沉阁，山雨欲来风满楼”，刘沧“半夜秋风江色动，满山寒叶雨声来”，语意工妙相似，亦相敌。（同上）

李重华《贞一斋诗说》：许丁卯格甚凝炼，气未深厚。

陈文述《书许丁卯诗后》：余于三唐诸家，李、杜外，古诗嗜岑嘉州，近体嗜许丁卯，以神清骨秀也。丁卯佳句，色韵尤胜……五雀六燕，铢两悉称，全篇何尝不浑成！学者于此种究心，必无浮滑粗豪之病。

翁方纲《石州诗话》：许丁卯五律，在杜牧之下、温岐之上，固知此事不尽关涂泽也。七律亦较温清迥矣。

咸通十哲，概乏风骨。（同上）

鲁九皋《诗学源流考》：太和、会昌而下，诗教日衰，独李义山矫然特出，时传子美之遗；特用事过多，涉于浓滞，或掩其美。次则杜牧之律体，寓拗峭以矫时弊，犹有健气。义山与温庭筠、段成式并为西昆体，然温非李俦也。其余皮、陆、许浑、马戴、赵嘏、韦庄、罗隐、唐彦谦诸人，虽间有逸韵，靡靡无足观；降而韩偓之《香奁》，风益下矣。

尤袤《全唐诗话序》：唐自贞观来，虽尚有六朝声病，而气韵雄深，骎骎古意。开元、元和之盛，遂可追配《风》、《雅》。迨会昌而后，刻镂华靡尽矣。往往观世变者于此有感焉。

王世贞《弇州续稿》卷五三《唐诗类苑序》："夫诗之体莫悉于唐，而唐莫美于初盛。自武德而景龙者，初也；自开元而至德者，盛也，大历之半割之矣。初则由华而渐敛，以态韵胜；盛则由敛而大舒，以风骨胜。然其所遘之变渐多，而用亦益以渐广……其余者，若元和、会昌为中，中可录也；会昌降为晚，晚可采也。不然，吾惧操觚者之有后言也。"

公元841年（唐武宗会昌元年　辛酉）

正月

武宗开成五年（840）即位，本月改元会昌。

白居易（772—846）本年满70岁。白氏与高僧如满交契深厚，有《山下留别佛光和尚》一诗。诗云："劳师送我下山行，此别何人识此情？我已七旬师九十，当知后会在他生。"（见《白居易集》卷三十五）［按，佛光和尚即高僧如满，《五灯会元》卷三记："洛京佛光如满禅师，曾住五台山金阁寺。"又，白居易代宗大历七年壬子正月二十日生（见《唐诗纪事》、《醉吟先生墓志》），姑系该诗于本月］白居易《醉吟先生传》自称："（予）与嵩山僧如满为空门友。"（影宋绍兴本《白氏文集》卷七十）《旧唐书·白居易传》载："会昌中，（白氏）请罢太子少傅，以刑部尚书致仕，与香山僧如满结香火社。每肩舆往来，白衣鸠杖，自称香山居士……卒……遗命不归下邦，可葬于香山如满师塔之侧。家人从命而葬焉。"

六日，僧宗密圆寂，年六十二。贾岛作《哭宗密禅师》诗："鸟道雪岑颠，师亡谁去禅……唯嗟听经虎，时到坏庵边。"（见《长江集新校》卷八）后裴休撰有《圭峰禅师碑铭序》。（见《全唐文》卷七四三）［按，裴休（791—864），字公美，乃当世名公。登能直言极谏科。大中四年（850）以礼部侍郎知贡举时，擢曹邺、刘蜕等。为人操守严正，深于释典。书法遒媚，自成笔法。善文章，尤精表状］

二月

礼部侍郎柳璟知贡举。崔岘、薛逢、沈询、杨收、王铎、李蠙、谭铢、谢防等三十人登进士第。

崔岘以第一名中进士科状元。

薛逢以第三名中进士。（见《唐才子传》）生卒年不详。逢字陶臣，河东（今山西永济）人。逢本年登第后授校书郎，雠书七载（见《全唐文》卷七六六薛逢《上中书李舍人启》），出佐崔铉河中幕。［按，崔铉镇河中始会昌六年至大中三年（见《唐方镇年表》卷四）］大中三年崔铉复相（见《新唐书·宰相世系表》），引为万年尉。两考后，逢转至秘书郎任，直弘文馆，预修《续会要》。迁侍御史、尚书郎、分司东部。咸通初，出为成都少尹，历嘉、绵二州刺史，又曾为巴、蓬二州刺史。以太常少卿召还，后历给事中、京兆尹、秘书监而卒。逢工诗，有《薛逢诗集》十卷、《别纸》十三卷、《赋集》十四卷，均佚。《全唐诗》存诗一卷。《旧唐书·文苑传》："逢文词俊拔，论议激切，自负经画之略，久之不达。应进士时，与彭城刘瑑尤相善，而瑑词艺不逮

逢，逢每侮之。至大中末，瑑扬历禁署，逢愈不得意，自是相怨。俄而瑑知政事，或荐逢为知制诰，瑑奏曰：'先朝立制，两省官给事中、舍人除拜，须先历州县。逢未尝治郡，宜先试之。'乃出为巴州刺史。既而沈询、杨收、王铎由学士相继为将相，皆同年进士，而逢文艺最优。杨收作相后，逢有诗云：'须知金印朝天客，同是沙堤避路人。威凤偶时皆瑞圣，潜龙无水谩通神。'收闻，大衔之，又出为蓬州刺史。收罢相，入为太常少卿。给事中王铎作相，逢又有诗云："昨日鸿毛万钧重，今朝山岳一尘轻。'铎又怨之。"徐松《登科记考》卷二十二据此考曰："逢有《上崔相公启》云：'某自开成建号，则执艺求知，迹忝及门，名叨中选。或缘情序美，移时而奖导再三；或体物达诚，一席而称扬数四。遂使声华振擢，喧动辈流，折桂高枝，名登上第。'疑崔为乡试主也。"［按，崔相公或当为崔铉。逢诗文中多有请求崔铉援引者，亦多有因铉之延誉援引而呈谢者］王定保《唐摭言》曰："薛监晚年，厄于宦途。常策羸赴朝，值新进士榜下，缀行而出。时进士团司所由辈数十人，见逢行李萧条，前导曰：'回避新郎君。'逢輾然，即遣一介语之曰：'报道莫贫相，阿婆三五年少时，也曾东涂西抹来。'"《唐才子传》评云："逢天资本高，学力亦赡，故不甚苦思，而自有豪逸之态，第长短皆率然而成，未免失浅露俗，盖亦当时所尚，非离群绝俗之诣也。"《唐音癸签》曰："薛陶臣殊有写才，不虚俊拔之目，长歌似学白氏，虽以此得名，未如七律多警。"许学夷《诗源辩体》称："薛逢七言律《老听笙歌》一篇，声气亦胜……其他入录者，声多宣朗，语多秾丽，亦有渐入纤巧者。"吴瑞荣《唐诗笺要》曰："薛秘书诗看核典籍，略伤混雅之气，然初学于此籍手，亦登堂斋蕺之一助也。"

沈询（？—863）本年登进士第。询，误作珣。字诚之。苏州吴县（今江苏苏州）人。沈传师子。及第后，补渭南尉。大中元年（847）自右拾遗、集贤院学士充翰林学士。累迁中书舍人。九年（855），知贡举，擢孙樵、卢携、陆肱等。同年，由礼部侍郎出为浙东观察使。十二年（858），迁户部侍郎、判度支。咸通四年（863）为昭义节度使，军乱遇害。工文辞，长于制诏。《全唐文》存文六篇，又于"沈珣"名下存文十六篇；《全唐诗》存诗一首。事迹见新、旧《唐书》本传。

杨收（815—869）本年登进士第。《旧唐书》本传："收字藏之，同州冯翊人。父遗直。初，遗直娶元氏，生发、假。继室长孙氏，生收、严。收长六尺二寸，广颡深颐，疏眉秀目，寡言笑，方于事上，博闻强记。初，家寄涔阳，甚贫。收七岁丧父，长孙氏夫人知书，亲自教授。十三略通诸经义，善于文咏，吴人呼为神童。兄发戏令咏蛙，即曰：'兔边分玉树，龙底耀铜仪。会当同鼓吹，不复问官私。'又令咏笔，仍赋钻字，即曰：'虽非囊中物，何坚不可钻？一朝操政事，定使冠三端。'每良辰美景，吴人造门观神童，请为诗什。观者压败其藩，收嘲曰：'尔幸无羸角，何用触吾藩？若是升堂者，还应自得门。'收以母奉佛，幼不食肉。母亦勖之曰：'俟尔登进士第，可肉食也。'收以仲兄假未登第，久之不从乡赋。开成末，假擢第。是冬，收之长安，明年，一举登第，年才二十六。"《北梦琐言》盛赞其一门兄弟子侄皆以文学闻名当世，曰："唐相国杨收，江州人。祖为本州岛岛都押衙。父遗直，为兰溪县主簿，生四子，发、假、收、严，皆登进士第。收即大拜，发以下皆至丞郎。发以春为义，其房子以柷、以乘为名。假以夏为义，其房子以煚为名。收以秋为义，其房子以钜、鏻、鏕、镒为名。严以冬为义，其房子以注、涉、洞为名。尽有文学，登高第，号曰修行杨家，与靖恭诸杨比于华盛。”

王铎（？—884）本年进士及第。铎，字昭范。祖籍太原（今属山西）。会昌元年（841）进士及第。累迁右补阙。咸通二年（861），由驾部郎中知制诰。五年（864），转礼部侍郎，知贡举，时称得人。十一年（870），以礼部尚书同平章事。出为宣武节度使。乾符四年（877）复拜门下侍郎、平章事。六年（879），出为荆南节度使，以对付黄巢军。罢为太子宾客。中和元年（881）复拜门下侍郎、平章事。出为义成节度使。四年（884）徙义昌节度使，过魏州，为乐从训劫杀。《全唐诗》存诗三首，《全唐诗补编》补一首；《全唐文》存文一篇，《唐文拾遗》补一篇。事迹见新、旧《唐书》本传。

谭铢，一作谈铢，本年登进士第。《唐诗纪事》卷五十六谓谭铢为吴人，即苏州人。又称其为“广文生”，《南部新书》卷己亦记郑浑、谭铢“俱广文”。咸通末，为苏州盐院官。约于本年及第前，谭铢有题咏吴地真娘墓之作，盖时人过真娘墓多爱题诗，铢作诗讥之为“重色”，后遂罕有题咏者。其诗因以知名。《云溪友议》卷中《谭生刺》：“真娘者，吴国之佳人也，时人比于苏小小，死葬吴宫之侧……有举子谭铢者，吴门秀逸之士也，因书绝句以贻后之来者……诗曰：‘武丘山下冢垒垒，松柏萧条尽可悲。何事世人偏重色，真娘墓上独题诗。’”《全唐诗》存诗二首，《全唐文》存文一篇。事迹见《云溪友议》卷中、《南部新书》卷己、《登科记考》卷二一。

康僚（？—872）本年进士及第。僚，一作镣。越州会稽（今浙江绍兴）人。幼嗜书，及冠能属辞。及第后，又登博学宏词科，授秘书省正字。三年（843），辟桂管观察支使，试秘书郎。大中二年（848）为京兆府参军，充进士试官，取孙樵、高璩等。三年（849），授大理评事兼监察御史、户部巡官。咸通元年（860）累官检校礼部郎中兼侍御史，充转运巡官。二年（861），授海州刺史。秩罢，居淮阴。八年（867）拜大理少卿。九年（868），迁仓部郎中，充西川宣慰制置盐铁法使兼西川供军使，贬澧州刺史。移郑州长史，十三年（872）卒。尤工辞赋。孙樵称其“援毫立成，清媚新峭，学者无能如”。代表作《汉武帝重见李夫人赋》描写细腻生动，是晚唐写爱情的律赋名篇。《全唐文》存律赋二篇。事迹见唐孙樵《唐故仓部郎中康公墓志铭并序》。

三月

白居易百日假告满，停少傅官，退出官场。作《百日假满少傅官停自喜言怀》、《会昌元年春五绝句》、《官俸初罢亲故见忧以诗谕之》等诗。陈振孙《白文公年谱》云：“唐朋党之祸始于元和之初，而极于大和开成会昌之际。三十年间士大夫无贤不肖出此必入于彼，未有能自脱者。权位逼轧，祸福伏倚，大则身死家灭，小亦不免万里投荒。独公超然利害之外，虽不登大位，而能以名节始终，惟其在朋党之时不累于朋党故也。”

宦官仇士良谮杨嗣复、李珏，劝武宗诛之。李德裕偕同时为相者崔珙、崔郸、陈夷行力谏，杨、李得免于死。杨贬为潮州刺史，李贬为昭州刺史。

裴夷直坐与杨嗣复、李珏同党，由杭州刺史贬为驩州司户。（据《旧唐书·武宗本纪》）夷直途中作《题江上柳寄李使君》（见《全唐诗》卷五百一十三），据吴汝煜《唐五代人交往诗索引》，此诗中之李使君即原桂管观察使李珏。夷直被贬前，白居易曾有《寄题余杭郡楼兼呈裴使君》诗寄之（见《白居易集》卷三十六）。［按，裴夷直，生卒年不详，字礼卿，吴人，郡望河东。元和十年（815）登进士第。大和末，为宣歙观察使王质从事。入朝，历右拾遗、吏部员外郎、左司员外郎，迁中书舍人、御史中丞。武宗立，坐刘弘逸、薛季棱党，出为杭州刺史，再贬驩州司户。宣宗立，内徙为江州刺史。后归朝。大中十年自兵部郎中出为苏州刺史，迁华州刺史、潼关防御、镇国军等使，终散骑常侍］夷直颇为士林推重，《因话录》赞曰："（程子齐）与堂舅李信州虔，相知最深；交契最厚，有裴公夷直。皆士林之望也。"《唐诗纪事》"李逢吉"条载："逢吉与令狐楚有唱和诗，曰《断金集》，裴夷直为之序。"《唐才子传》："（夷直）工诗，有盛名。集一卷，今传于世。"有《裴夷直诗》一卷。《全唐诗》编诗一卷。

春

喻凫任校书郎。喻凫生卒年不详，开成五年登第，会昌元年任校书郎，历任长城令、德清令、乌程令等，卒于乌程令。（见徐松《登科记考》）凫逝时尚未中年，为诗尚苦吟。据《新唐书·艺文志》、《唐诗纪事》、《唐才子传·喻凫传》，本年春喻凫新授校书郎，归常州阳羡觐兄，顾非熊、无可、姚合均在长安赋诗送行。顾非熊作《送喻凫春归江南》（见《全唐诗》卷五〇九），姚合作《送喻凫校书归毗陵》（见《全唐诗》卷四九六），无可有《送喻凫及第归阳羡》（见《全唐诗》卷八一三）。喻凫诗作颇受时人好评。方干《赠喻凫》诗云："所得非众语，众人那得知。才吟五字句，又白几茎髭。月阁欹眠夜，霜轩正坐时。沈思心更苦，恐作满头丝。"（见《全唐诗》卷六四八）张为《诗人主客图》列其为"清奇雅正"之及门者。《新唐书·艺文志四》录《喻凫诗》一卷。清席启㝢编《唐诗百名家全集》录《喻凫诗集》一卷。《全唐诗》卷五四三编其诗一卷。

六月

武宗崇信道教，优宠道士，招致朝臣反对。《旧唐书·武宗本纪》本月条载，"（上）以衡山道士刘玄靖为银青光禄大夫，充荣玄馆学士，赐号广城先生，令与赵归真于禁中修法箓。左补阙刘彦谟上疏切谏，贬彦谟为河南府户曹。"《资治通鉴》卷二四六则记云："上命道士赵归真等于三殿建九天道场，亲授法箓。右拾遗王哲上疏切谏，坐贬河南府士曹。"

七月

韦楚老（803—841）卒。韦，误作常。名寿朋，以字行。一说字寿朋。襄州襄阳

（今湖北襄樊）人。长庆四年（824）进士及第。大和九年（835）官左拾遗。开成二年（837）后辞官居金陵。仕终殿中侍御史（一说国子祭酒）。与杜牧情好相得。有诗名。杜牧本年作《重到襄阳哭亡友韦寿朋》：“故人坟树立秋风，伯道无儿迹更空。重到笙歌分散地，隔江吹笛月明中。”（见《樊川诗集》卷四）此诗题一作《重宿襄州哭韦楚老拾遗》。张为《诗人主客图》将韦楚老列为“高古奥逸”之及门者。辛文房《唐才子传》称其诗：“气既淳雄，语亦豪健，众作古乐府居多。《祖龙行》曰：‘黑云兵气射天裂，壮士朝眠梦冤结。祖龙一夜死沙丘，胡亥空随鲍鱼辙。腐肉偷生二千里，伪书先赐扶苏死。墓接骊山土未干，瑞光已向芒砀起。陈胜城中鼓三下，秦家天下如崩瓦。龙蛇撩乱入咸阳，少帝空随汉家马。’杰制颇多，俱当刮目。”《祖龙行》与《江上蚊子歌》为传世名作。《全唐诗》卷五〇八录其诗二首、断句二句。事迹见《唐才子传校笺》卷六。

九月

周贺谒江州刺史张又新，有诗献之。贺有诗名，其集传世。《全唐诗》卷五〇三有周贺《投江州张郎中》诗，此张郎中即为江州刺史张又新（见傅璇琮《唐五代文学编年史·晚唐卷》，页198）。周贺本年后事迹无考，《唐才子传》卷六谓其“荣望落落，竟往依名山诸尊宿而终。”闻一多《唐诗大系》谓其生于公元777年，则本年贺六十五。《唐摭言》卷一〇谓其“诗格清雅，与贾长江、无可上人齐名。”《诗人主客图》即列其为“清奇雅正”之入室者。《唐音癸签》卷七引明徐献忠《唐诗品》：“周贺沈郁有骨力，写象痛切，意旨融变。”明钟惺、谭元春《唐诗归》卷三二：“贺诗清奥，有异气，有孤响。与僧清塞盖一人也。”《新唐书·艺文志四》录《周贺诗》一卷，其集又名《清塞集》。《四部丛刊续编》有影印宋临安书棚本《周贺诗集》一卷。《全唐诗》卷五〇三编其诗一卷。

本年

温畬撰就《续定命录》一卷。李剑国《唐五代志怪传奇叙录》考云：“撰书之时在开成二年十月至会昌元年十一月前”。

刘禹锡（772—842）年70岁，仍在洛阳为太子宾客。曾邀东都留守王起饮酒赋诗，作《同留守王仆射各赋春中一物从一韵至七》诗。王仆射即王起。[按，《旧唐书·王起传》：“武宗即位，八月，（起）充山陵卤簿使……寻检校左仆射、东都留守……会昌元年，征拜吏部尚书，判太常卿事。”故知此诗作于本年] 诗云：“莺，能语，多情。春将半，天欲明。始逢南陌，复集东城。林疏时见影，花密但闻声。营中缘催短笛，楼上来定哀筝。千门万户垂杨里，百转如簧烟景晴。”此诗为一言至七言的杂体诗，七韵通押庚韵，虽系游戏之作，亦见出艺术功力。

南卓为洛阳令，与白居易、刘禹锡宴游，谈及羯鼓事，刘、白劝其为文以记之。其《羯鼓录》末云：“会昌元年，卓因为洛阳令，数陪刘宾客、白少傅宴游。白有家僮，多佐酒，卓因谈往前三数事，二公亦应和之，谓卓曰：‘若吾友所谈，宜为文纪，不可令堙没也。’时过而未录。及陕府卢尚书任河南尹，又话之，因遣为纪……至东阳……乃详列而竟焉。”［按，吴汝煜《唐五代人交往诗索引》所录白居易赠南卓之诗，有《南侍御以石相赠助成水声因以绝句谢之》、《酬南洛阳早春见赠》、《每见吕南二郎中新文辄窃有所叹惜因成长句因咏所怀》等三首，可见交游之密。故刘、白有“宜为文纪”之嘱］卓，字昭嗣。生卒年、籍贯不详。大和二年（828）登贤良方正、能直言极谏科。初官拾遗。以谏谪松滋令。会昌元年（841）为洛阳令，萌撰写《羯鼓录》之想。四年（844），卢贞为河南尹，遣其为纪，编成草稿。会昌末为蔡州刺史。大中初，为婺州刺史，四年（850）罢。官终黔南观察使。能文，通音乐。历时多年撰成之《羯鼓录》一卷，为研究唐代音乐、诗歌的重要资料，今传。《新唐书·艺文志》除此书外，又著录《唐朝纲领图》一卷、《南卓文》一卷，已佚。又有《驳史》三十卷，《云溪友议》卷中述及，但未见著录，亦佚。《全唐诗》存诗一首，《唐文拾遗》存文一篇。事迹见《羯鼓录》、《云溪友议》卷中、《唐诗纪事》卷五四、《登科记考》卷二〇、卞孝萱《南卓考》。

孙樵本年曾入都遭有司之斥，作《出蜀赋》。“辛酉之直年兮，引败车（“车”据《全唐文》卷七九四改）而还养。济桐梓之重江，出大剑之复关……抵长都之岌岌，排阊阖而西入。荷天衢之广阔，仰白日之赫赫……忽有司之吾斥，曾不得而上通兮。……于是谢唯唯之面朋，而焚逐逐之燥机。……环亩墙而阖扉，邀仁义与之为友兮，追五经而为师。倘徉文章之林圃兮，与百氏而驱驰。”（见《孙可之文集》卷一）

章孝标，约本年前后游扬州，谒节度使李绅。孝标字道正。睦州桐庐（今属浙江）人。家于杭州钱塘（今浙江杭州），故亦称钱塘人。元和九年（814）起，至长安谋仕。十三年（818）下第，同辈多作诗刺主司，孝标独为《归燕》诗留献中书舍人庾承宣。后游蜀。十四年（819），庾再知贡举，章得以进士及第。授秘书正字。迁校书郎。长庆三年（823）或四年（824），归杭州，谒白居易。又至浙东谒元稹。大和中，试大理评事，为山南东道从事。诗学张籍，尤长于近体，多酬和赠送、行旅题咏之作。文辞蒨饰，思致爽朗。少数作品较多现实内容。张为《诗人主客图》列为“瑰奇美丽主”武元衡之“及门”，取《宫词》一首。《新唐书·艺文志四》著录《章孝标诗》一卷（《宋史·艺文志七》作《章孝标集》七卷，疑误），有散佚。今传《章孝标诗集》一卷。《全唐诗》存诗一卷（《送进士陈峣往睦州谒冯郎中》当系误收），《全唐诗逸》补四首、断句三十二句，《全唐诗补编》补一首、断句八句；《全唐文》存文一篇。事迹见《唐才子传校笺》卷六。

杨汝士（？—841 后）本年或之后卒。汝士，字慕巢，虢州弘农（今河南灵宝）人。排行六。杨虞卿兄（一作从兄，误）。白居易呼之为“兄”。元和四年（809）进士及第。又登博学宏词科。累为使府从事。长庆元年（821）为右补阙，贬开江令。大和三年（829），以职方郎中知制诰。拜中书舍人。累迁至户部侍郎。开成元年（836），由兵部侍郎出为剑南东川节度使。官终刑部尚书（一作侍郎，误）。能诗。相传宝历中作《宴杨仆射新昌里第》诗“压倒元、白”，“昔日兰亭无艳质，此时金谷有高人”二句使白居易自愧不如。有文集一卷，已佚。《全唐诗》存诗八首、断句二句，为酬和戏谑之作；《全唐文》存文二篇。事迹见新、旧《唐书·杨虞卿传》附传。

公元842年（唐武宗会昌二年　壬戌）

正月

白居易本年七十一岁，作《喜入新年自咏》、《佛光和尚真赞》、《对酒闲吟赠同老者》等诗。（陈振孙《白文公年谱》）

二月

丁丑，李绅由淮南节度使入相，为中书侍郎、同平章事。（见《资治通鉴》卷二四六。《旧唐书·武宗本纪》系于会昌元年，不确）

郑颢、张潜、郑从谠、郑畋、郑诚、郭京、宋震、崔枢等三十人登进士第。（见《登科记考》卷二二本年条）

郑颢（816—860），以第一名中进士科状元。《旧唐书·郑絪传》："絪子祗德。祗德子颢，登进士第。"《唐语林》："郑颢，宰相子，状元及第，有声名。"卢韬撰大中十二年五月十二日《唐故范阳卢氏（韬）荥阳郑夫人墓志铭》云："夫人之兄五人……长兄曰颢，幼而爽晤……长果博文强识，廿六首冠上第，兴元帅辟为支使。"（见《全唐文补遗》册六，第174页）颢，字养正，又误作奉正。河南河清（今河南孟州）人。郑絪孙。进士科状元及第，授宏文馆校书郎。迁右拾遗。大中三年（849），自起居郎充翰林学士。娶宣宗女万寿公主，迁右谏议大夫知制诰。四年（850），拜中书舍人。五年（851），授庶子出翰林院。迁给事中。九年（855）起，为礼部侍郎，知贡举两年，选拔滞才，为时人所称。十三年（859），迁刑部、吏部二侍郎，出为河南尹。次年，卒。《全唐诗》存诗一首，《全唐文》存文一篇。事迹见新、旧《唐书》本传，《翰林学士壁记》。

张潜以第二名中进士。《唐阙史》："荥阳郑氏，其先相故河中少尹讳复礼，应进士举，十不中所司选，困危且甚。千佛寺有僧弘道者，人言昼则平居，夕则视事于阴府，十祈叩者，八九拒之。复礼不胜其蹇踬愤惋，则择日斋沐候焉。颇容接之，且曰：'某未尝妄洩于人，今知茂才抱积薪之叹且久之，不能隐忍耳。勉旃进取，终成美名。然其事类异，不可名也。'郑拜请其期，弘道曰：'惟君无期，须四事相就，然后遂志。四缺其一，则复负冤。如是者骨肉相继三榜，三榜之前，犹梯天之难，三榜之后，则反掌之易也。'郑愕眙不谕，复再拜请语四事之目。弘迟疑良久，则曰：'慎勿言于人。君之成名，其事有四，亦可以为异矣。其一须是国家改元之第二年，其二须是礼部侍郎再知贡举，其三须是第三人姓张，其四同年须有郭八郎。四者阙一，则功亏一篑矣。如是者贤弟侄三榜，率须依此。'郑虽大疑其言，然郁郁不乐，以为无复望也。敬谢而退。长庆二年，人有导其姓名于主文者，郑以其非再知贡举，意甚疑之，果不中第。直至改元宝历之二年，新昌杨相国再司文柄，乃私喜其事，未敢泄言，来春遂登第。第二人姓张名知实，同年郭八郎名言扬。郑奇叹且久，因纪于小书之杪。次至故尚书右丞讳宪应举，大和二年，颇有籍籍之誉。以主文非再知举，试日果有期周之恤。尔后应大和九年，九举年年败于垂成。直至改元开成之二年，高锴再司文柄，明年果登上第。第二人姓张名棠，同年郭八郎名植，又附书于小书之杪。次至故驸马都尉讳颢应举，时誉转洽。至改元会昌二年，礼部柳侍郎璟再司文柄，都尉以状元及第。第二人姓张名潜，同年郭八郎名京。尔后荥阳之弟侄就试，如破竹之势，迎刃自解矣。”

郑从说，生卒年不详，本年进士及第。《旧唐书·郑余庆传》：“余庆孙从说，字正求，会昌二年登进士第。”

郑畋（825—883），生卒年不详，本年进士及第。《旧唐书》本传：“畋字台文，荥阳人。曾祖邻，祖穆，父亚。畋年十八，登进士第。释褐汴宋节度推官。畋因授官自陈曰：‘臣十八，进士及第。二十二，书判登科。又自陈曰：‘臣会昌二年进士及第，大中首岁书判登科。’”之后，授渭南尉、直史馆。大中中，因父亚与李德裕交厚，废斥十余年。咸通中，累迁翰林学士、中书舍人、户部侍郎。十（一）年（870），贬梧州刺史。僖宗即位，召还；乾符元年，拜相。五年（878），罢为太子宾客分司东都。广明元年，拜礼部尚书，出为凤翔、陇右（西）节度使。以抗击黄巢功，加同平章事，充京西诸道行营都统，以对付黄巢起义军。三年（883），为检校司徒，兼太子太保进检校司空。赴成都行在，复相，以疾不拜，改太子少保，卒，年五十九（一说六十三）为人仁恕，文学优深。为翰林学士、中书舍人时，禁庭书诏纷繁，畋文思泉涌，言皆破的，同僚搁笔推服。尤善赋诗。为凤翔从事时所作《马嵬坡》诗，后人以为“真辅相之句”。为渭南县尉时所作《题缑山王子晋庙诗》，论者以为“绝唱”。《新唐书·艺文志四》著录《玉堂集》五卷、《凤池稿草》三十卷、《续凤池稿草》三十卷均佚，《宋史·艺文志》著录《敕语堂判》五卷、《郑畋集》五卷。《诗集》一卷、《论事》五卷，并佚。《全唐文》存文十一篇；《全唐诗》存诗十六首、断句二句，《全唐诗补编》补诗一首、断句二句。事迹见新、旧《唐书》本传，参《唐阙史》卷上。

郑诚，生卒年不详，本年进士及第。《淳熙三山志》：“会昌二年，郑颢榜进士郑诚，字申虞，闽县人。历刑部郎中，郢、安、邓三州刺史。”［按，“诚”《永乐大典》引《闽中记》作“诚”，然诚乃郑谷从叔，当以《三山志》为正］《全唐文》卷八二三有黄滔《代郑郎中上兴道郑相启》：“昔年羽化，曾陪莺谷之春；今日云飞，俄隔凤池之路。信鹤鸡之果异，谅牛骥之终悬。徒增倚玉之荣，几积续貂之愧。……窃思顷年九陌秋天，都堂雪夜，常容披雾，每许参琼。逮夫片玉升科，兼金列榜，虽登龙群彦同戴邱山，而附凤一心偏投胶漆。既以宗盟属意，仍从知旧，留情重叠，依投绸缪。”郑诚曾任刑部郎中，故称“郑郎中”。“兴道郑相”，当指郑畋。诚，大中中为国子司业。咸通四年（863）任郢州刺史。乾符三年（876），由主客郎中转金部、刑部二郎中。出为安州刺史。又曾任定州刺史、江西节度副使。工文。时称郑诚文、詹雄诗、林滋赋为“闽中三绝”。有《郑诚集》，作品已佚。事迹见《新唐书·艺文志四》、《淳熙三山志》卷二六。

郭京，生卒年不详，本年登第，见上郑颢、张潜条。

宋震，生卒年不详，本年进士及第。《永乐大典》引《瑞阳志》：“宋震，高安怀旧乡萱村里人。会昌二年柳璟下进士。”又引《袁州府图志》：“宋震，齐邱之祖，登会昌二年进士第。”《全唐诗》卷五八八李频《秋宿慈恩寺遂上人院》，一作《送宋震先辈赴青州》。又同上卷八三〇贯休《上宋使君》诗云：“折桂文如锦，分忧力若春。位高空倚命，诗妙古无人。”

崔枢，生卒年未详，本年进士及第。徐松《登科记考》引《唐语林》："崔枢应进士，客居汴半岁，与海贾同止。其人得疾，既笃，谓崔曰：'荷君见顾，不以外夷见忽。今疾势不起，番人重土殡，脱殁，君能始终之否？'崔许之。曰：'某有一珠，价万缗，得之能蹈火赴水，实至宝也，敢以奉君。'崔受之，曰：'吾一进士，巡州邑以自给，奈何忽蓄异宝！'伺无人，置于柩中，瘗于阡陌。后一年，崔游丐亳州，闻番人有自南来寻故夫，并勘珠所在，陈于公府。且言珠必崔秀才所有也，乃于亳来追捕，崔曰：'傥窀穸不为盗所发，珠必无他。'遂剖棺，得其珠。汴帅王彦谟奇其节，欲命为幕，崔不肯。明年登第，竟主文柄，有清名。"［按，崔枢是否如徐松《登科记考》所考为本年进士，颇有可疑之处，详见附录］

韦滂，生卒年不详，本年进士及第。同治年间《广东通志》卷六六《选举表四·进士·唐》："会昌二年：韦滂，南海人，象州刺史。"日本藏康熙年间《南海县志》卷五《选举志·唐进士》："会昌：韦滂，象州刺史。"四库本《广东通志》卷三一《选举志·进士》："会昌中，韦滂，南海人，象州刺史。"《全唐诗》七四五有陈陶《南海送韦七使君赴象州任》。《云溪友议》卷上载："房千里博士初上第，游岭徼诗序云：'有进士韦滂者，自南海邀赵氏而来……'"《诗话总龟》卷二十三引《云溪友议》事略同。《唐诗纪事》卷五十一亦记其事。是此，《全唐诗》卷……房千里《寄妾赵氏》诗序之"韦滂"疑即本年进士韦滂。

苗绅登博学宏词科。绅，生卒年不详，上年已登进士科，《全唐诗》卷五七五有温庭筠《春日将欲东归寄新及第苗绅先辈》诗。吴钢主编《全唐文补遗》册六第191页，郑畋撰咸通十五年（874）十月八日《唐故朝散大夫京兆少尹御史中丞苗府君（绅）墓志铭并序》云："君讳绅，字纪之，上党壶关人。……会昌初，登进士第。明年，得宏词上等，授秘书省校书郎。"又云："畋与君联年登第，同出河东公门下。""河东公"当指柳璟，其于会昌元年、二年连知贡举，郑畋于会昌二年（842）登进士第，故知苗绅当在会昌元年登进士第，次年登博学宏词科。

李商隐（812—858），登书判拔萃科，授秘书省正字。商隐，字义山，号玉谿生，于开成二年（837）登进士第，开成四年（839）过吏部试，释褐任秘书省校书郎，调弘农县尉。《全唐文》卷七八〇李商隐《请卢尚书撰曾祖妣志文状》："曾孙商隐，以会昌二年由进士第判入等，授秘书省正字。"（见张采田《玉谿生年谱会笺》卷二、傅璇琮主编《唐才子传校笺》卷七《李商隐传》校笺）

知贡举：礼部侍郎柳璟。《旧唐书·柳登传》："璟，武宗朝转礼部侍郎，再司贡籍，时号得人。"《新唐书》："会昌二年，再主贡部，坐其子招贿，贬信州司马。"

附录：徐松《登科记考》因汴帅彦威、彦谟相近，遂疑此崔枢为会昌初进士，曰："据《彦威传》及《方镇表》，'王彦谟'当即'王彦威'之误。彦威于开成五年代李绅任河南节度使，会昌中入为兵部侍郎，则枢登第当在会昌元、二年。《宰相世系表》清河大房有秘书监崔枢，疑即其人。"徐氏此见虽考证家应有之义，但海贾还珠事，《太平广记》四〇二引有数条，情节多大同小异，率说文柄，自为说部家改头换面之作，本已不可深信。《语林》既云竟主会昌已后，据徐氏《登科记考》所录，会昌之后知贡举者曾无崔枢其人，即此一端，尤见虚伪之迹。而《登科记考》卷十八载，元和

五年，礼部侍郎崔枢知贡举，似即《语林》故事所指（此崔枢见《唐摭言》卷十一），顾时代又远在彦威前也。唐初别有崔枢，官司农卿，乃知温之祖（见《旧唐书》卷一八五上，亦见贞观八年《窨铭专》），更与此无涉。抑徐疑秘监崔枢生会昌时代，非谓不可能，顾从《新唐书·宰相世系表》卷七二下观之，此枢之七世从祖彦武实仕隋室，宪宗于高祖为九代孙，以生殖比率例之，秘监崔枢谓即礼侍崔枢，似尤近理。秘监从三品，视侍郎犹加两阶也。总此论测，《唐语林》之进士崔枢，谓应移入存疑一类。（见孟二冬《登科记考补正》）

仲春十九日，若耶溪女子题诗三乡驿壁，叹其夫亡后孤身飘零之悲辛。（见范摅《云溪友议》卷中《三乡略》）其诗序云："余本若耶溪东，与同志者二三，纫兰佩蕙，每贪幽闲之境，玩花光于松月之亭……后不得已，从良人西入函关，寓居晋昌里第。……不意良人已矣，邈然无依。帝里芳春，吊影东迈。……凡经过之所，皆曩昔燕笑之地，绸缪之所。衔冤加叹，举目魂销。……遂命笔聊题，终不能涤其怀抱，绝笔恸哭而去。以翰墨非妇人女子之事，名字是故隐而不书。时会昌壬戌岁，仲春十九日。"又赋诗曰："昔逐良人西入关，良人身殁妾空还。谢娘卫女不相待，为雨为云过此山。"（见《云溪友议·三乡》条）其诗及序一出，播于三乡，文士纷纷题诗唱和。今存王祝（一作"柷"）、陆贞洞、刘谷、王滌、李昌邺、王硕、李缟、张绮、高衢、韦冰等十人之作。（见《唐诗纪事》卷六七）王祝和诗曰："女几山前岚气低，佳人留恨此中题。不知云雨归何处，空使王孙见即迷。"陆贞洞和诗云："惆怅残花怨暮春，孤鸾舞镜倍伤神。清词好个干人事，疑是文姬第二身。"张绮和诗云："洛川依旧好风光，莲帐无因见女郎。云雨散来音信断，此生遗恨寄三乡。"（以上均见《唐诗纪事》卷六七）

三月

赵嘏（805？—？）本年约三十七岁。寒食时游至豫章鄱阳接界之白沙阬，作《寒食离白沙》诗。（见《全唐诗》卷五五〇）

四月

戊寅，受册尊号，大赦。制曰："涉历吏事，盖崇理本，自因近制，却启幸门。大和九年十二月十八日勅，进士初合格，并令授诸州府参军及紧县簿、尉，未经两考，不许奏职。盖以科第之人，必弘理化，黎元之弊，欲使谙详。非惟可塞幸门，实亦用惩浇俗。近者诸州长吏，渐不遵承，虽注县僚，多縻使职。苟从知己，不顾蒸人，流例□成，侵费不少。况去年选格，更改新条，许本郡奏官，便当府充职。一人从事，两请料钱，虚占吏曹正员，不亲本任公事。其进士宜至合选年，诸道依资奏授州县官，即不在兼职之限。"（见《册府元龟》）

二十三日，杜牧（803—853）在黄州刺史任，作《黄州准赦祭百神文》。其文曰："会昌二年，岁次壬戌，夏四月乙丑朔，二十三日丁亥……大赦天下。……牧为刺史，实守黄州。"（见《樊川文集》卷十四）［按，杜牧此前任比部员外郎，《樊川文集》卷十《自撰墓志铭》："转膳部、比部员外郎，皆兼史职。出守黄、池、睦三州。"］杜牧在此任上，另作有《黄州刺史谢上表》、《上李中丞书》等文。（见《樊川文集》卷十五、卷十二）据缪钺《杜牧年谱》，后文中之李中丞即李回，时任户部侍郎兼御史中丞，为李德裕所器识。牧于此文中自谓“某世业儒学，自高、曾至于某身，家风不坠。少小孜孜，至今不怠。性颛固不能通经，于治乱兴亡之迹，财赋兵甲之事，地形之险易远近，古人之长短得失，中丞即归廊庙，宰制在手，或因时事，召置堂下，坐之与语，此时回顾诸生，必期不辱恩奖。今者志尚未泯，齿发犹壮，敢希指顾，一罄肝胆，无任感激血诚之至。”此文可见杜牧平生志业行性。

六月

武宗优赐道士令着紫，排抑两街大德佛徒。十一日，“上德阳日，大内降诞降斋。两街大德对道士御前论议。道士二人得紫，僧门不得着紫”。（见日本圆仁《入唐求法巡礼行记》卷三）

刘蜕（820—?）居襄阳之野，编其此前所作文为《文泉子集》十卷，并自撰集序。蜕时约二十二岁。《四库提要》卷一五一：“《文泉子集》十卷（兵部侍郎纪昀家藏本），唐刘蜕撰。蜕字复愚，长沙人。大中四年进士及第，咸通中官至左拾遗，外谪华阴令。案，王定保《唐摭言》载：‘刘纂者，商州刘蜕之子，亦善为文。’则蜕当为商州人。又孙光宪《北梦琐言》载刘蜕桐庐人，官至中书舍人，有从其父死不祭祀一事，所叙爵里亦复不同，疑为别一刘蜕，未之详也。是集前有自序曰：‘自褐衣以后，辛卯以来、辛丑以前［按，“辛卯以来、辛丑以前”，《全唐文》卷七八九页 8259 及《文苑英华》卷七〇七页 3546 所收之《文泉子集序》均作“辛卯以前”，陈寅恪先生断定：“今通行本四库提要所引者乃抄写伪误”（见《金明馆丛稿初编》页 344）］收其微词属意古今上下之间者，为外内篇焉。复收其怨抑颂记婴于仁义者，杂为诸篇焉。物不可以终杂，故离为十卷。离则名之不绝，故授之以为文泉。（泉之时义大矣哉！）［按，据《全唐文》、《文苑英华》补］盖覃以九流之旨曰文，配以不竭之意曰泉。崖谷结珠玑，昧则将救之。雷雨亢粢盛，乾则将救之。（予）岂托之空言哉?!’观其命名之意义，自负者良厚。其文，冢铭最为世所传。他文皆原本扬雄，亦多奇奥，险于孙樵而易于樊宗师，大旨与元结相出入，欲挽末俗反之古。而所谓古者，乃多归宗于老氏，不尽协圣贤之轨。又词多恚愤，亦非仁义霭如之旨。然唐之末造，相率为纂组俳俪之文，而蜕独毅然以复古自任，亦可谓特立者矣。高彦休《唐阙史》载蜕能辨齐桓公盎之伪，其学盖有根柢，《旧唐书·令狐楚传》载：‘咸通二年，左拾遗刘蜕极论令狐绹子滈恃权纳货之罪，坐贬华阴令。’则蜕在当时本风才矫矫，宜其文之拔俗也。集十卷，今已不传。此本为崇祯庚辰闽人韩锡所编，仅得一卷，盖从《文苑英华》诸书采出，非其旧帙。存备唐文之一家，姑见崖略云尔。”《全唐文》卷七八九、《文苑英华》卷七〇七均收有刘蜕《文泉子集序》，自云编此集时适值：“西华主之降也，其三月辛卯夜未半，野水入庐，渍坏简策……”陈寅恪先生考订：“西华主之降”指回纥乌介可汗之降（即率众归唐），而唐廷正式受其降及遣使册命在会昌二年三月；“野水入庐”，指汉水每岁六七月之交暴涨所造成之洪灾，二年六月辛卯即二十八日为害最剧。故文中之三月，“非会昌某年之三月，而是正式受西华主人降及遣使册命一大事之三月”，“即从会昌二年三月此大事之后顺数第三月，即会昌二年六月是也”（见《刘复愚遗文中年月及其不祀祖问题》，收《金明馆丛稿初编》页344）《文泉子集》之成集、《序》之作应在此时。刘蜕，两《唐书》无传，《新唐书·艺文志四》记其“字复愚”。《全唐文》卷七八九小传谓蜕“自号文泉子”。其籍贯据上引陈寅恪文所考乃桐庐，而非长沙。

夏

田群将赴蔡州刺史任。群与无可、姚合、马戴交游颇契，众人均赋诗送行。无可作《夏日送田中丞赴蔡州》：“出守汝南城，应多恋阙情。地遥人久望，风起旆初行。”（见《全唐诗》卷八一三）马戴亦有《送田使君牧蔡州》（见《全唐诗》卷五五五），姚合有《送田使君赴蔡州》（见《全唐诗》卷四九六）。群到任后，诸人仍与之酬唱往还，今存姚合《寄题蔡州蒋亭兼简田使君》、无可《寄和蔡州四郎中》（一作《寄和蔡州中丞题蒋亭》）（分别见《全唐诗》卷四九七、卷八一三）。田群事迹见《新唐书·田弘正传》所附田群传，及李德裕《会昌一品集》卷十七《论田群状》，谓田群会昌中为蔡州刺史，会昌五年坐赃且抵死云云。

七月

赵嘏自岭南赴长安途中，过黄州界，寄诗前黄州刺史窦弘余，并作《齐安早秋》（《全唐诗》卷五四九）。其《寄前黄州窦使君》曰：“池上笙歌寂不闻，楼中愁杀碧虚云。玉壶凝尽重重泪，寄与风流旧使君。”（见《全唐诗》卷五五〇）［按，窦宏余，会昌元年任黄州刺史（见《旧唐书·窦群传》、《全唐文》卷七六一褚藏言《窦常传》），二年四月由杜牧接任］赵嘏此时游踪亦及黄州之邻安陆，即安州，作《登安陆西楼》：“楼上华筵日日开，眼前人事只堪哀。征车自入红尘去，远水长穿绿树来。”（见《全唐诗》卷五四九）

刘禹锡（772—842）卒，年七十一。据《旧唐书》卷一六〇、《新唐书》卷一六八本传，禹锡字梦得，彭城（今江苏铜山县）人，一说中山（今江苏溧水县）人，卞孝萱考证为洛阳人，然尚无定论。世受儒家教育，贞元九年（793），登进士第，又登博学宏词科，授太子校书。为淮南节度使杜佑从事，调渭南主簿。后杜佑入相，禹锡随之入朝为监察御史。永贞元年，王叔文引其与柳宗元入宫禁，图议国事。不久，转屯田员外郎，判度支盐铁案。为王叔文政治革新集团骨干人物。宪宗立，王叔文革新集团失败，禹锡贬连州（今广东连县）刺史，再贬朗州（今湖南常德）司马。贬谪十年，禹锡心情苦闷，恒以诗文自慰。元和十年奉诏还京，因作《游玄都观咏看花君子》诗，语涉讥刺，得罪当权，复贬授播州刺史，经裴度辩护，改连州。长庆、宝历中，历夔、和二州刺史。大和初，入朝为主客郎中、分司东都，充集贤直学士，转礼部郎中，仍兼集贤直学士。裴度罢相，再受朝臣排挤，求作洛阳分司不得，复出为苏州刺史，转汝州刺史兼御史中丞。后迁同州刺史，充本州防御、长春宫使。开成元年，为太子宾客，分司东都，改秘书监分司。秩满，加检校礼部尚书太子宾客分司。会昌二年七月以病卒，赠兵部尚书。［按，《新唐书》谓禹锡赠户部尚书，误；且谓禹锡年七十二卒，亦误］禹锡卒前，于病中作有《子刘子自传》。此《传》自叙家世生平十分简赅，然记叙永贞革新始末却颇详尽，盖永贞之贬令禹锡蒙冤受屈数十年，每思及此便觉如骨鲠在喉，临死前夕才得无顾忌地替革新同道抗辩："初，叔文北海人，自言猛之后，有远祖风，惟东平吕温、陇西李景俭、河东柳宗元以为信然。三子者皆与予厚善，日夕过，言其能。叔文实工言治道，能以口辩移人。既得用，自春至秋，其所施为，人不以为当非。"临终发此语，乃禹锡倔强性格之所必然，亦可见出禹锡终其一生不向政敌屈服之风操。禹锡之卒，时人哭吊甚切。白居易有《哭刘尚书梦得二首》（见《全唐诗》卷四五九），其一："四海齐名白与刘，百年交分两绸缪。同贫同病退闲日，一死一生临老头。杯酒英雄君与操，文章微婉我知丘。贤豪虽殁精灵在，应共微之地下游。"温庭筠亦赋《秘书刘尚书挽歌词二首》（见《温飞卿诗集》卷三），其一云："王笔活鸾凤，谢诗生芙蓉。学筵开绛帐，谈柄发洪钟。粉署见鹏飞，玉山猜卧龙。遗风洒清韵，萧散九原松。"其二中云："京口贵公子，襄阳诸女儿。折花兼踏月，多唱柳郎词。"卒后十四年，韦绚辑录当年"求在左右问学"时刘公"日夕所话"，撰成《刘公嘉话录》，论者称美。禹锡之文与柳宗元并称"刘柳"，诗与白居易并称"刘白"。诗造尤为精绝，白居易称之为"诗豪"，且叹曰："其锋森然，少敢当者。"（见白居易《刘白唱和集解》）张为《诗人主客图》："瑰奇美丽主：武元衡。上入室一人：刘禹锡。"《蔡百衲诗评》："刘梦得诗，典则既高。滋味亦厚，但正若巧匠矜能，不见少拙。"《童蒙诗训》："苏子由晚年多令人学刘禹锡诗，以为用意深远，有曲折处。"《岁寒堂诗话》："李义山、刘梦得、杜牧之三人，笔力不能相上下，大抵工律诗而不工古诗，七言尤工，五言微弱，虽有佳句，然不能如韦、柳、王、孟之高致也。义山多奇趣，梦得有高韵，牧之专事华藻，此其优劣耳。"《沧浪诗话》："大历后，刘梦得之绝句，张籍、王建之乐府，我所深取耳。"《竹庄诗话》："山谷云：大概刘梦得乐府，小章优于大篇，诗优于他文耳。"《臞翁诗评》："刘梦得如镂冰雕琼，流光自照。"《瀛奎律髓》："刘梦得诗格高，在元、白之上，长庆以后诗人皆不能及。且是句句分晓，不吃气力，别无暗昧关锁。"《吟谱》："刘禹锡诗以意为主，有气骨。"《升庵诗话》："元和以后，诗人之全集可观者数家，当以刘禹锡为第一。其诗入选及人所脍炙，不下百首矣……宛有六朝风致，尤可喜也。"《诗薮》："唐七言律……梦得骨力豪劲，在中、晚间自为一格，又一变也。"《诗镜总论》："刘梦得七言绝，柳子厚五言古，俱深于哀怨，谓骚之余派可。刘婉多风，柳直损致，世称韦柳，则以本色见长耳。"《唐音癸签》："禹锡有诗豪之目。其诗气该今古，词总华实，运用似无甚过人，却都惬人意，语语可歌，其才情之最豪者。司空图尝言：'禹锡及杨巨源诗各有胜会，两人格律精切欲同；然刘得之易，杨却得之难，人处迥异尔。'"《载酒园诗话又编》："刘梦得五言古诗，多学南北朝。如《观舞柘枝》曰：'曲尽回身处，层波犹注人'，宫体中佳语也。唯近体中间杂古调，终有乌孙学汉之讥，不若唐音自佳。"又曰："梦得佳诗，多在朗、连、夔、和时作，主客以后，始事疏纵，其与白傅倡和者，尤多老人衰飒之音。长律虽有美言，亦多语工而调熟。"《五七言今体诗钞》："东坡天才，有不可思议处，其七律只用梦得、香山格调。"《初白庵诗评》："陆放翁七律全学刘宾客，细味乃得之。"

《说诗晬语》："大历十子后，刘梦得骨干气魄，似又高于随州。人与乐天并称，缘刘、白有《倡和集》耳。白之浅易，未可同日语也。"《唐诗别裁》："大历后诗，梦得高于文房。与白傅唱和，故称'刘白'。实刘以风格胜，白以近情胜，各自成家，不相肖也。"《石洲诗话》："刘宾客之能事，全在《竹枝词》，至于铺陈排比，辄有伧俗之气。山谷云：'梦得《竹枝》九章，词意高妙，昔子瞻尝闻余咏第一篇，叹曰："此奔轶绝尘，不可追也。"'又云：'梦得乐府小章，优于大篇。'极为确论。"《读雪山房唐诗序例》："至刘、柳出，乃复见诗人本色，观听为之一变，子厚骨耸，梦得气雄，元和之二豪也……刘宾客无体不备，蔚为大家，绝句中之山海也。始以议论入诗，下开杜紫微一派。"《昭昧詹言》："大约梦得才人，一直说去，不见艰难吃力，是其胜于诸家处，然少顿挫沉郁，又无自己在诗内，所以不及杜公。先君云：'七律中以文言叙俗情入妙者，刘宾客也。次则义山。义山资所以藻饰。'"《艺概》："刘梦得诗稍近径露，大抵骨胜于白，而韵逊于柳。要其名隽独得之句，柳亦不能掩也。"《唐诗五七言近体五七言绝句选评》："中唐七律，梦得可继随州。后人与乐天并称，因刘、白有唱和集耳，神彩骨干，恶可同日语？"《桐城吴先生评点唐诗鼓吹》："昔人论刘梦得为豪放，其体为东坡七律所自出，固不得而轻议之也。"《诗法草编》："唐人擅长七律者，老杜外……中唐作者，刘梦得、刘文房皆巨率。"《四库提要》卷一五〇："《刘宾客文集》三十卷，《外集》十卷。《唐书·禹锡本传》称为"彭城人，盖举郡望，实则中山无极人，是编亦名《中山集》，盖以是也。"陈振孙《书录解题》称："原本四十卷，宋初佚其十卷，宋次道写其遗诗四百七篇、杂文二十二首为《外集》，然未必皆十卷所逸也。"禹锡在元和初以附王叔文被贬，为八司马之一，召还之后，又发咏元都观桃花触忤执政，颇有轻薄之讥。然韩愈颇与之友善，集中有《上杜黄裳书》，历引愈言为重。又《外集》有《子刘子自传》一篇，叙述前事，尚不肯诋諆叔文。盖其人品与柳宗元同；其古文则恣肆辨，于昌黎、柳州之外，自为轨辙；其诗则含蓄不足而精锐有余，气骨亦在元、白上，均可与杜牧相颉颃，而诗尤矫出。陈师道称苏武诗初学禹锡。吕本中亦谓苏辙晚年令人学禹锡诗，以为用意深远，有曲折处。刘克庄《后村诗话》乃称其诗多感慨，唯'在人虽晚达，于树似冬青'十字差为闲婉，似非笃论也。其杂文二十卷、诗十卷，明时曾有刊版，独《外集》世罕流传，藏书家珍为秘笈。今扬州所进抄本，乃毛晋汲古阁所藏，纸墨精好，犹从宋刻影写，谨合为一编，著之于录，用还其卷目之旧焉。"禹锡亦擅法书，《书史会要》卷五记其"工书"，为唐代书家，其《论书》，见《全唐文》卷六〇七；通医术，今有医学著作《传信方》存世；解音乐、奕棋。禹锡著作广富，《新唐书·艺文志三》、《崇文总目》卷三均载："刘禹锡《传信方》二卷。"《新唐书·艺文志四》著录："《刘禹锡集》四十卷。《刘白唱和集》（刘禹锡、白居易）三卷。《汝洛集》一卷（裴度、刘禹锡唱和）《洛中集》七卷。《彭阳唱和集》（令狐楚、刘禹锡）三卷。《吴蜀集》（刘禹锡、李德裕唱和）一卷。"《崇文总目》卷五著录："《刘宾客集外诗》三卷。"民国吴兴徐氏影宋本《刘宾客文集》所收宋敏求《刘宾客外集后序》辨析禹锡著述甚详："世有《梦得集》四十卷，中逸其十，凡诗三百九十二篇。所遗盖称是，然未尝纂著。今哀之，得《刘白唱和集》一百七、联句八，《杭越寄和集》二，《彭阳唱和集》五十二，《汝洛集》二十七、联句三，

《洛中集》三十、联句五，《名公唱和集》八十六，《吴蜀集》十七，《柳柳州集》六，《道涂杂咏》一，《南楚新闻》四，《九江新旧录》一，《登科文选》一，《送毛仙翁集》一。自《寄杨毗陵》而下五十五，皆沿旧会粹，莫详其出，或有见自石本者。无虑四百七篇，又得杂文二十二，合为十卷，曰《刘宾客外集》，庶永其传云。”晁公武《郡斋读书志》卷四、陈振孙《直斋书录解题》卷十六、《宋史·艺文志七、八》、钱曾《读书敏求记》卷四、孙星衍《平津馆鉴藏记》、傅增湘《藏园群书经眼录》、缪荃荪《嘉业堂藏书记》卷四均著录有卷帙不同之禹锡文集，周中孚《郑堂读书记·补逸》卷二十五并著录有百川学海本刘禹锡撰《因论》一卷。今有民国徐氏影宋本《刘宾客文集》，雍正涵碧斋刻本《刘宾客诗集》，冯浩抄本《刘宾客文集》，《四部备要》本《刘宾客文集》，《四部丛刊》本《刘梦得文集》行世，《全唐诗》编其诗十二卷。

八月

回纥大举犯边，乌介可汗帅众过杷头烽南，突入大同川，驱掠河东杂虏牛马数万，转斗至云州城门。刺史张献节闭城自守，吐谷浑、党项皆挈家入山避之。（见《资治通鉴》卷二四六本年八月条）朝臣就如何处置回纥边患分为两派，牛僧孺一派主张消极避战，李德裕一派力主积极备战。武宗赞成李德裕之策。庚午，诏发陈、许、徐、汝、襄阳等六镇之师，以太原节度使刘沔为回纥南面招讨使，以张仲武为幽州卢龙节度使……充回纥东面招讨使，以李思忠为河西党项部将，回纥西南面招讨使，皆会军于太原，兵屯太原振武及天德，俟来春驱逐回纥。

就备战会纥之策，本月一日，李德裕上《论讨袭回纥事宜状》；七日，上《论回纥事宜状》；十八日，上《论回纥石诫直状》；二十七日，上《驱逐回纥事宜状》等系列奏章（见《会昌一品集》卷十四）。［按，本月之前，李德裕二月间尚作有《条疏太原以北边备事宜状》，四月作《奏回纥事宜状》；九月以后作有《牛僧孺等奉敕公卿集议须便施行其中有未尽处须更令分析谨连如前状》等奏章。（均见《会昌一品集》卷十四）］

杜牧在黄州刺史任，感回纥入侵，边民流散，遂赋《早雁》诗。诗云：“金河秋半虏弦开，云外惊飞四散哀。仙掌月明孤影过，长门灯暗数声来。须知胡骑纷纷在，岂逐春风一一回？莫厌潇湘少人处，水多菰米岸莓苔。”（见《樊川文集》卷三）

秋后，白居易以刑部尚书致仕，给半俸。（见《唐会要》卷六十七“致仕官”条）作《刑部尚书致仕》、《初致仕后酬留守牛相公并呈分司诸僚友》等诗。（见《白居易集》卷三七）［按，居易会昌元年百日长假满，无意仕途，故未之任复理职事，按唐官制规定，其少傅官即停，俸禄亦随之停。以其无俸时日颇久，故此前居易作有《醉中得上都亲友书，以予停俸多时，忧问贫乏，偶成酒兴，咏而报之》一诗。（见《白居易集》卷三六）］

九月

唐武宗欲征用白居易为相，宰相李德裕言居易衰病不任朝谒，荐居易从弟白敏中为翰林学士。(见《资治通鉴》卷二四六本年九月条，及两《唐书·白居易传》)康骈《剧谈录》卷上《李朱崖知白令公》条云："白中书方居郎署，未有知者，唯朱崖李相国器之。……未旬日，白公以库部郎中为翰林学士，未逾三载，便秉钧衡。"

杜牧在黄州郡斋感慨中唐以来藩镇叛乱、回纥入侵之局势，作《郡斋独酌》诗。诗中有"平生五色线，愿补舜衣裳。弦歌教燕赵，兰芷浴河湟。腥膻一扫洒，凶狠皆披攘。生人但眠食，寿域富农桑"之句，抒其拯时济世之宏志。(见《樊川文集》卷一)

十月

十九日，唐武宗下敕，僧尼不修戒行者、惜钱财而情愿还俗者，勒还俗。敕下，僧尼还俗共二千二百五十九人。(见圆仁《入唐求法巡礼行记》卷三会昌二年十月条)

十二月

一日，封敖(？—约864)为翰林学士。敖时为李德裕所器识。(见丁居晦《重修承旨学士壁记》)敖以散文名家。字硕夫，渤海蓨县(今河北景县)人。排行四。元和十年(815)进士及第。累佐幕府。大和中，入为右拾遗。会昌二年(842)以左司员外郎充翰林学士。三迁至工部侍郎知制诰。历礼部、吏部侍郎等。大中四年(850)出为山南西道节度使。十一年(857)，拜太常卿。咸通二年(861)，授平卢节度使。官终户部尚书。工文。才思敏捷，不务奇涩，语言切近，理致佳妙。曾为武宗草《赐阵伤边将诏》，以警句"伤居尔体，痛在朕躬"受称赏。《与吐蕃赞普书》、《与南诏清平官书》等较好。《新唐书·艺文志四》著录《封敖翰稿》八卷，已散佚。《全唐文》存文二十六篇，《唐文拾遗》补二篇，多制、批表、书等；《全唐诗》存诗二首。事迹见新、旧《唐书》本传。

魏扶(？—850)亦自起居郎充翰林学士。扶字相之，籍贯不详。大和四年(830)进士及第。会昌三年(843)，加知制诰。四年(844)，转考功郎中，拜中书舍人，并充翰林学士。大中元年(847)以礼部侍郎知贡举。三年(849)，以兵部侍郎判户部事，为平章事。进中书侍郎。次年罢知政事，卒。《全唐诗》存诗三首，《全唐文》存文二篇。事迹见《旧唐书·宣宗本纪》、《资治通鉴》卷二四九、岑仲勉《翰林学士壁记注补》。

杜牧身处黄州，心系回纥边患，作《雪中书怀》诗，抒其胸蓄长策、报国无门之愤慨。中有句云："北虏坏亭障，闻屯千里师。牵连久不解，他盗恐旁窥。臣实有长策，彼可徐鞭笞。如蒙一召议，食肉寝其皮。斯乃庙堂事，尔微非尔知。向来蹑等语，长作陷身机。……且想春候暖，瓮间倾一卮。"(见《樊川文集》卷一)

本年

卢肇明年登进士第，依例本年冬计偕上京，途至襄阳，作真珠之嘲以讥刺牛僧孺，

赋《汉堤诗》盛赞卢钧。《唐诗纪事》云："初卢肇计偕至襄阳，奇章（牛僧孺）之方有真珠之惑。肇赋诗曰：'神女初离碧玉阶，彤云犹拥牡丹鞋。知道相公怜玉腕，强将纤手整金钗。'"谓牛僧孺乃襄阳之守，汉水溢而不恤民痛，但惑于声色，讥刺之意尤著［按，《新唐书·牛僧孺传》载：牛僧孺开成四年出镇襄州，会昌元年汉水堤决，毁民业无数，僧孺坐不谨防，下迁太子少保。《唐摭言》卷一〇亦载：时僧孺正惑真珠，皇甫松作《大水辨》以讽之］卢肇《文标集》卷下《汉堤诗》诗序略云："上元年（会昌元年）秋，汉水大溢，啮襄堤以入……上大忧……咸以地官范阳公就理南粤，岛夷率化，甘于民心，俾践于襄，必克底乂。上谕以往。公既至，省汉之溺，由旧防之不固几五十载。……募民新汉之堤，食敌其功，资二其食。固故堤之址，广倍之，高再倍之……明年春堤成，公具以疏，上大欢。……肇于公为族孙，幸力于文，所不宜默。惟岘之碑曰羊公，惟堤之诗曰卢公，是古今之相光昭也，岂谁曰不然。"［按，卢公即户部侍郎卢钧。钧，字子和，范阳人。《新唐书》卷一八二《卢钧传》载：会昌中，汉水害襄阳，拜钧山南东道节度使，筑堤六千步，以障汉暴。《孙樵集》卷一〇《复召堰籍》亦载会昌元年汉水决堤、卢公治水之事］肇至襄之日，僧孺已于去年调京，以去年之事入诗作真珠之嘲，兼赋《汉堤诗》以美卢公，均寓讥斥牛僧孺之意。此即德裕之所以重肇者也。（参李剑国《唐五代志怪传奇叙录》）

卢肇于明年春及第前作有《上王仆射书》并赋一篇献王起，希求援引。以王起会昌元年前已检校左仆射，姑系是文于本年。（参《旧唐书·王起传》）肇《上王仆射书》云："伏以文物之势，□乎将颓，圣上一旦惕然思高祖、太宗经天纬地之勤基，美于千万世，其术只在乎人文之中。人文之中，则不足踰择士之贤否也。故度天下之德，莫重于仆射；计天下之学，莫深于仆射；观天下文章，莫富于仆射。兼是三美，然后询于庙堂之上，使咨于仆射，俯而涖之，其实不啻若移太山之重以镇之也。夫如是，则预于贡士者何敢造次而进哉。某本孤浅，生江湖间。自知书已来，窃有微尚，窥奥索幽，久而不疲，垂二十年，以穷苦自励。伏念当太平之辰，不预兵役农桑之务，得尽其志，则将欲发其身，大其家，尽心于明时，以竟其岁也。乃志望士林之中，及来辇下，再试皆黜。观望于时而揆于事，至于得之者未必尽贤，失之者未必尽愚。意谓随天下贡士，且进且退，可以无咎。今乃不意遇圣君贤相，以仆射为日月，照临多士，莫不屏气摄息，人之自咎，若抱罪戾。其在王门公族，少读文学，尚为忧惕。启仆射之德，振于文机，其必得天下苦心之人而进之，然后优游盛明，为皋为伊，以茂生植者也。不然岂至于是，逾二十载复匡之乎？是知天启德于仆射，在此时也。某于此时，若不得循墙以窥，则是终身无窃望之分也。敢布愚拙，伏惟特以文之光明而俯烛之，幸甚幸甚。并献拙赋一首，尘冒尊严，无任悸慄之至。"（见《全唐文》卷七六八卢肇《上王仆射书》）

白居易以己之不恋仕途，"（宁愿）罢太子少傅称白衣居士"高标风操，特写真于香山寺藏经堂，并作《香山居士写真诗并序》。诗序曰："会昌二年，（已）罢太子少傅，为白衣居士，又写真于香山寺藏经堂，时年七十一。……观今照昔，慨然自叹者久之。形容非一，世事几变，因题六十字，以写所怀。"诗云："昔作少学士，图形入集贤；今为老居士，写貌寄香山。……勿叹韶华子，俄成婆叟仙。请看东海水，亦变

作桑田。”（见《白居易集》卷三六）

白居易自编《后集》二十卷成，藏于庐山东林寺，作《送后集往庐山东林寺兼寄云皋上人》。诗云：“后集寄将何处去？故山迢递在匡庐。旧僧独有云皋在，三二年来不得书。……来生缘会应非远，彼此年过七十余。”（见《白居易集》卷三六）至此，《白氏文集》七十卷成。

王恽（？—842）卒于扬州。恽，籍贯不详。曾寓居洛阳。举进士不第。才藻雅丽，尤长于辞赋，著《送君南浦赋》，为词人所称。作品已佚。事迹见《酉阳杂俎续集》卷二。

元晦本年为桂管观察使。晦，生卒年、籍贯不详。宝历元年（825）登贤良方正能直言极谏科。大和八年（834）自殿中侍御史充翰林学士。次年出为库部员外郎。开成中，为吏部郎中，迁谏议大夫。会昌五年（845）转浙东观察使。大中元年（847）授卫尉卿，分司东都。《全唐诗》存诗二首、断句二联；《全唐文》存文二篇，《唐文续拾》补一篇。事迹见《唐尚书省郎官石柱题名考》卷三。

牛僧孺（780—848）本年以太子太傅留守东都。

郑还古撰《博异志》，传奇志怪集。书中记有会昌元年及二年事者，此后书及作者无考，姑系于本年。其《李全质》篇记：“会昌壬戌岁，济阴大水，谷神子与全质同舟，讶全质何惧水之甚，询其由、全质乃语此。”［按，“此”指文中所记李全质会昌二年前两度得冥吏相助脱水厄事，实乃嗜乎神怪之言］还古《博异志序》云：“夫习谶谭妖，其来久矣。非博闻强识，何以知之！然须抄录，且知雌黄事类。语其虚则源流俱在，定其实则姓氏罔差。既悟英彦之讨论，亦是宾朋之节奏。若纂集克备，即应对如流。余放志西斋，从宦北阙，因寻往事，辄议编题，类成一卷。非徒但资笑语，抑亦粗显箴规。或冀逆耳之辞，稍获周身之诫。只求同己，何必标名。是称谷神子。”（见《全唐文》卷七六二）还古身在北阙，不宜谈神论怪，故于此序中特标“粗显箴规”等语。然书中除三数篇外，其意均在习谶谭妖。故事多有佳者，且善事形容，多有俊丽之语。明顾元庆跋云：“唐人小史中，多造奇艳事为传志，自是一代才情，非后世可及。然怪深幽渺，无如《诺皋》、《博异》二种，此其厥体中韩昌黎、李长吉也。”胡应麟《少室山房笔丛·二酉缀遗中》云：“词颇雅驯，盖亦晚唐稍能文者，视牛氏《玄怪》等录，觉胜之。”《四库提要》卷一四二云：“所记神怪之事，叙述雅赡，而所录诗歌颇工致，视他小说为胜。”《博异志》著录于：《新唐书·艺文志》小说家类，《崇文总目》小说家类，《通志略》传记类冥异属，《郡斋读书志》小说类，《直斋书录解题》小说家类，《文献通考》小说家类，《述古堂书目》小说家类，《孙氏祠堂书目》说部，《稽瑞楼书目》，《吕耳亭知见传本书目》小说家类异闻之属，《郑堂读书记》异闻之属，《铁琴铜剑楼藏书目录》异闻之属，《百川书志》小说家类，《也是园书目》冥异类，《绛云楼书目》小说类。《博异志》今本残存一卷，出自宋本，明人顾元庆刻入《顾氏文房小说》，凡十事。卷末志云：“阳山顾氏十友斋宋本重刻。”今传各丛书本悉出顾本，《古今逸史》、《秘书二十一种》、《四库全书》、《增订汉魏丛书》（三余堂及大通书局本）、《鲍红叶丛书》、《续百川学海》、《唐宋丛书》、《合刻三志》（志异类）、重编《说郛》（卷一一五）、《五朝小说·唐人百家小说》（纪载家）、《唐人说荟》（一

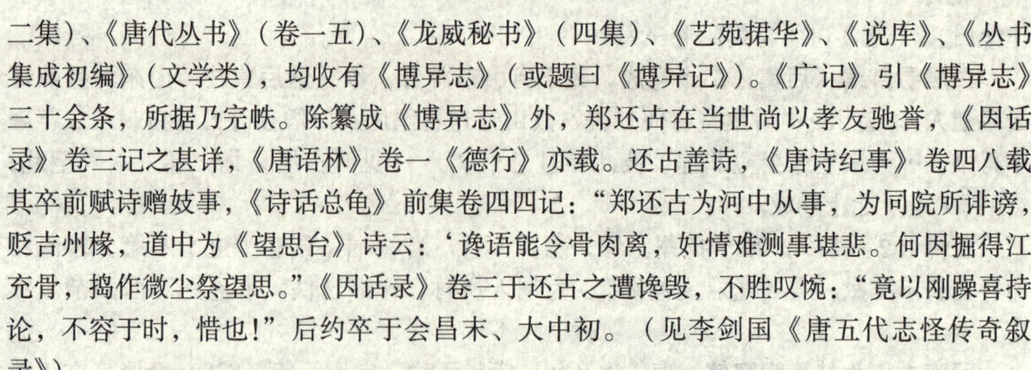

二集）、《唐代丛书》（卷一五）、《龙威秘书》（四集）、《艺苑捃华》、《说库》、《丛书集成初编》（文学类），均收有《博异志》（或题曰《博异记》）。《广记》引《博异志》三十余条，所据乃完帙。除纂成《博异志》外，郑还古在当世尚以孝友驰誉，《因话录》卷三记之甚详，《唐语林》卷一《德行》亦载。还古善诗，《唐诗纪事》卷四八载其卒前赋诗赠妓事，《诗话总龟》前集卷四四记：“郑还古为河中从事，为同院所诽谤，贬吉州椽，道中为《望思台》诗云：‘谗语能令骨肉离，奸情难测事堪悲。何因掘得江充骨，捣作微尘祭望思。”《因话录》卷三于还古之遭谗毁，不胜叹惋：“竟以刚躁喜持论，不容于时，惜也！”后约卒于会昌末、大中初。（见李剑国《唐五代志怪传奇叙录》）

郑还古以小说名家。号谷神子。洛阳（今属河南）人，郡望荥阳（今属河南）。一荥阳人。生卒年不详。元和中进士及第。初家青齐间，元和十三年（818），奉亲老归洛阳。曾为河北从事，受同僚诽谤，贬吉州掾。官终国子博士。会昌二年（842）尚在世。为人孝友，好学，有俊才，但性刚躁，好议论，故不容于时。晚年据从宦所闻见，撰成传奇小说集《博异志》（一作《博异记》），《新唐书·艺文志三》著录为三卷，多记唐人神怪之事，意在箴诫。叙述赡雅，录诗颇工致，较牛僧孺《玄怪录》等为佳。《张竭忠》叙仙鹤观道士“得仙”而实为虎所食，刺讽之意颇深。《崔玄微》记崔玄微与封十八姨和桃李诸花夜宴，为明人拟话本所取资。该书今存一卷，仅十篇。中华书局1980年版《博异志》附有“补编”，由《太平广记》中辑录佚文二十三篇。《全唐诗》存诗三首。事迹见《因话录》卷三、余嘉锡《四库提要辩证》卷一八。

李程（766—842）卒。程，字表臣。祖籍陇西成纪（今甘肃秦安西北）。排行二十六。唐宗室。贞元十二年（796）状元及第，又登博学宏词科。授集贤殿正字。累辟使府。调蓝田尉。二十年（804），入朝为监察御史，召充翰林学士。常日过八砖始至署，时称“八砖学士”。三迁司勋员外郎、知制诰。元和三年（808）出为随州刺史。辟成都少尹。十年（815），入为兵部郎中、知制诰。迁中书舍人。历礼部侍郎、鄂岳观察使，入为吏部侍郎。长庆四年（824），以本官同平章事。在位有所匡谏。宝历二年（826）出为河东节度使。历河中、宣武、山南东道节度使等。会昌元年（841）授东都留守。明年卒于位。与刘禹锡、柳宗元等交谊甚密。能文，尤工律赋，议事咏物，文辞雅正华美，气势流畅，不乏佳句。应试成名之作《日五色赋》造语精拔，为时所称。《新唐书·艺文志四》著录《李程表状》一卷，《宋史·艺文志七》著录《李程集》一卷，并佚。《全唐文》存文一卷，《全唐诗》存诗五首。事迹见新、旧《唐书》本传。

韩偓（一作渥）（842—923?）生。偓，字致尧，又作致光、致元。自号玉山樵人，京兆万年（今陕西西安）人。韩瞻之子，小字冬郎。十岁能诗，李商隐赠诗有“雏凤清于老凤声”之句。龙纪元年（889），登进士第，佐河中幕。召充左拾遗。乾宁末，以刑部员外郎为凤翔节度掌书记。光化中，自司勋郎中兼侍御史知杂入翰林充学士，迁左谏议大夫、中书舍人、兵户二部侍郎、学士承旨。昭宗数欲以为相，皆辞让。天复三年，以不附朱全忠，贬濮州司马，再贬荣懿尉，徙邓州司马。天祐二年，复召为学士，偓不敢归朝，入闽依王审知，卒。有《韩偓诗》一卷、《香奁集》一卷、《金銮密记》五卷，今存《香奁集》。后人辑有《韩翰林诗集》（或名《玉山樵人集》）行

世。《全唐诗》编诗四卷。

温宪（842—?）生。宪，温庭筠之子，太原人。咸通末与张乔等称“咸通十哲”，龙纪元年擢进士第。（见《旧唐书》卷一九〇下《温庭筠传》）

附录1：偓之生卒年，史无明载，争论颇多。近人震钧《韩承旨年谱》考定，韩偓生于会昌四年（844），同光元年（923）卒，终年八十岁。王达津《唐诗丛考·〈宫柳〉诗和韩偓的生卒年》一文，又谓偓之生年为会昌元年。陈继龙《韩偓事迹考略》（上海古籍出版社 2004 年版）则赞同陈寅恪先生之论：“冬郎实生于会昌二年，即八四二年”。（陈寅恪批吴汝纶《韩翰林集》评注本卷首语）因李商隐应柳仲郢之辟赴东川幕府时，韩偓父亲韩瞻（畏之员外）出刺果州，时韩偓年仅十岁，于离宴上即席赋诗，一座尽惊，后李商隐特为之作《韩冬郎即席为诗相送……兼呈畏之员外》一诗。而韩偓“十岁裁诗走马成”之时，亦即李商隐赴东川之时，据张采田《玉谿生年谱会笺》考证在大中五年（851）秋冬之际，逆推十年，韩偓当生于会昌二年（842）。今以陈说为是。韩偓之名与字，史载不一：《新唐书》本传、《直斋书录解题》卷五、《郡斋读书志》卷四中、《梦溪笔谈》卷一六、《新唐书·艺文志三》，均作韩偓；郑文宝《南唐近事》作韩渥，或由偓、渥形近而误。偓之字，《新唐书》本传、《十国春秋》传、《南部新书》乙卷及《宣和书谱》卷一〇，均作致光；《唐百家诗选》卷二〇、宋周弼《唐贤绝句三体诗法》并记致光、致尧；《苕溪渔隐丛话》前集卷二三引《遁斋闲览》又作致元。未知孰是，姑并列于此。

附录2：温宪之生年，于史无载。夏承焘先生以为：温宪龙纪元年擢第时自云“鬓毛如雪”，盖年已五十，逆推之，约生于唐武宗会昌二年（842）；且咸通末温宪与张乔等称“咸通十哲”，盖二十余岁，合于情理；又，庭筠开成五年（840）二十九岁作感旧陈情诗，尚云“婚乏阮修钱”，时庭筠犹未婚娶，则宪不当生于本年之前，是为温宪生于会昌二年之佐证。（见夏承焘《唐宋诗人年谱·温飞卿年谱》页 397）

王恽（？—842）本年游扬州，卒。恽，籍贯不详，曾寓居洛阳。才藻雅丽，尤长于辞赋，然举进士不第。著《送君南浦赋》，为词人所称。已佚。（见《酉阳杂俎续集》卷二）

诗僧文鉴本年曾于洞庭包山建经幢。文鉴生卒年、籍贯、俗姓不详。会昌中为苏州僧。《全唐诗》存诗一首。事迹见《金石萃编》卷六七《僧文鉴等经幢》。

许浑（约 787—854）本年授监察御史。罢，归润州，移居丁卯涧村。浑，字用晦，一作仲晦。祖籍安州安陆（今属湖北），洛阳（今属河南）人。其先曾居润州（治今江苏镇江）。郡望高阳（今属河北）。排行七。许圉师五世孙。幼能诗。永贞元年（805）游吴越。初举进士不第。元和十年（815）举家避乱至岳州。后游夔州。长庆元年（821）入淮南节度使李夷简幕。四年（824）应试失利，北游燕赵。宝历元年（825）返长安。卜居乐游原。大和六年（832）进士及第。归润州。八年（834）辟忠武节度使杜悰幕从事。开成四年（839）授当涂尉，摄当涂令。五年（840）移摄太平令。

公元843年（唐武宗会昌三年　癸亥）

正月

诸道之军会大同，太原节度使刘沔部将石雄等大破回纥乌介可汗部，迎太和公主入朝。（见《旧唐书·武宗本纪》、《资治通鉴》卷二四七）李德裕奉敕撰《讨回纥状》（见《会昌一品集》卷三）、封敖作《批相臣贺太原破回纥夺得太和公主表》。（见《全唐文》卷七二八）

敕：“礼部所放进士及第人数，自今后但据才堪即与，不要限人数。每年止于十人五人总得。”（见《册府元龟》卷六四一）［按，《唐会要》卷七十六《贡举》中《进士》条作“每年止于二十五人”］

是月，［按，《唐会要》卷七六系此事于大和八年正月］宰臣李德裕等奏：“旧例，进士未放榜前，礼部侍郎遍到宰相私第，先呈及第人名，谓之呈榜。比闻多有改换，颇致流言。宰相稍有寄情，有司固无畏忌，取士之滥，莫不繇斯。将务责成，在于不挠，既无取舍，岂必预知？臣等商量，今年便任有司放榜，更不得先呈臣等，仍向后便为定例。如有固违，御史纠举奏者。”其时有敕重试进士，因栖灵塔灾，且止。（见《册府元龟》卷六四一）

二月

太和公主还京师，改封安定大长公主。诏宰相帅百官迎谒于章敬寺前。公主诣光顺门，去盛服，脱簪珥，谢回纥负恩、和蕃无状之罪。上遣中使慰谕，然后入宫。（见《资治通鉴》卷二四七本年二月条）此事震动朝野，诗人纷纷以之入诗。李敬方作《太和公主还宫》：“二纪烟尘外，凄凉转战归。胡笳悲蔡琰，汉使泣明妃。金殿更戎幄，青祛换毳衣。登车随伴仗，谒庙入中闱。……应怜禁园柳，相见倍依依。”（《全唐诗》卷五〇八）许浑时在京为监察御史，亦有《破北虏太和公主归宫阙》（见《全唐诗》卷五三五），李频作《太和公主还宫》（见《全唐诗》卷五八七），刘得仁《马上别单于刘评事》题下注：“时太和公主还京，评事罢举赴职。”诗有“庙谋宏远人难测，公主生还帝感深”（见《全唐诗》卷五四五）句，赵嘏《送从翁中丞奉使黠戛斯六首》，其二亦有“旌旗杳杳雁萧萧，春尽穷沙雪未消。料得坚昆受宣后，始知公主已归朝”（见《全唐诗》卷五五〇）之句。［按，赵嘏从翁中丞即赵蕃。以黠戛斯曾配合唐军共击回纥乌介可汗，并迎太和公主归朝，又于本月遣使献名马，朝廷派太仆卿赵蕃接待，后又遣赵蕃出使黠戛斯以安抚之］（见《资治通鉴》卷二四七本年二月、三月条）

吏部尚书王起知贡举。卢肇、丁稜、黄颇、姚鹄、高退之、孟球、刘耕、裴翻、樊骧、崔轩、蒯希逸、林滋、李宣古、张道符、邱上卿、石贯、李潜、唐思言、尤牢、王甚夷、金厚载等二十二人登进士第。是年试《风不鸣条诗》，李蕃、韩肱等罢举。

卢肇（819或821—879）以第一名中进士科状元。肇，字子发，袁州宜春（今江西宜春）人。（见《永乐大典》所引《瑞阳志》）少穷苦自励。大和九年（835），李德裕谪为袁州长史，肇投以文卷，由此见知。本年因德裕荐，以状元登第。授秘书省校书郎。大中元年（847）鄂岳观察使卢商辟为从事。咸通元年（860）起，河东节度使卢简求、荆南节度使裴休先后奏署门吏。五年（864），自潼关防御判官入为秘书省著作郎，迁仓部员外郎，充集贤院直学士。六年（865）出为歙州刺史改池州刺史。贬连、春二州刺史。（历池、吉、万三州刺史。）约十四年（873）罢归。咸通末，归宜春，卒。肇有奇才，工书法。能诗文，尤善辞赋。文章伟丽可观，《海潮赋》费时二十余年写成，为时人所推重。《题甘露寺》“地从京口断，山到海门回”为张祜所仰伏。《病马》“尘土卧多毛已暗，风霜受尽眼犹明”（《全唐诗》及《全唐诗外编》未收），陆游赞为“足为当时佳句”。（《跋唐卢肇集》）《新唐书·艺文志四》著录《海潮赋》、《通屈赋》各一卷，《宋史·艺文志七》又著录《愈风集》十卷、《大统赋注》六卷，并散佚。宋许衷集其遗文近百篇为《文标集》三卷，亦佚。童说复集遗文为三卷。传世有《豫章丛书》刊《袁州二唐人集》本。《全唐诗》编诗一卷。事迹见《唐诗纪事》卷五五，参周勋初《卢肇考》、郁贤皓《唐刺史考》。《唐摭言》卷二：“卢吉州肇，开成中就江西解试，为试官末送。肇有启谢曰：‘臣鳌，首冠蓬山。’试官谓之曰：‘昨某限以人数挤排，虽获申展，深惭名第奉，焉得翻有首冠蓬山之谓?’肇曰：‘必知明公垂问。大凡顽石处上，巨鳌戴之，岂非首冠耶?’一座闻之大笑。”又卷一二曰：“卢肇初举，先达或问所来，肇曰：‘某袁民也。’或曰：‘袁州出举人耶?’肇曰：‘袁州出举人，亦犹沅江出龟甲，九肋者盖稀矣。’”（参《唐诗纪事》卷五五、《宜春传信录》）又《唐摭言》卷三曰：“卢肇，袁州宜春人，与同郡黄颇齐名。颇富于产，肇幼贫乏。与颇赴举，同日遵路，郡牧于离亭饯颇而已。时乐作酒酣，肇策蹇邮亭侧而过，出郭十余里，驻程俟颇为侣。明年，肇状元及第而归，刺史以下接之，大惭恚。会延肇看竞渡，于席上赋诗曰：‘向道是龙君不信，果然衔得锦标归。’”［按，全诗见《文标集》卷下，题《竞渡诗》，一作《江宁观竞渡寄袁州刺史成应元》］《北梦琐言》：“唐相国李太尉德裕，抑退浮薄，奖拔孤寒。于时朝贵朋党，掌武破之，由是结怨。而绝于附会，门无宾客，惟进士卢肇，宜春人，有奇才，每谒见许脱衫从容。旧例，礼部放榜，先禀朝廷，恐有亲属言荐。会昌三年，王相国起知举，先白掌武，乃曰：‘某不荐人，然奉贺今年榜中得一状元也。’起未喻其旨，复遣亲吏于相门侦问，吏曰：‘相公于举子中，独有卢肇久接从容。’起曰：‘果在此也。’其年，卢肇为状元及第。时论曰：‘卢虽受知于掌武，无妨主司之公道也。’”卢肇《进海潮赋状》：“臣于会昌三年应进士举，故山西节度使、同中书门下平章事王起擢臣为进士状元。”（见《全唐文》卷七六八）

卢肇有《别宜春赴举诗》。曰：“秋天草木正萧疏，西望秦关到旧居。筵上芳樽今日酒，箧中黄卷古人书。辞乡且伴衔芦雁，入海终为戴角鱼。长短九霄飞直上，不教毛羽落空虚。”另有《射策后作》：“射策明时愧不才，敢期青律变寒灰。……箭发尚忧杨叶远，愁生只恐杏花开。曲江春浅人游少，尽日看山醉独回。”（见《全唐诗》卷五五一）又有《成名后作》曰：“桂在蟾官不可攀，功成业熟也何难。今朝折得东归去，共与乡闾年少看。”时友人潘图归宜春，赋诗送别，其《及第（一本有后字）送潘图归宜春》云：“青云乍喜逢知己，白礼犹悲送故人。对酒共惊千里别，看花自感一枝春。”又肇有《牧童》：“谁人得似牧童心，牛上横眠秋听深。时复往来吹一曲，何愁南北不知音。”乃卢肇诗中之绝佳者，暂记于此。

丁稜，生卒年不详，本年进士及第。《唐摭言》：“稜字子威”。生卒年、籍贯不详。本应进士试，以宰相李德裕荐，及第。《玉泉子》：“李德裕抑退浮薄……会昌三年，王起知举，问德裕所欲，答曰：‘安用问所欲为，如卢肇、丁稜、姚鹄，岂不可与及第耶?’起于是依其次而放。”又曰：“卢肇、丁稜之及第也，先是放榜讫，则须谒宰相。其导启词语，一出榜元者，俯仰疾徐，尤宜精审。时肇首冠，有故不至，次乃稜也。稜口吃，又形体小陋，迨引见，即俛而致词。意本言稜等登科，而稜赪然发汗，鞠躬移时，乃曰‘稜等登，稜等登’，竟不能发其后语而罢。左右皆笑。翌日，有人笑之曰：‘闻君善筝，可得闻?’稜曰：‘无之。’友人曰：‘昨日闻稜等登，稜等登，非筝声也耶?’”稜能诗。《宋史·艺文志七》著录《丁稜诗》一卷，已佚。《全唐诗》存诗二首。五律《塞下曲》写边塞征戍之苦，含蓄有致。事迹见《唐诗纪事》卷五五。

黄颇，生卒年不详，本年进士及第。颇字无颇。宜春（今属江西）人。有文名，京兆府解送曾列为前十名，然竟蹉跎举场十三年。后与卢肇同游李德裕门下，又以能诗为王起所知，遂于会昌三年（843 ）登进士第。《唐语林》：“卢肇、黄颇同游李卫公门下。王起再知贡举，访二人之能，或曰卢有文学，黄能诗。起遂以卢为状头，黄第三人。”《永乐大典》引《宜春志》：“黄颇……与卢肇相上下。每见肇所为文辄不取。……颇自升等第后十三年，始中选。”《唐摭言》卷二“为等第后久方及第”条录有黄颇，云“黄颇以洪奥文章，蹉跎者一十三载”。《唐诗纪事》卷五五：“颇为失第后久方及第……刘纂以平漫子弟而折丹桂。由斯言之可谓命通性能，岂曰性能命通者欤? 韩愈自潮州量移宜春郡，颇学愈为文，亦振大名。颇常观卢肇为碑版，则唾之而去。颇宜春人，与肇同乡，颇富而肇贫，同日遵路赴举，郡牧饯颇离亭，肇驻蹇十里以俟……”（详见卢肇条）曾任监察御史。元和十五年（820），韩愈自潮州量移袁州时，颇师愈为文，文名以此大振，故其同年姚鹄称其“文章声价从来重”（见《送黄颇归袁》）。亦与当时著名诗人马戴、潘唐有交。《全唐诗》存诗三首，《全唐文》存文一篇。事迹见《唐摭言》卷三、四，《唐语林》卷三，《唐诗纪事》卷五五。

姚鹄，生卒年不详，本年进士及第。鹄字居云，蜀（今四川）人。早年隐于蜀中，常出入公卿间。开成中，游陕州，谒姚合，呼为从翁。本年以宰相李德裕之荐登进士第。曾至边塞。咸通十三年，（咸通十一年（870）?）官至台州刺史、御史中丞。《唐才子传》云：“吏才文价，俱不甚超，一名仅尔流播，亦多幸矣。”《唐音癸签》卷八：“姚居云吟笔，见甄李赞皇，如‘入河残日雕西尽’，又‘雪坛当醮月孤明’，清拔不可多得。”《新唐书·艺文志四》著录：“《姚鹄诗》一卷。”已佚。《全唐诗》编其诗一卷。《全唐诗补编》补诗一首。及第前，姚鹄颇多投献陈情之作，其《书情献知己》有句云：“有道期攀桂，无门息转蓬。赁居将程尽，乞食与僧同。……众皆轻病骥，谁肯救焦桐。……深思知尚在，何处问穷通。”《随州献李侍御二首》，其二：“再刖未甘何处说，但垂双泪出咸秦。风尘匹马来千里，蓬梗全家望一身。……今朝傥降非常顾，倒屣宁惟有古人。”《感怀陈情》：“谬曾分玉石，竟自困风尘。……升沉在言下，应念异他人。”及第后，姚鹄同年李潜、石贯、黄颇、刘耕等归乡觐亲，鹄均赋诗送行，有《送李潜归绵州觐省》、《送石贯归湖州》、《送刘耕归舒州》、《送（一本有同年二字）

黄颇归袁》。（见《全唐诗》卷五五三）事迹见《唐摭言》卷三、《历代崇道记》、《唐才子传校笺》卷七。

徐薰，生卒年不详，与姚鹄同年登第。姚鹄有《和徐先辈秋日游泾州南亭呈二三同年》（见《全唐诗》卷五五三），诗题又作《和徐薰先辈秋日游泾州南亭呈二三同年》（见《文苑英华》卷三一六），诗中有"多少欢情泛鹢舟，桂枝同折塞同游"句，知徐薰与姚鹄为同年。（见孟二冬《登科记考补正》）

高退之，生卒年籍贯不详，本年进士及第。《唐摭言》："退之字遵圣。"文宗、武宗时人。居周至山中。本年应进士试，策试以后，自顾微劣，不存录取希望，遂归山居，不期竟进士及第。《和周墀诗》小注云："退之自顾微劣，始不敢有叨窃之望，策试之后遂归周至山居。不期一旦进士团遣人赍榜，扣关相报，方知忝幸矣。"（此诗收于何书，不详）《全唐诗》仅存其和诗。事迹见《唐摭言》卷三。

孟球字廷玉，一作庭玉。生卒年、籍贯不详。本年进士及第。座主王起三知贡举，有诗答友人周墀贺诗，孟球与众同年均有和诗。累官金部员外郎、户部郎中、司勋郎中。咸通五年（864）以晋州刺史兼徐州刺史。《全唐诗》存诗一首。事迹见《唐尚书省郎官石柱题名考》卷七。

刘耕字遵益，舒州（治今安徽潜山）人。生卒年不详。本年进士及第。周墀有诗贺座主王起，起、耕等均作诗相和。《全唐诗》仅存其和诗一首。事迹见《唐摭言》卷二。

裴翻字云章，生平事迹均不详，本年登第。座主王起三知贡举，有诗酬答友人贺诗。裴翻等同年均作诗相和。《全唐诗》仅存此诗。事迹见《唐摭言》卷三。

樊骧，字彦龙，一作元龙。生卒年、籍贯不详。本年进士及第。懿宗、僖宗时为仓部员外郎、仓部郎中。《全唐诗》存诗一首。事迹见《唐摭言》卷三，《唐尚书省郎官石柱题名考》卷一七、一八。（见《唐摭言》卷三）

潘图本年由长安归宜春，卢肇有《送潘图归宜春》诗。后以进士及第。图，袁州宜春（今属江西）人。生卒年不详。文宗、武宗时人。《全唐诗》存诗一首，《全唐文》存文一篇。事迹见唐卢肇诗、《登科记考》卷二七。

崔轩，生卒年不详，本年进士及第。《唐诗纪事》卷五五谓崔轩字"鸣岚"，《唐摭言》则记："轩字鸣冈。"本年进士及第。座主王起为三知贡举，有诗酬和友人贺诗。崔轩等从而和之。《全唐诗》仅存此诗。事迹见《唐摭言》卷三。

蒯希逸，生卒年不详，字大隐。希逸本年擢第，时人皆赞其遇贤仆夫。《唐摭言》卷十五《贤仆夫》："武公傅常事蒯希逸十余岁……洎希逸擢第，傅辞以亲在，乞归就养，公坚留不住。……以诗送之，略曰：'山险不曾离马后，酒醒长见在床前。"时人醵绢赠行，皆有继和。"《唐诗纪事》卷五五亦载此事。希逸诗名颇著，《唐诗纪事》卷五五："希逸诗'蟾蜍醉里破，蛱蝶梦中残'，牛相（僧孺）在扬州常称之。《全唐诗》卷五二二杜牧有《池州春送前进士蒯希逸》诗。

林滋，生卒年不详，本年进士及第。字后象，一作厚象。《淳熙三山志》卷二六《人物·科名·进士》："会昌三年进士林滋，字后象，闽县人。历金部郎中，后王铎辟为判官。"[按，《永乐大典》引《闽中记》作字厚象，又引《池州府志》曰："林滋字德润”，未知孰是，俟考］林滋登第前，已以赋驰名，与詹雄、郑诚齐名，“时称雄诗、诚文、滋赋为闽中三绝”。（见《全唐诗》卷五五二林滋小传）黄滔《翁文尧以美疹暂滞令公大王益得异礼观今日宠待之盛辄成一章》云：“滋赋诚文侯李盛，终求一袭锦衣难。”诗下注：“林、郑在举场日，时曰：‘滋赋诚文，中外相奖。”（见《全唐诗》卷七〇六）咸通、乾符中，官度支、祠部、金部三郎中。工赋能诗。《全唐文》存律赋四篇，《全唐诗》存诗六首。事迹见《登科记考》卷二二。

李宣古，生卒年不详，本年进士及第。［按，《唐摭言》卷三作“李仙古”］《唐才子传》卷五：“李宣古字垂后，澧阳人。会昌三年卢肇榜进士，又试中宏词。工文，极俊，有诗名，性谑浪，多所讥诮。时杜悰尚主，出守澧阳。宣古在馆下，数陪宴赏，谐慢既深，悰不能忍……使卧泥中，衣冠颠倒。歧阳公主素惜其才……遣人扶起，更以新服，赴中座，使宣古赋诗，谢曰：‘红灯初上月轮高，照见堂前万朵桃。……争奈夜深抛耍令，舞来手接去使人劳。’杜公赏之。后悰二子裔休、儒休皆中第，人曰：‘非母贤待师，不足成其子。’今诸集中往往载其作。有英气，调颇清丽，惜不多见，竟薄命无组绶之誉，落寞自终。弟宣远，亦以诗名，今传者可数也。”然毕生未仕，落寞而终。辛文房称其诗“有英气，调颇清丽”。（《唐才子传》）张为《诗人主客图》将其列为“高古奥逸主”之升堂者。录其“翠盖不西来，池上天池歇”诗，《全唐诗》存诗四首及断句三句。事迹见《云溪友议》卷中、《唐摭言》卷三、《唐诗纪事》卷五五、《唐才子传校笺》卷七。

张道符（？—861）字梦锡，生卒年、籍贯均不详，本年登第。（见《唐诗纪事》卷五五）时知贡举王起有诗酬友人贺诗，张与诸同年均有和作。大中七年（853），为谏官，职业修举，得宣宗称赞。历主客员外郎、户部郎中。咸通元年（860）充翰林学士。二年（861），加司封郎中、知制诰，卒。《全唐诗》存诗一首。事迹见《唐尚书省郎官石柱题名考》卷五。

丘上卿字陪之，生卒年、籍贯不详，本年进士及第。座主王起第三次知贡举，有诗酬答友人贺诗，丘上卿等从而和之。《全唐诗》仅存此诗。事迹见《唐摭言》卷三。

石贯，《唐摭言》：“贯字总之。”湖州（今属浙江）人。本年进士登第。姚鹄有《送石贯归湖州》诗云：“同志幸同年，高堂君独还。齐荣恩未报，共隐事应闲。访寺临湖岸，开楼见海山。洛中推二陆，莫久恋乡关。”（见《全唐诗》卷五十五）［按，《全唐诗》卷五四三作喻凫诗，题为《送石贲归吴兴》，误］座主王起第三次知贡举，有诗酬答友人贺诗。石贯等从而和之。大中四年（850）为太学博士。《全唐诗》存诗一首，《全唐文》存赋三篇。事迹见《唐摭言》卷三、《太平广记》卷三五一引《宣室志》。

李潜，生卒年不详，本年登进士第。袁州宜春（今属江西）人。《唐摭言》：“潜字德隐。”李褒撰会昌四年十二月十九日《唐故绵州刺史江夏李公（正卿）墓志铭并序》云：“公先娶河南元夫人，生男子潜，有词艺声华，登进士上第。……其年十二月十七日，嗣子潜奉理命启先夫人之窆合祔于河南县金谷原，礼也。”（见《千唐志斋藏志》，参《唐代墓志汇编》）又《唐文续拾》卷五李潜撰《尊胜经幢后记》自称“会昌癸亥岁，始升名太常第”。本年及第，座主王起为三知贡举，有诗答友人贺诗。潜等为

门生，从而和之。其父正卿时为绵州刺史，潜及第后遂至绵州觐省。昭宗时，曾为岭南西道观察支使，钱珝有授李潜岭南西道观察支使制。《全唐诗》存诗一篇，《唐文续拾》存文一篇。事迹见其文及《唐诗纪事》卷五五。

孟宁，一作孟守，本年进士及第。［按，《唐诗纪事》卷五五、《全唐诗》卷五五二作“孟守”］宁字处中。生卒年、籍贯不详。宪宗至武宗时人。长庆三年（823）应进士试，知贡举王起放其及第，但被宰相所黜。本年王起三知贡举，孟宁始进士及第，时已老态龙钟。放榜后王起有诗酬答友人，孟宁与众同年均有诗相和。《全唐诗》存诗一首。事迹见《唐诗纪事》卷五五。《南部新书》：“孟宁，长庆三年王起放及第，至中书，为时相所退。其年，太和公主和戎。至会昌三年，起自左揆再知贡，宁以龙钟就试而成名。是岁，石雄人塞，公主自西蕃还京。”

唐思言，《唐摭言》卷三：“思言字子文。”生卒年不详，文宗、武宗时人。会昌三年（843）进士及第。座主王起为三知贡举，有诗答友人贺诗。思言等从而和之。《全唐诗》存诗一首。

尤牢，本年进士及第。［按，尤牢，《唐摭言》卷三、《唐诗纪事》卷五五、《全唐文》卷七六二均作“左牢”；《全唐诗》卷五五二作“弋牢”，注云“一作左牢”］生卒年、籍贯不详，字德胶。座主王起第三次知贡举，友人以诗寄贺，王作诗相和。左牢等从而和之。《全唐诗》存诗二首。事迹见《唐摭言》卷三。

王甚夷，字无党。生卒年、籍贯不详。本年进士及第。座主王起三知贡举，作诗酬和友人贺诗。甚夷等门人均作诗相和。《全唐诗》存诗一首。事迹见《唐摭言》卷三。

金厚载，本年进士登第。字化光，误作光化。生卒年、籍贯均无考，时主司王起三知贡举，有诗和友人贺诗。金厚载亦从而和之。《全唐诗》存诗二首，《全唐文》存文二篇。事迹见《唐摭言》卷三。

知贡举：吏部尚书王起。《旧唐书·王播传》：“王起，会昌元年征拜吏部尚书，判太常卿事。三年，权知礼部贡举。明年，正拜左仆射，复知贡举。起前后四典贡部，所选皆当代词艺之士，有名于时，人赏其精鉴徇公也。其年秋，出为兴元尹。”《唐摭言》：“周墀任华州刺史，武宗会昌三年，王起仆射再主文柄。墀以诗寄贺，并序曰：‘仆射十一叔，以文学德行当代推高。在长庆之间，春闱主贡，采摭孤进，至今称之。近者朝廷以文柄重难，将抑浮华，详明典实，繇是复为前务，三领贡籍。迄今二十二年于兹，亦搢绅儒林罕有如此之盛况。新榜既至，众口称公。墀忝沐深恩，喜陪诸彦，因成七言四韵诗一首，辄敢寄献，用导下情，兼呈新及第进士。’诗曰：‘文场三化鲁儒生，二十余年振重名。曾忝《木鸡》夸羽翼，又陪金马入蓬瀛。虽欣月桂居先折，更羡春兰最后荣。欲到龙门看风水，关防不许暂离营。’起答诗曰：‘贡院离来二十霜，谁知更忝主文场。杨叶纵能穿旧的，桂枝何必爱新香。九重每忆同仙禁，六义初吟得夜光。莫道相知不相见，莲峰之下欲征黄。’时王起门生一榜二十二人和周墀诗，卢肇诗曰：‘嵩高降德为时生，洪笔三题造化名。凤诏伫归专北极，骊珠搜得尽东瀛。褒衣已换金章贵，禁掖曾随玉树荣。明日定知同相印，青衿新列柳间营。’丁稜诗曰：‘公心独立副天心，三辖春闱冠古今。兰署门生皆入室，莲峰太守别知音。同升翰苑时名重，遍历朝端主意深。新有受恩江海客，坐听朝夕继为霖。’黄颇诗曰：‘二十二年文教主，三千上士满皇州。独陪宣父蓬瀛奏，方接颜生鲁卫游。多羡龙门齐变化，屡看鸡树第名流。升堂何处最荣美，朱紫环尊几献酬。’姚鹄诗曰：‘三年竭力向春闱，塞断浮华众路歧。盛选栋梁称昔日，平均雨露及明时。登龙旧美无斜径，折桂新荣尽直枝。莫道只陪金马贵，相期更在凤凰池。’高退之诗曰：‘昔年桃李已滋荣，今日兰荪又发生。葑菲采时将有道，权衡分处且无情。叨陪鸳鹭朝天客，共作门阑出谷莺。何事感恩偏觉重，忽闻金榜叩柴荆。’孟球诗曰：‘当年门下化龙成，今日余波进后生。仙籍共知推丽则，禁垣同得荐嘉名。桃谿早茂夸新萼，菊圃初开耀晚英。谁料羽毛方出谷，许教齐和九皋鸣。’刘耕诗曰：‘孔门频建铸颜功，紫绶青衿感激同。一簣勤劳成太华，三年恩德重维嵩。杨随前辈穿皆中，桂许平人折欲空。惭和周郎应见顾，感知大造意无穷。’裴翻诗曰：‘常将公道选群生，犹被春闱屈重名。文柄久持殊岁纪，恩门三启动寰瀛。云霄幸接鸳鸾盛，变化欣同草木荣。乍得阳和如细柳，参差长近亚夫营。’樊骧诗曰：‘满朝簪绂半门生，又见新书甲乙名。孤进自今开道路，至公依旧振寰瀛。云飞太华清词著，花发长安白屋荣。忝受恩光同上客，惟将报德是经营。’崔轩诗曰：‘满朝朱紫半门生，新榜劳人又得名。国器旧知收片玉，朝宗转觉集登瀛。同升翰苑三年美，继入花源九族荣。共仰莲峰听雪唱，欲赓仙曲意怔营。’蒯希逸诗曰：‘一振声华入紫微，三开秦镜照春闱。龙门旧列金章贵，莺谷新迁碧落飞。恩感风雷皆变化，诗裁锦绣借光辉。谁知散质多荣忝，鸳鹭清尘接布衣。’林滋诗曰：‘龙门一变荷生成，况复三传不朽名。美誉早闻喧北阙，颓波今见走东瀛。鸳行既接参差影，鸡树仍同次第荣。从此青衿与朱紫，升堂侍宴更何营。’李宣古诗曰：‘恩光忽逐晓春生，金榜前头忝姓名。三感至公裨造化，重扬文德振寰瀛。伫为霖雨增相贺，半在云霄觉更荣。何处新诗添照灼，碧莲峰下柳间营。’张道符诗曰：‘三开文镜继芳声，暗指云霄接去程。曾压洪波先得路，早升清禁共垂名。莲峰对处朱轮贵，金榜传时玉韵成。更许下才听白雪，一枝今过却诜荣。’邱上卿诗曰：‘常将公道选诸生，不是鸳鸿不得名。天上宴迴联步武，禁中麻出满寰瀛。簪裾尽过前贤贵，门馆仍叨后学荣。看著凤池相继入，都堂那肯滞关营。’石贯诗曰：‘重德由来为国生，五朝清显冠公卿。风波久伫济川檝，羽翼三迁出谷莺。绛帐青衿同日贵，春兰秋菊异时荣。孔门弟子皆贤哲，谁料穷儒忝一名。’李潜诗曰：‘文学宗师心称平，无私三用佐贞明。恩波旧是仙丹客，德宇新添月桂名。兰署崇资金印重，莲峰高唱玉音清。羽毛方荷生成力，难继鸾皇上汉声。’孟宁诗曰：‘科文又主守初时，光显门生际会期。美擅东堂登甲乙，荣同内署待恩私。群莺共喜新迁木，双凤皆当即入池。别有倍深知感士，曾经两度得芳枝。’唐思言诗曰：‘儒雅皆傅德教行，几敦浮俗赞文明。龙门昔上波涛远，禁署同登渥泽荣。虚散谬当陪杞梓，后先宁异感生成。时方侧席征贤急，况说歌谣近帝京。’尤牢诗曰：‘圣朝文德最推贤，自古儒生少比肩。再启龙门将二纪，两司莺谷已三年。蓬山皆羡齐荣贵，金榜谁知忝后先。正是感恩流涕日，但思旌旆碧峰前。’王甚夷诗曰：‘春闱帝念主生成，长庆公闻两岁名。有诏赤心司雨露，无私和气浃寰瀛。龙门乍出难胜幸，鸳侣先行是最荣。遥仰高峰看白雪，多惭属和意屏营。’金厚载诗曰：‘长庆曾收闲世英，早居台阁冠公卿。天书再受恩波远，金榜三开日月明。已见差肩趋翰苑，更期联步掌台衡。小儒谬迹云霄路，心仰莲峰望太清。'"

卢肇《风不鸣条诗》曰："习习和风至，过条不自鸣。暗通青律起，远望白蘋生。拂树花仍落，经林鸟自惊。几牵萝蔓动，潜惹柳丝轻。入谷迷松响，开窗失竹声。薰弦方在御，万国仰皇情。"（《文苑英华》）

黄颇《风不鸣条诗》曰："五纬起祥飙，无声瑞圣朝。稍开含露蘂，才转惹烟条。密叶应潜变，低枝几暗摇。林闲莺欲啭，花下蝶微飘。初满缘隄草，因生逐水苗。太平无一事，天外奏虞《韶》。"（《文苑英华》）

姚鹄《风不鸣条诗》曰："吾君理化清，上瑞报升平。晓吹何曾息，柔条自不鸣。花香知暗度，柳色觉潜生。只见低垂势，那闻击触声。大王初溥畅，少女正轻盈。幸遇无私力，幽芳愿发荣。"《文苑英华》

尤牢《风不鸣条诗》曰："旭日悬清景，微风在绿条。入松声不发，过柳影空摇。长养应潜变，扶疏每暗飘。有林时嫋嫋，无树渐萧萧。误逐青烟散，轻和树色饶。丰年知有待，歌咏美唐尧。"（《文苑英华》）

王甚夷《风不鸣条诗》曰："圣日祥风起，韶晖助发生。蒙蒙遥野色，袅袅细条轻。荏苒看渐动，怡和吹不鸣。枝含余露湿，林霁晓烟平。缥缈春光媚，悠扬景气晴。康哉帝尧代，寰宇共澄清。"（《文苑英华》）

金厚载《风不鸣条诗》曰："寂寂曙风生，迟迟散野轻。露华摇有滴，林叶袅无声。暗翦蘘芳发，空传谷鸟鸣。悠扬韶景静，淡荡霁烟横。远水波澜息，荒郊草树荣。吾君垂至化，万类共澄清。"（《文苑英华》）

赵嘏本年约三十八岁，落第在京。李回前曾极力奖拔赵嘏，时兼御史中丞（见《旧唐书·李回传》），嘏献诗陈情，作《下第后上李中丞》诗："落第逢人恸哭初，平生志业欲何如。鬓毛洒尽一枝桂，泪血滴来千里书。谷外风高摧羽翮，江边春在忆樵渔。唯应感激知恩地，不待功成死有余。"（见《全唐诗》卷五四九）［按，《云溪友议》卷下《龟长证》条记李回为"淮南从事，力荐毕丞相諴，后又举赵渭南嘏"］

潘唐应进士试不第，友人黄颇及第，作《下第归宜春酬黄颇钱别》诗，抒失意情怀。唐与颇均袁州宜春（今属江西）人。活动于文宗、武宗之世。《全唐诗》仅存此诗。

四月

江州东林寺碑成，刺史张又新撰《东林寺碑阴记》。初，东林寺藏开元十年李邕手书《东林寺碑》卷轴，寺僧云皋立志树碑刻之，四方募缘，"会河东裴公自中书舍人开廉府于钟陵……亦垂信施……会昌三年四月，磨砻既成……"，时张又新"刺兹郡，因减俸缗屋其上，且嘉皋建志不苟……故记碑之阴。"（见《全唐文》卷七二一张又新《东林寺碑阴记》）又新字孔昭。深州陆泽（今河北深州）人。张荐子。生卒年不详。初应京兆府试，元和九年（814）进士及第，十二年（817）登博学宏词科，均名列第一，时称"张三头"。长庆中，为右补阙，与同党八人谄事宰相李逢吉，时号"八关十六子"。转祠部员外郎。宝历二年（826），为山南东道行军司马。大和元年（827），贬汀州刺史。九年（835），迁刑部郎中，为申州刺史。开成中温州刺史。本年为刺史。又新嗜茶，善文辞。《全唐诗》存诗十七首，《全唐诗补编》补六首又四句，重录一首，补序一首。多写景之作，词意工巧，境界不高。《全唐文》存文二篇。有《煎茶水记》一卷，今传。事迹见《旧唐书·张荐传》附传、《新唐书》本传。

刘鲁风于去年、本年（842、843）间，投谒江州刺史张又新，为守门人所阻，因赋诗泄愤。张览诗，纳为门生。风，一作封。生卒年、籍贯不详。《全唐诗》存诗一首。事迹见唐张又新《煎茶水记》、《唐摭言》卷一〇。

昭义节度使刘从谏卒，其侄刘稹度朝廷虚弱，自为兵马留后，拒遵朝旨。宰相、谏官及群臣上言者多以为回纥边患未解，复讨泽潞，国力不支，主张姑息。李德裕独排众议，以为朝廷若允刘稹所欲授其节钺，"则四方诸镇谁不思效其所为，天子威令不复行矣！"武宗遂决意讨稹。（见《旧唐书·武宗本纪》、《资治通鉴》卷二四七）

六月

武宗一意崇道斥佛。十一日，内里设斋，令大德对道士论义，道士二人敕赐紫衣，而大德总不得着紫。（见《入唐求法巡礼行记》卷四）十三日，太子詹事韦宗卿因进献自撰《涅槃经疏》二十卷，遭痛斥贬官。武宗盛怒，远斥宗卿令充成都府尹，即日焚讫宗卿所进经卷，且严令中书门下就宅追索草本焚烧，使不得流传于外。（见《入唐求法巡礼行记》卷四）

段成式（803？—863），字柯古，本年四十一岁。夏，与秘省同僚张希复、郑符游京中寺庙，多有联句之咏。其时，成式另有《寺塔记》之撰。其《记》文曰："武宗癸亥三年夏，予与张君希复善继同官秘书，郑君符梦复连职仙署，会暇日游大兴善寺，因问《两京新记》及《游目记》，多所遗略。乃约一旬寻两街寺，以街东兴善为首，二《记》所不具，则别录之。"（见《全唐文》卷七八七）成式与张、郑二人本年夏游长安诸寺所咏诸联句，存于今者有：《游长安诸寺联句》、《老松青桐联二十字绝句》、《蛤像联二十字绝句》、《圣柱联句》、《红楼联句》（下注："隐侯体"）、《穗柏联句》、《题璘公院》（下注："一言至七言，每人占两题"）、《吴画联句》、《题约公院》、《偶联句》、《僧房联句》、《小小写真联句》、《书事联句》、《中禅师影堂联句》、《光天帧赞联句》、《三阶院联句》、《赠诸上人联句》、《奇松联二十字绝句》、《闲中好》、《诸画联句》（下注："柏梁体"）等。（见《全唐诗》卷七九二）成式，荆州（今属湖北）人，祖籍临淄邹平（今山东邹平），后徙荆州（今湖北江陵）。段文昌之子。早年随父宦游蜀中、长安、扬州、荆州等地。大和初为浙西观察使李德裕幕从事。开成二年（837）以门荫入仕，值集贤殿，会昌三年（843）官秘书省校书郎。开成五年，为秘书省著作郎、集贤殿修撰，累迁尚书省郎中。大中二年（848），授吉州刺史。九年（855）授处州刺史，有善政。大中十三年（859）罢居襄阳，入节度使徐商幕，与温庭筠、周繇等唱和，集为《汉上题襟集》十卷（已佚）。咸通元年（860）为荆南节度使从事，拜江州刺史。官终太常少卿。成式为人博闻强记，研精苦学，喜读奇篇秘籍。撰《酉阳杂俎》二十卷、《续集》十卷，今存。工文能诗，与李商隐、温庭筠齐名，时称“三才”、“三十六”（因三人排行都是十六）。文骈俪繁缛，诗纤细侧艳。代表作有《好道庙记》、《汉宫词二首》等。小说尤有名。笔记、传奇小说集《酉阳杂俎》“自唐以来，推为小说之翘楚”（见《四库全书总目》卷一四二）。其与温庭筠等襄阳唱和之作编为《汉上题襟集》，十卷，已佚。《全唐诗》存诗一卷。《唐音癸签》载：“段成式与温、李同号‘三十六体’，思庞而貌瘠，故厥声不扬。”《石园诗话》云：“段柯古，宰相文昌子，研精苦学，秘阁书籍，披阅皆遍，与义山、飞卿齐名，时号“三十六体”。然其诗长于用典，较之温、李，固曹、会耳也。”《卧雪诗话》：“段酉阳与温、李并称‘三十六体’，非唯不及李，亦不及温。僻典涩体，至不可解，与所著《酉阳杂俎》类书相似。其奇丽似长吉，实非长吉；其沉厚似昌黎，实非昌黎；其纤密似武功，实非武功。当为唐诗别派，后人亦鲜效之者。”《新唐书·艺文志三》著录《酉阳杂俎》三十卷、《庐陵官下记》二卷，有散佚。《宋史·艺文志七》著录《段成式集》七卷，已佚。今传《酉阳杂俎》二十卷、《续集》十卷，辑本《庐陵官下记》一卷，《段成式诗》一卷等。《全唐诗》存诗一卷、词一首、联句若干；《全唐文》存文一卷，《唐文拾遗》补五篇。元锋等有《段成式诗文辑注》。方南生有点校本《酉阳杂俎》。事迹见新、旧《唐书·段文昌传》附传。（参方南生《段成式年谱》）

张希复本年为秘书郎，与段成式同官，相友善。希复，深州陆泽（今河北深州）人。生卒年不详。张荐子、牛僧孺婿。大中中，为河南户曹、集贤校理。官终员外郎。《全唐诗》存诗、词各一首。事迹见唐杜牧《牛公（僧孺）墓志铭并序》、《酉阳杂俎续集》卷五、《旧唐书·张荐传》、《太平广记》卷一八二引《唐阙史》。

郑符本年为校书郎，与段成式、张希复等同游长安诸寺，联句多首。符字梦复。生卒年、籍贯不详。卒于大中七年（853）前。《全唐诗》存所预联句十一首、词一首。事迹见唐段成式《游长安诸寺联句并序》。

七月

二十八日，贾岛（779—843）卒，年六十五。岛字浪仙，一作阆仙，曾自称碣石山范阳（今河北涿县）人。早年为僧，法名无本，后还俗。元和中，南游京洛，投谒名公，累举进士不第。长庆中，因以《病蝉》诗讥刺公卿，与平曾等被并称“举场十恶”。开成初，坐飞谤贬授遂州长江主簿。秩满，迁普州司仓参军。会昌三年，改司户参军，未受命而卒。人称贾长江、贾司仓。岛工诗，长于五律，与韩愈、孟郊、张籍、王建、姚合、无可等交游酬唱，为著名苦吟诗人。诗风与孟郊接近，均求新求奇，尚清奇僻苦，故苏轼谓之“郊寒岛瘦”（见《寄柳子玉文》）。韩愈亦有诗赞之曰：“孟郊死葬北邙山，日月风云顿觉闲。天恐文章还断绝，再生贾岛在人间。”（见《刘公嘉话》）岛性刚肠嫉恶，成其孤峭诗骨。晚唐五代人推尊贾岛备至，爱赏其诗者极众，仿效贾岛诗体为时所尚，号“贾岛格”（见《苕溪渔隐丛话》）。晚唐李洞尊之为“贾岛佛”（见《唐才子传》卷九），南唐孙晟挂其像于壁上，朝夕供奉。（见《旧五代史》卷一三一）岛辞世，苏绛为撰《唐故司仓参军贾公墓铭》（见《全唐文》七六三），李频、无可、曹松、李克恭、安（一作郑）锜、张蠙、郑谷、崔涂、杜荀鹤、李洞、贯休、齐己、可止等诗坛名家，纷纷赋诗哭吊。李洞《贾岛墓》：“位卑终蜀土，诗绝占唐朝。”（见《全唐诗》卷七二二）无可《吊从兄岛》：“诗名从盖代，谪宦竟终身。蜀集重编否？巴仪薄葬新。青门临旧卷，欲见永无因！”（见《全唐诗》卷八一四）李频《哭贾岛》：“恨声流蜀魄，冤气入湘云。无限风骚句，时来日夜闻。”（见《全唐诗》卷五八九）曹松《吊贾岛二首》其一云：“先生不折桂，谪去抱何冤。……冥寞如搜句，宜邀贺监论。”（见《全唐诗》卷七一六）又，张蠙有《伤贾岛》（见《全唐诗》卷七〇二）、郑谷有《长江县经贾岛墓》（见《全唐诗》卷六七六）、杜荀鹤有《经贾岛墓》（见《全唐诗》卷六九一）《贾司仓墓志铭》：“属思五言，孤绝之句，记在人口……丰骨自清，冥搜至理。悟浮幻之莫实，信无生之可求，知矣哉！又工笔法，得钟、张之奥。所著文篇，不以新句绮靡为意，淡然蹑陶、谢之踪。片云独鹤，高步尘表。……铭曰：猗欤贾君，天纵奇文。名高天下，鹤不在云。蚤振声光，高步出群。今则已矣，馨若兰黛。”《诗人主客图》：“清奇雅正主：李益……升堂七人：方干、马戴、任藩、贾岛、厉玄、项斯。”司空图《与李生论诗书》：“贾浪仙诚有警句，视其全篇，意思殊馁，大抵附于蹇涩，方可致才，亦为体之不备也。”《唐摭言》：“元和中，元、白尚轻浅，岛独变格入僻，以矫浮艳，虽行坐寝食，吟味不辍。”吕居仁《书长江集后》：“岛之诗，约而覃，明而深，杰健而闲易，故为不可多得。韩退之称岛为文‘身大不及胆’，又云‘奸穷怪变得，往往造平淡’者，予考于集，信然。”方岳《深雪偶谈》：“贾阆仙，燕人，生寒苦地，故立心亦然。诚不欲以才力气势，掩夺情性，特于事物理态，毫忽体认。深者寂入仙源，峻者迥出灵岳。古今人口数联，固于劫灰之上泠然独存矣。至以其全集，经岁逾纪咀绎，如芊葱佳气，瘦隐啸吟，徐露其妙，令人首肯，无一可以厌致。”《瀛奎律髓》：“贾浪仙五言诗律高古，平生用力之至者；七言律诗不逮也。”《批点唐音》：“浪仙诗清新沉实，自足为一家，但少从容敦厚耳。温飞卿辈同伦，当济之长吉、元、白间可也。”《诗源辩体》：“贾岛与孟郊齐名，故称‘郊岛’，郊称五言古，岛称五言律……岛五言律气味清苦，声韵峭急，在唐体尚为小偏，而句多奇僻，在元和则为大变。东坡云‘郊寒岛瘦’，唐人诗论气象，此正言气象耳。”《重订中晚唐诗主客图》：“浪仙诗无七古，其五古、五七言律以及绝句，皆生峭险僻，锤炼之功不遗余力。……尤好为五言律，存遗二百余篇，较别体为多，东野所谓燕本越淡，五言宝刀也。沿流而下，李洞之外，又有周贺、曹松、喻凫，皆宗派之可考者。其他诸贤，虽古无闻，体格不殊，可推而得之。……尊为‘清奇僻苦主’，与张水部分坛领袖。”宋王远《〈贾岛集〉后序》：“浪仙以诗鸣世，杰出于贞元、元和文章极盛之后，其诗与郊分镳并驰峭直深刻。……大抵士之不遇，厄穷罹谤，郁郁顿挫，身可摈而志不可夺，士可压而气不可屈。……予每读二子之诗而悲之。《四库提要》、《新唐书·艺文志四》著录《长江集》十卷，又《小集》三卷、《诗格》一卷。今有《贾长江集》十卷行世。《全唐诗》编诗四卷。《新唐书·艺文志四》著录《长江集》十卷，又《小集》三卷、《诗格》一卷。

苏绛，生卒年、籍贯、仕历不详。武宗时人。与贾岛为知己。岛本年去世，绛受嘱作《贾司仓墓志铭》。该文叙贾岛生平，述贾诗特色，为首篇论述贾岛生平与创作的重要文章。《全唐文》仅存此篇。

八月

杜牧本年四十一岁，在黄州刺史任。以昭义镇刘稹拥兵抗拒朝命，作《上李司徒相公论用兵书》（见《樊川文集》卷十一）上书宰相李德裕论泽潞用兵方略，德裕颇采其言。（见《资治通鉴》卷二四七本年四月条、《新唐书·杜牧传》）

黄颇闻家乡宜春诸举子赏月，作《闻宜春诸举子小陪郡主登河梁玩月》。诗云："一年秋半月当空，遥羡飞觞接庾公。……虽向东堂先折桂，不如宾席此时同。"（见《全唐诗》卷五五二）《正德袁州府志》卷八：颇"著文千余篇"，"会昌间登进士，历官御史"。此后事迹无考。

李商隐关注昭义战事，约此时前后作《行次昭应县道上送户部李郎中充昭义攻讨》。诗云："将军大旆扫狂童，诏选名贤赞武功。……鱼游沸鼎知无日，鸟覆危巢岂待风。"又有《赋得鸡》："稻粱犹足活诸雏，妒敌专场好自娱。可要五更惊稳梦，不辞风雪为阳乌？"

裴夷直本年秋仍在驩州司户参军贬所，作《寄婺州李给事二首》赠李中敏。（见《全唐诗》卷五一三）

九月

河阳节度使王茂元卒于军中。李商隐乃茂元婿，且长于四六，为作《代仆射濮阳公遗表》呈朝廷。（见《旧唐书·武宗本纪》、《樊南文集详注》卷一）

十一月

温庭筠本年四十三岁，此时前后有赠进士卢言及乐府谣曲等诗。《温飞卿诗集笺注》卷七《赠考功卢郎中》："白首方辞满，荆扉对渚田。雪中无陋巷，醉后似当年。"[按，据吴汝煜、胡可先《全唐诗人名考》，卢郎中为卢言。据《郎官石柱题名》，卢言为考功郎中在魏扶前一人。据丁居晦《重修承旨学士壁记》，魏扶会昌四年（844）四月十五日自起居郎转任考中，则卢言本年前后在考中任]温庭筠诗多有未能系年者，其中颇有传世名篇，如《商山早行》："晨起动征铎，客行悲故乡。鸡声茅店月，人迹板桥霜。槲叶落山路，枳花明驿墙。因思杜陵梦，凫雁满回塘。"（见《温飞卿诗集》卷七）《苏武庙》："苏武魂销汉使前，古祠高树两茫然。云边雁断胡天月，陇上羊归塞草烟。回日楼台非甲帐，去时冠剑是丁年，茂陵不见封侯印，空向秋波哭逝川。"《过陈琳墓》："曾于青史见遗文，今日飘蓬过此坟。词客有灵应识我，霸才无主始怜君。石麟埋没藏春草，铜雀荒凉对暮云。莫怪临风倍惆怅，欲将书剑学从军。"又其集卷一至卷三多有乐府歌曲谣词之作，如《鸡鸣埭歌》、《织锦词》、《夜宴谣》、《湘宫人歌》、《锦城曲》、《觱篥歌》、《公无渡河》、《太液池歌》、《春洲曲》、《江南曲》、《苏小小歌》、《懊恼曲》、《西州曲》、《敕勒歌塞北》、《边笳曲》、《七夕歌》、《春晓曲》等诗作，亦皆未能考知作年。此类诗词采华丽，绮情艳思，颇得南朝艳诗遗韵。《旧唐书》本传记其早年"苦心研席，尤长于诗赋。……然士行尘杂，不修边幅，能逐弦吹之音，

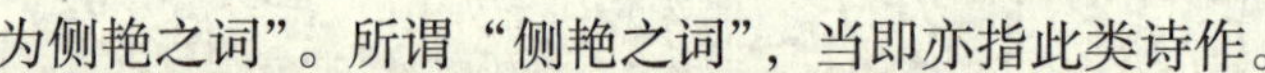

为侧艳之词”。所谓“侧艳之词”，当即亦指此类诗作。

十二月

二十二日，朝廷依李德裕所奏，宣敕罢进士宴会题名。《唐摭言》卷三《慈恩寺题名游赏赋咏杂记》：“会昌三年，赞皇公为上相……（十二月）二十二日，中书覆奏：‘奉宣旨：不欲令及第进士呼有司为座主，趋附其门，兼题名、局席等条疏进来者。伏以国家设文学之科，求贞正之士，所宜行敦风俗，义本君亲，然后升于朝廷，必为国器。岂可怀赏拔之私惠，忘教化之根源！自谓门生，遂成胶固？所以时风浸薄，臣节何施？树党背公，靡不由此。臣等商量，今日已后，进士及第任一度参见有司，向后不得聚集参谒，及于有司宅置宴。其曲江大会朝官及题名、局席，并望勒停。缘初获美名，实皆少隽；既遇春节，难阻良游，三五人自为宴乐，并无所禁。惟不得聚集同年进士，广为宴会。仍委御史台察访闻奏。谨具如前。’奉勅‘宜依’。”（见《唐诗纪事》）［按，《全唐文》卷七〇一有李德裕《停进士宴会题名疏》］《唐摭言》：“进士题名，自神龙之后，过关宴后率皆期集于慈恩塔下题名……会昌三年，赞皇公为上相（有此奏）……于是向之题名，各尽削去。盖赞皇公不由科第，故设法以排之，洎公失意，悉复旧态。”《玉泉子》：“李德裕以己非由科第，恒嫉进士举者。及居相位，贵要束手。德裕尝为藩府从事日，同院李评事以词科进，适与德裕官同。时有举子投文轴，误与德裕。举子既误，复请之，曰：‘某文轴当与及第李评事，非与公也。’由是德裕志在排斥。”

杜牧赋诗咏唱朝廷征伐刘稹之叛，预祝来春旗开得胜。《樊川文集》卷二《东兵长句十韵》：“上党争为天下脊，邯郸四十万秦阬。狂童何者欲专地？圣主无私岂玩兵。……凯歌应是新年唱，便逐春风浩浩声。”［按，上党即潞州，“狂童”指刘稹。据《杜牧年谱》，当是本年岁暮所作］

无可约本年冬有诗三首奉和段成式。此后其行踪无可考，有集一卷。《全唐诗》卷八一四无可《奉和段著作山居呈诸同志三首次本韵》。［按，此段著作当为段成式（参本年夏条）］此诗其一云：“解印鸳鸿内，抽毫水石中”；其二云：“官辞中秘府，疏放野麋齐”；其三云：“暂收丹陛迹，独往乱山居。入雪知人远，眠云觉俗虚。”［按，时段成式初辞官秘省，事在何时未能确考。本年夏成式尚在任，则辞职事最早当在此后］无可善待，《诗人主客图》将其列为“清奇雅正”之入室者。魏庆之《诗人玉屑》卷三引《冷斋夜话》：“唐僧多佳句，其琢句法比物以意，而不指言一物，谓之象外句。如无可上人诗曰：‘听雨寒更尽，开门落叶深’是落叶比雨声也。又曰：‘微阳下乔木，远烧入秋山’是微阳比远烧也。用事琢句，妙在言其用而不言其名耳。”《直斋书录解题》卷十九记《无可集》一卷，《全唐诗》编其诗二卷（卷八一三至八一四）。《唐才子传校笺·无可传》补笺谓《全唐诗》所录颇多赝作，盖为明人所辑，其中有刘得仁、许浑、李群玉等人诗。

本年

薛逢本年约三十八岁，在秘书省校书郎任，陈情翰林学士韦琮，希求援引，作《上翰林韦学士启》。文曰：“某顷因章句，获达门墙。……故得桂枝先攀，杨叶高中。……三年欲飞，而长风不借。……方今选限犹远，官秩未期。伏希度以短长，择其任用。”［按，韦琮会昌二年（842）十月入翰林任学士。（见《翰林学士壁记》），姑记赵嘏此启于本年］

杨敬之雅爱项斯诗，约本年有诗赠项斯。《唐文拾遗》卷四七张洎《项斯诗集序》：“杨祭酒敬之云：‘几度见诗诗总好，及观标格过于诗。平生不解藏人善，到处逢人说项斯。’”钱易《南部新书》卷甲：“项斯始为未闻人，因以卷谒江西杨敬之。杨甚爱之，赠诗云……未几，诗达长安，斯明年登上第。”《新唐书·杨敬之传》：“敬之爱士类，得其文章，孜孜玩讽，人以为癖。雅爱项斯为诗，所至称之，由是擢上第。”［按，项斯明年登进士第（详会昌四年二月条），则事在本年］

任蕃为本年前后诗人，家江东，多游会稽等地。曾游天台巾子峰，题诗寺壁。后欲改“前峰月照一江水”作“半江水”，然已为人所改。蕃颇有诗名，有诗一卷。《唐才子传·任蕃传》：“蕃，会昌间人，家江东，多游会稽、苕、霅间。初亦举进士之京，不第。……归江湖，专尚声调。去游天台巾子峰，题诗壁间云：‘绝顶新秋生夜凉，鹤翻松露滴衣裳。前峰月照一江水，僧在翠微开竹房。’既去百余里，欲回改作‘半江水’，行到题处，他人已改矣。后复有题诗者，亡其姓名，曰：‘任蕃题后无人继，寂寞空山二百年。’才名类是。凡作必使人改视易听，如《洛阳道》云：‘憧憧洛阳道，尘下生春草。行者岂无家，无人在家老。鸡鸣前结束，争去恐不早。百年路傍尽，白日车中晓。求富江海狭，取贵山岳小。二端立在途，奔走何由了。’想蕃风度，此不足举其梗概。”《诗人主客图》标举任蕃《惜花诗》之“无语与春别，细看枝上红”句，并列为“清奇雅正”之升堂者。［按，蕃又作翻］《新唐书·艺文志四》著录《任翻诗》一卷，《直斋书录解题》卷二二文史类又录其《文章玄妙》一卷，云：“言作诗声病对偶之类，凡世所传诗格，大率相似。”《全唐诗》卷七二七录其诗十八首。

侯氏（张睽妻）约本年前后作回文诗，绣作龟形，诣阙进献。《唐诗纪事》卷七八侯氏条引《抒情诗》：“会昌中，边将张睽防戍十年余，其妻侯氏绣回文作龟形诗，诣阙进之。诗云：‘睽离已是十秋强，对镜那堪重理妆。闻雁几回修尺素，见霜先为制衣裳。开箱叠练先垂泪，拂杵调砧更断肠。绣作龟形献天子，愿教征客早还乡。’武宗览诗，敕睽还乡，侯氏赐绢三百尺，以彰才美。”

李绅撰《谢小娥传》、曹邺作《梅妃传》约在本年前后。据李剑国《唐五代志怪传奇叙录》，李绅有《谢小娥传》。“似作传时绅任相国，绅居相位在会昌二年至四年，则当作于此时。”又谓曹邺撰《梅妃传》，在大中二年（或八年）之前，殆在会昌中，时未及第，早年之作也。今姑记于此。

李宗闵本年由太子宾客分司出为湖州刺史。贬漳州长史，流封州。

公元844年（唐武宗会昌四年　甲子）

正月

太原都将杨弁率众作乱，逐节度使李石，且连结叛镇刘稹，对抗朝廷。朝臣有主张姑息太原、泽潞者，李德裕力主对杨弁用兵。本月壬子，生擒杨弁，太原乱平。（见《旧唐书·武宗本纪》、《资治通鉴》卷二四七）

李石去年（843）徙河东节度使，时兵乱被逐。石，字中玉。祖籍陇西成纪（今甘肃秦安西北）。生卒年不详。唐宗室。元和十三年（818）进士及第。辟李听幕府，从历四镇。大和三年（829）后，入为工部郎中。累迁户部侍郎、判度支事。九年（835），以本官同平章事。石以身许国，欲振朝纲，收主上威权。进中书侍郎、集贤殿大学士，领盐铁转运使。开成三年（838）遭刺客狙击，固辞相位，罢为荆南节度使。本年在河东节度使任为乱兵所逐。五年，授东都留守。后以太子少保分司卒，年六十二。石机辩有方略，尤精吏术。有《开成承诏录》二卷，著录于《宋史·艺文志二》，已佚。《全唐文》存文一篇。事迹见新、旧《唐书》本传。

二月

中书门下奏：“伏以朝廷兴复古制，置五经博士，以奖颛门之学，为训胄之资，必在得人，不限官次。今定为五品俸人，四方有经术相当而秩卑身贱者，不可以超授。有官重而通《诗》达《礼》者，不可以退资。从今已后，并请勅本色人中选择，据资除授，令兼博士。其见任博士且仍旧。”勅旨“宜依”。（见《唐会要》）

左仆射王起知礼部贡举。郑言、项斯、赵嘏、孙玉汝、陈纳、顾陶、马戴、张裼、李景述、郑祥、杨严等二十五人登进士第。

郑言以第一名中进士科状元。言，字垂之。生卒年、籍贯不详。本年状元及第，与项斯、赵嘏、马戴等同年。咸通元年（860）至三年（862）为浙东观察使王式幕从事。六年（865），自驾部员外郎充翰林学士。九年（868），出翰林院为户部尚书。撰有《平剡录》一卷，记镇压浙东裘甫起义事，著录于《新唐书·艺文志二》杂史类。作品已佚。事迹见《新唐书·艺文志二》、《登科记考》卷二二、岑仲勉《翰林学士壁记注补》卷一二。

项斯（802？—847？）以第二名登进士科，本年约四十三岁。《唐才子传》：“项斯……会昌四年王起下第二人进士。”《唐诗纪事》：“斯，字子迁，江东人。始未为闻人，因以卷谒杨敬之，杨苦爱之，赠诗云：‘几度见诗诗尽好，及观标格过于诗。平生不解藏人善，到处逢人说项斯。’未几，诗达长安，明年擢上第。”《南部新书》卷一所记略同。擢第后，项斯有《春夜樊川竹亭陪诸同年宴诗》。（见《全唐诗》卷五五四）项斯授丹徒尉在本年之后。《唐文拾遗》卷四七张洎《项斯诗集序》：“会昌四年，左仆射王起下进士及第。始命润州丹徒县尉。”擢第前，项斯“筑草庐于朝阳峰前，交结净者。槩礴宇宙，戴藓花冠，披鹤氅，就松阴、枕白石、饮清泉，长哦细酌，凡如此三十余年。”（见《唐才子传·项斯传》）其《忆朝阳峰前居》、《山友赠藓花冠》等诗即歌咏此种生活。擢第前项斯颇多落第诗，收《全唐诗》卷五五四。其《落第后寄江南

亲友》诗云："古巷槐阴合，愁多昼掩扉……龙钟易惆怅，莫遣寄书稀。"《归家山行》："献赋才何拙，经时不耻归……此怀难自遣，期在振儒衣。"又《长安书怀知己》："江湖归不易，东邑计长贫。独夜有知己，论心无故人。一灯愁里梦，九陌病中春。为向清平日，无门致出身。"又斯有《经李白墓》一诗，未知作年，姑系于此，诗曰："夜郎归未老，醉死此江边。葬阙官家礼，诗残乐府篇。游魂应到蜀，小碣岂旌贤。身没犹何罪，遗坟野火燃。"（均见《全唐诗》卷五五四）斯，台州临海（今属浙江）人。初筑草庐于余杭径山朝阳峰。后出山应举。长庆中，在长安得张籍知赏。宝历、开成中诗名籍甚，然举场蹭蹬多年。应举期间曾至西北边塞和巴蜀等地。未第时，曾以诗谒杨敬之，敬之赠诗称誉。次年尚在长安。不久释褐授润州丹徒县尉。卒于任所。与姚合、顾非熊、欧阳衮等交往。性疏旷，能诗，有时名。所作多五、七言律诗，主要抒写个人羁旅送别、题咏酬赠时的情怀，颇多失意之感。五代张洎《项斯诗集序》评其诗"格颇与水部相类，词清妙而句美丽奇绝，盖得于意表，迨非常情所及"。张为《诗人主客图》以之与张籍同列为"清奇雅正主"李益之升堂者。《江村夜泊》、《寄石桥僧》、《山行》等为传世佳作。有《项斯诗集》一卷，著录于《新唐书·艺文志四》。《全唐诗》存诗一卷。事迹见其诗及《唐才子传校笺》卷七。卞岐、徐光大各有考探。

赵嘏，本年约三十九岁，登进士第。《唐才子传》："嘏字承祐，山阳人。会昌四年郑言榜进士。"［按，今本《唐才子传》作"会昌二年"。《郡斋读书志》卷四中亦谓赵嘏"会昌二年进士"，然《文献通考》卷二〇〇引晁氏曰："唐赵嘏，承祐也，会昌四年进士。"又《唐诗鼓吹》卷四郝天挺注、明代广陵钱元卿刻本《笺注唐贤三体诗法》卷一、日本刻本《增注唐贤绝句三体诗法》卷首俱言赵嘏于会昌二年登进士第。然会昌二年进士科状元为郑颢，又据赵嘏《成名年献座主仆射兼呈同年》诗题，知"座主仆射"指会昌四年以左仆射知贡举之王起。故作四年不误］《唐摭言》载："赵嘏尝家于浙西，有美姬，嘏甚溺惑。洎计偕，以其母所阻，遂不携去。会中元为鹤林之游，浙帅窥见，悦之，遂为其人奄有。明年，嘏及第，因以一绝箴之曰：'寂寞堂前日又曛，阳台去作不归云。当时闻说沙吒利，今日青娥属使君。'浙帅不自安，遣一介归之于嘏。嘏时方出关，途次横水驿，见兜舁人马甚盛，偶讯其左右，对曰：'浙西尚书差送新及第赵先辈娘子入京。'姬在舁中亦认嘏，嘏下马揭帘视之，姬抱嘏恸哭而卒。遂葬于横水之阳。"赵嘏及第后，作有《成名年献座主仆射兼呈同年诗》献座主王起，诗曰："拂烟披月羽毛新，千里初辞九陌尘。曾失元珠求象罔，不将双耳负伶伦。贾嵩词赋相如手，杨乘歌篇李白身。除却今年仙侣外，堂堂又见两三春。"（见《全唐诗》卷五四九）嘏另有《赠解头贾嵩》诗："贾生名迹忽无伦，十月长安看尽春。顾我先鸣还自笑，空沾一第是何人？"（见《全唐诗》卷五五〇）［按，诗即成于本年赵嘏及第后。盖嵩与嘏同举而未第，杨乘时亦未第，诗谓堂堂两三春，殆期二人于两三年中及第也。（见徐松《登科记考》卷中）］嘏，楚州山阳（今江苏淮安）人。大和时，尝游浙东宣歙幕。入京应试久未第。本年登进士第。大中中，任渭南尉，世称赵渭南。卒年四十余。颇有诗名，与杜牧友善，其"残星数点雁横塞，长笛一声人倚楼"句尤为杜牧所称赏，称之为"赵倚楼"。尤工七言律诗，清圆熟练，颇多佳句。胡震亨谓其"才笔欲横，故五字即窘，而七字能拓。蘸毫浓，揭响满，为稳于牧之，厚于用晦。若加以清英，砭其肥痴，取冠晚调不难矣”。（见《唐音癸签》）《新唐书·艺文志四》著录《渭南集》三卷、《编年诗》二卷。《全唐诗》编诗二卷，《全唐诗逸》补断句七联，《全唐诗补编》补五首又六句。谭优学有《赵嘏诗注》。事迹见《唐摭言》卷一五、《新唐书·艺文志四》、《唐诗纪事》卷五六、《唐才子传校笺》卷七。谭优学、胡可先等各有赵嘏考。

孙玉汝，生卒年不详，本年登进士第。（见《永乐大典》载《信安志》所引之《登科记》）后官侍御史，为御史大夫李景让弹劾，罢职。（见《容斋续笔》据《唐登科记》之记载）咸通十一年，会稽大庆寺碑立，孙玉汝时为衢州刺史，为作碑记。（见《会稽大庆寺碑》）另，荣王宗绰《书目》著录《南北史选练》十八卷，云孙玉汝撰，或即其人，待考。

陈纳，生卒年不详，本年登进士第。字广裕，陈诩之子。本年及第，占籍闽县。（见《永乐大典》所引《闽中记》）终大同军副使。（见《淳熙三山志》）［按，《三山志》作“终广誉军副使”］

顾陶，生卒年不详，本年登进士第。（见《直斋书录解题》）唐代编纂家。杭州钱塘（今浙江杭州）人。生于建中四年（783）至贞元二年（786）间。本年及第，大中中官校书郎，后辞归。与储嗣宗友善。论诗祖尚风骨，反对浮艳，推美陈子昂、王昌龄、孟郊、韩愈及沈佺期、宋之问、刘长卿、钱起等古近体作者，尤推崇李白、杜甫。大和以来，以三十年时间，于大中十年（856）或稍后年七十四岁时，编选成《唐诗类选》二十卷，根据“六义之要”，选唐初至宣宗时诗一千二百三十二首，“骚雅绮丽”之作兼收，为唐人选唐诗较早和规模较大的综合性选本。该书著录于《新唐书·艺文志四》，今佚。《艇斋诗话》、《能改斋漫录》、《唐诗纪事》存佚文数十则。《全唐文》存其序言和后序。事迹见其书序、储嗣宗《送顾陶校书归钱塘》、《登科记考》卷二二。

马戴（马载），生卒年不详，一说生于大历十年（770），误。字虞臣。本年左仆射王起下进士，与项斯、赵嘏同榜，俱有盛名。（见《唐才子传》）［按，《新唐书·艺文志》作“马载”，然仅谓载“会昌进士第”，而不及年。《直斋书录解题》卷十九则谓：马戴、赵嘏“二人皆会昌五年进士”，盖所记年有误］戴之籍贯有兖海（今山东曲阜至江苏连云港一带）、曲阳（今江苏连云港境）二说。另说华州（治今陕西华县）人，误。长庆中，初游长安。后久客关中。大和中居华山。曾北游太原等地。本年进士及第，约大中五年（851）为河东节度掌书记。以直言被斥，贬朗州龙阳尉。咸通中，为国子博士，卒。与姚合、贾岛、无可、郑史等友善，史子郑谷曾受其赞勉。能诗，尤长于五律。多羁旅感怀、寄送题赠、边塞从军之作，抒写乡愁别绪、报国情志和失意哀怨，善于描绘风光景物，或优游不迫、清微婉约，或沉着痛快、雄浑明丽，高者不坠盛唐风格。也有体涩思苦，过于清幽，近于贾岛者。《楚江怀古三首》、《送人游蜀》、《落日怅望》等为传世名篇，“猿啼洞庭树，人在木兰舟”、“虹霓侵栈道，风雨杂江声”等均为唐诗佳句。《塞下曲二首》、《出塞》等是晚唐边塞杰构。《征妇叹》哀伤惨恻，最有讽喻。张为《诗人主客图》列为“清奇雅正主”李益之“升堂”。宋严羽《沧浪诗话·诗评》谓“马戴在晚唐诸人之上”。但论总体水平，实居李商隐、杜牧之下。《新唐书·艺文志四》著录《马戴诗》一卷。有《会昌进士诗》几卷传世。《全唐

诗》存诗二卷,《题镜湖野老所居》等当为秦系诗。《全唐诗补编》补一首又二句。杨军等有《马戴诗注》。事迹见《唐才子传校笺》卷七。富寿苏有文考马戴籍贯,谭优学有文考马戴生平。

张裼,生卒年不详,本年进士及第。《旧唐书》本传:“裼字公表,河间人。父君卿。裼会昌四年进士擢第,释褐寿州防御判官。”《北梦琐言》:“张裼尚书,恃才直道外,仍有至性。及第后归东都,一日彷佛见其亡亲,谓曰:‘去得也。’遂装办入京,果登朝籍。”

郑祥,生卒年不详,本年进士及第。与赵嘏本年同榜登进士第。后,离京归汉南,赵嘏赋《送同年郑祥先辈归汉南诗》诗送之,诗云:“年来惊喜两心知,高处同攀次第枝。人倚绣屏闲赏夜,马嘶花径醉归时。声名本是文章得,藩阃曾劳笔砚随。家去恩门四千里,只应从此梦旌旗。”注云:“时恩门相公镇山南。”[按,“恩门相公”指王起。王起以会昌四年秋出为兴元尹,兼同平章事,充山南西道节度使]

崔隋,生卒年不详,本年登进士第。[按,《登科记考》卷二二未著录崔隋。然拓本《晋绛慈隰等州观察支使□秘书省校书郎清河崔隋妻赵氏墓志》云:“开成元年廿五适予……妇于崔九载,予始获春官第。”据此推算,隋乃本年进士]

杨严,字凛之,本年续放登进士第。方干《上越州杨严中丞》诗云:“连枝棣萼世无双,未秉鸿钩拥大邦。折桂早闻推独步,分忧暂辍过重江。”(见《全唐诗》卷六五二)《唐摭言》载本年“续放进士”本末:“会昌四年二月,权知贡举、左仆射、太常卿王起下及第二十五人。续奏五人,堪放及第:刑部尚书杨汝士之子知至,故相牛僧孺之甥源重,河东节度使崔元式女婿郑朴,监察御史杨发之弟严,故相窦易直之子缄。恩旨令送所试杂文,付翰林重考覆。续奉进止,杨严一人宜与及第,源重四人落下。时杨知至因以长句呈同年曰:‘由来梁燕与冥鸿,不合翩翾向碧空。寒谷谩劳邹氏律,长天独遇宋都风。此时泣玉情虽异,他日衔环事亦同。三月春光正摇荡,无因得醉杏园中。”《旧唐书·杨收传》所载稍有不同:“是岁仆射王起典贡部,选士三十人,严与杨知至、窦缄、源重、郑朴五人试文合格。物议以子弟非之,起覆奏武宗,敕曰:‘杨严一人可及第,余四人落下。’”另,《旧唐书》本纪载:“时左仆射王起频年知贡举,每贡院考试讫,上榜后更呈宰相取可否。复人数不多,宰相延英论言,主司试艺,不合取宰相与夺。比来贡举艰难,放人绝少,恐非弘访之道。帝曰:‘贡院不会我意,不放子弟即太过。无论子弟、寒门,但取实艺耳。’李德裕对曰:‘郑肃、封敖有好子弟,不敢应举。’帝曰:‘我比闻杨虞卿兄弟朋比贵势,妨平人道路。昨杨知至、郑朴之徒并令落下,抑其太甚耳。’德裕曰:‘臣无名第,不合言进士之非。然臣祖天宝末以仕进无他伎,勉强随计,一举登第。自后不于私家置《文选》,盖恶其祖尚浮华,不根艺实。然朝廷显官,须是公卿子弟。何者?自小便习举业,目熟朝廷间事,台阁仪范,班行准则,不教而自成。寒士纵有出人之才,登第之后始得一班一级,固不能习熟也。则子弟成名不可轻矣。’”

本年进士科覆落四人:杨知至(后仍以进士登科)、窦缄、源重、郑朴。《唐摭言》卷八载(知贡举)王起奏“别头及第”者五人,旋经翰林重考,止杨严一人及第,源重四人落下。

杨知至，本年应进士试，初中选后被黜落。知至，字幾之，虢州弘农（今河南灵宝）人。生卒年不详。杨汝士子。知至作《覆落后呈同年》诗，抒其哀怨曰："由来梁雁与冥鸿，不合翩翾向碧空。寒谷谩劳邹氏律，长天独遇宋都风。……三月春光正摇荡，无因得醉杏园中。"（见《全唐诗》卷五六三）其后仍以进士及第。《新唐书·杨知至传》记："知温、知至，悉以进士第入官。"《唐诗纪事》卷五九亦记知至字几之，"登进士第"，唯不知复登第为何时。大中中，为浙东团练判官。咸通中，得宰相刘瞻赏识，擢比部郎中知制诰。以刘瞻得罪，贬琼州司马。乾符二年（875）为京兆尹。次年，为工部侍郎。官终户部侍郎。能诗。任浙东团练时所作送崔元范入京诗，为时人所称诵。《全唐诗》存诗二首。事迹见《旧唐书》之《懿宗本纪》、《僖宗本纪》，新、旧《唐书·杨虞卿传》附传，《唐诗纪事》卷五九。

知贡举：左仆射王起。《唐摭言》："会昌三年十一月十九日，勅谏议大夫陈商守本官，权知贡举。后以延英对见，词不称旨，十二月十七日宰臣遂奏，依前命左仆射兼太常卿王起主文。"又载："王起于会昌中放第二榜，内道场诗僧广宣以诗寄贺曰：'从辞凤阁掌丝纶，便向青云领贡宾。再阐文场无枉路，两开金榜绝冤人。眼看龙化门前水，手放莺飞谷口春。明日定归台席去，鹡鸰原上共陶钧。'"

李频本年约三十一岁，时或下第，作《下第后屏居书怀寄张侍御》诗："行年忽已壮，去老年更几？功名如不彰，身殁岂为鬼。"（见《全唐诗》卷五八九）

杨乘本年在京落第，时叛镇刘稹气焰正嚣，赋《甲子岁书事》一诗，抒其愿投笔报国之情。诗曰："竖子未鼎烹，大君尚旰食。……天兵日雄强，桀犬稍离析。贼臂既已断，贼喉既已搤。……违命固天亡，恃险乖长策。蠆毒久萌芽，狼顾非日夕。……腐儒一铅刀，投笔时感激。帝阍不敢干，恓恓坐长画。"此题下小注："时会昌四年，讨刘稹也。"［按，本年七月刘稹之乱平定，此诗或春日在京作］

三月

李德裕《牡丹赋》约作于此时，并邀王起等人同作。《会昌一品集·别集》卷九有《牡丹赋》，其序云："余观前贤之赋草木者多矣……惟牡丹未有赋者，聊以状之。仆射十一丈蔚为儒宗，词赋之首，声气所感，或能相和。又见陈思王赋序，多言命王粲、刘桢继作，今亦邀之，邀侍御裴舍人同作。"［按，仆射十一丈即王起，本年正月拜仆射，四月下旬以使相出镇山南西道］

李商隐已于太原都将杨弁之乱平定后移家永乐县，作《大卤平后移家到永乐县居书怀十韵寄刘韦二前辈二公尝于此县寄居》诗。中云："驱马绕河干，家山照露寒。依然五柳在，况值百花残。昔去惊投笔，今来分挂冠。"其《春宵自遣》亦作于此时。诗曰："地胜遗尘事，身闲念岁华。……陶然恃琴酒，忘却在山家。"（见《玉溪生年谱会笺》、《李商隐诗歌集解》）

春

杜牧仍在黄州刺史任，赋《春日言怀寄虢州李常侍十韵》诗寄李景让。诗云："岸藓生红药，岩泉涨碧塘。……论吐开冰室，诗陈曝锦张。……无计披清裁，唯持祝寿觞。愿公如卫武，百岁尚康强。”（见《樊川文集》卷二）

四月

丙子，李德裕进谏唐武宗勿信神仙之言，勿近道士赵归真等，武宗不听。《资治通鉴》卷二四七本年四月条载：“上好神仙，道士赵归真得幸，谏官屡以为言。丙子，李德裕亦谏曰：‘归真，敬宗朝罪人，不宜亲近！……小人见势利所在，则奔趣之，如夜蛾之投烛。闻旬日以来，归真之门，车马辐辏。愿陛下深戒之！”

五月

李贻孙擅长诗文，历任福州团练副使、金部员外郎、司勋员外郎等职，与李商隐友善。商隐约此时前后曾代贻孙撰启上李德裕，其《为李贻孙上李相公启》云：“重以心游书囿，思托文林。提枹于绝艺之场，班扬扫地；鞠旅于无前之敌，江鲍舆尸。故矫枉则《黄冶》之赋兴，游道则知止之篇作。辞穷体物，律变登高。文星留伏于笔间，采凤翱翔于梦里。此固谈扬绝意，仿效何阶！”（据傅璇琮《李德裕年谱》本年谱。见李商隐《樊南文集》卷三）

闰七月

壬戌，李绅出为淮南节度使。（见《资治通鉴》卷二四八）

潞中大将郭谊杀刘稹，降，泽潞平。（见《旧唐书・武宗本纪》）

八月

朝庭宣平泽潞德音：“其诸色人内，如有文学节行，比来藏避刘从谏隐迹山林者，并令搜访，具以名闻。”（见《册府元龟》）

李德裕守太尉。（见《新唐书・宰相表》）

姚合作《太尉李德裕自城外拜辞后归敝居瞻望音徽即书一绝》。诗云：“千骑红旗不可攀，水头独立暮方还。家人怪我浑如病，尊酒休倾笔砚间。”（见《姚少监诗集》卷十）姚合本年约六十四岁，在长安。合与李德裕素有交契，二人集中酬赠之作颇多。（见吴汝煜《唐五代交往诗索引》）

刘沧与元叙上人颇有交游，于其归潞州（上党）之际，作《送元叙上人归上党》诗以相送。诗云：“太行关路战尘收，白日思乡别沃洲。”（见《全唐诗》卷五八六）此诗题下原注：“时节镇罢兵”，即是上党（潞州）战尘落定、刘稹乱平之谓。

九月

四日，封敖迁工部侍郎、知制诰，依前为翰林学士。（见《翰林学士壁记》）封敖草诰极为朝廷所重，以其属辞赡敏，不为奇涩，语切而理胜。《旧唐书·封敖传》：“会昌初，(封敖)以员外郎知制诰，召入翰林为学士，拜中书舍人。敖构思敏速，语近而理胜，不务奇涩，武宗深重之。尝草《赐阵伤边将诏》，警句云：‘伤居尔体，痛在朕躬。’帝览而善之，赐之宫锦。李德裕在相位，定策破回鹘，诛刘稹……武宗赏之，封卫国公，守太尉。其制诰有‘遏横议于风波，定奇谋于掌握。逆稹盗兵，壶关昼锁，造膝嘉话，开怀静思，意皆我同，言不他惑’。制出……德裕口诵此数句，抚敖曰：‘陆生有言，所恨文不逮意。如卿此语，秉笔者不易措言。’”(敖之制文见《全唐文》卷七二八)

杜牧由黄州刺史移任池州刺史。其《祭故处州李使君文》云：“我守黄冈，葭苇之场。……幸会交代……江山九月，凉风满衣。”(见《樊川文集》卷十四)离黄州，作《即事黄州作》，诗云：“因思上党三年战，闲咏周公《七月》诗。……萧条井邑如鱼尾，早晚干戈识虎皮。莫笑一麾东下计，满江秋浪碧参差。”将至池州，作《秋浦途中》诗。[按，秋浦即池州]杜牧守黄州三年，诗作于黄州者颇多，选其佳者系于此。《雨中作》：“酣酣天地宽，怳怳嵇刘伍。但为适性情，岂是藏鳞羽。”《齐安郡晚秋》：“云容水态还堪赏，啸志歌怀亦自如。雨暗残灯棋欲散，酒醒孤枕雁来初。”《齐安郡中偶题二首》之一：“两竿落日溪桥上，半缕轻烟柳影中。多少绿荷相倚恨，一时回首背西风。”《齐安郡后池绝句》：“菱透浮萍绿锦池，夏莺千啭弄蔷薇。尽日无人看微雨，鸳鸯相对浴红衣。”《兰溪》：“兰溪春尽碧泱泱，映水兰花雨发香。楚国大夫憔悴日，应寻此路去潇湘。”《题木兰庙》：“弯弓征战作男儿，梦里曾经与画眉。几度思归还把酒，拂云堆上祝明妃。”《赤壁》乃其名作，诗云：“折戟沉沙铁未销，自将磨洗认前朝。东风不与周郎便，铜雀春深锁二乔。”

许浑本年约五十四岁，秋，以监察御史出使南海。(见谭优学《许浑行年考》，收《唐诗人行年考续编》)行前作《谢人赠鞭》诗，有句云：“紫陌提携在绣衣。”取道钟陵(今江西南昌)，作《留别赵端公》一诗，序云：“余行次钟陵，府中诸公宴饯赵端公……因留别。”诗云：“箫鼓散时逢夜雨，绮罗分处下秋江。”途经庐陵，遇表兄，作《别表兄军倅》诗以送之，序云：“余祗命南海，至庐陵，逢表兄军倅奉使淮海”，中有“客路晚依红树宿，乡关朝望白云归”之句。又，其《舟行早发庐陵郡郭寄滕郎中》亦作于庐陵道中，诗云：“楚客停桡太守知，露凝丹叶自秋(一作愁)悲”(见《全唐诗》卷五三六)，据《唐刺史考》，会昌中吉州即庐陵郡，刺史为腾迈。经韶州，作《韶州韶阳楼夜燕》(见《全唐诗》卷五三四)、《韶州送窦司直北归》(见《全唐诗》卷五三一)二诗。前诗云：“帘前碧树穷秋密”，后诗云：“客散他乡夜，人归故国秋”，颇是警句，为人传诵。许浑抵南海后，留滞经年，历二三春秋，详见会昌六年本年条。

李频本年秋在京，作《长安书怀投知己》一诗，希求援引。诗云：“久愧干朝客，多惭别钓翁。因依非不忝，延荐况曾蒙。……霜天摇落后，莫使逐孤篷。”(见《全唐诗》卷五八九)此诗题下注：“一作投邢员外。”[按，邢员外当指本年任户部员外郎之邢群。(见《樊川文集》卷八《邢君墓志铭并序》)](见吴汝煜《唐五代人交往诗索引》)

李商隐移居永乐后，本年秋日作《菊》、《寄和水部马郎中移白菊见示》、《所居》、《秋日晚思》等诗。其《所居》诗云："窗下寻书细，溪边坐石平。水风醒酒病，霜日曝衣轻。……前贤无不谓，容易即遗名。"《菊》："暗暗淡淡紫，融融冶冶黄。陶令篱边色，罗含宅里香。"又《秋日晚思》："桐槿日零落，雨余方寂寥。枕寒庄蝶去，窗冷胤萤销。取适琴将酒，忘名牧与樵。平生有游旧，一一在烟霄。"（据《李商隐诗歌集解》）

十月

中书门下奏："朝廷设文学之科，以求髦俊，台阁清选，莫不繇兹。近缘覈实不在于乡闾，趋名颇杂于非类，致有跛扈之地，情计交通，将澄化源，在举明宪。臣等商量，今日以后，举人于礼部纳家状后，望依前三人自相保。其衣冠，则以姻亲故旧，久同游处。其有江湖之士，则以封壤接近，素所谙知者为保。如有缺孝弟之行，资朋党之势，迹繇邪径，言涉多端者，并不在就试之限。如容情故，自相隐蔽，有人纠举，其同保人并三年不得赴举。仍委礼部明为戒励，编入举格。"从之。（见《册府元龟》）

李德裕奏牛僧孺、李宗闵与刘从谏、刘稹交通，贬牛僧孺为汀州刺史，李宗闵为漳州长史；十一月，再贬僧孺循州长史，宗闵长流封州。（见《资治通鉴》卷二四八，又参见《李德裕年谱》）

本年

白居易本年施家财，开龙门八节石滩，以利舟楫。作有《开龙门八节石滩诗二首》。前有诗序云："东都龙门潭之南，有八节滩、九峭石，船筏过此，例及破伤。……予尝有愿，力及则救之。会昌四年……经营开凿，贫者出力，仁者施财。……因作二诗，刻题石上。"此诗其二云："七十三翁旦暮身，誓开险路作通津。夜舟过此无倾覆，朝胫从今免苦辛。……我身虽殁心长在，暗施慈悲与后人。"

杜牧本年作《上李太尉论北边事启》，上书李德裕，论讨回纥之事，为德裕所称赏。（见《樊川文集》卷十六）《旧唐书·杜牧传》："牧好读书，工诗为文，尝自负经纬才略。武宗朝诛昆夷、鲜卑，牧上宰相书论兵事，言胡戎入寇，在秋冬之间，盛夏无备，宜五六月中击胡为便。'李德裕称之。"《新唐书·杜牧传》："宰相李德裕素奇其才。会昌中，黠戛斯破回纥，回纥种落溃入漠南，牧说德裕不如遂取之，以为两汉伐虏，常以秋冬，当匈奴劲弓折胶，重马免乳，与之相校，故败多胜少。今若以仲夏发幽并突骑及酒泉兵，出其意外，一举无类矣。'德裕善之。"

陈陶与任畹素有交契，本年作《寄兵部任畹郎中》一诗，祈其援引。诗云："常思剑浦别清尘，豆蔻花红十二春。昆玉已成廊庙器，涧松犹是薜萝身。虽同橘柚依南土，终仰魁罡近北辰。好向明时荐遗逸，莫教千古吊灵均。"（见《全唐诗》卷七四六）此前，陈陶与任畹别于闽中，陈陶作有《闽中送任畹端公还京》一诗相送。（见傅璇琮《唐五代文学编年史》大和六年陈陶条）

刘蜕本年作《献南海崔尚书书》一文，并投刺书、歌诗二卷，献崔龟从，希求援

引。其文曰："蜕之生于今二十四年……伏腊不足于糗粮，冬夏常苦于皲湿。然而因时著书满十卷，自谓不得于今，必有得于后。……谨贡旧投刺书一卷，以其最近于情，杂歌诗共二卷，以其颇有逸事。"（见《全唐文》卷七八九）嗣后，蜕复有《复崔尚书书》，盖亦本年所作。

储嗣宗约本年或之前居润地延陵，顾非熊明年方擢进士第，本年仍居茅山，时人以先生呼之。二人共与居处左近名士，交游往还。储嗣宗有《和顾非熊先生题茅山处士闲居》（见《全唐诗》卷五九四）诗。顾非熊有《和茅山高拾遗忆山中杂题五首》，即《山泉》、《巢鹤》、《胡山》、《小楼》、《山邻》五题。又《过王右丞书堂二首》，其一云："澄潭昔卧龙，章句世为宗。独步声名在，千岩水石空。"其二云："风雅传今日，云山想昔时。感深苏属国，千载五言诗。"下注："右丞昔陷贼庭，故有此句。"又有《坡下》："百战未言非，孤军惊夜围。山河意气尽，泪湿美人衣。"数诗确年难考，姑并记于此。

李商隐本年撰《祭外舅赠司徒公文》，祭王茂元。此文题下笺云："王茂元也。"（《樊南文集补编》卷十二，据《玉溪生年谱会笺》本年谱）

皇甫氏，名不详，自号洞庭子。约本年前后，作《原化记》。（据李剑国《唐五代志怪传奇叙录·原化记》条所考）

南卓于会昌元年已拟撰《羯鼓录》，本年卢贞为河南尹，遣其为纪，即编成《羯鼓录》之草稿。其《羯鼓录》末云："会昌元年，卓……数陪刘宾客、白少傅宴游。……卓因谈往前三数事，二公亦应和之，谓卓曰：'若吾友所谈，宜为文纪，不可令堙没也。'时过而未录。及陕府卢尚书任河南尹，又话之，因遣为纪。……至东阳……乃详列而竟焉。"

李正卿（771—844）卒。正卿，字肱。扬州江都（今江苏扬州）人，郡望江夏（今属湖北）。李邕孙。贞元末，入泾源节度使段祐幕，试左武卫兵曹掾。转大理评事兼监察御史。元和初，以献赋授松滋令。历汜水、成都二县令。迁陵川、阆州刺史。入为少府少监。出为邛州刺史。历司农、卫尉二少卿。官终绵州刺史。撰有文集四十卷、《中权略》四十卷、《注管氏指要》二卷，未见著录。作品不传。事迹见唐李褒《唐故绵州刺史江夏李公墓志铭》（《千唐志斋藏志》）。

鱼玄机生。［按，玄机生年另有开成五年（840）说，待考］玄机为唐代女诗人。字幼微，一字蕙兰。京兆长安（今陕西西安）人。幼寒微。年十五，为补阙李亿妾。咸通四年（863）起，从李亿宦游太原。后出家为女道士，隶籍于长安咸宜观，与李郢、温庭筠等有交往酬和。九年（868），以妒杀侍婢绿翘，被处死。性聪慧，有才思，喜读书为文，尤致意于吟咏。长于近体，多写相思离别之情、羁旅之愁和身世之悲，遣词炼句新艳工秀，"意致流逸，出入一概情味语"（见《历朝名媛诗词》），风格婉倩悲凄。在唐代女诗人中以大胆坦率地抒写真挚爱情著称，与李冶、薛涛并称，成就稍逊之。《江陵愁望寄子安》、《江行》等为传世佳作。《寄李亿员外》"易求无价宝，难得有心郎"为唐诗名句。《直斋书录解题》卷一九著录《鱼玄机集》一卷。传世有《唐女郎鱼玄机诗》一卷。《全唐诗》存诗一卷。陈文华编《唐女诗人集三种》收鱼玄机诗。事迹见《唐才子传校笺》卷八。

郑处诲（？—867）以小说名家，进士及第已十年，本年辟宣歙观察判官。处诲，字廷美，一作延美。郑州荥阳（今属河南）人。郑馀庆孙。大和八年（834）进士及第。授秘书省校书郎。历拾遗、监察御史。大中三年（849）充翰林学士，迁屯田员外郎。六年（852），授职方员外郎。八年（854），为中书舍人。十二年（858），累迁至刑部侍郎，出为浙东观察使，移浙西观察使。历御史中丞。咸通三年（862）为吏部侍郎。五年（864），出为宣武节度使。八年（867）卒于汴州。为人文雅好古，勤于著述。文辞秀拔，为士友推重。以李德裕《次柳氏旧闻》记叙不详，大和九年（835）撰成《明皇杂录》（一说赵元或赵元一作，误），盛传于时，是唐人笔记小说集较重要者。《旧唐书》本传作“三篇”，《新唐书·艺文志二》著录为二卷，有散佚。传世辑本不一，丁如明辑校《开元天宝遗事十种》本较完善。《全唐文》存文二篇。事迹见新、旧《唐书·郑馀庆传》附传。

陈去疾会昌间为蔡州司马，摄节度判官。本年官蔡州刺史，此后事迹无考，官终邕管经略副使。去疾，字文医。福州侯官（今福建闽侯）人。生卒年不详。元和十四年（819）进士及第。开成中为江州司马、户曹参军。去疾能诗，与欧阳衮有唱和。《西上辞母坟》情意深挚，为诗中佳作。《全唐诗》存诗十三首，多近体；《全唐文》存文一篇。事迹见《淳熙三山志》、《宝刻类编》卷五、《八闽通志》卷六二、《登科记考》卷一八、光绪《曲阳县志》卷一一。

公元 845 年（唐武宗会昌五年　乙丑）

正月

武宗受尊号。

辛亥，有事于郊庙。礼毕，大赦。制曰：“武功既畅，经术是修，宜阐儒风，以弘教化。应公卿百寮（僚）子弟及京畿内士人、寄客外州府举士人等修明经、进士业者，并隶名太学，每一季一度据名籍分番于国子监试帖。三度帖经全通者，即是经艺已熟，向后更不用帖试。如三度全不通，及三度托事故不就试者，便落下名籍，至贡举时不在送省之限。其外寄居及土著人修进士、明经业者，并隶名所在官学，仍委长吏于见任官及本土著学行人中选一人充试官，亦委每季一试。余并准前处分。如无经艺，虽有文章，不在送省之限。宗子每因恩泽，皆赐出身，自幼授官，多不求学，未详典法，颇有愆违，委宗正寺收补。明经每年许参三十人，出身同两馆例与补。各搜图籍，精验源流，明为保举，不得容有踰仍一季一度试帖经。余并同进士、明经条例处分。所送人数，其国子监明经，旧格每年送三百五十人，今请送二百人。进士，依旧格送三十人。其隶名明经，亦请送二百人。其宗正寺进士，送二十人；其东监、同、华、河中所送进士，不得过三十人；明经，不得过五十人。其凤翔、山南西道、东道、荆南、鄂岳、湖南、郑滑、浙西、浙东、鄜坊、宣商、泾邠、江南、江西、淮南、西川、东川、陕虢等道所送进士，不得过一十五人；明经，不得过二十人。其河东、陈许、徐泗、易定、齐德、魏博、泽潞、幽孟［按，“孟”字疑误］、灵夏、淄青、郓曹、兖海、镇冀、麟胜等道所送进士，不得过一十人；明经，不得过十五人。金、汝、盐丰、福建、黔府、桂府、岭南、安南、邕容等道所送进士，不得过七人；明经，不得过十人。其诸支郡所送人数，请申观察使为解都送，不得诸州各自申解。诸州府所试进士杂文，据元格并合封送省。准开成三年五月三日勅落下者，今缘自不送，所试以来举人公然拔解。今诸州府所试，各须封送省司检勘，如病败不近词理，州府妄给解者，试官停见任用阙。”（见《旧唐书·武宗本纪》、《册府元龟》、《唐摭言》）［按，“宣商”之“宣”，疑衍文，“商”当在金汝之下。《资治通鉴》是年注云：“镇州凡五十六州，四十一道。”此诏所列，当有脱佚］

《旧唐书·武宗本纪》本年正月条载：“（武宗）敕造望仙台于南郊坛。时道士赵归真特承恩礼，谏官上疏，论之延英。李德裕对曰：‘臣不敢言前代得失，只缘归真于敬宗朝出入宫掖，以此人情不愿陛下复亲近之。’”又载：“归真自以涉物论，遂举罗浮道士邓元起有长生之术，帝遣中使迎之。由是与衡山道士刘玄靖及归真胶固，排毁释教，而拆寺之请行焉。”于武宗迷信神仙之妄，诗人多有讽者。李商隐《汉宫词》诗云：“青雀西飞竟未回，君王长在集灵台。侍臣最有相如渴，不赐金茎露一杯。”（见《玉溪生诗集会笺》）商隐本月另有《正月十五夜闻京有灯恨不得观》一诗，中有“身闲不睹中兴盛，羞逐乡人赛紫姑”句。其《北齐二首》其一云：“一笑相倾国便亡，何劳荆棘始堪伤。小怜玉体横陈夜，已报周师入晋阳。”（见《李商隐诗歌集解》）盖亦此时咏史感怀之作。

二月

谏议大夫、权知礼部贡举陈商选士三十七人中第。物论以为请托，令翰林学士白敏中覆试，［按，《册府元龟》以覆试为三月事，“翰林学士”上有“户部侍郎”四字］落张渍、李玗、薛忱、张觐、崔凛、王谌、刘伯刍等七人。（见《旧唐书·武宗本纪》）《册府元龟》谓：“敏中覆试落下，议者以为公。易重、孟迟、卢嗣立、鲁受、顾非熊等擢进士第。

易重，生卒年不详，本年以第一名中进士科状元。重字鼎臣，袁州宜春（今属江西）人。延庆之祖。（见《永乐大典》引《瑞州府图志》）本以第二名进士及第。重考后，升为第一名，因作诗写其得意之情。《宜春志》引《登科记》云：“会昌五年，张渎（渍）作状元，易重第二。其年，翰林重考，张渎（渍）黜落，以重为状元。”《唐诗纪事》：“易重居榜首，有诗寄宜阳兄弟云：‘六年雁序恨分离，诏下今朝遇已知。上国皇风初喜日，御阶恩渥属身时。内庭再考称文异，圣主宣名奖艺奇。故里仙才若相问，一春攀得两重枝。’”［按，《舆地纪胜》卷二十八《江南西路·袁州·风俗形胜》、《方舆览胜》卷十九《江西路·袁州·人物》、宋刘应李辑《新编事文类聚翰墨全书》后丙集卷五《氏族门》所记略同，均谓易重会昌五年进士，于张渍覆落后为状元］后，易重官至大理评事。《全唐诗》仅存此诗。事迹见《全唐诗》所附小传、《登科记考》卷二二。

孟迟，生卒年不详，本年登进士第。《唐才子传》：“孟迟字迟之，平昌人。会昌五年易重榜进士，与顾非熊甚相得，且同年。”［按，《郡斋读书志》作“孟迟字叔之”］

其字又作升之、须仲。《新唐书·艺文志》著录孟迟集，云："字迟之，会昌进士第。"《唐诗纪事》卷五十四："迟，字迟之，登会昌五年进士第。"《郡斋读书志》卷十八亦云："会昌五年陈商下及第。"孟迟与杜牧颇有交游，杜牧有《池州送孟迟先辈》诗。孟迟德州平昌（今属山东）人。一说池州青阳（今属安徽）人，误。本年进士及第，为浙西观察使掌书记，遭谗言，罢职。大中九年（855）后，为淮南节度使掌书记。与杜牧友善。有诗名，尤工绝句，多怀古、行旅之作，风流妩媚，有宫商金石之声。张为《诗人主客图》列为"高古奥逸主"孟云卿之"升堂"。《新唐书·艺文志四》著录《孟迟诗》一卷，已佚。《全唐诗》存诗十七首。事迹见《唐才子传校笺》卷七。

卢嗣立，生卒年不详，本年进士及第。《永乐大典》引《池州府志》："孟迟字须仲，青阳人。卢嗣立字敏绍，秋浦人。杜牧守池州，同举于朝，同登进士第。"又引《秋浦新志》云："会昌五年，高元裕以诗简知举陈商云'中丞为国拔英才，寒畯欣逢藻鉴开。九朵莲花秋浦隔，两枝丹桂一时开'为江东佳话。"

鲁受，生卒年不详，本年进士及第。《永乐大典》引《宜春志》："鲁受，会昌五年登进士第。"

顾非熊（约 796—854?），生卒年不详。苏州海盐（今属浙江）人。顾况子。早年随父隐居茅山。年约二十开始谋仕，以凌侮权贵子弟遭排挤，困举场约三十年。大和元年（827）居山南东道节度使幕。三年（829），至洛阳谒皇甫湜，请为其父诗集作序。会昌五年（845），武宗以其久有诗名，命追榜放进士及第。一说长庆中登第，误。《北梦琐言》云："唐著作郎顾况字逋翁，好轻侮朝士。贬在江外，多与僧道交游。时居茅山，暮年有一子，即非熊前身也。一旦暴亡，况追悼哀切，所不忍言。乃吟曰：'老人丧爱子，日暮泣成血。老人年七十，不得多时别。'非熊在冥间，闻之甚悲忆。遂以情告冥官，皆悯之，遂商量却令生于况家。三岁能言冥间闻父苦吟，却求再生之事历历然。长成应举，擢进士第。"《唐摭言》："顾非熊，况之子，滑稽好辩，凌轹气焰子弟，为众所怒。[按，赵校："所怒"原作"多怒"，据《唐摭言》卷八改] 非熊既为所排，在举场垂三十年，屈声聒人耳。会昌中，陈商放榜，上怪无非熊名，诏有司追榜放及第。时天下寒进皆知劝矣。诗人刘得仁贺诗曰：'愚为童稚时，已解念君诗。及得高科晚，须逢圣主知。花前翻有泪，鬓上却无丝。从此东归去，休为坠叶期。'"顾非熊《酬陈标评事喜及第与段何共贻诗》曰："至公平得意，自喜不因媒。榜入金门去，名从玉案来。欢情听鸟语，笑眼对花开。若拟华筵贺，当期醉百杯。"又，本年前非熊颇有落第之叹，其诗之作年难考，暂系于此。其《赠友人》诗云："青云期未遂，白发镊还生。……休明独不遇，何计可归耕。"《落第后赠同居友人》诗云："有情天地内，多感是诗人。见月长怜夜，看花又惜春。"大中前期，授盱眙尉（一作主簿）。后弃官归茅山，卒。非熊有诗名，与王建、贾岛、姚合等友善。工近体，多行旅送别、赠寄题咏之作，抒写乡愁旅思和失意情怀，工整凝炼，俊婉可讽。少数作品有现实内容。《瓜洲送朱万言》、《姚岩寺路怀友》、《送僧归洞庭》等为传世之作。《新唐书·艺文志四》著录《顾非熊诗》一卷，今存《顾非熊诗集》一卷。事迹见《唐才子传校笺》卷七。

翰林重考覆落进士者七人，李玗、薛忱、张渎、崔凛、王谌、刘伯刍诸人事迹，

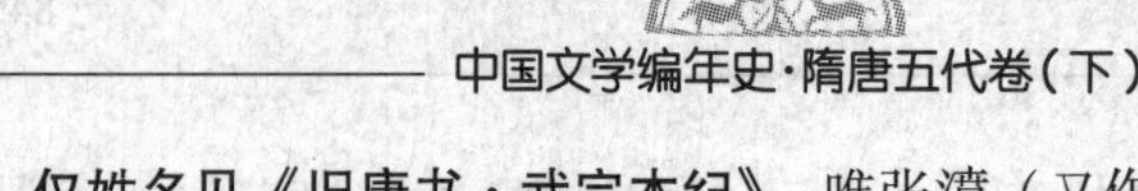

于史无载，仅姓名见《旧唐书·武宗本纪》。唯张濆（又作“渎”、“滨”）事迹，史载最详。《唐摭言》卷十一《已得复失》条载：“张濆，会昌五年陈商下状元及第，翰林覆落濆等八人。赵渭南贻濆诗曰：赵嘏先有《喜张濆及第诗》曰：‘九转丹成最上仙，青天暖日踏云轩。春风贺喜无言语，排比花枝满杏围。’（其被黜落后）又贻濆诗曰：‘莫向春风诉酒杯，谪仙真个是仙才。犹堪与世为祥瑞，曾到蓬山顶上来。’”一说张濆即张贲。贲字润卿。邓州南阳（今属河南）人。生卒年不详。本年状元及第，复试遭驳落。大中中进士及第。曾官广文博士。后隐居茅山。咸通中，旅居苏州，与皮日休、陆龟蒙等交往酬和。能诗，工近体，多写羁旅感激之情，《旅泊吴门》为论者称誉。《全唐诗》存诗十六首，《全唐诗补编》补一首。事迹见《唐诗纪事》卷六四。

知贡举：左谏议大夫陈商（？—855?）。《册府元龟》、《唐大诏令集》均载：会昌五年正月十五日权知礼部侍郎陈商等有《皇帝为懿义安皇太后制服重轻事状》。《五百家注韩集》于韩愈《答陈商书》，题下注：“商，元和九年进士，会昌五年为侍郎典贡举。”商擅散文。字述圣。湖州长城（今浙江长兴）人。元和九年（814）进士及第。历户部员外郎等职，会昌元年（841）迁司门郎中、史馆修撰。五年（845），以谏议大夫知贡举，迁礼部侍郎。明年，再知贡举，出为陕虢观察使。官终秘书监。文章尚古奥，韩愈读其文三四遍还不能通晓其意。《新唐书·艺文志》著录《陈商集》十七卷、《敬宗实录》十卷，今不传。《全唐文》存文四篇。事迹见唐韩愈《答陈商书》。

白敏中（792—861），以翰林学士主持进士科覆试，因陈商知贡举物论以为请托而覆按文柄。《册府元龟》谓：“敏中覆试落下，议者以为公。敏中，唐之散文家、诗人。字用晦。太原（今属山西）人。白居易堂弟。长庆二年（822）进士及第（一作元年，误）。历河东、郑滑、邠宁节度掌书记。会昌二年（842），自右（一作左，误）司员外郎充翰林学士。累进兵部侍郎、学士承旨。六年（846），拜同中书门下平章事。大中五年（851），出为邠宁节度使。历剑南西川、荆南节度使。十三年（859），复拜相。咸通二年（861），出为凤翔节度使。是年卒于镇。文章师法白居易，风格亦相近。《全唐文》存文五篇，《全唐诗》存诗二首。事迹见唐高璩《白公墓志铭并序》（《唐代墓志汇编续集》咸通〇〇五），新、旧《唐书》本传。

陈黯（约805—871或876）本年始应试，落第，已年过四十。至咸通六年（865），二十年间屡试不第，遂绝意仕进，衔恨而终。卒于咸通十二年（871）或乾符三年（876）。黯以散文名家。字希孺，号昌晦，又号场老。泉州南安（今属福建）人，郡望颍川（治今河南许昌）。为黄滔姑父。少聪颖，十岁能诗，十三知名乡里，十七作《苏武谒汉武帝陵庙赋》，为时人推伏。二十为文。与罗隐等友善。有文名。黄滔称其文“词不尚奇，切于理也；意不偶立，重师古也。其诗篇词赋笺檄皆精而切”。尤长于小品，为晚唐名家。《御暴说》、《禹治》等针砭时弊，立论大胆，是传世佳作。所作多散佚，黄滔搜遗文三十一篇、诗赋若干篇为五卷，并作集序，复请罗隐作后序。《新唐书·艺文志四》著录为三卷（《宋史·艺文志七》作一卷），已佚。《全唐文》存文十篇，《全唐诗》存诗一首。事迹见唐黄滔《颍川陈先生集序》。

薛能明年登进士第，于本年或之前春榜落时，有下第诗之咏。《下第后春日长安寓居三首》，其一云：“一榜尽精选，此身犹陆沉。”其二云：“暂屈固何恨，所忧无此时。

隔年空仰望，临日又参差。劳力且成病，壮心能不衰。犹将琢磨意，更欲候宗师。”（见《全唐诗》卷五五八）又有《下第后夷门乘舟至永城驿题》：“秋赋春还计尽违，自知身是拙求知。……从来此恨皆前达，敢负吾君作楚辞。”（见《全唐诗》卷五五九）

三月

中书门下奏：“贡举人并不许于两府取解，仰于两都国子监就试。”（见《册府元龟》）

二十一日，白居易与胡杲等七老作尚齿之会，宴于东都洛阳家中。与会者六人，皆年逾七十致仕闲居者。宴罢居易作《胡、吉、郑、刘、卢、张等六贤皆多年寿，予亦次焉，偶于弊居合成尚齿之会，七老相顾，既醉甚欢，静而思之，此会稀有，因成七言六韵以纪之传好事者》，诗云：“诗吟两句神还王，酒饮三杯气尚粗。巍峨狂歌教婢拍，婆娑醉舞遣孙扶。”诗后又记“已上七人，合五百七十岁。会昌五年三月二十一日，于自家履道宅同宴。宴罢赋诗。时秘书监狄兼谟、河南尹卢贞，以年未七十，虽与会而不及列”。七老之另六人为胡杲、吉皎、郑据、刘真、卢贞（一作真）、张浑。六人诗见《唐诗纪事》卷四九。

胡杲（757—?），本年三月，与吉皎等人在白居易洛阳私第为“七老会”，杲年龄最大。夏，又与吉皎等与李元爽、僧如满为九老会，时人绘为《九老图》。杲有诗名。籍贯不详。曾任怀州司马。晚年隐居，潜心禅学，曾游太原晋祠，晋州霍山。友人元稹有《悟禅三首寄胡杲》，约作于元和中。《全唐诗》存诗一首。事迹见唐白居易《胡、吉、郑、刘、卢、张等六贤皆多年寿，予亦次焉……因成七言六韵以纪之传好事者》诗、《九老图序》及元稹诗。

吉皎本年为八十八岁，在白居易宅为“七老会”，又为“九老会”，传为佳话。皎，籍贯不详。皎能诗。元和中，为登封县令。元和十五年（820）为渭南县令。后以卫尉卿致仕，居洛阳。与白居易等交游。《全唐诗》存诗一首。事迹见元稹《授吉白文京兆府渭南县令制》、白居易《七老会诗序》、《唐诗纪事》卷四九。

郑据（762—?）本年八十四，三月与白居易、胡杲等六人宴于白居易洛阳私第为七老会，宴罢赋诗；夏，又与白居易等九人在白私第为九老会，时人绘为《九老图》。据有诗名。籍贯不详。曾为右龙武军长史。退居洛阳，与白居易等相善。《全唐诗》存诗一首。事迹见唐白居易《胡、吉、郑、刘、卢、张等六贤皆多年寿，予亦次焉……因成七言六韵以纪之传好事者》诗及《九老图诗并序》。

刘真（759—?）本年八十二岁，三月参与在白居易洛阳私第的“七老会”，夏又与李元爽等人为“九老会”。真擅诗，籍贯不详，曾为慈（一作磁）州刺史。《全唐诗》存诗一首。事迹见白居易《七老会诗序》、《唐诗纪事》卷四九。

张浑（771—846）本年三月与白居易等六人为“七老会”；夏又合李元爽等二人为“九老会”，时人绘《九老图》。浑以诗名家。字万流。洛阳（今属河南）人，郡望清河（今属河北）。弱冠明经及第，调补滁州掾。历扬子主簿、汜水尉。元和末，献书朝廷。备述寰海利害。授监察御史，领盐铁富都监，不至职。改扬子巡官，复领嘉禾监，转殿中侍御史。迁侍御史。转工部员外郎。文宗时，拜雅州刺史。后为永州刺史。罢永州刺史后闲居洛阳。会昌中，与分司洛阳的太子少傅白居易为琴酒之侣。会昌六年（846）卒，年七十六。一作会昌五年七十四岁，当误。《全唐诗》存诗一首。事迹见唐白居易《七老会诗序》及《九老图诗并序》，韦邈《张公墓志铭并序》（《唐代墓志汇编续集》大中〇〇一）。

后，诸人之诗又编为合集《香山九者会诗》，一名《香山九老会》、《香山九老诗》。有北宋鲍慎由刻本，《四库全书》本即据之附于《高氏三宴诗集》后，又有《说郛》（宛委山堂本、《晨风阁丛书》本）等。诗及序云：白氏于会昌二年（842）致仕后，寓居洛阳履道坊，自称香山居士。会昌五年（845）三月，白氏在其寓所作尚齿之会，与会者六人，皆年逾七十致仕闲居者。七老相顾，既醉甚欢，静而思之，此会稀有，因各成七言六韵诗一首纪之。其年夏，又有洛中遗老李元爽、僧如满与会，合九老会，并绘为《九老图》，但无诗。时狄兼谟、卢贞以年未七十，虽与会并赋诗而不及列。其诗叙年迈致仕后，闲居宴集时悠然自得、知足达观之情。后北宋司马光等作洛中青英会，盖受其影响。

寒食日，李德裕于朝中侍宴，赋《寒食日三殿侍宴奉进诗一首》以献。诗有“楛矢方来贡，雕弓已载櫜。英威扬绝漠，神算尽临洮”之句，下注：“以上四句，奉述北虏款塞，西戎畏威。”指讨除回鹘乌介可汗事。又有“赤县阳和布，苍生雨露膏。野平惟有麦，田辟又无蒿”之句，述泽潞平复后之象。（见《全唐诗》卷四七五）

季春，许浑仍在南海，有《新兴道中》一诗。诗云：“芙蓉村步失官金，折狱无功不可寻。初挂海帆逢岁暮，却开山馆值春深。”（见《全唐诗》卷五三六）

二三月间，李商隐赴郑州李褒之招，作《郑州献从叔舍人褒》诗（见《玉溪生年谱会笺》），并《上李舍人第一状》献之。其“状”曰：“自春又为郑州李舍人邀留，比月方还洛下。”（见《樊南文集补编》卷六）过洛阳，作《重祭外舅司徒公文》一文，及《寒食行次冷泉驿》、《落花》等诗。其《寒食行次冷泉驿》诗云：“归途仍近节，旅宿倍思家。……自怯春寒苦，那堪禁火赊。”《落花》：“高阁客竟去，小园花乱飞。……芳心向春尽，所得是沾衣。”（据《李商隐诗歌集解》）

本年或明年春，章孝标应淮南节度使李绅之请，于扬州宴上，即席赋诗。《唐摭言》卷十三《敏捷》载：“短李镇扬州，请章孝标赋春雪诗，命题于台盘上。孝标唯然，索笔一挥云：‘六出花飞处处飘，沾窗著砌上寒条。朱门到晓难盈尺，尽是三军喜气消。’”诗即《淮南李相公绅席上赋春雪》。（《全唐诗》卷五〇六）

张祜本年五十四岁，仍寓居丹阳，有《所居即事六首》。其一云：“南下丹阳一水湾，陋居瓢饮是希颜。来为野鸟入春郭，去作溪云归夜山。蓬鬓已衰言必贱，竹门虽立意无关。陶潜惠远如相爱，朝访遗民暮却还。”其五云：“眼下已隳梁武佛，耳中犹听魏文诗。”［按，本年初已“排毁释氏，而拆寺之请行焉。”（见《旧唐书·武宗本纪》）］祜于诗中自画其像云：“牢落东溪满鬓丝，一身扶杖二男随。鸣鸠在处携书卷，科斗生时想墨池。日夕爱琴怜犬子，春风咏雪喜胡儿。”（见《张承吉文集》卷七）

今年或明年春，杜牧与蒯希逸有诗作往还。杜牧会昌四年（844）九月至六年（846）秋任池州刺史，其间作有《池州春送前进士蒯希逸》一诗。（见《樊川文集》

卷三）

四月

十日，元晦题《岩光亭诗》诗于桂州华景洞石壁。时元晦仍在桂管观察使任。《唐方镇年表》卷七引《广西志·金石》：“华景洞石壁，唐桂州刺史、御史中丞元晦《岩光亭诗》，会昌五年四月十日题。”今仅存残诗：“石静如开镜，山高若耸莲。笋竿抽玉管，花蔓缀金钿。”（见《全唐诗》卷五四七）

二十三日，李德裕进献其文十卷于武宗，并呈《进新旧文十卷状》。《状》曰：“四月二十三日，奉宣令状臣进来者。……臣往在弱龄，即好词赋，性情所得，衰老不忘。属吏职岁深，文业多废，意之所感，时乃成章。岂谓击壤庸音，谬入帝尧之听；巴渝末曲，猥蒙汉祖之知。”（见《会昌一品集》卷十八，参《李德裕年谱》）

段成式在吉州刺史任作《桃源僧舍看花》诗。又《金华子杂编》卷上：“段郎中成式，博学精敏，文章冠于一时。著书甚众，《酉阳杂俎》最传于世。牧庐陵日，常游山寺，读一碑文，不识其间两字，谓宾客曰：‘此碑无用于世矣，成式读之不过，更何用乎？’”又其《寺塔记》记会昌三年（843）游京中诸寺，“后三年，予职于京洛。及刺安成，至大中七年归京”。则其初任吉州（即庐陵郡）刺史盖在本年。《全唐诗》卷五八四段成式有《桃源僧舍看花》：“前年帝里探春时，寺寺名花我尽知。今日长安已灰烬，忍能南国对芳枝。”［按，会昌五年秋毁佛大行，京中诸寺多有遭毁者］“前年”春即指会昌五年春，而今日则在本年初，时在“南国”，盖即在吉州。

五月

一日，《白氏文集》七十五卷成。《白氏长庆集后序》：“白氏前著《长庆集》五十卷，元微之为序；后集二十卷，自为序；今又续后集五卷，自为记。前后七十五卷，诗笔大小凡三千八百四十首。集有五本：一本在庐山东林寺经藏院，一本在苏州南禅寺经藏内，一本在东都胜善寺钵塔院律库楼，一本付侄龟郎，一本付外孙谈阁童。各藏于家，传于后。其日本、暹罗诸国及两京人家传写者，不在此记。又有《元白唱和因继集》共十七卷，《刘白唱和集》五卷，《洛下游赏宴集》十卷，其文尽在大集内录出，别行于时。若集内无而假名流传者，皆谬为耳。

六月

杜牧在池州刺史任，作《上李太尉论江贼书》，上书李德裕论处置长江盗贼事。其言切中要害，李德裕深以为是，德裕《请淮南等五道置游奕船状》中，即吸纳有杜牧之主张。（见《会昌一品集》卷一二）杜牧《上李太尉论江贼书》曰：“伏以江淮赋税，国用根本，今有大患，是劫江贼耳。某到任才九月日，寻穷询访，实知端倪。……敢率愚衷，上干明虑。”（见《樊川文集》卷十一）

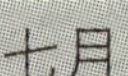

七月

庚子，敕并省天下佛寺。（见《旧唐书·武宗本纪》）

顾非熊过关试后，本年秋作《关试后嘉会里闻蝉感怀呈主司》诗。诗曰："昔闻惊节换，常抱异乡愁。今听当名遂，方欢上国游。吟才依树午，风已报庭秋。并觉声声好，怀恩忽泪流。"遂决意归茅山旧隐，厉玄、项斯有诗送别，非熊亦赋诗酬答。《唐摭言》卷八《入道》记："顾况全家隐居茅山，其子非熊及第归，庆既，莫知况宁否，亦隐于旧山。或闻有所遇，长生之秘术也。"《唐才子传》："非熊及第，授盱眙主簿。"项斯《送顾非熊及第归茅山诗》曰："吟诗三十载，成此一名难。自有恩门入，全无帝里欢。湖光愁里碧，岩景梦中寒。到后松杉月，何人共晓看。"厉玄《送顾非熊及第归茅山诗》曰："故山登第去，不似旧归难。帆卷江初夜，梅生洞少寒。采薇留客饮，折竹扫仙坛。名在仪曹籍，何人肯挂冠。"非熊作《成名后将归茅山酬群公见送》诗以酬答众友人，曰："暮天行雁断，晓渡落潮寒。旧隐茅峰下，松根石上盘。"归途中非熊有《行经褒城寄兴元姚从事》："君兼莲幕贵，我得桂枝荣。"（均见《全唐诗》卷五〇九）

元晦自桂管观察使转任浙东观察使作《除浙东留题桂郡林亭》。（见宋施宿《嘉泰会稽志》卷二）诗云："紫泥远自金銮降，朱旆翻驰镜水头。陶令风光偏畏夜，子牟衰鬓暗惊秋。"（见《全唐诗》卷五四七）

路单，桂管观察副使，与元晦同登第，时作《和元常侍除浙东留题》一诗与元晦唱和。（见《全唐诗》卷五四七）路单，又误作路贯，阳平冠氏（今山东冠县）人，生卒年不详。事迹载《桂林风土记·越亭》、《旧唐书·路岩传》。

八月

朝廷下诏，陈佛教之弊，毁天下佛寺四万余所，僧尼二十六万还俗。（见《旧唐书·武宗本纪》、《资治通鉴》卷二四八）

李德裕反对武宗迷信神仙之说，然支持武宗毁佛，时有《贺废毁诸寺德音表》。（见《会昌一品集》卷二〇）是时怀抱济世之志者多撰文赞颂武宗之反佛。刘蜕即有《移史馆书》一文，指斥佛释之危害，曰："今天子聪明……故绝其［按，指佛］法，不使污中土。未半年，父母得隶子，夫妇有家室，是以复出一天下也。仆故谓其功业出禹汤武王孔子孟轲之上。"又谓："伏以释氏之疾生民也，比虞禹时，曷尝在洪水下，比汤与武王时，曷尝在夏政商王下，比孔子孟轲时，曷尝在礼崩乐坏杨墨邪道下。"（见《全唐文》卷七八九）杜牧笔下古文，《论相》、《杭州新造南亭子记》、《书处州韩吏部孔子庙碑阴》等，均是反佛篇章。诸文难考作年，姑系于此。其《杭州新造南亭子记》论及佞佛为害于国家、百姓，甚为深刻，云："梁武帝明智勇武，创为梁国者，舍身为僧奴，至国灭饿死不闻悟，况下辈固惑之。为工公者，杂良以苦，□内而华外，纳以大秤斛，以小出之，欺夺村闾慧民，铢积粒聚，以至于富。□法钱发小胥，出人人性命，类倒埋没，使簿书条今不可究知，得财买大第豪奴，如公侯家。上支有权力，胡苌公钱，缘意恣为，人不放言。是此数者，心自知其罪，皆相已慧以蠹——至有穷

民，啼一稚子，无以与哺，得百钱，必召一僧饭之，冀佛之助，一日获福。若如此，虽孚寰海内画为寺与僧，不足怪也。屋壁多又可为金柱枝楝，导千万佛；僧为具味饭之可矣，饭讫持钱与之。不大、不壮、不高、不多、不珍奇环怪为忧，无有人力可及而不为者。……古者三人共合一农人，今加兵、佛，一农人乃为五人所食，其间吾民尤困于佛。"

缪岛云，少时为僧，约此时准敕反初（还俗）。反初后，诗名甚喧然。岛云，生卒年、籍贯不详，开成中，曾游南昌。会昌中有时名。后以不遇而终。诗崇尚奇险，不拘声律。《唐摭言》卷十《海叙不遇》："（岛云）才力浩大，有李、杜之风。其诗尤重奇险。至如'四五片霞生绝壁，两三行雁过疏松。'复曰：'抛芥子降颠狒狒，折杨枝酒醉猩猩。'庐山瀑布曰：'白鸟远行树，玉虹孤饮潭。'皆敻出前辈。"岛云此后行踪不详，其诗尚有《游黄山怀古》、《望黄山诸峰》、《登天都峰》等（均见《全唐诗补编·补逸》卷十二)，《全唐诗》存断句六句，《全唐诗补编》补十一首，多写黄山风光。《娱书堂诗话》卷下有僧岛云，并录其过阿江麻姑山所题绝句一首，一说即缪岛云。

是时反初僧人遍南北，诗人多有咏之者。许浑时仍奉使南海，其间曾去桂州，即有诗送反初者。其《送杨处士反初卜居曲江》云："雁门归去远，垂老脱袈裟……别怨应无限，门前桂水斜。"此杨处士原系僧人，反初，还俗也。雁门人，今去桂水赴上都，卜居曲江，用晦作此诗送之。

杜牧时在池州，约此时前后赋诗咏及还俗僧人与废寺。其《还俗老僧》诗曰："雪发不长寸，秋寒力更微。独寻一径叶，犹挈衲残衣。日暮千峰里，不知何处归。"《斫竹》："寺废竹色死，宦家宁尔留。霜根渐随斧，风玉尚敲秋。"又《池州废林泉寺》云："废寺碧溪上，颓垣倚乱峰。"（见《樊川文集》卷三）

九月

杜牧仍为池州刺史，与处士张祜为诗酒之交，时二人同登齐山，杜牧赋《九日齐山登高》。诗云："江涵秋影雁初飞，与客携壶上翠微。尘世难逢开口笑，菊花须插满头归。但将酩酊酬佳节，不用登临恨落晖。古往今来只如此，牛山何必独沾衣。"（《樊川文集》卷三） 张祜则酬和以《奉和池州杜员外重阳日齐山登高》："秋溪南岸菊霏霏……不堪孙盛嘲时笑，愿送王弘醉夜归。流落正怜芳意在，砧声徒促授寒衣。"杜牧、张祜乃诗道知音，相知深厚，相互倍极推许。《云溪友议》卷中《钱塘论》云："杜舍人之守秋浦，与张生为诗酒之交，酷吟祜宫词，亦知钱塘之岁，自有是非之论，怀不平之色，为诗二首以高，则曰：'谁人得似张公子，千首诗轻万户侯。'又云：'如何故国三千里，虚唱歌词满六宫。'张君诗曰：'故国三千里，深宫二十年。一声何满子，双泪落君前。'此歌宫娥讽念，思乡而起长门之思也。"《唐诗纪事》卷五二张祜条所记略同。上引杜牧诗即《登池州九峰楼寄张祜》（见《樊川文集》卷三）。杜牧另有《酬张祜处士见寄长句四韵》，首句推崇张祜云："七子论诗谁似公？曹刘须在指挥中。"（见《樊川文集》卷四）约此时，张祜有赠杜牧诗《江上旅泊呈池州杜员外》："牛渚南来沙岸长，远吟佳句望池阳。……江郡风流今绝世，杜陵才子旧为郎。"（见《张承吉文集》卷八）又有《读池州杜员外杜秋诗》："年少多情杜牧之，风流仍作杜秋诗。可知不是长门闭，也得相如第一词。"（见《张承吉文集》卷四）"杜秋诗"即谓杜牧《杜秋娘》诗。

龚轺（？—850）约此时以诗谒杜牧于钱塘。杜牧赏其诗，谓有"山水闲淡之思"。轺，籍贯不详，举进士不第。大中四年（850）游吴兴，与严浑友善，是年卒。作品已佚。事迹见唐杜牧《唐故进士龚轺墓志》。

李贻孙擅诗与文，时在夔州刺史任，作《神女庙》诗。（见《宝刻丛编》所引《金石录》）贻孙，生卒年、籍贯不详。大和中，为福建团练副使。历金部、司勋二员外郎。会昌中为夔州刺史。大中三年（849）为左谏议大夫，充弘文馆学士、判馆事。大中五年（851），出任福建观察使。次年，为欧阳詹文集作序。与李商隐友善，李有《为李贻孙上李相公启》。《全唐文》存文二篇，《全唐诗补编》补断句一联。事迹见《唐尚书省郎官石柱题名考》卷一六。

李商隐秋日卜居洛下，作《寄令狐郎中》寄令狐绹。诗云："嵩云秦树久离居，双鲤迢迢一纸书。休问梁园旧宾客，茂陵秋雨病相如。"时义山还自郑州，卜居洛下，方患恙，令狐绹有书问讯，故诗以报之。（见《玉溪生年谱会笺》）

十一月

十三日，夔州都督府建成，刺史李贻孙撰《夔州都督府记》。（见《全唐文》卷五四四，及《宝刻丛编》所引《集古录目》。

本年

周墀（793—851）本年为江南西道观察使（见《唐方镇年表》卷五、《旧唐书·周墀传》），陈陶作《赠江西周大夫》以赠，中云："因分三辅职，进领南平位。报政黄霸惭，提兵吕蒙醉。"（《全唐诗》卷七四五）周墀字德升，汝南（今属河南）人。排行十三。长庆二年（822）进士及第。能为古文，有史才，为文宗所重。自湖南团练巡官入为监察御史，累迁起居舍人、考功员外郎。开成二年（837）充翰林学士。四年（839），拜中书舍人。改工部侍郎。出为华、鄂、洪、滑等州刺史。大中元年（847）以兵部侍郎同平章事。三年（849），罢为剑南东川节度使，加检校右仆射，卒于镇。墀历任显官，喜与文士诗文往还，与陈陶交契尤深。《全唐文》存文三篇，《全唐诗》存诗二首，《全唐诗补编》补诗序一篇。卒后，杜牧为撰《唐故东川节度使检校右仆射周公墓志铭》，新、旧《唐书》均有传。

孙樵本年作《露台遗基赋并序》，讽唐武宗之迷信神仙之说。其《露台遗基赋并序》，中云："武皇郊天明年，作望仙台于城之南，农事方殷而兴土功……樵东过骊山，得露台遗基，遂作赋以讽之。"（见《孙可之文集》卷二）［按，《旧唐书·武宗本纪》载，武宗敕作望仙台在本年正月，而六月"神策奏修望仙楼及廊舍五百三十九间功毕"］

项斯（801？—？），约卒于会昌末大中初，姑系于此年。《唐文拾遗》卷四七张洎

《项斯诗集序》云："项斯，字子迁，江东人也，会昌四年左仆射王起下进士及第。始命润州丹徒县尉，卒于任所。"项斯友人顾非熊本年及第，斯为作《送顾非熊及第归茅山》诗，乃其卒前作品可确切纪年者，此后事迹无考。项斯诗宗张籍，清婉美丽，久享诗坛盛名。张洎序称："宝历、开成之际，君声价藉甚，时特为水部之所知赏，故其诗格颇与水部相类。词清妙而句美丽奇绝，盖得于意表，迨非常情所及。故郑少师薰云：'项斯逢水部，谁道不关情？'"《诗人主客图》标举其"佳人背江坐，眉际列烟村"、"马蹄没青莎，船迹成空波"等句，并列项斯于"清奇雅正"之升堂者。《后村诗话》："斯诗在方干、秦系之间，少而工。"《吴礼部诗话》："项斯亦师张水部，自以字清意远，匠物为工，然格律卑近，渐类晚唐矣。"《唐诗品》："子迁锐情格律，颇宗雅道。宝历、开成之间，声价籍籍，其清利便美，在时调中可谓心流润泽者也。受知水部诸公，亦声实之华不可掩留者耶！"《唐音癸签》："项子迁与朱可久并见赏张水部，清调颇同，而朱犹含重，项即驶轻，中、晚分派以此。"《五朝诗善鸣集》称项斯略胜张籍："张洎云：'项斯为张籍所赏，诗亦与之相类。余谓五律则然，七律幽闲深秀，水部不能到也。'"《唐律偶评》："子迁诗最清婉。"《载酒园诗话又编》："项子迁俊句亦甚可喜，如'溪中云隔寺，夜半雪添泉'、'鹤睡松枝定，萤归葛叶垂'、'霞光侵曙发，岚翠近秋浓'……但读全集，则几如晋元帝之造江东，一觞为美而已。"《重订中晚唐诗主客图》："子迁无古诗，五七律皆学水部，次于朱庆馀，断为升堂第一。"《唐诗笺要》："项君诗宗主文昌，僖、昭之间，雅道凌迟，无知之者。遗稿三十一首，而选家鲜及，然其光终不可没也。"《新唐书·艺文志四》著录《项斯诗》一卷。《全唐诗》卷五五四编其诗一卷。

温庭筠近年或在长安，本年前后作《觱篥歌》，极尽形容李德裕在相位时家妓歌舞之盛。《觱篥歌》原注："李相伎人吹。"诗中云："蜡烟如台新蟾满，门外沙平草牙短。黑头丞相九天（八天）归，夜听飞琼吹朔管。情远气调兰蕙熏，天香瑞彩含絪缊。皓然纤指都揭血，日暖碧霄无片云。"（见《温飞卿诗集笺注》卷二）

陈标本年为大理评事，此后事迹未详，官终侍御史。标，一作摽。生卒年、籍贯不详。长庆二年（822）进士及第。顾非熊有《酬陈标评事喜及第与段何共贻》诗。标有诗名。张为《诗人主客图》取为"广大教化主"白居易之"及门"。代表作《啄木谣》咏啄木鸟以抒除害之志，《蜀葵》咏蜀葵表达不甘卑庸之意，都善用比兴。《全唐诗》存诗十二首，多乐府民歌。事迹见《唐诗纪事》卷六六。

许浑本年辟岭南节度使卢贞幕从事，大中元年（847）始得罢归。

李播（789—?）本年自比部郎中出为杭州刺史，有政绩。能诗，白居易、刘禹锡均对其诗作有所称誉。播，字子烈。郡望赵郡（治今河北赵县）。排行十九。元和中进士及第。授校书郎。开成中，累迁金部员外郎，以郎中出为蕲州刺史。及第前撰有行卷，传于世，未见著录。播及第后，曾有落魄秀才留其行卷为己作，干谒官宦。作品多佚。《全唐诗》录两李播诗各一首，岑仲勉《读全唐诗札记》以为均为其所作。事迹见唐杜牧《杭州新造南亭子记》、岑仲勉《郎官石柱题名新考订》、朱金城《白居易年谱·开成三年》。

王彦威（？—845）卒。彦威，字子美，太原（今属山西）人。少孤贫。元和中明经及第，补太常寺检讨官。献《元和新礼》三十卷，授太常博士。累迁司封郎中、弘文馆学士。大和五年（831）授谏议大夫。贬河南少尹。历司农卿、淄青节度使。开成元年（836）拜户部侍郎。三年（838）为忠武节度使。徙宣武节度使。会昌五年（845）卒。彦威好学善著书，《新唐书·艺文志》著录其《唐典》七十卷。《续古今谥法》十四卷等多种，均佚。《全唐文》存文九篇，《唐文拾遗》补二篇，《全唐诗》存诗一首。事迹见新、旧《唐书》本传，参唐刘禹锡《唐故监察御史王公（俊）神道碑》。

朱庆馀（？—？845）本年或明年卒。庆馀诗名藉甚。名可久，以字行。越州（治今浙江绍兴）人。一说闽中（今福建福州）人，误。排行大。生年不详（一说公元792年，误）。元和中至长安，与姚合、顾非熊、无可等有交往，复与贾岛游凤翔。长庆中再赴长安，投诗李绅、蒋防、张籍，深受张推赞，诗名大著。宝历二年（826）进士及第。大和中授秘书省校书郎。官终协律郎。卒年约在会昌五年（845）、六年（846）中。诗长于五律和七绝，多酬赠送别、行旅题咏之作，词意清新，气势平和，描写细致，构思巧妙。亲承张籍之旨，风格相近，但如“旅雁投孤岛，长天下四维”等“猛句”为张籍所少。代表作《宫词》、《近试上张籍水部》是唐诗名篇。张为《诗人主客图》列为“清奇雅正主”李益之“及门”。（张籍为“入室”）《新唐书·艺文志四》著录《朱庆馀诗》一卷。今传《朱庆馀诗集》一卷。《太平广记》存《冥音录》传奇一篇，或署其所作，无据。事迹见《唐才子传校笺》卷六。

刘三复（？—845）约本年卒。三复擅文章。润州句容（今属江苏）人。生年不详。刘邺父。幼能文。少孤贫，为供养寡母，不能应举。长庆中，浙西观察使李德裕奇其文，遣其应试，遂进士及第，辟掌书记。大和中，为员外郎。后从李德裕镇浙西、滑州等地，累迁御史中丞。会昌中，自谏议大夫、给事中拜刑部侍郎、弘文馆学士判馆事。约卒于会昌五年（845）。性聪敏，有才思。善文章，知名于时。刘禹锡深重其才。曾为李德裕代草奏表，有“山名北固，长怀恋阙之心；地接东溟，却羡朝宗之路”等句，甚受叹赏。《新唐书·艺文志四》著录《刘三复表状》十卷、《问遗杂录》三卷，《宋史·艺文志七》复著录《景台杂编》十卷、《别集》一卷，并佚。《全唐文》存文二篇，《全唐诗》存诗一首。事迹见新、旧《唐书·刘邺传》。

公元846年（唐武宗会昌六年　丙寅）

正月

武宗信道术，重方士，服食丹药，得病，自正月起即不视朝。（见《资治通鉴》、《旧唐书·武宗本纪》）

立春日起，白居易思念老友牛僧孺、杨嗣复、李宗闵不已，百感盘旋于心。至八日，方赋得《六年立春日八日作》。诗云：“二日立春人七日，盘蔬饼饵逐时新。……乡园节岁应堪重，亲故欢游莫厌频。试作循潮封眼想，何由得见洛阳春。”诗下有注谓“循、潮、封三郡迁客，皆洛下旧游也”。（见《白居易集》卷三七）时牛僧孺贬循州长史，杨嗣复贬潮州司马，李宗闵长流封州。

十一日，李德裕作《请先降使至党项屯集处状》；二十六日，作《论盐州屯集党项状》。（见《会昌一品集》卷十六）

二月

狄慎思、薛能、张黯、颜口等十六人（疑当作二十六人）擢进士第，状元为狄慎思。本年知贡举为礼部侍郎陈商。

狄慎思以第一名中进士科状元。［按，《玉芝堂谈荟》作“思慎”，误。《登科记考》本卷大中十年李詹条、《太平广记》卷一三三“李詹”条引《玉泉子》、《南部新书·己集》均作“狄慎思”］

薛能（约817—约882），本年及第。及第后作有《曲江醉题》，诗云：“闲身行止属年华，马上怀中尽落花。狂遍曲江还醉卧，觉来人静日西斜。”（见《全唐诗》卷五六一）能，字大拙，一作太拙。汾州（治今山西汾阳）人。少流寓并州，诗名早成。（见无可《送薛秀才游河中兼投任郎中留后》）久之，方及第。后八年，始以书判入等，补盩厔尉。累佐使幕。咸通二年（861）入为侍御史。五年（864），辟剑南西川节度副使。摄嘉州刺史。七年（866）返京。历主客、度支、刑部郎中及江州、同州刺史等。十一年（870）由给事中权知京兆尹。十四年（873）出为感化军节度使。入为工部尚书。复节度徐州。乾符五年（878）徙忠武军节度使。广明元年（880）被乱军所逐。约卒于中和二年（882）。世称薛许昌。治政严察，禁绝请谒，性倔傲。嗜诗成癖，日课一章，作品数量为当时之冠。论诗较推许陶潜、杜甫，尤崇贾岛，轻视李白，批评白居易《荔枝诗》兴旨卑泥，刘禹锡等的《柳枝词》文字太僻，宫商不高，刘得仁诗千篇一律，讽刺当时诗坛“四方联络尽蛙声”。（《题后集》）自负其“专于诗律，不爱随人，搜难抉新，誓脱常态”。（《折杨柳十首并序》）尤长于近体，多寄送赠答、游历登临、咏物感怀之作，抒写个人遭际和感慨。少数作品忧国忧民，反对藩镇叛乱，但欠深刻。其诗喜翻旧案，好辟我境，疏淡工整，洗净声色，不乏排奡、浩荡之作，颇有佳句，为郑谷、卢延让等推崇、师法。但思想平庸，才力有限，文字率易，格调大多不高，远逊李白、刘禹锡、白居易等，稍高于刘得仁之流。《黄河》、《华岳》等较知名。“青春背我堂堂去，白发欺人故故生”（《春日使府寓怀二首》）等亦传诵人口。著有《江干集》（又作《一年集》，当误），已佚；又《薛能诗集》十卷，著录于《新唐书·艺文志四》，有散佚。今传《薛许昌诗集》十卷。《全唐诗》存诗四卷三百余篇，“谐谑”及“补遗”补五首、断句四句，多于集本。《全唐诗补编》补一首、断句二句。事迹见《唐才子传校笺》卷七。马斗全有《薛能籍里辨》。

张黯，生卒年不详，本年进士及第。《永乐大典》引《苏州府志》：“张黯，会昌六年登第。”

颜□，颜荛之父，生卒年不详，本年擢进士第。颜荛《颜上人集序》云：“荛同年丈人故许州节度使、尚书薛公字大拙。”即谓荛之父与薛能为同年进士。

李昼（818—855），二十九岁，进士及第。昼，字贞曜，陇西成纪（今甘肃秦安西北）人。李廓子，李程孙。李庚《唐故万年县尉直弘文馆李君（昼）墓志铭》云：

“庚季父程……昼郎其孙也。”又载：“洎即试于春官，（昼）名声大振，巉然锋见，年廿九登上第。其明年冬，以博勒弘词科为学头。又明年春，授秘书省校书郎。今中山郑公涯为山南西道节度，时以君座主孙熟闻其理行，［按，“座主”，指郑涯之座主李程，昼乃程之孙也］愿置于宾筵。（大中）九年冬……竟殒芳年，……享年卌八。”（见《匋斋藏石记》三四、《唐代墓志汇编》大中）及第之明年即大中元年（847），登博学宏词科。除秘书省校书郎。山南西道节度使郑涯辟为从事。大中八年（854），除万年尉，直弘文馆。九年（855）卒。有《金门小集》二十卷，已佚。《全唐诗》存诗一首。事迹见唐李庚《唐故万年县尉直弘文馆李君墓志铭》。

郑畋、李蔚登拔萃科。

郑畋，年二十二，于宣宗即位之次月（四月）登书判拔萃科。畋于此非常自豪，授官自陈曰：“臣十八，进士及第。二十二，书判登科。”又自陈曰：“臣会昌二年进士及第，大中首岁书判登科。”（见《旧唐书·郑畋传》

李蔚，会昌末（约本年）以书判拔萃，拜监察御史，转殿中监，后仕至僖宗朝宰相。（见两《唐书》本传）

知贡举：礼部侍郎陈商（？—855?）。《永乐大典》引《苏州府志》载陈商于会昌五年以谏议大夫权知贡举，会昌六年以礼部侍郎陈商知贡举。陈商《华岳题名》云：“会昌元年七月二十五日，商祇召赴阙。商题后六年，自礼部侍郎出镇分陕。”商，字述圣，湖州长城（今浙江长兴）人。元和九年（814）进士及第。历户部员外郎等职，会昌元年（841）迁司门郎中、史馆修撰。五年（845），以谏议大夫权知贡举，榜出以物议沸腾，旋由翰林学士白敏中覆试。明年，以礼部侍郎再知贡举。出为陕虢观察使。官终秘书监。文章尚古奥，韩愈读其文三四遍尚不能通晓其意。《新唐书·艺文志》著录《陈商集》十七卷、《敬宗实录》十卷，今不传。《全唐文》存文四篇。事迹见韩愈《答陈商书》。

姚汝能本年为乡贡进士。汝能生卒年、籍贯不详。曾官华阴尉。为唐代小说家，有《安禄山事迹》三卷，著录于《新唐书·艺文志二》。该书今传，世人每以小说视之。汝能撰有《唐故天水郡赵府君墓志铭》。存《唐代墓志汇编续集》。事迹见其文及《新唐书·艺文志二》。

丁丑，左拾遗王龟以父兴元节度使起年高，乞休官侍养，诏许之。（见《旧唐书·武宗本纪》本年二月条）《旧唐书·王龟传》：“（龟）性简澹潇洒，不乐仕进，少以诗酒琴书自适，不以科试。……及从父起在河中，于中条山谷中起草堂，与山人道士游，朔望一还府第，后人目为‘郎君谷’。……武宗知之，以左拾遗征，久之，方至殿廷一谢，陈情曰：‘……乞罢今职，以奉晨昏。’上优诏许之。”

赵嘏时在长安，感佩王龟之操持，于其离京时，为作《送王龟拾遗谢官后归浐水山居》诗。（见《全唐诗》卷五五〇）

三月

初一日，武宗以疾久不豫，制改御名为炎。武宗好道术，服食丹药，病，自正月迄三月久不视朝，李德裕等皆不得见，内政盖由宦者把持。李德裕此时除撰写《仁圣文武章天成功大孝皇帝改名制》、《武宗改名告天地文》及《祈祭西岳文》外，于政事一无所为。

二十三日［按，《新唐书》作“甲子”］，武宗病卒，年三十三。宦官定嗣君，宣遗诏以皇太叔光王即位。（见《旧唐书·武宗本纪》）

顾非熊有《武宗皇帝挽歌词二首》。歌颂武宗功业“静塞妖星落，和戎贵主回”，称颂会昌禁佛“国用销灵象，农功复冗僧”。（见《全唐诗》卷五〇九）温庭筠《会昌丙寅丰岁歌》亦歌颂会昌之政：“丙寅岁，休牛马，风如炊烟，日如渥赭。九重天子调天下，春录将年到西野。西野翁，生儿童，门前好树青草丰茸，草丰茸单衣麦田路，村南娶妇桃花红。新姑车右及门柱，粉项韩凭双扇中。喜气自能成丰岁，农祥尔物来争功。”（见《温飞卿诗集笺注》卷二）

丁卯，宣宗即位，年三十七岁。［按，《资治通鉴》卷二三八会昌六年三月载：“及上疾笃，旬日不能言。诸宦官密于禁中定策，辛酉，下诏称：‘皇子冲幼，须选贤德，光王怡可立为皇太叔，更名忱，应军国政事令权勾当。’”］宣宗李忱（810—859），宪宗第十二子。爱好作诗，初名怡。长庆元年（821）封光王。会昌六年（846）三月即位。明年改元大中。即位后，废除会昌灭佛之令，贬谪李德裕，重用白敏中、令狐绹等，出宫女五百人，放五坊鹰犬，恭俭勤政，虚襟听纳，雅好儒士，留心贡举。压抑权豪、宦官，收复河、湟失地。然以察为明，后期南方军乱迭起，唐王朝进一步走向衰败。大中十三年（859）卒。忱通音律，好文学。曾自制新曲数十种，令宫女联袂而歌，传于民间。每山池曲宴，与学士诗什唱和；公卿出镇，亦赋诗饯行。白居易卒，作《吊白居易》盛称之。《全唐诗》存诗六首、断句三句，《全唐诗补编》补四首又四句，《全唐文》存文四卷，少数为误收，《唐文拾遗》补四十一篇。事迹见新、旧《唐书》本纪。

孙樵《武皇遗剑录》盖作于宣宗即位不久时。中云：“今者嗣皇帝（宣宗）纂武皇之耿光，传武皇之遗剑，宜乎铦其锷不使其挫。”（见《孙可之文集》卷五）

李敬方（？—约855），本年三月贬台州长史。（见岑仲勉《郎官石柱题名新考订》）有《天台晴望》诗。（见《全唐诗》卷五〇八）《文苑英华》卷一五五录李敬方《喜晴》诗，下注云“时左迁台州刺史”，当是“长史”之误。敬方，字中虔，一作仲虔。太原文水（今属山西）人。李棋祖。长庆三年（823）进士及第。大和至会昌中，为金部员外郎、调部和户部郎中、谏议大夫等，贬台州长史（一作刺史，误）。大中元年（847），迁明州刺史。四年（850），为新州刺史。工诗，其名作为《汴河直进船》。诗云：“汴水通淮利最多，生人为害亦相和。东南四十三州地，取尽脂膏是此河。”语意多讽，思想深刻，作年未可考知，今姑系于此。顾陶《唐诗类选后序》称其才力周备，兴比之间，与前辈相近。《新唐书·艺文志四》著录《李敬方诗》一卷，已散佚。《全唐诗》存诗八首，《全唐诗补编》补二首，《全唐文》存文一篇。事迹见《旧五代史·李慎传》、《唐才子传校笺》卷七。

张祜仍在池州，与刺史杜牧诗歌酬和。杜牧赋《残春独来南亭因寄张祜》（见《樊川外集》），张祜作《奉和池州杜员外南亭惜春》（见《张承吉文集》卷七），张祜有

《题池州杜员外弄水新亭》（见《张承吉文集》卷九），杜牧亦有《春末题池州弄水亭》："使君四十四，两佩左铜鱼。……逐日愁皆碎，随时醉有余。偃须求五鼎，陶只爱吾庐。趣向人皆异，贤豪莫笑渠。"（《樊川文集》卷三）又张祜有《感春申君》："薄俗何心议感恩，谄容卑迹赖君门。春申还道三千客，寂寞无人杀李园。"（见《张承吉文集》卷三）杜牧亦有《春申君》："烈士思酬国士恩，春申谁与快冤魂？三千宾客总珠履，欲使何人杀李园。"（见《樊川文集》卷二）上述诸作均二人此时前后酬唱之作。

李群玉约此时为裴休厚礼延致幕中，游宴赋诗，作《三月五日陪裴大夫汎长沙东湖》、《长沙陪裴大夫夜宴》等诗，时裴休为湖南观察使。（见《唐方镇年表》卷六）《郡斋读书志》卷十八载："李群玉……旷逸不乐仕进，专以吟咏自适，诗笔妍丽，才力遒健。好吹笙，善书翰。……裴休廉察湖南，延郡中。"《唐才子传·李群玉传》所记略同。

宣宗厌恶武宗朝旧臣极甚。《资治通鉴》本年三月条载："宣宗素恶李德裕之专，即位之日，德裕奉册；既罢，谓左右曰：'适近我者非太尉耶？每顾我，使我毛发洒淅。'"

四月

宣宗贬逐李德裕等武宗朝旧臣。李德裕被逐出朝廷，出镇荆南，众闻之惊骇。（见《唐大诏令集》卷五十三《李德裕荆南节度平章事制》，《旧唐书·宣宗本纪》本年四月条，《资治通鉴》卷二四八本年四月条，洪迈《容斋五笔》卷一《人臣震主》条，宋孙甫《贬李德裕》条）

武宗所宠信之道士赵归真等数人被杖杀，流罗浮山人轩辕集于岭南。（见《资治通鉴》卷二四八本年四月条）

薛元赏、薛元龟兄弟坐李德裕党贬出。（见《资治通鉴》本年四月条，《新唐书》卷一九七《薛元赏传》）

柳仲郢坐与李德裕厚善，由吏部尚书出为郑州刺史。（见《旧唐书》卷一六五、《新唐书》卷一六三《柳仲郢传》）

五月

五日（乙丑），白敏中拜相。（见两《唐书·宣宗本纪》、《资治通鉴》）杜牧僻居睦州任刺史，有《上白相公启》，末云："某远守僻左，无因起居，但采风谣，亦能歌咏，无任攀恋激切之至。"希求白敏中荐引之意甚著，文中多谀词亦属必然。杜牧于德裕任宰辅期间转任数州刺史，深觉屈抑，此后于文中攻讦德裕，亦非偶然，乃人情之所难免。

宣宗尽改武宗朝毁佛之政，大举兴佛。《旧唐书·宣宗本纪》本年五月："左右街功德使奏：'准今月五日赦书节文，上都两街旧留四寺外，更添置八所……'敕旨依奏。"《资治通鉴》卷二四八本年五月载："乙巳，赦天下。上京两街先听两寺外，更各增置八寺；僧、尼依前隶功德使，不隶主客，所度僧尼仍令祠部给牒。”圆仁《入唐求法巡礼行记》卷四本年记：“新天子姓李，五月中大赦，兼有敕天下每州造两寺，节度府许造三所寺，每寺置五十僧。去年还俗僧年五十已上者，许依旧出家。其中年登八十者，国家赐五贯文。”

六月

李群玉仍在长沙，游东湖，作《东湖二首》。其一云：“性野难依俗，诗玄自入冥。何由遂潇洒，高枕对云汀。”其二云：“雨气消残暑，苍苍月欲升。林间风卷簟，栏下水摇灯。”（见《全唐诗》卷五六九）

白敏中荐马植入相。（见《旧唐书》卷十六《宣宗本纪》、卷一七六《马植传》）

白居易、李绅、王起均至耄耋之岁，旧友零落，白居易感而作《予与山南王仆射、淮南李仆射事历五朝，逾三纪，海内年辈今唯三人，荣路虽殊，交情不替，聊题长句寄举之、公垂二相公》。诗云：“故交海内只三人，二坐岩廊一卧云。老爱诗书还似我，荣兼将相不如君。百年胶膝初心在，万里烟霄中路分。阿阁鸾凰野田鹤，何人信道旧同群？”（见《白居易集》卷三七）［按，诗系年据《白居易年谱》。山南王仆射即王起，字举之；淮南李仆射为李绅］

七月

李绅（772—846）卒于淮南节度使任，年七十五，赠太尉，谥文肃。绅字公垂，亳州（今安徽亳县）人，郡望赵郡（今河北赵县）。幼随父仕江南，遂寓居润州无锡。绅家世儒学，然六岁丧父。受母教诲，复九岁丧母。十五六岁读书于无锡慧山寺，业经诵诗，与僧大光、鉴玄交密，受佛教濡染。二十五岁后，始游宦，以行卷谒吕温、韩愈，受激赏，苏州刺史韦夏卿数称道之。长安待试期间，与元稹、白居易结为诗友。绅自负歌行，首唱《新题乐府》，并作歌二十首，已佚，元稹、白居易唱和之。宪宗元和元年（806）登进士第。镇海浙西节度使李锜辟掌书记。锜反，迫令草檄，不从，几遇害。锜败，复佐浙西李元素幕。入为校书郎，迁国子助教。出为山南西道节度使崔从判官。元和末，自右拾遗充翰林学士。穆宗即位，加司勋员外郎、知制诰，累迁中书舍人。进充翰林学士承旨。在翰林院，与元稹、李德裕合称“三俊”。穆、敬两朝，唐廷党争始炽，李绅被目为李党要员，为李逢吉陷，改御史中丞。敬宗即位，复遭逢吉谗毁，由户部侍郎贬端州司马。次年量移江州长史。任满，移任滁、寿二州刺史，迁太子宾客，分司东都。大和七年，出为浙东观察使。开成中，历河南尹、宣武军节度使。武宗即位，重用李党党魁李德裕，亦启用李绅为淮南节度使。会昌中，绅拜相，复出镇淮南，卒。白居易为撰《淮南节度使检校尚书右仆射赵郡李公家庙碑》、沈亚之作有《李绅传》。《旧唐书》卷一百七十三、《新唐书》卷一百八十一有传。李绅卒之明年，牛党再度于宣宗朝得势，借吴湘案罗织李党成员李德裕、李绅等罪名，宣宗下令退夺绅三任官告。详见下年李德裕贬崖州条。绅工诗，诗作颇多，惜囿于党争漩涡、宦迹播迁，散佚不少。绅早年诗作远较后来之作为优，多同情民瘼之篇，《古风》尤为

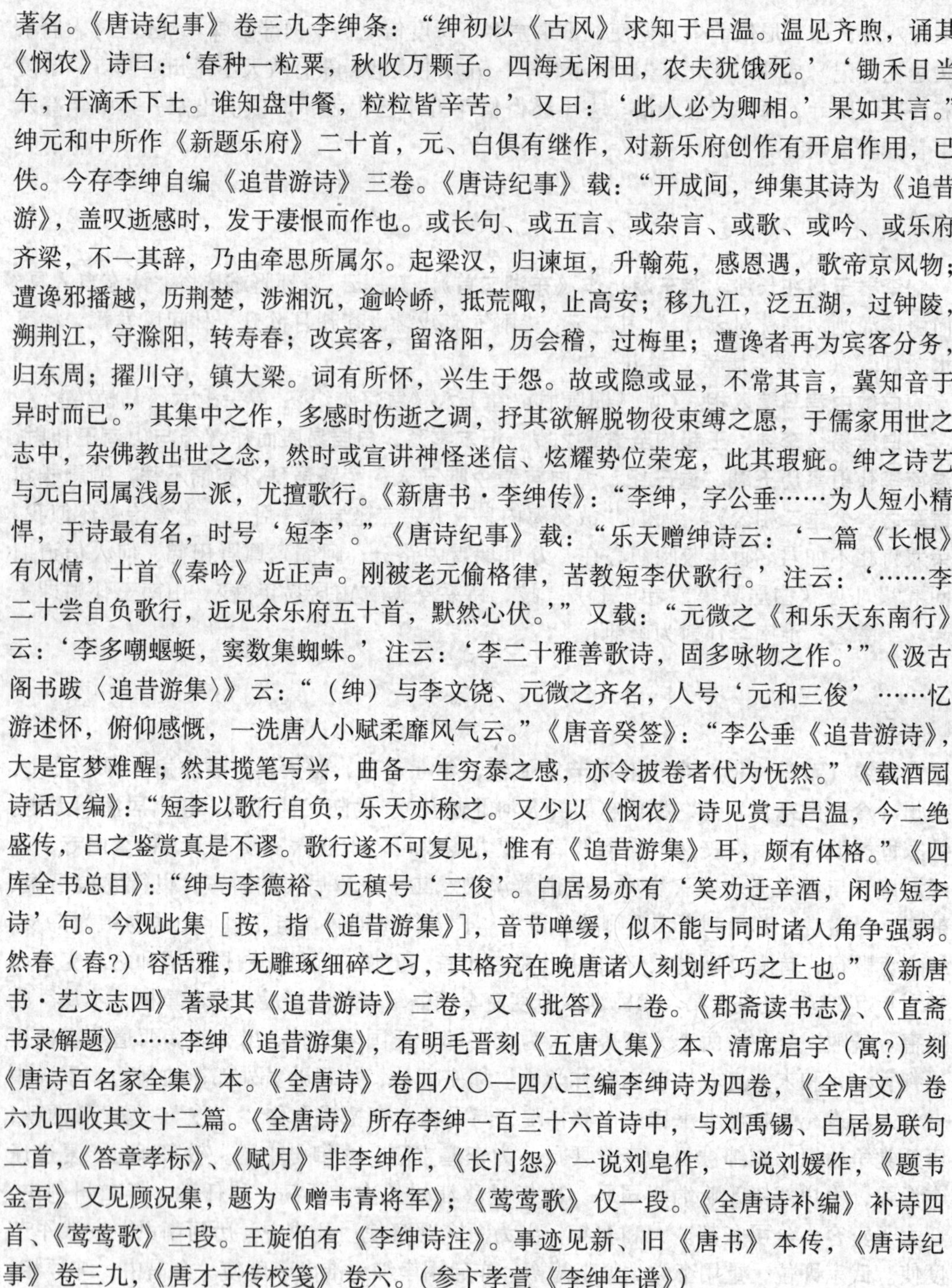

著名。《唐诗纪事》卷三九李绅条：“绅初以《古风》求知于吕温。温见齐煦，诵其《悯农》诗曰：‘春种一粒粟，秋收万颗子。四海无闲田，农夫犹饿死。’‘锄禾日当午，汗滴禾下土。谁知盘中餐，粒粒皆辛苦。’又曰：‘此人必为卿相。’果如其言。”绅元和中所作《新题乐府》二十首，元、白俱有继作，对新乐府创作有开启作用，已佚。今存李绅自编《追昔游诗》三卷。《唐诗纪事》载：“开成间，绅集其诗为《追昔游》，盖叹逝感时，发于凄恨而作也。或长句、或五言、或杂言、或歌、或吟、或乐府齐梁，不一其辞，乃由牵思所属尔。起梁汉，归谏垣，升翰苑，感恩遇，歌帝京风物；遭谗邪播越，历荆楚，涉湘沅，逾岭峤，抵荒陬，止高安；移九江，泛五湖，过钟陵，溯荆江，守滁阳，转寿春；改宾客，留洛阳，历会稽，过梅里；遭谗者再为宾客分务，归东周；擢川守，镇大梁。词有所怀，兴生于怨。故或隐或显，不常其言，冀知音于异时而已。”其集中之作，多感时伤逝之调，抒其欲解脱物役束缚之愿，于儒家用世之志中，杂佛教出世之念，然时或宣讲神怪迷信、炫耀势位荣宠，此其瑕疵。绅之诗艺与元白同属浅易一派，尤擅歌行。《新唐书·李绅传》：“李绅，字公垂……为人短小精悍，于诗最有名，时号‘短李’。”《唐诗纪事》载：“乐天赠绅诗云：‘一篇《长恨》有风情，十首《秦吟》近正声。刚被老元偷格律，苦教短李伏歌行。’注云：‘……李二十尝自负歌行，近见余乐府五十首，默然心伏。’”又载：“元微之《和乐天东南行》云：‘李多嘲蝘蜓，窦数集蜘蛛。’注云：‘李二十雅善歌诗，固多咏物之作。’”《汲古阁书跋〈追昔游集〉》云：“（绅）与李文饶、元微之齐名，人号‘元和三俊’……忆游述怀，俯仰感慨，一洗唐人小赋柔靡风气云。”《唐音癸签》：“李公垂《追昔游诗》，大是宦梦难醒；然其揽笔写兴，曲备一生穷泰之感，亦令披卷者代为怃然。”《载酒园诗话又编》：“短李以歌行自负，乐天亦称之。又少以《悯农》诗见赏于吕温，今二绝盛传，吕之鉴赏真是不谬。歌行遂不可复见，惟有《追昔游集》耳，颇有体格。”《四库全书总目》：“绅与李德裕、元稹号‘三俊’。白居易亦有‘笑劝迂辛酒，闲吟短李诗’句。今观此集［按，指《追昔游集》］，音节啴缓，似不能与同时诸人角争强弱。然春（舂?）容恬雅，无雕琢细碎之习，其格究在晚唐诸人刻划纤巧之上也。”《新唐书·艺文志四》著录其《追昔游诗》三卷，又《批答》一卷。《郡斋读书志》、《直斋书录解题》……李绅《追昔游集》，有明毛晋刻《五唐人集》本、清席启宇（寓?）刻《唐诗百名家全集》本。《全唐诗》卷四八〇—四八三编李绅诗为四卷，《全唐文》卷六九四收其文十二篇。《全唐诗》所存李绅一百三十六首诗中，与刘禹锡、白居易联句二首，《答章孝标》、《赋月》非李绅作，《长门怨》一说刘皂作，一说刘媛作，《题韦金吾》又见顾况集，题为《赠韦青将军》；《莺莺歌》仅一段。《全唐诗补编》补诗四首、《莺莺歌》三段。王旋伯有《李绅诗注》。事迹见新、旧《唐书》本传，《唐诗纪事》卷三九，《唐才子传校笺》卷六。（参下孝萱《李绅年谱》）

八月

白居易（772—846）卒，年七十五，赠尚书右仆射，谥曰“文”。宣宗皇帝以诗吊之，云：“缀玉联珠六十年，谁教冥路作诗仙？浮云不系名居易，造化无为字乐天。童

子解吟《长恨曲》，胡儿能唱《琵琶篇》。文章已满行人耳，一度思卿一怆然。”（见《唐摭言》卷十五）李商隐大中三年（849）撰《刑部尚书致仕赠尚书右仆射太原白公墓碑铭并序》云：“公以致仕刑部尚书，年七十五，会昌六年八月，薨东都，赠右仆射，十一月，遂葬龙门。”（见《樊南文集》卷八）居易字乐天，晚年自号香山居士，号醉吟先生。以谥号为“文”，后人又以“白文公”称之。排行二十二。郡望太原（今属山西），祖籍太原（今属山西），徙居下邽（今陕西渭南），生于新郑（今属河南）。建中末两河用兵，寄家符离，播迁吴越。幼聪慧，五六岁学作诗，九岁解声韵。稍长接受经史、文学等教育。二十岁之前，以藩镇叛乱及连年灾荒，浪游南北，南至浙江，北至河北、河南、苏北，陕西乃其经常回翔之地。二十岁之后，专力科考。贞元十六年（800），年二十八登进士第。十九年（803）中书判拔萃科，授秘书省校书郎。元和元年（806）中才识兼茂明于体用科，授盩厔尉。二年（807）自集贤校理充翰林学士。三年，除左拾遗，为翰林学士，居谏职内廷，直言无讳避；作有指斥时政得失之奏折，及“唯歌生民病”之组诗《秦中吟》、《新乐府》等讽喻诗作，故为权近所恶。与元稹交厚，同倡新乐府，世称“元白”，诗称“元白体”。其《新乐府序》主张：“文章合为时而著，歌诗合为事而作。”五年（810）以母老须孝养，请改授京兆户曹参军。后丁母忧，守制三年。服除，九年（814）召授太子左赞善大夫。十年，上疏请捕刺杀武元衡之凶手，再次触怒权臣，被加以“越职言事”之罪，贬江州司马。失意江州，写成《琵琶行》及《与元九书》。其《与元九书》虽提出创作当“补察时政”、“泄导人情”、“辞质而径”、“言直而切”、“事盍而实”、“体顺而律”，然此后居易诗风丕变，缄口不作针砭时政之讽喻诗，转而创作闲适诗和感伤诗。任满，量移忠州刺史。穆宗即位，召为司门员外郎、主客郎中知制诰、中书舍人。见穆宗荒淫无道，请求外任，除杭州刺史，教民筑堤蓄水，灌田千余亩。三年任满，回洛阳，除太子左庶子，次年再除苏州刺史。未几，因病罢官归长安，任秘书监，赐金鱼紫袋。大和二年（828）任刑部侍郎。三年春病免，遂以太子宾客分司东都。五年任河南尹，七年仍为太子宾客分司。开成元年（836）任太子少傅，封冯翊侯。四年患风痹病，尽放家中歌妓。会昌二年（842）以刑部尚书致仕，闲居洛阳，栖心梵释，淡泊自守，与香山僧如满结香火缘，白衣鸠杖，往来香山间，自称香山居士。晚年居洛期间，与刘禹锡唱和甚多，世称“刘白”。六年病卒。

《白氏长庆集序》赞曰：“乐天之长，可以为多矣。夫讽喻之诗长于激；闲适之诗长于遣；感伤之诗长于切；五言律诗百言而上长于赡；五字七字百言而下长于情。”《诗人主客图》以白居易为“广大教化主”。司空图《与王驾评诗》云：“元白力勍而气孱，乃都市豪估耳。”《旧唐书》本传曰：“居易文辞富艳，尤精于诗笔。自雠校至结绶畿甸，所著歌诗数十百篇，皆意存讽赋，箴时之病，补政之缺，而士君子多之，而往往流闻禁中。”《六一诗话》：“仁宗朝，有数达官以诗知名，常慕‘白乐天体’，故其语多得于容易。”《诗病五事》：“如白乐天诗词甚工，然拙于纪事，寸步不移，犹恐失之，此所以望老杜之藩垣而不及也。”《临汉隐居诗话》：“白居易亦善作长韵叙事，但格制不高，局于浅切，又不能更风操，虽百篇之意，只如一篇，故使人读而易厌也。”《冷斋夜话》：“白乐天每作诗，令一老妪解之，问曰：‘解否?’妪曰解，则录之；不解，则易之。故唐末之诗近于鄙俚。”白氏之作虽伤于“太露太尽”（翁方纲《石洲诗话》卷二），而语言朴直，平易近人，章法变化多端，每能以俗为雅，以故为新，“用常得奇”（《艺概·诗概》），“眼前能转物，笔下尽逢源”（张镃《南湖集》卷四《读乐天诗》），明朗、自然、圆熟，达到“郢人斤斫无痕迹，仙人衣裳弃刀尺”（刘禹锡《翰林白二十二学士见寄诗一百篇因以答贶》）的艺术境界。其绝句好作眼前景语，风韵天成，后发展为首创《忆江南》小令，又与刘禹锡唱和《杨柳枝》、《浪淘沙》，吸取当时民歌，谱写新声，于词（长短句）之发生及发展做出重要贡献。晚年诗“极高妙”（赵令畤《侯鲭录》卷七引苏轼语），愈益淡远旷达。许学夷复谓其诗“叙事详明，议论痛快，此皆以文为诗，实开宋人之门户耳”（《诗源辩体》卷二八）。总之，白诗之艺术境界须千锤百炼始能臻此，世以“轻率”讥之，实不足取。明江进之《雪涛小书·评唐》论白居易之历史地位云：“前不照古人样，后不照来者议。意到笔随，景到意随。世间一切都着并包囊括入我诗内。诗之境界，到白公不知开阔多少。较诸秦皇、汉武，开边启境，异事同功，名曰‘广大教化主’，所自来矣。”白氏诗歌在唐代已流传国外，据元稹《白氏长庆集序》记载，鸡林国宰相以百金换取白氏诗一篇，商人竞相作伪。日本、高丽等国亦竞相抄贩白氏诗歌，其文化亦明显受白氏影响。如今，白居易已成为世界著名诗人之一，其诗已被译成多种外文，白氏之研究著作及传记相继在各国出现，其不朽作品及诗歌创作理论，不论在世界文学史或中国文学发展史中，均占有光辉灿烂之一页。（据《旧唐书》卷一百零六、《唐书》卷一百九十九本传、《唐才子传》卷六和《唐诗纪事》卷三十八、三十九）《新唐书·艺文志四》著录：白居易生前自编《白氏长庆集》七十五卷，即《前集》五十卷、《后集》二十卷、《续集》五卷。宋初佚其五卷。现存最早之刊本，为宋绍兴本《白氏文集》七十一卷，诗文分别成卷，称“先诗后笔本”。日本那波道圆翻宋本《白氏长庆集》，乃大致保存白氏自编原貌，称“前后续集本”。今有明马元调刊《白氏长庆集》（一名《白香山集》）七十一卷行世，即历来之通行刊本，属“先诗后笔本”系统。清卢文弨及近人岑仲勉俱曾校勘《白氏长庆集》。《新唐书·艺文志三》纪《白氏经史事类》三十卷，附注：“白居易，一名《六帖》。”《全唐诗》编诗三十九卷。《全唐文》收其文……宋陈振孙有《白文公年谱》、清汪立名有《白香山年谱》。

壬申，葬武宗于端陵。《资治通鉴》卷二四八会昌六年八月载：“壬申，葬至道昭肃孝皇帝于端陵，庙号武宗。”时顾非熊为作《武宗挽歌词二首》（见《全唐诗》卷五〇九），李商隐作《昭肃皇帝挽歌辞三首》，其三云：“莫验昭华琯，虚传甲帐神。海迷求药使，雪隔献桃人。……万方同象鸟，举恸满秋尘。”叹息武宗因崇道而损寿至死。商隐《茂陵》、《瑶池》、《海上》盖亦此时前后讥讽帝王求仙之作。（见《李商隐诗歌集解》）

宣宗悉反会昌之政，欲委重任于武宗朝被贬逐者，牛僧孺、李宗闵、杨嗣复皆自贬所内迁。《资治通鉴》卷二四八会昌六年八月：“以循州司马牛僧孺为衡州长史，封州流人李宗闵为郴州司马，恩州司马崔为安州长史，潮州刺史杨嗣复为江州刺史，昭州刺史李珏为郴州刺史。僧孺等五相皆武宗所贬逐，至是同日北迁。宗闵未离封州而卒。”

九月

李德裕复自荆南节度使改京都留守，解平章事。（见《资治通鉴》卷二四八、《旧唐书·宣宗本纪》系于十月）

杜牧由池州刺史转睦州，途中作《新定途中》、《泊秦淮》、《登九峰楼》等诗。（分别见《樊川文集》卷三、卷四，《樊川外集》）《诗话总龟》卷二五引《唐贤抒情》云："杜牧之绰有诗名，纵情雅逸。累分守名郡，罢任，于金陵舣舟，闻倡楼歌声，有诗曰：'烟笼寒水月笼沙……'风雅偏缀，不可胜纪。"

李群玉仍在长沙，重阳日作《长沙九日登东楼观舞》。（见《全唐诗》卷五六八）

陈陶本年秋在江西，有《钟陵秋夜》、《钟陵道中作》、《经徐稚墓》、《题徐稚湖亭》等诗。（见《全唐诗》卷七四六）

许浑本年秋西行途中经淮阴，时韦瓘任楚州刺史。（据《唐刺史考》）浑作《淮阴阻风寄呈楚州韦中丞》。（见《全唐诗》卷五三四）

约本年秋，赵嘏作《十无诗寄桂府杨中丞》，寄桂管观察使杨汉公。（见《唐方镇年表》卷七）浑祈望杨援其入幕。其诗云："日暮江边一小儒，空怜未有白髭须。马融已贵诸生老，犹自容窥绛帐无?"其五云："一种吟诗号孔徒，沧江有客独疏愚。初筵尽辟知名士，许到风前月下无?"（见《全唐诗》卷五五〇）

李商隐时在秘书省正字任，作《代秘书赠弘文馆诸校书》。诗云："清切曹司近玉除，比来秋兴复何如?"（见《李商隐诗歌集解》）

十一月

以江西观察使周墀为义成军节度使、郑滑观察等使。（见《旧唐书·宣宗本纪》）陈陶为赋《送江西周尚书赴滑台》诗。（见《全唐诗》卷七四六）

十二月

许浑仍在南海，岁暮曾因公事至岭南东道新州所属之新兴，作《岁暮自广江至新兴往复中题峡山寺四首》。（见《全唐诗》卷五三七）其二云："薄暮沿西峡，停桡一访僧。鹭巢横卧柳，猿饮倒垂藤。水曲岩千叠，云重树百层。山风寒殿磬，溪雨夜船灯。滩涨危槎没，泉冲怪石崩。中台一襟泪，岁杪别良朋。"此时前后，许浑又曾登越王台，赋《冬日登越王台怀归》诗。（见《全唐诗》卷五三三）又，许浑工七律，其《金陵怀古》："玉树歌残王气终，景阳兵合戍楼空。松楸远近千官冢，禾黍高低六代宫。石燕拂云晴亦雨，江豚吹浪夜还风。英雄一去豪华尽，唯有青山似洛中。"《姑苏怀古》："宫馆余基辍棹过，黍苗无限独悲歌。"《凌歊台》："宋祖凌歊乐未回，三千歌舞宿层台。"《骊山》："闻说先皇醉碧桃，日华浮动郁金袍。"《故洛城》："禾黍离离半野蒿，昔人城此岂知劳。水声东去市朝变，山势北来宫殿高。鸦噪暮云归古堞，雁迷寒雨下空壕。可怜缑岭登仙子，犹自吹笙醉碧桃。"此类怀古登览之作甚出色，然未知作年，暂系于此。浑又有《晚自朝台津至韦隐居郊园》（《全唐诗》卷五三三）云：

“秋来凫雁下方塘，系马朝台步夕阳。”又《题韦隐居西斋》（《全唐诗》卷五二八）、《访别韦隐居不值》（《全唐诗》卷五三四）。据《元和郡县图志·广州·南海县》，在县东北二十一里有朝台。则诸诗均此时作。

杜牧赴睦州任经杭州，逆宣宗朝崇佛之风气，撰《杭州新造南亭子记》（见吴在庆《杜牧论稿·杜牧诗文系年及行踪辨补》），激切指斥崇佛之弊，云：“梁武帝明智勇武，创为梁国者，舍身为僧奴，至国灭饿死不闻悟，况下辈固惑之。为工商者，杂良以苦，伪内而华外，纳以大秤斛，以小出之，欺夺村闾戆民……刑法钱谷小胥，出入人性命，颠倒埋没……大吏有权力，能开库取公钱，缘意恣为……是此数者，心自知其罪，皆捐己奉佛以求救……今权归于佛，买福卖罪，如持左契，交手相付。”又引杭州刺史李播语云：“佛炽害中国六百岁，生见圣人，一挥而几夷之。”（见《樊川文集》卷十）

李群玉约本年冬暮离长沙，将往番禺，作《将之番禺留别湖南府幕》诗。（见《全唐诗》卷五六九）经端州，作《留别马使君》诗。（见《全唐诗》卷五六九）《唐诗纪事》卷五一房千里条云：“马使君与千里俱贬端州，李群玉《留别》诗云：‘俱来海上叹烟波，君佩银鱼我触罗。’”岁暮在广州，作《旅游番禺献凉公》一诗献李玭。（见《全唐诗》卷五七〇）［按，凉公即李玭。据《唐方镇年表》卷七，李玭镇广州在大中元年至二年（847—848），本年冬暮或已抵广州任。姑系群玉诗于此］

本年

杜牧不满科第选士子弟时遭排斥，约本年前后上书高元裕言及其事，高时任宣歙节度使（见《唐方镇年表》卷五）。其《上宣州高大夫》云：“自去岁前五年，执事者上言，云科第之选，宜与寒士，凡为子弟，议不可进。熟于上耳，固于上心，上持下执，坚如金石，为子弟者鱼潜鼠遁，无入仕路，某窃惑之。”杜牧主张“科第之设，圣祖神宗所以选贤才也，岂计子弟与寒士也”。（见《樊川文集》卷十二）

白敏中本年拜相（据《旧唐书·宣宗本纪》），杜牧《上白相公启》盖亦本年之作。（见《樊川文集》卷十六，参缪钺《杜牧年谱》）

李群玉约本年游寓长沙，作《长沙紫极宫雨夜愁坐》。诗云：“独坐高斋寒拥衾……春灯含思静相伴，夜雨滴愁更向深。穷达未知他日事，是非皆到此时心。羁栖摧剪平生志，抱膝时为梁甫吟。”（见《全唐诗》卷五六九）

佚名撰志怪传奇集《会昌解颐》四卷。（一题《会昌解颐录》）盖成书于会昌年间，作年难确考，姑系于本年。（见李剑国《唐五代志怪传奇叙录》）《新唐书·艺文志三》小说家类著录《会昌解颐》四卷，《崇文总目》小说家类同，《通志略》小说类作一卷，《宋志》小说类作《会昌解颐录》五卷，诸书均不著撰者姓名。

杜荀鹤（846—904）生。荀鹤字彦之，号九华山人，池州石埭（今安徽石台）人。（见宋乐史《太平寰宇记》卷一〇五《池州下》，王象之《舆地纪胜》卷二二《池州古迹》门《杜荀鹤旧居》条）《唐才子传》卷九云：“荀鹤，字彦之，牧之微子也。牧会昌末自齐安移守秋浦时，妾有妊，出嫁长林乡正杜筠，生荀鹤。”［按，杜牧于会昌四年九月至会昌六年九月任池州刺史（参缪钺《杜牧年谱》）。荀鹤生年恰与杜牧刺池时间相合。而荀鹤是否杜牧微子，迄今仍为疑案。据宋人周必大《二老堂诗话》所言，此事当最早见《池阳集》（今佚）之记载，且属“人罕知”者。其后宋严有翼《艺苑雌黄》、计有功《唐诗纪事》、元辛文房《唐才子传》、明胡震亨《唐音癸签》、清吴任臣《十国春秋》诸书颇记此事，几成定说。清人纪昀虽有疑问，但根据不足。《四库全书总目》卷一五一《唐风集》提要云：“荀鹤为人至不足道，其称杜牧微子，殆亦梁师成之依托苏轼乎？”近人余嘉锡则辩云：“闺房之事，涉于暧昧，其信否固不可知。然《唐诗纪事》所记，于其母之再嫁，时地姓名，言之凿凿……则其事必不尽妄，非里巷传闻者可比也。”（《四库提要辨正》卷二一《唐风集》条）]

荀鹤排行十五。刻苦为诗，早有诗名，然屡试不第。大顺二年（891）始登进士第。后还乡，为宣州节度使田頵幕吏，颇得器重。天复三年（903），奉田頵命出使大梁，与朱全忠密谋讨淮南节度使杨行密。值田頵兵败被杀，荀鹤遂留朱全忠幕。天祐元年（904），任主客员外郎、知制诰，充翰林学士，旋卒。荀鹤为唐末著名诗人，为诗主张“诗旨未能忘救物”（《自叙》）、“言论关时务，篇章见国风”（《秋日山中》），承继杜甫、白居易等关心民生疾苦，反映社会现实之优良传统。《山中寡妇》、《乱后逢村叟》、《题所居村舍》、《蚕妇》诸诗可为代表。顾云称其诗“雅丽清省激越之句，能使贪吏廉，邪臣正”，“其壮语大言，则决起逸发，可以左揽工部袂，右拍翰林肩”（《唐风集序》）。尤擅近体诗。为诗刻苦，自言“此心闭未得，到处被诗磨”（《泗上客愁》）。其诗善白描，语言通俗晓畅，其《宫人怨》一诗，宋人评为唐人宫词中第一佳作。所著有《唐风集》三卷，录诗三百余篇，顾云曾为其作序。《郡斋读书志》卷一八著录《唐风集》十卷，《直斋书录解题》卷一九则记为三卷。今尚存宋蜀刻本《杜荀鹤文集》三卷。《全唐诗》（含“补遗”）编诗三卷又一首，《全唐诗逸》补四句，《全唐诗补编》补三首八句，重录一首。事迹见唐顾云《唐风集序》、《北梦琐言》卷六、《旧五代史》卷二四、《唐诗纪事》卷六五、《唐才子传校笺》卷九。汤华泉有文考荀鹤生平。

雍陶约会昌三年至本年（843—846）或大中三年（849）前后，曾以监察御史或殿中侍御史辟克海观察使从事。 陶，字国钧。成都（今属四川）人，一说夔州云安（今重庆云阳）人。生卒年不详。元和末、长庆初居云安，赴长安再试落第。大和三年（829）居成都，遇南诏入侵之乱。八年（834），进士及第。会昌三年至六年（843—846）或大中三年（849）前后，曾以监察御史或殿中侍御史辟克海观察使从事。累官国子《毛诗》博士。大中八年（854），出为简州刺史。其后事迹不详（一说后辞官隐居庐山）。世称“雍简州”。与贾岛、殷尧藩、无可、章孝标、刘得仁、姚合等友善。贾岛称其“不唯诗著籍，兼又赋知名”（《送雍陶及第归成都宁亲》）。自负其诗似谢朓、柳恽，殷尧藩称其逼近阴镇、何逊。长于近体，多酬和赠送、行旅题咏之作，工于造联而孱于送结，风格清丽深婉。《诗人主客图》列为“瑰奇美丽主”之及门。《哀蜀人为南蛮俘虏五章》、《蜀中战后感事》等叙写南诏入侵时事，反映被虏者的悲惨遭遇，悲怆沉挚，对金代元好问“丧乱诗”有一定影响。《天津桥春望》、《题君山》等也是传世佳作。又善传奇小说，今传《稽神录》（一题宋徐铉撰）、《英雄传》各一卷，亦署其所作。《新唐书·艺文志四》著录《雍陶诗集》十卷，已散佚。《全唐诗》存诗一卷，《全唐诗补编》补三首、断句四句；《全唐文》存律赋二篇。事迹见《唐才子传校笺》卷七。

李宗闵（？—约846）卒。卒年一说会昌三年（843），误。宗闵以散文名家。字损之。陇西成纪（今甘肃秦安西北）人。排行七。永贞元年（805）进士及第。元和三年（808）登贤良方正科，诋切时政，为宰相所恶，补洛阳尉。入为监察御史。十五年（820），累至中书舍人。长庆元年（821），为李德裕等所论，贬剑州刺史。由此嫌恶，发展为“牛李党争”。入为中书舍人。三年（823）权知礼部侍郎，知四年贡举，多取清雅俊茂之士，时称“玉笋”。大和三年（829），以吏部侍郎同中书门下平章事。七年（833），罢为山南西道节度使。八年（834），进中书侍郎、平章事。九年（835），贬明州刺史。开成三年（838），由衢州司马迁杭州刺史。会昌三年（843），由太子宾客分司出为湖州刺史。贬漳州长史，流封州。宣宗即位，徙郴州司马，卒。性机敏，喜权势。为“牛党”领袖之一。能文。《全唐文》存文一卷，多碑铭。《随论上下篇（并序）》以主客对答形式阐明王霸兴废因“时”而“变”，个人进退“唯道所在”，笔锋犀利，文理畅达，颇出色。《全唐诗》存诗一首。事迹见新、旧《唐书》本传。

郑遂本年官太学博士、直弘文馆。（见《旧唐书·礼仪志六》）唐之小说家。生卒年、籍贯、事迹不详。《新唐书·艺文志三》著录于唐末。撰有《洽闻记》一书，记古今神异诡谲事，《新唐书·艺文志三》小说类著录为一卷；而《郡斋读书志》卷一三小说类作郑常撰，谓共一百五十六条。原书已散佚。《太平广记》、《说郛》存有佚文。一说小说家郑遂为另一人，待考。

姚合卒。合，以诗名家。湖州武康（今浙江德清）人。姚崇曾侄孙。生年有大历十年（775）、十四年（779）等说。早年家寄河朔间。元和十年（815）客泾州，一说为记室，误，与沈亚之游。十一年（816）进士及第。调武功主簿。十五年（820）为魏博节度使从事。长庆中官富平、万年县尉。宝历中除监察御史分司东都。大和二年（828）为殿中侍御史。擢户部员外郎。四年（830）出为金州刺史。入为刑部、户部二郎中。八年（834）出为杭州刺史。约开成元年（836）迁右谏议大夫。三年（838）任给事中。四年（839）出为陕虢观察使。时李商隐为弘农尉，因忤前使将罢去，合谕使还官。仕终秘书监（又误作秘书少监）。卒，赠礼部尚书，谥懿。卒年有会昌六年（846）、大中八年（854）后等说；另有开成五年（840）、大中十三年（859）后说，误。世称姚武功、姚少监。工诗，与白居易、张籍、王建、刘禹锡、令狐楚等有交往酬和。与贾岛友善，诗风相近，并称姚贾。对李频、李商隐、方干等有所奖掖。张为《诗人主客图》列为“清奇雅正主”李益之“入室”。论诗标举清冷峻峭诗风，讲究诗格和诗境，推崇李白，称王维、祖咏及大历诗人李端、耿炜等为“诗家射雕手”（《极玄集自序》）长于五言，古近体兼备，尤工五律。多送别寄远、即事遣怀、题赋登临、酬和赠答、乐府咏物之作，抒写贫困失意、飘泊离别之情，反映寒士和微官的遭遇。《庄居野行》、《穷边词二首》等表现农民和戍卒疾苦，抒发平乱、报国之情，较多现实内容。代表作有《武功县中作》三十首等。其诗善于模写萧条宦况、落漠心态和荒凉景象，刻画纤巧，文词平淡工整，境界幽冷，风格清峭。明胡震亨谓：“姚秘监合诗洗濯既净，挺拔欲高。得趣于浪仙之僻，而运以爽亮；取材于籍、建之浅，而媚以蒨芬。

殆兼同时诸子，巧撮其长者。但体似尖小，味亦微醨，故品局中驷尔。”（《唐音癸签》卷七）世称其诗风为武功体。为晚唐苦吟诗人所宗，南宋永嘉四灵和江湖派、明竟陵派等也师法之。所编《极玄集》为唐人选唐诗较有影响之选本。《新唐书·艺文志四》著录《姚合诗集》十卷（《崇文总目》作一卷）、《极玄集》一卷、《诗例》一卷。今传《姚少监诗集》十卷、《入极玄集》二卷。事迹见新、旧《唐书·姚崇传》附传、《唐才子传校笺》卷六。吴企明有（《〈全唐诗〉姚合传订补》），王达津有《姚合的诗及其生平》（《唐诗丛考》），曹方林有《姚合年谱》。

公元 847 年（唐宣宗大中元年　丁卯）

正月

甲寅，赦天下，改元。（见《资治通鉴》）

礼部侍郎魏扶知贡举。卢深、陈镛、杨乘、刘瞻、李羲叟、崔滔等二十三人进士及第，后续放封彦卿、崔琢、郑延休进士及第。［按，《旧唐书·宣宗本纪》作三月丁酉朔，今从《册府元龟》、《唐会要》作本月］

礼部侍郎魏扶奏：“臣今年所放进士二十三人。［按，《旧唐书·宣宗本纪》作‘三十三人’。《登科记考》与《唐会要》同，作‘二十三人’，今从《唐会要》］续奏堪放及第三人封彦卿、崔琢、郑延休等，实有词艺，为时所称。皆以父兄见居重位，不敢令中选。取其所试诗赋封进，奏进止。”诏翰林学士承旨、户部侍郎、知制诰韦琮等重考覆，尽合度程。其月二十五（一作“三”）日，勅曰：“彦卿等所试文字，并合度程，可放及第。有司考试，只在至公，如涉请私，自有朝典。从今已后，但依常例取舍，不得别有奏闻。”（见《旧唐书·宣宗本纪》、《册府元龟》、《唐会要》）

宣宗崇重进士科。《旧唐书·宣宗本纪》载：“帝雅好儒士，留心贡举。有时微行人间，采听舆论，以观选士之得失。”《唐语林》：“宣宗爱羡进士，每对朝臣，问登第否。有以科名对者必有喜，便问所赋诗赋题，并主司姓名。或有人物优而不中第者，必叹息久之。尝于禁中题‘乡贡进士李道龙’。”

进士榜下。敕曰：“自今放进士榜后，杏园任依旧宴集，所司不得禁制。”先是武宗好游巡曲江亭，禁人宴聚故也。（见《册府元龟》、《唐会要》）［按，《旧唐书·宣宗本纪》载此敕于三月］

卢深，生卒年不详，以第一名中进士科状元。（见《玉芝堂谈荟》卷二）［按，《淳熙三山志》卷二十六有“大中元年丁卯卢深榜，侯官县陈镛”之记载］

陈镛，生卒年不详，字希声，侯官人。本年进士及第。（见《永乐大典》引《闽中记》陈镛条。参《淳熙三山志》卷二十六）

杨乘，生卒年不详，本年进士及第。乘，苏州吴县（今江苏苏州）人，祖籍同州冯翊（今陕西大荔）人。杨发子。《旧唐书》卷一七七《杨收传》附其兄发传，谓：“发子乘，登进士第，有俊才，尤能为歌诗，历显职。”《唐诗纪事》卷四七杨乘条载：“乘，大中初登第……（乘与其从兄弟）皆以文学登第，时号修行杨家，与靖恭诸杨，比于华盛。”官终殿中侍御史。乘有俊才，尤工诗，为时所称。张为《诗人主客图》置于“广大教化主”白居易之“上入室”。［按，《诗人主客图》取其《甲子岁书事》一首。该诗歌颂会昌四年（844）平定昭义节度使刘稹的胜利，直写时事，词气高昂］《全唐诗》卷五一七存其诗五首。事迹见《唐诗纪事》卷四七。

刘瞻，生卒年不详，本年进士及第。瞻，字几之，彭城人。祖升，父景。咸通中为宰相。（见《旧唐书·刘瞻传》）

李羲叟，生卒年不详，本年进士及第。《唐诗纪事》：“羲叟，义山弟也。”李商隐为作《献侍郎钜鹿公启》（见《樊南文集》卷三），及《喜舍弟羲叟及第上礼部魏公》之诗（见《李商隐诗歌集解》页577）。三年后，又有《（为弟作）谢座主魏相公启》（见《樊南文集详注》卷三）

崔滔，生卒年不详，本年进士及第。《旧唐书·崔珙传》：“璪子滔，大中初登进士第。”

韦厚，生卒年不详，本年进士及第。韦厚撰咸通十五年（874）二月七日《唐故陇西李氏墓志文并序》云：“夫人禀柔成性，伉节驰声，顷自笄年，适故河南府洛阳县丞韦府君……韦府君姿性劲峻，神用恬义，自三世文行德业，冠绝一时。大中初，进士及第，再擢高科，而亟翔宦路风波，前后三十余载。”（见《千唐志斋藏志》，参见《唐代墓志汇编》，及杨希义《辑释》）

王凝（820—878），年二十七，进士及第。尉迟偓《中朝故事》载：“咸通中，辅相崔彦昭、兵部侍郎王凝，乃外表兄弟也。凝大中元年及第。”司空图《王公行状》：“公讳凝，字成庶，太原人。年十五，举孝廉上第。其为文根六经，必先劝诫，著《都邑六冈铭》，益振时誉。魏相国扶主贡籍，选中甲科。”《旧唐书·王正雅传》载凝“十五两经擢第，再登进士甲科”。《新唐书·王翃传》亦载凝“举明经、进士，皆中”。［按，凝年十五两经擢第在大和九年（835），其年知贡举者为崔郸］凝后为台阁重臣，知贡举时擢司空图等。

本年进士科续放三人。

封彦卿［699］，封敖之子，见《旧唐书》本传。敖，字峙元。其先渤海蓨县（今河北景县）人。生卒年不详。本年应进士试，主考因其父居重位，未予及第，奏请定夺，经复试，所试文字均合格，给予及第。六年（852）至九年（855）间，为浙东观察使李伯幕观察判官。咸通中，官至中书舍人。十三年（872），贬潮州司户。次年，迁台州刺史。《全唐诗》存诗一首。事迹见《旧唐书·懿宗本纪》、《新唐书·宰相世系表一下》、《赤城志》、《唐诗纪事》卷五九《登科记考》卷二二。

崔瑑，原作“崔琢”，本年进士及第。瑑字子文，鄯之子。（见《宰相世系表》）

崔瑑为本年进士，见录于影印明刻本《册府元龟》卷六四四、《玉海》卷一一五及《旧唐书·宣宗本纪》，徐松《登科记考》误作崔琢。［按，郎官柱左中、吏外皆有瑑题名。徐氏似因《新唐书·宰相世系表》而致误］

郑延休，生卒年不详，进士及第。［按，《宰相世系表》载：延休，官山南西道节度使。当是涯之子，合敬之弟］

本年有童子明经、童子学究科。（见《云麓漫钞》）

李昼去年进士及第，本年为博学弘词科敕头。（见上年进士科李昼条）除秘书省校书郎。山南西道节度使辟为从事。

知贡举为礼部侍郎魏扶（？—850）。《南部新书》卷五："大中元年，魏扶知礼闱，入贡院题诗曰：'梧桐落叶满庭阴，锁闭朱门试院深。曾是昔年辛苦地，不将今日负前心。'及榜出，为无名子削为五言以讥之。"［按，《唐诗纪事》所记略同］扶，字相之。籍贯不详。大和四年（830）进士及第。会昌二年（842），自起居郎充翰林学士。三年（843），加知制诰。四年（844），转考功郎中，拜中书舍人，并充翰林学士。大中元年（847）以礼部侍郎知贡举。三年（849），以兵部侍郎判户部事，为平章事。进中书侍郎。次年罢知政事，卒。《全唐诗》存诗三首，《全唐文》存文二篇。事迹见《旧唐书·宣宗本纪》、《资治通鉴》卷二四九、岑仲勉《翰林学士壁记注补》。

魏扶赠同年及门生之诗，李商隐有和作。商隐《献侍郎钜鹿公启》云："今月某日，舍弟新及第进士羲叟处，伏见侍郎所制《春闱于榜后寄呈在朝同年兼简新及第诸先辈》五言四韵诗一首。……辄罄鄙词，上攀清唱……其诗五言四首（四韵）谨封如右。"今存商隐《喜舍弟羲叟及第上礼部魏公》即和魏之作（或和作之一），诗云："国以斯文重，公仍内署才。风标森太华，星象逼中台，朝满迁莺侣，门多吐凤来。宁同鲁司寇，只铸一颜回！"（见《李商隐诗歌集解》）

另，李商隐《献侍郎钜鹿公启》，感谢拔擢其弟之恩外，于文学创作亦颇有评议。曰："况属词之工，言志为最。自鲁、毛兆轨，苏、李扬声，代有遗音，时无绝响。虽古今异制，而律吕同归。我朝以来，此道尤盛。皆陷于偏巧，罕或兼材。枕石漱流，则尚于枯槁寂寥之句；攀鳞附翼，则先于骄奢艳佚之篇。推李、杜则怨刺居多，效沈、宋则绮靡为甚。至于秉无私之刀尺，立莫测之门墙，自非托于降神，安可定夫众制？……某比兴非工，颛蒙有素。"（见《樊南文集详注》卷三、《李商隐文编年校注》）

本年设武举，舒贺为武举进士。同治《德兴县志》卷七《选举志·武科》载唐武进士："舒贺，二十七都始祖，号东山，大中元年武进士，历官节度使。"同上卷八《人物志·名臣·唐》引"旧志·武功"："舒贺，大中间行军团练使拜踏白将军，领节度副使。讨黄巢，贺灼艾飞燕烧其草藁，人马死者几半，及巢陷长安，贺与郑畋合兵进讨，遂复长安，擢山南东道节度使。朱温篡祚，遣使起贺，以疾辞，明年卒，诰赠上柱国、晋国公加九锡，谥武忠。"按舒贺，两唐书无载。明张吉《古城集·补遗》载《封屯田员外郎德兴舒公墓志铭》："按状：新营之舒，实出四明，其先有讳贺者，值唐季黄巢倡乱，蹂躁东南诸郡，几无完封。贺帅义旅追击，至德兴之蒿埠，立壁困之，贼败去。贺以壁地川谷衍秀，顾而乐之。巢诛，论功郎屯营，拜征虏踏白将军、武济大夫。乃易其地今名，居之，遂世为德兴人。"知《德兴县志》当有所本。

温庭筠本年约四十七岁，落第失意。《旧唐书·温庭筠传》："大中初，应进士。苦心砚席，尤长于诗赋。初至京师，人士翕然推重。然士行尘杂，不修边幅，能逐弦吹之音，为侧艳之词，公卿家无赖子弟裴诚（按《新唐书》本传作諴）、令狐缟之徒，相与蒱饮，酣醉终日，由是累年不第。"

赵嘏本年约四十二岁，去年冬或本年初，谒见曾居相位之李珏，作《舒州献李相公》诗。［按，李珏，武宗朝遭贬谪，时任舒州刺史。（见《唐刺史考》、《新唐书·李珏传》）］诗云："野人留得五湖船，丞相兴歌郡国年。醉笔倚风飘洞雪，静襟披月坐楼

天。鹤归华表山河在，气返青云雨露全。闻说万方思旧德，一时倾望重陶甄。”（见《全唐诗》卷五四九）又，赵嘏此行离舒州时另作有《回于道中寄舒州李珏相公》一诗（见《全唐诗》卷五四九）追忆此次两人之诗酒相得。

二月

李德裕、郑亚同日遭贬。《资治通鉴》卷二四八大中元年二月记：“初，李德裕执政，引白敏中为翰林学士；及武宗崩，德裕失势，敏中乘上下之怒，竭力排之，使其党李咸讼德裕罪，德裕由是自东都留守以太子少保分司。”《旧唐书·宣宗本纪》大中元年二月，记同日郑亚由给事中为桂州刺史、御史中丞、桂管防御观察等使。（见《旧唐书》卷一七八《郑畋传》，畋为亚之子。）

方李、郑遭斥之时，李商隐应桂管防御观察使郑亚之辟为支使兼掌书记，且于此际代郑亚作《为荥阳公上李太尉状》。其文称扬李德裕佐武宗成就统一海内之业绩，以“俟金滕之有见，俾玉铉之重光”之故实宽慰李德裕，意其忠其功必将化解宣宗之猜忌斥逐，自可重登大位。（见《李商隐文编年校注》）

郑亚赴桂前，奏请卢戡（郑亚同年）为副使，同文奏辟任缮入幕。李商隐相继为郑、卢代作《为荥阳公谢除卢副使等官状》、《为桂州卢副使谢聘钱启》。（见《李商隐文编年校注》）

郑亚行前与朝廷要员及故交辞行。李商隐为亚代作《为荥阳公与昭义李仆射状》与李执方，《为荥阳公与汴州卢仆射状》与卢钧，《为荥阳公谢集贤韦相公状》上韦琮，《为荥阳公上河中崔相公状》上崔铉，《为荥阳公上西川崔相公状》上崔郸，《为荥阳公上荆南郑相公状一》上郑肃，《为荥阳公上淮南李相公状》上李让夷，《为荥阳公与浙西李尚书状》与李景让，《为荥阳公与京兆李尹状》与李拭，《为荥阳公与河南崔尹状》与崔璪，《为荥阳公与荣州韦中丞状》与韦廑。（以上均见《李商隐文编年校注》）

三月

七日，郑亚动身赴桂，李商隐作《为中丞荥阳公赴桂州长乐驿谢敕设馔状》。（见《李商隐文编年校注》），朝廷借飞龙马与郑亚并送其一行至京兆府界，李商隐作《为中丞荥阳公谢借飞龙马送至府界状》。（见《李商隐文编年校注》）至邓州，商隐代郑亚作《上度支卢侍郎状》上卢弘止；至襄阳，作《上汉南卢尚书》上卢简辞，中云：“今幸假途奥壤，赴召遐藩，越贾生赋鹏之乡，过王子登楼之地。”（见《李商隐文编年校注》1247、1253）商隐《海客》、《离席》、《谢往桂林至彤庭窃咏》、《五松驿》、《四皓庙》、《商于新开路》、《荆门西下》等诗，亦为此行之作。（见《玉溪生年谱会笺》、《李商隐诗歌集解》）

闰三月

宣宗尽反武宗排佛之政，敕修复所废佛寺。《旧唐书·宣宗本纪》本年闰三月条

载："敕：'会昌季年，并省寺宇。虽云异方之教，无损致理之源。中国之人，久行其道，厘革过当，事体未弘。其灵山胜境、天下州府，应会昌五年四月所废寺宇，有宿旧名僧，复能修创，一任住持，所司不得禁止。'"《资治通鉴》卷二四八本年同月条载："敕：'应会昌五年所废寺，有僧能营葺者，听自居之，有司毋得禁止。'是时君相务反会昌之政，故僧尼之弊皆复其旧。"

卢简求五十九岁，在苏州刺史任，（见《唐刺史考》）有《禅门大师碑阴记》，记恢复佛寺事。中云："今天子绍开洪基，保定景福，以为生灵迁善本乎化导之功……遂班示县道崇焕寺宇。余时分符吴郡。"（见《全唐文》卷七三三）

王起（760－847）卒，年八十八。赠太尉，谥文懿。起，字举之，太原（今属山西）人，家于扬州（今属江苏）。排行十一，王播弟。贞元十四年（798）进士及第。十九年（803）登博学宏词科，授校书郎。元和三年（808）又登贤良方正能直言极谏科，补蓝田尉。十四年（819）累迁至比部郎中、知制诰。十五年（820）拜中书舍人。长庆元年（821）迁礼部侍郎。掌贡举二年，擢白敏中、裴休等。改兵部侍郎。四年（824）出为河南尹。宝历二年（826）迁吏部侍郎。改兵部侍郎。大和二年（828）出为陕虢观察使。累至兵部尚书，加皇太子侍读，兼太常卿。文宗题诗赐之，诏画像于便殿，号"当世仲尼"。开成三年（838）充翰林侍讲学士。四年（839）改太子少师。会昌三、四年（843、844）复知贡举，擢卢肇、项斯、赵嘏、马戴等，皆当时名士。出为山南西道节度使。大中元年（847）卒于镇。好学强记，博览群书，富于词章，工文能诗。会昌三年（843）作《和周侍郎见寄》诗，门生和者二十二人，一时传为佳话。《庄恪太子哀册文》辞情凄惋典丽，知名于时。尤长于赋，为晚唐律赋名家。其律赋取材广泛，文辞赡丽，属对工巧，句法活泼。《南蛮北狄同日朝见赋》、《羡鱼赋》等皆为佳作。《旧唐书·王起传》载："（起有）文集一百二十卷、《五纬图》十卷、《写宣》十卷。起侍讲时，或僻字疑事，令中使口宣，即以榜子对，故名曰《写宣》。"《新唐书·艺文志二》著录：王起《五位图》十卷、《写宣》十卷、《李赵公行状》一卷。《新唐书·艺文志四》著录：王起《文场秀句》一卷、《大中新行诗格》一卷。今均亡佚。《全唐文》存文三卷，《全唐诗》存诗六首，联句四首。《唐摭言》卷三另录《答广宣》诗，《全唐诗》误作王涯诗。事迹见新、旧《唐书》本传。

李商隐代郑亚作《为荥阳公谢荆南郑相公状》、《为荥阳公上集贤韦相公状一》、《为荥阳公上弘文崔相公状一》、《为荥阳公上史馆白相公状一》。

许浑去岁离粤北返，本年春至大庾岭、南康，作《南海府罢归京口经大庾岭赠张明府》诗。中云："楼船旌旆极天涯，一剑从军两鬓华。回日眼明河畔草，去时肠断岭头花。"（见《全唐诗》卷五三四）又有《南海府罢南康阻浅》："暗滩水落涨虚沙，滩去秦吴万里赊。马上折残江北柳，舟中开尽岭南花。……山鸟一声人未起，半床春月在天涯。"（见《全唐诗》卷五三三）之后游越中，至杭州、苏州等地，有《陪越中使院诸公镜波馆饯明台裴郑二使君》、《再游越中伤朱庆余协律好直上人》、《与裴三十秀才自越西归望亭阻冻登虎丘寺精舍》、《姑苏怀古》等诗。（见《全唐诗》卷五三〇、卷五二九、卷五三三）

四月

李回为前此薨逝之王起撰《唐山南西道节度使王起碑》，柳公权正书。（见《唐方镇年表》卷四引《金石录》）

郑畋本年二十三岁，在渭南县尉任。畋《加知制诰自陈表》曰："臣会昌二年进士及第，大中首岁书判登科，其时替故昭义节度使沈询作渭南尉，两考罢免。"（《全唐文》卷七六七）［按，同卷《擢官自陈表》所载略同］畋尤善赋诗，为凤翔从事时所作《马嵬坡》诗，后人以为"真辅相之句"，时在渭南县尉所作之《题缑山王子晋庙诗》，论者以为"绝唱"。《唐诗纪事》卷五六郑畋条："畋为渭南尉日，尝有《题缑山王子晋庙》，诗曰：'在昔灵王子，吹笙溯泬寥。六宫攀不住，三岛互相招。亡国原陵古，宾天岁月遥……'"

李商隐代郑亚作《为荥阳公赴桂州在道换进贺端午银状》、《为荥阳公上史馆白相公状二》。

五月

八日，李商隐作《为荥阳公赴桂州至湖南敕书慰谕表》。另，《为荥阳公上衡州牛相公状》、《为荥阳公至湖南贺听政表》、《为荥阳公进贺寿昌节银零陵香麝靴竹靴状》等文乃本月稍后所作。《岳阳楼》、《梦泽》等诗亦湖南途中之作。《岳阳楼》："欲为平生一散愁，洞庭湖上岳阳楼。可怜万里堪乘兴，枉是蛟龙解覆舟。"《梦泽》："梦泽悲风动白茅，楚王葬尽满城娇。未知歌舞能多少，虚减宫厨为细腰！"十五日，作《五月十五夜忆往岁秋与澈师同宿》诗，有"万里飘流远，三年问讯迟。炎方忆初地，频梦碧琉璃"之句。（见《李商隐诗歌集解》）

六月

中书门下奏："贡举人取解，宜准旧例，于京兆府、河南府集试。"从之。（见《册府元龟》、《唐会要》）

牛僧孺进太子少师（时分司东都）。（见《旧唐书·宣宗本纪》

令狐绹以白敏中之荐为考功郎中、知制诰。（见《旧唐书·宣宗本纪》）令狐绹（802？—879？）字子直。祖籍敦煌（今属甘肃）。排行八。令狐楚子。大和四年（830）进士及第。授宏文馆校书郎。开成元年（836）为左拾遗。累迁右司郎中。大中元年（847）出为湖州刺史。二年（848）拜考功郎中、知制诰，转充翰林学士。三年（849）进中书舍人、御史中丞，充学士承旨。四年（850）迁户部、兵部侍郎，拜同中书门下平章事。十三年（859）罢为河中节度使。咸通二年（861）改宣武节度使。三年（862）迁淮南节度使。十年（869）为太子太保，分司东都，十三年（872）授凤翔节度使。乾符二年（875）进封赵国公。卒年七十八。能文。《宋史·艺文志七》著录《令狐绹表疏》一卷，已佚。《全唐文》存文三篇，《唐代墓志汇编续集》存墓志一篇，《全唐诗》存诗一首。事迹见新、旧《唐书·令狐楚传》附传。

九日，李商隐代郑亚作《为荥阳公桂州谢上表》、《为中丞荥阳公桂州上中书门下状》。十日前后，作《为荥阳公桂州举人自代状》。稍后，作《为荥阳公上集贤韦相公状二》、《为荥阳公上弘文崔相公状二》、《为荥阳公上史馆白相公状三》、《为荥阳公上门下李相公状二》、《为荥阳公与度支卢侍郎状》、《为荥阳公与魏中丞状》。十四日，李商隐代郑亚作《为中丞荥阳公桂州赛城隍神文》。本月中下旬所作另有《为荥阳公端午谢赐物状》、《为荥阳公论安南行营将士月粮状》、《为荥阳公贺幽州破奚寇表》、《为荥阳公贺幽州破奚寇上中书状》、《为荥阳公贺幽州张相公状》。

李商隐抵桂州后，诗作亦丰。初抵，作《桂林》一诗，描写殊乡形胜风俗，有"城窄山将压，江宽地共浮"句。其《晚晴》一诗亦此时之作，云："深居俯夹城，春去夏犹清。天意怜幽草，人间重晚晴。"商隐另有《酬令狐郎中见寄》诗，酬和湖州刺史令狐绹，中云："望郎临古郡，佳句洒丹青。应自丘迟宅，仍过柳恽汀……万里悬离抱，危于讼阁铃。"（参《李商隐诗歌集解》）

七月

李商隐代郑亚所撰表状多篇。有《为荥阳公奉慰积庆太后上谥表》、《为荥阳公与裴卢孔杨韦诸郡守状》、《为荥阳公举王克明等充县令主簿状》、《为荥阳公桂州署防御等官牒》、《为荥阳公桂管补逐要等官牒》、《为荥阳公贺太尉王司徒启》、《为荥阳公上浙西郑尚书启》、《为荥阳公上陈许高尚书启》、《为荥阳公黄箓斋文》、《为荥阳公上集贤韦相公状三》、《为荥阳公上弘文崔相公状三》、《为荥阳公贺牛相公状》、《为荥阳公与度支周侍郎状》、《为荥阳公上门下李相公状三》。

八月

卢肇在鄂岳卢商幕，时撰成《逸史》三卷，此书又题作《卢子逸史》、《卢氏逸史》、《唐逸史》。（参李剑国《唐五代志怪传奇叙录·逸史三卷》）卢肇自序云："卢子既作《史录》毕，乃集闻见之异者，目为《逸史》焉。其间神化交化［按，二化字疑有一字讹］、幽冥感通、前定升沉、先见祸福，皆摭真实，补其缺而已。凡纪四十五，皆我唐之事。时大中元年八月。"

李商隐作《为荥阳公上西川李相公状》、《为荥阳公上通义崔相公状》、《为荥阳公上仆射崔相公状一》、《为中丞荥阳公祭全义县伏波文》、《为中丞荥阳公赛理定县城隍神文》。

二十七日，李商隐作《为中丞荥阳公祭桂州城隍神祝文》。本年秋，另作有《为荥阳公奏请不叙录将士状》、《为荥阳公请不叙将士上中书状》、《为荥阳公贺老人星见表》。

九月

重阳日，李群玉于南游广州之途作《九日越台》。诗云："旭日高山上，秋天大海隅。……病久欢情薄，乡遥客思孤。无心同落帽，天际望归途。”（见《全唐诗》卷五六九）此行之作另有《广州陪凉公从叔越台燕集》，中云：“高鸟四飞惊大旆，长风万里卷秋鼙。”《登蒲涧寺后二岩三首》亦此时作。［按，《困学纪闻》卷十八，此诗有阎若璩按语曰：“蒲涧寺在广州府治东北二十里。”］其一云：“五仙骑五羊，何代降兹郡。”其二云：“行尽崎岖路，惊从汗漫游。青天豁眼快，碧海醒心秋。”其三云：“南溟吞越绝，极望碧鸿濛。龙渡潮声里，雷喧雨声中。赵佗丘垅灭，马援鼓鼙空。遐想鱼鹏化，开襟九万风。”（均见《全唐诗》卷五六九）

李商隐代郑亚作《为荥阳公上仆射崔相公状二》上崔郸。

吕述（？—847）卒于商州刺史任。述（《登科记考》卷一八、一九误作术），字修业。籍贯不详，郡望东平（今属山东）。元和十五年（820），与后位至荥阳公之郑亚同榜进士及第。长庆元年（821）登贤良方正、能直言极谏科。授秘书省校书郎，迁右拾遗。历监察御史等。累迁盐铁推官、祠部郎中。开成三年（838）出为睦州刺史。会昌四年（844）官河南少尹。迁秘书少监。官终商州刺史。吕述撰有《黠戛斯朝贡图传》，极为朝廷所重。李德裕《进黠戛斯朝贡图状》曰：“臣二十一日于延英面奏，吕述等准敕访黠戛斯国邑风俗，编为一传，今修撰已成。……臣谨令画工注（一作潜）写注吾合素等形状，列于传前，兼臣不揆浅陋，辄撰传序。所以圣明柔远之德，高于百王。绝域慕义之心，传于千古。”（见《全唐文》卷七〇三，参《全唐文》卷七〇四李德裕《谢宣示进黠戛斯朝贡图深惬于怀状》）李德裕另有《黠戛斯朝贡图传序》，曰：“昔越裳贡雉，荐于宗庙。……仁圣文武至神大孝皇帝御历之四年，天瑞灿烂，王道昭焯……虫螟不生，佳谷以成……四夷来庭。由是龙荒君长黠戛斯，遣使注吾合素等上表献良马二匹，绝大漠而贡赤诚，涉流沙而霑赭汗。……皇帝以前有鸾旗，焉用骥騄。不贵龙友，唯驾鼓车。乃命其使见于内殿，赐以珍膳，锡之文锦。谨按故相魏国公贾耽所撰《古今四夷述》，黠戛斯者，本坚昆国也。……天旨以贾耽有陈平镇抚之才，得充国通知之敏。其所述作，该明古今。乃召太子詹事韦宗卿、秘书少监吕述往莅宾馆，以展私觌，稽合同异，觇缕阙遗。传胡貊兜离之音，载山川曲折之状。条贯周备，文理洽通。……臣辄因韦宗卿吕述所纪异闻，饰以绘事，敢叙率服，以冠篇首。”（见《全唐文》卷七〇七）于吕述之亡逝，时任桂管观察使之郑亚，以同年之谊，复以同为李德裕所倚重，嘱观察支使李商隐作《祭吕商州文》。祭文称述之文才、声誉曰：“既步京国，亦荐乡里。与田苏游，有太叔美。邺都才运，洛阳年齿。何晏神仙，张良女子。礼闱之擅誉也如彼，册府之传名兮若此。囊成内殿之帷，书贵皇都之纸。中台南省，谏署戎藩，才难价重，政举人存。”（见《文苑英华》卷九九〇；《全唐文》卷七八二。《樊南文集详注》卷六、《李商隐文编年校注》）《新唐书·艺文志三》著录吕述《黠戛斯朝贡图传》一卷、《东平小集》三卷，并佚。《唐文拾遗》存文二篇。事迹见唐李商隐《祭吕商州文》、《新唐书·艺文志三》、《登科记考》卷一八、一九。

杨虞卿卒于虔州贬所。郑亚与杨氏昆仲杨汝士、杨鲁士等，党不同而交情不相碍，于虞卿之逝，嘱李商隐为作《祭长安杨朗中文》。（见《文苑英华》卷九九〇《全唐文》卷七八二；《李商隐文编年校注》）

李德裕编定会昌时所撰文，寄与郑亚，附《与桂州郑中丞书》请亚为之序。文曰："某当先圣御极，再参枢务，两度册文，及《宣懿太后祔庙制》、《圣容赞》、《幽州纪圣功碑》、《讨回纥制》、《讨刘稹制》五度、《黠戛斯书》两度，用兵诏敕及先圣改名制、告昊天上帝文，并奏议等，勒成十五卷。……小子词业浅近，获继家声。武宗一朝，册命典诰，军机羽檄，皆受命撰述，偶副圣情。伏恐制序之时，要知此意，伏惟详悉。"（见《会昌一品集》卷六）

李商隐作《为荥阳公上李太尉状》代郑亚答李德裕。文曰："伏奉别纸荣示，伏承以所撰武宗一朝册书诰命并奏议等一十五轴，编次已成，爰命庸虚，俾之序引。捧缄汗下，揣己魂飞。……太尉妙简宸襟，式光洪祚。有大手笔，居第一功。……庙战之权，风行于万里；国俭之礼，日闻于四方。言不失诬，事皆传信。固合藏于中禁，付在有司，居《微诰》、《说命》之间，为帝《典》皇《坟》之式。某更祈旬月，庶立纲纪。……荷戴之余，兢惕又积，伏惟特赐照察。"

中旬，李商隐代郑亚起草《太尉卫公会昌一品集序》，盛称卫公李德裕之功业文章。文中称赞李德裕曰："成万古之良相，为一代之高士，翳尔来者，景山仰之。"李商隐序中尚评述有唐以来文章之士云："下于魏晋，亦代有其人。我高祖革隋，文物大备。在贞观中，则颜公师古、岑公文本兴焉。在天后时，则李公峤、崔公融出焉。燕、许角立于玄宗之朝，常、杨继美于代宗之世。"又赞李德裕之文云："文章等于训传，机事出于神明，固将偃仰邳石之符，傲睨鬼箓之录，闻之者可以祛聋聩，得之者可以弼邦国。每牙管既拨，芝泥将熟，尝于前席，亲授笔札，公亦分阴可就，落简如飞。时有急宣，关于密画，内庭外制，皆不与闻。或势切疾雷，机难终日，宣室未召，武帐莫开，公则手疏封章，达于旒扆。当乙夜观书之际，未尝不称美再三，此又岂可与传《洞箫》而讽于后庭，闻《子虚》而嗟不同世者论功校德邪?"（见《樊南文集笺注》卷七）

郑亚改定商隐所草之序，成《太尉卫公会昌一品制集序》，题中多一"制"字。郑亚序云："其攻伐也既如彼，其制作也又如此。故合武宗一朝册命典诰奏议碑赞军机羽檄，凡两帙二十卷，辄署曰《会昌一品集》。[按，李德裕《会昌一品集》之卷数，据李商隐序为十五卷，而郑亚序则谓作二十卷，《新唐书·艺文志》亦记作二十卷，今传影宋本即为二十卷] 纪年，追圣德也；书位，旌官业也。岁在丁卯，亚自左掖，出为桂林。九月，公书至自洛，以典诰制命示于幽鄙，且使为序，以集成书。……承命震恐，几移朝夕，援笔而复止者三四。伏念江陆修荡，辞让不及，因斋洁以序焉。……惟公……建靖难平戎之业，垂经天纬地之文，萃于厥躬，庆是全德，盖四序之阳春，九州之咸、洛，品汇之应龙，人伦之姬旦。后之学者，其景行之云尔。"（见《唐文粹》卷九一，《文苑英华》卷七〇六，《全唐文》卷七三〇）起结两段全改，中间词藻，取诸原本，而别运以清机。史称郑亚"聪悟绝伦，文章秀发"（见《旧唐书·郑畋传》），其改作删去商隐序中"成万古之良相，为一代之高士"等语，典严正大，较义山原作更为得体，气局气象迥殊。（参《李商隐文编年校注》）

张祜五十六岁，约本年秋至楚州，与刺史韦瓘诗酒游宴唱和。瓘，字茂弘，及进士第，仕累中书舍人。……会昌末，累迁楚州刺史。（见《新唐书·韦瓘传》）张祜作

《观楚州韦舍人新筑河堤兼建两闺门》、《陪楚州韦舍人北闺门游宴》、《又陪楚州韦舍人闺门游宴次韵北闺门》、《楚州韦中丞箜篌》等诗，或曰“宴宾容易小筵成，隼击秋原助放情”。或曰“碧云秋水静，红日暮霞韬”（见《张承吉文集》卷七、卷九、卷五），《唐刺史考》列韦瓘任楚州刺史在会昌末至大中初，姑系数诗于此。

裴夷直自驩州贬所内徙，途经交州，作《发交州日留题解炼师房》。文曰：“久喜房廊接，今成道路赊。明朝回首处，此地是天涯。”过循州，又有《将发循州社日于所居馆宴送》，其二中云“社过高秋万恨中”。（见《全唐诗》卷五一三）

十月

本月初，李商隐自桂林往使荆南节度使郑肃。肃与郑亚为宗亲，商隐代郑亚作《为荥阳公上荆南郑相公状二》。云：“李支使商隐，虽非上介，曾受殊恩。长愿拜叔子于荆州，更谘鲁史；谒季长于南郡，重议《齐论》。”（见《全唐文》卷七七四，《樊南文集补编》卷三，《李商隐文编年校注》）途次，作《自桂林奉使江陵途中感怀寄献尚书》，献郑亚以剖白心迹，中曰：“投刺虽伤晚，酬恩岂在今。……常怀五羊赎，终铸九州箴。……芦白疑粘鬓，枫丹欲照心。……人皆向燕路，无乃费黄金！”反复感念郑亚知遇之恩，末以讽刺趋附得势者作结，言己于形势仓皇之际，决不抱衾别向。后，商隐果如其言。义山此行之《洞庭鱼》、《宋玉》、《楚宫》等诗，皆有感于现实政治中某种现象，有所感而发。（均见《李商隐诗歌集解》、《玉溪生年谱会笺》、《李商隐诗歌系年》）

十二日，李商隐于奉使南郡途中，撰《樊南甲集序》，记此行编次《樊南四六甲集》二十卷之缘由及成书始末。其《序》云：“樊南生十六能著《才论》、《圣论》，以古文出诸公间，后联为郓相国、华太守所怜，居门下时，敕定奏记，始通今体。后又两为秘省房中官，恣展古集，往往咽噱于任、范、徐、庾之间。有请作文，或时得好对切事，声势物景，哀上浮壮，能感动人。十年京师，寒且饿，人或目曰：韩文、杜诗、彭阳章檄，樊南穷冻人或知之。仲弟圣仆，特善古文……常表以今体规我，而未为能休。大中元年，被奏入岭当表记，所为亦多。冬如南郡，舟中忽复括其所藏，火燹墨污，半有坠落。因削笔衡山，洗砚湘江，以类相等色，得四百三十三件，作二十卷，唤曰《樊南四六》。……十月十二日夜月明序。”（见《文苑英华》卷七〇七，《全唐文》卷七七九，《樊南文集详注》卷七）

十二月

白敏中借吴湘之狱及其他细故，株连贬逐李德裕。冬十二月庚戌，于数易鞫按吴湘案之人选后，白敏中等令与德裕有宿怨之御史台崔元藻复劾。案结，奏云“如吴汝纳之言”，德裕有“曲情附绅”、“枉杀无辜”之罪。十二月戊午，贬李德裕为潮州司马。[按，先是白敏中等使其党人李咸斥德裕阴事，致德裕以太子少保分司东都。后，又导吴汝纳讼李绅杀吴湘事。参见《资治通鉴》本年九月、十二月条，《新唐书·李德裕传》，《旧唐书·宣宗本纪》，《新唐书·宣宗本纪》。以上史书所记年月互有参差，

事则不缪。《唐大诏令集》卷五八载《李德裕潮州司马制》，文末亦署“大中元年十二月”］后，李商隐为德裕等鸣不平，赋诗颇多。其《明神》诗云：“明神司过岂能冤，暗室由来有祸门。莫为无人欺一物，他时须虑石能言。”牛党密谋策划、借吴湘案恣行暗室欺心之事，全面打击会昌功臣，商隐愤而作是诗。李商隐同情德裕等人之诗，另有《旧将军》、《李卫公》等。（参见《李商隐诗歌集解》）

本年

会昌三年进士科状元卢肇，本年为鄂岳观察使卢商从事。

令狐绹本年（847）出为湖州刺史。

卢简辞约本年迁检校刑部尚书、襄州刺史、山南节度使，姚鹄作《襄州献卢尚书》献之。（见《全唐诗》卷五五三）

孙樵约本年或稍后作《寓汴州观察判官书》。樵不满武人跋扈，激劝卢公（钧）之判官某，应以横遏汴军肆意侵夺州县职事之嚣张气焰为己任，曰：“执事三从事卢公，其所以佐卢公，使炳炳不磨于世者，襄阳南渡之民皆能道之。今居汴有日，而曾无所闻，岂屑屑未暇耶？执事宜亟以前之所陈，辨之卢公，稍稍夺左右军侯权，且使系狱者不得治于军门，凡当隶州县者，悉索归之。使军自军，州县自州县，无相夺也。今执事官曰判官，察州县事，正执事职，幸勿忽。”（见《孙可之文集》卷三，《全唐文》卷七九四）［按，卢公即卢钧，大中初，检校尚书右仆射、汴州刺史、宣武军节度。……四年，入为太子少师。钧会昌初任襄州刺史时，“筑堤六千步，以障汉暴”，治汉水之功，民皆感之，即孙樵文所谓“襄阳南渡之民，皆能道之”者（见两《唐书·卢钧传》）］

刘绮庄，生卒年不详，其《昆山编》约成书于会昌末、大中初，姑系于本年。绮庄，常州（今属江苏）人，与白敏中、崔元式、韦琮等友善。初为昆山尉，研究古今缃帙，著《昆山编》（见《嘉靖昆山县志》卷五，《中吴纪闻》卷一《昆山编》）宣宗时官刺史。绮庄博学工诗，尤擅乐府。《扬州送人》为传世名篇。《新唐书·艺文志三》著录其《集类》一百卷，《新唐书·艺文志四》又记《刘绮庄集》十卷，并佚。《全唐诗》（含“补遗”）存诗三首，《全唐诗补编》补一首。事迹见《唐诗纪事》卷五四，《升庵诗话》卷一二。

张彦远《历代名画记》本年书成，约此时彦远由左补阙改任祠部员外郎。（见《旧唐书·张延赏传》附《张彦远传》）其书卷一《叙画之兴废》云：“自史皇至今大唐会昌元年，凡三百七十余人……将来者有能撰述，其或继之。时大中元年，岁在丁卯。”是书十卷，卷一《叙画之源流》、《论画六法》、《论画山水树石》诸篇乃画论力作。《叙画之源流》谓：“夫画者，成教化，助人伦，穷神变，测幽微，与六籍同功。四时并运，发于天然，非由述作。”《论画六法》阐释谢赫六法，中云：“古之画或能移其形似，而尚其骨气，以形似之外求其画，此难可与俗人道也。今之画，似得形似，而气韵不生，以气韵求其画，则形似在其间矣。……夫象物必在于形似，形似须全其骨气。骨气形似，皆本于立意而归乎用笔，故工画者多善书。”《直斋书录解题》卷十四著录

《法帖要录》，记“唐大理卿河东张彦远爱宾撰”。

刘邺（？—880），本年前后以李德裕贬逐，无所依，遂以文客游江浙。《旧唐书·刘邺传》：“刘邺字汉藩，润州句容人也。父三复，聪敏绝人，幼善属文。……邺六七岁能赋诗，李德裕尤怜之，与诸子同砚席师学。大中初，德裕贬逐，邺无所依，以文章客游江浙。每有制作，人皆称诵。”

朱景玄与南卓为诗友交，约本年或稍后作《题吕食新水阁兼寄南商州郎中》（见《全唐诗》卷五四七），时南卓在商州刺史任。[按，卞孝萱《南卓考》谓：“（卓）会昌末至大中四年，先后任商、蔡、婺等州刺史。”（见《中华文史论丛》第四辑）南卓当接任吕述为商州刺史，述本年深秋卒于任，李商隐有《祭吕商州文》] 景玄仕至太子谕德，著有《唐朝名画录》。《直斋书录解题》卷十四著录《唐朝画断》一卷，谓“唐翰林学士朱景玄撰。一名《唐朝名画录》”。同书卷十九复著录《朱景玄集》一卷，称“唐太子谕德”。《全唐诗》卷五四七小传云：“朱景玄，会昌时人，官至太子谕德。”《唐朝名画录》序云：“以张怀瓘《画品断》神、妙、能三品，定其等格，上、中、下又分为三；其格外有不拘常法，又有逸品，以表其优劣也。夫画者以人物居先，禽兽次之，山水次之，楼殿屋木次之。何者？前朝陆探微屋木居第一，皆以人物禽兽，移生动质，变态不穷，凝神定照，固为难也。故陆探微画人物极其妙绝，至于山水草木，粗成而已。且《萧史》、《木雁》、《风俗》、《洛神》等图画，尚在人间，可见之矣。近代画者，但工一物，以擅其名，斯即幸矣。惟吴道子天纵其能，独步当世，可齐踪于陆、顾；又周昉次焉。其余作者一百二十四人，直以能画定其品格，不计其冠冕贤愚；然于品格之中，略序其事……吴郡朱景玄撰。”（见《全唐文》卷七六三）景玄为画论名家，其所作诗亦颇具画意，其《水阁》诗云：“楼居半池上，澄影共相空。谢守题诗处，莲开净碧中。”《莲亭》云：“回塘最幽处，拍水小亭开。莫怪栏干湿，鸡鹊夜宿来。”《飞云亭》云：“上结孤圆顶，飞轩出泰清。有时迷处所，梁栋晓云生。”《望莲台》云：“秋台好登望，菡萏发清池。半似红颜醉，凌波欲暮时。”（《均见《全唐诗》卷五四七）诸诗作年不详，姑记于此。

柳珵《镜空传》、郑还古《博异志》撰成于本年前后。柳珵之《镜空传》乃传奇之作，预言宣宗恢复佛教，当作于大中元年，姑系于此。（见李剑国《唐五代志怪传奇叙录》）

元晦本年授卫尉卿，分司东都。

许浑本年自岭南节度使卢贞幕罢归，再游越中。

陆扆（847—905）生。扆为唐之散文家。字祥文。本名允迪。陕州陕县（今属河南）人。祖籍苏州嘉兴（今属浙江）。排行十九。陆贽族孙。中和三年（883）为绛州刺史唐彦谦幕判官。光启二年（886）进士及第，授盐铁巡官。三年（887）授校书郎。龙纪元年（889）授蓝田尉，直弘文馆。迁左拾遗，改监察御史。大顺二年（891）召充翰林学士，改屯田员外郎。历祠部郎中知制诰、中书舍人。乾宁元年（894）转户部侍郎。改兵部侍郎。三年（896）加承旨，改左丞，拜户部侍郎、同平章事，贬硖州刺史。光化二年（899）由兵部尚书复拜中书侍郎、同平章事。三年（900）转门下侍郎。天复三年（903）贬沂王傅，分司东都。天祐二年（905）责授濮州司户参军，被杀。

好学，善书法，工文辞，才思敏捷，文理俱惬，同僚服其能。奉诏和赋，最先成。昭宗比之为陆贽、吴通玄兄弟。与陆希声、陆威号称“三陆”。《新唐书·艺文志四》著录《陆扆集》七卷，《宋史·艺文志七》作《禁林集》七卷，均佚。《全唐文》存制诰十篇，《全唐诗》存诗一首、断句一句。事迹见新、旧《唐书》本传。

周墀（793—851）本年以兵部侍郎同平章事。

项斯（802?—847?）卒。斯字子迁。台州临海（今属浙江）人。初筑草庐于余杭径山朝阳峰。后出山应举。长庆中，在长安得张籍知赏。宝历、开成中诗名籍甚，然举场蹭蹬多年。应举期间曾至西北边塞和巴蜀等地。未第时，曾以诗谒杨敬之，敬之赠诗有“平生不解藏人善，到处逢人说项斯”句，未几，诗闻长安，次年即会昌四年（844）进士及第，与赵嘏、顾陶、马戴等同年。次年尚在长安。不久释褐授润州丹徒县尉。卒于任所。与姚合、顾非熊、欧阳衮等也有交往。性疏旷，能诗，有时名。所作多五、七言律诗，主要抒写个人羁旅送别、题咏酬赠时的情怀，颇多失意之感。五代张洎《项斯诗集序》评其诗“格颇与水部相类，词清妙而句美丽奇绝，盖得于意表，迨非常情所及”。张为《诗人主客图》以之与张籍同列为“清奇雅正主”李益之升堂看。《江村夜泊》、《寄石桥僧》、《山行》等为传世佳作。有《项斯诗集》一卷，著录于《新唐书·艺文志四》。《全唐诗》存诗一卷。事迹见其诗及《唐才子传校笺》卷七。卞岐、徐光大各有考探。

圆仁（794—864）本年由越州归日本。圆仁为日本高僧。俗姓壬生氏。下野国都贺郡（今日本栃木）人。年十五，投天台宗创始人传教大师最澄门下，得其钟爱，彻悟圆教奥旨，受传法准顶。四十岁时，隐居修炼于横川首楞严院之根本如法堂。唐文宗开成三年（838）到达扬州海陵县。次年到登州，复往五台山朝拜；后至长安，敕住资圣寺。在京期间，学习密教，传学圆教止观玄旨。会昌时朝廷灭佛，遂逃离长安。日本仁寿四年（854）为延枥寺座主。卒，谥慈宽大师。墓在横川花芳峰，也称花芳大师。著述甚多，以《入唐求法巡礼行记》四卷影响最大。该书记载入唐见闻，内容涉及唐代社会的各个方面，具有重要史料价值。所记当时僧侣讲经及讲唱变文情况，是研究唐代变文的重要史料。今有上海古籍出版社排印本。事迹见日本村上专精著《日本佛教史纲》。

高铢本年迁礼部尚书。铢字权仲。生卒年、籍贯不详。能诗。元和六年（811）进士及第。十一年（816），署太原节度使幕节度判官。与节度使张弘靖等有唱和。累迁吏部郎中。大和五年（831）拜给事中。出为浙东观察使。历刑部侍郎、河南尹、义成节度使、吏部侍郎等。大中朝迁礼部尚书。出为忠武节度使。拜太常卿。未几卒。《全唐诗》存诗一首。事迹见新、旧《唐书》本传，《唐诗纪事》卷五九，《唐方镇年表考证》卷上。

章嶰，大中以前人，姑系于此。生卒年、籍贯不详。曾为乡贡进士。能诗。撰《进士章嶰集》一卷，已佚。《全唐诗逸》存断句二句。事迹见大中元年（847）归国之日僧圆仁《入唐新求圣教目录》。

公元 848 年（唐宣宗大中二年　戊辰）

正月

中书门下奏：“从贞元元年、大和九年秋冬前，皆是及第便从诸侯府奏试官，充从事，兼史馆、集贤、弘文诸司诸使奏官充职。以此取人，常多得士，由是长不乏材用。大和、会昌末，中选后四选，诸道方得奏充州县官职；如未合选，并不在申奏限。臣等昨已奏论，面奉进止，自今已后，及第后第三年即任奏请。”敕旨“依奏”。（见《唐会要》）

正初，杜牧作酬和诗《正初奉酬歙州刺史邢群》。中云：“翠岩千尺倚溪斜，曾得严光作钓家。越峰远分丁字水，腊梅迟见二年花。”（见《樊川文集》卷四）去年岁暮，邢群有诗寄赠杜牧，即《郡中有怀寄上睦州员外杜十三兄》，中有句云：“经冬野菜青青色，未腊山梅处处花。”（见《全唐诗》卷五四六）

五日，右补阙丁柔立因上书辩李德裕之冤，贬南阳县尉。（见《资治通鉴》大中二年正月条，又见《新唐书·李德裕传》所附丁柔立事）

李德裕既贬，本年正月成行，自洛水路经江、淮赴潮州贬所。妻刘氏，子浑、钜及女同行。时刘氏已患病。（见《旧唐书·李德裕传》，及《唐茅山燕洞宫大洞炼师彭城刘氏墓志铭并序》）温庭筠作《题李相公敕赐屏风》诗，伤其远贬。诗云：“丰沛曾为社稷臣，赐书名画墨犹新。几人同保山河誓，独自栖栖九陌尘。”（参夏承焘《温飞卿系年》）

李商隐已完成出使南郡之任务，欲返桂林。行前，在江陵，悉周墀已“荣兼史职”（即以集贤学士兼史馆修撰），作《于江陵府见除书状》贺之。（见《全唐文》卷七七四，《樊南文集补编》卷五）七日，在江陵作《人日即事》，诗云：“独想道衡诗思苦，离家恨得二年中。”颇有思家之叹。又《北楼》：“春物岂相干，人生只强欢。花犹曾敛夕，酒竟不知寒。异域东风湿，中华上象宽。此楼堪北望，轻命倚危阑。”《凤》、《题鹅》、《即日》、《思归》等，均此时忆念家山之作。（见《李商隐诗歌集解》）

刘蕡自柳州贬所放还途经江乡，商隐自江陵返桂林，黄陵相遇，商隐作《赠刘司户蕡》。诗云：“江风扬浪动云根，重碇危樯白日昏。已断燕鸿初起势，更惊骚客后归魂。汉廷急诏谁先入？楚路高歌自欲翻。万里相逢欢复泣，凤巢西隔九重门。”

白敏中再次扩大吴湘狱事之株连。《资治通鉴》大中二年元月条载：“西川节度使李回、桂管观察使郑亚坐前不能直吴湘冤，乙酉（二十四日），回迁湖南观察使，亚贬循州刺史，李绅追夺三任告身。”受株连者另有：魏铏由前淮南观察使判官贬吉州司户，元寿由路浑令贬吉州司户，蔡京由殿中侍御史贬澧州司马，中书舍人崔嘏贬端州刺史，刘濛贬朗州刺史。诸人贬谪制文自朝廷发出。（见《资治通鉴》大中二年本月条。参《旧唐书·宣宗本纪》大中二年条，及《新唐书·李德裕传》、《新唐书·李回传》，及傅璇琮《李德裕年谱》）

二月

李商隐已返郑亚幕。白敏中等升迁之消息传至桂林，商隐代郑亚作《为荥阳公贺白相公加刑部尚书启》、《为荥阳公贺韦相公加礼部尚书启》、《为荥阳公贺崔相公转户

部尚书启》等。（见《李商隐文编年校注》）商隐集中《异俗二首》、《昭州》、《射鱼曲》等诗亦此时之作。（见《李商隐诗歌集解》）

郑亚贬循制文抵桂，李商隐代亚分别致书刑部侍郎马植、大理卿卢言，严斥崔元藻之"乘时幸远，背惠加诬"，力辩郑亚、李绅之冤。《为荥阳公上马侍郎启》："故府李相公案吏之初，……某……方副台纲。若其间必有阿私，则先事固当请托。实无一字，难诬九泉。且崔监察元藻是湖南李相公门生，是某所拜杂端日御史。远拆推事，既无嘱求；近欲叫冤，岂遽能止遏？不知何怨，乃尔相穷！容易操心，加诬唱首。门生之分，尚或若斯；常僚之情，故无足算。……若从彼书辞，信其文致，即处以严谴，未曰当辜。直遇侍郎……照奸吏之推过，略崔子之枝辞。……实系如烛之明，敢不知风所自。"（《李商隐文编年校注》）《为荥阳公与三司使大理卢卿启》："某顷以疏拙，谬副纪纲……过实已招，咎将谁执？故府李相公……与道为徒。……事踪笔踪，实非曲有指挥。逝者难诬，言之罔愧。且崔监察元藻是湖南李相公首科门生，是某所荐御史。将赴淮海，私间尚不嘱求；及还京师，公共岂能遏塞？昨蒙辨引，稍近加诬。座主既不免于款中，杂端故无逃于笔下。乘时幸远，背惠加诬。既置对之莫由，岂自明之有望？若据其证逮，按彼词连，则处以严科，无所逃责。……伏念非欲固用深文，不从锻炼之科，得在平反之数。"（《李商隐文编年校注》）

卢言本年任大理卿，与魏扶等上言李德裕冤杀李绅。言，唐代小说家。生卒年、籍贯不详。开成二年（837），为驾部员外郎，分司东都，与裴度、白居易等游宴唱和。历户部、考功郎中等。曾为卢纶撰墓志铭（已佚）。卒于咸通后。著有笔记小说集《卢氏杂说》一卷，记朝廷掌故、科举轶闻、士大夫琐事等，颇可信据。《唐诗纪事》等有所征引。原书已散佚。今传辑本一卷。《全唐诗·补遗》有《上安禄山》诗作者卢言，为玄宗时人。事迹见唐白居易《开成二年三月三日奉十二韵以献》诗、《新唐书·李德裕传》。周勋初有《卢言考》。

令狐绹本年拜考功郎中、知制诰，转充翰林学士。

礼部侍郎封敖知贡举，崔荛、杨牢、李彦昇、邓敞、韩藩、崔瑄等二十三人登进士第。

崔荛，生卒年不详，本年进士及第。《旧唐书·崔宁传》："崔荛字野夫，大中二年擢进士第。"荛为蠡之子。

李彦昇，生卒年不详，本年进士及第。陈黯《华心篇》云："大中初年，大梁连帅范阳公得大食国人李彦昇，荐于阙下。天子诏春司考其才，二年以进士第名显。然常所宾贡者不得拟。"

邓敞，生卒年不详，本年进士及第。《玉泉子》："邓敞，封敖之门生。初随计，以孤寒不中第。牛蔚兄弟，僧孺之子，有势力，且富于财，谓敞曰：'吾有女弟未出门，子能婚乎？当为君展力，宁靳一第乎？'时敞已婚李氏矣。其父尝为福建从事，官至评事。有女二人，皆善书，敞之所行卷，多二女笔迹。敞顾己寒贱，必不能致腾踔，私利其言，许之。既登第，就牛氏亲，不日挈牛氏而归。将及家，给牛氏曰：'吾久不到家，请先往俟卿，可乎？'牛氏许之。洎到家，不敢泄其事。明日，牛氏之奴驱其辎囊直入，即出居常牛氏所玩用供帐帷幕杂物，列于庭庑之间。李氏惊曰：'此何为？'奴曰：‘夫人将到，令具陈之。’李氏曰：‘吾即妻也，又何夫人为！’即抚膺大哭。顷之，牛氏至，知其卖己也，请见李氏，曰：‘吾父为宰相，兄弟皆在郎省，纵嫌不能富贵，岂无一嫁处耶？其不幸岂惟夫人乎！今愿一切与夫人同之，夫人纵憾于邓郎，宁忍不为二女计耶?’时李氏将列于官，二女力牵挽其袖而止。后敞以秘书少监分司，悭吝尤甚。”［按，《觚胜》言此事即《琵琶记》传奇所由本也。牛丞相即僧孺］

韩藩，生卒年不详，本年进士及第。（见《金华子》）

崔瑄，生卒年不详，本年进士及第。《金华子》：“韩藩端公，大中二年封仆射敖门生也，与崔瑄大夫同年而相善。瑄廉问宛陵，请藩为副使。”

裴□，名、生卒年均不详，本年进士及第。李商隐《为兴元裴从事贺封尚书加官启》注云：“裴即封之门生。”

皇甫炜，生卒年不详，本年进士及第。刘玄章撰咸通六年（865）《唐故朝议郎使持节抚州诸军事守抚州刺史柱国皇甫公（炜）墓志铭并序》云：“公姓皇甫氏，安定朝那人也。……讳炜，字重光。……大中二年，故仆射封公敖之主春闱也，负至公之鉴，擢居上第。”（《全唐文补遗》册四）又，皇甫炜撰大中十二年（858）七月廿五日《皇甫氏（炜）夫人（白氏）墓铭并序》自称“炜早忝科第”。（见《全唐文补遗》册七）

朱革，生卒年不详，本年进士及第。民国十三年刊印本胡光钊《祁门县志》之《氏族考》云：“朱溪朱氏：……唐有讳革者，于宣宗大中二年举进士第，居姑苏之长桥。”

李璋，生卒年不详，本年进士及第。《新唐书·李绛传》：“璋，字重礼。大中初擢进士第，辟卢钧太原幕府。”璋乃李绛之子。（见两《唐书·李绛传》）李暨撰大中三年（849）二月十一日《唐故太中大夫使持节衢州刺史上柱国赞皇县开国子食邑五百户李公（项）墓志铭》云：“公讳项……父讳绛，在宪宗时为宰相。……其年冬，其弟前乡贡进士璋自京师衔哀奔赴于衔，护公之丧。”又志文末署：“亲弟前乡贡进士璋书并篆盖。”（《全唐文补遗》册四）（见《新唐书·李绛传》）（见《全唐文补遗》册六）又李璋撰咸通三年（862）正月十六日《唐范阳卢夫人墓志铭》云：“夫人年十九，归今起居郎李璋。璋，赵郡赞皇人，元和中相国、累检校司空、兴元节度、赠太傅讳绛贞公之季子。璋时应进士，未第，文钝时蹇，八上十年，方登一第。”（《千唐志斋藏志》［1156］，参见《唐代墓志汇编》）［按，李璋夫人卢氏卒于咸通二年（861）年，享年四十一，其十九岁时在开成四年（839）。由此后推十年，则李璋擢第当在大中二年。此与《新唐书》所言“大中初”亦相符］

知贡举：礼部侍郎封敖。《旧唐书·封敖传》：“宣宗即位，迁礼部侍郎。大中二年，典贡部，多擢文士。”《唐语林》：“封侍郎知举，首访能赋人。卢骈诣罗邵舆问之，罗曰：‘主司安邑住，邵舆居宣平，彼处爱赋无由得知。’”

仲春，李德裕贬谪途中作《盘陀岭驿楼》：“嵩少心期杳莫攀，好山聊复一开颜。明朝便是南荒路，更上层楼望故关。”（见《全唐诗》卷四七五，参傅璇琮《李德裕年谱》）

二十三日，郑亚离桂赴循州贬所。（见李商隐《为荥阳公与前浙东杨大夫启》，《李商隐文编年校注》，《全唐文》卷七七六）桂幕云散，李商隐赋《灯》诗，直可视为“桂州罢吟寄同舍”也。诗云：“皎洁终无倦，煎熬亦自求。花时随酒远，雨后背窗休。

冷暗黄茅驿，暄明紫桂楼。锦囊名画揜，玉局败棋收。何处无佳梦，谁人不隐忧？影随帘押转，光信簟文流。客自胜潘岳，侬今定莫愁。故应留半焰，迴照下帏羞。”《木兰》诗亦同时之作，云：“二月二十二，木兰开坼初。……桂岭含芳远，莲塘属意疏。”（见《李商隐诗歌集解》）

三月

李商隐离桂北归，得悉令狐绹已任考功郎中充翰林学士，（见《翰苑群书·重修承旨学士壁记》）**作《寄令狐学士》诗。**（见《李商隐诗歌集解》）

陈陶游于容管韦廑幕，作《赠容南韦中丞》。中云：“风云已静西山寇，闾井全移上国春。”（见《全唐诗》卷七四六）陈陶与韦廑酬唱颇多，陶有《和容南韦中丞题瑞亭白燕白鼠六眸龟嘉莲》。廑兄韦康迁黔南，陶又献《贺容府韦中丞大府贤兄新除黔南经略》诗。（均见《全唐诗》卷七四六）

赵嘏在泗上，遥闻李珏自舒州刺史任征入为户部尚书。［按，《旧唐书·李珏传》：“大中二年，崔铉、白敏中逐李德裕，征（珏）入朝为户部尚书。出为河阳节度使。”］嘏赋《泗上奉送相公》诗以寄献。诗云：“语堪铭座默含春，西汉公卿绝比伦。今日抱辕留不得，欲挥双涕学舒人。”（见《全唐诗》卷五五〇）

李群玉在广州，遇方干，作《赠方处士兼以写别》：“天与云鹤情，人间恣诗酒。龙宫奉采觅，澒洞一千首。清如南薰丝，韵若黄钟吼。喜于风骚地，忽见陶谢手。籍籍九江西，篇篇在人口。……才力似风鹏，谁能算升斗。无营傲云竹，琴帙静为友。鸾凤戢羽仪，骐骥在郊薮。镜湖春水渌，越客思归否？白衣四十秋，逍遥一何久。”（见《全唐诗》卷五六八）群玉又有《广州重别方处士之封川》诗，称方干“楚国傲名客，九州遍芳声。白衣谢簪绂，云卧重岩高。……五月下南溟，大笑相逢日”。（见《全唐诗》卷五六八）乃五月赠别之作，并记于此。

五月

李德裕贬潮途过五岭，作《谪岭南道中作》：“岭水争分路转迷，桄榔椰叶暗蛮溪。愁冲毒雾逢蛇草，畏落沙虫避燕泥。五月畲田收火米，三更津吏报潮鸡。不堪肠断思乡处，红槿花中越鸟啼。”（见《会昌一品集》别集卷四）《到恶溪夜泊芦岛》亦同时之作，诗云：“甘露花香不再持，远公应怪负前期。青蝇岂独悲虞氏，黄犬应闻笑李斯。风雨瘴昏蛮日月，烟波魂断额溪时。岭头无限相思泪，泣向寒梅近北枝。”（同上）

李商隐罢幕失职，郁郁北归。至潭州，暂寓湖南观察使李回幕，回为商隐座主。时马植拜相（见《资治通鉴》卷二四八本年五月条），商隐代李回撰《为湖南座主陇西公贺马相公登庸启》。周墀亦此时拜相，商隐作《贺相国汝南公启》。（均见《樊南文集补编》卷七）感政局之黑暗、己之不遇，商隐赋《乱石》、《潭州》、《楚宫》、《木兰花》诸诗。《乱石》云：“虎踞龙蹲纵复横，星光渐灭雨痕生。不须并碍东西路，哭杀厨头阮步兵。”《潭州》诗云：“潭州官舍成楼空，今古无端入望中。湘泪浅深滋竹色，楚歌重叠怨兰丛。陶公战舰空滩雨，贾傅承尘破庙风。目断故园人不至，松醪一醉与谁同!”《木兰花》：“洞庭波冷晓侵云，日日征帆送远人。几度木兰舟上望，不知原是此花身。”（见《李商隐诗歌集解》、《玉溪生年谱会笺》）

七月

陈陶在南海，经韶州始兴、过番禺均有诗。《早发始兴》：“云里山已曙，舟中火初熟……沿流信多美，况复秋风发。”（见《全唐诗》卷七四五）［按，《元和郡县图志》卷三四，岭南道韶州有始兴县］此行陈陶尚有《番禺道中》，中云：“博罗程远近，海塞愁先入。……常闻岛夷俗，犀象满城邑。雁至草犹春，潮回樯半湿。”又有《南海石门戍怀古》、《南海送韦七使君赴象州任》等诗。（均见《全唐诗》卷七四五）

李商隐北返长安，悲己之飘零湖湘，作《离思》、《深宫》、《岳阳楼》等诗。《离思》：“峡云寻不得，沟水欲如何？朔雁传书绝，湘篁染泪多。”《深宫》：“狂飚不惜萝阴薄，清露偏知桂叶浓。……岂知为雨为云处，只有高唐十二峰。”又《岳阳楼》：“如何一梦高唐雨，自此无心入武关。”（均见《李商隐诗歌集解》）

八月

杜牧自睦州刺史内擢司勋员外郎，作《上周相公启》，谢宰相周墀拔擢之恩。中云：“伏以睦州治所，在万山之中，终日昏氛，侵染衰病，自量忝官已过，不敢率然请告。……不意相公拔自污泥，升于霄汉，却收斥锢，令厕班行，仍授名曹，帖以重职。”（见《樊川文集》卷十）

李群玉在广州，作《中秋广江驿示韦益》。中有“莫惜三更坐，难消万里情。同看一片月，俱在广州城”之句。（见《全唐诗》卷五六九）

韦悫撰《重修滕王阁记》，叙滕王阁遭火焚、江西观察使纥干臮增广其制而重修之始末。云：“钟陵郡控连山大江，环合州城……有巨阁称滕王者……距今大中岁戊辰，亦将垂三百年。……（曾不知荡涤不必系于天灾，兴废自叶于时数，将利恢复，果凭智谋）故我雁门公按节廉问，方颁条诏。令肃而兵戎慑服，政和而疲瘵昭苏。……无何，值祝融发其灾，回禄煽其焰。曾未竟夕，煤侔秋蓬，则斯阁之制，荡无余矣。……毒焰方炽，逡巡不能救。……（雁门公）遂审量日力，详度费务，役不加重而烝徒凑。……今按旧阁基址，南北阔八丈，今增九丈三尺……亭台增葺以云蔓，廨署缮完而栉比。布在图籍，孰能该详。悫今所以为异者，但举乎阁之废矣，自公复兴而已。其他壮丽形胜，已备列诸公述作，故不能一二觌缕。时大中执徐岁秋八月哉生明记。”（见《全唐文》卷七四七）

李商隐与崔八自桂州同舟北返，过洞庭，同访与郑亚旧有交游之融禅师，作《同崔八药山访融禅师》。诗云：“共受征南不次恩，报恩唯是有忘言。岩花涧草西林路，未见高僧且见猿。”（见《李商隐诗歌集解》）

李商隐桂管归途又曾折向夔峡一带，作《摇落》、《过楚宫》、《楚宫二首》、《风》、《江上》等诗作。舟抵江陵，作《楚吟》、《听鼓》。《楚吟》云：“山上离宫宫上楼，楼前宫畔暮江流。楚天长短黄昏雨，宋玉无愁亦自愁。”《听鼓》云：“城头叠鼓声，城下

暮江清。欲问渔阳操，时无祢正平。”（见《李商隐诗歌集解》）

九月

甲子，李德裕再贬为崖州司户。（据《资治通鉴》卷二四八。《唐大诏令集》卷五八《李德裕崖州司户制》）

重阳日，杜牧已离睦赴京任司勋员外郎。有《秋晚早发新定》诗：“解印书千轴，重阳酒百缸。凉风满红树，晓月下秋江。岩壑会归去，尘埃终不降。悬缨未敢濯，严濑碧淙淙。”［按，新定即睦州］又赋《除官归京睦州雨霁》：“秋半吴天霁，清凝万里光。水声侵笑语，岚翠扑衣裳。远树疑罗帐，孤云认粉囊。溪山侵两越，时节到重阳。”过桐庐，作《夜泊桐庐先寄苏台卢郎中》寄苏州刺史卢简求，中云：“十载违清裁，幽怀未一论。苏台菊花节，何处与开樽?”途出金陵，赋《江南怀古》：“车书混一业无穷，井邑山川今古同。戊辰年向金陵过，惆怅闲吟忆庾公。”（均见《樊川文集》卷三）

李群玉客游广州三载将北返，作《广江驿饯筵留别》：“别筵欲尽秋，一醉海西楼。……惆怅三年客，难期此处游。”（《全唐诗》卷五六九）［按，李群玉南游广州始于会昌六年（846）冬，至本年秋为三年］

刘蜕作《梓州兜率寺文冢铭》，尽抒己不忘于文、魂系于文之情。文云：“文冢者，长沙刘蜕复愚为文，不忍去其草，聚而封之也。蜕愚而不锐于用，百工之技，天不工蜕也，而独文蜕焉。故饮食不忘于文，晦冥不忘于文，悲戚怨愤（原作惯，此据《文苑英华》卷七九〇改），疾病嬉游，群居行役，未尝不以文为怀也。……生知效用，不及时文哉。然而，意常获助于天，而不获助于人。故其穷，虽穷无憾也。当勤意之时，不敢嚏，不敢咳，不敢唾，不敢跛倚，嗜欲躁竞，忘之于心，其祗祗畏畏，如临上帝，故有粲如星光，如贝气，如蛟宫之水。又有黯如屯云，如久阴，如枯腐熬燥之色。则有如春阳，如华川，逶逶迤迤。则有如海运，如震怒，动荡怪异。……呜呼，十五年矣！实得二千七百八十纸，有涂者乙者，有注揩者，有覆背者，有朱墨围者。于是以周易筮之……且其占曰：‘土之文为山河，为华英，将不崩不竭。……后世诗礼之儒，无惊吾之幽墟。其冢也，在莽苍之野，大块之邱。时有唐大中之丁卯，而戊辰之季秋。”（见《全唐文》卷七八九）［按，陈寅恪《刘复愚遗文中年月及不是祀问题》一文，谓此铭作于本年九月］

李商隐桂管归途至襄阳，卢简辞待之甚厚，商隐作《献襄阳卢尚书启》以谢。文曰：“伏蒙仁恩，赐及前件衣服、屯段、漆器等，谨依荣示捧领讫……昨晚又伏蒙远遣军吏，重降手笔，揄扬转极，抚纳滋味。……某爰自弱龄，遭迴二纪，庆弔一空。词苑招魂，文场出涕。……乘风匪顺，无水忧沉。岂谓穷途，再逢哲匠！……南向旌旆，实知所归。”（见《李商隐文集编年校注》）过邓州，作《谢邓州周舍人启》，感谢周舍人之馈赠。（见《李商隐文集编年校注》）至商洛，京畿乡园在望，作《归墅》、《九月于东逢雪》、《陆发荆南始至商洛》、《商于》、《梦令狐学士》等诗作。《归墅》诗云：“行李逾南极，旬时到旧乡。楚芝应遍紫，邓橘未全黄。渠浊村舂急，旗高社酒香。故乡归梦喜，先入读书堂。”又《九月于东逢雪》：“举家忻共报，秋雪坠前峰。岭外他年忆，于东此日逢。……岂是惊离鬓，应来洗病容！”《陆发荆南始至商洛》：“昔去真无素，今还岂自知！……向来忧际会，犹有五湖期。”《商于》：“商于朝雨霁，归路有秋光。……今日看云意，依依入帝乡。”又《梦令狐学士》寄赠翰林学士令狐绹：“山驿荒凉白竹扉，残灯向晓梦清晖。右银台路雪三尺，凤诏裁成当直归。”（据刘学锴、余恕诚《李商隐诗歌集解》）

十一月

李商隐自桂管北归，行近京师，虑及何以处理与令狐绹之关系，百计莫得，犹觉情势紧迫，作《肠》诗。云：“有怀非昔恨，不奈寸肠何！……倦程山向背，望国阙嵯峨。故念飞书友，新欢借梦过。……拟问阳台事，年深楚语讹。”谓己虽欲修好令狐，然因交好郑亚、李德裕等人之故，情愫之难通可知。商隐又有《钧天》：“上帝钧天会众灵，昔人因梦到青冥。伶伦吹破孤生竹，却为知音不得听。”叹令狐绹之腾达，悲己因遭忌而不得听“钧天广乐”（即参与朝政）之落魄。商隐视郑亚等新知为同道，然宣宗君臣（白敏中、令狐绹等）却贬黜李德裕、郑亚、石雄等会昌功臣，商隐作《旧将军》、《韩碑》诗，以托古讽时。《旧将军》：“云台高议正纷纷，谁定当时荡寇勋？日暮灞陵原上猎，李将军是旧将军。”《韩碑》推崇韩愈《平淮西碑》，以韩文突出宰相裴度战略决策之首功为是，云：“帝得圣相相曰度……帝曰‘汝度功第一’。……呜呼圣皇与圣相，相与烜赫流淳熙。”誉韩碑之气度纵横曰：“公退斋戒坐小阁，濡染大笔何淋漓。点窜尧典舜典字，涂改清庙生民诗。文成破体书在纸，清晨再拜铺丹墀。”又述因裴度遭忌、韩碑被拽倒等事云：“句奇语重喻者少，谗之天子言其私。长绳百尺拽碑倒，粗砂大石相磨治。公之斯文若元气，先时已入人肝脾。汤盘孔鼎有述作，今无其器存其辞。”诗以裴度比李德裕之意甚明。（参刘学锴、余恕诚《李商隐诗歌集解》）《戊辰会静中出贻同志二十韵》盖亦本年之作，姑系于此。

杜牧由睦地入京任司勋员外郎，时经宋州，有《宋州宁陵县记》。《樊川文集》卷十《宋州宁陵县记》：“大中二年十一月十八日，将仕郎、守尚书司勋员外郎、史馆修撰杜某题。”

韦瓘（789—848后）本年三月任桂管观察使，冬改太仆卿、分司东都。约本月离桂州时有诗留题碧浔亭。《新唐书·韦瓘传》：“会昌末，累迁楚州刺史，终桂管观察使。”［按，韦瓘非终于桂管任］《唐方镇年表》卷七桂管记瓘大中二年观察桂管，并引《湖南志·金石》：“韦瓘《浯溪题名》：太仆卿、分司东都韦瓘，大中二年十二月七日过此。今年三月有桂林之命，才经数月，又蒙除替，行次灵川，闻改此官。”《全唐文》卷六九五韦瓘《清溪题壁记》：“分司优闲，诚为忝幸。宦途蹇薄，分亦可知。……大中二年十二月七日。”据此，则瓘离桂林任约在本年十一月，其时有《留题桂州碧浔亭》诗，中云：“半年领郡固无劳，一日为心素所操。……从此归耕洛川上，大千江路任风涛。”（见《全唐诗》卷五〇七）瓘本年后事亦无考，此前行迹约略可知。瓘，字茂弘，京兆万年（今陕西西安）人。韦夏卿侄。元和四年（809）状元及第。授左拾遗。十五年（820）迁右补阙，充史馆修撰。大和中累至司勋郎中，中书舍人。八年（834）贬康州。移明州长史。会昌末累迁楚州刺史。本年授桂管观察使，旋降太子宾客分司。与李德裕善。能文。托名牛僧孺之《周秦行纪》，北宋贾黄中以为系韦作。《全唐文》存文三篇，《全唐诗》存诗一首。事迹见《新唐书·韦夏卿传》。

十二月

二十九日，牛僧孺（780—848）卒，年六十九。李珏《牛公神道碑铭并序》："公以大中戊辰岁十二月二十九日薨，以大中己巳岁五月十九日葬。"（见《全唐文》卷七二〇）杜牧《唐故太子少师奇章郡开国公赠太尉牛公墓志铭并序》中云："大中二年十月二十七日，薨于东都城南别墅，年六十九。"（见《樊川文集》卷七）［按，二文所记牛僧孺卒之月份不同，存疑待考］赠太尉，谥文贞（一作文简）。《旧唐书·牛僧孺传》："大中初卒，赠太子少师，谥曰文贞。"《新唐书》本传："宣宗立，徙衡、汝二州，还为太子少师。卒，赠太尉，年六十九。谥曰文简。"僧孺，字思黯。郡望泾州安定（今甘肃泾川北），陇西狄道（治今甘肃临洮）人。排行二。家于长安。幼孤。贞元十九年（803）以韦执谊命刘禹锡、柳宗元至樊乡邀之，知名于世。永贞元年（805）进士及第。元和三年（808）登贤良方正能直言极谏科。因条指失政，为宰相李吉甫所恶，授伊阙尉。十五年（820）累迁至库部郎中、知制诰。改御史中丞。长庆二年（822）拜户部侍郎。三年（823）以本官同平章事。四年（824）加中书侍郎，封奇章郡公。宝历元年（825）出为武昌军节度使。大和四年（830）召为兵部尚书、同平章事。六年（832）出为淮南节度使。开成二年（837）拜东都留守，与白居易等交往酬和。历左仆射、山南东道节度使。会昌二年（842）以太子太傅留守东都。累贬循州长史。大中元年（847）由太子少保转少师，分司东都。二年（848）卒，谥文贞。僧孺为"牛李党争"中"牛党"领袖之一。能诗工文，传奇尤有名。李珏谓其"早与韩吏部、皇甫郎中为文章友，其名相上下；晚与白少傅、刘尚书为诗酒侣，其韵无高卑"。文章长于议论。《讼忠》、《善恶无余论》等充满变革热情，流露对等级特权的蔑视，颇有新意。《辨名政论》、《守在四夷论》等史论，直接服从现实政治，文字平实流畅。《谴猫》、《鸡触人述》等杂文，影射现实，含意深远，奇趣横生，对晚唐小品有影响。《玄怪录》（一作《幽怪录》），多记仙鬼怪异事，为唐传奇较早之专集，对李复言《续玄怪录》、张读《宣室志》等有影响，《新唐书·艺文志三》著录为十卷，已散佚。传世有明刻四卷本等。《崇文总目》卷五记有《牛僧孺论集》一卷，《宋秘书省续编到四库阙书目》又记有《牛僧孺文》二卷，《宋史·艺文志七》著录《牛僧孺集》五卷，已佚。《全唐文》存文一卷，《唐文拾遗》补二篇，《全唐诗》存诗四首、断句九句，《全唐诗补编》补二句。事迹见唐杜牧《牛公墓志铭并序》，李珏《牛公神道碑铭并序》，新、旧《唐书》本传。（参程奇立《牛僧孺年谱》）

冬，李商隐自桂府归长安，选盩厔尉。（见《樊南乙集序》，《李商隐文编年校注》）

杨嗣复卒。嗣复自江州征拜吏部尚书，"至岳州病，一日而卒，时年六十六。赠左仆射，谥曰孝穆”。（《旧唐书·杨嗣复传》）嗣复（783—848）字继之，一字庆门。虢州弘农（今河南灵宝）人，生于扬州（今属江苏）。排行三。杨於陵子。八岁能文。贞元二十一年（805）进士及第（一说十八年）。又登博学宏词科，授秘书省校书郎。元和二年（807）剑南西川节度使武元衡辟为节度推官。长庆元年（821）累迁中书舍人。宝历元年（825）、二年（826）以礼部侍郎知贡举，擢柳璟、刘蕡、朱庆馀、夏侯孜等。文宗立，拜户部侍郎。历尚书左丞及剑南东、西川节度使。开成三年（838）以户部侍郎同平章事。五年（840）出为湖南观察使。会昌元年（841）贬潮州刺史。宣宗立，征拜吏部尚书，大中二年（848）卒。能诗工文。与白居易、刘禹锡等有唱和。《新唐书·艺文志三》著录杨嗣复《九征心戒》一卷。《全唐诗》存诗五首、联句一首，《全唐文》存文六篇，《唐文拾遗》补一篇。事迹见新、旧《唐书》本传。

本年

南卓约五十八岁，在婺州刺史任，著成《羯鼓录》前录。南卓《羯鼓录》记此书之作云：“会昌元年，卓因为洛阳令，数陪刘宾客、白少傅宴游，白有家僮，多佐酒。卓因谈往前三数事，二公亦应和之，谓卓曰：‘若吾友所谈，宜为文纪，不可令堙没也。’时过而未录。及陕府卢尚书任河南尹，又话之，因遣为纪，即粗为编次，尚未脱稿。至东阳，因曝书见之，乃详列而竟焉。虽不资儒者之博闻，亦助宾筵之谈话，属之好事，庶几流传。前录大中二年所著。”[按，东阳即婺州，本年南卓为婺州刺史]

张祜本年约五十七岁，至滑州、苏州、湖州等地，以诗投献奉和卢弘正、卢简求、苏特等。赋《投滑州卢尚书》献卢弘正：“雨露恩重棣萼繁，一时旌旆列雄藩。”（见《张承吉文集》卷七）卢弘正时以检校户部尚书为义成节度使。（见《唐方镇年表》卷二）祜又有《投苏州卢郎中》投献卢简求，中云：“三地分符宠更深，两方旌旆日骎骎。”（见《张承吉文集》卷七）（参谭优学《唐诗人行年考·张祜行年考》）张祜又有《奉和湖州苏员外题游杯池》投献苏特。（见《张承吉文集》卷九）时苏特为湖州刺史。（见《唐刺史考》）《吴兴志》卷十四：“苏特，大中二年五月自陈州刺史拜。”

苏特本年（848）拜湖州刺史，与张祜有唱和。特，唐代小说家。京兆武功（今属陕西）人。生卒年不详。苏冕子。大和九年（835）为殿中侍御史，与李甘等反对郑注为相，贬潘州司户。大中二年（848）拜湖州刺史。四年（850），除郑州刺史。撰《唐代衣冠盛事录》一卷，著录于《新唐书·艺文志二》，已散逸。《说郛》重订本、《古今说部丛刊》有逸文。事迹见《旧唐书·文宗本纪》、《嘉泰吴兴志》卷一四。

宣宗兴复佛教，追谥宗密曰“定慧禅师”，裴休本年前后撰《圭峰禅师碑铭并序》。文云：宗密“会昌元年正月六日坐灭于兴福塔院……今皇帝再阐真宗，追谥定慧禅师”。（见《全唐文》卷七四三）《宋高僧传》卷六《唐圭峰草堂寺宗密传》：“宣宗再阐真乘，万善咸秩，追谥曰定慧禅师。”裴休（791—864），字公美，乃当世名公。登能直言极谏科，以礼部侍郎知贡举时，擢曹评、刘蜕等。为人操守严正，深于释典。书法遒媚，自成笔法。善文章，尤精表状。

孟迟约本年前后入崔郸淮南幕为掌书记，以己前曾遭谗，作《寄浙右旧幕僚》诗

以抒慨。《唐诗纪事》卷五四孟迟条引《金华子杂编》云："迟，陈商门生，为浙西掌书记，以谗罢。至淮南，崔相国奏掌书记。后以诗寄浙右幕中曰：'由来恶舌驷难追，自古无媒谤所归。勾践岂能容范蠡，李斯何暇救韩非。巨拳岂为鸡挥肋，强弩那因鼠发机。惭愧故人同鲍叔，此心江柳尚依依。'"孟迟此后行踪不详。张为《诗人主客图》将其列于"高古奥逸之升堂者"，并标举其《广陵城》："红映楼台绿绕城，城边春草傍墙生。隋家不向此中尽，汴水应无东去声。"又《过骊山诗》："冷月微烟渭上愁，华清宫树不胜秋。霓裳一曲千门锁，白尽梨园弟子头。"孟迟诗颇多堪玩味者，如《宫人斜》："云惨烟愁苑路斜，路傍丘冢尽宫娃。茂陵不是同归处，空寄香魂著野花。"《兰昌宫》："宫门两片掩埃尘，墙上无花草不春。谁见当时禁中事，阿娇解佩与何人。"《莲塘》："脉脉低回殷袖遮，脸横秋水髻盘鸦。莲茎有刺不成折，尽日岸傍空看花。"《新唐书·艺文志四》著录《孟迟诗》一卷。《全唐诗》卷五五七录其诗十七首，然有与他人重出者。

罗邺本年约二十余岁，以文学称，本年之前有《河湟》诗："河汉何计绝烽烟，免使征人更戍边。尽放农桑无一事，遣教知有太平年。"［按，此诗当作于大中三年（849）河湟收复之前］又《唐摭言》卷十《韦庄奏请追赠不及第人近代者》条："罗崧……家富于财，父则，为盐铁小吏。有子二人，俱以文学干进，邺尤长七言诗。"

崔嘏本年（848），因书李德裕贬官制不深切，贬端州刺史。嘏擅散文。字乾锡。生卒年、籍贯不详。元和十五年（820）进士及第。长庆元年（821）登贤良方正科。会昌中，累迁至邢州刺史。入为考功郎中，迁中书舍人。长于制诰。《新唐书·艺文志四》著录《制诰集》十卷，已佚。《全唐文》存制诰一卷。事迹见《新唐书·李德裕传》附传。

康僚（？—872）本年（848）为京兆府参军，充进士试官，取孙樵、高璩等。僚，唐代辞赋家。僚，一作镣。越州会稽（今浙江绍兴）人。幼嗜书，及冠能属辞。会昌元年（841）进士及第，又登博学宏词科，授秘书省正字。三年（843），辟桂管观察支使，试秘书郎。大中二年（848）为京兆府参军，充进士试官。三年（849），授大理评事兼监察御史、户部巡官。咸通元年（860）累官检校礼部郎中兼侍御史，充转运巡官。二年（861），授海州刺史。秩罢，居淮阴。八年（867）拜大理少卿。九年（868），迁仓部郎中，充西川宣慰制置盐铁法使兼西川供军使，贬澧州刺史。移郑州长史，十三年（872）卒。尤工辞赋。孙樵称其"援毫立成，清媚新峭，学者无能如"。代表作《汉武帝重见李夫人赋》描写细腻生动，是晚唐写爱情的律赋名篇。《全唐文》存律赋二篇。事迹见唐孙樵《唐故仓部郎中康公墓志铭并序》。

蒋伸本年（848）以右补阙为史馆修撰。伸，擅散文。字大直。常州义兴（今江苏宜兴）人。生卒年不详。进士及第。累佐使府。转驾部郎中、知制诰。五年（851），为邠宁节度副使。迁户部侍郎。十年（856），为翰林学士，进承旨。改兵部侍郎、判户部。十二年（858），同平章事。咸通二年（861）出为河中节度使。徙宣武节度使。七年（866），为华州刺史。再迁太子太傅，致仕，卒。能文。《全唐文》存文九篇。事迹见新、旧《唐书》本传。

蔡京（？—862）本年（848）由殿中侍御使贬法州司马。京，能诗。郓州（治今山东东平西北）人。少为僧。大和中，令狐楚为天平节度使，怜之，令伴子弟读书。开成元年（836）进士及第。又登学究科。曾任畿县尉、校书郎、监察御史。大中二年（848），由殿中侍御使贬澧州司马。大中末，为抚州刺史。徙饶州。咸通二年（861）以左庶子经制岭南。三年（862），为岭南西道节度使。为政苛惨，遭军士所逐。贬崖州司户，不肯赴任，赐自尽。与刘禹锡、贾岛、李商隐等有交往。作品多佚。《咏子规》语意奇峭，文词瑰丽，诗句“惊破红楼梦里心”为《红楼梦》书名所本。《全唐文》存文一篇。《全唐诗》存诗三首。事迹见《新唐书·南诏传》、《资治通鉴》卷二五〇《唐诗纪事》卷四九。

曹松（848—?）生。［按，《郡斋读书志》及《唐诗纪事》谓松天复元年（901）及第时已年逾七旬，则其生年应在唐文宗大和五年（831）以前。洪迈《容斋三笔》卷七《唐昭宗恤录儒士》条则谓其及第时为五十四岁，逆推之，则松当生于唐宣宗大中二年（848）。洪氏所言较为详实，今从洪说］松，字梦徵。舒州（治今安徽潜山）人。咸通中漫游湖南、岭南等地。后避乱居洪州西山。约乾符二年（875）至建州依刺史李频。频卒，流落无所遇。天复元年（901）始进士及第，敕赐秘书省正字（一说校书郎）。时年五十四，与同年王希羽等四人年已老大，时称“五老榜”。后归南昌，不知所终。与方干、许棠、栖隐、贯休等友善酬唱。诗学贾岛，长于近体。《商山》、《己亥岁二首》、《南海旅次》、《秋日送方干游上元》等为传世佳作。其诗字句工炼，能为苦寒之辞。多行旅赠送、登临题咏之作，写卑贱衰老、羁旅离别之情。《商山》等指斥“官家”、藩镇，哀伤战乱，同情民生疾苦，较多现实内容。《己亥岁二首》尤为唐诗名篇。《南海旅次》、《秋日送方干游上元》等也是传世佳作。其诗字句工炼，能为苦寒之辞，“深入幽境，然无枯淡之腐”（《唐才子传》）。明胡震亨谓松诗“致语以项斯，壮言间似李洞”，“点缀末运，赖此名场一叟”。（《唐音癸签》卷八）不善于文，所作启事时人称为“送羊脚状”。有《曹松诗集》三卷，见《新唐书·艺文志四》，有散佚。传世有《曹松诗集》二卷或一卷。《全唐诗》编诗二卷，“补遗”补九首，《全唐诗补编》补一首。事迹见《唐才子传校笺》卷一〇。

孙简（757？—848?）卒。简，擅散文。字枢中。潞州涉县（今属河北）人。元和二年（807）与杨敬之、白行简等同年进士及第。辟镇国幕府。长庆元年（821），由京兆府司录参军授荆南节度判官，白居易有《京兆府司录参军孙简可检校礼部员外郎荆南节度判官制》，称其“自登宪司，佐相幕府，暨纠天府，皆有可称”。累迁左司、吏部二郎中。由谏议大夫知制诰。进中书舍人。开成四年（839）为刑部侍郎。会昌元年（841），迁尚书左丞。历河中、兴元节度使。大中中，由太常卿为东都留守。官至太子少师。能文。《全唐文》存文四篇。事迹见唐令狐绹《孙公墓志铭》（《唐代墓志汇编续集》咸通〇九九），新、旧《唐书·孙逖传》，《唐尚书省郎官石柱题名考》卷三。

李远进司勋员外郎在本年（848）后。远为唐代诗人、辞赋家。字求古，一作承古。夔州云安（今重庆云阳）人，郡望陇西（治今甘肃陇西南）。一说蜀人，不确。生卒年不详。大和五年（831）进士及第。历当涂令。开成五年（840）辟福建观察使从事。会昌中，召为御史，迁司门员外郎。大中二年（848）后，进司勋员外郎。出为江、岳、忠、建等州刺史。十二年（858），授杭州刺史，宣宗以其有“长日惟销一局棋”诗句，不允，宰相令狐绹为之陈说，始许。官终御史中丞。有文名。工律诗。多逸气，五彩成文。代表作有《送人入蜀》、《失鹤》等。尤工赋，时人称“（许）浑诗远赋”。《新唐书·艺文志》著录《龙纪圣异历》一卷，已佚；《李远诗集》一卷，有散佚。今传《李远诗集》一卷。李之亮有《李远诗注》。《全唐诗》存诗一卷，《全唐诗补编》补一首，《全唐文》存文五篇。事迹见《唐才子传校笺》卷七。梁超然、陈冠明各有文考李远生平。

杜牧亦同时为司勋员外郎。

李廓本年（848）拜武宁军节度使，不能治军。次年，军乱被逐。廓，唐代诗人。陇西成纪（今甘肃秦安西北）人。李程子。生于贞元中。元和十三年（818）进士及第。调司经局正字。宝历中官鄠县尉。大和三年（829）任太常丞。复以“侍御”为剑南西川行营从事抗御南诏。开成中为泾原节度使王茂元幕从事。累迁刑部侍郎。大中二年（848）拜武宁军节度使，不能治军。次年，军乱被逐，贬澧州司马。移唐州司马。大中末，官至颍州刺史，再为观察使。卒于咸通中。有诗名。开成三年（838）文宗欲置诗博士，有荐之者。与贾岛、姚合等交往酬和甚密。诗风绮致。明胡震亨称其“才藻翩翩。《少年行》字字取新，冶游趣事，碎小毕备，老人读之亦狂”。（《唐音癸签》卷七）《忆钱塘》“一千里色中秋月，十万军声半夜潮”句颇有名。《宋史·艺文七》著录《李廓诗》一卷，已散佚。《全唐诗》存诗十八首，《全唐诗补编》补一首。事迹见新、旧《唐书·李程传》附传，《唐才子传校笺》卷六。

张鹭本年（848）为桂管观察使。鹭，唐代诗人。生卒年、籍贯不详。开成二年（837）为淮南节度副使。又曾为户部、司封二郎中。大中元年（847），为左谏议大夫，论以旱理囚事，诏从之。二年（848），为桂管观察使。《全唐诗》存诗一首。事迹见《千唐志斋藏志·唐茅山燕洞宫大洞炼师彭城刘氏墓志铭并序》、《唐尚书省郎官石柱题名考》卷五。

薛用弱卒于本年（848）后。用弱，唐代小说家。字中胜。生卒年，籍贯不详。郡望蒲州河东（今山西永济）。元和中曾寓居兖州一带。长庆中自礼部郎中出为光州刺史（一说大和中），为政严明而不苛残。卒于大中二年（848）后。晚年撰成《集异记》三卷（《新唐书·艺文志三》），多记唐人奇事轶闻，间有文人逸事，“叙述颇有文采，胜他小说之凡鄙”（《四库全书总目》卷一四二），为唐传奇小说集较杰出者，历代作者多所取资。原书有散佚，传世仅二卷十六条。中华书局点校本据《太平广记》辑有补编，较完善。事迹见《新唐书·艺文志三》、《太平广记》卷三一二引《三水小牍》。参《四库全书总目》卷一四二《集异记》。

公元 849 年（唐宣宗大中三年　己巳）

正月

李德裕抵崖州司户参军贬所，年已六十三。《旧唐书·李德裕传》：“又贬崖州司户。至（大中）三年正月，方达珠崖郡。”《新唐书·李德裕传》：“乃贬为崖州司户参军事。”有《登崖州城作》。《云溪友议》卷中《赞皇勋》条记：“独上高楼望帝京，鸟

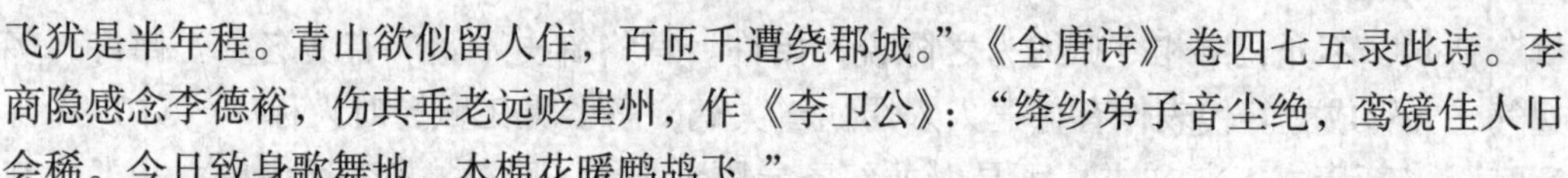

飞犹是半年程。青山欲似留人住，百匝千遭绕郡城。”《全唐诗》卷四七五录此诗。李商隐感念李德裕，伤其垂老远贬崖州，作《李卫公》：“绛纱弟子音尘绝，鸾镜佳人旧会稀。今日致身歌舞地，木棉花暖鹧鸪飞。”

李商隐选盩厔尉，京兆尹留假参军事，专事章奏，奏署掾曹。商隐仍留长安，与京兆韦观文、河南房鲁、乐安孙朴、京兆韦峤、天水赵璜等同官，诸人皆能文者。（见《樊南乙集序》，《李商隐文编年校注》）有自万里炎方携孔雀来京畿者，诸人赋诗咏之，商隐作《和孙朴韦蟾孔雀咏》，兼以自寓。商隐另有《寄怀韦蟾》诗，盖与韦蟾别后之作，并系于此。（见《李商隐诗歌集解》）

二十日，杜牧奉诏撰故江西观察使韦丹遗爱碑。牧《唐故江西观察使武阳公韦公遗爱碑》记：“皇帝诏丞相延英便殿，讲议政事，及于循吏……丞相（周）墀言：‘臣尝守土江西，目睹观察史韦丹有大功德，被于八州，殁四十年，稚老歌思，如丹尚存。’丞相敏中、丞相植皆曰：‘臣知丹之为理，所至人思，江西之政，熟于听闻。’乃命守臣纥干臬上丹之功状，朕大中三年正月二十日诏书，授史臣尚书司勋员外郎杜牧曰：‘汝为丹序而铭之，以美大其事。’”（见《樊川文集》卷七）

李商隐在京，始结交杜牧，以牧奉诏撰名臣韦丹遗爱碑为文人美事，心窃羡之，推赏其诗文，作《赠司勋杜十三员外》：“杜牧司勋字牧之，清秋一首《杜秋诗》。前身应是梁江总，名总还曾字总持。心铁已从干镆利，鬓丝休叹雪霜垂。汉江远吊西江水，羊祜韦丹尽有碑。”原注：“时杜奉诏撰韦碑。”感杜牧诗文多忧国伤时，思惟己为牧之真知音，牧为己之真同调，复作《杜司勋》：“高楼风雨感斯文，短翼差池不及群。刻意伤春复伤别，人间惟有杜司勋。”（见《李商隐诗歌集解》）

二月

礼部侍郎李褒知贡举，试《尧仁如天赋》。于珪、高璩、崔安潜、何鼎、赵隐、崔彦昭、王传、孙瑝等三十人登进士第。

于珪以第一名中进士科状元。珪，休烈曾孙［按，《广卓异记》引《登科记》，言“珪为休烈第二子”，误］《旧书·于休烈传》：休烈子肃，肃子敖，敖子珪。［咸通040］孙备咸通六年（865）五月十六日撰其妻于氏墓志铭云：“夫人鱼氏，河南人也，其始宗于汉，高门之所昌，厥后世有勋哲，至唐滋用文显科爵。高祖讳肃，入内庭为给事中；祖讳敖，宣歙道观察使；父讳珪，不欺暗室，蹈践明节，其声自腾逸于士大夫，上期必相，时君康天下而寿不俟施，首擢第春官，赴东蜀周丞相辟。”（见《唐代墓志汇编》）

高璩（？—865），本年登进士第。《旧书·高元裕传》：“子璩，登进士第。”《新唐书·高元裕传》：“璩字莹之。”张祐《孟才人叹》序云：“武宗皇帝疾笃，迁便殿，孟才人以歌笙获宠者，密侍其右。上目之曰：‘吾当不讳，尔何为哉？’指笙囊泣曰：‘请以此就缢。’上悯然，复曰：‘妾尝艺歌，愿口上歌一曲，以泄其愤。’上许之，乃歌一声《何满子》，气亟立陨。上令医候之，曰：‘脉尚温，而肠已绝矣。’及上崩，将徙其柩，举之愈重。议者曰：‘非俟才人乎？’爰命其榇，榇至乃举。嗟夫！才人以诚死，上以诚明，虽古之义激无以过也。进士高璩登第年，宴传于禁伶，明年秋，贡士文多以为之目。大中三年，遇高于由拳，话于余，聊为兴叹。”［按此，璩似于元年登第］考孙樵《故仓部郎中康公墓志铭序》：“会昌五年调，再授秘书省校书郎。大中二年复调，授京兆府参军。其年冬，为进士试官，故中书侍郎高公璩、尚书仓部郎中崔亚、前左拾遗陈画洎樵十辈，皆出其等列。”璩盖于大中二年入等，三年登第也。萧邺《高元裕碑》：“子曰璩，进士擢第。”懿宗《授高璩剑南东川节度使制》：“顷者名场颉颃，早振词科。”（见《全唐文》卷八十三）璩，字莹之。渤海（今河北沧州）人。进士及第，授试秘书省校书郎，出为剑南西川、荆南二幕掌书记。大中十二年（858），入拜右（一作左）拾遗。翌年，充翰林学士，特恩迁起居郎知制诰。十四年（860），擢右谏议大夫，仍知制诰。咸通二年（861），加承旨学士，迁工部侍郎。后任兵部侍郎，改东川节度使。六年（865），复入为兵部侍郎、同中书门下平章事，卒。谥刺。《全唐诗》存诗一首及断句一联。事迹见新、旧《唐书·高元裕传》附传，《唐诗纪事》卷五三，岑仲勉《翰林学士壁记注补》。

崔安潜，生卒年不详，本年进士及第。《旧书·崔慎由传》：“慎由弟安潜，字进之，大中三年登进士第。”《唐诗纪事》：“何泽，韶阳曲江人也。父鼎，容管经略，有文称。泽乾宁中随计至三峰行在，永乐崔公安潜即泽之同年丈人也，闻泽来，乃以一绝报之曰：‘四十九年前及第，同年惟有老夫存。今日殷勤访吾子，稳将鬐鬣上龙门。’”按此，安潜盖与泽之父鼎同年。自大中三年至乾宁四年为四十九年，泽于梁太祖时及第也。［按，上引《唐诗纪事》当本《唐摭言》卷九“表荐及第”条。又，《全唐文补遗》册六］崔就撰《唐故□□□□□□□太子太师上柱国清河郡开国公食邑二千户赠开府仪同三司太尉清河崔公（安潜）墓志铭并序》云：“□讳安潜，字延之，其先東武城人也。……及壮，秀丽该博，声华特甚。甲科擢进士第，释褐试秘校。”安潜，字进之。清河武城（今属山东）人。生卒年不详。进士及第，历吏部员外郎、司封郎中。中书舍人等。咸通十三年（872），为江西观察使。徙忠武节度使。乾符五年（878）为剑南西川节度使。广明元年（880），入为吏部尚书，复罢为太子宾客，分司东都。中和二年（882），召为太子少师。僖宗还京后，以功累加检校侍中。龙纪元年（889），拜平卢节度使，未莅任。累加太子太傅，卒。《全唐诗》存诗一首，《唐代墓志汇编续集》存墓志一篇。事迹见其文及新、旧《唐书》本传。

赵隐，生卒年不详，本年进士及第。《旧唐书》本传：“隐字大隐，京兆奉天人，［按，《新唐书》作会昌中擢第，误］本年应进士登第。”

崔彦昭，生卒年不详，本年进士及第。《旧唐书》本传：“彦昭字思文，清河人。大中三年进士擢第，释褐诸侯府。”《宰相世系表》，彦昭父圯。《中朝故事》：“咸通中，辅相崔彦昭、兵部侍郎王凝乃外表兄弟也。凝大中元年进士及第，来年彦昭犹下第，因访凝，凝衩衣见之，崔甚恚。凝又戏之曰：‘君却好应明经举也。’彦昭忿怒而出，三年乃登第。懿皇朝多自夏官侍郎判盐蛾，郎秉钧轴。一旦凝拜是官，决意入相。彦昭陷之，后數月之闲，蔓蛾中有嘌壤，凝摝职。朝廷以彦昭为之，半鞍而入相。彦昭母乃命多袭鞋履，谓侍婢曰：‘王氏妹必與王侍郎同窜逐，吾要伴小妹同行也。’彦昭闻之，泣拜其母，谢曰：‘必无此事。’王凝竟免其实也。”［按，《彦昭传》言赵隐、

高璩与彦昭同年进士]

王传，生卒年不详，本年进士及第。《唐诗纪事》：“传登大中三年进士第。初贫窭，于中条山万固寺入院读书。”

孙瑝，生卒年不详，本年进士及第。李都撰咸通十二年（871）十二月五日《唐故御史中丞汀州刺史孙公（瑝）墓志铭并序》云：“亡友孙子泽以咸通十二年六月三日殁于临汀刺史之位。……公讳瑝，乐安人。……公庄重粹和，秀融眉睫。自冠岁笃于孝悌，声鼓搢绅，郁为名人之所器，仰若兰牙挂颖，香泄人间，故搴芳者争取。由是一贡第进士于李公褒，议者不以为速。”（见《全唐文补遗》册五）考李褒于本年以礼部侍郎知贡举，则孙瑝当于是年登进士第。[按，瑝卒于咸通十二年（871），享年五十四，其登第时为二十二岁]

知贡举：礼部侍郎李褒。《唐语林》：“大中三年，李褒侍郎知贡举，试《尧仁如天赋》。宿州李使君弟渎不识题，[赵校：“李使君”，原误“弟使君”，据《唐语林》卷七改] 讯同铺，或曰：‘止于尧之如天耳。’渎不悟，乃为句曰：‘云攒八彩之眉，电闪重瞳之目。’赋成将写，以字数不足，忧甚，同辈给之曰：‘但一联下添一“者也”当足矣。’褒览之大笑。”

春，杜牧将所注《孙武十三篇》献宰相周墀，并呈《上周相公书》，强调大儒知兵法之重要。文曰：“长庆兵起，自始至终，庙堂之上，指踪非其人，不可一二悉数。某所注《孙武》十三篇，虽不能上穷天时，下极人事，然上自周、秦，下至长庆、宝历之兵，形势虚实，随句解析，离为三编，辄敢献上，以备阅览。”（见《樊川文集》卷十二）

吐蕃国内乱起，三州七关民众自来归唐。《资治通鉴》载：“大中二年二月，吐蕃秦、原、安乐三州及石门等七关来降（胡三省注：盖三州、七关，以吐蕃国乱，自来降唐）。以太仆卿陆耽为宣谕使，诏泾原、灵武、凤翔、邠宁、振武皆出兵应接。”（参《旧唐书·宣宗本纪》）又《资治通鉴》并载：本年八月，河、陇老幼千余人曾来长安，宣宗登延喜门楼接见。

春，李商隐作《骄儿诗》。诗云：“衮师我骄儿，美秀乃无匹。………青春妍和月，朋戏浑甥侄。……爷昔好读书，恳苦自著述。憔悴欲四十，无肉畏蚤虱。儿慎勿学爷，读书求甲乙。穰苴司马法，张良黄石术，便为帝王师，不假更纤悉。……儿当速成大，探雏入虎窟。当为万户侯，勿守一经帙。”于轻怜爱惜与幽默风趣中，寓沉沦不遇之泪。（见《李商隐诗歌集解》）

四月

崔铉入相。（见《新唐书·宰相表》）《旧唐书·崔铉传》：“会昌末，以本官同平章事。”后罢相，“大中三年，召拜御史大夫，寻加正议大夫、中书侍郎、同平章事”。

薛逢前曾蒙崔铉奖掖，于铉入相前初召入京时，作《上盐铁崔尚书》。中云：“伏承相公忽承明诏，远赴阙廷。……沙堤尚在，复瞻丞相之车。……因敢专驰状启，远谢恩知。”（见《全唐文》卷七六六）铉为宰相，遂擢逢为万年尉。《旧唐书·薛逢传》：“（崔）铉复辅政，奏授万年尉，直弘文馆。”逢为万年尉事亦约在此时或稍后。

五月

幽州节度使张仲字卒，三军奉其子直方知留后事。（见《旧唐书·宣宗本纪》）[按，本年十一月幽州军中再乱，复驱逐张直方，推其衙将周纨为留后。朝廷均无对策]

徐州军乱，逐节度使李廓，以义成军节度使卢弘止为武宁（感化）军节度使。

郑畋二十五岁，已罢渭南尉。时其父郑亚已贬为循州刺史，遂南觐，李商隐赋诗送别。《旧唐书·郑畋传》记：“（畋）授渭南尉，直史馆事。未行，郑亚出桂州，畋随侍左右。”李商隐别郑畋之《送郑大台文南觐》诗云：“黎辟滩声五月寒，南风无处附平安。君怀一匹胡威绢，争拭酬恩泪得干？”（见《李商隐诗歌集解》）

李商隐弟羲叟授秘书省校书郎，商隐作《为弟作谢座主魏相公启》呈魏扶，谢拔擢之恩：“羲叟启。伏奉前月二十八日敕旨，授秘书省校书郎，知宗正表疏。续奉今月五日敕，改授河南府参军，依前充职者。小宗伯之取士，早辱搜扬，大宗正之荐贤，又蒙抽擢。未淹旬日，再授班资，任重本枝。职齐载笔。方殊王逸，惟注《楚辞》；有异郝隆，但攻蛮语。此皆相公事均卵翼，势作风云，特于汩没之中，俯借扶摇之便。孔龟效印，未议于酬恩；杨雀衔环，徒闻于报惠。感忭之至，罔知所裁。谨启。”

令狐绹二月自翰林学士承旨拜中书舍人，五月迁御史中丞。（见《玉谿生年谱会笺》）其间，李商隐有《令狐舍人说昨夜西掖玩月因戏赠》相赠。其《街西池馆》、《过郑广文旧居》亦此时前后之作。

六月

李商隐触目萱含朱粉、荷抱绿房之景，追慕前代诗人韩翃，拟其诗思情韵，作《韩翃舍人即事》。诗云：“萱草含丹粉，荷花抱绿房。鸟应悲蜀帝，蝉是怨齐王。通内藏珠府，应官解玉坊。桥南荀令过，十里送衣香。”同时作有《漫成五章》。其一云：“沈宋裁辞矜变律，王杨落笔得良朋。当时自谓宗师妙，今日唯观对属能。”其二云：“李杜操持事略齐，三才万象共端倪。集仙殿与金銮殿，可是苍蝇惑曙鸡。”其三云：“生儿古有孙征虏，嫁女今无王右军。借问琴书终一世，何如旗盖仰三分？”其五云：“郭令素心非黩武，韩公本意在和戎。两都耆旧偏垂泪，临老中原见朔风。”《漫成三首》作年难考，附系于此。其二云：“沈约怜何逊，延年毁谢庄。清新俱有得，名誉底相伤？”其三云：“雾夕咏芙蕖，何郎得意初。此时谁最赏？沈范两尚书。”

夏，房千里待罪庐陵，撰《庐陵所居竹室记》：“予三年夏待罪于庐陵，其环堵所栖者，率用竹以结。……今予方穷不能奋，果穷也，其处于是亦宜矣。……予书其词于壁。”（见《全唐文》卷七六〇）《新唐书·艺文志二》著录房千里《投荒杂录》一卷，注：“字鹄举，大和初进士第，高州刺史。”《唐诗纪事》卷五一记其“终高州刺史”。

八月

乙酉，河陇老幼千余人诣阙，庆贺唐收复河湟三州七关。乙丑，上御延喜门楼见之，欢呼舞跃，解胡服，袭冠带，观者皆呼万岁。（见《资治通鉴》卷二四八大中三年“八月”条。参《旧唐书·宣宗本纪》）诗人多赋诗纪此盛事。

杜牧《今皇帝陛下一诏征兵不日功集河湟诸郡次第归降臣获睹圣功辄献歌咏》：“捷书皆应睿谋期，十万曾无一镞遗。汉武惭夸朔方地，宣王休道太原师。威加塞外寒来早，恩入河源冻合迟。听取满城歌舞曲，凉州声韵喜参差。”（见《樊川文集》卷二）

薛逢亦有《八月初一驾幸延喜楼看冠带降戎》：“城头旭日照阑干，城下降戎彩仗攒。九陌尘埃千骑合，万方臣妾一声欢。楼台乍仰中天易，衣服初回左衽难。清水莫教波浪浊，从今赤岭属长安。”（《全唐诗》卷五四八）

刘驾（822—?）二十八岁，感河湟事亦作《唐乐府十首》以献。《唐才子传·刘驾传》：“时国家复河、湟故地，有归马放牛之象，驾献乐府十章，序曰云云。”此诗序云：“唐乐府，自《送征夫》至《献贺觞》，歌河、湟之事也。下土土贡臣驾，生于唐二十八年，获见明天子以德归河、湟地。臣得与天下夫妇复为太平人，独恨愚且贱，蠕蠕泥土中，不得从臣后拜舞称于上前，情有所发，莫能自抑，作诗十章，目曰唐乐府，虽不足贡声宗庙，形容盛德，而愿与耕稼陶渔者歌田野江湖间，亦足自快。”（见《全唐诗》卷五八五）其《唐乐府十首》包括《送征夫》、《输者讴》、《吊西人》、《边军过》、《望归马》、《祝河水》、《田西边》、《昆山》、《乐边人》、《献贺觞》。其《吊西人》云：“河湟父老地，尽知归明主。将军入空城，城下吊黄土。所愿边人耕，岁岁生禾黍。”《田西边》云：“刀剑作锄犁，耕田古城下。高秋禾黍多，无地放羊马。”

九月

九日，李商隐因希求令狐绹汲引无望，益追念昔日令狐楚之厚遇栽培，作《九日》诗。诗云：“曾共山公把酒时，霜天白菊绕阶墀。十年泉下无消息，九日尊前有所思。……郎君官贵施行马，东阁无因再得窥。”（见《李商隐诗歌集解》）约此时前后，商隐作《野菊》、《白云夫旧居》、《过尹仆射故居》等诗。《白云夫旧居》云：“平生误识白云夫，再到仙簷忆酒垆。墙外万株人绝迹，夕阳唯照欲栖乌。”（见《李商隐诗歌集解》）

秋，许浑在京任监察御史，约五十五岁，有《秋日早朝》诗。中云：“龙旗尽列趋金殿，雉扇才分见玉旒。虚戴铁冠无一事，沧江归去老渔舟。”（见《全唐诗》卷五三三）《郡斋读书志》卷四中记浑“大中三年为监察御史”。又有《卧病》，题下小注：“时在京师。”诗中云：“寒窗灯尽月斜晖，佩马朝天独掩扉。清露已凋秦塞柳……卧闻燕雁向南飞。”（《全唐诗》卷五三六）后以疾辞官，改授润州司马，李频赋诗送行。许浑《乌丝栏诗自序》云：“大中三年，守监察御史，抱病不任朝谒，坚乞东归。”许浑《梁秀才以早春旅次大梁……》诗于“渭阳连汉曲，京口接漳滨”句下自注云：“某自监察御史谢病归家，蒙除润州司马。”浑离京赴润州时，李频有《送许浑侍御赴润州》，中有“祖席离乌府，归帆转蜃楼”句。（见《全唐诗》卷五八七）乌府即指监察御史所属之御史台。出关时，浑咏诗抒怀。回润州后，杜牧闻其潇洒自适，颇为欣羡，遂赋《许七侍御弃官东归潇洒江南颇闻自适高秋企望题诗寄赠十韵》诗寄赠：“天子绣衣吏，东吴美退居。有园同庾信，避事学相如。……江山九秋后，风月六朝余。锦肆开诗轴，青囊结道书。”（见《樊川文集》卷二）

秋，刘蕡（？—849）卒。蕡，字去华。幽州昌平（今属北京）人。博学善文章，耿介嫉恶，有澄清天下之志。宝历二年（826）进士及第。大和二年（828），举贤良方正能直言极谏科，对策，分析唐王朝面临的深重危机，抨击宦官专权，提出一系列清明政治的主张，议论深切，言词激烈，感人至深，是唐人策论名篇。策试官畏宦官，不敢录取。舆论称屈。大和八、九年（834、835）间，辟宣歙从事。开成中，以校书郎、御史先后辟山南西、东道从事，甚受尊重。以宦官嫉恨，贬柳州司户参军。大中时，客死溢浦。工策论。《新唐书·艺文志四》著录《刘蕡策》一卷。《全唐文》存文一篇。事迹见新、旧《唐书》本传。（参《李商隐诗歌集解》）

李商隐闻刘蕡客死溢浦，赋诗四首，重叠致哀祭吊，于蕡之节义风概，极崇仰之情。七律《哭刘蕡》云：“黄陵别后春涛隔，湓浦书来秋雨翻。……平生风义兼师友，不敢同君哭寝门。”五律《哭刘司户蕡》云：“路有论冤谪，言皆在中兴。空闻迁贾谊，不待相孙弘。”《哭刘司户二首》其一云：“江风吹雁急，山木带蝉曛。一叫千回首，天高不为闻。”其二中云：“有美扶皇运，无谁荐直言。已为秦逐客，复作楚冤魂。……并将添恨泪，一洒问乾坤。”（见《李商隐诗歌集解》）

十月

武宁节度使卢弘止奏辟李商隐入幕。弘止，卢纶子，喜撰文。素赏商隐，闻其罢桂幕未久，落魄京畿，故有此辟请。李商隐《樊南乙集序》记：“是岁，葬牛太尉……十月，尚书范阳公（卢弘止）以徐戎凶悍，节度阙判官，奏入幕。……明年府薨。”（《李商隐文编年校注》）商隐《偶成转韵七十二句赠四同舍》，追忆往昔受卢弘止赏识之事有云：“忆昔公为会昌宰，我时入谒虚怀待。众中赏我赋《高唐》，回看屈宋由年辈。公事武皇为铁冠，历厅请我相所难。我时憔悴在书阁，卧枕芸香春夜阑。”弘止此次奏辟商隐之礼遇甚隆，商隐有三启呈谢。以京中多有名宦望门慕托商隐为文者，岁末方赴任。其《上尚书范阳公启》其第一启云：“某启：仰蒙仁恩，俯赐手笔，将虚右席，以召下材。……某幸承旧族，蚤预儒林。邺下词人，夙蒙推与（一作奖），洛阳才子，滥被交游，而时亨命屯，道泰身否。成名逾于一纪，旅宦过于十年。恩旧凋零，路歧凄怆。荐祢衡之表，空出人间，嘲扬子之书，仅盈天下。去年远从桂海，来返玉京。……束书投笔，仰副嘉招。”第二启云：“某启：某猥以谀闻，仰承嘉命，处囊引喻，未施下客之能；在握称珍，遂忝上卿之列……况尚书学总百家，术穷《三略》。文锋笔力，抉扬、马之悬门……岂意非才，旋蒙过听。……手足分荣，里闾交庆。行吟花幕，卧想金台。未离紫陌之尘，已梦清淮之月。依仁佩德，白首知归。伏惟俯赐恩察。谨启。”第三启云：“某启：绢若干，右特蒙仁恩，赐备行李，仅依数捧领讫。嘉命猥临，厚赍仍及。捉襟见肘，免类于前哲；裂裳裹踵，无取于昔人。感佩私恩，不知所喻。谨启。”（见《李商隐文编年校注》，《樊南文集》卷四）

十一月

二十日，李德裕在崖州贬所，致书表弟语及其遭贬后之穷困卧病。宋洪迈《容斋续笔》卷一《李卫公帖》：“李卫公在朱崖，表弟某侍郎遣人饷以衣物，公有书答谢之，曰：‘天地穷人，物情所弃，虽有骨肉，亦无音书，平生旧知，无复吊问。……大海之中，无人拯恤，资储荡尽，家事一空，百口嗷然，往往绝食，块独穷悴，终日告饥，惟恨垂没之年，须作馁而之鬼。十月末伏枕七旬，药物尽裛，又无医人，委命信天，幸而自活。……闰十一月二十日，从表兄崖州司户参军同正员李德裕状侍郎十九弟。”孙光宪《北梦琐言》卷八：“唐太尉李德裕左降至朱崖，著四十九论，叙平生所志。尝遗段少常成式书曰：‘自到崖州，幸且顽健。居人多养鸡，往往飞入官舍，今且作祝（宋吴垌《五总志》作“呪”）鸡翁耳。’”《会昌一品集·别集》卷六《与姚谏议郃书三首》即约作于此时前后，中即有上述洪迈所引者。据岑仲勉《唐史余沈》卷三《再论文饶集之姚谏议》，姚谏议即姚勖，非姚郃。

李商隐作《与白秀才状》、《与白秀才第二状》，与居易嗣子景受商酌撰白居易碑铭诸事宜。（见《李商隐文编年校注》）

山南西道节度使郑涯，上报朝廷奏开文川谷路。稍后，孙樵撰《兴元新路记》：“荥阳公为汉中，以褒斜旧路修阻，上疏开文川道以易之。”（见《全唐文》卷七九四）

闰十一月

杜牧在京任司勋员外郎，因京官俸薄，请求外放。其《上宰相求杭州启》：“弟顗……不幸得痼疾，坐废十三年矣，今与李氏孀妹寓居淮南，并仰某微官以为糇命。某前任刺史七年，给弟妹衣食有余……今秋已来，弟妹频以寒馁来告。某一院家累亦四十口，狗为朱马，缊作由袍，其于妻儿，固宜穷饿。是作刺史则一家骨肉四处皆泰，为京官则一家骨肉四处皆困。”（见《樊川文集》卷十六，参缪钺《杜牧年谱》）杜牧大中四年作有《上宰相求湖州启》，中云：“某去岁闰十一月十四日，辄书微恳，列在长启……乞守钱塘。”

冬至，李商隐于此前撰成《刑部尚书致仕赠尚书右仆射太原白公墓志铭》。文曰：“公……会昌六年八月薨东都……子景受，大中三年自颍阳尉典治集贤御书，侍太夫人弘农郡君杨氏来京师，胖胖兢兢，奉公之遗，畏不克既，乃件右功世，以命其客取文刻碑……其曾祖弟，今右仆射平章事敏中…… 仲冬南至，［按，南至即冬至日，本年在闰十一月］备宰相仪物，擎跪斋栗，给事寡嫂。……以信公知人。集七十五卷，元相为序。系曰：……刻诗于碑，以报百世。公老于东，遂葬其地。”（见《李商隐文编年校注》）

十二月

李德裕（787—850）卒于崖州贬所，年六十三。著有《会昌一品集》二十卷，《次柳氏旧闻》一卷等。（见《旧唐书·李德裕传》）德裕，字文饶。初名绒，又名掌武，似弱冠改名德裕。赵郡赞皇（今属河北）人。李吉甫子。早岁盛有词藻，而不乐应举，以荫补校书郎，历幕职。穆宗即位擢升翰林学士，禁中书诏，大制作多诏德裕起草，与元稹、李绅齐名，合称“三俊”。不久，受宰相李逢吉排挤出为浙西观察使，复历义成、西川诸镇，政绩卓著。文宗大和六年（832）以兵部尚书召入。次年，拜相，封赞皇县伯。武宗即位再度任相，秉钧会昌一朝前后六年。在武宗支持下，他内定叛镇，抑制权阉，整肃科举吏治；外御回鹘等侵凌，使朝廷一时呈中兴之势。封卫国公，拜太尉。宣宗大中初，受牛党打击，迭遭贬谪，先后贬为潮州司马、崖州司户参军。大中三年十二月［按，为公元850年1月］卒于崖州任所。后人因有“李赞皇”、“李卫公”、“李太尉”、“李崖州”之称。时人于其功业、文学多所推崇。皮日休《追和虎丘寺清远道士诗》小序：“虎丘山有清远道士诗一首。……颜太师鲁公爱之不暇，遂刻于岩际，并有继作。李太尉卫公钦清远之高致，慕鲁公之素尚，又次而和之。颜之叙事也典，李之叙事也丽。并一时之寡和。”（见《松陵集》卷二）《旧唐书·李德裕传》：“德裕以器业自负，特达不群。好著书为文，奖善嫉恶，虽位极台辅，而读书不辍。……在长安私第，别构起草院。院有精思亭，每朝廷用兵，诏令制置，而独处亭中，凝然握管，左右侍者无能预焉……有文集二十卷。记述旧事，则有《次柳氏旧闻》、《御臣要略》、《代叛志》、《献替录》行于世。初贬潮州，虽苍黄颠沛之中，犹留心著述，杂序数十篇，号曰《穷愁志》。”《新唐书·李德裕传》：“德裕性孤峭，明辩有风采，善为文章。虽至大位，犹不去书。其谋议援古为质，衮衮可善。”《云溪友议》卷中《赞皇勋》：“或问赞皇公之秉钧衡也，毁誉如何？削祸乱之阶，辟孤寒之路；好奇而不奢，好学而不倦；勋业素高，瑕疵乃顾。是以结怨豪门，取尤群彦。后之文场困辱者，若周人之思乡焉，皆曰：‘八百孤寒齐下泪，一时回首望崖州。’”汪遵亦有《题李太尉平泉庄》：“平泉花木好高眠，嵩少纵横满目前。惆怅人间不平事，今朝身在海南边。”（见《全唐诗》卷六〇二）德裕不仅以政治才能为人所钦佩，其文学才能亦足获誉当时后世，兼擅诸体诗文，尤以文章高。其论及文学创作的篇什亦不乏精辟独到之见，为后世所称引。其文以《会昌一品集》所收政治性应用文致力最深。他以宰辅之身亲自撰写的册命典诰奏议碑赞军机羽檄等，不特数量之大“为唐人文集所仅见”（陈鸿墀《全唐文纪事·体例》），且文笔高妙，独步一时。成就堪与汉唐政论文高手晁错、陆贽相比肩。王世贞《弇州山人稿·读〈会昌一品集〉》甚至以为李文“无论其文辞剀凿瑰丽而已，即揣摩悬断，曲中利害，虽晁、陆不及也”。其赋以《大孤山赋》为最，欧阳修赞曰：“赞皇文辞，甚可爱也。”（见《集古录跋尾》卷九）其诗以五言见长，古体、律绝兼具。诸诗随物赋形，平淡清雅，王士祯以为“别集忆平泉五言诸诗，较白乐天、刘梦得不啻过之”。（见《池北偶谈》卷一七）七律《谪岭南道中作》、七绝《登崖州城楼作》等，多为唐诗选本所录。晚清李岳瑞论其诗以为“古体出入陶、谢，律体颉颃文房、子厚”。（见《李卫公传》）德裕亦有词作。南宋许觊《彦周诗话》

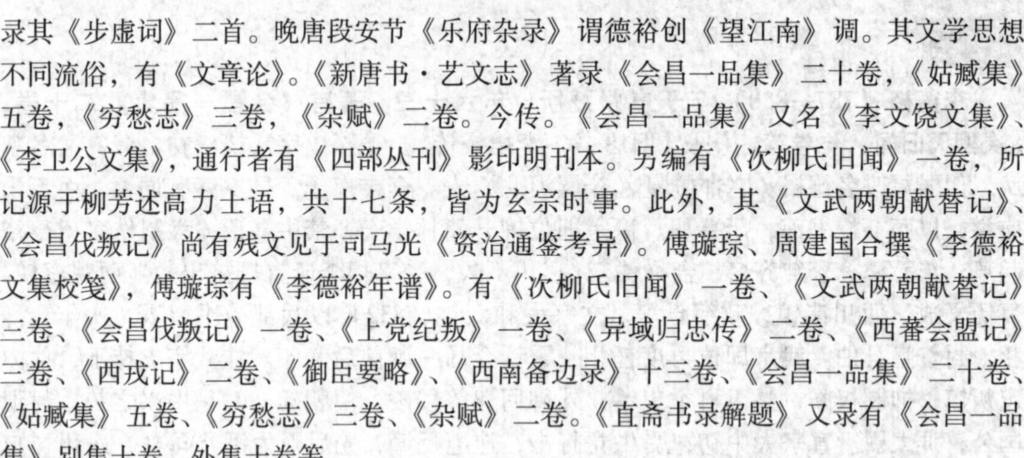

录其《步虚词》二首。晚唐段安节《乐府杂录》谓德裕创《望江南》调。其文学思想不同流俗，有《文章论》。《新唐书·艺文志》著录《会昌一品集》二十卷，《姑臧集》五卷，《穷愁志》三卷，《杂赋》二卷。今传。《会昌一品集》又名《李文饶文集》、《李卫公文集》，通行者有《四部丛刊》影印明刊本。另编有《次柳氏旧闻》一卷，所记源于柳芳述高力士语，共十七条，皆为玄宗时事。此外，其《文武两朝献替记》、《会昌伐叛记》尚有残文见于司马光《资治通鉴考异》。傅璇琮、周建国合撰《李德裕文集校笺》，傅璇琮有《李德裕年谱》。有《次柳氏旧闻》一卷、《文武两朝献替记》三卷、《会昌伐叛记》一卷、《上党纪叛》一卷、《异域归忠传》二卷、《西蕃会盟记》三卷、《西戎记》二卷、《御臣要略》、《西南备边录》十三卷、《会昌一品集》二十卷、《姑臧集》五卷、《穷愁志》三卷、《杂赋》二卷。《直斋书录解题》又录有《会昌一品集》别集十卷、外集十卷等。

本年

李商隐由长安赴徐州卢弘止幕，薛逢在长安，作《重送徐州李从事商隐》。诗云："莲府望高秦御史，柳营官重汉尚书。……尺组挂身何用处（一作说），古来名利尽丘墟。"（见《李商隐诗歌集解》，《全唐诗》卷五四八）

孙樵激切反对宣宗恢复佛寺，作《与李谏议行方书》："今年三月，上尝欲营治国门，执事尚谏罢之。今诏营废寺，以复群髡。三年之间，斤斧之声不绝，度其经费岂特国门之广乎？"（《孙可之文集》卷三）又樵多有论文之言，然未详作年，今择要移录于此。《与王霖秀才书》（《全唐文》卷七九四）："鸾凤之音必倾听，雷霆之声必骇心。龙章虎皮是何等物，日月五星是何等象？储思必深，摛词必高。道人之所不道，到人之所不到。趋怪走奇，中病归正。以之明道，则显而微；以之扬名，则久而传。前辈作者正如是。譬如玉川子《月蚀诗》，杨司城《华山赋》，韩吏部《进学解》，冯常侍《清河壁记》，莫不拔地倚天，句句欲活。读之如赤手捕长蛇，不施控骑生马，急不得暇，莫可捉搦。又似远人入太兴城，茫然自失。讵比十家县，足未及东郭，目已极西郭耶？樵尝得为文真诀于来无择，来无择得之于皇甫持正，皇甫持正得之于韩吏部退之。"又《与人论文书》："古今所谓文者，辞必高然后为奇，意必深然后为工。焕然如日月之经天也，炳然如虎豹之异犬羊也。是故，以之明道，则显而微；以之扬名，则久而传。今天下以文进取者……其习于易者，则斥艰涩之辞；攻于难者，则鄙平淡之言。至有破句读以为工，摘俚句以为奇。……当元和、长庆之间，达官以文驰名者，接武于朝，皆开设户牖，主张后进，以磨定文章。故天下之文，薰然归正。洎李御史甘以乐进后士，飘然南迁，由是达官皆阖关龄舌，不敢上下后进，宜其为文者得以盛任其意，无所取质。此诚可悲也。"又《与贾希逸书》同上："文章亦然。所取者廉，其得必多；所取者深，其身必穷。……元结以《浯溪碣》穷，陈拾遗以《感遇》穷，王勃以《宣尼庙碑》穷，玉川子以《月蚀诗》穷，杜甫、李白、王江宁，皆相望于穷也。天地其无意乎？今足下立言必奇，摭意必深，抉精剔华，期到圣人。以此贾于时，钓荣邀富，犹欲疾其驱而方其轮。"

刘蜕本年二十九岁，得悉裴休明年主文柄，作《上礼部裴侍郎书》上之，述其家境之贫寒，觅仕之苦辛，汲求援引。休明年春知贡举，刘蜕于其下登进士第。（详明年二月条）其文云："及今年冬，见乙西诏书，用阁下以古道正时文，以平律校郡士……蜕也材不良，命甚奇……将三十年矣。今而后阁下进之，蜕亦得以至公进。……蜕少时，不知小人通生有自可之事……今者欲三十岁矣，所望不过抱关输力，求粟养亲而已。何者？家在九曲之南，去长安近四千里，膝下无怡怡之助，四海无强大之亲。日行六十里，用半岁为往来程，岁须三月侍亲左右，又留三月为乞假衣食于道路。是一岁之中，独留一月在长安。王侯听尊，媒妁声深，况有疾病寒暑风雨之不可期者，杂处一岁之中哉！是风雨生白发，田园变荒芜，求抱关养亲，亦不可期也。"（见《全唐文》卷七八九）刘蜕《与京西幕府书》亦约是时前后作，中云："独蜕身居甚困，自身三十过于相如者。"陈寅恪《刘复愚遗文中年月及其不祀祖问题》以为此文"三十之语不过举成数而言，仍是大中三年年二十九时所作也"。

秋冬之际，陈陶约自南海北归钟陵，作《将归钟陵留赠南海李尚书》留赠李行修。（见《全唐诗》卷七四五）时行修在岭南东道任。（见《据唐方镇年表》卷七）途经庐陵已是冬日，作《冬日暮旅泊庐陵》："螺亭倚棹哭飘蓬，白浪欺船自向东。楚国蕙兰增怅望，番禺筐篚屡虚空。"（《全唐诗》卷七四六）《唐才子传·陈陶传》记："（陶）大中中，避乱入洪州西山，学神仙咽气有得。"《北梦琐言》卷五："大中年，洪州处士陈陶者，有逸才，歌诗中似负神仙之术，或露王霸之说，虽文章之士，亦未足凭，而以诗见志，乃宣父之遗训也。其诗句云：'江湖水深浅，不足掉鲸尾。'又云：'饮冰狼子瘦，思日鹧鸪寒。'又云：'中原不是无麟凤，自是皇家结网疏。'又云：'一鼎雄雌金液火，十年寒暑鹿麑衣。寄与东流任斑鬓，向隅终守铁梭飞。'诸如此例，不可殚记。"［按，此记陈陶隐西山及所作诗事当在本年自南海北返之后，其《题豫章西山香城寺》（《全唐诗》卷七四六）或即本年归隐后之作］

陈陶（？—约 885 前）约本年（849）复归洪州。陶，以诗名家。字嵩伯。籍贯不详。早年有读书封侯之志。举进士不第。大和中游闽，干谒州郡。会昌中寓洪州。后游容州、广州。本年（849）返洪州。后以大中十二年（858）江西军乱，隐西山，以种柑橘为生，读书为事。病卒于山中。与任碗、元李、贯休等友善。工诗。张为《诗人主客图》列为"清奇僻苦主"孟郊之"上入室"。尤长于乐府。《陇西行四首》之二为唐诗名篇。《新唐书·艺文志四》著录《文录》十卷，已散佚。今传辑本《陈嵩伯诗集》一卷，《全唐诗》存诗二卷，混有陈羽及五代陈陶之诗。事迹见其诗、贯休等人诗及《北梦琐言》卷三。

张祜本年五十八岁，寓居于临平山下，于由拳遇进士高璩，作《孟才人叹一首并序》。其序记武宗疾笃时，孟才人歌《何满子》而"气亟立殒"等事，进士高璩"登第年宴，传于禁伶。明年秋，贡士文多以为之目。大中三年，遇嵩（按《张处士集》作高）于由拳，哀话于余，聊为兴叹"。（见《张承吉文集》卷四）［按，由拳，据《元和郡县图志》卷二五，乃在杭州余杭县］祜另作有《寓居临平山下三首》、《题赠盐官池安禅师》、《题海盐南馆》（《张承吉文集》卷六、卷一）。

马戴约本年自太原幕掌书记贬朗州龙阳尉，道中有诗数十篇以寄情感怀。［按，或曰事在851年］其边塞诗多有咏于本年前后者。《金华子杂编》卷下:“以恩地为恩府,始于马戴。戴大中初为掌书记于太原李司空幕,以正言被斥,贬朗州龙阳尉。戴著书自痛不得尽忠于恩府,而动天下之浮议。”《唐语林》卷二载此事,并云:“行道兴咏,寄情哀楚,凡数十篇。其《方城怀古》云:‘申胥枉向秦庭哭,靳尚终贻楚国羞。’《新春闻赦》云:‘道在猜谗息,仁深疾苦除。尧聪能下听,汤网本来疏。’”［按,马戴在太原幕及其被斥确年难考,以《金华子杂编》记在大中初,且明年正月马戴在龙阳有《新春闻赦》诗,故记在本年］又马戴集中颇多边塞之作,其作年难确考,今姑略叙于此:《关山曲二首》(《全唐诗》卷五五五)其一:“金甲耀兜鍪,黄云拂紫骝。叛羌旗下戮,陷壁夜中收。霜霰戎衣月,关河碛气秋。箭疮殊未合,更遣出兰州。”其二云:“木落防河急,军孤受敌偏。犹闻汉皇怒,按剑待开边。”《塞下曲二首》其一:“骨销金镞在,鬓改玉关中。却想羲轩代,无人尚战功。”《陇上独望》:“斜日挂边树,萧萧独望间。阴云藏汉垒,飞火照胡山。陇首行人绝,河源夕鸟还。谁为立勋者,可惜宝刀闲。”《射雕骑》(《全唐诗》卷五五六):“蕃面将军著鼠裘,酣歌冲雪在边州。猎过黑山犹走马,寒雕射落不回头。”《出塞词》:“金带连环束战袍,马头冲雪度临洮。卷旗夜劫单于帐,乱斫胡儿(一作兵)缺宝刀。”马戴诗以《楚江怀古三首》(《全唐诗》卷五五五)著名,其一云:“露气寒光集,微阳下楚丘,猿啼洞庭树,人在木兰舟。广泽生明月,苍山夹乱流。云中君不降(一作见),竟夕自悲秋。”故《唐才子传·马戴传》称“戴诗壮丽,居晚唐诸公之上。优游不迫,沉著痛快,两不相伤,佳作也”。其边塞之作亦然。

许棠本年二十八岁,约本年前后,游太原,与诗人马戴交游,其游边塞之作或有作于此时者。《唐摭言》卷四《气义》载:“许棠久困名场,咸通末马戴佐大同军幕,棠往谒之,一见如旧相识,留连数月,但诗酒而已,未尝问所欲。一旦大会宾友,命使者以棠家书授之,棠惊愕,莫知其来。启缄,乃知戴潜遣一介恤其家矣。”(参《唐诗纪事》卷五四、《唐才子传》卷九,二书所载略同)据本年马戴条,此事约在本年前后且地在太原,今姑记于此。又许棠诗多有游边之作,如《塞外书事》、《雁门关野望》、《塞下二首》、《出塞门》、《题秦州城》、《春日鸟延道中》(均见《全唐诗》卷六〇三),《边城晚望》、《成纪书事》、《将过单于》、《雕阴道中作》(均见《全唐诗》卷六〇四),诸游边之作未详作年,且未必一时所作,以其本年前后在太原,故叙于此。

邢群(800—849)卒。群字涣思。河间(今属河北)人。大和三年(829)进士及第。授太子校书郎。累佐使幕。开成四年(839)入为监察御史。历殿中侍御史、户部员外郎。会昌五年(845)出为处州刺史,转歙州刺史。有政绩。能诗文,与杜牧、许浑等友善。《全唐诗》存诗一首。事迹见唐杜牧《唐故歙州刺史邢君墓志铭》。

李贻孙本年(849)为左谏议大夫,充弘文馆学士、判馆事。

杨发大中三年(849)改左司郎中。唐代诗人。字至之。苏州吴县(今江苏苏州)人,祖籍同州冯翊(今陕西大荔)。生年不详。杨乘父。大和四年(830)进士及第。又以书判拔萃。授校书郎。历湖南观察推官、剑南西川从事。会昌元年(841)为浙西从事。入为监察御史。迁侍御史、司勋员外郎、礼部郎中。大中三年(849)改左司郎中。转太常少卿。出为苏州刺史。十年(856),官福建观察使,有政绩。十二年

(858)，移岭南节度使。治下刚严，为乱军所囚。贬婺州刺史。约十三年（859）或咸通元年（860）卒于任。工诗，有时名。《宿黄花馆》等浏亮清新，为论者称道。《全唐诗》存诗十三首，内含罗隐、李洞诗各一首；《全唐诗补编》补一首。《全唐文》存文四篇。事迹见新、旧《唐书·杨收传》附传，《唐才子传校笺》卷七。

吴融（约849—903）生。融，唐代诗人、散文家。《新唐书·艺文志四》著录《吴融诗集》四卷、《制诰》一卷，《宋史·艺文志七》著录《吴融集》五卷、《赋集》五卷，已散佚。今传《唐英歌诗》三卷。《全唐诗》存诗二卷，《全唐诗补编》补三首；《全唐文》存文十六篇。另有《冤债志》一卷，乃伪书。事迹见《新唐书》本传、《唐才子传校笺》卷九。

周墀（793—851）本年（849）罢平章事。为剑南东川节度使，加检校右仆射，越明年，卒于镇。

郑处诲（？—867）本年（849）充翰林学士，迁屯田员外郎。处诲，唐代小说家。进士及第已十五。

郑薰进士及第二十一年，本年（849）自考功郎中充翰林学士。后拜中书舍人。又以礼部侍郎知贡举，多引寒俊之士，擢李群玉、李频、刘沧等。

郑颢（？一860）进士科状元及第仅七年，本年（849）自起居郎充翰林学士。娶宣宗女万寿公主，迁右谏议大夫知制诰。后拜中书舍人，迁给事中。又两知贡，选拔滞才，为时人所称。

公元850年（唐宣宗大中四年　庚午）

正月

以追尊二圣，御正殿，大赦天下。（见《旧唐书·宣宗本纪》）马戴约去年自太原贬龙阳尉，作《新春闻赦》：“道在猜谗息，仁深疾苦除。尧聪能下听，汤网本来疏。”此诗题下注：“龙阳作。”（见《全唐诗》卷五五六）

李商隐在徐幕，作《偶成转韵七十二句赠四同舍》及《题汉祖庙》诗。《题汉祖庙》：“乘运应须宅八荒，男儿安在恋池隍？君王自起新丰后，项羽何曾在故乡。”又《偶成转韵七十二句赠四同舍》，中云：“沛国东风吹大泽，蒲青柳碧春一色。我来不见隆准人，沥酒空余庙中客。……路逢邹枚不暇揖，腊月大雪过大梁。”

二月

礼部侍郎裴休知贡举。张温琪、曹邺、林简言、卢邺、刘蜕、崔涓、李备等三十人登进士第。

温琪以第一名中进士科状元。

曹邺（815？—?）本年进士及第。《唐才子传》：“曹邺字业之，［按，《新书·艺文志》作“邺之”］桂林人。累举不第，为《四怨三愁五情诗》。雅道甚古。时为舍人韦、悫韦慤所知，力荐于礼部侍郎裴休。”遂登第，有诗献座主及同年。《唐诗纪事》：“曹邺《杏园即席上同年》云：‘歧路不在天，（贤路非在天，）十年行不至。一旦公道开，青云在平地。枕上数声鼓，衡门已如市。白日探得珠，不待骊龙睡。匆匆出九衢，僮仆颜色异。故衣未及换，尚有去年泪。晴阳照花影，落絮浮野翠。对酒时忽惊，犹疑梦中事。自怜孤飞鸟，得按鸾凤翅。永怀共济心，莫起胡越意。”《桂林风土记》：“迁莺坊本名阜财，因曹邺中丞进士及第，前政令狐大夫改为迁莺坊。”曹邺有《成名后献恩门诗》曰：“为物稍有香，心遭蠹虫啮。平人登太行，万万车轮折。一辞桂岭猨，九泣东门月。年年孟春时，看花不如雪。僻居城南隅，颜子须泣血。沈埋若九泉，谁肯开口说。辛勤学机杼，坐对秋灯灭。织锦花不常，见之尽云拙。自怜孤生竹，出土便有节。每听浮竞言，喉中似无舌。忽然风雷至，惊起池中物。拔上青云巅，轻如一毫发。珑珑金锁甲，稍稍城乌绝，名字如鸟飞，数日便到越。幽兰生虽晚，幽香亦难歇。何以保此身，终身事无缺。”邺及第前有《四怨三愁五情诗》（《全唐诗》卷五九二）其序云：“郁于内者，怨也。阻于外者，愁也。犯于性者，情也。三者有一贼于前，必为颠、为沴、为早死人。邺专仁谊久矣，有举不得用心，恐中斯物，殒天命，幸未死，闲作四怨、三愁、五情，以望诗人救。”其一怨云：“美人如新花，许嫁还独守。岂无青铜镜，终日自疑丑。”其二怨云：“庭花已结子，岩花犹弄色。谁令生处远，用尽春风力。”其三愁云：“别家鬓未生，到城鬓似发。朝朝临川望，灞水不入越。”其五情云：“野雀空城饥，交交复飞飞。勿怪官仓粟，官仓无空时。”徐献忠《唐诗品》云：“邺之诗得于乐府古辞，其四怨、三愁、五情之作，盖亦平子之流。综词虽拙，使人忘其鄙近。”其乐府古风颇寓讥刺，多为反映现实之作，如《捕渔谣》：“天子好征战，百姓不种桑。天子好年少，无人荐冯唐。天子好美女，夫妇不成双。”《战城南》：“杀尽田野人，将军犹爱武。性命换他恩，功成谁作主。”《官仓鼠》：“官仓老鼠大如斗，见人开仓亦不走。健儿无粮百姓饥，谁遣朝朝入君口。”《蓟北门行》云：“古来死未歇，白骨碍官路。岂无一有功，可以高其墓。……不如无手足，得见齿发暮。乃知七尺躯，却是速死具。”又邺及第前尚有《寄监察从兄》诗，乃研究其思想及文学观之重要资料，中云：“我祖居邺地，邺人识文星。此地星已落，兼无古时城。古风既无根，千载难重生。空留建安书，传说七子名。贱子生桂州，桂州山水清。自觉心貌古，兼合古人情。因为二雅诗，出语有性灵。持来向长安，时得长者惊。芝草不为瑞，还共木叶零。恨如辙中土，终岁填不平。”邺，字邺之。桂州阳朔（今属广西）人。进士及第后，应天平节度使辟，入幕为推官。咸通中为太常寺博士，抨击白敏中、高璩，建议加以恶谥，有正直耿介之风。转官主客员外郎，晋祠部郎中，出为洋州刺史，迁吏部郎中，辞官南归。迁居桂林，卒后葬桂林。曹邺在晚唐诗坛以五言古诗独树一帜，成就令人瞩目，对唐末聂夷中、皮日休等人颇有影响。其诗深得建安五言诗风骨，并汲取民谣营养，特色鲜明。虽然意境稍褊狭，但内容充实，对晚唐社会生活颇多揭露。风格刚健、古朴、通俗。其《四怨三愁五情诗》为时人赏识；《官仓鼠》、《捕鱼谣》、《怨歌行》、《吴宫宴》、《东武吟》等作为历代选家所注意。《新唐书·艺文志四》著录《曹邺诗》三卷，《直斋书录解题》卷一九著录《曹邺集》一卷。《四库全书》据明刻收《曹祠部集》二卷，《全唐诗》编诗两卷。梁超然等有《曹邺诗注》。另有《梅妃传》旧题曹邺撰，俟考。事迹见《唐才子传校笺》卷七。

卢邺，生卒年不详，本年进士及第。字漳臣。范阳（治今河北涿州）人。进士及第，授秘书省校书郎。为浙东观察副使。后官金部郎中。《全唐诗》存诗一首。事迹见《唐诗纪事》卷五九、《唐尚书省郎官石柱题名考》卷一五。诗僧良乂与卢邺善，有《秋山送卢邺》。未知作年，附系于此。张为《诗人主客图》取其《秋山送卢邺》诗，列为“清奇雅正主”李益之“及门”。《全唐诗》存此诗，其余作品已佚。《全唐诗逸》收良人（一作良文）诗二句，一说即良乂之误。

刘蜕（约 821—?）本年，首次由荆州解进士及第，时称破天荒。《北梦琐言》：“荆州衣冠薮泽，每岁解送举人多不成名，号曰天荒解。刘蜕舍人，以荆解及第，号为‘破天荒’。”《唐摭言》：“大中四年，刘蜕舍人以荆府解及第，时崔魏公作镇，以破天荒钱七十万资蜕。蜕谢书略曰：‘五十年来，自是人废；一千里外，岂曰天荒。’”蜕《上礼部裴侍郎书》曰：“临其事不能苟有待而先自请者，阁下以为难乎？赞功论美近乎谄，饰词言己近乎私，低陋摧伏近乎鼠窃，广博张引近乎不敬。钩深简尚，则畏不能动乎人；偕俪相比，又畏取笑乎后。情志激切谓之躁，词语连绵谓之黩。夫临其事而自言者，其难如此也。然不有听者之明，言者无病，则固当背惶踖踧，俟乎知者而自知也，用者而自用也，安得持一言于已难之时者哉。然或不得已而言之者，亦将自言而已矣，又岂敢因其时而遽言大体哉。蜕少时，不知小人通生有自可之事，树之为梔茜，种之为谷粟，买于市，钓于江，亦以老也。无何罗络旧简，附会时律，怀笔启于搢绅家十二三年矣。谓丱而习之，龀而成基，壮而历级乘时，无难梗寒苦之疲。今者欲三十岁矣，所望不过抱关输力，求粟养亲而已。何者？家在九曲之南，去长安近四千里。膝下无怡怡之助，四海无强大之亲。日行六十里，用半岁为往来程，岁须三月侍亲左右，又留二月为乞假衣食于道路，是一岁之中，独留一月在长安。王侯听尊，媒妁声深，况有疾病寒暑风雨之不可期者，杂处一岁之中哉。是风雨生白发，田园变荒芜，求抱关养亲，亦不可期也。及今年冬，见乙酉诏书，用阁下以古道正时文，以平律校群士。怀才负艺者，踊跃至公。蜕也不度，已入春明门。请与八百之列，负阶待试。呜呼！蜕也材不良，命甚奇，时来而功不成，事修而名不副，将三十年矣。今而后阁下进之，蜕亦得以至公进；阁下退之，蜕亦得以至公退。进退者由阁下也，未可知也。干渎尊严，敢忘僇辱，情或须露，岂曰图私，不然则蜕也岂敢。蜕再拜。”释齐己《送刘蜕秀才赴举诗》曰：“百发百中［原注：缺五字］年。丹枝如计分，一箭的无偏。文物兵销国，关河雪霁天。都人看春牓，韩字在谁前。”据《关中金石文字存逸考》卷四录刘蜕撰大中十一年（857）五月庚申《先妣姚夫人权葬石表》云：“太夫人归刘氏，生一子……蜕不夭，进士及第……其后选补校书郎。”蜕，字复愚，号文泉子。睦州桐庐（今属浙江）人，郡望长沙（今属湖南）。当代学者或疑其本非华裔。幼孤，从母学。大中二年（848）居梓州，埋十五年所作文稿为文冢。初为寿州从事，以刺史昧戾，自辞去。后选补校书郎。十一年（857），为国子助教、集贤校理。历剑南东川观察判官等，迁左拾遗。咸通四年（863），上疏论前宰相令狐绹子令狐滈不宜为左拾遗，贬华阴令。旋拜中书舍人。约乾符元年（874）为户部郎中。官终商州刺史。少学古文，长有文名。论文以为：“立言者不唯能言，亦欲言得其时。”（《移史馆书》）所作多书、论及杂文，以申述儒道、干取功名、讥时刺世及抒写失意、愤懑情怀为主要内容。《较农》、《悯祷辞》、《山书》等直斥时弊或托古讽今，揭露统治者腐败、贪酷、民不聊生的社会现实，提出“均民以贵贱”的主张，笔锋犀利，文辞奇险峭拔，是晚唐佳作。清刘熙载《艺概·文概》称：“刘蜕文意欲自成一子，如《山书》十八篇、《古渔父》四篇，辞若僻而寄托未尝不远。学《楚辞》尤有深致，《哀湘竹》、《下清江》、《招帝子》，虽止三章，颇得《九歌》遗意。”自编《杂歌诗》二卷，不传；《文泉子》十卷，著录于《新唐书·艺文志四》，有散佚。今传明辑本《刘蜕集》六卷。《全唐文》存文一卷，《关中金石文字存逸考》另存文一篇；《全唐诗补编》存诗一首、断句二句。事迹见其《先妣□［姚］夫人权葬石表》及《北梦琐言》卷三，参陈寅恪《刘复愚文中年月及不祀祖问题》。

崔涓，生卒年不详，本年进士及第。《旧书·崔珙传》：“子涓，大中四年进士擢第。”

李备，生卒年不详，本年进士及第。民国徐乃昌纂《南陵县志》卷十九《选举制·进士·唐》：“大中庚午裴林榜：李备。”注：“杨志作‘修’，误。”按：言“裴林榜”，误，当作“裴休下”，是年裴休知贡举。四库本《江南通志》卷一〇九《选举制·进士·唐》于大中年间著录：“李备，南陵人。”又四库本《山西通志》卷一六七《祠庙四·夏县》载县境禹王城有禹庙，为“咸通九年，县令李备修，傅覃撰记。后汉乾祐元年重修，州司马杨荣祚撰记”。时代与南陵李备合。又《南陵县志》记“杨志作‘修’”者，疑因“县令李备修”而衍。按胡补据《光绪安徽通志》、徐乃昌《南陵县志》补李备于本年。

林杰（834—850）本年登童子科。吴廷燮《唐方镇年表》卷六引《闽书》：“林杰，大中四年举童子科，观察使崔于礼异之。”又引《太平广记》：“林杰字智周，幼而聪明秀异。”杰，字智周。福州侯官（今福建闽侯）人。幼聪慧过人，五岁能诗，传诵人口，为观察使唐扶所叹赏。后学辞赋，作《仙客入壶中赋》，有佳句。九岁谒观察使卢贞、黎植，无不嘉奖。复与李远、赵容等唱和。又精于琴棋及草隶书。时人视为奇童。年十七举童子科，未发而病卒。《全唐诗》存诗二首、断句二句，《太平广记》存佚赋八句。事迹见《太平广记》卷一七五《闽川（名）士传》。

刘瞻登博学宏词科。刘瞻。《旧唐书》本传：“瞻大中四年登博学宏词科。”

知贡举：礼部侍郎裴休。《唐阙史》云：“丞相河东公得古盎，后以小宗伯掌文学柄。得士之后，生徒有以盎宝为请者，裴公设食会门生，器出乎庭。独刘舍人蜕以为非。”是裴休以礼部侍郎知举矣。曹邺《登岳阳楼有怀寄座主相公》，即谓休也。又有《翠孤至渚宫寄座主相公诗》。懿宗《授裴休荆南节度使制》：“委兹文柄，任之春闱，大呈公鉴之明，备传德（原注：疑作得）人之美。”（《全唐文》卷八十三）裴休（791—864），唐代散文家、书法家，字公美。孟州济源（今属河南）人，郡望河东闻喜（今属山西）。排行二十。长庆中进士及第。大和二年（828）登能直言极谏科。历佐藩镇，入为监察御史、右补阙。六年（832），充史馆修撰，参与修撰《穆宗实录》。迁中书舍人。会昌元年（841）出为江西观察使。转湖南、宣歙观察使。大中四年（850）以礼部侍郎知贡举，擢曹邺、刘蜕等。六年（852），以礼部尚书同平章事。十年（856），罢为宣武节度使，守太子少保分司。历昭义、河东、凤翔三节度使，官终荆南节度使。为人操守严正，深于释典。书法遒媚，自成笔法。善文章，尤精表状。

有《裴休状》三卷，著录于《国史经籍志》卷五，已佚。《全唐文》存文九篇；《全唐诗》存诗二首，《全唐诗补编》补六首。事迹见新、旧《唐书》本传。

《登科记考》卷二二本年条记，冯涓本年登第，有误。冯涓实大中十一年登第，详见吴在庆《唐五代文史丛考·冯涓及第之年》。

冯衮本年为凤翔节度使郑光幕判官。冯衮，唐代诗人。婺州东阳（今属浙江）人。生卒年不详。行三。登进士第，大中四年（850）为凤翔节度使郑光幕判官。郑光徙镇河中，又从为节度副使。入朝任祠部郎中。咸通时迁给事中，后出为苏州刺史。暇时多纵情饮博。尝赋《掷卢作》诗。《全唐诗》存诗二首。事迹见《旧唐书·冯宿传》附传、《南部新书》戊、《太平广记》卷二五一引《抒情诗》、卷二六一引《卢氏杂说》。

刘驾二十九岁，在京落第，有诗抒怀。《唐才子传·刘驾传》："驾，字司南，大中六年礼部侍郎崔屿下进士。初，与曹邺为友，深相结，俱工古风诗。邺既擢第，不忍先归，待长安中，驾成名，乃同归彭蠡故山。"其《下第后屏居长安书怀寄太原从事》："刖足岂更长，良工隔千里。……低摧神气尽，僮仆心亦耻。……行年忽已壮，去老年更几？功名生不彰，身殁岂为鬼。"稍后又有干谒抒怀诗《长安旅舍抒情投先达》："歧路不在地，马蹄徒苦辛。上国闻姓名，不如山中人。大宅满六街，此身入谁门。愁心日散乱，有似空中尘。白露下长安，百虫鸣草根。方当秋赋日，却忆归山村。"

于武陵举进士不第，有诗。《唐才子传·于武陵传》："武陵，名邺，以字行，杜曲人也。大中时，尝举进士，不称意。……诗多五言。兴趣飘逸多感，每终篇一意，策名当时。"其《下第不胜其忿题路左佛庙》："雀儿未逐飏风高，下视鹰鹯意气豪。自谓能生千里足，黄昏依旧委蓬蒿。"（见《全唐诗》卷七二五）《诗人主客图》标举其"白日不西落，红尘应赤深"、"青山如有利，白石亦成尘"、"四海少平路，千川无定波"等句，将其列为清奇雅正之及门者。《新唐书·艺文志四》著录《于武陵诗》一卷。[按，《唐才子传校笺·于武陵传》补笺谓于邺、于武陵系二人，可参]

杜牧奉和白敏中诗，作《奉和仆射相公春泽稍愆圣君轸虑嘉雪忽降品汇昭苏即事书成四韵》。题下小注："白相国。"诗中云："飘来鸡树凤池边，渐压琼枝冻碧涟。……上相抽毫歌帝德，一篇风雅美丰年。"（见《樊川文集·外集》）

二十三日，毕諴充翰林学士，（见《重修翰林学士壁记》），李商隐代卢弘止作《为度支卢侍郎贺毕学士启》。本年李珏召为吏部尚书，商隐作《为尚书范阳公贺吏部李相公启》。（均见《李商隐文编年校注》）

三月

十日，许浑自编新旧诗作五百首成集，自为《乌丝栏诗自序》。时许浑退居于润州丁卯涧村舍。其《序》曰："余丱岁业诗，长不知难，虽志有所尚，而才无可观。大中三年，守监察御史，抱疾不任朝谒，坚乞东归。明年少闲，端居多暇，因编集新旧五百篇，置于几案间，聊用自适，非求知之志也。时庚午岁三月十日，于丁卯涧村舍，手写此本。"

卢弘止自武宁改宣武节度使，（见《新唐书·卢弘止传》）李商隐随至汴幕，即奉使入京，办理移镇事宜。李郢适自汴幕而转吴幕。汴州相遇，商隐与郢均赋有赠别诗什。商隐作《汴上送李郢之苏州》：“人高诗苦滞夷门，万里梁王有旧园。烟幌自应怜白纻，月楼谁伴咏黄昏？露桃涂颊依苔井，风柳夸腰住水村。苏小小坟今在否，紫兰香径与招魂。”（见《李商隐诗歌集解》）李郢作《送李商隐侍御奉使入关》：“梁园相遇管弦中，……相逢几日虚怀待，宾幕连期醉蝶同。”又李郢《板桥重送》曰：“梁园城西蘸水头，玉鞭公子醉风流。……王事有程须仃仃，客身如梦正悠悠。洛阳津畔逢神女，莫醉金鞭醉石榴。”商隐亦有《板桥晓别》，盖此时与妓女相别所咏。诗云：“回望高城落晓河，长亭窗户压微波。水仙欲上鲤鱼去，一夜芙蓉红泪多。”（见《李商隐诗歌集解》）

李商隐在汴幕尚有《献寄旧府开封公》，寄蒙冤远贬循州之郑亚。诗云：“幕府三年远，《春秋》一字褒。书论秦《逐客》，赋续楚《离骚》。地里南溟阔，天文北极高。酬恩抚身世，未觉胜鸿毛。”另有《读任彦升碑》：“任昉当年有美名，可怜才调最纵横。梁台初建应惆怅，不得萧公作骑兵。”《越燕二首》亦此时前后之作。（均见《李商隐诗歌集解》）

春，南卓罢婺州刺史任，撰成《羯鼓录》后录，时约六十岁。（见卞孝萱《南卓考》）卓《羯羯鼓录》记成书经过云：“前录大中二年所著。四年春（东）阳罢任，旋自海南，路由广陵，崔司空为镇。司空遇合素厚，留止旬朔，辄献之，过蒙奖饰……以大君子所传，又精义入神，岂容忽而不载，遂附之于末。”卓字昭嗣。生卒年、籍贯不详。大和二年（828）登贤良方正、能直言极谏科。初官拾遗。以谏谪松滋令。会昌元年（841）为洛阳令，与刘禹锡、白居易宴游，谈及羯鼓事，刘、白劝其为文以记之。四年（844），卢贞为河南尹，遣其为纪，即编成草稿。会昌末为蔡州刺史。大中初，为婺州刺史，四年（850）罢。官终黔南观察使。能文，通音乐。历时多年撰成之《羯鼓录》一卷，为研究唐代音乐、诗歌的重要资料，今传。《新唐书·艺文志》除此书外，又著录《唐朝纲领图》一卷、《南卓文》一卷，已佚。又有《驳史》三十卷，《云溪友议》卷中述及，但未见著录，亦佚。《全唐诗》存诗一首，《唐文拾遗》存文一篇。事迹《云溪友议》卷中、《唐诗纪事》卷五四、《登科记考》卷二〇。（参卞孝萱《南卓考》）

春，杜牧在司勋员外郎任，有《长安杂题长句六首》。其二云：“韩嫣金丸莎覆录，许公鞯汗杏黏红。……自笑苦无楼护智，可怜铅椠竟何功。”其三云：“雨晴九陌铺江练，岚嫩千峰叠海涛。南苑草芳眠锦雉，夹城云暖下霓旄。少年羁络青纹玉，游女花簪紫带桃。江碧柳深人尽醉，一瓢颜巷日空高。”之五又有：“祥云辉映汉宫紫，春光绣画秦川明。草妬佳人钿朵色，风回公子玉衔声。”（《樊川文集》卷二，参缪钺《杜牧年谱》）

五月

五日，李商隐作《端午日上所知剑启》、《端午日上所知衣服启》呈府主。前

《启》云："敢因五日，仰续千龄。厕玉珏于君侯，拟象环于夫子。……有汉相之策勋，腰而上殿。嘉辰祝愿，平日祷祠。伏惟恩怜，特此容纳。"后《启》云："伏愿永延松寿，常庆蕤宾。远比赵公，三十六年当国；近同郭令，二十四考中书。"（见《李商隐文编年校注》）

六月

夏，杜牧已转吏部员外郎，屡上书求外任湖州，作《上宰相求湖州》三启。其第二启云"某今生四十八矣"，"当盛暑时，敢以私事及政事堂启干丞相"。《自撰墓志铭》："迁司勋员外郎、史馆修撰，转吏部员外。以弟病，乞守湖州。"《新唐书》本传："改吏部，复乞为湖州刺史。"（参《杜牧年谱》）

七月

林杰将西上长安，忽染疾卒，年才十七，郑立之有诗哭之。《闽川名士传》记其事云："至九岁，谒卢大夫贞、黎常侍殖［按，应作植］，无不嘉奖。寻就宾见，日在宴筵，李侍御远、赵支使容，深所知仰，不舍斯须。和赵支使咏荔枝诗尤佳，云：'金盘摘下排朱果，红壳开时饮玉浆。'郑副使立作奇童传，刘制使重为序以贻之。至年十七，方结束琴书，将决西迈，无何七月中，一旦天气澄爽，书堂前忽有异香氛氲，奇音响亮，家人出户观，见双鹤嘹唳，盘空而下……杰欣然舍笔，跃下庭前，抱得一只，其父惊讶……及夕，杰偶得疾，数日而终。"（见《太平广记》卷一七五）又《唐方镇年表》卷六福建于大中四年崔于下引《闽书》："林杰大中四年举童子科，观察使崔于礼异之。"《诗话总龟》卷二引《古今诗话》云："（杰）是夕，得疾而卒。郑立之以诗哭之，曰：'才高未及贾生年，何事孤魂逐逝川？萤聚帐中人已去，鹤离台上月空圆。'"此诗又见《全唐诗》卷四七二，题作《哭林杰》。

杜牧授湖州刺史制下，作《新转南曹未叙朝散初秋暑退出守吴兴书此篇以自见志》："捧诏汀洲去，全家羽翼飞。喜抛新锦帐，荣借旧朱衣。且免材为累，何妨拙有机。…… 一杯宽幕席，五字弄珠玑。越浦黄甘嫩，吴溪紫蟹肥。平生江海志，佩得左鱼归。"（见《樊川文集》卷三）离京赴湖州任前，登乐游原，有《将赴吴兴登乐游原一绝》："清时有味是无能，闲爱孤云静爱僧。欲把一麾江海去，乐游原上望昭陵。"又有《登乐游原》诗："长空澹澹孤鸟没，万古销沉向此中。看取汉家何似业，五陵无树起秋风。"未知作年，并记于此。（均见《樊川文集》卷三）杜牧行前另有《将赴湖州留题庭菊》。抵任，有《题白蘋洲》，中有"山鸟飞红带，亭薇拆紫花。溪光初透彻，秋色正清华"句。（均见《樊川文集》卷三）

马戴在湖南龙阳县尉任，其《送从叔赴南海幕》、《楚江怀古三首》约此时前后作。《送从叔赴南海幕》："洞庭秋色起，猿狖更难闻。身往海边郡，帆悬天际云。"（见《全唐诗》卷五五五）戴又有《送从叔重赴海南从事》："乱蝉吟暮色，猿狖落秋声。晚路潮波起，寒葭雾雨生。"（见《全唐诗》卷五五六）又《楚江怀古三首》之二："惊鸟去无际，寒蛩鸣我旁，芦洲生早雾，兰隰下微霜。列宿分穷野，空流注大荒。看

山候明月，聊自整云装。”（《全唐诗》卷五五五）其《夜下（一作入）湘中》、《湘川吊舜》、《江亭赠别》、《秋思二首》均当作于龙阳，确年难考，并系于此。（诗均见《全唐诗》卷五五六）

八月

陈上美在京兆府咸阳县尉任，为一仇公夫人王氏撰墓志铭。其《唐故忠武军监军使正议大夫内给事赐紫金鱼袋赠内侍仇公夫人王氏墓志铭》，云王氏大中四年八月祔葬，文末署“儒林郎前守京兆府咸阳县尉陈上美撰”。（见《隋唐五代墓志汇编》陕西卷）上美《咸阳有怀》诗盖此前所作。（见《全唐诗》卷五四二）上美生卒年、籍贯不详。开成元年（836）进士及第（一说开成二年），名列第二。曾为咸阳县尉，能诗，有时名。《又玄集》、《才调集》均选录其诗。《唐才子传》谓有集今传，但未见刊行著录。《全唐诗》存诗一首，《唐代墓志汇编续集》存墓志一篇。事迹见《唐才子传校笺》卷七、《唐代墓志汇编续集》大中〇二四。

九月

本月，吐蕃“大掠河西鄯、廓等八州，杀其丁壮，劓刖其羸老及妇人，以槊贯婴儿为戏，焚其室庐，五千里间，赤地殆尽”。上月，“党项为边患，发诸道兵讨之，连年无功，戍馈不已”。（见《资治通鉴》卷二四九本年八月条、九月条）

温庭筠年约五十，闻党项扰边，赋《山中与诸道友夜坐闻边防不宁因示同志》。诗云：“龙沙铁马犯烟尘，迹近群鸥意倍亲。风卷蓬根屯戊己，月移松影守庚申。韬钤岂足为经济，岩壑何尝是隐沦。心许故人知此意，古来知者竟谁人？”（见《温飞卿诗集笺注》卷四）

许浑闲居润州，作《京口闲居寄京洛友人》。诗云：“吴门烟月昔同游……千里书回碧树秋。何处相思不相见，凤城龙阙楚江头。”（见《全唐诗》卷五三三）京口即润州。

卢弘止（？—850）卒于镇。止，又误作正，字子强。蒲州（治今山西永济）人，卢纶子，排行六。元和十五年（820）进士及第。累辟使府掌书记。大和中，入为监察御史、侍御史。累迁给事中。会昌末，奉诏宣慰河北。还，拜工部侍郎。大中初，转户部侍郎，充盐铁转运使。出为义成节度使。任武宁（感化）节度使。迁宣武节度使，大中四年（850）卒于镇。弘止以军镇而擅小说，撰《昭义军别录》一卷，《宋史·艺文志五》著录于小说家类，已佚。《续补侍儿小名录》存佚文一则。《全唐文》存文一篇，《唐文拾遗》补一篇，均误作卢弘正。事迹见新、旧《唐书》本传。

李商隐以幕主卢弘止卒，汴幕无可依，感己身漂泊，作《蝉》诗。诗云：“本以高难饱，徒劳恨费声。五更疏欲断，一树碧无情。薄宦梗犹泛，故园芜已平。烦君最相警，我亦举家清。”（见《李商隐诗歌集解》页1027）

十一月

冬至日，杜牧赋诗邀李郢来湖州相叙。李郢有《和湖州杜员外冬至日白蘋洲见忆》诗云："白蘋亭上一阳生，谢眺新诗锦绣成。千嶂雪消溪影绿，几家梅绽海波清。已知鸥鸟长来狎，可许汀洲独有名？多愧龙门重招引，即抛田舍棹舟行！"（参冯集梧《樊川诗集注》）杜牧另有《湖南正初招李郢秀才》："行乐及时时已晚，对酒当歌歌不成。……看著白苹牙欲吐，雪舟相访胜闲行。"（见《樊川文集》卷三）并系于此。

三日，令狐绹拜相。（见《翰林学士壁记》）赵嘏时在渭南尉任，赋《上令狐相公》诗称颂。（见《全唐诗》卷五四九）《诗话总龟》卷二六《寄赠》门引《诗史》："令狐绹自湖州刺史拜翰林学士，因夜召对座，从容语及，文宗［按，应为宣宗］大称之，由是眷遇有加，未几拜相。因郊禋侍祠还，赵嘏赠诗云：'鹗在卿云冰在壶，代天才业共讦谟。荣同伊陟传朱户，秀比王商入画图。昨夜星辰回剑履，前年风月落江湖（自湖州入相才二年）。不知机务时多暇，犹许诗家属和无？'"

冬，郑嵎自虢州赴京，夜宿骊山下旅邸，主人为说玄宗朝故事。嵎以唐廷新近收复湟中土地，生兴亡之叹，翌日，遂作《津阳门诗》，凡一千四百字。此诗末段云："主翁莫泣听我话，宁劳感旧休吁嘻。河清海宴不难睹，我皇已上升平基。湟中土地昔湮没，昨夜收复无疮痍。"（参《唐才子传校笺·郑嵎传》）此诗之序云："津阳门者，华清宫之外阙，南局禁闱，北走京道。开成中，嵎常得群书，下帷于石甕僧观，而甚闻宫中陈迹焉。今年冬，自虢而来，暮及山下，因解鞍谋餐，求客旅邸。而主翁年且艾，自言世事明皇。夜阑酒余，复为嵎道承平故实。翌日，于马上辄裁刻俚叟之语，为长句七言诗，凡一千四百字，成一百韵止，以门题为之目云耳。"（见《唐诗纪事》卷六二）

顾陶为校书郎时曾回钱塘，时有弃官之念。储嗣宗赋诗送行，劝其且莫挂冠。储嗣宗有《送顾陶校书归钱塘》："清苦月偏知，南归瘦马迟。……圣朝思直谏，不是挂冠时。"（见《全唐诗》卷五九四）后顾陶有《唐诗类选后序》，云"行年七十有四，一名已成，一官已弃"。《唐诗类选序》，文末记作年为"大中景子之岁"，亦即大中丙子（856）岁。（见《全唐文》卷七六五）

顾非熊大中中曾任盱眙尉，后弃官归隐茅山，未知确年，姑系于此。刘得仁有《送顾非熊作尉盱眙》云："一名兼一尉，未足是君伸。历数为诗者，多来作谏臣。"（见《全唐诗》卷五四四）《唐才子传·顾非熊传》："授盱眙主簿，不乐拜迎，更厌鞭挞，因弃官归隐。"《新唐书·艺文志四》记顾非熊"大中盱眙簿，弃官隐茅山"。（参《唐诗纪事》卷六三、《唐诗品汇·诗人爵里详节》及《全唐诗》小传）

褚藏言约本年前后为窦常、窦群五兄弟《窦氏联珠集》撰序。《直斋书录解题》卷十五《窦氏联珠集》五卷下记："唐褚藏言所序窦氏兄弟五人诗，各有小序。"此所谓"小序"，当指小传。《全唐文》卷七六一录有其所撰窦常、窦牟、窦群、窦庠、窦巩五兄弟传。其中《窦牟传》云："今上即位，恩覃内外，准赦文，大中四年赠给事中。府君和粹积中，文华发外，惟琴与酒，克俭于家，时人以为有前古风韵。世为五言诗，加以笔述。文集十卷，未暇编录。"褚藏言事迹不详。

李廓（？—850）本年卒于唐州司马任。廓有诗名。陇西成纪（今甘肃秦安西北）人。李程子。生于贞元中。元和十三年（818）进士及第。调司经局正字。宝历中官鄠县尉。大和三年（829）任太常丞。复以“侍御”为剑南西川行营从事抗御南诏。开成中为泾原节度使王茂元幕从事。累迁刑部侍郎。大中二年（848）拜武宁军节度使，不能治军。次年，军乱被逐，贬澧州司马。移唐州司马。《李昼墓志》：“皇考廓，徐州节度使。以仁惠诚信，均一戎行。有大刀长戟之众，换直于衙，日冀辜息，不喜平施之化，乘酒而訾訾，势不克弭，遂避之。朝廷以失守，连为澧、唐典午。君乃长子也。”（见《匋斋藏石记》卷三四）大中末，官至颍州刺史，再为观察使。卒于咸通中。开成三年（838）文宗欲置诗博士，有荐之者。与贾岛、姚合等交往酬和甚密。《唐才子传·李廓传》称其“工诗，极绮致”。明胡震亨谓：“李武宁（廓）宰相子，才藻翩翩。《少年行》字字取新，冶游趣事，碎小毕备，老人读之亦狂。”（《唐音癸签》卷七）。《忆钱塘》“一千里色中秋月，十万军声半夜潮”句颇有名。《宋史·艺文七》著录《李廓诗》一卷，已散佚。《全唐诗》卷四七九存诗十八首，《全唐诗补编》补一首。事迹见新、旧《唐书·李程传》附传，《唐才子传校笺》卷六。

杜光庭（850—933）生。唐末五代道士，道术、诗歌、小说为时所称。字宾圣（一作宾至），号东（一作登）瀛子、华顶羽人。京兆杜陵（今陕西西安东南）人，寓居处州缙云（今属浙江）。［按，光庭字里诸书所载不一，《宣和书谱》卷五云：“道士杜光庭，字宾圣，道号东瀛子，括苍人也。”《五代史补》卷一则谓“长安人”。释文莹《湘山野录》卷下又谓“越州人”。《蜀梼杌》卷上则称：“光庭字宾圣，京兆杜陵人。”］懿宗咸通间，应九经举不第，遂入天台山为道士。《蜀梼杌》：“（光庭）寓居处州。方干见之，谓曰：‘此宗庙中宝玉大圭也。’（懿宗咸通间）与郑云叟应百篇举，不中，入天台为道士。”僖宗中和间，住长安太清宫。光启初，僖宗召见，赐号广成先生。后入蜀依王建，住成都玉局观。通正二年（917）拜户部侍郎，封蔡国公。王衍即位，从光庭受道箓，封为传真天师、崇真馆大学士。后解官，居青城山白云溪，以著述为务。卒长兴四年（933）。《历世真仙体道通鉴》卷四〇《杜光庭传》：“后唐庄宗长兴四年癸巳十一月，光庭八十四岁，一旦披法服作礼辞天，升堂趺坐而化。”［按，庄宗为明宗之讹］光庭工诗善文。诗多题咏“仙迹”，说道味较浓，但亦有一定想象色彩。有《广成集》一百卷，今存十七卷。另著有《录异记》八卷、《道德真经广圣义》、《道门科范大全集》、《墉城集仙录》、《仙传拾遗》等二十余种著作，皆存。事迹见《十国春秋》本传。《全唐诗》存诗一卷，内十一首为郑遨诗误入。另《诗律武库》、《诗渊》及其所编各书中，尚有诗一百五十首，但其中部分可能仅经其修订。另著有《录异记》八卷，为神仙传奇集。明沈士龙《题〈录异记〉》云：“大都捃拾他说，间入神仙玄怪之事用相证实。”清周中孚《郑堂读书记》云：“虽荒诞之言，然实小说之类，与道家无涉。”又其所著《神仙感遇传》中有《虬须客》一条，人多谓是《虬髯客传》的节录。另有《道德真经广圣义》、《道门科范大全集》、《墉城集仙录》、《仙传拾遗》等二十余种著作，皆存。事迹见《十国春秋》本传。

毕诚（803—864）进士及第十八年，本年（850）充翰林学士。后数任节度使、拜礼部尚书同平章事。字存之。郓州须昌（今山东东平）人。少孤贫，刻苦自励。通经

史，工辞章，尤能歌诗。作品多佚。《千唐志斋藏志》存墓志一篇，《全唐诗补编》存诗二句。事迹见新、旧《唐书》本传。

严恽（？—870）大中四、五年（850、851）间，杜牧为湖州刺史，与之过从酬和，杜牧有《和严恽秀才落花》诗。

李郢大中四年（850）至湖州访杜牧，游宴唱和。颇有酬唱之作。

李敬方［393］（？—约 855）本年为歙州刺史。

郑颢去年自起居郎充翰林学士。娶宣宗女万寿公主，迁右谏议大夫知制诰。本年（850），拜中书舍人。

前曾知贡举之封敖本年（850）出为山南西道节度使。

龚轺（？—850）卒。轺本年（850）游吴兴，与严恽友善。籍贯不详。举进士不第。会昌五年（845）以诗谒杜牧于钱塘。轺之诗，杜牧谓有“山水闲淡之思”。作品已佚。事迹见唐杜牧《唐故进士龚轺墓志》。

公元 851 年（唐宣宗大中五年　辛未）

正月

李远在岳州刺史任，杜牧、温庭筠有诗寄之。杜牧遥寄《早春寄岳州李使君李善棋爱酒情地闲雅》，中云：“分符颍川政，吊屈洛阳才。拂匣调珠柱，磨铅勘玉杯。棋翻小窟势，垆拨冻醪醅。此兴予非薄，何时得奉陪?”（见《樊川文集》卷二）温庭筠亦作《寄岳州李员外郎远》：“湖上残棋人散后，岳阳微雨鸟来迟。早梅犹得回歌扇，春水还应理钓丝。”（见《全唐诗》卷五八二）张固《幽闲鼓吹》：“令狐相进李远为杭州，宣宗曰：‘比闻李远诗云：“长日惟销一局棋”，岂可以临郡哉！对曰：‘诗人之言不足有实也。’仍荐远廉察，乃俞之。”李远任岳州刺史时已曾有员外郎之任（《唐尚书省郎官石柱题名》），李远任司勋员外郎在杜牧后四人。

二月

礼部侍郎韦悫知贡举。李郜、郑嵎、柳珪、薛谔、宋寿等二十七人登进士第。［按，一说三十人登第］

李郜以第一名中进士科状元。

郑嵎，生卒年不详，本年进士及第。《唐才子传》：“郑嵎字宾光，大中五年李郜榜进士。”［按，《千唐志斋藏志》李述撰大中九年（855）《唐故颍州颍上县令李府君夫人荥阳郑氏（琯）合祔玄堂志》（参见《唐代墓志汇编》大中 091）云：“太夫人讳琯……有弟曰嵎，少耽经史，长而能文，举进士高第，历名使幕杨州大都督府参军。”嵎字宾光，一作宾先。生卒年、籍贯不详。开成中，读书于昭应县石瓮寺，多闻华清宫中遗事。大中四年（850）冬，自虢州赴长安应试，成七言长篇《津阳门诗并序》。五年（851），进士及第。仕历不详。有时名，应举者得其青睐，往往中第。能诗文。所作《津阳门诗》为唐人七言长篇巨制，与白居易《长恨歌》、元稹《连昌宫词》齐名。《新唐书·艺文志四》著录《津阳门诗》一卷，见录于《全唐诗》。《全唐诗补编》补断句二句。《宋史·艺文志七》著录《郑嵎表状略》三卷，已佚。事迹见《唐才子传校笺》卷七。

柳珪，生卒年不详，本年进士及第。《旧书·柳公绰传》：“仲郢子珪，字镇方，大中五年登进士第。”《南部新书》：“柳珪是韦慤门生。尝云：‘三十人，惟柳先辈便进灯烛下本。’”［按，珪及第后，应白敏中之辟］《樊南集》、《为河东公谢相国京兆公启》云：“某第二子、前乡贡进士珪，充摄剑南西川安抚巡官。”又有《为柳珪谢京兆公启》。珪字郊玄，一字镇方。京兆华原（今陕西擢县）人。生卒年不详。进士及第，剑南西川节度使杜辟署摄成都府参军，充摄剑南西川安抚巡官，久乃赴任。后以蓝田尉直弘文馆。拟迁右拾遗，遭弹劾被废黜。官终卫尉少卿。秀整有文，与李商隐友善，为其所称许。《全唐诗》存诗一首。事迹见唐李商隐《为柳珪上京兆公谢辟启》，新、旧《唐书·柳公绰传》。

薛谔，本年及第后与宋寿曾送座主赴滑台。清孙星衍《寰宇访碑录》卷四：“华岳庙薛谔等《送□□尚书赴滑台题名》，正书，大中五年十月，陕西华阴。”吴廷燮《唐方镇年表》卷二引《华岳志·题名》：“薛谔、宋寿送座主尚书赴滑台，大中五年十月二十七日。”［按，大中中知贡举后出镇郑滑者惟韦悫一人］

宋寿本年进士及第，曾与薛谔送座主赴滑台。见上条。《全唐诗》卷五七八温庭筠《春暮宴罢寄宋寿先辈》诗云：“苏小风姿迷下蔡，马卿才调似临邛。谁怜芳草生三径，参佐桥西陆士龙。”

刘铨本年十五岁，举孝廉。《全唐文补遗》册四郑隼撰文德元年（888）五月《唐故妫州刺史充清夷军营田等使朝散大夫检校尚书司封郎中摄御史中丞上柱国赐紫金鱼袋彭城刘公（铨）墓志铭并序》云：“公讳铨，字秘之，汉中山靖王之后也。……十五察孝廉。”刘氏卒于文德元年（888），享年五十二。

林勖中诸科举。《永乐大典》引《闽中记》：“林勖字公懋，闽县人，《开元礼》登科。”［按，《淳熙三山志》，林勖终吉州刺史］

莫宣卿为本年制科状元。白鸿儒《莫孝肃公诗集序》：“唐宣宗大中五年，龙集辛未，设科求贤，合天下士，对策于大庭，胪传以莫公宣卿为第一。公字仲节，广南封州人也。”柳珪有《送莫仲节状元归省诗》曰：“青骢聚送谪仙人，南国荣亲不及君。椰子味从今日近，鹧鸪声向旧山闻。孤猨夜叫三湘月，匹马时侵五岭云。想到故乡应腊过，药栏犹有异花薰。”制科第一，亦得称状元。宋刘应李辑《新编事文类聚翰墨全书》后丙集卷五《氏族门》：“莫宣卿，唐大中间状元及第。封州金井村有莫状元读书堂，有龙吟水，山水清响也。”又同上载《圣朝混一方舆胜览》卷下《连州路·封州·人物》：“莫宣卿，开建人，唐大中间状元及第。”宣卿字仲节。封州（治今广东封开东南）人。生卒年不详。幼颖悟，好学，手不释卷，过目成诵，时人目为神童。大中五年（851）以第一名登制科。初仕于翰林院，后以母老，表请外任，授台州别驾。未至官所而卒于故里，葬于文德乡锣鼓冈。咸通九年（868），封州刺史李邦昌奏其事于朝，敕谥莫孝肃公，祀以庙食。宣卿有文名，时人白鸿儒称其诗文“如真金美玉，不落形迹；如化工生物，不事妆点而生气宛然如在”。（《莫孝肃公诗集序》）《全唐诗》存诗三首及断句一联。事迹见唐白鸿儒《莫孝肃公诗集序》。

知贡举：礼部侍郎韦悫。《旧唐书》卷一七七《韦保衡传》："父悫……大中四年，拜礼部侍郎，五年选人选士，颇得名人。"沈询《授韦悫鄂岳节度使制》云："职司诰命，参贰春官，业弥振于训词，道愈光于得士。"

李群玉在京落第，拟游荆州。离京前有诗投魏谟，谟时任御史中丞。（参严耕望《唐仆尚丞郎表》）群玉《将游荆州投魏中丞》："贫埋病压老巑岏，拂拭菱花不喜看。又恐无人肯青眼，事须凭仗小还丹。"（见《全唐诗》卷五七〇）群玉去秋入京赴举前，杜牧作《送李群玉赴举》诗赠之。诗云："故人别来面如雪，一榻拂云秋影中。玉白花红三百首，五陵谁唱与春风?"（见《樊川文集》卷四，详见吴在庆《李群玉生平二三事考实》，文见《中国典籍与文化论丛》第一辑，下所述亦参此文）

卢献卿大中中举进士。未知确年，暂系于此。卢献卿，一作卢献。字著明。幽州范阳（今河北球州）人。生卒年不详。献卿词藻受同辈推重，但累试不第。进士及第，后南游衡湘，病死于郴州。李商隐、皮日休有诗悼之。工赋，著《感征赋》数千言。《新唐书·艺文志四》著录为一卷，盛行于世，时人以为庾信《哀江南赋》之亚，司空图为作注。今已佚。《全唐诗》存诗一首，《唐代墓志汇编续集》存墓志一篇。事迹见《本事诗·征咎》。

三月

杜牧在宜兴督采茶，与李郢诗歌唱和。杜牧《题茶山》，题下注："在宜兴。"诗云："山实东吴秀，茶称瑞草魁。剖符虽俗吏，修贡亦仙才。……好是全家到，兼为奉诏来。树阴香作帐，花径落成堆。景物残三月，登临怆一杯。"（见《樊川文集》卷三）稍早，杜牧有《春日茶山病不欲饮酒因呈宾客》。（见《樊川文集》卷三）李郢随杜牧入茶山，赋《自水口入茶山》诗："蒨蒨红裙好女儿，相偎相倚看人时。使君马上应含笑，横把金鞭为咏诗。"（见《全唐诗》卷五九〇）又有《茶山贡焙歌》，中云："使君爱客情无已，客在金台价无比。春风三月贡茶时，尽逐红旌到山里。焙中清晓朱门开，筐箱渐见新芽来。陵烟触露不停探，官家赤印连帖催，朝饥暮匐谁兴哀。……驿骑鞭声砉流电，半夜驱夫谁复见。十日王程路四千，到时须及清明宴（一作前）。吾君可谓纳谏君，谏官不谏何由闻。九重城里虽玉食，天涯吏役长纷纷。使君忧民惨容色，就焙尝茶坐诸客。几回到口重咨嗟，嫩绿鲜芳出何力。……使君是日忧思多，客亦无言征绮罗。殷勤绕焙复长叹，官府例成期如何。吴民吴民莫憔悴，使君作相期苏尔。"郢，字楚望。籍贯有长安（今陕西西安）、苏州吴县（今江苏苏州）二说。生卒年不详。初居杭州，以山水琴书自娱，不务进取。宝历中，游长安。识贾岛、无可等。大中四年（850）至湖州访杜牧，游宴唱和。五年（851），在汴州逢李商隐。十年（856），进士及第。历淮南从事等。咸通中，为侍御史。官终越州从事。一说官终员外郎。有诗名，尤长于近体。多赠送酬和、题咏书怀之作，写行旅思乡之愁、离别相思之意，少数作品较多现实内容。理密辞闲，诗调清丽，善于写景状怀。《宿杭州虚白堂》"江风彻晓不得睡，二十五声秋点长"，世称警绝。《赠羽林将军》、《江亭春霁》等也是传世之作。《新唐书·艺文志四》著录《李郢诗》一卷，已散佚。《全唐诗》存诗一卷，《全唐诗补遗》补十首，《全唐诗补编》补四十首（含已见《全唐诗》但有异文、缺字者，入无名氏下者）。事迹见《唐才子传校笺》卷八。

暮春，杜牧与严恽湖州相见，以《落花》诗相唱和。《唐诗纪事》卷六六“严恽”条云：“皮日休《伤严子重序》云：余为童在乡校时，简上抄杜舍人牧之集，见有与进士严恽诗。后……后至吴。一日，有客曰严某，余忘其名久矣，遽怀文见造，于是乐甚。观其所为文，工于七字，往往有清便柔媚，时可轶骇骏于常轨。其佳者曰：‘春光冉冉归何处？更向花前把一杯。尽日问花花不语，为谁零落为谁开？’余美之，讽而未尝怠。”杜牧作《和严恽秀才落花》和之，曰：“共惜流年留不得，且环流水醉流杯。无情红艳年年盛，不恨凋零却恨开。”（见《樊川外集》）《樊川文集》卷九杜牧《唐故进士龚轺墓志》记牧会昌六年［按，原作五年，误，据《杜牧年谱》改］十二月经钱塘至睦州，“后四年，守吴兴，因与进士严恽言及鬼神事”。恽，（？—870）字子重。吴兴（治今浙江湖州）人。累举进士不第。大中四、五年（850、851）间，与杜牧过从酬和《落花》诗。咸通十年（869）至苏州访皮日休、陆龟蒙，甚相知。明年卒，皮、陆有诗悼之。诗工于七言，往往有清便柔媚，时轶于常轨之作。《全唐诗》存诗一首。事迹见唐杜牧《唐故进士龚轺墓志》、皮日休《伤进士严子重诗并序》。

四月

李商隐以妻卒、罢幕两艰难事相属，致书令狐绹希求援引。后以此补太学博士。商隐作《上兵部相公启》向令狐楚陈情：“商隐启：伏奉指命，令书元和中太清宫寄张相公旧诗上石者，昨一日书讫。伏以赋旷代之清词，宣当时之重德。……况惟菲陋，早预生徒，仰夫子之文章，曾无具体；辱郎君之谦下，尚遣濡翰。空尘寡和之音，素乏入神之妙。”（见《樊南文集》卷四，参刘学锴、余恕诚《李商隐诗歌集解》）

壬子，唐军小胜党项。时白敏中领宣宗诏命以宰相为党项招讨使，本月至宁州，遂夸报军功。《资治通鉴》卷二四九大中五年载：“上以南山、平夏党项久未平，颇厌用兵。崔铉建议，宜遣大臣镇抚。三月，以白敏中为司空、同平章事，充招讨党项行营都统、制置等使。……（四月）敏中军于宁州，壬子，定远城使史元破党项千九余帐于三交谷，敏中奏党项平。”陈寅恪《李德裕贬死年月及归葬传说辨正》曾评议此事，谓“唐宣宗之以白敏中平党项，适如清高宗以傅垣平金川，皆自欺欺人之举”。（《金明馆丛稿二编》）

六月

约本年夏，方干寄诗段成式，时段成式任吉州刺史。（见《唐刺史考》）其《东溪别业寄吉州段郎中》云：“凉随莲叶雨，暑避柳条风。岂分长岑寂，明时有至公。”（见《全唐诗》卷六四八）又方干诗多写江南景物，未知何年之作，今姑录于此。其《采莲》云：“采莲女儿避残热，隔夜相期侵早发。指剥春葱腕似雪，画扰轻拨蒲根月。兰舟迟速有输赢，先到河湾赌何物。才到河湾分首去，散在花间不知处。”

孙樵上《复佛寺奏》谏阻宣宗修复废寺。后朝中大臣亦奏复佛扰民。孙樵文《资

治通鉴》卷二四九本年六月载之，云："进士孙樵上言：'百姓男耕女织，不自温饱，而群僧安坐华屋，美衣精馔，率以十户不能养一僧。武宗愤其然，发十七万僧，是天下一百七十万户始得苏息也。陛下即位以来，修复废寺，天下斧斤之声至今不绝，度僧几复其旧矣。陛下纵不能如武宗除积弊，奈何兴之于已废乎！……愿早降明诏，僧未复者勿复，寺未修者勿修，庶几百姓犹得以息肩也。'秋，七月，中书门下奏：'陛下崇奉释氏，群下莫不奔走，恐财力有所不逮，因之生事扰人，望委所在长吏量加撙节。所度僧亦委选择有行业者，若容凶粗之人，则更非敬道也。乡村佛舍，请罢兵日修。'"《孙可之文集》卷六有上所引之《复佛寺奏》，卷十另有《读开元杂报》一文，末署"是岁大中五年也"，姑附于此。

李商隐在朝任太学博士，有《咏怀寄秘阁旧僚二十六韵》。诗中慨叹自身"声名佳句在，身世玉琴张"。（见《李商隐诗歌集解》）

七月

方干寓居东溪，约此时作《东溪言事寄于丹》。中云："日月昼夜转，年光难驻留。轩窗才过雨，枕簟即知秋。草（一作天）际鸟（一作雁）行出，溪中虹影收。"（见《全唐诗》卷六四九）方干另有《送于丹》，中云"入洛霜霰苦，离家兰菊衰。"或作于上年晚秋，并系于此。于丹其人不详。

河南尹柳仲郢为梓州刺史、东川节度使，征聘李商隐为节度掌书记。商隐作《献河东公启二首》答之。其一云："伏奉手笔，猥赐奏署。……若某者又安可炫露短材，叨尘记室？……承命知忝，托怀自惊。"（见《樊南文集》卷四）商隐旋于秋冬之际赴东川幕府。（见张采田《玉谿生年谱会笺》）

韩偓早慧，本年仅十岁，于送别其姨父李商隐赴东川幕府之离宴上，即席赋诗，才惊四座。稍后偓父韩瞻赴果州刺史任，偓亦随父入川。李商隐在川中，追吟叹赏韩偓诗句不已，乃作《韩冬郎即席为诗相送，一座尽惊，他日余方追吟"连宵侍坐徘徊久"之句，有老成之风，因成二绝寄酬，兼呈畏之员外》，其一云："十岁裁诗走马成，冷灰残烛动离情。桐花万里丹山路，雏凤清于老凤声。"其二云："剑栈风樯各苦辛，别时风雪到时春。为凭何逊休联句，瘦尽东阳姓沈人。"（见《李商隐诗集》）

八月

十二日，杜牧以内擢考功郎中、知制诰，离湖州刺史官舍他往，作《八月十二日得替后移居霅溪馆因题长句四韵》。中云："千岁鹤归犹有恨，一年人住岂无情。……景物登临闲始见，愿为闲客此闲行。"（《樊川文集》卷三）牧《自撰墓志铭》自述云："以弟病，乞守湖州，入拜考功郎中、知制诰，周岁，拜中书舍人。"赴任途中，有题汴河及寄兵部李郎中诗。《太平广记》卷一四四引《感定录》："唐杜牧自湖州刺史拜中书舍人，题汴河云：'自怜流落西归疾，不见春风二月时。'自郡守入为舍人，未为流落，至京果卒。"《太平广记》所引即杜牧《隋堤柳》诗。（见《樊川文集》卷十）又有《赴京初入汴口晓景即事先寄兵部李郎中》，中云："清淮控隋漕，北走长安道。

……初旭红可染，明河澹如扫。泽阔鸟来迟，村饥人语早。……秋思高萧萧，客愁长袅袅。”（见《樊川文集》卷一）

九月

薛逢以田牟出镇灵州，作《送灵州田尚书》：“阴风猎猎满旗竿，白草飕飕剑气攒。……霜中入塞琱弓硬，月下翻营玉帐寒。（见《全唐诗》卷五四八）田尚书为田牟。《新唐书·田弘正传》附《田牟传》，牟“一为灵武军，官至检校尚书、左仆射卒”。（参《唐方镇年表》卷一）

秋，李商隐作《房中曲》、《青陵台》等诗，悼亡妻王氏；时郑亚卒于贬地循州，铭旌北返，商隐亦有感赋之作。《房中曲》云：“蔷薇泣幽素，翠带花钱小。……玉簟失柔肤，但见蒙罗碧。忆得前年春，未语含悲辛。归来已不见，锦瑟长于人。”商隐妻王氏春夏间卒，商隐归后未及见妻。其《相思》诗云：“相思树上合欢枝，紫凤青鸾并羽仪。肠断秦台吹管客，日西春尽到来迟。”《青陵台》云：“青陵台畔日光斜，万古贞魂倚暮霞。莫讶韩凭为蛱蝶，等闲飞上别枝花。”郑亚卒循州，商隐迎吊其铭旌，作《故驿迎吊故桂府常侍有感》：“饥乌翻树晚鸡啼，泣过秋原没马泥。二纪征南恩与旧，此时丹旐玉山西。”（见张采田《玉溪生年谱会笺》）

十月

沙州张义潮率瓜、伊等十州归唐，河、湟之地复入于唐。《资治通鉴》卷二四九大中五年正月：“义潮、沙州人也，时吐蕃大乱，义潮阴结豪杰，谋自拔归唐。一旦，帅众被甲噪于州门，唐人皆应之，吐蕃守将惊走，义潮遂摄州事，奉表来降。”同年其兄义泽奉十一州图籍入见，于是河、湟之地尽入于唐。十一月，置归义军于沙州，以义潮为节度使、十一州观察使。”（见《旧唐书·宣宗本纪》）

张祜有《喜闻收复河陇》诗。云：“诏书频降尽论边，将择英雄相卜贤。河陇已耕曾殁地，犬羊谁辨却朝天。高悬日月胡沙外，遥拜旌旗汉垒前。共感垂衣匡济力，华夷同见太平年。”（见《张承吉文集》卷八）其时张祜六十岁，穷居故乡村舍，作《偶信》、《穷居》诸诗，与陆龟蒙有唱和。龟蒙《和过张祜处士丹阳故居》诗序谓：“（祜）以曲阿地古谵，有南朝之遗风，遂筑室种树而家焉。”《金华子杂编》所记略同。祜之移居丹阳盖在会昌元年（841）前后，后曾出游，约大中三年（849）有《忆云阳宅》诗，即忆丹阳乡居者，末云：“聊当因瘠寐，归思浩无涯。”则其归居丹阳当在其时后不久。而《偶信》：“浮生扰扰务华虚，未胜东归重结庐。自已忘言师靖节，非关真隐慕玄居。无机坐上休扪虱，失脚溪头便钓鱼。唯恨世间些子事，两茎衰发为人梳。”（见《张承古文集》卷七）另有《穷居》诗：“陋巷长闻君子穷，我生宁免因儒宫。辛勤自灌一畦韭，卤莽还开三径蓬。竹下喜逢青眼士，草中甘作白头翁。佳期日暮不知处，把钩徒吟江上风。”

李郢初至长安，作《阙下献杨侍郎》诗，献户部侍郎杨汉公以祈援引。诗云：“沧洲垂钓本无名，十月风霜偶到京。…心苦篇章头早白，十年江汉忆先生。”（《全唐诗补

编·续补遗》卷八，参《全唐诗人名考》）

李商隐离长安抵柳仲郢梓州幕，此行之诗颇多。《留赠畏之》中云："清明无事奏明光，不遣当关报早霜。"《西南行却寄相送者》中云："百里阴云覆雪泥，行人只在雪云西。"又有《饯席重送从叔余之梓州》、《赴梓潼渲留别畏之员外同年》、《悼伤后赴东蜀辟至散关遇雪》、《利州江潭作》、《望喜驿别嘉陵江水二绝》、《张恶子庙》、《梓潼望长卿山至巴西复怀谯秀》等。商隐《迎寄韩鲁州瞻同年》诗："积雨晚骚骚，相思正郁陶。……寇盗缠三辅，每苔滑百牢。"此诗自注："时兴元贼起，三川兵出。"《资治通鉴》卷二四九大中五年十月："蓬、果群盗依阻鸡山、寇掠三川；以果州刺史王贽弘充三川行营都知兵马使以讨之。"

十一月

莫宣卿以制科状元荣归封州省亲，本年进士柳珪有《送莫仲节状元归省》："青骢聚送谪仙人，南国荣亲不及君。椰子味从今日近，鹧鸪声向旧山闻。孤猿夜叫三湘月，匹马时侵五岭云。想到故乡应腊过，药栏犹有异花薰。"（见《全唐诗》卷五六六）宣卿擅词赋诗歌，有《莫孝肃公诗集》。白鸿儒《莫孝肃公诗集序》云："唐宣宗大中五年，龙集辛未，设科求贤，合天下士对策于大廷。胪传以莫公宣卿为第一。公字仲节，广南封州人也。……公幼在侧，天性迥异，闻言即悟。甫七岁，资识豁然，手不释卷，过目辄成诵，时人目为神童。……初典翰林，未服官政。后以母老，具表陈情，乞官外补，以便就养。上可其奏，赐官台州别驾，归省迎母。未至官所，而寻卒故里。……公自幼以至登第，所撰词赋诗歌，皆操笔立成，诵而咏之，如真金美玉，不落形迹，如化工生物，不事妆点，而生气宛然如在也。及今公族子姓言动气象，犹有公之遗风。"（见《全唐文》卷八一六）

冬，李商隐幕主柳仲郢以其妻丧，拟以乐妓赐之，商隐上启婉拒。《上河东公启》："商隐启：两日前于张评事处伏睹手笔，兼评事传指（旨）意，于乐籍中赐一人，以备纫补。某悼伤已来，光阴未几，梧桐半死，才有述哀；……至于南国妖姬，丛台妙妓，虽有涉于篇什，实不接于风流。……诚出恩私，非所宜称。"（见《樊南文集》卷四。参《李商隐诗歌集解》及《玉谿生年谱会笺》）

本年

李玫有传奇小说集《纂异记》，《新唐书·艺文志三》著录为一卷，谓玫"大中时人"。其书成于何时无考，姑记于此。

刘驾落第在京，候明年春试，明年及第。驾时三十岁，作有《赠先达》、《上马叹》、《出门》等诗。其《赠先达》："终南苍翠好，未必如故山。心期在荣名，三载居长安。昔蒙大雅匠，勉我工五言。业成时不重，辛苦只自怜。皎皎机上丝，尽作秦筝弦。"又有《上马叹》："羸马行迟迟，顽童去我远。……如何见布衣，忽若尘入眼。布衣岂常贱，世事车轮转。"又《出门》："出门羡他人，奔走如得途。……以兹聊自安，默默行九衢。生计逐羸马，每出似移居。"皆觅仕时感慨之作。（均见《全唐诗》卷五

八五）

罗隐（833—909）年十九，谒见淮南节度使李珏。［按，《吴越备史》云："隐本名横，凡十上不中第，遂更名。"则本年罗隐尚名横］珏善诗，重罗隐才华示以近作，隐作《广陵李仆射借示近诗因投献》。李珏时为检校尚书右仆射、淮南节度使。（见两《唐书》本传，参《唐方镇年表》卷五）蒋伸《授李珏扬州节度使制》称珏"道光朝彦，德契人师……学术洞九流之奥"。（见《文苑英华》卷四五五）罗隐此诗赞李仆射"朝论国计暮论兵，余力犹随风藻生……闲寻绮思千花丽，静想高吟六义清。"（见《罗隐集·甲乙集》卷四）

卢栯为弘文馆学士在大中中，未知确年，暂系于此。栯，误作郁。生卒年、籍贯不详。于兴宗登绵州越王楼赋诗寄朝中知友，卢有和诗。后为祠部员外郎。《全唐诗》存诗一首。事迹见《唐诗纪事》卷五三，岑仲勉《郎官石柱题名新考订》、《郎官石柱题名新著录》。

李贻孙本年（851）出任福建观察使。次年，为欧阳詹文集作序。与李商隐友善，李有《为李贻孙上李相公启》。《全唐文》存文二篇，《全唐诗补编》补断句一联。

权审本年（851）以水部员外郎奉使湖南安抚。后迁户部员外郎。擢司封员外郎，充史馆修撰。累官至散骑常侍。字子询。天水略阳（今甘肃秦安东北）人。生卒年不详。权德舆侄。能文，曾著诗千首。《题山院》一诗传诵于世。作品多佚。《全唐诗》存诗二首。事迹见唐杜牧《权审除户部员外郎制》、《诗话总龟前集》卷一五。

周墀（793—851）卒。墀，以散文名家。字德升。汝南（今属河南）人。排行十三。长庆二年（822）进士及第。辟湖南团练巡官。入为监察御史。累迁起居舍人、考功员外郎。开成二年（837）充翰林学士。四年（839），拜中书舍人。改工部侍郎。出为华、鄂、洪、滑等州刺史。大中元年（847）以兵部侍郎同平章事。三年（849），罢为剑南东川节度使，加检校右仆射，卒于镇。能为古文，有史才，为文宗所重。《全唐文》存文三篇；《全唐诗》存诗二首，《全唐诗补编》补诗序一篇。事迹见唐杜牧《唐故东川节度使检校右仆射周公墓志铭》，新、旧《唐书》本传。

郑颢大中三年（849），自起居郎充翰林学士。娶宣宗女万寿公主，迁右谏议大夫知制诰。四年（850），拜中书舍人。本年（851），授庶子出翰林院。迁给事中。后两知贡举，选拔滞才，为时人所称。

侯道华（818－851），陕州芮城（今属山西）人，宣宗时为永乐县中条山阳道静院道士。生而愚默，居道院事劳役，为众道士所轻贱。大中五年（851）月，文宗时服道士邓太玄所炼丹药，遗诗一首而卒。传说仙去。《全唐诗》存诗一首。事迹见唐高元春《侯真人降生台记》。

姚康，一作姚元康，本年为太子詹事。此后事迹不详。康，字汝谐。吴兴武康（今浙江德清）人，一作华州下邽（今陕西渭南东北）人。姚南仲孙。生卒年不详。元和十五年（820）进士及第。长庆中，由秘书省秘书郎试左武卫仓曹参军，充剑南西川观察推官。宝历元年（825），为京兆司录参军。迁户部员外郎。大和八年（834），任左司员外郎判户部案，以受贿贬韶州始兴尉。历兵部郎中、金吾将军等。能诗工史。《新唐书·艺文志二》著录《统史》（误作姚康复）三百卷。《科第录》十六卷，并佚。

《全唐诗》存诗四首。事迹见《新唐书·艺文志二》、《唐诗纪事》卷五〇。

夏侯孜进士及第已二十五年，本年出为陕虢观察使。孜大中中，为谏议大夫，转给事中。

悟真(？—889?)本年(851)至长安，授京城临坛大德。原为沙州释门义学都法师。

崔龟从本年（851）罢为宣武节度使。后累历方镇，未久即卒。以散文名家。字玄告。清河（今属河北）人。生卒年不详。元和十二年（817）进士及第。长庆元年（821）登贤良方正直言极谏科。又登书判拔萃科。授右拾遗。大和二年（828）改太常博士。累迁考功郎中、史馆修撰。转司勋郎中、知制诰，拜中书舍人。开成元年（836）出为华州刺史。入为户部侍郎。四年（839），出为宣歙观察使。大中四年（850），为中书侍郎、同平章事。长于礼学，能文。《全唐文》存文八篇。事迹见新、旧《唐书》本传。

崔荆本年、明年（851—852）中，以太子庶子分司东都。荆，生卒年、籍贯不详。会昌中，官刑部员外郎。历金部郎中、中书舍人。有文集，未见著录。作品已佚。事迹见《玉泉子》、岑仲勉《郎官石柱题名新考订》。

窦弘馀本年（851）为台州刺史。扶风平陵（今陕西咸阳西北）人。生卒年不详。窦常子，会昌中为黄州刺史。大中五年（851）为台州刺史。仅存《广谪仙怨》词一首。《谪仙怨》系唐玄宗自创曲谱，其旨属马嵬之事。刘长卿用为词调。弘馀撰词，扩充词意，并广其传，故名。事迹见《旧唐书·窦常传》、《嘉定赤城志》卷八。

裴思谦唐代诗人。字自牧。河东闻喜（今属山西）人。生卒年不详。开成三年（838）以宦官仇士良关节状元及第。大中五年（851）至七年（853）间，为河中节度使郑光幕节度判官。乾符三年（876）以凉王傅分司为卫尉卿。官至左散骑常侍兼大理卿。《全唐诗》存诗一首。事迹见《唐摭言》卷九、《旧唐书·僖宗本纪》、《新唐书·宰相世系表一上》、《太平广记》卷二六一引《卢氏杂说》。

魏謩（793—858）本年（851）以本官同平章事，加中书侍郎。转门下侍郎。謩，以文学知名。字申之。魏州馆陶（今属河北）人。魏征五世孙。大和七年（833）进士及第。八年（834）同州刺史杨汝士辟为巡官，授秘书省校书郎。拜右拾遗。开成元年（836）擢右补阙。迁起居舍人、谏议大夫。五年（840）出为汾州刺史。会昌元年（841）贬信州长史。宣宗立，量移郢、商二州刺史。大中二年（848）征为给事中。迁御史中丞、户部侍郎。五十一年（857）出为剑南西川节度使。十二年（858）拜吏部尚书、太子少保，卒。居官言论切直，无所畏避。工诗能文。任宰相时监修《文宗实录》四十卷；与群臣应制和宣宗诗，謩诗最佳，为宣宗嘉赏。《新唐书·艺文志》著录《魏謩集》十卷、《魏氏手略》二十卷，并佚。《全唐诗》存诗二联；《全唐文》存文六篇，《唐文拾遗》补一篇。事迹见新、旧《唐书》本传。

公元852年（唐宣宗大中六年　壬申）

二月

礼部侍郎崔玙知贡举，刘驾、许道敏、苗台符、张读、赵骘等二十八人登进士第。

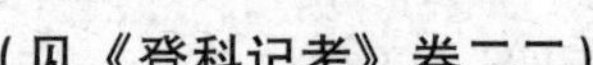

（见《登科记考》卷二二）

刘驾，《唐才子传》卷七："驾，字司南，大中六年礼部侍郎崔玙下进士。初与曹邺为友，深相结。俱工古风诗。邺既擢第，不忍先归。待长安中驾成名，乃同归范蠡故山，时国家复河、湟故地，有归马放牛之象。驾献乐府十章，《序》曰：'驾生唐二十八年，获见明天子以德归河、湟，臣得与天下夫妇复为太平人。恨愚且贱，不得拜舞上前，作诗十篇，虽不足贡声宗庙，形容盛德，愿与耕稼陶渔者，歌江湖田野间，亦足自快。'诗奏，上甚悦，累历达官。驾诗多比兴含蓄，体无定规，意尽即止，为时所宗。今集一卷，行于世。"曹邺有《浐川寄进士刘驾诗》，驾诗名和于濆、邵谒、曹邺等人齐名。延君寿称其"五古诗极有风味"。（见《老生常谈》）杨慎则谓"刘驾诗体卑近，无可采者，独'马上续残梦'一句，千古绝唱也"。（见《升庵诗话》卷一二）贺裳也称"刘驾诗亦多直，然集中尚不乏佳篇。世传其'马上续残梦'一诗，诚为杰构"。（见《载酒园诗话·又编》）张为《诗人主客图》列其为"高古奥逸主"孟云卿之升堂者。《直斋书录解题》著录《刘驾集》一卷。《宋史·艺文志》著录《古风诗》一卷。《全唐诗》存诗一卷。

许道敏，唐高彦休撰《唐阙史》卷上："贡士许道敏随乡荐之初，获知于时相。是冬，主文者将莅事于贡院，谒于相门，丞相大称其文学精臻，宜在公选，主文加简揖额而去。许潜知其旨，则磨以须少顷。屈指试期，大挂人口，俄有张希复员外结婚于丞相奇章公之门，亲迎之夕，辟道敏为傧赞。道敏乘其喜气，纵酒飞章，摇珮高谈，极欢而罢。居无何，时相敷奏不称旨，移秩他郡。人情恐骇，主文不敢第于甲乙。尔后晦昧坎壈，不复闻达。继丁家故，垂二十载，至大中六年崔玙知举年，方擢于上科。时有同年张侍郎读，一举成事，年才十九。乃道敏败于垂成之冬，傧导外郎鹊桥之夕，牛夫人所出也。差之毫厘何啻千里。"（见文渊阁《四库全书》本）[按，许道敏，尧佐之子，登进士第，见《旧唐书·儒学传》卷一百八十九]

苗台符，王定保《唐摭言》卷三："苗台符六岁能属文，聪悟无比。十余岁博览群籍，著《皇心》三十卷。年十六及第。张读亦幼擅词赋，年十八及第，同年进士，同佐郑薰少师宣州幕。二人常列题于西明寺之东庑，或窃注之曰：'一双前进士，两个阿孩儿。'台符十七不禄，张读位至礼部侍郎。"一本作"正卿"。（见文渊阁《四库全书》本）《韩文考异》引《登科记考》："苗台符，蕃之曾孙，愔之子，大中八年进士第。疑"八"为"六"字之讹。

张读，《旧唐书》卷一百四十九张荐传云："张读登进士第，有俊才。累官至中书舍人，礼部侍郎，典贡举，时称得士。位终尚书左丞。"[按，读为荐之孙，希复之子]家学渊源，尤长于小说。《四库全书总目提要》："《宣室志》十卷、《全唐文补遗》一卷为唐张读撰。"今传明钞本、《稗海》本，皆为十卷，附《全唐文补遗》一卷，凡二百余条，皆辑自《太平广记》。短篇多，长篇少，内容杂记仙佛休咎、鬼神灵异之事，且多鬼狐变化之说，承袭六朝志怪小说的痕迹甚明。《广记》中尚存较多佚文，清人王仁俊、缪荃孙均有补辑之作，但未刊刻。今有张永钦、侯志明点校本，中华书局1983年出版。

赵骘，《旧唐书》卷一百七十八赵隐传："弟骘，亦以进士登第。大中末与兄隐并践省阁，咸通初以兵部员外郎知制诰转郎中正，拜中书舍人。六年，权知贡举。七年，选士多得名流，拜礼部侍郎，御史中丞……”

知贡举：礼部侍郎崔玙。《旧唐书》卷一百七十七崔玙传：“玙，字朗士，长庆初进士擢第，又制策登科。开成末，累迁至礼部员外郎。会昌初，以考功郎中知制诰，拜中书舍人。大中五年，迁礼部侍郎。六年，选士，时谓得才。七年，权知户部侍郎，进封博陵子，食邑五百户，转兵部侍郎。子淡。”杜牧《崔玙除兵部侍郎制》：“正议大夫前权知尚书户部侍郎上柱国博陵县开国子食邑五百户赐紫金鱼袋崔玙，上知自得，不器难名，既擅高文，兼通古学。掌言纶阁，典贡春闱，词同三代之风，士掇一时之秀。振举职业，昭宣令名。”（《全唐文》卷七四八，中华书局，1983 年）

十二月

杜牧（803—852）卒，年五十。《四库全书总目提要》卷一百五十一集部四载：“《樊川文集》二十卷、《外集》一卷、《别集》一卷（内府藏本），唐杜牧撰。牧，字牧之，京兆万年人。太和二年登进士第。官至中书舍人。事迹附载《新唐书·杜佑传》内。文集为其甥裴延翰所编，唐《艺文志》作二十卷。晁氏《郡斋读书志》又载《外集》一卷。王士祯《居易录》谓旧藏杜集止二十卷，后见宋版本，雕刻甚精，而多数卷。考刘克庄《后村诗话》云：‘樊川有《续别集》三卷，十八九皆许浑诗。牧仕宦不至南海，而别集乃有《南海府罢之作》。’则宋本《外集》之外又有《续别集》三卷。故士祯云然也。此本仅附《外集》、《别集》各一卷，有裴延翰序。又有宋熙宁六年田概序。较克庄所见《别集》尚少二卷，而《南海府罢之作》不收焉。则又经后人删定，非克庄所见本矣。范摅《云溪友议》曰：‘先是，李林宗、杜牧言元、白诗体舛杂，而为清苦者见嗤，因兹有恨。牧又着论，言近有元、白者，喜为淫言媟语，鼓扇浮嚣，吾恨方在下位，未能以法治之。’《后村诗话》因谓牧风情不浅。如杜秋娘、张好好诸诗，[按，杜秋诗非艳体，克庄此语殊误]‘青楼薄幸’之句，街吏平安之报，未知去元、白几何。比之以燕伐燕，其说良是。《新唐书》亦引以论居易。然考牧集无此论。惟《平卢军节度巡官李戡墓志》述戡之言曰：‘尝痛自元和以来，有元、白诗者，纤艳不逞。非庄士雅人，多为其所破坏。流于民间，疏于屏壁。子父女母，交口教授。淫言语，冬寒夏热，入人肌骨，不可除去。吾无位，不得用法以治之。欲使后代知有发愤者，因集国朝以来类于古诗得若干首，编为三卷，目为唐诗。为序以导其志。’云云。然则此论乃戡之说，非牧之说。或牧尝有是语，及为戡志墓，乃借以发之，故摅以为牧之言欤！平心而论，牧诗冶荡甚于元、白，其风骨则实出元、白上。其古文纵横奥衍，多切经世之务。《罪言》一篇，朱祁作《新唐书·藩镇传论》实全录之。费衮《梁溪漫志》载：“欧阳修使子棐读《新唐书》列传，卧而听之。至《藩镇传叙》，叹曰：‘若皆如此传，笔力亦不可及。’”识曲听真，殆非偶尔。即以散体而论，亦远胜元、白。观其集中有读韩、杜集诗。又《冬至日寄小侄阿宜》诗曰：‘经书刮根本，史书阅兴亡。高摘屈、宋艳，浓熏班、马香。李、杜泛浩浩，韩、柳摩苍苍。近者四君子，与古争强梁。’则牧于文章具有本末，宜其睥睨‘长庆’体矣。”

《樊川文集》卷十有《自撰墓志铭》，乃本年杜牧所撰，中云：“年五十，斯寿矣。”又谓：“某平生好读书，为文亦不出人。曹公曰：‘吾读兵书战策多矣，孙武深矣。’因注其书十三篇，乃曰：‘上穷天时，下极人事，无以加也，后当有知之者。’”［按，杜牧乃卒于本月（详见吴在庆《杜牧卒年再考》，《人文杂志》1983 年第 5 期）］《樊川外集》有《留诲曹师等诗》，中云：“学非探其花，要自拔其根。孝友与诚实，而不忘尔言。根本既深实，柯叶自滋繁。”又杜牧卒前曾嘱其甥裴延翰为编文集作序。延翰《樊川文集序》（见《樊川文集》卷首）记云：“顾延翰曰：‘司马迁云，自古富贵，其名磨灭者，不可胜纪。我适稚走于此，得官受俸，再治完具，俄及老为樊上翁。既不自期富贵，要有数百首文章，异日尔为我序，号《樊川集》，如此顾樊川一禽鱼、一草木无恨矣，庶千百年来随此磨灭邪！”又云：“明年迁中书舍人，始少得恙，尽搜文章，阅千百纸，掷焚之，才属留者十二三。……以是在延翰久藏蓄者，甲乙签目，比较焚外，十多七八，得诗、赋、传、录、论、辨、碑、志、序、记、书、启、表、制，离为二十编，合为四百五十首，题曰《樊川文集》。”序评杜牧文云：“窃观仲舅之文，高骋穹夐厉，旁绍曲摭，挈简浑圆，劲出横贯，涤濯滓窳，支立欹倚。呵摩皲瘃，如火煦焉；爬梳痛痒，如水洗焉。其抉剔挫偃，敢断果行，若誓牧野，前无有敌。其正视严听，前衡后銮，如整冠裳，祗谒宗庙。其聒蛰爆聋，迅发不慕栗，若大吕劲鸣，洪钟横撞，撑裂噫喑，戛切《韶》、《濩》。其砭熨嫉害，堤障初终，若濡槁于未焚，膏痈于未穿。栽培教化，翻正治乱，变醨养瘠，尧醲舜熏，斯有意趋贾、马、刘、班之藩墙者邪。其文有《罪言》者，《原十六卫》者，《战》、《守》二论者，与时宰《论用兵》、《论江贼》二书者。上猎秦、汉、魏、晋、南北二朝，逮贞观至长庆数千百年，兵农刑政，措置当否，皆能采取前事，凡人未尝经度者。若绳裁刀解，粉画线织，布在眼见耳闻者。其谲往事，则《阿房宫赋》；刺当代，则《感怀诗》；有国欲亡，则得一贤人，决遂不亡者，则《张保皋传》；尚古兵柄，本出儒术，任武力者，则注《孙子》而为其序；褒劝贤杰，表揭职业，则《赠庄淑大长公主》及故丞相奇章公、汝南公墓志；摽白历代取士得才，率由公族子弟为多，则《与高大夫书》；谏诤之体，非讦丑恶，与主斗激，则《论谏书》；若一县宰，因行德教，不施刑罚，能举古风，则《谢守黄州表》；一存一亡，适见交分，则《祭李处州文》；训励官业，告柬君命，拟古典谟以寓诛赏，则司帝之诰。其余述喻赞诫，兴讽愁伤，易格异状，机键杂发，虽绵远穷幽，酿腴魁礨，笔酣句健，窕眇碎细，包诗人之轨宪，整扬、马之衙阵，耸曹、刘之骨气，掇颜、谢之物色，然未始不拨劘治本，缅幅道义，钩索于经史，抵御于理化也。”《四库全书提要》载：“李贺诗序本杜牧作，而云风樯阵马诸语出自韩愈；温庭筠诗玲珑骰子安红豆，入骨相思知不知，而引为入骨相思知也无。”杜牧为晚唐大家，工于诗、赋、古文。亦精于书法，于诗造诣尤为突出。其赋以《阿房宫赋》最为著名。他论诗推崇李白、杜甫、韩愈、柳宗元，认为“李杜泛浩浩，韩柳摩苍苍。近者四君子，与古争强梁”（《冬日寄小侄阿宜诗》）。贬抑元稹、白居易之作为“纤艳不逞”、“淫言蝶语”（《李府君（戡）墓志铭》）。自称“苦心为诗，本求高绝，不务奇丽，不涉习俗，不今不古，处于中间”（《献诗启》）。生前与许浑、张祜、韦楚若、李郢等人友善，多有酬唱往还。诗与李商隐齐名，人称“小李杜”。牧才甚富，胡应麟称“俊爽若牧之，藻绮若庭筠，精深若义山，整密若丁卯，皆晚唐铮铮者。其才则许不如李，李不如温，温不如杜”（《诗薮》）。其诗兼擅众体，风格多样，“风调高华，片言不俗”（蔡絛《蔡百衲诗话》），于晚唐诗坛别标高格。《陈氏书录》称“杜紫微才高，俊迈不羁。其诗有气概，非晚唐人所能及”。徐献忠《唐诗品》称“牧之诗含思悲凄，流情感慨，抑扬顿挫之节，尤其所长。以时风委靡，独持拗峭，虽云矫其流弊，然持情亦巧矣”（胡震亨《唐音癸签》卷八引）。李调元评为“轻倩秀艳”（《雨村诗话》），刘熙载目作“雄姿英发”（《艺概 · 诗概》）。尤精律绝。杨慎称“律诗至晚唐，李义山之下，惟杜牧之为最。宋人评其诗豪而艳，宕而丽，于律诗中特寓拗峭，以矫时弊”（《升庵诗话》卷五）。贺裳论其绝句“最多风调，味永趣长，有明月孤映、高霞独举之象，余诗则不能耳”（《载酒园诗话 · 又编》）。其名作佳篇如《山行》、《杜秋娘》、《赤壁》、《过华清宫绝句》、《清明》等广为传诵。今有《四部备要》本清冯集梧《樊川诗集注》四卷。

杜牧在当时负有盛名，所以他的文集流传很快，在他卒后数年，皮日休为童子时，在乡校中已见到《樊川集》的传抄本。（《全唐诗》卷二三皮日休《伤进士严子重诗序》）杜牧有经邦济世之才，始终未能得位以施展抱负，只得以空文自见。他兼擅诗文，而诗歌的造诣尤高，在晚唐独树一帜。杨慎《升庵诗话》卷五：“律诗至晚唐，李义山而下，惟杜牧之为最。宋人评其诗豪而艳，宕而丽，于律诗中特寓拗峭，以矫时弊，信然 ”清赵翼《瓯北诗话》卷十一“杜牧诗”云：“杜牧之作诗，恐流于平弱，故措词必拗峭，立意必奇僻，多作翻案语，无一平正者。方岳《深雪偶谈》所谓‘好为议论，大概出奇立异，以自见其长’也。如《赤壁》云：‘东风不与周郎便，铜雀春深锁二乔。’《题四皓庙》云：‘南军不袒左边袖，四老安刘是灭刘。’《题乌江亭》云：‘胜败兵家事不期，包羞忍耻是男儿。江东子弟多才俊，卷土重来未可知。’此皆不度时势，徒作异论，以炫人耳，其实非确论也。惟《桃花夫人庙》云：‘细腰宫里露桃新，脉脉无言度几春。至竟息亡缘底事？可怜金谷坠楼人！’以绿珠之死，形息夫人之不死，高下自见；而词语蕴藉，不显露讥讪，尤得风人之旨耳。皮日休《馆娃宫怀古》云：‘越王大有堪羞处，只把西施赚得吴。’亦是翻新，与牧之同一蹊径。”全祖望说：“杜牧之才气，其唐长庆以后第一人耶！读其诗、古文辞，感时愤世，殆与汉长沙太傅相上下。”（《鲒埼亭集外编》卷三十七《杜牧之论》）洪亮吉说：“有唐一代，诗文兼擅者，惟韩、柳、小杜三家。”（《北江诗话卷二》）此外，杜牧还会填词，又能书画。他曾作《八六子》词，见《尊前集》，全首九十字，为唐人中第一个作长调慢词者。杜牧所写的《张好好诗》，董其昌谓其“深得六朝人气韵”（《渔洋诗话》）。杜牧又曾摹顾恺之所画维摩像，米芾称其“精采照人”（《画史》）。又牧之亦擅法书，叶奕苞云：“牧之书潇洒流逸；深得六朝人风韵。”（《金石补录》卷二二《唐杜牧张好好诗》条）所以杜牧可谓多才多艺者。沈德潜《唐诗别裁集》选杜牧诗十八首。《唐才子传》卷五有传。《新唐书 · 艺文志四》著录《樊川集》二十卷。《通志 · 艺文略》著录《樊川集》二十卷、《外集》一卷、《别集》一卷。《外集》、《别集》乃后人辑成，其中多有他人诗误入。《全唐诗》存诗八卷，《全唐诗补逸》补诗一首，《全唐诗续补逸》补诗一首，《全唐诗续拾》补诗六首。《旧唐书》卷一四七、《新唐书》卷一六六《杜佑传》

有其附传。事又见其《自撰墓志铭》、孟荣《本事诗·高逸第三》、《唐诗纪事》卷五六、《唐才子传》卷六等。有年谱多种，以今人缪钺《杜牧年谱》较为通行。

公元853年（唐宣宗大中七年　癸酉）

二月

于瑰、崔殷梦、李詹、韦蟾等三十人登进士第，于瑰为本年状元，知贡举为中书舍人崔瑶。（见徐松《登科记考》卷二二）

于瑰，原作“于玙”，徐氏考云：“《广卓异记》引《登科记考》：‘于瑰，大中三年状元及第。弟玙，大中七年状元及第。’当作“于瑰”，考《唐诗纪事》卷五十三于瑰条云：‘瑰字正德，敖之子也，大中七年进士第一人。’《旧唐书》卷一四九《于休烈传》云：‘敖四子：球、瑰、珪、琮，皆登进士第。’又《新唐书》卷七十二下《宰相世系表》于敖子有球、珪、瑰、琮，并无玙名。而于瑰之名并见《东观奏记》卷上，亦谓其为前进士。则大中七年之状元于玙，实即于瑰之误，宜据《唐诗纪事》更正。卷二十七页十六附考据《旧唐书·于休烈传》录于瑰。今知于瑰为大中七年状元，附考所录应删。”今更正并删并。

崔殷梦，原作“崔瑰”，《玉泉子》：“崔殷梦瑰，宗人瑶门生也，夷门节度使龟从之子。同年首冠于瑰，瑰白瑶曰：‘夫一名男子，饬身世以为美也，不可以等埒也。近岁关试内，多以假为名，求适他处，甚无谓也。今乞侍郎，不可循其旧辙。’瑶大以为然。一日瑰等率集同年，诣瑶起居。既坐，瑶笑谓瑰等曰：‘昨得大梁相公书，且欲先辈一到，骏马健仆往复，当不至稽滞。幸诸先辈留意。’瑰以座主之命，无如之何。”（文渊阁《四库全书》子部十二《玉泉子》）《唐摭言》作‘殷梦名澹’”。［按，《玉泉子》所言“崔殷梦瑰”，盖“瑰”字殆因下文“于瑰”而衍］崔瑶、崔瑰皆郾之子（见《旧唐书》卷一五五《崔邠传》），未得称“宗人”。崔殷梦字济川，龟从之子（见《新唐书·宰相世系表》二下），出清河大房，殆与崔瑶为“宗人”。又《唐语林》卷七：“李卫公颇升寒素，旧府解有等第，卫公既贬，崔少保龟从在省，子殷梦为府解元。广文诸生为诗曰：‘省司府局正绸缪，殷梦元知作解头。三百孤寒齐下泪，一时南望李崖州。’卢渥司从以府元为第五人。自此废等第。”考《旧唐书》卷十八下《宣宗本纪》载：大中元年（847）“秋七月……以太子少保分司東都、卫圃公李德裕为人所讼，贬潮州司马员外置同正员”；三年（849）十二月，崖州司户参军李德裕卒于贬所。同上又载：“大中二年（848）九月，以户部侍郎、判度支崔龟从本官同平章事。”又《四部丛刊》本《唐孙樵集》卷八《唐故仓部郎中康公墓诘铭并序》云：“唐尚书仓部郎中姓康氏，以咸通十三年月日薨于郑州官舍。其年月日，前左拾遗陈昼寓书孙樵曰：‘与子俱受恩康公门，今先还有期，其孤征志于子，子其无让。’樵哭之恸已，而挥涕叙平生。公讳某字某，会稽人。……大中二年，复调授京兆府参军，其年冬为进士试官，峭独不顾，虽权势不能挠，其与选者，不逾年继踵升第。故中书侍郎高公璩……今春官贰卿崔公殷梦、尚书屯田郎中崔亚、前左拾遗陈昼及樵十辈，皆出其等列也。”（《全唐文》卷七九五同；文渊阁《四库全书》本《孙可之集》卷八无崔殷梦）综合上考，知崔殷梦于大中二年（848）由京兆府等第，而至本年擢第。因知崔瑰为崔殷梦之误，今改正。此条参见陈补）又［按，胡补以为崔殷梦于大中三年及第，误］

李詹，《玉泉子》："唐李詹，大中七年崔瑶下擢进士第。平生广求滋味，每食鳖，辄缄其足，暴于烈日。鳖既渴，即饮以酒而烹之，鳖方醉已熟矣。复取驴縶于庭中，围之以火，驴渴，即饮以灰水，荡其肠胃。然后取酒，调以诸辛味，复饮之。驴未绝而为火所逼烁，外已熟矣。詹一日方巾首，失力扑地而卒。顷之，詹膳夫亦卒。一夕膳夫复苏，曰：'某见詹为地下责其遇害物命，詹对以某所为。'某即以詹命不可违答之。詹又曰：'某素不知，皆狄慎思所传。故得以迴。'无何，慎思复卒。慎思亦登进士第，时为小谏。"［按，慎思，会昌六年状元］

韦蟾，宋计敏夫撰《唐诗纪事》卷五十八："蟾字隐珪，下杜人。大中七年进士登第。初为徐商掌书记，终尚书左丞。"（文渊阁《四库全书》本）［按，《旧唐书·儒学·韦表微传》载"子蟾，进士登第"］

诸科十一人。

知贡举：中书舍人崔瑶。《旧唐书》卷一百五十五崔邠传："郾子瑶，太和三年登进士第，出佐藩方，入升朝列，累至中书舍人。大中六年知举，旋拜礼部侍郎。出为浙西观察使，又迁鄂州刺史、鄂岳观察使，终于位。瑰、珮、璆官至郎署给谏。"（文渊阁《四库全书》本）宋王谠撰《唐语林》卷三："崔瑶知贡举，以贵要自恃，不畏外议。榜出，率皆权豪子弟。其弟兄见之辄曰：'勿观察吾眼。'"（文渊阁《四库全书》本）［按，《南部新书》卷二："父子知举三家：高锴，子湘，湜；于邵，子允躬；崔郾，子瑶。惟崔氏相去只二十年。"

三月

许浑本年有诗寄献河南尹刘瑑，祈其荐引为外郡刺史。《全唐诗》卷五三六许浑有《寄献三川守刘公》诗，其序云："余奉陪三川守刘公宴，言尝蒙询访行止，因话一麾之任，冀成三径之谋。特蒙俯鉴丹诚，寻许慰荐。属移履道，卧疾弥旬，辄抒二章寄献。"诗其二云："半年三度转蓬居，锦帐心阑羡隼旟。老去自惊秦塞雁，病来先忆楚江鱼。长闻季氏千金诺，更望刘公一纸书。春雪未晴春酒贵，莫教愁杀马相如。"［按，三川守刘公即河南尹刘瑑（参岑仲勉《读全唐诗札记》）］诗中"本年三度"句谓浑自分司洛阳以来已约半年。浑去年秋分司洛阳，则诗乃本年春在虞部员外郎分司任所作。
春，崔元范自浙东幕入拜监察御史。浙东观察使李讷设宴，命歌妓吟唱饯送，时幕府群僚亦作诗酬和，可见当时地方官员宴请、赋咏之盛况。《云溪友议》卷上《饯歌序》载："李尚书讷夜登越城楼，闻歌曰'雁门山上雁初飞'，其声激切，召至。曰：'去籍之妓盛小丛也。'曰：'汝歌何善乎？'曰：'小丛是梨园供奉南不嫌女甥也。所唱之音，乃不嫌之授也。今色将衰，歌当废矣！'时察院崔侍御元范，自府幕而拜，即赴阙庭，李公连夕饯崔君于镜湖光候亭。屡命小丛歌饯，在座各为一绝句赠送之。亚相为首唱矣，崔下句云：'独向柏台为老吏'。皆曰：'侍御凤阁中书，即其程也，何以老于柏台？'众请改之，崔让曰：'某但止于此，任宁望九迁乎！'是年秋，崔君鞫狱于谯中，

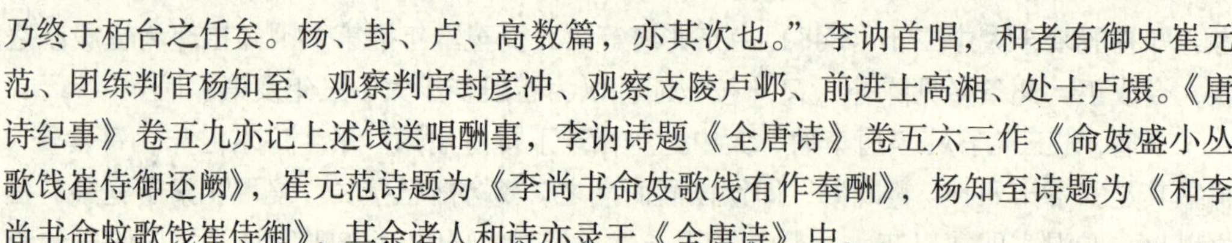

乃终于栢台之任矣。杨、封、卢、高数篇，亦其次也。”李讷首唱，和者有御史崔元范、团练判官杨知至、观察判官封彦冲、观察支陵卢郸、前进士高湘、处士卢摄。《唐诗纪事》卷五九亦记上述饯送唱酬事，李讷诗题《全唐诗》卷五六三作《命妓盛小丛歌饯崔侍御还阙》，崔元范诗题为《李尚书命妓歌饯有作奉酬》，杨知至诗题为《和李尚书命蚊歌饯崔侍御》，其余诸人和诗亦录于《全唐诗》中。

六月

于兴宗与友人李朋、杨牢、李续、于瑑 、李汶儒、田章、薛蒙、李郸、王严、卢栯 、王铎、卢求等赋诗唱和。乡贡进士刘暌、李渥亦有题咏寄献之作。《唐诗记事》卷五三“于兴宗条”记于兴宗《夏杪登越王楼临涪江望雪山寄朝中知友》诗，又记云：“大中时，以御史中丞守绵州，后为洋川节度。初在左绵作此诗，和者李朋、杨牢辈，皆朝中知友也”。［按，于兴宗赋诗寄朝中诸友后，其友人纷纷有唱和之作。］于瑰有《和绵州于中丞登越王楼作》（《全唐诗》卷五六四），《唐诗记事》卷五三（下述《唐诗纪事》之记载亦见此卷）亦录此诗，并云：“瑰，字正德，敖之子也。大中七年进士第一人。时为校书郎。”［按，据唐制，进士擢第后多有即任校书郎者，瑰之任校书郎盖即在本年春登第后不久，则于兴宗任绵州刺史登越王楼赋诗事约在本年夏秋］酬和于兴宗诗者据《唐诗纪事》所记尚有李朋，题为《绵州中丞以江山小图远垂赐及兼寄诗》。又记“朋为尚书郎，和于兴宗诗”。又有杨牢，诗题为《奉酬于中丞见寄之什》，又谓“牢，登大中二年进士第，最有诗名”。还有李汶儒，题为《和绵州于中丞》，且谓“汶儒，登大和五年进士第，官至翰林学士。汶儒守礼部员外郎，充翰林学士”。薛蒙和诗有“暑退千山雪，风来万水流”，并记“蒙时为考功郎”。李郸和诗有“江楼明返照，雪岭乱晴云。景象诗情在，幽奇笔迹分”句，又记“郸时为户部郎官”。王严和诗有“蝉声怨炎夏，山色报新秋”句，又载“严，大中时布衣”。卢栯和诗中云：“山光涵雪冷，水色带江秋。云鸟孤征雁，烟帆一叶舟。”后记“栯，时为弘文馆学士。”与于兴宗唱和者尚有李续，“时为同州刺史”；卢求，“登宝历二年进士第，李翱之婿也”。田章，“登开成四年进士第”。王泽，诗题为《和于兴宗登越王楼》（《全唐诗》卷五五七）。又刘暌、李渥亦登楼赋诗，据《唐诗纪事》载，前者诗题为《题越王楼寄献中丞使君》，“暌，时为乡贡进士。”后者题为《秋日登临越王楼》，又记“渥，时为乡贡进士，后登第”。［按，于兴宗赋诗约在本年夏末，而诸人酬和题咏当晚于此时］

十月

崔铉进撰《续会要》四十卷。《旧唐书·宣宗本纪》：“（大中七年），十月，尚书左仆射、门下侍郎、平章事、太清宫使、弘文馆大学士崔铉进《续会要》四十卷，修撰官杨绍复、崔瑑、薛逢、郑言等，赐物有差。”又见《唐会要》卷三六《修撰》。《四库全书总目提要》云：“《唐会要》一百卷（浙江江启淑家藏本）宋王溥撰。溥字齐物，并州祁人。汉乾中登进士第一，周广顺初拜端明殿学士。恭帝嗣位，官右仆射。入宋，仍故官，进司空同平章事，监修国史，加太子太师，封祁国公。卒谥康定。事迹具《宋史》本传。初，唐苏冕尝次高祖至德宗九朝之事为《会要》四十卷，宣宗大中七年，又诏杨绍复等次德宗以来事为《续会要》四十卷，以崔铉监修。段公路《北户录》所称《会要》，即冕等之书也。惟宣宗以后，记载尚阙，溥因复采宣宗至唐末事续之，为新编《唐会要》一百卷。建隆二年正月奏御，诏藏史馆。书凡分目五百十有四，于唐代沿革损益之制，极其详核。官号内有识量、忠谏、举贤、委任、崇奖诸条，亦颇载事迹。其细琐典故，不能概以定目者，则别为杂录，附于各条之后。又间载苏冕驳议，义例该备，有裨考证。今仅传抄本，脱误颇多。八卷题曰《郊仪》，而所载乃南唐事；九卷题曰《杂郊仪》，而所载乃唐初奏疏，皆与目录不相应。七卷、十卷亦多错入他文。盖原书残阙，而后人妄摭窜入，以盈卷帙。又一别本所阙四卷亦同，而有补亡四卷。采摭诸书所载唐事，依原目编类，虽未必合溥之旧本，而宏纲细目，约略粗具，犹可以见其大凡。今据以录入，仍各注补字于标目之下，以示区别焉。"

公元854年（唐宣宗大中八年　甲戌）

二月

颜标、李频、刘沧、毕绍颜、李循等三十人进士及第。知贡举为礼部侍郎郑薰。（参见《登科记考》卷二二本年条）

颜标，状元。《唐摭言》卷八："郑侍郎薰主文，谓颜标乃鲁公之后，时徐寇作乱，薰志在激劝忠烈，即以标为状元。谢恩日，从容问及庙院，标曰：'标寒进也，未尝有庙院。'薰始大悟，塞默而已。寻为无名子所嘲，曰：'主司头脑太冬烘，错认颜标作鲁公。'"

李频，《唐才子传》：频，字得新，睦州寿昌人。少秀悟，长，庐西山。多记览，于诗特工。与同里方干为师友。给事中姚合时称诗颖，频不惮走千里丐其品第，合见，大加奖挹，且爱其标格，即以女妻之。大中八年颜标榜擢进士，调校书郎，为南陵主簿。试判入等，迁武功令。频性耿介，难干以非理。赈饥民，戢豪右，于是京畿多赖，事事可传。懿宗嘉之，赐绯银鱼，擢侍御史。守法不阿，迁都官员外郎。表乞建州刺史，至则布条教，以礼治下。时盗所在冲突，惟建赖频以安。未几卒官下，榇随家归，父老相与扶柩哀悼，葬永乐州，为立庙于梨山，岁时祭祠，有灾沴必祷，垂福逮今。频诗虽出晚年，体制多与刘随州相抗，骚严风谨，惨惨逼人。有诗一卷，今行世。《唐摭言》卷四："李频师方干。频及第，诗僧清越赠干诗云：'弟子已得桂，先生犹灌园，郑谷有《故少师从翁隐岩别业诗》云："理论知清越，生徒得李频。"郑薰号所居为"隐岩"。李频《梨岳集》有《及第后归诗》曰："家临浙水傍，岸对买臣乡。纵棹随归鸟，乘潮向夕阳。苦吟身得雪，甘意鬓成霜。况此年犹少，酬知足自强。"又有《及第后还家遇岘岭诗》。《新唐书·文艺下》本传："大中八年，擢进士第，调秘书郎，为南陵主簿。"李频本年约四十一岁，登进士第，姚合有诗勉之。后返乡，过岘岭，均有诗纪之。《全唐诗》卷五八九李频《省试振鹭》诗乃本年省试所赋。诗曰："有鸟生江浦，霜华作羽翰。君臣相比洁，朝野用为欢。月影林梢下，冰光水际残。飞翻时共乐，饮啄道皆安。回翥宜高咏，群栖入静看。由来鸳鹭侣，济济列千官。"又姚合有《寄李频》（《全唐诗》卷四九七）：“闭门常不出，惟觉长庭莎。朋友来看少，诗书卧读多。……珍重君名字，新登甲乙科。”［按，姚合本年约七十六岁，深居简出，然知李频新第，故作诗慰勉］李频又有《及第后归》（《全唐诗》卷五八七，下同）、《及第后还家过岘岭》诗，亦此时或稍后东归之作。《新唐书·艺文志》著录《李频诗》一卷。有《四库全书》本《黎岳集》一卷。《全唐诗》存诗三卷，《全唐诗续补遗》补诗二首，《全唐诗续拾》补诗一首、断句二。

刘沧，《唐才子传》卷八：“沧，字蕴灵，鲁国人也。体貌魁梧，尚气节，善饮酒，谈古今令人终日喜听。慷慨怀古，率见于篇。大中八年礼部侍郎郑薰下进士。榜后进谒谢，薰曰：‘初谓刘君锐志，一第不足取。故人别来三十载，不相知闻，谁渭今白头纷纷矣。’调华原尉。与李频同年。诗极清丽，句法绝同赵嘏、许浑，若出一绚综然。诗一卷，今传。”刘沧《看榜日诗》曰：“禁漏初停兰省开，列仙名目上清来。飞鸣晓日莺声远，变化春风鹤影回。广陌万人生喜色，曲江千树发寒梅。青云已是酬恩处，莫惜芳时谢酒杯。”又《及第后宴曲江诗》曰：“及第新春选胜游，杏园初宴曲江头，紫毫粉笔题仙籍，柳色箫声拂御楼。霁景露光明远岸，晚空山翠坠芳洲。归时不省花闲醉，绮陌香车似水流。”《新唐书·艺文志四》：“《刘沧诗》一卷：字蕴灵。《崔珏诗》一卷：字梦之，并大中进士第。”

毕绍颜，《旧唐书·毕诚传》：“子绍颜、知颜，登进士第，累历显官。”《永乐大典》引《苏州府志》：“大中八年，侍郎郑薰知举，毕绍颜登第。”

李循，《旧唐书·文苑传》：“李巨川父循，大中八年登进士第。”

崔橹（崔鲁），李频《漠上逢同年崔八诗》云：“去岁曾游帝里春，杏花开遇各离秦。”是同进士及第，其名俟考。［按，《唐诗纪事》卷五八《崔橹》条：“橹，大中时进士也。”《唐才子传》卷九《崔鲁传》（或作橹）：“鲁，广时间举进士。工为杂文，才丽而荡。诗慕杜紫微风范，警句绝多。如《梅花》云：‘强半瘦因前夜雪，数枝愁向晚来天。’又，‘初开已入雕梁画，未落先愁玉笛吹。’《莲花》云：‘何人解把无尘袖，盛取清香尽日怜。’《山鹊》云：‘一番春雨吹巢冷，半朵山花咽嘴香。’又《别题》云：‘云生柱础降龙地，露洗林峦放鹤天’等，皆绮制精深，脍炙人口。颇嗜酒，无德，尝醉辱陆肱郎中，旦日惭甚，为诗谢曰：‘醉时颠蹶醒时羞，麹糵催人不自由。叵耐一双穷相眼，不堪花卉在前头。’陆亦谅之。悠悠乱世，竟无所成。鲁诗善于状景咏物，读之如咽冰雪，心爽神怡，能远声病，气象清楚，格调且高，中间别有一种风情，佳作也。诗三百余篇，名《无机集》，今传。”《唐摭言》卷十：“崔橹慕杜紫微为诗，而橹才情丽而近荡，有《无机集》三百篇，尤能咏。如《梅花诗》曰：‘强半瘦因前夜雪，数枝愁向晚来天。’复曰：‘初开已入雕梁画，未落先愁玉笛吹。’《山鹊诗》曰：‘云生柱础降龙地，露洗林峦放鹤天。’如此数篇，可谓丽矣。若《莲花诗》曰：‘无人解把无尘袖，盛取残香尽日怜。’此颇形迹。复能为应用四六之文，辞亦深侔章句。”《全唐诗》卷五六七：“崔橹，大中时举进士（一作广明中进士）。”则据《唐诗纪事》，橹大中时进士，而《唐才子传》云广明中则未详何本。又《唐诗纪事》早于《唐才子传》，以《唐诗纪事》证之，《登科记考》大中八年（854）进士之“崔□”疑即“崔橹”，又诸书作“崔鲁”误。《新唐书》卷六〇《艺文志四》、《唐摭言》卷

十《海叙不遇》条、《直斋书录解题》卷十九均作‘崔橹’，可知应作‘崔橹’。

李瓒，原作“李□”，《旧唐书·李宗敏传》：“‘子琨、瓒，大中朝皆擢进士第。’瓒当是大中八年进士，与李频同年。”据此可补其名。陈补亦云：“《全唐诗》卷五八七李频《贺同年翰林从叔舍人知制诰》，徐氏绿而阙名。［按，当即李瓒］《旧唐书》卷一七六《李宗闵传》：‘子琨、瓒，大中朝皆擢进士第。令狐绹作相，特加奖拔。瓒自员外郎知制诰，历中书舍人、翰林学士。”’记其官守未尽准确。《翰林学士壁记》云：‘李瓒，咸通四年四月七日自荆南节度判官、检校礼部员外郎赐绯充。……十二月二十八日加知制诰。’与李诗所叙可印证。《唐语林》卷六：‘李瓒，故相宗闵之子。……郑舍人谷之父，瓒座主也。’谷为薰之子。（见《新唐书》卷一八五〈名作谷〉）薰主本年贡举，前考可得确证。”又《登科记考》卷二十七《附考·进士科》原录有李瓒，徐氏考云：“《旧唐书·李宗敏传》：子琨、瓒，大中朝皆进士擢第。”是知为一人，今删并至本年。

薛调。原列卷二十七《附考·进士科》，徐氏考云：“《唐语林》卷五补遗：薛调、李瓒同年进士。调美姿貌，人号为生菩萨；瓒俊爽，人号为剑。”［按，‘李瓒’或作‘季瓒’似误］

诸科十五人。

知贡举：礼部侍郎郑薰。郑处诲《授郑薰礼部侍郎制》曰：“勅：仪曹剧任，中台慎择。总百郡之俊造，考五礼之异同，必求上才，以允衾属。中散大夫、尚书工部侍郎郑薰，高阳茂族，通德盛门，秉庄氏之遗风，蕴名卿之品业。文谐《骚》、《雅》，鼓吹前言，誉洽缙绅，领袖时辈。操守必修其谦柄，进退常践于德藩，叠中词科，亟升清贯。持橐列金华之侍，挥毫擅紫闼之工，贰职冬官，克扬休问。是用俾司贡籍，以振儒风。朕以化天下者，莫尚于人文；序多士者，以备乎时选。育材之本，惟善是从。搴拔既尚于幽贞，耸劝勿遣于曹绪。无求冠玉，无采雕虫，当思取实之方，必有酌中之道。尔其尽虑，以率至公。可守礼部侍郎。”《旧唐书》本传：“薰端劲，再知礼部，毕引寒俊，士类多之。”［按，薰惟此年知举，《旧唐书》谓再知礼部，误］《太平广记》引《卢氏杂说》：“郑薰知毕，发榜日，惟舍人毕到宅谢恩。”盖诚以子绍颜登第而谢也。刘沧有《罢华原尉上座主尚书诗》，盖印薰也。李频亦有《奉和郑薰相公诗》。

赵嘏（806—854?）卒，年四十九。两《唐书》无传。张为《诗人主客图》称引赵嘏“一千里色中秋月，十万军声半夜潮”、“梁王旧馆已秋色，珠履少年轻绣衣”等句，列为“瑰奇美丽主”之入室者。胡震亨称“赵渭南才笔欲横，故五字即窘，而七字能拓。蘸笔浓揭响满，为稳于牧之，厚于用晦。若加以清英，砭其肥痴，取冠晚调不难矣。为惜倚楼只句摘赏，掩其平生”。（《唐音癸签》卷八）赵翼《瓯北诗话》卷八：“拗体七律，如‘郑县亭子涧之滨’、‘独立缥缈之飞楼’之类，《杜少陵集》最多，乃专用古体，不谐平仄。中唐以后，则李商隐、赵嘏辈，创为一种以第三第五字平仄互易，如‘溪云初起日沉阁，山雨欲来风满楼’，‘残星几点雁横塞，长笛一声人倚楼’之类，别有击撞波折之致。”清沈德潜《唐诗别裁集》收五言古诗一首、五律一首、七律二首、五绝一首、七绝一首。《全唐诗》编其诗二卷（卷五四九—五五〇）、《新唐书·艺文志四》著录《渭南集》三卷、《编年诗》二卷。《唐才子传》卷七赵嘏传："今有《渭南集》，及《编年诗》二卷，悉取十三代史事迹，自始生至百岁，岁赋一首、二首，总得一百一十章，今并行于世。"

十二月

许浑（794—854?）卒，年六十。郡望安陆（今属湖北）。宰相许圉师之后。曾至夔州、颍州，或为僚属，或为从事。又游幽州。文宗大和六年（832），登进士第。为某县尉。授当涂令，移摄太平令。以病免。又任润州司马，置丁卯桥村舍，人因称为"许丁卯"。至南海使府，历桂州、兴州、韶州等地。武宗会昌（841—846）末，北归。宣宗大中三年（849），守监察御史，以病乞归。大中七年，官虞部员外郎。寻出为郢州刺史，转睦州刺史，世亦称"许郢州"。有《丁卯集》二卷，又《全唐文》卷七六〇有《乌丝兰诗自序》一篇。闻一多《唐诗大系》疑许浑卒于本年，今从。《新唐书·艺文志》、《郡斋读书志》、《唐诗纪事》俱谓许浑系高宗朝宰相许圉师之后，此当为《唐才子传》之所本。《新唐书·宰相世系表》中并未列许浑，或《宰相世系表》偶有遗漏。杜牧《樊川集遗收诗补录》中有《分司东都寓居履道叨承川尹刘侍郎大夫恩知上四十韵》实系许浑诗，夹注云："某六代祖，国初赐宅在仁和里，寻已属官舍，今于履道坊赁宅居止。浑之六代祖即许圉师，与浑原籍洛阳之说合。"大概许浑诗句重复使用较多，明郎瑛撰《七修类稿》卷三十六诗文类"诗句重用"条云："唐人许浑，常将已诗重用，此虽一病。夫岂不能再作，固欲如是耶？第可意句遂不复改耳，但有可用不可用处，自当慎之也。今录出数联以明之，庶便检阅，亦足使人易知也。如《京口寄友人》用'一樽酒尽青山暮，千里书回碧树秋'为颈联矣，至《郊园秋日寄洛中故人》，复用二句为颔联，皆寄人者也。又如《呈部少府巡涝》有'江村夜涨浮天水，泽国秋生动地风'。《汉水伤稼》亦用此二句，皆因水也，此则可以同用。至于《送僧归桂州灵岩寺》云：'楚客送僧归桂阳，海门帆势极潇湘，碧云千里暮愁合，白雪一声春思长。'他日《和浙西从事刘三复送僧南归》，亦用此四句，但以'桂阳'易'故乡'字。予以浙西复南去，恐不可用潇湘耶。至以'蜂蜜'对'香'，'访戴'对'依刘'处极多，似亦不切。若王湾《江南意》二联俱同，但易首尾，此即其可意句而不复改也。"浑工于诗，与杜牧、张祜、李频、李远等人皆有唱和。时人及后人对其诗颇多推崇。《全唐诗》卷六九六韦庄《题许浑诗卷》："江南才子许浑诗，字字清新句句奇。十斛明珠量不尽，惠休虚作碧云词。"《诗人主客图》列许浑为"瑰奇美丽主"之升堂者，并标举其"水声东注市朝变，山势北来宫殿高"、"草生宫阙，国无主，玉树后庭花为谁"、"何郎翠凤双飞去，三十六宫闻玉箫"、"经年未葬家人散，昨日因斋故吏来"、"垂钓有深意，望山多远情"等诗句。刘克庄称其诗"如天孙之织，巧匠之斫，尤善用古事以发新意。其警联快句，杂之元微之、刘梦得集中不能辨"（《后村诗话·新集》）卷四）。《唐才子传》卷七许浑传："浑乐林泉，亦慷慨悲歌之士，登高怀古，已见壮心，故为诗格调豪丽，犹强弩初张，牙浅弦急，俱无留意耳。"徐献忠《唐诗品》称："元和以后，专事声偶，文藻疏薄，而神气委靡，无足取者。许浑之在当时，独以精密俊丽见称。今观其集旨趣，物理研穷，意象天然秀出，不可变动。如'湘潭

云尽暮山出，巴蜀雪消春水来'，如'石燕拂云晴亦雨，江豚吹浪夜还风'，如'溪云初起日沉阁，山雨欲来风满楼'，为世传诵，不但披沙见宝而已。"胡应麟云："俊爽若牧之，藻绮若庭筠，精深若义山，整密若丁卯，皆晚唐铮铮者。"（《诗薮·外编》卷四）其诗内容以登临怀古之作为多，名作《咸阳城东楼》广为传诵。而字面好用"水"字，有"许浑千首湿"（《桐江诗话》）之讥。其诗全屑近体，"格甚凝炼"（李重华《贞一斋诗说》），田雯称"声律之熟，无如浑者"（《古欢堂集·杂著》卷三）。方回则以为"工有余而味不足"、"诗句句工，但太工则形胜于神矣"（《瀛奎律髓》卷十、卷四七）。杨慎更贬为"唐诗至许浑，浅陋极矣"（《升庵诗话》卷九）。沈德潜《唐诗别裁集》选许浑诗十五首。《新唐书·艺文志四》著录其《丁卯集》二卷，《直斋书录解题》卷四："许浑《丁卯集》二卷。右唐许浑，字用晦，圉师之后。太和六年进士，为当涂、太平二令，以病免，起润州司马，大中三年为监察御史，历虞部员外睦、郢二州刺史，尝分司于朱方，丁卯间自编所著，因以为名。贺铸本跋云：'［按，浑《自序集三》卷五百篇世传本两卷三百余篇，求访二十年，得沈氏曾氏本并序取拟《天竺集》校正之共得四百五十四篇，予近得浑集完本五百篇皆在，然止两卷唐艺文志亦言浑集两卷铸称三卷者误也。"《全唐诗》存诗十一卷。《全唐诗补逸》补诗二首，《全唐诗续补遗》补诗二首。事见胡宗愈《唐许用晦先生传》、《新唐书·艺文志四》、《唐诗纪事》卷五六、《唐才子传》卷七等。

南卓（791—854）卒，年六十四。据《唐方镇年表》卷六，南卓镇黔中在大中六年至八年（852—854），又引《宝刻丛编》："《黔南观察使赠右散骑常侍南公碑》，大中八年。"卞孝萱《南卓考》亦谓卓卒于本年。《新唐书·艺文志》著录南卓《羯鼓录》一卷、《唐朝纲领图》一卷、《南卓文》一卷（《宋史》卷二百三作五卷）。《云溪友议》卷中《南黔南》：南卓，"转黔南经略使，大更风俗。凡是溪坞，呼吸文字，皆同秦汉之音，甚有声光。"《郡斋读书志》卷二："《羯鼓录》一卷，右唐南卓撰。羯鼓本夷乐，列于九部，明皇始好之，故开元、天宝中盛行。卓所述多当时之曲。"

张祜（792？—854）卒于丹阳，年六十三。［按，今从吴在庆《张祜卒年考辨》，《人文杂志》1985 年第 2 期］有文集十卷。张祜的最初得名，便是由他的乐府与宫词。祜负诗名，陆龟蒙称祜"元和中，作宫体小诗，辞曲艳发。当时轻薄之流能其才，合噪得誉。及老大，稍窥建安风格，诵《乐府录》，知作者本意。短章大篇，往往间出，谏讽怨谲，时与六义相左右。善题目佳境，言不可刊置别处。此为才子之最也"（《和过张祜处士丹阳故居并序》）。杜牧对祜亦称誉备至，尝吟其《宫词》，赠诗云："何人得似张公子？千首诗轻万户侯。"（《登池州九峰楼寄张祜》）皮日休也说："祜初得名，乃作乐府艳发之词，其不羁之状，往往间见。"（《论白居易荐徐凝屈张祜》）因元、白抑张祜而引发一段公案。元稹曾曰："张祜雕虫小巧，壮夫不为。若奖掖太过，恐变陛下风教。"白居易在杭州任上荐徐凝而屈张祜，认为《宫词》："四句之中皆数对，何足奇乎。"（丁如明、李宗为、李学颖等校点《唐五代笔记小说大观》，上海古籍出版社）讥祜诗"鸳鸯钿带抛何处，孔雀罗衫付阿谁"为"款头"。张祜则以"目连寻母"状白诗"上穷碧落下黄泉，两处茫茫皆不见"，在其诗歌中对名满天下的元白亦未见褒词。张祜与元白的私交之恶已是不容争辩的事实。潘德舆说："计敏夫乃谓乐天以实行取人，殆喜（徐）凝之朴略椎鲁，而以祜之宫体艳诗为轻薄，不知凝诗如‘恃赖倾城人不及，檀妆惟约数条霞’、‘一日新妆抛旧样，六宫争画黑烟眉’、‘忆得倡门人送客，深红衫子影门时’，何尝非宫体？何尝非艳诗耶？”（《养一斋诗话》卷五）杜牧作李戡墓志，盛称其欲以法治元白诗，并赠祜诗云“睫在眼前犹不见”，为祜大抱不平，却被杨慎讽刺说：“杜牧尝讥元白云淫词蝶语……而牧之诗淫蝶者与元白等耳，岂所谓‘睫在眼前犹不见’乎？”（《升庵诗话》卷九）盖当时风气如此。张祜此类之作较之李贺、元、白等，实在不足为讥。至于那些宫词，张祜则对于幽闭宫中的宫女们表现了深切的同情。如《宫词二首》一：“故国三千里，深宫二十年。一声何满子，双泪落君前。”此诗在当时流传甚广，武宗孟才人临死前唱的就是此词。张祜最著名的还是那些歌咏开元天宝遗事的作品，许学夷说：“张祜元和中作宫体七言绝三十余首，多道天宝宫中事，入录者较王建工丽稍逊而宽裕胜之。”（《诗源辩体》卷二九）如果我们把这些诗编排一下的话，则是一幅绝妙的风俗画卷，其中有元日的庆典、正月十五夜的放灯、上巳节的竞渡、东都洛阳的大醉、京城的千秋节等。洪迈说：“唐开元、天宝之盛，见于传记、歌诗多矣，而张祜所咏尤多，皆他人所未尝及者……皆可补开、天遗事，弦之乐府也。”（《容斋随笔》卷九）管世铭也说：“张祜喜咏天宝遗事，合者亦自婉约可思。”（《读雪山房唐诗序例》）如《大酺乐二首》一：“车驾东来值太平，大酺三日洛阳城。小儿一技竿头绝，天下传呼万岁声。”《类说》卷七引《教坊记》逸文：“上于天津桥南设帐殿，酺三日。教坊一小儿筋斗绝伦，乃衣以彩缯，梳洗，杂于内伎中上，顷缘长竿上，倒立，寻复去手，久之，垂手抱竿，番身而下。乐人等皆舍所执，宛转于地，大呼万岁，百官拜庆。”祜诗所写正是这个场面。张祜有韩门共具的苦吟风习。“祜苦吟，妻孥每唤之不应，曰：‘吾方口吻生花，岂恤汝辈乎？’”（傅璇琮《唐才子传校笺》，中华书局）令狐楚荐表云：“祜研几甚苦，搜象颇深。”（同上第169页）葛立方《韵语阳秋》云：“张祜性喜游山而多苦吟。”（何文焕辑《历代诗话》，中华书局）张祜自己也曾道“笑命诗思苦”（严寿澄校编《张祜诗集》，江西人民出版社，1983）。

《唐才子传》卷六：“……祜久在江湖，早工篇什，研几甚苦，搜象颇深，辈流所推，风格罕及。谨令缮录，诣光顺门进献，望宣付中书门下。祜至京师，属元稹号有城府，偃仰内庭，上因召问祜之词藻上下，稹曰：‘张祜雕虫小巧，壮夫不为，若奖激大过，恐变陛下风教。’上颔之。由是寂寞而归，为诗自悼云：‘贺知章口徒劳说，孟浩然身更不疑。’遂客淮南。杜牧时为度支使，极相善待，有赠云：‘何人得似张公子，千首诗轻万户侯。’祜苦吟，妻孥每唤之皆不应，曰：‘吾方口吻生花，岂恤汝辈乎？’性爱山水，多游名寺，如杭之灵隐、天竺，苏之灵岩、楞伽，常之惠山、善权，润之甘露、招隐，往往题咏绝唱。同时崔涯亦工诗，与祜齐名，颇自放行乐，或乖兴北里，每题诗倡肆，誉之则声价顿增，毁之则车马扫迹。涯尚义，有《侠士》诗云：‘太行岭上三尺雪，崖涯袖中三尺铁。一朝若遇有心人，出门便与妻儿别。’尝共谒淮南李相，祜称‘钓鳌客’，李怪之曰：‘钓鳌以何为竿’曰：‘以虹。’‘以何为钩？’曰：‘新月。’‘以何为饵？’曰：‘以短李相也。’绅壮之，厚赠而去。晚与白乐天日相聚宴谑，乐天讥以足下新作《忆柘枝》云‘鸳鸯钿带抛何处，孔雀罗衫付阿谁’乃一问头耳。

祜曰：'鄙薄之诮是也。'明公《长恨歌》曰：'上穷碧落下黄泉，两处茫茫都不见。'又非目莲寻母耶？一座大笑。初过广陵曰：'十里长街市井连，月明桥上看神仙。人生只合扬州死，禅智山光好墓田。'大中中，果卒于丹阳隐居，人以为谶云。诗一卷，今传。卫蘧伯玉耻独为君子，令狐公其庶几，元稹则不然矣。十誉不足，一毁有余，事业浅深，于此可以观人也。尔所不知，人其舍诸稹谓祜雕虫琐琐，而稹所为，有不若是忌贤嫉能，迎户而噬，略己而过人者，穿窬之行也。祜能以处士自终其身，声华不借钟鼎，而高视当代，至今称之。不遇者天也，不泯者亦天也，岂若彼取容阿附，遗臭之不已者哉。"

徐献忠《唐诗品》："处士诗长于模写，不离本色，故览物品游，往往超绝，可谓五言之匠也。其宫体小诗，声唱流美，颇谐音调。中唐以后，诗人如处士者，裁思精利，安可多得？"沈德潜《唐诗别裁集》选张祜诗四首。《新唐书·艺文志四》别集类云："张祜诗一卷。"《崇文总目》卷五、《郡斋》卷一八同。《直斋书录解题》卷一九录有《张祜集》十卷。《才子传》当据《新志》、《崇文》、《郡斋》所录。张祜诗旧传有六卷本（吴寿臣《拜经楼藏书楼题跋记》卷五著录旧钞本《张处士诗集六卷)、五卷本（丁丙《善本书室藏书志》卷二五著录《唐张处士诗》五卷，明正德依宋本，丁氏云此乃宋临安棚北陈氏书肆刊本)，《全唐诗》录张祜诗二卷（五一〇至五一一，又，卷八七〇收谐谑诗二首，卷八八三补遗有祜诗五首。）近时发现北京图书馆藏南宋蜀刻本《张承吉文集》十卷本，孙望据南宋蜀刻本，《永乐大典》、韦庄《又玄集》、冯翊《桂苑丛谈》、《太平广记》引康骈《剧谈录》等书，辑出张祜佚诗一百五十三首，详见《全唐诗补逸》卷八、九、一〇、一一。此外，童养年在《全唐诗续补遗》卷九又辑得祜佚诗七首，断句两联。今存有南宋蜀刻本《张承吉文集》十卷。《全唐诗》存诗二卷，《全唐诗补逸》补诗一百五十首，《全唐诗续补遗》补诗四首，《全唐诗续拾》补诗一首、断句四。事见《唐摭言》卷一一、《唐才子传》卷六等。

顾非熊（795—854?）苏州海盐（今属浙江）人，祖籍润州丹阳（今属江苏）。父况，为盛唐著名诗人。举家曾居于茅山（据《唐摭言》等，又，其《冬日寄蔡校书京》诗云："弱冠下茅山"）。少敏悟，过目能诵。以好凌轹豪门子弟，备受排挤。约于唐宪宗元和十年（815）始赴试，累不第，久困举场达三十年。屡佐使府。敬宗宝历二年（826）至文宗大和二年（828）间，在山南东道节度使李逢吉幕中（据皇甫湜《唐著作左郎顾况集序》）。武宗会昌五年（845）应试，仍遭黜落；武宗久闻其诗名，怪其不第，勅有司进所试文章，追榜诏赐登进士第。宣宗大中（847—860）间为盱眙尉，刘得仁有诗赠别（《送顾非熊作尉盱眙》)。尝出塞，远至河湟，有《出塞即事》二首。后去官归隐茅山。约卒于大中八年左右（据顾陶《＜唐诗类选＞后序》)。性滑稽好辩，诗名早著。刘得仁《贺顾非熊及第，其年内索文章》诗云："愚为童稚时，已解念君诗。"顾陶亦称其"有诗句，播在人口"（《＜唐诗类选＞）后序》)。与贾岛、姚合，刘得仁、僧无可、马戴、朱庆馀、厉玄、项斯等均有交往。其诗多感怀寄酬之作，情致深婉，语近怆恻。胡震亨称其"近体俊婉可讽"（《唐音癸签》卷七)。《新唐书·艺文志》著录《顾非熊诗》一卷。《全唐诗》编其诗为一卷。《全唐诗续拾》补诗五首。事见《旧唐书·顾况传》、《唐摭言》卷八、《唐才子传校笺》卷七。

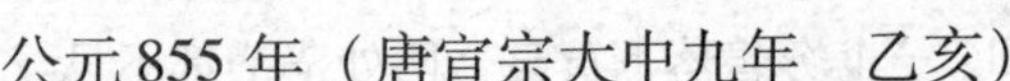

公元855年(唐宣宗大中九年　乙亥)

正月

宏词考官唐技等坐泄漏试题被贬，时温庭筠曾为柳翰假手作赋，为人所告发。庭筠应进士举不得意，曾于试日夜献启于沈询。裴庭裕《东观奏记》卷下："大中九年正月十九日，制曰：'朝议郎守尚书刑部郎中，柱国赐绯鱼袋，唐技将仕郎守尚书职方员外郎裴(原注：庭裕先父)……昨者吏部以尔秉心精专，请委考核，而临事或乖于公当，物议遂至于沸腾，岂可尚列弥纶，是宜并分符竹。善缓凋瘵以补悔尤，技可虔州刺史散官勲封如故，裴可申州刺史散官如故，舍人杜德公之词也。吏部侍郎兼判尚书铨事裴谂左授国子祭酒，吏部侍郎周敬复罚一月俸，监察御史冯颛左授秘书省著作佐郎，考院所送博学宏词科赵柜等十人并宜覆落不在施行之限。初裴谂兼上铨，主试宏拔两科，其年争名者众。应宏词选前进士苗台符、杨严、薛沂、李询古、敬翊已下一十五人就试。谂宽豫仁厚，有赋题不密之说。前进士柳翰，京兆尹柳熹之子也。故事宏词科只三人，翰在选中，不中者言翰于谂处，先得赋，托词人温庭筠为之。翰既中选，其声聒不止，事彻宸听。"《旧唐书·宣宗本纪》载裴谂、唐技等改官在本年三月，可参。又《新唐书·温庭筠传》载庭筠"思神速，多为人作文。大中末，试有司，廉视尤谨，庭筠不乐，上书千余言；然私占授者已八人"。又《北梦琐言》卷四："庭筠又每岁举场多为举人假手，沈询侍郎知举，别施铺席授庭筠，不与诸公邻比。翌日，于帘前请庭筠曰：'向来策名，皆是文赋托于学士，某今岁场中，并无假托，学士勉旃。'因遣之，由是不得意也。"《唐摭言》卷十三亦记沈询"特召温飞卿于帘前试之，为飞卿爱救人故也。适属翌日飞卿不乐，其日晚请开门先出，仍献启千余字。或曰潜救八人矣"。又记"温庭筠烛下未尝起草，但笼袖凭几，每赋一韵、一吟而已，故场中号为温八吟"。

二月

孙樵、卢携、柳璧、杨授、陆肱、李彬、沈儋、罗洙等三十人进士及第。博学宏词科赵秬等皆落下。知贡举为中书舍人沈询。(据徐松《登科记考》卷二二本年条)

孙樵，《郡斋读书志》卷十八："右唐孙樵字隐之。大中九年进士。广明初，狂寇犯阙，赴岐陇，授职方员外。郎时诏书曰'行在三绝'，以常侍李骘有曾、闵之行，前进士司空图有巢、由之风，樵有杨、马之文，遂辑所著名《经纬》集。"《新唐书·艺文志》："作樵字可之。"《孙可之文集》自序云："幼而工文，得之真诀。提笔入贡士列，于时以文学见称，大中九年初登上第。"［按，樵《祭梓潼帝君文》："大中十八年，乡贡进士孙樵再拜献词。"］考大中无十八年，盖"十"字衍文。樵于九年登第，故八年犹称乡贡。

卢携，《旧唐书》卷一百七十八本传："卢携，字子升，范阳人。祖损。父求，宝历初登进士第，应诸府辟召。位终郡守。携，大中九年进士擢第，授集贤校理，出佐使府。咸通中，入朝为右拾遗、殿中侍御史，累转员外郎中、长安县令、郑州刺史。召拜谏议大夫。乾符初，以本官召充翰林学士，拜中书舍人。乾符末，加户部侍郎、学士承旨。四年，以本官同中书门下平章事，累加门下侍郎，兼兵部尚书、弘文馆大学士。”唐孙光宪撰《北梦琐言》卷五：“唐大中初，卢携举进士。风貌不扬，语亦不正，呼携为慧，盖短舌也。韦氏昆弟皆轻侮之，独韦岫尚书加敬，谓其昆弟曰：‘卢虽人物甚陋，观其文章有首尾，斯人也以是卜之，他日必骂大用乎？’尔后卢果策名，竟登廊庙，奖拔京兆，至福建观察史。向时轻薄诸弟，卒不展分。所谓以貌失人者，其韦诸季乎！”

柳璧，《旧唐书》卷一百六十五柳公绰传：“璧，大中九年登进士第。文格高雅。尝为《马嵬诗》，诗人韩琮、李商隐嘉之。马植镇陈许，辟为掌书记，又从植汴州。李瓒镇桂管，奏为观察判官。军政不惬，璧极言不纳，拂衣而去。桂府寻乱，入为右补阙。僖宗幸蜀，召充翰林学士，累迁谏议大夫，充职。”《新唐书》：“璧字宾玉。”《新唐书》卷七三上作“宝玉”，实误。（文渊阁《四库全书》本）

杨授，《旧唐书》卷一百六十四杨嗣复传：“嗣复子授，字得符，大中九年进士擢第。”

陆肱，《唐诗纪事》卷五三：“肱大中九年登进士第。咸通六年，自前振武从事试平判入等，牧南康郡，辟许棠为郡从事。郑谷寄诗云：‘江山多胜境，宾主是贫交。’肱以《春赋》得名。”《全唐诗》卷五八九李频有《送陆肱归吴兴》：“雪后江上去，风光故国新。清浑天气晓，绿动浪花春。……谁知沧海月，取桂却来秦。”［按，此诗乃成于陆肱本年及第之前数年中］此后李频有《送陆肱尉江夏》（《全唐诗》卷五八七）：“免褐方三十，青云岂白髭。”考《唐诗纪事》卷五三记陆肱“咸通六年，自前振武从事试平判人等。后牧南康郡”。肱之任江夏尉疑在咸通六年（865）前数年，时年三十，本年约二十余。

李彬，《玉泉子》：“大中九年，沈询侍郎以中书舍人知举。其登第门生李彬，父从为万年令。同年有起居之会，仓部李郎中蠙时在坐，因戏诸进士曰：‘今日极盛，蠙与贤座主同年。’时右司李郎中从晦又在坐，戏蠙曰：‘殊未耳。小生与贤座主同年，如何？’谓郴州柳侍郎也。众皆以为异。是日数公皆谐宾客冯尚书审，则又柳公座主杨相国之同年。举坐异之。”以上不见今《玉泉子》，载唐赵璘撰《因话录》卷六。（文渊阁《四库全书》本）

沈僎，唐范摅撰《云溪友议》卷下：“潞州沈尚书，宣宗九载主春闱。将欲放榜，其母郡君夫人曰：‘吾见近日崔、李侍郎皆与宗盟及第，似无一家之谤。汝叨此事，家门之幸也，于诸叶中拟放谁耶？’询曰：‘莫先沈光也。’太夫人曰：‘沈光早有声价，沈擢次之。二子科名不必在汝，自有他人与之。吾以沈僎孤单，鲜有知者，汝其不愍，孰能见哀！’询不敢逮慈母之命，遂放僎第焉。光后果升上第，擢奏芸阁，从事三湘。太夫人之朗悟，僎尤深感激焉。”（文渊阁《四库全书》本）

罗洙，宋钱易撰《南部新书》卷五：“韩洙与沈询尚书中表，询怜洙，许与成事。如是历四五年，太夫人又念之，复累付于询。询知举，大中九年也，自第二人逦迤改为第七人方定。及放榜，误为罗洙。后询见韩，询未尝不深嗟其命。”

诸科六人。

博学宏词科：赵秬等皆落下。

知贡举：中书舍人沈询。《南部新书》："大中九年，日官李景亮奏云：'文昌暗，科场当有事。'沈询为礼部，甚惧焉。至是三科尽覆试，宏词赵秬等皆落下。"

七月

唐宣宗多喜于政事之暇赋诗，令翰林学士属和。时崔铉出镇淮南，宣宗宴饯，并赋诗送之。裴庭裕《东观奏记》卷上："上雅尚文学，听政之暇，常赋诗。"同书卷中又记"上听政之暇，多赋诗，多令翰林学士属和。一日赋诗赐寓直学士萧寘，令和。寘手状谢曰：陛下此诗，虽'挂水日千里，因之平生怀'亦无以加也。明日，召学士韦澳，问此两句。澳奏曰：'宋太子家令沈约诗，真以睿藻清新，可方沈约尔。'"［按，据岑仲勉《翰林学士壁记注补》，萧寘大中四年七月二十四日至十年八月四日在翰林院］而韦澳大中五年七月二十日至十年五月二十五日在翰林院。则此时前后萧、韦二人同在翰林院，事未必在此时，然当在此时前后。

八月

卢求撰成《成都记》五卷。《新唐书·艺文志二》著录卢求《成都记》五卷。《全唐文》卷七四四有卢求《成都记》，末署"大中九年八月五日叙"。序云："大中八年，户曹参军蔺宏宗甚好学，且目睹司徒相国之异绩，愿付以传示于后。然不以文自任，翦截疏长，芜言不略。相国乃属于小子，令刊益之。且曰：不以淹徐疾速，归于流布，以为不朽之事。求受命震怖，又不欲以图经为目，乃搜访编简，目为《成都记》五卷，经与图之附益，愿终宏宗之职，庶以此为助也。"

姚合（775—855?）卒，年八十一，赠礼部尚书。方干有诗哭之。著有诗集十卷、编选《极玄集》一卷等。闻一多《唐诗大系》定合卒于大中九年，今姑从之。《唐才子传》卷六称："……与贾岛同时，号'姚贾'，自成一法。岛难吟，有清洌之风；合易作，皆平靖之气。兴趣俱到，格调少殊，所谓方拙之奥，至巧存焉。盖多历下邑，官况萧条，山县荒凉、风景凋敝之间，最工模写也。性嗜酒爱花，颓然自放，人事生理，略不介意，有达人之大观。所为诗十卷，及选集王维、祖咏等一十八人诗为《极玄集》一卷，《序》称维等皆诗家射雕手也。又摭古人诗联，叙其措意，各有体要，撰《诗例》一卷，今并传焉。"《四库全书总目提要》卷一百五十一集部四："《姚少监诗集》十卷（江苏巡抚采进本） 唐姚合撰。合，宰相崇之曾侄孙也。登元和十一年进士第。调武功主簿，又为富平、万年二县尉。宝应中历监察殿中御史、户部员外郎。出为荆、杭二州刺史。后为户、刑二部郎中，谏议大夫，陕、虢观察使。开成末，终于秘书少监。然诗家皆谓之姚武功，其诗派亦称武功体。以其早作《武功县诗》三十首，为世传诵，故相习而不能改也。合选《极玄集》，去取至为精审。自称所录为'诗家射雕手'，论者以为不诬。其自作则刻意苦吟，冥搜物象，务求古人体貌所未到。张为作《主客图》，以李益为清奇雅正主，以合为入室。然合诗格与益不相类，不知为何以云然。其集在北宋不甚显。至南宋'永嘉四灵'始奉以为宗。其末流写景于琐屑，寄情于偏僻，遂为论者所排。然由摹仿者滞于一家，趋而愈下，要不必追咎作始，遽惩羹而吹齑也。此本为毛晋所刻。分类编次，唐人从无此例，殆宋人所重编。晋跋称此为浙本，尚有川本，编次小异。又称得宋治平四年王颐石刻《武功县诗》三十首，其次序字句皆有不同。然则非唐时旧本审矣。合论诗讲究体格，好苦吟，诗风清峭，齐名于贾岛，时号‘姚贾’。”对宋代“永嘉四灵”、明代竟陵派诗人有一定影响。“永嘉四灵”之赵师秀曾选贾、姚二人诗为《二妙集》。“合诗体气清整”（潘德舆《养一斋诗话》），尤工于五律，号为“武功体”。方回称其“亦一时新体也，而格卑于（贾）岛，细巧则或过之”。又云：“予谓诗家有大判断、有小结果。姚之诗专在小结果。”（《瀛奎律髓》）曾编选由王维至戴叔伦二十一人诗一百首为《极玄集》一卷。

《四库全书总目提要》卷一百八十六集部三十九《极玄集》二卷（江苏巡抚采进本）唐姚合编。合有诗集，已著录。合为诗，刻意苦吟，工于点缀小景，搜求新意，而刻画太甚，流于纤仄者，亦复不少。宋末“江湖诗派”，皆从是导源者也。然选录是集，乃特有鉴裁，所取王维至戴叔伦二十一人之诗，凡一百首，今存者凡九十九，合自称为诗家射雕手，亦非虚语。计敏夫《唐诗纪事》，凡载集中所录之诗，皆注曰：右姚合取为《极玄集》，盖宋人甚重其书矣，二十一人之中，惟僧灵一、法振、皎然、清江，四人不著始末；祖咏不著其字，畅当字下作一方空，盖原本有而传写佚阙，其余则凡字及爵里，与登科之年，一一详载。观刘长卿名下注曰“宣城人”，与《唐书》称河间人者不同。又皇甫曾注，天宝十二载进士；皇甫冉注，天宝十五载进士。以登科先后为次，置曾于冉之前，与诸书称“兄弟同登进士者”亦不同。知为合之原注，非后人抄撮诸书所增入。总集之兼具小传，实自此始，亦足以资考证也。宋欧阳修撰《六一诗话》：“圣俞尝语余曰：‘诗家虽率意，而造语亦难。若意新语工，得前人所未道者，斯为善也。必能状难写之景，如在目前，含不尽之意，见于言外，然后为至矣。’贾岛云：‘竹笼拾山果，瓦瓶担石泉。’姚合云：‘马随山鹿放，鸡逐野禽栖。’等是山邑荒僻，官况萧条，不如‘县古槐根出，官清马骨高’为工也。余曰：‘语之工者固如是。状难写之景，含不尽之意，何诗为然？’”蒋易《极玄集序》云：“唐诗数千百家，浩如渊海，姚合以唐人选唐诗，其识鉴精矣。然所选仅若此，何也？盖当是时以诗鸣者，人有其集，制作虽多，鲜克全美。譬之握珠怀璧，岂得悉无瑕类者哉？武功去取之法严，故其选精，选之精，故所取仅若此。宋初诗人犹宗唐，自苏黄一出，唐法几废。介甫选《唐百家》，亦惟据宋次道所有本耳。又《极玄》、《粹苑》，世已稀睹，况其他乎？易尝采唐人诗几千家，万有余首，视此有愧。盖悯作者之苦心，悼后世之无闻，故凡一联一句，可传诵者悉录不遗，亦不以人废，固知博而寡要，劳而无功，知我罪我，一不敢计，业欲并锓诸梓，而力有未逮，姑先此集与言诗者共之。时重纪至元之五年三月既望，建阳蒋易题。”胡震亨评：“姚秘监诗洗濯既净，挺拔欲高。得趣于浪仙之僻，而运以爽亮；取材于籍、建之浅，而媚以蒨芬，殆兼同时数子，巧撮其长者。但体似尖小，味亦微醨，故品局中驷尔。”（《唐音癸签》卷七）沈德潜《唐诗别裁集》选姚合诗一首。《新唐书·艺文志四》著录《姚合诗集》十卷、《极玄集》一卷、《诗例》一卷。《全唐诗》存诗七卷。《唐音癸签》卷三二《唐人诗话》云：“《诗例》一卷，姚合撰，亦名《极玄律诗例》。”

裴延翰本年为蓝田尉充集贤校理，时已辑杜牧《樊川文集》成，并撰《樊川文集

后序》。

马戴本年在国子（或太学）博士任，后卒于任，有诗一卷。

公元856年（唐宣宗大中十年　丙子）

二月

伍愿、徐涣、李郢、崔瑾等三十人进士及第，崔铏为本年状元，黄门侍郎郑颢为本年知贡举。（据徐松《登科记考》卷二二本年条）

崔铏，状元。《旧唐书·崔元略传》："元受子钧、铢，相继登进士第。"

伍愿（伍正己），《永乐大典》引《临汀志》："伍愿，大中十年进士及第。愿又改名正己，字公谨，宁化人。调临川尉。"《舆地纪胜》卷一三二《福建路·汀州·人物》："唐伍正己，宁化人，唐大中擢第，为御史中丞。"天一阁［嘉靖］《汀州府志》卷十三《进士·宁化县》："唐，大中十年丙子崔铏榜。伍愿，改名正己。"同上卷十四《人物·名臣》："唐伍正己，字公谨，宁化人，旧名愿，擢甲科，调临川尉，改名正己，累迁御史中丞。"

徐涣，《永乐大典》引《宜春志》："徐涣，大中十午登进士第。"

李郢，《唐才子传》："李郢字楚望，大中十年崔铏榜进士及第。"《郡斋读书志》卷四中、《直斋书录解题》卷十九均记李郢"大中十年进士"。宋王谠《唐语林》卷二："李郢有诗名，郑尚书颢门生也。初赴举，闻邻女有容，求娶之。遇有争娶者，女家无以为词，乃曰：'备钱百万，先至者许之。'两家具钱，同日皆至。女家无以为词，复曰：'请各赋一诗，以为优劣。'郢乃得之。登第回江南，驻苏州，遇故人守湖州，邀同行。郢辞以决意春归，为妻作生日。故人不放，与之胡琴焦桐方物等，令且寄归代意。郢为《寄内诗》曰：'谢家生日好风烟，柳暖花春二月天。金凤对翘双翡翠，蜀琴新上七丝弦。鸳鸯交颈期千岁，琴瑟偕和欲百年。应恨客程归未得，绿窗红泪冷涓涓。'"

崔瑾，《旧唐书·崔郾传》："郾子瑾，大中十年登进士第。"

刘铨。郑隼撰文德元年（888）五月《唐故妫州刺史充清夷军营田等使朝散大夫检校尚书司封郎中摄御史中丞上柱国赐紫金鱼袋彭城捌公（铨）墓志铭并序》云："公讳铨，字秘之，汉中山靖王之后也。……二十举茂才。"

黄门侍郎郑颢为本年知贡举。

三月

自本年起，开元礼、三札、三传、三史、学究、道举、明算、童子等九科，暂停三年；三年后再据应试者本业情况而定。《旧唐书·宣宗本纪》载三月中书门下奏论其事，谓此九科"近年取人颇滥，曾无实艺可采，徒添入仕之门"。又云："其童子近日诸道所荐送者，多年齿已过，伪称童子，考其所业，又是常流。起今日后，望令天下州府荐送童子，并须实年十一、十二已下，仍须精熟一经，问皆全通，兼自能书写者。如违诸条，本道长吏亦议惩法。"又见宋王溥撰《唐会要》卷七七："大中十三年二月中书门下奏：据礼部贡院见置科目内开元礼、三礼、三传、三史、学究、道举、明算、童子等九科近年取人颇滥，曾无实艺可采徒，添入仕之门，须议条流俾精重业，臣等已于延英面奏，伏奉圣旨将文字奏来者，其前件九科臣等商量望起大中十年权停三年。”由此可见当时进士、明经以外诸科弊端。

七月

李群玉为弘文馆校书郎。因上书以致遭谗毁，于本月请告南归，有留别同馆、出春明门等诗。僧元孚与诗人卢肇赋诗送行。《全唐诗》卷五六九李群玉有《请告南归留别同馆》，诗下注：“中元作。”诗中云：“一点灯前独坐身，西风初动帝城砧。不胜庾信乡关思，遂作陶潜归去吟。”又有《请告出春明门》（《全唐诗》卷五七〇）：“本不将心挂名利，亦无情意在樊笼。鹿裘藜杖且归去，富贵荣华春梦中。”［按，群玉请告而归，据陶敏《李群玉年谱稿》所考乃在大中十年中元。其告归之由恐系上书招谗毁之故］方干《过李群玉故居》（《全唐诗》卷六五二）谓其“讦直上书难遇主，含冤下世未成翁。”本年其所作之《宵民》（《全唐诗》卷五六九，下同）亦谓“惨惨心如虺，营营舌似蝇。谁与销骨地，一鉴玉壶冰”。《吾道》诗复云：“吾道成微哂，时情付绝言。凤兮衰已尽，犬也吠何繁。轻重忧衡曲，妍媸虑镜昏。方忻耳目净，谁到翟公门。”群玉南归时，卢肇、元孚均赋诗送之。

九月

张固重阳日设宴于东观山亭，从事卢顺之赋诗赠之，相互唱和。固著有《幽闲鼓吹》一书。《全唐诗》卷五六三有卢顺之《重阳东观席上赠侍郎张固》，又有张固《重阳宴东观山亭和从事卢顺之》。［按，《桂林风土记·东观》：“旧有亭台，近已摧坏。前政张侍郎名固，大中年重阳节宴于此。”］据《唐方镇年表》卷七，张固大中九年至十一年在桂管任。则其于重阳节唱和事当约在本年。《新唐书·艺文志三》著录其《幽闲鼓吹》一卷。《郡斋读书志》卷三谓此书“纪唐二十余事”。《四库全书总目》卷十四称其事“多关法戒，非造作虚辞，无裨考证者，比唐人小说之中，犹差为切实可据焉”。

十二月

顾陶选唐诗成《唐诗类选》，凡一千二百三十二首，二十卷，并撰序及后序，纵评历代及本朝诗人之作。《新唐书·艺文志四》著录顾陶《唐诗类选》二十卷，下记陶“大中校书郎”。《直斋书录解题》卷十五亦记此书，谓“唐太子校书郎顾陶集，凡一千二百三十二首，自为序，大中丙子岁也。陶会昌四年进士”。《文献通考》卷二百四十八：“《唐诗类选》二十卷，陈氏曰：‘唐太子校书郎顾陶集。凡一千二百三十二首，自为序。大中景子岁也。陶会昌四年进士。”其《唐诗类选序》云：“在昔乐官采诗而陈予词乱；以察风俗之邪正，以审王化之兴废卜得刍荛而上达；萌治乱而先觉诗之义也，大矣远矣；肇自宗周，降及汉魏，莫不政治，似讽谕系国家之盛衰；作之者有犯而无讳，闻之者伤惧而鉴诫，宁同嘲戏风月，取倦流俗而已哉。”可见他对诗歌的基本论点与元稹、白居易是比较接近的；又云：“朝以来，人多反古，德泽广被，诗之作者继出，则有杜李挺生于时，群才莫得而并。”在顾之前所有的唐人选唐诗的本子中，对李杜都不甚推崇，而顾陶可以说是第一个推重李杜的选家，这是很了不起的。《全唐文》卷七六五顾陶《唐诗类选后序》：“余为类选三十年，神思耗竭，不觉老之将至。今大纲已定，勒成一家，庶及生存，免负平昔。若元相国稹、白尚书居易，擅名一时，天下称为元白，学者翕然，号元和诗。其家集浩大，不可雕摘，今共无所取，盖微志存焉。所不足于此者，以删定之初，如相国令狐楚、李凉公逢吉、李淮海绅、刘宾客禹锡、杨茂卿、卢仝、沈亚之、刘猛、李涉、李璆、陆畅、章孝标、陈罕等十数公，诗犹在世，及稍沦谢，即文集未行，纵有一篇一咏得于人者，亦未称所录。僻远孤儒，有志难就，粗随所见，不可殚论。终愧力不及心，庶非耳目之过也。近则杜舍人牧、许鄂州浑，洎张佑、赵嘏、顾非熊数公，并有诗句，播在人口。身没才二三年，亦正集未得绝笔之文，若有所得，别为卷轴，附于二十卷之外，冀无见恨。若须待见全本，则撰集必无成功，若但泛取传闻，则篇章不得其美。已上并无采摭，盖前序所谓终恨见之不遍者矣。唯歙州敬方才力周备，兴比之间，独与前辈相近。亡殁虽近，家集已成三百首，中间录律韵八篇而已。虽前后夐接，或畏多言，而典型具存，非敢遐弃，又前所谓虑，选之不公者矣。嗟乎，行年七十有四，一名已成，一官已弃，不惧势逼，不为利迁，知我以《类选》起序者天也。取舍之法二十通在，故题之于后云尔。”所谓“一官已弃”即指其约大中三年弃太子校书郎而归。又有《唐诗类选序》署“大中景子之岁”，即本年。此序云：“在昔乐官采诗而陈于国者，以察风俗之邪正，以审王化之兴废，得刍荛而上达，萌治乱而先觉，诗之义也大矣远矣！肇自宗周，降及汉、魏，莫不由政治以讽谕，系国家之盛衰，作之者有犯而无讳，闻之者伤惧而鉴诫，宁同嘲戏风月，取欢流俗而已哉！晋宋诗人，不失雅正，直言无避，颇遵汉魏之风。逮齐、梁、陈、隋，德祚浅薄，无能激切于事，皆以浮艳相夸，风雅大变，不随流俗者无几，所谓亡国之音哀以思，王泽竭而诗不作。吴公子听五音知国之兴废，非虚谬也。国朝以来，人多反（返）古，德泽广被，诗之作者继出，则有杜、李挺生于时，群才莫得而并。其亚则昌龄、伯玉、云卿、千运、应物、益、适、建、况、鹄、当、光羲、郊、愈、籍、合十数子，挺然颓波间，得苏、李、刘、谢之风骨，多为清德之所讽览，乃能抑退浮伪流艳之辞宜矣。爰有律体，祖尚清巧，以切语对为工，以绝声病为能，则有沈、宋、燕公、九龄、严、刘、钱、孟，司空曙、李端、二皇甫之流，实繁其数，皆妙于新韵，播名当时，亦可谓守章句之范，不失其正者矣。然物无全工，而欲篇咏盈千，尽为绝唱，其可得乎？虽前贤纂录不少，殊途同归。《英灵》、《间气》、《正声》、《南熏》之类，朗照之下，罕有孑遗，而取舍之时，能无少误？未有游诸门而英菁毕，萃然卷而玷类全。无诗家之流，语多及此，岂识者寡择者多，实以体词不一，憎爱有殊。苟非通而鉴之焉，可尽其善者。由是诸集悉阅，且无情势相托，以雅直尤异成章而已。或声流乐府，或句在人口，虽靡所纪录而关切时病者，此乃究其姓家，无所失之；或风韵标特，讥兴深远，虽已在他集而汩没于未至者，亦复摄而取焉。或

词多郑卫，或音涉巴歈，苟不亏六义之要，安能间之也?”（《文苑英华》卷七百十四著录）

公元857年（唐宣宗大中十一年　丁丑）

二月

归仁翰、王徽、卢处权等三十人擢进士第，中书舍人杜审权为本年知贡举。（据徐松《登科记考》卷二二本年条）

归仁翰，《永乐大典》引《苏州府志》：“杜审权知举，归仁翰登第。”《江南通志》卷一百十九选举志载：“归仁翰长洲人。”

王徽，《旧唐书》卷一百七十八本传：“徽字昭文，京兆杜陵人。曾祖择，从祖察，父自立。徽大中十一年进士擢第，释褐秘书省校书郎。……大顺元年十二月卒。”又曰：“徽登第时，年逾四十。”

卢处权，宋钱易撰《南部新书》卷五：“杜审权大中十一年知举，放卢处权。有戏之曰：‘座主审权，门生处权，可谓权不失权。’”（文渊阁《四库全书》本）

王缄，《宋高僧传》卷二十二《周伪蜀净众寺僧缄传》：“释僧缄者，俗名缄也，姓王氏，京兆人。少而察慧，醉气绝群。大中十一年，杜审权下对策成事，秘书监冯涓即同年也。”

冯涓，原列卷二十二大中四年（850）进士科，徐氏考云：“《唐语林》：‘大中四年，进士冯涓登第，榜中文誉最高。是岁，新罗圜起楼，厚赍金帛，奏请撰记。时人荣之。’《太平广记》引《王氏闻见录》：‘冯涓，旧唐名士，雄才奥学，登进士第。’《十园春秋》：‘冯涓字信之，先世婺州东阳人，唐吏部尚书宿之孙。’”

盛均，《闽书》卷九十一《英旧志·泉州府·永春县·唐进士》：“大中十一年：盛均。”四库本《福建通志》卷三十三《选举一·唐科目》：“大中十一年丁丑：永春县盛均。”同上卷五十一《文苑·永春州》：“盛均，字之才，永春人。大中进士。舍人皇甫焕博辨自雄，与宾客及门人广引发难，多不终席，均虑答如响，时谓勃敞。尝病《白氏六帖》疏略，广焉《盛氏十二帖》，囊括经史，贯穿百家，破资时好。仕终昭州刺史。”又见［乾隆］《永春州志》卷九、卷十。［按，《新唐书·艺文志三》著录“盛均《十三家帖》”，注云：“均，字之材，泉州南安人，终昭州刺史。以《白氏六帖》未备而广之，卷亡。”］

博学宏词科：冯涓。《唐诗纪事》卷六十六《冯涓传》：“冯涓，字信之，信都人。大中初举进士，登宏词科。”《舆地纪胜》卷一五五《潼川府路·遂宁府·人物》：“冯涓，其先信都人。连中进士、宏词，昭宗时为眉州刺史。”《十国春秋》本传：“冯涓，字信之，先世为婺州东阳人，唐吏部尚书宿之孙也。登唐大中四年宏辞科进士。”［按，言“四年”误，考见前。知冯涓于大中十一年连登进士及博学宏辞科。］

知贡举：中书舍人杜审权。《旧唐书》本纪：“大中十年九月，以中书舍人杜审权权知礼部贡举。”本传：“审权正拜中书舍人，大中十年，权知礼部贡举。十一年，选士三十人，后多至达官。正拜礼部侍郎。”

公元858年（唐宣宗大中十二年　戊寅）

正月

段成式在襄阳徐商幕，时温庭皓、韦蟾均在幕，上元时三人均有咏山灯唱和诗。《唐诗纪事》卷五八温庭皓条载："尚书东苑公镇襄阳，（段）成式、庭皓、（韦）蟾皆其从事，上元唱和诗各三篇。成式诗云：'风杪影凌乱，露轻光陆离。如霞散仙掌，似烧上峨嵋。道树千花发，扶桑九日移。因山成众像，不复藉蟠螭。'……庭皓诗云：'一峰当胜地，万点照严城。势异昆冈发，光疑玄圃生。焚书翻见字，举燧不招兵。况遇新春夜，何劳秉烛行。'"韦蟾条记："《上元唱和诗》云：'新正圆月夜，尤重看灯时。累塔嫌沙细，成文讶笔迟。归牛疑燧落，过雁误书遗。生惜兰膏烬，还为隔岁期。'……又云：'多宝神光动，生金瑞色浮。照人低人郭，伴月夜当楼。熏穴应无取，焚林固有求。夜阑陪玉帐，不见九枝留……"蟾，字隐珪，下杜人。大中七年进士登第，初为徐商掌书记，终尚书左丞。"又《全唐诗》卷五八四段成式《观山灯献徐尚书并序》云："尚书东苑公镇襄之三年，四维具举，而仍岁谷熟。及上元日，百姓请事山灯，以报禳祈祉也。时从事及上客从公登城南楼观之。初烁空掀谷，漫若朝炬。忽惊狂烧卷风，扑缘一峰。如尘烘旆色，如波残鲸鬣，如霞驳，如珊瑚露，如丹蛇妓离，如朱草丛丛。如芝之曲，如莲之擎……"［按，徐尚书即徐商］徐商镇山南东道襄阳，据，《唐方镇年表》卷四所考，在大中十年（856）春。据段成式此诗序，观山灯事在徐商"镇襄之三年"的上元日，则事在本年初春，诸人之唱和皆在其时。

二月

宋言、崔沆、卢象、徐彦若、侯岳、于琮、吴畦、过讷等三十人登进士第，状元为李亿，中书舍人李藩为本年知贡举。（据《登科记考》卷二二本年条）

李亿，状元，见《玉芝堂谈荟》。

宋言，《云溪友议》卷下《去山泰》条记："宋言端公，近十举，而名未播。大中十一年，将取府解。言本名岳，因昼寝，似有人报云：'宋二郎秀才，若头上戴山，无因成名。但去其山，自当通泰。'觉来便思，去之不可名狱，遂去二犬，乃改为'言'。及就府试，冯涯侍郎作掾而为试官，以解首送言也。时京兆尹张毅夫以冯参军解送举人有私，奏谴澧州司户。再试，退解头宋言为第六十五人。知闻来唁，宋曰：'来春之事，甘已参差。'李播舍人发榜，以言为第四人及第。"［按，称宋言"端公"，则言后曾任侍御史，有赋一卷。唯未知事在何时，其事迹亦难考详］《新唐书·艺文志四》著录《宋言赋》一卷，下注："字表文。"则言以赋称。《全唐文》卷七六二收有其《渔父辞剑赋》、《效鸡鸣度关赋》、《鹤归华表赋》三文，未知作年，疑其登第前所咏。

崔沆，《旧唐书·崔元略传》："铉子沆，登进士第。"《唐摭言》卷三："崔沆，及第年为主罚录事。同年卢象，俯近关燕，坚请假往洛下拜庆，既而淹缓久之。及同年燕于曲江亭子，象以雕幰载妓，微服篳鞚，纵观于侧，遽为团司所发。沆判之，略曰：深搀席帽，密暎毡车。紫陌寻春，便隔同年之面；青云得路，可知异日之心。"

徐彦若，《旧唐书》本传："彦若，天后朝大理卿有功之裔。曾祖宰，祖陶，父商。”《广卓异记》：“大中十二年，徐商为襄州节度使。长子彦若与于琮同年及第。至咸通六年，商自御史大夫拜相；七年，琮自兵部侍郎拜相。”

于琮，《旧唐书·于休烈传》：“于敖四子：球、珪、瓌、琮，皆登进士第。琮落托有大志，驸马都尉郑颢奇之。会李藩知贡举，颢讬之，登第。”《旧唐书》本纪：“大中十二年三月，以前乡贡进士于琮为秘书省校书郎，寻尚皇女广德公主。”盖于发榜后尚主。

明经科：

过讷，杜去疾《故过少府墓志铭》：“公讳讷，字含章，泽州高平人。曾祖庭，大父迁，考冥。公以大中十二年明经擢第。当守选时，潜修拔萃。虚窗弄笔，研几自愧于雕虫；予夺在心，可否讵由于甲乙。于咸通四年授棣州蒲台县尉。”

五月

刘得仁久困场屋未第，其卒后，诗人多人吊之。有诗一卷。《唐摭言》卷十载：“（刘）得仁，贵主之子。自开成至大中三朝，昆弟皆历贵仕，而得仁苦于诗，出入举场三十年，竟无所成。尝自述曰：‘外家虽是帝，当路且无亲。’既终，诗人争为诗以吊之。唯供奉僧栖白擅名。诗曰：‘忍苦为诗身到此，冰魂雪魄已难招。直教桂子落坟上，生得一枝冤始销。’”杜荀鹤后亦有《哭刘得仁》（《全唐诗》卷六九一）诗：“贾岛还如此，生前不见春。岂能诗苦者，便是命羁人。家事因吟失，时情碍国亲。多应衔恨骨，千古不为尘。”韦庄亦有《刘得仁墓》（《全唐诗》卷六九五）：“至公遗至艺，终抱至冤沉。名有诗家业，身无戚里心。桂和秋露滴，松带夜风吟。冥寞知春否，坟蒿日已深。”贯休亦有《怀刘得仁》（《全唐诗》卷八二九）。《新唐书·艺文志四》著录《刘得仁诗》一卷。《全唐诗》编其诗二卷（卷五四四—五四五）。

十月

李商隐，（813—858）病卒，年四十六。有《樊南甲集》、《樊南乙集》等。《旧唐书》卷一百九十、《新唐书》卷二百三有传。《新唐书》卷二百一文艺上：“唐有天下三百年，文章无虑三变。高祖、太宗，大难始夷，沿江左余风，絺句绘章，揣合低卬，故王、杨为之伯。玄宗好经术，群臣稍厌雕篆，索理致，崇雅黜浮，气益雄浑，则燕、许擅其宗。是时，唐兴已百年，诸儒争自名家。大历、正元间，美才辈出，擩哜道真，涵泳圣涯，于是韩愈倡之，柳宗元、李翱、皇甫湜等和之，排逐百家，法度森严，抵轹晋、魏，上轧汉、周，唐之文完然为一王法，此其极也。若侍从酬奉则李峤、宋之问、沈佺期、王维，制册则常衮、杨炎、陆贽、权德舆、王仲舒、李德裕，言诗则杜甫、李白、元稹、白居易、刘禹锡，谲怪则李贺、杜牧、李商隐，皆卓然以所长为一世冠，其可尚已。”《宋高僧传》卷六《唐彭州丹景山知玄传》：“释知玄，字后觉，姓陈氏，眉州洪雅人也。……有李商隐者，一代文宗，时无伦辈，常从事河东柳公梓潼幕，久慕玄之道学，后以弟子礼事玄，时居永崇里，玄居兴善寺。义山苦眼疾，虑婴昏瞽，遥望禅宫，冥祷乞愿。玄明日寄《天眼偈》三章，读终疾愈。迨乎义山卧病，语僧录僧彻曰‘某志愿削染为玄弟子，临终寄书偈诀别’云。”《玉溪生年谱会笺》于本年记上述事，谓“义山与知玄东川相遇，当在大中八年。……义山以弟子礼事玄，必在其时。其寄《天眼偈》，义山方居永崇里，永崇里在西京……乃东川归后事矣。义山大中末病还郑州时，玄弟子僧彻……又有临终寄《偈》一段因缘。义山晚年弃道兆禅，屡见集中”。《旧唐书》卷一百九十下李商隐传云：“李商隐，字义山，怀州河内人。曾祖叔恒，年十九登进士第，位终安阳令。祖俌，位终邢州录事参军。父嗣。商隐幼能为文。令狐楚镇河阳，以所业文干之，年才及弱冠。楚以其少俊，深礼之，令与诸子游。楚镇天平、汴州，从为巡官，岁给资装，令随计上都。开成二年，方登进士第，释褐秘书省校书郎，调补弘农尉。会昌二年，又以书判拔萃。大中末，仲郢坐专杀左迁，商隐废罢，还郑州，未几卒。商隐能为古文，不喜偶对。从事令狐楚幕。楚能章奏，遂以其道授商隐，自是始为今体章奏。博学强记，下笔不能自休，尤善为诔奠之辞。与太原温庭筠、南郡段成式齐名，时号‘三十六’。文思清丽，庭筠过之。而俱无持操，恃才诡激，为当涂者所薄。名宦不进，坎壈终身。”崔珏有《哭李商隐》(《全唐诗》卷五九一)，其一中云：“……词林枝叶三春尽，学海波澜一夜干。风雨已吹灯烛灭，姓名长在齿牙寒。只应物外攀琪树，便着霓裳上绛坛。”其二云：“虚负凌云万丈才，一生襟抱未曾开。鸟啼花落人何在，竹死桐枯风不来。良马足因无主踠，旧交心为绝弦哀。九泉莫叹三光隔，又送文星入夜台。”朱鹤龄《李义山诗集笺注序》：“义山之诗，乃风人之绪音，屈、宋之遗响，盖得子美之深而变出之者。”《新唐书·艺文志四》著录“李商隐《樊南甲集》二十卷、《樊南乙集》二十卷，《玉溪生诗》三卷，又赋一卷，文一卷”。清沈德潜《唐诗别裁集》收李商隐诗五十首。《四库全书总目提要》卷一百五十一集部四：“《李义山诗集》三卷（内府藏本)，唐李商隐撰，商隐字义山，怀州河内人。开成二年进士。释褐秘书省校书郎，调弘农尉。会昌二年又以书判拔萃。王茂元镇河阳，辟为掌书记。历佐幕府，终于东川节度判官、检校工部郎中。事迹具《唐书·文艺传》。商隐诗与温庭筠齐名，词皆缛丽。然庭筠多绮罗脂粉之词，而商隐感时伤事，尚颇得风人之旨。故蔡宽夫《诗话》载王安石之语，以为‘唐人能学老杜而得其藩篱者，惟商隐一人’。自宋杨亿、刘子仪等沿其流波，作《西昆酬唱集》，诗家遂有‘西昆体’。致伶官有挦撦之讥。刘攽载之《中山诗话》以为口实。元祐诸人，起而矫之。终宋之世，作诗者不以为宗。胡仔《渔隐丛话》至摘其《马嵬》诗、《浑河中》诗诋为浅近。后江西一派渐流于生硬粗鄙，诗家又返而讲温、李。自释道源以后，注其诗者凡数家。大抵刻意推求，务为深解。以为一字一句皆属寓言，而《无题》诸篇穿凿尤甚。今考商隐《府罢》诗中有‘楚雨含情皆有托’句，则借夫妇以喻君臣，固尝自道。然《无题》之中确有寄托者，‘来是空言去绝踪’之类是也。有戏为艳体者，“近知名阿侯”之类是也。有实属狎邪者，‘昨夜星辰昨夜风’之类是也。有失去本题者，‘万里风波一叶舟’之类是也。有与《无题》相连误合为一者，‘幽人不倦赏’之类是也。其摘首二字为题，如《碧城》、《锦瑟》诸篇，亦同此例。一概以美人香草解之，殊乖本旨。至于流俗传诵，多录其绮艳之作。如集中《有感》二首之类，选本从无及之者。取所短而遗所长，益失之矣。”《清史稿》卷四百八十四：“顺、康间，以骈文称者，又有吴绮，字煻次，江都人。维崧导源庾信，泛滥于

初唐四杰，故气脉雄厚。绮则追步李商隐，才地视维崧为弱，而秀逸特甚。"《四库全书总目提要》卷一百五十一："《李义山诗注》三卷、《附录》一卷（通行本）国朝朱鹤龄撰。鹤龄有《尚书埤传》，已著录。李商隐诗旧有刘克、张文亮二家注本，后俱不传。故元好问《论诗绝句》有'诗家总爱西昆好，只恨无人作郑笺'之语。［按，西昆体乃宋杨亿等摹拟商隐之诗，好问竟以商隐为西昆，殊为谬误。谨附订于此］明末释道源始为作注。王士祯《论诗绝句》所谓'獭祭曾惊博奥殚，一篇《锦瑟》解人难。千秋毛郑功臣在，尚有弥天释道安'者，即为道源是注作也。然其书征引虽繁，实冗杂寡要，多不得古人之意。鹤龄删取其什一，补辑其什九，以成此注。后来注商隐集者，如程梦星、姚培谦、冯浩诸家，大抵以鹤龄为蓝本，而补正其阙误。惟商隐以婚于王茂元之故，为令狐绹所挤，沦落终身。特文士轻于去就，苟且目前之常态。鹤龄必以为茂元党李德裕，父子党牛僧孺。商隐之从茂元为择木之智、涣邱之公，然则令狐楚方盛之时，何以从之受学？令狐绹见雠之后，何以又屡启陈情？新、旧《唐书》班班具在，鹤龄所论未免为回护之词。至谓其诗寄托深微，多寓忠愤，不同于温庭筠、段成式绮靡香艳之词，则所见特深，为从来论者所未及。惟所作年谱，于商隐出处及时事颇有疏漏，故多为冯浩注本所纠。又如《有感》二首咏文宗甘露之变者，引钱龙惕之笺，以李训、郑注为奉天讨，死国难。则触于明末珰祸，有激而言，与诗中'如何本初辈，自取屈牦诛。临危对卢植，始悔用庞萌'诸句，显为背触，殊失商隐之本旨。又重《有感》一首所谓'窦融表已来关右，陶侃军宜次石头'者，竟以称兵犯阙望刘从谏。汉十常侍之已事，独未闻乎？鹤龄又引龙惕之语不加驳正，亦未免牵就其词。然大旨在于通所可知，而阙所不知，绝不牵合新、旧《唐书》，务为穿凿。其摧陷廓清之功，固超出诸家之上矣。"《四库全书总目提要》卷一百五十一："《李义山文集笺注》十卷（通行本）国朝徐树穀笺，徐炯注'树字艺初。康熙乙丑进士。官至山东道监察御史'。炯字章仲。康熙壬戌进士。官至直隶巡道。皆昆山人。考《旧唐书·李商隐传》，称有《表状集》四十卷、《新唐书·艺文志》称李商隐《樊南甲集》二十卷、《樊南乙集》二十卷，《玉溪生诗》三卷、《文赋》一卷。《宋史·艺文志》称《李商隐文集》八卷、《四六甲乙集》四十卷，《别集》二十卷、《诗集》三卷。今惟《诗集》三卷传，《文集》皆佚。国初吴江朱鹤龄始裒辑诸书，编为五卷，而阙其状之一体。康熙庚午，炯典试福建，得其本于林佶。采摭《文苑英华》所载诸状补之，又补入《重阳亭铭》一篇，是为今本。鹤龄原本虽略为诠释，而多所疏漏，盖犹未竟之稿。树谷因博考史籍，证验时事，以为之笺。炯复征其典故训诂，以为之注。其中《上崔华州书》一篇，树谷断其非商隐作。近时桐乡冯浩注本，则辨此书为开成二年春初作。崔华州乃崔龟从，非崔戎。故贾相国乃贾𫗧，非贾耽。崔宣州乃崔郸，非崔群。引据《唐书》纪传，证树之误疑。又《重阳亭铭》一篇，炯据《全蜀艺文志》采入。冯浩注本则辨其碑末结衔及乡贯皆可疑。知为旧碑漫漶，杨慎伪补足之。援慎伪补樊敏、柳敏二碑，证炯之误信。又据《成都文类》采入《为河东公上西川相国京兆公书》一篇及逸句九条，皆足补正此本之疏漏。然《上京兆公书》乃案牍之文，本无可取，逸句尤无关宏旨。故仍以此本著于录焉。"《直斋书录解题》另著录其《蜀尔雅》三卷、《杂纂》一卷、《金钥》二卷、《梁词人丽句》一卷、《李义山集》八卷。然其文集大部散佚，今传有清人辑注本，以冯浩《樊南文集详注》、钱振伦《樊南文集补编》较重要。《全唐文》卷七七一至七八二，编其文十二卷。《全唐诗》编其诗为三卷，《全唐诗补逸》补诗一首，《全唐诗续补遗》补诗二首、断句四，《全唐诗续拾》补诗一首、残句一。

公元859年（唐宣宗大中十三年　己卯）

二月

李磎、豆卢瑑、崔澹、储嗣宗、刘汾、张台等三十人登进士第，状元为孔纬。本年知贡举为黄门侍郎郑颢。又《北里志》述及大中时进士在京师与歌妓宴游之风气。（据徐松《登科记考》卷二二本年条）又孙棨《北里志序》（《全唐文》卷八二七）述及唐宣宗时，尤其本年前后进士宴游及与北里诸妓狎游之风气而影响及文学创作之风气，有云："自大中皇帝好儒术，特重科第，故其爱婿郑詹事再掌春闱。上往往微服长安中，逢举子则狎而与之语，时以所闻质于内庭学士及都尉，皆耸然莫知所自。故进士自此尤盛，旷古无俦。然率多膏粱子弟，平进岁不及三数人。由是仆马豪华，宴游崇侈。以同年俊少者为两街探花使，鼓扇轻浮，仍岁滋盛。自岁初等第于甲乙，春闱开送天官氏，设春闱宴，然后离居矣。近来延至仲夏。京中饮妓，籍属教坊，凡朝士宴聚，须假诸曹署行牒，然后能致于他处。惟新进士设筵，顾吏故可行牒追，其所赠之资则倍于常数。诸妓皆居平康里，举子新及第进士，三司幕府，但未通朝籍，未直馆殿者，咸可就诣。……其中诸妓，多能谈吐，颇有知书言话者。自公卿以降，皆以表德呼之。其分别品流衡尺人物，应对非次，良不可及。……比常闻蜀妓薛涛之才辩，必谓人过言，及睹北里二三子之徒，则薛涛远有惭德矣。"

孔纬，状元。《旧唐书》本传："纬字化文，鲁曲阜人，宣尼之裔。曾祖父岑，祖戣，父遵孺。纬大中十三年进士擢第，释褐秘书省校书郎。"《广卓异记》引《登科记考》作"孔纬，大中二年状元"，当从本传。

李磎，《新唐书·李磎传》："大中末，擢进士。"《旧唐书》本传："（磎）博学多通，文章秀绝。大中十三年，一举登进士第。"《全唐文》卷八〇三，李溪有《蔡袭传》，文中有"今上大中四年，南山党羌反……始余于京洛间，闻说者多称刘石有破虏之功，及至太原闻蔡袭，方知为举代之惑也。悲夫，功业卓然尚可掩抑，况才艺耶！余念其勤而无益，故详足其事为传云。"[按，据传文，此传乃作于大中四年（850）之后，唐宣宗尚在位时] 本年八月宣宗崩。此传之作恐在此时之前。李磎尚有《反五等六代论》、《广废庄论并序》两文，均未知作年，或亦本年及第前之作欤？

豆卢瑑，《旧唐书》卷一百七十七本传："豆卢瑑者，河东人。祖愿，父籍。大中十三年登进士科。咸通末，累迁兵部员外郎，转户部郎中知制诰，召充翰林学士，正拜中书舍人。乾符中，累迁户部侍郎、学士承旨。六年，与吏部侍郎崔沆同日拜平章事。宣制日，大风雷雨拔树。左丞韦蟾与王瑑善，往贺之。瑑言及雷雨之异，蟾曰：'此应相公为霖作解之祥也。'瑑笑答曰：'霖何甚耶？'及巢贼犯京师，从僖宗出开远门，为盗所制，乃匿于张直方之家，遇害。识者以风雷，不令之兆也。"《新唐书》：

“瑑字希真。”

崔澹，《旧唐书》卷一百七十七崔珙传：“珙弟玙。玙子澹，大中十三年登进士第。”《唐语林》卷四企羡：“崔澹容貌清瘦，擢第升朝。”

储嗣宗，储嗣宗在长安及第，其《长安怀古》等诗约作于本年前后。后任校书郎，有集一卷。《全唐诗》卷五九四储嗣宗有《长安怀古》：“祸稔萧墙终不知，生人力屈尽边陲。赤龙已赴东方暗，黄犬徒怀上蔡悲。……秋风解怨扶苏死，露泣烟愁红树枝。”［按，此诗乃作于长安，诗秋日咏。嗣宗本年登进士第，则去年秋当在长安］又《元和姓纂》卷二：“嗣宗，校书郎。”则本年及第后嗣宗又有校书郎之任。《唐才子传校笺》储嗣宗传笺谓“其任校书郎殆系在咸通年间”。则其时亦有撰此诗之可能。要之，此诗撰于何年不可确考，姑记于本年。嗣宗论诗推崇王维，其《过王右丞书堂二首》称维“澄潭昔卧龙，章句世为宗甘独步名声在，千岩水石空”、“风雅传今日，云山想昔时”、“千载五言诗”。嗣宗工诗，与司马札、顾非熊相善，有诗酬唱。辛文房称其“苦思梦索，所谓逐句留心、每字着意，悠然皆尘外之想”（《唐才子传》卷八）。谢榛称宋谢枋得之“花飞莫遣随流水，怕有渔郎来问津”为祖袭嗣宗之“春风莫逐桃花去，恐引渔人入洞来”（《四溟诗话》卷二）。《直斋书录解题》著录《储嗣宗集》一卷，《全唐诗》存诗一卷，《全唐诗续补遗》补诗一首。事见《直斋书录解题》卷一九、《唐才子传》卷八等。

刘汾，汾《大赦庵记》云：“汾自大中己卯登科以来，官至兵部员外郎。咸通三年，迁本部侍郎。”徐松据《大赦庵记》定刘汾为本年进士。

吴畦，原列上年进士科，徐氏考云：“《唐语林》：‘令狐滈、弟澄皆好文，有称科场中。以父为丞相，未得进。滈出访郑侍郎，道遇大尹，投国学避之。遇广文生吴畦，从容久之。畦袖卷呈滈，由是出入滈家。荐畦于郑公，遂先滈一年及第。”

李质，原列上年进士科，徐氏考云：“《唐诗纪事》引《科名分定录》：‘李质登第后，廉察豫章，时大中十二年也。’又曰：‘质字公干，襄阳人。’”

七月

段成式、温庭绮、温庭皓、韦蟾、元舞、余知古、王传、徐商等在襄阳节度幕府中的唱和酬答。本年秋，段成式闲居汉上，应人之请撰《塑像记》。时温庭筠贬隋县尉，亦来汉上。余知古、韦蟾、元繇、王传、温庭皓、段成式等人亦均在徐商襄阳幕，诗人赋诗唱和酬答，尽幕府文士酬唱之乐。后晚唐作家段成式集酬和之作为《汉上题襟集》十卷，此集久散佚。自夏承焘撰《温飞卿系年》以来，已有多位学者注意并述及此书，但至今尚未见专文研究。本文即于诸位学者研究的基础上，全面考辑此集散佚诗文，计得诗四十八首又断句十联一句，赋一首，连珠二首，书简十九首又三断句三。文中进一步研究与此集相关之襄阳诗人群的活动，并评价其诗文创作，指出襄阳诗人的咏妓嘲谑诗最值得注意，特别是段成式与温庭绮相互嘲谑的诗作，描述了一段飞卿与歌妓相慕相爱的真实情事，对于了解温词及晚唐爱情诗词的背景颇有裨益（参看贾晋华《<汉上题襟集>与襄阳诗人群研究》，《文学遗产》，2001年第5期）《新唐书·艺文志四》亦记《汉上题襟集》十卷，作者为“段成式、温庭筠、余知古”。段成式大中十二年春正月即来徐商襄阳幕，时与温庭皓、韦蟾均有观山灯唱和诗各三首，以上诸人唱和之《汉上题襟集》，乃徐商于大中十二、十三两年间镇山南东道时所唱和之作。今将诸人唱和往来盛况略述于此，以见其时幕府文士唱酬往还之风。《全唐诗》卷五八四录有段成式《和徐商贺卢员外赐绯》（一作《和徐相公贺襄阳徐副使加章服》），又《题僧壁》（一本下有和韦蟾三字）、《嘲飞卿七首》、《柔卿解籍戏呈飞卿三首》。《全唐文》卷七八七段成式有《寄余知古秀才散卓笔十管软健笔十管书》、《寄温飞卿葫芦管笔往复书》，后文中云：“飞卿穷素缃之业，擅雄伯之名，沿诉九流，订铨百氏。笔洒沥而转润，纸襞积而不供。”又有《与温飞卿书八首》。此时余知古则有《谢段公五色笔状》。（《全唐文》卷七六〇）夏承焘《温飞卿系年》记其贬隋县尉在本年。其谪尉隋县之缘故典籍所记不同，其中《唐摭言》卷十一云：“无何，执政间复有恶奏庭筠搅扰科场者，谪随州县尉。”《新唐书》本传亦谓“大中末，试有司，廉视尤谨，庭筠不乐，上书千余言，然私占授者已八人。执政鄙其为，授方山尉。徐商镇襄阳，署巡官，不得志，去归江东。”[按，《新唐书·温庭筠传》“方山尉”应为隋县尉]《东观奏记》卷下亦记：“敕乡贡进士温庭筠，早随计吏，夙着雄名；徒负不羁之才，罕有适时之用；放骚人于澧浦，移贾谊于长沙，尚有前席之期，未爽抽毫之思。可随州随县尉。’舍人裴坦之词也。庭筠，字飞卿，彦博之裔孙也，词赋诗篇冠绝一时，与李商隐齐名，时号‘温李’，连举进士，竟不中第，至是谪为九品吏。进士纪唐天叹庭筠之冤，赠之诗曰：‘凤凰诏下虽求命，鹦鹉才高却累身’，人多讽诵，上明主也，而庭筠反以才废制中，自引骚人长沙之事，君子讥之。前一年，商隐以盐铁推官死。”[按，李商隐卒于大中十二年，则温庭筠之贬乃在本年。故其于贬后来襄阳为巡官，与诸文士唱和往还]

八月

七日，宣宗病卒，年五十。其子恽王李温由左军中尉王宗实拥立，即帝位，是为懿宗，时年二十七。（见《资治通鉴》卷二四九、《旧唐书·懿宗本纪》）

十一月

郑薰本年仍在棣王府长史、分司东都任。时旧友九华处士巩畴来访，谈玄说《易》，讲《肇论》，喜而作《赠巩畴诗并序》以纪之。

十二月

浙东农民军裘甫起兵，攻陷象山，进逼剡县，浙东骚动。《资治通鉴》卷二四九本年十二月载：“浙东贼帅裘甫攻陷象山，官军屡败，明州城门昼闭，进逼剡县，有众百人，浙东骚动。观察使郑祗德遣讨击副使刘励、副将范居植将兵三百，合台州军讨之。”

公元 860 年（唐懿宗咸通元年　庚辰）

二月

翁彦枢、刘虚白、令狐滈、郑羲、裴弘余、魏笃、崔渎、陈河（汀）等三十人登进士第，状元为刘蒙。知贡举为中书舍人裴坦。（据徐松《登科记考》卷二二本年条）又《唐摭言》卷四《与恩地旧交》载：“刘虚白与太平裴公早同砚席。及公主文，虚白犹是举子。试杂文日，帘前献一绝句曰：‘二十年前此夜中，一般灯烛一般风。不知岁月能多少，犹着麻衣待至公！’”《北梦琐言》卷六亦记：“竟陵人刘虚白擢进士第，嗜酒，有诗云：‘知道醉乡无户税，任他荒却下丹田。’世之嗜酒者，苟为孔门之徒，得无违告诫乎？”

刘蒙，状元。（见《玉芝堂谈荟》卷二）

翁彦枢，《永乐大典》引《苏州府志》：“侍郎裴坦知举，翁彦枢登第。”《玉泉子》：“翁彦枢，苏州人，应进士举。有僧与彦枢同乡里，出入故相国裴公坦门下，以其年耄，优惜之，虽中门内亦不禁其出入。手持贯珠，闭目以诵佛经，非寝食未尝辍也。坦主文柄，入贡院，子勋、质日议榜于私室，僧多处其间，二子不之虞也。其拟议名氏，洎与夺进退，僧悉熟之矣。归寺而彦枢访焉，僧问彦枢将来得失之耗，彦枢具对以无有成遂状。僧曰：‘公成名须第几人？’彦枢谓僧戏己，答曰：‘第八人足矣。’即复往裴氏之家，二子所议如初。僧忽张目谓之曰：‘侍郎知举耶，郎君知举耶？夫科第国家重事，朝廷委之侍郎，意者欲侍郎划革前弊，孤平得路。今之与夺，率由郎君，侍郎宁偶人耶？且郎君所与者，不遇横豪子弟，未尝以一平人。士议之，郎君可乎？’即屈其指，自首至末，不差一人。其豪族私仇曲折，毕中二子所讳。勋等大惧，即问僧所欲，且以金帛啖之。僧曰：‘贫僧老矣，何用金帛为！有乡人翁彦枢者，徒要及第耳。’勋等曰：‘即列在丙科。’僧曰：‘非第八人不可也。’勋不得已，许之。僧曰：‘与贫僧一文书来。’彦枢其年及第，竟如其言。”

刘虚白，《唐摭言》卷四：“刘虚白与裴坦早同砚席。坦主文，虚白犹是举子。试杂文日。帘前献一绝句云：‘二十年前此夜中，一般灯烛一般风。不知岁月能多少，犹着麻衣待至公！”《北梦琐言》：“竟陵人刘虚白擢进士第，嗜酒，有诗云：‘知道醉乡无户税，任他荒却下丹田。’”

令狐滈，《旧唐书》卷一百七十二《令狐楚传》：“楚子绹。绹子滈，少举进士，以父在内职而止，绹罢权轴，既至河中，上言曰：‘臣男滈爰自孩提，便从师训。至于词艺，颇及流辈。会昌二年，臣任户部员外郎时，已令应举，至大中二年，犹未成名。臣自湖州刺史蒙先帝擢授考功郎中、知制诰，寻充学士。继叨渥泽，遂忝枢衡。事体有妨，因令罢举，自当废绝一十九年。每遣退藏，更令勤励。臣以禄位逾分，齿发已衰，男滈年过长成，未沾一第，犬马私爱，实切悯惕。臣二三年来，频乞罢免，每年取得文解，意待才离中书，便令赴举。昨蒙恩制，宠以近藩，伏缘已逼礼部试期，便令就试。至于与夺，出自主司，臣固不敢挠其衡柄。臣初离机务，合具上闻。昨延英奉辞，本拟面奏，伏以恋恩方切，陈诚至难。伏冀宸慈，察臣丹恳。’诏令就试。是岁，中书舍人裴坦权知贡举，登第者三十人。有郑羲者，故户部尚书瀚之孙，裴弘余，故相休之子，魏筜，故相扶之子，及滈，皆名臣子弟，言无实才。谏议大夫崔谊上疏曰：‘伏见新及第进士令狐滈，是河中节度使、检校司空、同中书门下平章事令狐绹男，旧名寿，改名滈。窃闻顷年，暂曾罢举。自父当重位，而权在一门，求请者诡党风趋，妄动者邪朋云集。每岁春闱登第，在朝清列除官，事望虽出于绹，取舍悉由于滈。喧然如市，傍若无人，威振寰中，势倾天下。及绹去年罢相出镇，其日令狐滈于礼部纳卷。伏以举人文卷，皆须十月已前送纳，岂可父身尚居枢务，男私拨其解名！干挠主司，侮弄文法。若宰相子弟总合应举，即不合继绝敷年；如宰相子弟不合应举，即何预有文解？公然轻易，隐蔽圣聪，将陛下朝廷为绹、滈家事。伏恐奸欺得路，孤直杜门，非惟取笑士流，抑亦大伤风教。伏请下御史台，子细推勘纳卷及取解月日闻奏。臣职当谏署，分合上闻。’疏留中不出。”《北梦琐言》：“时张云、刘蜕、崔煊叠上疏，宣宗优容。”《册府元龟》：“大中十三年十二月，河中节度使令狐绹以其子滈求应进士举，勑曰：‘令狐滈多时举人，极有文学，流辈所许，合得科名。比以父绹，职在枢衡，避嫌不赴。今因出镇，却就举场，况谐通规，合试至艺。宜令主司准大中六年勑考试，只在至公，如涉徇情，自有刑典。从今已后，但依常例发榜。本司举士，贵在得人，去留之闲，惟理所在。’”［按，本年罗隐在京应进士试落第］令狐滈及第，隐有诗赠之。宋方回《罗昭谏谗书跋》（见中华书局1983年版雍文华校辑《罗隐集》附录）云：“唐懿宗即位，咸通元年庚辰，隐在京师举进士，留七载而不第。”则本年春罗隐落第。罗隐有《赠谪先辈令狐补阙》（《罗隐集·甲乙集》卷四）诗，云：“中间声迹早熏然，阻避钧衡过十年。……花迎彩服离莺谷，柳傍东风触马鞭。应念凄凉洞庭客，夜深双泪忆渔船。”［按，先辈即本年登进士第之令狐滈］《唐诗纪事》卷六九罗隐条载：“令狐滈，赵公绹之子，登进士，隐以诗贺之，赵公谓滈曰：‘吾不喜汝及第，喜汝得罗公一篇耳。”《新唐书》卷一百六十六《令狐滈传》：“滈避嫌不举进士。绹辅政，而滈与郑颢为姻家，怙势骄偃，通宾客，招权，以射取四方货财，皆侧目无敢言。懿宗嗣位，数为人白发其罪，故绹去宰相。因丐滈与群进士试有司，诏可，是岁及第。”

裴弘余（裴弘），宋王谠《唐语林》卷六：“裴坦为职方郎中、知制诰，裴相休以坦非才不称，力拒之不能得。命既行，坦至政事堂谒谢丞相。故事：谢毕便于本院上事，宰臣送之，施一榻压角而坐。坦巡谒执政，至休听，多输感激。休曰：‘此乃首台谬选，非休力也。’立命肩舆便出，不与之坐。两阁老吏云：‘自有中书，未有此事。’人为坦耻之。至坦知贡举，擢休子弘余上第，时人称欲盖弥彰。”

魏筜，皆见《旧唐书》卷一百七十二《令狐楚传》。

崔涣，《旧唐书》卷一百七十《崔珙传》：“珙，字叔休，宝历二年登进士第。会昌中，为凤翔节度判官，入朝为尚书郎。子渎。渎，大中末亦进士登第。”

陈河，据《册府元龟》：“时举子尤盛，进士过千人。然中第者皆衣冠之子，惟陈河一人孤贫负艺，第于榜末。”《登科记考》于陈河名下加按语：“《新唐书·艺文志》：‘陈汀字用济，大中进士第。’疑‘汀’即‘河’之误。”［按，《千唐志斋藏志》一一五四有前进士陈汀撰《南阳张府君夫人河南巩氏墓志》，碑立于咸通二年十一月。此陈汀当即本年登第者陈河，徐松所疑是］

诸科三人：徐珏。嘉庆《浙江通志》卷一八一引旧志："江山人。大中十三年父举明经，携珏诣阙，召试思政殿，赐衣绢。明年童子科及第，父亦策名。"《明一统志》卷四十三《衢州府·人物·唐》："徐珏，江山人。五岁能诵《易》、《礼》二经，召对称旨，赐衣绢，中童子科。"又见《万姓统谱》卷七。博学宏词科。宋王钦若等撰《册府元龟》卷六百四十一贡举部："（大中）十四年，考试官库部员外郎崔刍言放宏词登科一人。"知贡举：中书舍人裴坦。《旧唐书》本纪："大中十三年十月，以中书舍人裴坦权知礼部贡举。"

李远（？—860?）卒，字求古，一作承古。夔州云安（今四川云阳）人。郡望陇西（今属甘肃）。唐文宗大和五年（831），登进士第。入福州观察使幕任从事。召为侍御史，历尚书司门员外郎。宣宗大中（847—860）年间，迁司勋员外郎。令狐绹荐为杭州刺史。又历忠州、建州、岳州、江州刺史。官终御史中丞。李远善棋爱酒，情性闲雅。工于诗赋，许浑赞为"赋似相如诗似陶"（《寄当涂李远》）。其"为诗多逸气，五彩成文"（辛文房《唐才子传》卷七）。薛雪评为"法律井井，不减开、宝时人"（《一瓢诗话》）。《新唐书·艺文志》著录《龙纪圣异历》一卷、《李远诗集》一卷。《全唐诗》存诗一卷，《全唐诗续补遗》补诗一首。事见《幽闲鼓吹》、《北梦琐言》卷六、《唐诗纪事》卷五六、《唐才子传》卷七等。

公元861年（唐懿宗咸通二年　辛巳）

二月

于濆、牛征、李蔼、孔绚、孔纶等三十人登进士第；状元为裴延鲁。本年中书舍人薛耽知贡举。（据徐松《登科记考》卷二三本年条）

于濆，及第后曾任泗州判官。濆擅古风，与邵谒、刘驾、曹邺等人齐名。有诗一卷。《唐才子传》卷八于濆传："咸通二年裴延鲁榜进士。濆，字子漪，咸通二年裴延鲁榜进士。患当时作诗者，拘束声律而入轻浮，故作《古风》三十篇以矫弊俗，自号'逸诗'。今一卷，传于世。观唐诗至此间，弊亦极矣，独奈何国运将弛，士气日丧，文不能不如之。嘲云戏月，刻翠粘红，不见补于采风，无少裨于化育，徒务巧于一联，或伐善于只字，悦心快口，何异秋蝉乱鸣也。于濆、邵谒、刘驾、曹邺等，能反棹下流，更唱瘖俗，置声禄于度外，患大雅之凌迟，使耳厌郑、卫，而忽洗云和；心醉醇酞，而乍爽玄酒。所谓清清泠泠，愈病析酲。逃空虚者，闻人足音，不亦快哉。晋处士戴颙春日携斗酒，往树下听黄鹂，曰：'此俗耳针砭，诗肠鼓吹者，岂徒然哉。于数子亦云。'"《新唐书·宰相世系表》二下："濆字子漪，泗州判官。"《唐诗纪事》卷六十于濆条亦载："咸通进士，终泗州判官。"《唐文拾遗》卷三十皆收录于濆会昌五年（845）正月撰《唐故河中府永乐县丞韦府君妻陇西李夫人墓谣铭》，志中濆自称"乡贡进士京兆于濆。"至是年始得一第，则其于科场蹉跎几近二十年。濆有《边游录戍卒言》（《全唐诗》卷五九九，下引其诗同），又《沙场夜》、《戍卒伤春》、《陇头水》、《陇头吟》等诗。据此可知于濆曾游边塞，年代未详，或在本年及第之前。濆以古风诗驰名。其诗多寓讽世刺时、感慨不平之情。如《织素谣》："贫女苦筋力，缲丝夜夜织。

万梭为一素，世重韩娥色。五侯初买笑，建章方落籍。一曲古凉州，六亲长血食。劝尔画长眉，学歌饱亲戚。”又《苦辛吟》：“垅上扶犁儿，手种腹长饥。窗下抛梭女，手织身无衣。我愿燕赵姝，化为嫫母婆。一笑不值钱，自然家国肥。”他如《塞下曲》、《田翁叹》、《里中女》、《古宴曲》、《述己叹》、《野蚕》、《山村叟》、《秦富人》、《富农诗》等均为此类之作。

牛征，宋计敏夫《唐诗纪事》卷五十三：“征登咸通二年进士第，从之子也。”

李蔼，《太平广记》卷一八三贡举六引《卢氏杂说》：“李蔼应举功勤，敏妙绝伦，人谓之‘束翅鹞子’，咸通二年及第。”

孔纶，《阙里文献考》咸通二年进士有孔绚、孔给，未知所据，附此俟考。

王季文，原列卷二十七《附考·进士科》，徐氏考云：“咸通进士第，见《唐诗纪事》。”《舆地纪胜》卷二十二《江南东路·池州·人物》：“王季文，及第，归隐。”［万历］《池州府志》卷五《选举》：“咸通二年，王季文，青阳人。”［乾隆］《池州府志》卷三十三所录同上。又［道光］《安徽通志》卷二一〇《人物志·仙释》：“王季文，字宗素，青阳人，居九华，遇异人授九仙飞花之术，曰：‘子当先决科于词籍，后策名于列真。’果登咸通二年进士，授秘书，即谢病归。

叶京（华京），《万姓统谱》卷一二四：“唐叶京，字垂孙，建安人。工词赋，咸通中举进士，为太常博士。州人登第自京始。”《闽书》卷九十二《英旧志·建宁府·建安县·唐进士》：“咸通二年辛巳：叶京。”同上《传》云：“叶京，字垂孙，词赋有名。州人登第自京始。终太学博士。是时士大夫深疾宦官事，有小相涉，则众共弃之。京尝预宣武军宴，识监军之面貌，既而及第，在长安中与同年出游，遇之于途，马上相揖，因之谤议喧然。遂沈废终身。”

周慎辞，徐氏考云：“《新唐·艺文志》：字若讷，咸通进士第。”

明经科：张佶。徐氏考云：“《九国志》：张佶，京兆长安人。乾宁初以明经中第。”

诸科十二人。博学宏词科。《旧唐书》本纪：“八月，以兵部员外郎杨知远、司勋员外郎穆仁裕试吏部宏词选人。”

七月

南诏攻陷邕州，唐虽遣兵讨之，屡为所败。（见《资治通鉴》卷二五〇）

八月

来鹄师韩、柳文，本年前后已有文名。《唐摭言》卷十《海叙不遇》条记：“来鹄，豫章人也，师韩、柳为文。大中末、咸通中，声价益籍甚。广明庚子之乱，鹄避地游荆襄，南返中和，客死于维扬。”又：“闵廷言，豫章人也，文格高绝。咸通中，初与来鹄齐名。”唐康骈撰《剧谈录》卷下：“大中、咸通后，每岁试礼部者千余人，其间章句有闻，亹亹不绝，如何植、李玫、皇甫松、李孺犀、梁望、毛涛、贝庥、来鹄、贾随以文章著美。温庭筠、郑渎、何涓、周铃、宋耘、沈驾、周繁以词赋标名。

贾岛、平曾、李陶、刘得仁、喻坦之、张乔、剧燕、许琳、陈觉以律诗流传。张维、皇甫川、郭鄩、刘延晖以古风擅价，皆苦心文华，厄于一第，然其间数公丽藻英词播于海内，其虚薄叨联名级者又不可同年而语矣！虽然，皆不中科。”《唐诗纪事》卷五六：“鹄，豫章人。师韩、柳文，大中、咸通间，声价籍甚。”

公元 862 年（唐懿宗咸通三年　壬午）

二月

萧廪、王棨、薛承裕、徐仁嗣、卢征、郑蕡、陈翠等三十人登进士第。中书舍人郑从谠本年知贡举。本年试题为《倒载干戈赋》以“圣功克彰，兵器斯戢”为韵；《天骥呈材诗》；（据《登科记考》卷二三本年条）又《登科记考》；（据《麟角集》录有王棨《倒载干戈赋》）又录有王荣、徐仁嗣、卢征、郑蕡四人《天骥呈材诗》。

薛迈，状元（见明徐应秋撰《玉芝堂谈荟》卷二）。萧廪，《旧唐书》卷一百七十二萧俛传：“咸通三年进士擢第。”《新唐书》：“廪字富侯。”

王棨，本年春，省试《倒载干戈赋》、《天骥呈材诗》而及第。《全唐文》卷八一七黄璞有《王郎中传》：“王棨，字辅之，福唐人也。咸通三年，郑侍郎谠下进士及第。试《倒载干戈赋》、《天骥呈材诗》。成名归觐，廉使杜公宣猷请署团练巡官，景慕意深，将有理席之选。公辞以旧與同年陈郎中翠有要约，就陈氏婚好，时益以诚信奇之。公词赋清婉，托意奇巧。有《江南春赋》，末云：‘今日并为天下春，无江南兮江北。’又有《诏遣轩辕先生归旧山赋》及《马惜锦障泥》诗尤美。公风姿雅茂，举措端详，时贤仰风，盛称人瑞。……初就府荐，冯涯为试官，《三箭定天山赋》当意，为涯所知，欲显滞遗，明设科第，以宋言为解头，公为第二。”又《全唐文》卷七六七陈黯有《送王棨序》，中云：“黯去岁自褒中还辇下，辅文［按，上引黄璞《王郎中传》作“辅之”，即为王棨字］出新试相示，其间有《江南春赋》。篇末云：‘今日并为天下春，无江南兮江北。’某即贺其登选于时矣。何者？以辅文家于江南，其词意有是，非前朕耶！今春果擢上第。……辅文早岁业儒，而深于词赋。其体物讽调，与相如、扬雄之流，异代而同工也。故角于文阵，而声光振起。”［按，据上文，王棨早岁即工于词赋，今《全唐文》卷七六九、七七〇录有其赋二卷，上文中所称赋均在其中］此外尚有《白雪楼赋》、《神女不过灌坛赋》、《沛父老留汉高祖赋》、《握金镜赋》、《鸟求友声赋》、《松柏有心赋》、《离人怨长夜赋》、《贫赋》、《玉不去身赋》、《沈碑赋》、《回雁峰赋》、《芙蓉峰赋》、《曲江池赋》、《武关赋》等。诸赋多未能确定作年，恐多为本年前所咏。

附：王棨《倒载干戈赋》曰：“欲廓文德，先韬武功。倒干戈而是载，铸纫戟以欣同。千里还师，回刃于戎车之上；一朝偃伯，垂仁于王道之中。皇上以心宅八弦，威加四极，有罪必伐，无征不克。旌旗西向，竞纳欵于中原；鼙鼓東临，咸献俘于上国。然后轸宸虑，恻皇情。万姓苟宜于子视，三边可俟其尘清。由是罢师旅，休甲兵。干橹势倾，压双轮而委积；戈铤色寝，满十乘以纵横。盖以战乃危事，兵惟凶器，欲令永脱于祸机，必使先离于死地。所以前铸俄睹，回辕继至。虞舜舞而曾用，比此宁同；

鲁阳挥以员来，于斯则异。既不收其豹略，乃长苞于虎皮。谅櫜弓而若此，讵反旆以如斯。征彼《礼经》，折轴曾闻于山立；考诸《易》象，盈车徒见其离为。岂虑自焚，诚同载戢，五兵从此以皆弭，七德于焉而复立。遂使顽凶之子，无日可寻；更怜忠烈之臣，徒云能执。故得杀气潜息，嘉猷孔彰。以此怀柔而何人不至，以此亭育而何俗不康？罢刃销金，道无惭于齐帝；放牛归马，德宁愧于周王？大矣哉！因尔仁天，用藏兵柄，得東征西怨之体，见师出凯旋之盛。小巨伏睹乎櫜鞬，敢不歌扬于明圣。”（见《麟角集》）

王棨《天骥呈材诗》曰：“马知因圣出，才本自天生。驵骏何烦隐，权奇愿尽呈。电从双眼落，云向四蹄轻。过去王良喜，嘶来伯乐惊。绝尘惭逸步，曳练议能名。惟待金鞭下，春风紫陌情。”（见《辚角集》）

薛承裕，《永乐大典》引《闽中记》：“薛永裕字饶中，闽县人，与王棨同年。”《淳熙三山志》：“薛承裕终国子四门博士。”

徐仁嗣、卢征、郑赉均见《文苑英华》。徐仁嗣《天骥呈材诗》曰：“至德符天道，龙媒应圣明。追风奇质异，喷玉彩毫轻。蹀躞形难状，连蜷势乍呈。效才矜逸态，绝影表殊名。歧路宁辞远，关山岂惮行。盐车虽不驾，今日亦长鸣。”卢征《天骥呈材诗》曰：“异产应尧年，龙媒顺制牵。权奇初得地，蹀躞欲行天。讵假调金埒，宁须动玉鞭。嘶风深有恋，逐日定无前。周满夸常驭，燕昭恨不传。应知流赭汗，来自海西偏。”郑赉《天骥呈材诗》曰：“毛骨合天经，权奇步骤轻。曾邀于阗驾，新出贰师营。喷勒金铃响，追风汗血生。酒亭留去迹，吴坂认嘶声。力可通衢试，材堪圣代呈。王良如顾盼，垂耳欲长鸣。”（以上均见《文苑英华》）

诸科十一人。

知贡举：中书舍人郑从谠。《旧唐书》卷一百五十八郑余庆传：“郑从谠历拾遗、补阙 、尚书郎、知制诰。故相令狐绹、魏扶皆父贡举门生，为之延誉，寻迁中书舍人。咸通三年，知贡举，拜礼部侍郎。”

四月

懿宗奉佛太过，怠于政事。《资治通鉴》卷二五〇咸通三年，“夏四月己亥朔，敕于两街四 寺各置戒坛，度人三七日。上奉佛太过，怠于政事，尝于咸泰殿筑坛为内寺尼受戒，两街僧、尼皆人预；又于禁中设讲席，自唱经，手录梵夹；又数幸诸寺，施与无度。吏部侍郎萧倣上疏，以为：‘玄祖之道，慈俭为先；素王之风，仁义为首，垂范百代，必不可加。佛者，弃位出家，割爱中之至难，取灭后之殊胜，非帝王所宜慕也。愿陛下时开延英，接对四辅，力求人瘼，虔奉宗祧。思缪赏与滥刑，其殃必至；知胜残而去杀，得福甚多。罢去讲筵，躬勤政事。’上虽嘉奖，竟不能从。”

赵璜（803—862）卒。年五十九。其兄赵璘为撰墓志。《文苑英华》卷七百七有“天水赵璜”。璜有《题七夕图》等诗。

五月

蔡京赴岭南西道节度使任。后为军士所逐，敕贬崖州司户，旋赐自尽。其《咏子规》诗颇为人传诵。《全唐诗》卷四七二蔡京有《假节邕交道由吴溪》诗，此诗《云溪友议》卷中《买山谶》记云："及（京）假节邕交，道经湘口，零陵郑太守史与京同年，远以酒乐相迓，座有琼枝者，郑君之所爱，而席之最姝，蔡强夺之。行郑莫之竞也。邕交所为多如此。为德义者见鄙，终不自悛。行泊中兴颂所，俛勉不前。题篇久之，似有怅怅之意。才到邕南，制御失律伏法，湘川权厝于此，二子延近号诉，苍天未终丧而俱逝，论者以妄责四皓，而欲买山于浯溪之间，不徒言哉！诗曰：'停棹积水中，举目孤烟外。借问浯溪人，谁家有山卖？'"《资治通鉴》于蔡京多有贬辞，本年三月载："左庶子蔡京，性贪虐多诈，时相以为有吏才，奏遣制置岭南事。"七月后又记："岭南西道节度使蔡京为政苛惨，设炮烙之刑，阖境怨之，遂为邕州军士所逐，奔藤州……京无所自容，敕贬崖州司户，不肯之官，还，至零陵，敕赐自尽。"《新唐书·懿宗本纪》记蔡京被逐事于本年九月，《新唐书·南蛮传》中记蔡京"贬死崖州"于咸通四年前，则其赐自尽盖在本年秋冬间。蔡京诗以《咏子规》著称，《唐诗纪事》卷四九曾标举此诗："千年冤魂化为禽，永逐悲风叫远林。愁血滴花春艳死，月明飘浪冷光沉。凝成紫塞风前泪，惊破红楼梦里心。肠断楚词归不得，剑门迢递蜀江深。"《全唐诗》卷四七二载其诗三首。

李群玉（814—862）卒，年四十九。其友人段成式、方干、周朴等有诗哭之。有《李群玉诗》三卷等。《云溪友议》卷中谓："群玉题诗后二年，乃逝于洪井。段乃为诗哭李四校书曰：'酒里诗中三十年，纵横唐突世喧喧。明时不作祢衡死，傲尽公卿归九泉。'又曰：'曾话黄陵事，今为白日催。老无男女累，谁哭到泉台？'"［按，此事《太平广记》卷二六五李群玉条亦记及，《唐诗纪事》卷五四亦载，并谓群玉题诗后，"恍若有物，告以二年之兆，时浔阳太守段成式志其事。二年后，果死于洪井"］据上所记，李群玉咸通元年题诗后二年卒，则其卒约在本年。陶敏《李群玉年谱稿》亦记群玉卒于本年。李群玉有《自遣》（《全唐诗》卷五六九），中云："翻覆升沉百岁中，前途一半已成空。浮生暂寄梦中梦，世事如闻风里风。"又有《北风》："病发于垂枕，临风强起梳。蝶飞魂尚弱，蚁斗体犹虚。瘦骨呻吟后，羸容几杖初。庭幽行药静，凉景翠筠疏。"［按，前诗谓百岁一半成空，盖约作于本年近五十岁时。后诗乃老病时所赋，当亦近年中病中所咏］群玉卒后，周朴有《吊李群玉》（《全唐诗》卷六七三）："群玉诗名冠李唐，投诗换得校书郎。吟魂醉魄知何处，空有幽兰隔岸香。"方干后亦有《过李群玉故居》（《全唐诗》卷六五三）："讦直上书难遇主，衔冤下世未成翁。琴尊剑鹤谁将去，惟锁山斋一树风。"又张为《诗人主客图》列李群玉为博解宏拔主之上入室。《南部新书》卷丙谓李群玉尤工书，善吹笙。辛文房谓其"格调清越，而多登山临水、怀人送归之制。如'远客坐长夜，雨声孤寺秋。请量东海水，看取浅深愁'等句；已曲尽羁旅坎凛之情"（《唐才子传·李群玉传》）。《唐摭言》卷十"李群玉，不知何许人，诗篇妍丽，才力遒健。咸通中，丞相修行杨公为奥主，进诗三百篇，授麟台雠校。"。令狐绹称其"佳句流传于众口，芳声籍甚于一时"（《荐处士李群玉状》）。

张为《诗人主客图》列其为“博解宏拔主”鲍溶之“上入室”者，然溶诗实不如群玉。诗多妙篇佳句，辛文房谓其“远客坐长夜，雨声孤寺秋。请量东海水，看取浅深愁”等句为“已曲尽羁旅坎凛之情”（《唐才子传》卷七）。杨慎称其《人日梅花诗》“亦有思致”，称诗中“玉鳞寂寂飞斜月”为“真奇句也，‘暗香浮动’恐未可比”（《升庵诗话》卷一）。沈德潜《唐诗别裁集》选诗五古二首、五律一首、七律三首。《新唐书·艺文志四》著录《李群玉诗》三卷，《后集》五卷。《全唐诗》编其诗三卷（五六八—五七〇）。《全唐诗续补遗》补诗二首。今人羊春秋有《李群玉诗集》辑注本，岳麓书社出版社。辛文房《唐才子传》卷七：“群玉，字文山，澧州人也。清才旷逸，不乐仕进，专以吟咏自适，诗笔遒丽，文体丰妍。好吹笙，美翰墨。如王、谢子弟，别有一种风流。亲友强之赴举，一上即止。裴相公休观察湖南，厚礼延致之郡中，尝勉之曰：处士被褐怀玉，浮云富贵，名高而身不知，神宝宁久弃荒途子其行矣。”大中八年，以草泽臣来京，诣阙上表，自进诗三百篇。休适入相，复论荐。上悦之，敕授弘文馆校书郎。李频使君呼为从兄。归湘中，题诗二妃庙，是暮宿山舍，梦二女子来曰：“儿娥皇、女英也，承君佳句，徽佩将游于汗漫，愿相从也。”俄而影灭。群玉自是郁郁，岁余而卒。段成式为诗哭曰：“曾话黄陵事，今为白日催。老无男女累，谁哭到泉台。”今有诗三卷、后集五卷行世。李群玉的诗歌现存267首，另断句2联，岳麓书社出版羊春秋先生辑注的《李群玉诗集》收集最全。《全唐诗》收其诗258首，所收数量在唐代湘籍诗人中仅次于齐己占第二位；《沅湘誉旧集》录其诗154首，也是收得较多的诗人。在唐人选唐诗的《又玄集》和在《才调集》中选有其诗。李群玉的诗歌在唐代就颇有地位，宰相令狐绹在《荐处士李群玉状》中称他有：“佳句流传于众口，芳声籍甚于一时。”以“月锻年炼”名句著称的晚唐诗人周朴在《吊李群玉》诗中说：“群玉诗名冠李唐，投诗换得校书郎。”与周朴齐名的唐诗人兼诗论家张为将李群玉列入他所著《诗人主客图》中的“博解宏拔主”的“上入室”（自己则为“入室”者），给他以较高的地位。在唐代数以千计的诗人中只选一百多人的《又玄集》、《才调集）均选有其诗，也可见其在当时的地位和影响。

封敖（？—862）卒。有《封敖翰稿》八卷。《旧唐书》卷一百六十八、《新唐书》卷一百七十七有传。《旧唐书》卷一百六十八封敖传：“封敖，字硕夫，其先渤海蓚人。祖希奭。父谅，官卑。敖，元和十年登进士第，累辟诸侯府。太和中，入朝为右拾遗。会昌初，以员外郎知制诰，召入翰林为学士，拜中书舍人。敖构思敏速，语近而理胜，不务奇涩，武宗深重之。尝草《赐阵伤边将诏》，警句云：‘伤居尔体，痛在朕躬。’帝览而善之，赐之宫锦。李德裕在相位，定策破回鹘，诛刘稹。议兵之际，同列或有不可之言，唯德裕筹计指画，竟立奇功。武宗赏之，封卫国公，守太尉。其制语有：‘遏横议于风波，定奇谋于掌握。逆稹盗兵，壶关昼锁，造膝嘉话，开怀静思，意皆我同，言不他惑’。制出，敖往庆之，德裕口诵此数句，抚敖曰：‘陆生有言，所恨文不迨意。如卿此语，秉笔者不易措言。’‘座中解其所赐玉带以遗敖，深礼重之。然敖不持士范，人重其才而轻其所为，德裕不能大用之。德裕罢相，敖亦罢内职。宣宗即位，迁礼部侍郎。大中二年，典贡部，多擢文士。转吏部侍郎、渤海男、食邑七百户。四年，出为兴元尹、御史大夫、山南西道节度使，历左散骑常侍。十一年，拜太常卿，出为淄青节度使，入为户部尚书，卒。”［按，《唐方镇年表》卷三记封敖咸通二、三年任平卢（即淄青）节度使，则本年在平卢任，其入任户部尚书当在本年或稍后］其卒年无可考详，盖在本年稍后。《新唐书·艺文志四》著录《封敖翰稿》八卷。［按，封敖元和十年登进士第，会昌中曾为李德裕所赏识《全唐诗》卷四七九载其诗二首］

公元 863 年（唐懿宗咸通四年　癸未）

二月

柳告、韩绾、武瓘、李昌符、伊播、薛扶、孔振、苏药等三十五人登进士第，试《谦光赋》、《澄心如水诗》。本年知贡举者为左散骑常侍萧倣。（据徐松《登科记考》卷二三本年条）

武瓘，《唐诗纪事》卷六十三：“瓘登咸通进士第，有《感事诗》云：‘花开蝶满枝，花谢蝶还稀。惟有旧巢燕，主人贫亦归。’初投卷于知举萧倣，见是诗，赏其有存故之志，遂放及第。”

李昌符，《唐才子传》卷八：“昌符，字若梦，咸通四年礼部侍郎萧倣下进士。工诗，在长安与郑谷酬赠，仕终膳部员外郎。尝作《奴婢诗》五十首，有云：‘不论秋菊与春花，个个能噇空肚茶。无事莫教频入库，每般闲物要些些’等句。后为御史劾奏，以为轻薄为文，多妨政务，亏严重之德，唱诽戏之风。谪去，匏系终身。有诗集一卷，行于世。”《唐才子传》卷九载李昌符与许棠、任涛、张蠙、李栖远、张乔、喻坦之、周繇、温宪、郑谷唱答往还，号“芳林十哲”。唐孙光宪撰《北梦琐言》卷十：“唐咸通中，前进士李昌符有诗名，久不登第。常岁卷轴怠于装修，因出一奇，乃作婢仆诗五十首，于公卿间行之。有诗云：‘春娘爱上酒家楼，不怕归迟总不留。推道那家娘子卧，且留教住待梳头。’又云：‘不论秋菊与春花，箇个能噇空肚茶。无事莫教频入库，每般闲物要些些。’诸篇皆中婢仆之讳，浃旬京城盛传。其诗篇骂媚妪辈怪骂腾沸，尽要掴其面。是年登第。与夫桃杖虎靴事虽不同，用奇郎无异也。”王世贞称其“《婢仆诗》五十韵皆可鄙笑者，然曲尽形容，颇见才致”（《艺苑卮言》卷八）。贺裳谓其诗“写景最为刻划，而无蹇涩之态，胜诸苦吟多矣”（《载酒园诗话·又编》）。

伊播，《永乐大典》引《宜春志》：“咸通四年，伊播登进士第。”《唐诗纪事》作“伊璠”，伊璠有《及第后寄梁烛处士诗》曰：“绣毂寻芳许史家，独将羁事达江沙。十年辛苦一枝桂，二月艳阳干树花。鹏化四溟归碧落，鹤楼三岛接青霞。同袍不得同游玩，今对春风日又斜。”

诸科十一人。

知贡举，左散骑常侍萧倣。《旧唐书》本纪：“咸通三年十二月，以吏部侍郎萧倣知礼部贡举。”

知礼部贡举萧倣。以榜中数人有故，责授蕲州刺史。《旧唐书·萧倣传》记倣于咸通“四年，本官权知贡举，迁礼部侍郎”。《唐摭言》卷十四：“咸通四年，萧倣杂文榜中，数人有故，发榜后发觉，责授蕲州刺史。主司其年二月十三日得罪，贬蕲州刺史。五年五月量移虢略中书。”本年三月，萧倣抵贬所蕲州后，曾上表朝廷，复上书浙东观察使郑裔绰，叙说本年科场情形，并述因“坚收沉滞，请托既绝”，反遭人诬毁。《全唐文》卷七四七有萧倣《蕲州谢上表》云：“臣二月十三日当日于宣政门外谢讫，便辞进发，今月一日到任上讫。”萧倣本年二月被贬（详前），则此表当上于本年三月。此表复云：“伏以朝廷所大者，莫过文柄；士林所重者，无先辞科。推公过即怨酷并生，行应奉即语言皆息；为日虽久，近岁转难。……明时至公，是以不听嘱论，坚收沉滞，请托既绝，求瑕者多。臣昨选择，实不屈人。杂文之中，偶失详究。扇众口以腾毁，改朝典以指名。”又有《与浙东郑裔绰大夫雪门生薛扶状》，亦约此时之作，中云：“去冬遽因铨衡，叨主文柄……遂将匪石之心，冀伸藻镜之用，壅遏末俗，荡涤讹风，刈楚于庭，得人之举，而腾口易唱，长舌莫箝，吹毛岂惜其一言，指颣何啻于十手！即速官谤，皆由拙直。窃以常年主司，亲属尽得就试，某敇下后，榜示南院外内亲族，具有约勒，并请不下文书。敛怨之语，日已盈庭。……又常年榜帖，并他人主张，……致使主司胁制于一时，遗恨遂流于他日。今春此辈亦有数人，皆朝夕相门，月旦自任，共相犄角，直索文书。某坚守不听，唯运独见。……某裁断自己，实无愧怀。敦朝廷厚风，去士林时态，此志惶挠，岂惮悔尤！今则公忠道消，奸邪计胜，众情犹有惋叹，深分却无悯嗟。何直道而遽不相容，岂正德而亦同浮议！”即此可见其时举场风气。

皮日休在长安，时有《请孟子为学科疏》，建言将《孟子》列为考试科目。《全唐文》卷七九六有皮日休《请孟子为学科疏》中云：“臣闻圣人之道，不过乎经。经之降者，不过乎史。史之降者，不过乎子。子不异乎道者，孟子也。舍是子者，必戾乎经史。又率于子者，则圣人之盗也。孟子之文，灿若经传，天惜其道，不烬于秦。自汉氏得其书常置博士，以专其学。故其文继乎六艺，光乎百氏，真圣人之微旨也。今有司除茂才、明经外，其次有业《庄周》、《列子》书者，亦登于科。其诱善也虽深，而悬科也未正。夫《庄》、《列》之文，荒唐之文也，读之可以为方外之士，习之可以为鸿荒之民，安有能汲汲以救时补教为志哉！伏请有司去《庄》、《列》之书，以《孟子》为主。有能精通其义者，其科选视明经。苟若是也，不谢汉之博士矣。既遂之，如儒道不行，圣化无补，则可刑其言者。”

温宪为书画家程修己作《程公墓志铭并序》。此前宪即能诗，尝赋《咏蛱蝶》诗，为程修己所称赏，并以其诗意作画。[按，温宪乃温庭筠子，夏承焘《温飞卿系年》谓温宪约生于会昌二年（842），则本年约二十二岁]《唐文拾遗》卷三二有：温宪《唐集贤直院官荣王府长史程公墓志铭并序》，墓主程公即程修己。据墓志，程修己卒于咸通四年二月一日，同年四月十七日葬。则此志约作于本月。

六月

段成式（803—863）**卒，年六十一。**著有《酉阳杂俎》等。《新唐书·段成式传》：“累擢尚书郎，为吉州刺史，终太常少卿。”袁嘉穀《卧雪诗话》卷三评段成式云：“段酉阳与温、李并称三十六体，非惟不及李，亦不及温，僻典涩体，至不可解，与所著《酉阳杂俎》类书相似。其奇丽似长吉，实非长吉；其沉厚似昌黎，实非昌黎；

其纤密似武功，实非武功，当为唐诗别派，后人亦鲜效之者。”《四库全书总目提要》卷一百三十五子部四十五：“《酉阳杂俎》二十卷、《续集》十卷（内府藏本）唐段成式撰。成式字柯古，临淄人。宰相文昌之子。官至太常卿。事迹见《唐书·本传》。是书首有自序云，凡三十篇，为二十卷。今自忠志至肉攫部，凡二十九篇，尚阙其一。考语资篇后有云，客徵鼠虱事，余戏摭作《破虱录》。今无所谓《破虱录》者，盖脱其一篇，独存其篇首引语，缀前篇之末耳。至其续集六篇十卷，合前集为三十卷，诸史志及诸家书目并同。而胡应麟《笔丛》云，《酉阳杂俎》世有二本，皆二十卷，无所谓续者。近于《太平广记》中抄出续记，不及十卷，而前集漏佚者甚多。悉抄入续记中为十卷，俟好事者刻之。又似乎其书已佚，应麟复为抄合者然。不知应麟何以得其篇目，岂以意为之耶？其书多诡怪不经之谈，荒渺无稽之物。而遗文秘籍，亦往往错出其中。故论者虽病其浮夸，而不能不相徵引。自唐以来，推为小说之翘楚，莫或废也。其曰《酉阳杂俎》者，盖取梁元帝赋访酉阳之逸典语。二酉，藏书之义也。其子目有曰诺皋记者，吴曾《能改斋漫录》以为诺皋太阴神名，语本《抱朴子》，未知确否。至其贝编、玉格、天咫、壶史诸名，则在可解不可解之间，盖莫得而深考矣。”《旧唐书·段成式传》记成式“家多书史，用以自娱，尤深于佛书。所著《酉阳杂俎》传于时”。《四库全书总目》卷一百四十二曰：“自唐以来推为小说之翘楚莫或废也。”成式以博学多闻著称，此书是他毕生精力所萃，经一再改编而成。所记或采自秘府珍籍，或得自耳闻目接，自人事至于动物、植物、酒食、寺庙、仙狐鬼怪，无不包罗；内容广博。周勋初《酉阳杂俎考》曾对它作了较全面的考订，指出：由于此书迭经修订，长期有数种本子流传，又乏宋元刻本及旧抄善本，故存在条文遗佚、文字增损、编次杂乱及编校失误等问题。（《唐人笔记小说考索》，江苏古籍出版社 1996 年版）今有方南生点校本，附有《段成式年谱》。（中华书局 1981 年出版）此前段成式约在唐宣宗大中十年至十四年（856—860）间编有诗文总集《汉上题襟集》十卷。收段成式、温庭筠、温庭皓、韦蟾、元舞、余知古、王传、徐商等在襄阳节度幕府中的唱和酬答。此集久散佚，贾晋华在《〈汉上题襟集〉与襄阳诗人群研究》一文（《文学遗产》2001 第 5 期）辑诗 48 首又断句 10 联 1 句，赋 1 首，连珠 2 首，书简 19 首又 3 断句。《汉上题襟集》虽已不传，但根据以上诗人群的活动，尚可从《金华子杂编》、《文苑英华》、吴淑（947—1002）《事类赋注》、苏易简（958—996）《文房四谱》、曾慥（？—1155）《类说》、叶廷珪《海录碎事》、《唐诗纪事》、《西溪丛语》、张邦基《墨庄漫录》、洪迈（1112—1191）《万首唐人绝句》、蒲积中《古今岁时杂咏》、杨慎（1488—1559）《升庵集》、陈耀文《天中记》、《全唐诗》、《全唐文》等典籍中辑得部分散逸诗文。又《四库全书总目提要》卷五十一，史部七：“《渚宫旧事》五卷、《全唐文补遗》一卷（江苏巡抚采进本）一名《渚宫故事》，唐余知撰。其衔称将仕郎守太子校书。里贯则未详也。其书上起鬻熊，下迄唐代，所载皆荆楚之事，故题曰《渚宫》。渚宫名见《左氏传》，《孔颖达疏》以为当郢都之南，盖楚成王所建。乐史《太平寰宇记》则以为建自襄王。未详何据也。书本十卷。《唐书·艺文志》著录此本，惟存五卷，止于晋代。考晁公武《郡斋读书志》，载《渚宫故事》十卷，则南宋之初，尚为完本。至陈振孙《书录解题》所言，已与今本同。则宋、齐以下五卷，当佚于南宋之末。元陶宗仪《说

邪》，节钞此书十余条，晋以后乃居其七。疑从类书引出，非尚见原本也。《唐书·艺文志》载此书，注曰：文宗时人。又载《汉上题襟集》十卷，注曰：段成式、温庭筠、余知古。则与段、温二人同时倡和。此书皆记楚事，其为游汉上时所作，更无疑义。陈氏以为后周人，已属讹误。《通考》引《读书志》之文，并脱去'余'字，竟题为唐知古撰，则谬弥甚矣。今仍其旧为五卷。其散见于他书者，别辑为《全唐文补遗》一卷，附录于后焉。"《新唐书·艺文志三》著录《酉阳杂俎》三十卷，《新唐书·艺文志四》又记《汉上题襟集》十卷，谓"段成式、温庭筠、余知古"撰。《直斋书录解题》卷十一又记其《庐陵官下记》三卷。

十二月

温庭筠自江陵归江东，经淮南，夜醉，为逻卒击折牙齿，诉于令狐绹，绹两置之。曾上书裴休以述冤，祈昭雪。后贬方城尉，纪唐夫等诸文士赋诗赠行。《旧唐书·温庭筠传》记庭筠依襄阳徐商幕，后又记"咸通，中，失意归江东，路由广陵，心怨令狐绹在位时不为成名。既至，与新进少年狂游狭邪，久不刺谒。又乞索于扬子院，醉而犯夜，为虞候所击，败面折齿，方还扬州诉之。令狐绹捕虞候治之，极言庭筠狭邪丑迹，乃两释之。自是污行闻于京师。庭筠自至长安，致书公卿间雪冤"。［按，夏承焘《温飞卿系年》记上述事于本年］又庭筠有《上裴相公启》（《全唐文》卷七八六），中云："某性实颛蒙，器惟顽固。纂修祖业，远愧孔琳；承袭门风，近惭张岱。自顷爰田锡宠，镂鼎传芳。占数辽西，横经稷下。因得仰穷师法，窃弄篇题。思欲纽儒门之绝帷，恢常典之休烈。俄属羁孤牵轸，藜藿难虞。处默无衾，徒然夜叹。修龄绝米，安事晨炊。既而羁齿侯门，旅游淮上。投书自达，怀刺求知。岂期杜挚相倾，臧仓见嫉。守土者以忘情积恶，当权者以承意中伤。直视孤危，横相陵阻。绝飞驰之路，塞顾啄之途。射血有冤，叫天无路。此乃通人见愍，多士具闻。徒共兴嗟，靡能昭雪。"［按，此裴相公为裴休，本年在荆南节度使任（据《唐方镇年表》）。又《温飞卿系年》记庭筠贬方城事于本年，并引张尔田之说，认为纪唐夫赋诗赠行事亦在此时］

皮日休约本年前后撰《刘枣强碑》，其中有论当代诗风之言。《全唐文》卷七九九皮日休有《刘枣强碑》，收于咸通七年所辑成之《皮子文薮》中。文或为本年前后作于襄阳。此碑中云："歌诗之风荡来久矣，大抵丧于南朝，坏于陈叔宝。然今之业是者，苟不能求古于建安，即江左矣；苟不能求丽于江左，即南朝矣。或过为艳伤丽病者，即南朝之罪人也。吾唐来有是业者，言出天地外，思出鬼神表，读之则神驰八极，测之则心怀四溟，磊磊落落，真非世间语者，有李太白。百岁有是业者，影金篆玉，牢奇笼怪，百锻为字，千炼成句，虽不追躅太白，亦后来之佳作也。有与李贺同时，有刘枣强焉。先生姓刘氏名言史，不详其乡里，所有歌诗千首。其美丽恢赡，自贺外，世莫得比。王武俊之节制镇冀也，先生造之。武俊性雄健，颇好词艺，一见先生，遂见异敬，将署之宾位，先生辞免。武俊善骑射，载先生以贰乘，逞其艺如野。武俊先骑惊双鸭起于蒲稗间，武俊控弦不再发，双鸭联毙于地。武俊欢甚，命先生曰：'某之伎如是，先生之词如是，可谓文武之会矣，何不出一言以赞邪？'"又有《鹿门隐书》

六十篇，亦收于《皮子文薮》中，当为咸通七年前之作。文中多有刺世讽时之小品文，如云："古之官人也，以天下为己累，故己忧之；今之官人也，以己为天下累，故人忧之。""古之隐也，志在其中；今之隐也，爵在其中。""古之杀人也，怒；今之杀人也，笑。""古之用贤也，为国；今之用贤也，为家。""古之置吏也，将以逐盗；今之置吏也，将以为盗。"

公元864年（唐懿宗咸通五年　甲申）

二月

韦保衡、萧遘、卢隐、李峭、裴偓等二十五人登进士第。本年知礼部贡举为中书舍人王铎。（据《登科记考》卷二三本年条）

韦保衡，《旧唐书》卷一百七十七本传："韦保衡者，字蕴用，京兆人。祖元贞，父悫，皆进士登第。悫，字端士，太和初登第，后累佐使府，入朝亟历台阁。大中四年，拜礼部侍郎。五年选士，颇得名人，载领方镇节度，卒。保衡，咸通五年登进士第，累拜起居郎。"

萧遘，《旧唐书》卷一百七十九本传："遘，兰陵人，开元宰相嵩之五代孙。祖湛，父寘。遘咸通五年登进士第，释褐秘书省校书郎。遘与韦保衡同年登进士第，保衡以幸进无艺，同年门生日薄之。遘形神秀伟，志操不群，自比李德裕，同年皆戏呼'太尉'，保衡心衔之。及保衡作相，掎遘之失，贬为播州司马。"又云："咸通中，王铎掌贡籍，遘与保衡俱以进士中选。而保衡暴贵，与铎同在中书。及僖宗在蜀，遘又与铎并居相位。帝尝召宰臣，铎年高，升阶足跌，踣句陈中，遘旁曳起。帝目之喜曰：'辅弼之臣和，予之幸也。'谓遘曰：'適见卿扶王铎，予喜卿善事长矣。'遘对曰：'臣扶王铎，不独司长。臣应举岁，铎为主司，以臣中选，门生也。'上笑曰：'王铎选进士，朕选宰相，于卿无负矣。'遘谢之而退。"

李峭，《唐语林》卷七补遗（起武宗至昭宗）："卢隐、李峭皆王铎门生。"

裴偓，《资治通鉴》卷二百五十二："蕲州刺史裴偓，王铎知举时所擢进士也。"

诸科九人。知贡举中书舍人王铎。《旧唐书》本纪："咸通四年十一月，以中书舍人王铎权知礼部贡举。五年四月，以中书舍人王铎为礼部侍郎。"又《王播传》："王铎咸通初拜中书舍人。五年，转礼部侍郎，典贡士两岁，时称得人。"

十月

卢简求（789—864）卒，年七十六。赠尚书左仆射。《旧唐书》卷一百六十三《卢简求传》："简求辞翰纵横，长于应变，所历四镇，皆控边陲。属杂虏寇边，因之移授，所至抚御，边鄙晏然。太原军素管退浑、契苾、沙陁三部落，或抚纳不至，多为边患。前政或要之诅盟，质之子弟，然为盗不息。简求开怀抚待，接以恩信，所质子弟，一切遣之。故五部之人，欣然听命。咸通初，以疾辞，表章沥恳。制以太子太师致仕，还于东都。都城有园林别墅，岁时行乐，子弟侍侧，公卿在席，诗酒赏咏，竟日忘归，如是者累年。五年十月卒，时年七十六。赠尚书左仆射。"《全唐诗》未载其

诗。清·董浩等编《全唐文》卷七百三十三收《禅门大师碑阴记》、《杭州盐官县海昌院禅门大师塔碑》两篇。

裴休（791—864）卒，七十四。休能文擅书，曾集希运《传心法要》一卷。《新唐书》裴休传记裴休“由太子少保分司东都，复起历昭义、河东、凤翔、荆南四节度。卒，年七十四，赠太尉。”《唐方镇年表》卷五亦考裴休卒于本年。《旧唐书·裴休传》：“性宽惠，为官不尚皦察，而吏民畏服，善为文，长于书翰，自成笔法。”《新唐书·裴休传》称其“能文章，书楷遒媚有体法。为人酝藉，进止雍闲。宣宗尝曰‘休真儒者’。”李昉《太平广记》卷一一五：“裴休：唐开成元年，宰相裴休，留心释氏，精于禅律。师圭峰宗密禅师。得达摩顿间密师注法界观禅诠，皆相国撰文序。常被毳衲，于歌妓院中，持钵乞食，自言曰：‘不为俗情所染，可以说法为人。’每自发愿，愿世世为国王，弘护佛法。后于阗国王生一子，手文中有裴休二字，闻于中朝。其子弟请迎之，彼国不允而止。”裴休中年以后，“休性宽惠，为官不尚曒察，而吏民畏服。善为文，长于书翰，自成笔法。家世奉佛，休尤深于释典。太原、凤翔近名山，多僧寺。视事之隙，游践山林，与义学僧讲求佛理。中年后，不食荤血，常斋戒，屏嗜欲。香炉贝典，不离斋中；咏歌赞贝，以为法乐。与尚书纥干皋皆以法号相字。时人重其高洁而鄙其太过，多以词语嘲之，休不以为忤。”（《旧唐书》卷一百七十七裴休传），与身兼华严、禅宗两派传人，后被定为华严五祖的圭峰宗密交情甚厚。为宗密著作《注华严法界观门》、《禅源诸诠集》、《大方广圆觉经疏》（俗称《大疏》）等作序。宗密残后，裴休曾作《唐故圭峰定慧禅师传法碑》。裴休撰文书丹、柳公权撰盖，不仅是书法史上的名品，而且是研究宗密禅学思想的可靠史料。《宣和书谱》卷九记其“刻意翰墨，真楷遒媚，作行书尤有体法”、“字势奇绝”。黄檗与裴休在洪州、宛陵有过交往，在裴休所作《黄檗山断际禅师传心法要序》中言之；黄檗禅学对裴休佛学思想有很深的影响，所录《传心法要》（《新唐书·艺文志五十九》）、《宛陵录》洋洋万余言。据《景德传灯录》卷十二：“守新安日，属运禅师初于黄聚山舍众入大安精舍，混迹劳侣，扫洒殿堂。公入寺烧香，主事抵接。因观壁画，乃问：‘是何图相？’主事对曰：‘高僧真仪。’公曰：‘真仪可观，高僧何在？’僧皆无对。公曰：‘此间有禅人否？’曰：‘近有一僧，投寺执役，颇似禅者。’公曰：‘可请来询问得否？’于是遵寻运师，公睹之欣然，曰：‘休适有一问，诸德吝辞，今请上人代酬一语。’曰：‘请相公垂问。’公即举前问，师朗声曰：‘裴休！’公应诺。师曰：‘在什么处？’公当下知旨，如获髻珠，曰：‘吾师真善知识也！示人克的若是，何汩没于此乎？’时众愕然。”

公元865年（唐懿宗咸通六年　乙酉）

二月

刘崇龟、袁皓、常修、翁缓等二十五人登进士第；知贡举为中书舍人李蔚。（见徐松《登科记考》卷二三本年条）

刘崇龟，《旧唐书》卷一百七十九《刘崇望传》：“刘崇龟，咸通六年进士擢第。”《新唐书》卷九十：“兄崇龟，字子长。擢进士，仕累华要，终清海军节度使。”

袁皓，《永乐大典》引《宜春志》：“袁皓字退山，宜春人。咸通六年擢进士第。”又《正德袁州府志》卷七《科第》：“袁皓，咸通六年进士。”《唐诗纪事》：“皓咸通进士，龙纪集贤殿图书使，自称碧池处士。初登第，过岳阳，悦妓蕊珠。以诗寄严使君曰：‘得意东归过岳阳，桂枝香惹蕊珠香。也知暮雨生巫峡，争奈朝云属楚王。万恨只凭期克手，寸心惟系别离肠。南亭宴罢笙歌散，回首烟波路渺茫。’严君以妓赠之。”《全唐诗》卷六〇〇袁皓《及第后作》云：“金榜高悬姓字真，分明折得一枝春。蓬瀛乍接神仙侣，江海回思耕钓人。九万抟扶排羽翼，十年辛苦涉风尘。升平时节逢公道，不觉龙门是险津。”

常修，《南楚新闻》（《太平广记》卷二七一引）：“关图有一妹甚聪慧，文学书札，罔不动人。图常语同僚曰：‘某家有一进士，所恨不栉耳。’后寓居江陵，有鹾贾常某者，囊蓄千金，三峡人也，亦家于江陵，深结托图，图亦以长者待之。数载，常公殂。有一子，状貌颇有儒雅之风纪，而略晓文墨。图竟以其妹妻之，则常修也。关氏乃与修读书，习二十余年，才学优博，越绝流辈。咸通六年登科，座主司空李公蔚也。初，江东罗隐下第东归，有诗别修云：‘六载辛勤九陌中，却寻歧路五湖东。名惭桂苑一枝绿，绘忆松江满棹红。浮事到头须适性，男儿何必尽成功。惟应鲍叔深知我，他日蒲帆百尺风。’又《广陵秋夜读修所赋三篇，复吟寄修》云：‘入蜀还吴三首诗，藏于箧笥重于师。剑开夜读相如听，瓜步秋吟炀帝悲。物景也知翰健笔，时情谁不许高枝。明年二月东风里，江岛闲人慰所思。’修名望若此，关氏亦有助焉。后修卒，关氏自为文祭之，时人竞相传写。”

翁绶，《唐诗纪事》卷六六：“绶，登咸通进士第。”《唐才子传·翁绶传》：“绶，咸通六年中书舍人李蔚下进士。工诗，多近体，变古乐府，音韵虽响，风骨憔悴，真晚唐之移习也。”其诗今存者多有以乐府古题为题者，如《陇头吟》、《关山月》、《行路难》、《折杨柳》等。诗中亦有佳作，非风骨憔悴，如《白马》（《全唐诗》卷六〇〇，下引其诗同）：“渥洼龙种雪霜同，毛骨天生胆气雄。金埒乍调光照地，玉关初别远嘶风。花明锦檐垂杨下，露湿朱缨细草中。一夜羽书催转战，紫髯骑出佩骍弓。”又《行路难》：“行路艰难不复歌，故人荣达我蹉跎。双轮晚上铜台雪，一叶春浮瘴海波。自古要津皆若此，方今失路欲如何。君看西汉翟丞相，风沼朝辞暮雀罗。”翁绶此后行踪无考，籍贯亦不详。翁绶诗多为近体及变古乐府者。有诗一卷。《秘书省续编到四库阙书目》卷一有《翁绶诗》一卷。《全唐诗》卷六〇〇载其诗八首。

崔凝，原列卷二十七《附考·进士科》，徐氏考云：“刘崇望《授崔凝沈文伟守本官充翰林学士制》：‘皆以墨妙词芬，策名试第。’”

诸科十八人。博学宏词科。《旧唐书·懿宗本纪》本纪：“咸通六年二月，以吏部尚书崔慎繇，吏部侍郎郑从说，礼部侍郎王铎，兵部员外郎崔瑾、张彦远等考宏词选人。”

拔萃科。《旧唐书》本纪：“二月，金部员外郎张义思、大理少卿董赓试拔萃选人。”

知贡举：中书舍人李蔚。《旧唐书》本纪：“咸通五年十月丙辰，以中书舍人李蔚权知礼部贡举。”又《李蔚传》：“正拜中书舍人。咸通五年，权知礼部贡举。六年，拜礼部侍郎。”

四月

薛逢在绵州刺史任，时剑南东川节度使高璩入朝为宰相，逢在越王楼有诗赠行，璩亦酬答之。逢在绵州复有送梁常侍等人之作，且曾奖掖文学之士王助，颇为人所称赏。《全唐诗》卷五四八薛逢有《越王楼送高梓州入朝》诗，高璩亦有《和薛逢赠别》（《全唐诗》卷五九七）。［按，《唐诗纪事》卷五三高璩条记此两诗云：“璩自梓州刺史入朝，经绵州，与刺史薛逢登越王楼，逢以诗赠别云：‘乘递初登剑外州，倾心喜事富民侯。方当游艺依仁日，便到攀辕卧辙秋。客听巴歌消子夜，许陪仙躅上危楼。欲知恨恋情深处，听取长江旦暮流。’璩和云：‘剑外绵州第一州，樽前偏喜接君侯。……莫言此去难相见，怨别征黄是顺流。’”据前记，时薛逢为绵州刺史］《太平广记》卷五四薛逢条：“河东薛逢，咸通中为绵州刺史。”又《新唐书·宰相表》三下：咸通六年四月，“剑南东川节度使高璩为兵部侍郎同平章事”。则薛逢与高璩酬唱在此时。又薛逢有《送西川梁常侍之新筑龙山城并锡赉两州刺史及部落酋长等》（《全唐诗》卷五四八）诗，首句云：“圣主忧夷貊，屯师翦束钦。”原诗于句下注：“浪吉，一名束钦。”［按，唐出师击浪吉事在本年，诗约本年所作］又《北梦琐言》卷五载：“唐大中初，绵州魏城县人王助举进士，有奇文。蜀自李白、陈子昂后，继之者乃此侯也。尝撰魏城县道观碑，词华典赡。于时，薛逢牧绵州，见而赏之，以其邑子延遇，因为名助，字次安，状其文类王勃也。自幼妇刊建，薛使君列衔于碑阴，以光其文。虽兵乱焚荡，而螭首岿然。好事者经过，皆说驾而览之。助后以瞽废，无闻于世，赖河东公振发增价，而子孙荣之。”

八月

皮日休为江州刺史所荐入京赴试，途中先至霍山，有《霍山赋》之作。行经南阳，有诗咏之。抵蓝田关，作《蓝田关铭并序》。至京，复有《内辨》一文。（《全唐文》卷七九七）皮日休有《蓝田关铭并序》中云：“六年，皮子副诸侯贡士之荐入京。程至蓝田关，睹山形关势，回抱于天，秀欲染眸，危将惊魄。噫！将造物者心是而加力耶?不然者，何壮观若斯之盛也?《易》曰：‘王公设险以守其国’，信矣哉！若为天下之枢机，万世之阃阈者，非兹关而莫守也。因陈其规，是为蓝田关铭。”又皮日休《内辨》（《全唐文》卷七九八）云：“日休自布女受九江之荐，与计偕寓止永崇里，居浃旬，有来侯者。”［按，据上二文所叙，文中“六年”当为咸通六年。本年秋，日休为九江（即江州）刺史所荐与计偕赴京，途中经蓝田，有《蓝田关铭并序》。至京寓居永崇里，复作《内辨》］然其自九江入京尚另有诗赋之作，其《太湖诗序》（《全唐诗》卷六一〇）云：“尔后，以文事造请……济九江，由天柱抵霍岳，又自箕颍转樊邓，涉商颜，入茸关。凡自江汉至于京，千者十数侯，绕者二万里。”据此，日休入京乃取道商山、蓝关一途，故有《南阳》（《全唐诗》卷六一三）诗。又有《霍山赋》（《全唐文》七九六）中云：“臣日休以文为名士，所至州县山川，未尝不求其风谣，以颂以文，幸上发辎轩使，得采以闻。六年至寿之骈邑曰霍山。”则此赋乃本年所咏。

刘沧（800？—865？）卒，年约六十六。有诗一卷。［按，刘沧之卒年，闻一多《唐诗大系》疑在公元 865 年，即本年，今从］《唐才子传》（卷八）称：“沧，字蕴灵，鲁国人也。体貌魁梧，尚气节，善饮酒，谈古今令人终日喜听。慷慨怀古，率见于篇。大中八年礼部侍郎郑薰下进士。榜后进谒谢，薰曰：‘初谓刘君锐志，一第不足取。故人别来三十载，不相知闻，谁谓今白头纷纷矣。’调华原尉。与李频同年。诗极清丽，句法绝同赵嘏、许浑，若出一绚综然。诗一卷，今传。”宋范晞文《对床夜语》卷二亦云：“赵嘏、刘沧七言，间类许浑，但不得其全耳。”明人高棅《唐诗品汇》总叙云：“元和后律体屡变，其间有卓然成家者，皆自鸣所长。若李商隐之长于咏史；许浑、刘沧之长于怀古；此其著也。三子者虽不足以鸣乎大雅之音，亦变风之得其正者矣。……复古韩昌黎之博大，其词张王乐府得其故实，元白序事务在分明，与夫李贺卢仝之鬼怪、孟郊贾岛之饥寒，此晚唐之变也。降而开成以后，则有杜牧之之豪纵；温飞卿之绮靡；李义山之隐僻；许用晦之偶对。他若刘沧、马戴、李频、李群玉辈尚能黾勉气格，将迈时流，此晚唐变态之极而遗风余韵犹有存者焉！”严羽《沧浪诗话·诗评》：“马戴在晚唐诸人之上，刘沧、吕温亦胜诸人。”王世贞赞其五言诗“皆铁中铮铮者”（《艺苑卮言》卷四）。明高棅《唐诗品汇·七言律诗叙目》：“蕴灵之《长洲》、《咸阳》、《邺都》等作，其今古废兴、山河陈迹、凄凉感慨之意，读之可为一唱而三叹矣！”胡震亨说：“刘沧诗长于怀古，悲而不壮，语带秋意，衰世之音也欤！”（《唐音癸签》卷八）这说明刘沧的怀古诗正是晚唐社会里人们共同情绪的反映。沈德潜《唐诗别裁集》选刘沧诗一首。《新唐书·艺文志四》著录《刘沧诗》一卷，《全唐诗》卷五八六编其诗一卷。《八刘唐人诗集》八卷（内府藏本）题曰：“淮阴刘青夕选，不著其名。前有康熙癸未李翰熙序，称青夕尝有《唐诗十三家》之刻，又辑为此本。凡刘义、刘商、刘言史、刘得仁、刘驾、刘沧、刘兼、刘威八人，皆《全唐诗》所已具。且既以家数区分，而版心又标曰中唐诗、晚唐诗，体例亦殊，未协也。”

柳公权（778—865）卒，年八十八。《旧唐书》卷一六五《柳公权传》：“公权，字诚悬。幼嗜学，十二能为辞赋。元和初，进士擢第，释褐秘书省校书郎。李听镇夏州，辟为掌书记。穆宗即位，入奏事，帝召见，谓公权曰：‘我于佛寺见卿笔迹，思之久矣。’即日拜右拾遗，充翰林侍书学士。迁右补阙、司封员外郎。穆宗政僻，尝问公权笔何尽善，对曰：‘用笔在心，心正则笔正。’上改容，知其笔谏也。历穆、敬、文三朝，侍书中禁。公绰在太原，致书于宰相李宗闵云：‘家弟苦心辞艺，先朝以侍书见用，颇偕工祝，心实耻之，乞换一散秩。’乃迁右司郎中，累换司封、兵部二郎中、弘文馆学士。……武宗即位，罢内职，授右散骑常侍。宰相崔珙用为集贤学士、判院事。李德裕素待公权厚，及为珙奏荐，颇不悦。左授太子詹事，改宾客。累迁金紫光禄大夫、上柱国、河东郡开国公、食邑二千户。复为左常侍、国子祭酒。历工部尚书。咸通初，改太子少傅，改少师，居三品、二品班三十年。六年卒，赠太子太师，时年八十八。”书《金刚经》、《玄密塔碑》等。

公元866年（唐懿宗咸通七年　丙戌）

二月

蒋泳、欧阳琳、杜裔休、沈光、汪遵、崔璐、孔炅、幸轩等二十五人登进士第，状元为韩衮。礼部侍郎赵骘知贡举。本年试《被衮以象天赋》。（见徐松《登科记考》卷二三本年条）

韩衮（韩绲），状元。《韩文考异》："衮登咸通七年进士第，昶之次子。"《唐摭言》卷十二："韩衮，咸通七年赵骘下状元及第。性好嗜酒，谢恩之际，赵公与之首宴。公屡赏欧阳琳文学，衮睨之曰：'明公何劳再三称一复姓漠。'公愕然，为之文席，自是从容不遇三爵。及杏圆开宴，时河中蒋相以故相守兵部尚书，其年子泳及第，相园欣然来突，众皆荣之。衮厉声曰：'贤郎在座，两头着子女，相公来此得否？'相公错愕而去。及泳归，公庭责之曰：'席内有颠酒同年，不报我，岂人子耶！'自是同年莫敢与之欢醉矣。"《困学纪闻》："韩文公子昶虽有金根车之讥，而昶子绾、衮皆擢第，衮为状元，君子之泽远矣。"

蒋泳，《唐摭言》："咸通中进士及第，遇堂后便以骡从，车服侈靡之极。稍不中式，则重加罚金。蒋泳以故相之子，少年擢第，时家君任太常卿，语泳曰：尔门绪孤微，不宜从世禄所为。可先纳罚绕，慎勿以骡从也。"将泳字越之，伸之子，见《宰相世系表》。

欧阳琳，《永乐大典》引《闽中记》："欧阳琳字瑞卿，衮之子，咸通七年及第，又中宏词科。弟玭，亦登进士。"《唐语林》："欧阳琳与弟玭同在场屋，苦其贫匮。每诣先达，刺辙同幅，时人称之。"《淳熙三山志》："欧阳琳再中宏词科，授秘书省正字。累迁侍御史。"

沈光，早有文声，《洞庭乐赋》为人称赏。登进士第后东归，罗隐有诗《送沈光及第后东归兼赴嘉礼诗》送之。孙光宪《北梦琐言》卷七记："前进士沈光有《洞庭乐赋》，韦八座岫谓朝贤曰：'此赋乃一片宫商也。'后辟为闽从事。"又《唐才子传·沈光传》："沈光，吴兴人。咸通七年礼部侍郎赵骘下进士。"《唐摭言》卷八："沈光始贡于有司，尝梦一海船。自梦后，咸败于垂成，际登第年亦如是。皆谓失之之梦，而特第不测。"又《文苑英华》卷二八三有罗隐《送沈光及第后东归兼赴嘉礼》："青青仙桂触人香，白苎衫轻称沈郎。好继马卿归故里，况闻山简在襄阳。杯倾别岸终须醉，花傍征车渐欲芳。拟把金钱赠嘉礼，不堪栖屑困名场。"

杜裔休，《唐语林》卷五："杜邠公在岐下，欧阳琳以子裔休同年谒之。"是裔休亦此年进士矣。《云溪友议》："故荆州杜司空悰，自忠武军节度使出澧阳，宏词李宣古者，数陪游燕。每戏谑于其座，或以铅粉傅其面，或以轻绡为其衣。侮慢既深，杜公不能容忍，使卧宣古于泥中，欲辱之槚楚也。长林公主闻之，不待穿履，奔出而救之曰：'尚书不念诸于学文，凝陪李秀才砚席，岂在饮筵而举人细过！待士如此，异时那得平阳之誉乎？'遂遣人扶起李秀才，于东院以香水沐浴，更以新衣。后二子裔休、儒休，皆以进士登科，人谓之曰：'非其贤母，不成其子。'"

汪遵，《唐才子传》卷八："汪遵，宜州泾县人。幼为小吏，昼夜读书良苦，人皆不觉。咸通七年，韩衮榜进士。初遵与乡人许棠友善，棠应二十余年举，遵犹在胥徒，工为绝句诗，而深自晦密。以家贫难得书，必借于人，彻夜强记，棠实不知。一旦辞役就贡，棠时先在京师，偶送客至灞浐间，忽遇遵于途，行李索然。棠讯之曰：‘汪都何事来?’遵曰：‘此来就贡。’棠怒曰：‘小吏不忖，而欲与棠同笔砚乎?’甚侮慢之。后遵成名，五年棠始及第。”（参《唐摭言》卷八“为乡人轻视而得者”条）《唐才子传校笺·汪遵传》笺谓“遵辞役就贡之年应已四十左右。其生年约在敬宗宝历二年（826）前后”。如是，遵本年约四十一岁。又遵工七绝，以咏史诗著名。《唐诗纪事》卷五九汪遵条载：“秦筑长城比铁牢，蕃戎不敢过临洮。虽然万里连云际，争及尧阶三尺高!”遵《长城》诗也，得名于时。遵，宣城人，登咸通七年进士第。”《鉴戒录》卷九《卓绝篇》：“陈羽秀才题吴王夫差庙，汪遵先辈咏万里长城。程贺员外因咏君山得名……以上名公称为卓绝。”何光远评其《长城》诗：“此诗卓绝，千百集中无以加。”（《诗话总龟》卷一五引《诗史》）辛文房称其“拔身卑污，奋誉文坛”，并谓其《题李太尉平泉庄》、《过杨相宅》诗“俱为诗人称赏，其馀警策称是”（《唐才子传》卷八）。《宋史·艺文志》著录其咏史诗一卷，或谓元时犹传。《崇文总目》卷五著录汪遵《咏史诗》一卷，《全唐诗》卷六〇二编其诗一卷，《全唐诗续补遗》补诗二首。

崔璐，《唐诗纪事》卷六十四：“璐登咸通七年进士第。”《永乐大典》引《苏州府志》作“崔珞”。崔璐有《览皮先辈盛制因作十韵以寄用伸款仰诗》，陆龟蒙有《和皮袭美酬前进士崔璐盛制见寄诗》。

诸科十七人：幸轩，《永乐大典》引《瑞阳志》：“幸南容之孙名轩，咸通七年中三史科，知举赵骘。”

拔萃科：《旧唐书》本纪：“十一月，以礼部郎中李景温、吏部员外郎高湘试拔萃选人。”

知贡举：礼部侍郎赵骘。《旧唐书》本纪：“咸通六年九月，以中书舍人赵骘权知礼部贡举。”又《赵隐传》：“隐弟骘，以进士登第。咸通初，正拜中书舍人。六年，权知贡举。七年，选士多得名流，拜礼部侍郎。”

司空图本年春在长安下第，赋《榜下》诗以寄慨。《全唐诗》卷六三三司空图有《榜下》诗。据图《休休亭记》（《全唐文》卷八〇七）自谓“以耐辱自警，庶保其终始常……因为耐辱居士歌题于亭之东北楹。自开成丁巳岁七月距今，以是岁是月作是歌，亦乐天作传之年六十七矣”。据此文，司空图乃生于开成二年（即丁巳岁，公元837年），则本年恰三十岁。

归义节度使张义潮奏北庭回鹘固俊攻克西州、北庭、轮台、清镇等城。据《资治通鉴》卷二五〇咸通七年。胡注云：“按大中五年，义潮以十一州图籍来上，西州已在其中。今始云收西州者，盖当时虽得其图籍，其它犹为吐蕃所据耳。”

五月

鱼玄机时已入咸宜观为道士，有佳句播于士林，与诗人李郢等往来，有诗酬和。皇甫枚《三水小牍》载：“（鱼玄机）色既倾国，思乃入神，喜读书属文，尤致意于一吟一咏。破瓜之岁，志慕清虚。咸通初，遂从冠帔于咸宜，而风月赏玩之佳句，往往播于士林。然蕙兰弱质，不能自持，复为豪侠所调，乃从游处焉。于是风流之士，争修饰以求狎，或载酒诣之者，必鸣琴赋诗，间以谑浪，懵学辈自视缺然。其诗有'绮陌春望远，瑶徽秋兴多'，又'殷勤不得语，红泪一双流'，又'焚香登玉坛，端简礼金阙'。又'云情自郁争同梦，仙貌长芳又胜花'。此数联为绝矣。"《北梦琐言》卷九称其"甚有才思，咸通中，为李亿补阙执箕帚。后爱衰下山，隶咸宜观为女道士"。《唐才子传》卷八其传载："（玄机）性聪慧，好读书，尤工韵调，情致繁缛。咸通中及笄，为李亿补阙侍宠。夫人妒不能容，亿遣隶咸宜观披戴。有怨李诗云：'易求无价宝，难得有情郎。'与李郢端公同巷，居止接近，诗简往反。复与温庭筠交游，有相寄篇什。尝登崇真观南楼，睹新进士题名，赋诗曰：'云峰满目放春情，历历银钩指下生。自恨罗衣掩诗句，举头空羡榜中名。'观其志意激切，使为一男子，必有用之才，作者颇赏怜之。时京师诸宫宇女郎，皆清俊济楚，簪星曳月，惟以吟咏自遣，玄机杰出，多见酬酢云。"［按，据前文，鱼玄机咸通四年或稍后与李亿琴瑟谐和，其入道观当在咸通四年后数年中］又据《三水小牍》，咸通九年（868），鱼玄机以妒笞女僮绿翘，绿翘辩云："自执巾盥数年，实自检御，不会有似是之过。"又云："若云情爱，不蓄于胸襟有年矣。"绿翘在道观中服侍玄机至其时已有数年，则本年玄机当已为咸宜观道士。又《全唐诗》卷八〇四有鱼玄机《酬李郢夏日钓鱼回见示》诗："住处虽同巷，经年不一过。清词劝（一作欢）旧女，香桂折新柯。道性欺冰雪，禅心笑绮罗。迹登霄汉上，无路接烟波。"又有《闻李端公垂钓回寄赠》："无限荷香染暑衣，阮郎何处弄船归。自惭不及鸳鸯侣，犹得双双近钓矶。"诗盖作于本年夏。李端公即指李郢，时任侍御史。

八月

鱼玄机在长安，有诗寄温庭筠。《全唐诗》卷八〇四鱼玄机《寄飞卿》："阶砌乱蛩鸣，庭柯烟露清。月中邻乐响，楼上远山明。珍簟凉风着，瑶琴寄恨生。嵇君懒书札，底物慰秋情。"［按，《唐才子传校笺·鱼玄机传》笺谓"玄机与飞卿之交往，以飞卿行迹考之，似系咸通七年飞卿任国子监助教之时"］又有《迎李近仁员外》："今日喜时闻喜鹊，昨宵灯下拜灯花。焚香出户迎潘岳，不羡牵牛织女家。"《唐才子传校笺·鱼玄机传》笺以为李近仁任员外"约是咸通七、八年，其与玄机交好亦在此时"。则此诗之作年虽难确考，约皆在此时前后。

十月

高骈军围交耻，克之，安南平，南诏遁走。（见《旧唐书·懿宗本纪》、《资治通鉴》卷二五〇）《资治通鉴》并载："置静海军于安南，以高骈为节度使。"

温庭筠任国子助教，约六十六岁。为试官时，曾榜进士文三十余篇以振公道。冬，鱼玄机有诗寄之。庭筠之卒约在本年冬，其弟庭皓为撰墓志。庭筠著述颇丰，有集多种。《郡斋读书志》卷四下记庭筠"终国子助教"，其弟庭皓为其所撰《墓志》亦题为

“国子助教温庭筠”，则庭筠乃终于此任。胡宾王《邵谒集序》云：“（谒）寻抵京师隶国子，时温庭筠主试，乃榜三十余篇以振公道。”《唐诗纪事》卷六七李涛条记“温飞卿任太学博士，主秋试，涛与卫丹、张郃等诗赋，皆榜于都堂”。[按，《全唐文》卷七八六有温庭筠《榜国子监》文：“右前件进士所纳诗篇等，识略精微，堪裨教化，声词激切，曲备风谣。标题命篇，时所难着。灯烛之下，雄词卓然，诚宜榜示众人，不敢独专华藻。并仰榜出，以明无私。仍请申堂并榜礼部。咸通七年十月六日，试官温庭筠榜。”]又《全唐诗》卷八〇四鱼玄机《冬夜寄温飞卿》诗，中云：“苦思搜诗灯下吟，不眠长夜怕寒衾。”《唐才子传校笺·鱼玄机传》笺以为鱼玄机与温飞卿交往在本年。又温庭筠之卒盖在本年冬，考《宝刻丛编》卷八京兆府万年县下据京兆金石录记有《唐国子助教温庭筠墓志》，谓“弟庭皓撰，咸通七年”。则庭筠之卒当在本年十月之后。胡震亨称“温飞卿与李义山齐名，诗体丽密概同，笔径较独酣捷。七言乐府，似学长吉，第局脉紧慢稍殊，彼愁思之言促，此淫思之言纵也”。（《唐音癸签》卷八）贺裳谓“大抵温氏之才，能瑰丽而不能淡远，能尖新而不能雅正，能矜饰而不能自然，然警慧处，亦非流俗浅学所易及”。（《载酒园诗话·又编》）《旧唐书》本传谓“庭筠著述颇多，而诗赋韵格清拔，文士称之”。《新唐书·艺文志三》著录其《乾𦠆子》三卷、《采茶录》一卷、《学海》三十卷。《新唐书·艺文志四》又录其《握兰集》三卷、《金荃集》十卷、《诗集》五卷、《汉南真稿》十卷。飞卿以词著名，其词多未能系年。其词今收于曾益等《温飞卿诗集笺注》一书。

十二月

曹唐（802? —866?）**卒**。曹唐本年前曾累辟诸府从事，虽志气激昂，终薄宦郁悒，曾赋《病马》诗自况，颇脍炙人口。志趣澹然，追慕古仙子高情，作有《大游仙诗》五十首及《小游仙诗》等，诗名大播于时。约于本年前后暴卒。《唐诗纪事》卷五八记曹唐“初为道士，后为使府从事，咸通中卒”。《郡斋读书志》卷四中亦记“初为道士，咸通中为使府从事，卒”。《唐诗品汇·诗人爵里详节》记“累为诸府从事，因暴疾卒于家”。[按，曹唐之卒年难确考，要之当在本年前后]曹唐之卒及诗歌创作诸书多记及，虽不可尽信，亦可资研究。如《太平广记》卷三四九引《灵怪集》载：“进士曹唐，以能诗，名闻当世，久举不第。尝寓居江陵佛寺中，亭沼境甚幽胜。每自临玩赋诗，得两句曰：‘水底有天春漠漠，人间无路月茫茫。’吟之未久，自以为常制皆不及此作。……数日后，唐卒于佛舍中。”《五代史补》卷一《曹唐死》条载：“曹唐柳州人，少好道，为大、小《游仙诗》各百篇，又着《紫府玄珠》一卷，皆叙三清、十极纪胜之事，其游仙之句则有《汉武帝宴西王母诗》云：‘花影暗回三殿月，树声深锁九门霜。’又云：‘树底有天春寂寂，人间无路月茫茫。’皆为士林所称。其后游信州，馆于开元寺三学院，一旦卧疾，众僧忽见二青衣缓步而至，且四向顾视相谓曰：只此便是‘树底有天春寂寂，人间无路月茫茫’，言讫直入唐之卧室，众僧惊异，亦随之而入，逾阈，而青衣不复见，但见唐已殂矣。先是，唐与罗隐相遇，隐有《题牡丹诗》云：‘若教解语应倾国，任是无情亦动人。’唐因戏隐曰：‘此非赋牡丹，乃题女子

障耳。'隐应声曰：'犹胜足下鬼诗。'唐曰：'其词安在?'隐曰：'树底有天春寂寂，人间无路月茫茫，得非鬼诗?'唐无以对。"又《唐才子传·曹唐传》："唐与罗隐同时，才情不异。唐始起清流，志趣澹然，有凌云之骨，追慕古仙子高情，往往奇遇，而己才思不减，遂作《大游仙诗》五十篇，又《小游仙诗》等，纪其悲欢离合之要，大播于时。唐尝会隐，各论近作。隐曰：'闻兄游仙之制甚佳，但中联云：树底有天春寂寂，人间无路月茫茫。乃是鬼耳。唐笑曰：'足下牡丹诗一联乃咏女子障：若教解语应倾国，任是无情也动人。'于是座客大笑。""后人赋游仙绝句实起于此"（许学夷《诗源辨体》卷三〇)。张为《诗人主客图》列其为"瑰奇美丽主"武元衡之入室者。胡震亨评云："曹尧宾诗能用多句，调颇充伟。"(《唐音癸签》卷八)《新唐书·艺文志》著录有《曹唐诗》三卷。《宋秘书省续编到四库阙书目》记其《紫府玄珠经》十卷。《全唐诗》存诗二卷，(卷六四〇至六四一)。《全唐诗续拾》补诗一首。事见《北梦琐言》卷五、《唐诗纪事》卷五八、《唐才子传》卷八等。

韦绚（796—866）卒，年七十一，有《戎幕闲谈》等。李剑国《唐五代志怪传奇叙录》谓："韦绚自咸通四年出镇易定，六年题名北岳，何时罢镇不明。今姑酌定于咸通七年（866），且以是年为卒年，时已七十一岁矣。"《郡斋读书志》卷十三"《戎幕闲谈》一卷右唐韦绚撰。大和中，为李德裕从事，记德裕所谈"韦绚著述，除本书及《刘宾客嘉话录》，尚有《佐谈》十卷，见《秘书省续编到四库阙书目》及《宋志》小说类。《全唐文》卷七二〇收入《嘉话录》一篇，《唐文拾遗》卷二八收入《戎幕闲谈序》一篇。

公元867年（唐懿宗咸通八年　丁亥）

二月

牛徽、韦昭度、韦承贻、崔昭符、皮日休、宋垂文等三十人登进士第，本年状元为郑洪业。孙纬登博学宏词科。本年知贡举为礼部侍郎郑愚。(见徐松《登科记考》卷二三本年条）

郑洪业，状元。《唐诗纪事》："洪业，咸通八年郑愚下第一人擢第。"

牛徽，《旧唐书》卷一百七十二《牛僧孺传》："徽，咸通八年登进士第，三佐诸侯府，得殿中侍御史，赐绯鱼。入朝为右补阙，再迁吏部员外郎。乾符中，选曹猥滥，吏为奸弊，每岁选人四千余员。徽性贞刚，特为奏请。由是铨叙稍正，能否旌别，物议称之。"

韦昭度，《旧唐书》卷一百七十九本传："昭度，字正纪，京兆人。祖缙，父逢。昭度咸通八年进士擢第。"

韦承贻，《唐诗纪事》卷五六："承贻，字贻之，咸通八年登第。"《唐摭言》卷十五《杂记》载："韦承贻，咸通中策试，夜潜纪长句于都堂西南隅曰：'褒衣博带满尘埃，独上都堂纳试遇。蓬巷几时闻吉语，棘篱何日免重来?三条烛尽钟初动，九转丸成鼎未开。残月渐低人扰授，不知谁是谪仙才?'又：'白莲千荣照席明，一片升平《雅》、《颂》声。才唱第三条烛尽，南宫风景画难成。'"此诗亦见于《全唐诗》卷六〇〇。皮日休有《寄同年韦校书诗》。

皮日休，宋晁公武《郡斋读书志》卷十八：“皮日休，字袭美，一字逸少，襄阳人。咸通八年登进士第。为著作佐郎，太常博士。乾符之乱，东出关，为毗陵副使，陷巢贼中。贼遣为谶文，疑其讥己，遂害之。集乃咸通丙戌年居州里所编。自序云：‘发箧次类文藁，繁如薮泽，因以名之。凡二百篇。’”《唐语林》卷二“文学”：“日休，字逸少，后字袭美，襄阳竟陵人。少隐鹿门山，号醉吟先生。榜末及第，礼部侍郎郑愚以其貌不扬，戏之曰：‘子之才学甚富，如一日何?’皮对曰：‘侍郎不可以一日废二日。’谓不以人废言也。官至太常博士。居苏州，与陆龟蒙为友。著《文薮》十卷、《皮子》三卷。黄巢时遇害。其子仕钱镠。”（《北梦琐言》卷二同）《皮子文薮》序云：“咸通丙戌中，日休射策不上第，退归州来别墅。”丙戌为七年。《玉泉子》：“皮日休，南海郑愚门生。春关内，尝宴于曲江，醉寝于别榻，衣囊、书笥罗列旁侧，率皆新饰。同年崔昭符，镣之子，固蔑视之，亦醉更衣。见日休，谓其素所熟狎者，印固问，且欲戏之。日休童俣剧前呼之，昭符知日休也，曰：‘勿呼之，渠方宗会矣。’以其橐笥皆皮。时人传之，以为口实。”又皮日休有《登第后寒食杏园有宴寄录事宋垂文同年》（《全唐诗》卷六一三）。

范元超，［乾隆］《延平府志》卷三十一：“范元超，字仲达，唐朔方灵盐节度使希朝之子，咸通八年登进士第。”又四库本《福建通志》卷五十三《流寓·延平府·唐》：“范元超，字仲达，节度使范希朝之子，咸通八年进士，官至御史中丞。天复中避朱全忠乱寓剑州，子子高天佑间典尤溪县，遂即丰城小田定居焉。”所记与史合，惟范希朝卒于元和九年（814）（见《旧唐书》本传），时至咸通八年已五十余年，疑言希朝子有误。

博学宏词科：《旧唐书》本纪：“十月，以礼部侍郎卢匡、吏部侍郎李蔚、兵部员外郎薛崇、司勋员外郎崔殷梦考吏部宏词选人。”

孙纬，《唐诗纪事》卷六十：“纬，咸通八年宏词登科。”（文渊阁《四库全书》本）《全唐诗》卷六〇〇：“孙纬咸通八年宏词登科。诗一首《中秋夜思郑延美有作》。”

罗隐在京应试不第，赋诗抒愤。时臧溃亦下第往鄜州，隐赋诗送行。 罗隐本年三十五岁，在京城应春试。始辑集前所撰文为《谗书》，并作书序阐明取此书名之意《罗隐集·谗书序》云：“《谗书》者何？江东罗生所著之书也。生少时自道有言语，及来京师七年，寒饿相接，殆不似寻常人。丁亥年春正月，取其所为书抵之曰：‘他人用是以为荣，而予用是以辱；他人用是以富贵，而予用是以困穷。苟如是，予之书乃自谗耳。’目曰《谗书》。卷轴无多少，编次无前后，有可以谗者则谗之，亦多言之一派也。而今而后，有诮予以哗自矜者，则对曰：‘不能学扬子云寂寞以诳人。’”［按，丁亥即本年］此书多有刺世讥时之作，如《秋虫赋》、《英雄之言》、《辨害》、《说天鸡》、《荆巫》、《题神羊图》、《刻严陵钓台》等均是。文或直言讥刺，或寓言托讽，以此名为《谗书》。本年罗隐有《丁亥岁作》（《罗隐集·甲乙集》卷十）：“病想医门渴望梅，十年心地仅成灰。早知世事长如此，自是孤寒不合来。谷畔气浓高蔽日，蛰边声暖乍闻雷。满城桃李君看取，一一还从旧处开。”据诗知作于本年下第后惊蛰前后时。又有

《送臧濆下第谒窦郎州》。

十月

皮日休在长安应博学宏词试，未第，赋诗抒怀。《全唐诗》卷六一三皮日休有《宏词下第感恩献兵部侍郎》："分明仙籍列清虚，自是还丹九转疏。画虎已成翻类狗，登龙才变即为鱼。空惭季布千金诺，但负刘弘一纸书。犹有报恩方寸在，不知通塞竟何如。"据《旧唐书·懿宗本纪》，咸通八年十月，"以吏部侍郎卢匡、吏部侍郎李蔚、兵部员外郎薛荣、司勋员外郎崔殷梦考吏部宏词选人。"日休之试宏词下第当在此时。

郑处诲（？—867）卒。有《明皇杂录》传世。《旧唐书·郑处诲传》记处诲"宣武军节度观察等使，卒于汴"。据《唐方镇年表》卷二，郑处诲镇宣武至咸通八年。则其卒盖在本年。《新唐书·艺文志二》著录《明皇杂录》二卷。《四库全书总目提要》卷一百四十："《明皇杂录》二卷、《别录》一卷（兵部侍郎纪昀家藏本）唐郑处诲撰。处诲，字延美，荥阳人。宰相馀庆之孙。太和八年登进士第。官至检校刑部尚书，宣武军节度使。事迹附见《旧唐书·郑馀庆传》。是书成于大中九年，有处诲自序。[按，史称处诲为校书郎时，撰次《明皇杂录》三篇，行于世] 晁公武《读书志》则载《明皇杂录》二卷，然又曰《别录》一卷，题补阙所载十二事。则史并别录数之，晁氏析别录数之也。叶梦得《避暑录话》曰：'郑处诲《明皇杂录记》张曲江与李林甫争牛仙客实封，时方秋，上命高力士以白羽扇赐之。九龄惶恐，作赋以献，意若言明皇以忤旨将废黜，故方秋赐扇以见意。'新书取以载之本传。据《曲江集》赋序曰：'开元二十四年盛夏，奉敕大将军高力士赐宰相白羽扇，九龄与焉。'则非秋赐。且通言宰相则林甫亦在，不独为曲江而设也。乃知小说记事，苟非耳目亲接，安可轻书耶云云。则处诲是书亦不尽实录。然小说所记，真伪相参，自古已然，不独处诲。在博考而慎取之，固不能以一二事之失实，遂废此一书也。《避暑录话》又曰：'卢怀慎好俭，家无珠玉锦绣之饰，此固善事。然史言妻子至寒饿，宋璟等过之，门不施箔，风雨至，引席自障，则恐无此理。此事盖出郑处诲《明皇杂录》，而史臣妄信之云云。今本无此一条，然则亦有所有佚脱，非完帙矣。"《太平御览》卷六〇一："又曰：'郑处诲方雅好古，勤于著述，撰集至多，为校书郎。时撰《明皇杂录》三篇行于世。'"

义玄（？—867）卒，"临济宗"创始人。该派以激人悟性为旨，门风迅猛峻烈，为禅宗五家七宗之一。《郡斋读书志》卷十六："《景德传灯录》三十卷，右皇朝僧道原编。其书披奕世祖图，采诸方语录，由七佛以至法眼之嗣，凡五十二世，一千七百一人。献之朝，诏杨亿、李维、王曙同加裁定。亿等润色其文，是正差谬，遂盛行于世，为禅学之源。夫禅学自达摩入中原，世传一人，凡五传至慧能，通谓之祖。慧能传行思、怀让，行思之后，有良价，号"洞下宗"；又有文偃，号"云门宗"；又有文益，号"法眼宗"；怀让之后有灵佑、慧寂，号"沩仰宗"；又有义玄，号"临济宗"。五宗学徒遍于海内，迄今数百年。"临济"、"云门"、"洞下"，日愈益盛。尝考其世，皆出唐末五代兵戈极乱之际，意者，乱世联明贤豪之士，无所施其能，故愤世嫉邪，长往不返，则其名言至行，譬犹联珠叠璧，虽山渊之高深，终不能掩覆其光彩，而必辉润于外也。故人得而着之竹帛，罔有遗轶焉。”元觉岸编《释氏稽古略》（四卷）：“庚辰咸通元年……临济宗，镇州真定路也。临济禅师，名义玄。生曹州南华刑氏。自幼剃落，初到黄檗，时睦州陈尊宿为首座。……至是咸通八年四月十日说偈曰：‘沿流不止问如何，真照无边说似他。离相离名人不禀，吹毛用了急须磨。’端坐而逝。塔全身于府西北隅。”敕谥“慧照禅师”，塔曰澄灵，嗣黄檗运，运嗣百丈海。缁林尊仰曰“临济宗”（《传灯录》卷三十）。

公元 868 年（唐懿宗咸通九年　戊子）

二月

羊昭业、连总、孔纾、郑仁表等三十人登进士第，本年状元为赵峻。本年试《天下为家赋》。礼部侍郎刘允章为本年知贡举。（见《登科记考》卷二三）

赵峻，状元，见《淳熙三山志》卷二十六。

羊昭业，《永乐大典》引《苏州府志》：“侍郎刘允章知举，羊昭业登第。昭业字振文。”

连总，《永乐大典》引《闽中记》：“连总字会川，闽县人。咸通九年及第。”

孔纾，郑仁表《左拾遗孔府君墓志铭》：“仁表与拾遗同岁为柬府乡荐，策第不中等，再罢去。明年，偕宴于柬堂。宴之日，博陵崔公荛出紫微直，观风甘棠下，表为支使，校芸阁书。拾遗始及第，乞假拜庆。新进士得意归去，多不伏拘柬假限，往往关试不悉集，贡曹久未毕公事，故地远迨二千里，例不给告。时仆射太常公节制天平军，以是勤不得请。拾遗曰：‘人之多言，必以我为宴安。’讫春不宴。年少乘喜气，赤春头竟不对狎客持一杯酒，人以为难。开试日，都堂中揖别同年，径出青门。公讳纾，字持卿，鲁司寇四十代孙。”

郑仁表，《唐语林》卷三“赏誉”云：“郑仁表，刘允章门生。仁表与李都善，初允章知举，即访都而谓之曰：‘仪之某为朝廷委任，何以见裨，少塞责乎？’都欲荐其所知者，允章迎谓之曰：‘谓不言牛、孔，安得岁岁须人？’先是牛、孔数家凭势力，每岁主司为其所制，故允章亦云，适中都所欲言。都曰：‘蕴中错也。欲其以与都雅熟。’允章纳焉，即孔纾也。复示允章以文一轴，发之且大半，曰：‘此可以与否？’允章佳赏。比及卷首，乃仁表也。允章鄙其轻薄而辞之。都曰：‘公是遭罹者，奈何复听谗言乎？’于是皆许之。”

胡学，［嘉靖］《徽州府志》卷十七《宦业列传》：“胡学，字真，瞳之子，由祁门迁居婺源清华。登咸通九年进士，累官抚州司户。上书言事，忤田令孜，贬窜福州，寻授舒城令。”［道光］《安徽通志》卷一四四《人物志·宦绩五·徽州府·唐》据《新安名族志》录：“胡学，婺源人，父瞳，以御黄巢功授宣歙节度讨击使。学，咸通进士，任抚州司户。上书忤田令孜，窜福州，寻授舒城令。”又见四库本《江南通志》卷一一九、一四七。

诸科十一人。

博学宏词科。《旧唐书》本纪：“正月，以兵部员外郎焦渍、司勋员外郎李岳考宏

词选人。”

知贡举：礼部侍郎刘允章。《旧唐书》本纪：“咸通八年十月，以中书舍人刘允章权知礼部贡举。”又《刘乃传》：“允章登进士第，累官至翰林学士承旨、褛部侍郎。咸通九年，知贡举。”《唐摭言》：“刘允章侍郎主文年，榜南院曰：‘进士纳卷不得遇三轴。’刘子振闻之，故纳四十轴。”又曰：“刘允章试《天下为家赋》，为拾遗杜裔休驳奏。允章醉穷，乃谓与裔休对。时允章出江夏，裔休寻亦改官。”《南部新书》：“咸通九年，刘允章发榜后，奏新进士春关前择日谒谢先师，皆服青襟介帻，有洙泗之风焉。”《唐语林》：“刘允章祖伯刍，父宽夫，皆有重名。允章少孤自立，以臧否为己任。及掌贡举，尤恶朋党。初进士有‘十哲’之号，皆通连中官，郭纁、罗虬皆其徒也。每岁有司无不为其干挠，根蒂牢固，坚不可破。都尉于琮，方以恩泽主盐铁，为纁极力，允章不应，纁竟不就试。比考帖，虬居其间，允章诵其诗有‘帘外桃花晒熟红’，不知熟红何用，虬已具在去留中，对曰：诗云‘关关雎鸠，在河之洲。窈窕淑女，君子好逑。侍郎得不思之?’顷之唱落，众莫不失色。及出榜，惑于浮说，予夺不能塞时望。允章自鄂渚分司东都，其制中书舍人孔晦之词。晦弟纾为谏官，乃允章门生，率同年送于坡下。纾犹欲前行，允章正色曰：“‘请违公不去。’故事，门生无答拜者，允章于是答拜，同行皆愕然。”

罗隐在长安应进士试，落第。东归，经钟陵，复遇旧识之妓云英。妓以“罗秀才犹未脱白耶”揶揄之，隐遂赋嘲妓诗以自解。经浙东，有投王大夫二十韵诗。《罗隐集·谗书·重序》云：“隐次《谗书》之明年，以所试不如人，有司用公道落去。其年夏调膳于江东，不随乡贡。”［按，《谗书》成于咸通八年，则本年罗隐在京落第，旋回江东］隐东归途经钟陵有《嘲钟陵妓云英》（《罗隐集·甲乙集》卷九）诗。《鉴戒录》卷八载：“罗隐秀才傲睨于人，体物讽刺。初赴举之日于钟陵筵上，与妓云英一绝。后下第，又经钟陵，复与云英相见。云英抚掌曰：‘罗秀才犹未脱白耶?’隐虽内耻，寻以诗嘲之：‘钟陵醉别十余春，重见云英掌上身。我未成名卿未嫁，可怜俱是不如人。’”［按，罗隐大中十二年（858）初赴京应试，至本年下第返江东历时十一年，即“十余春”，诗当本年所咏］《罗隐集·甲乙集》卷十一复有《投浙东王大夫二十韵》，中叙王大夫经历云：“直曾批凤诏，高已冠鹓行。啸傲辞民部，雍容出帝乡。”

罗虬，词藻富赡，咸通、乾符间与罗隐、罗邺以文齐名，时称“三罗”。本年春在京应进士试，礼部侍郎刘允章以其交通中贵，为“芳林十哲”之一，鄙其为人而斥落之。罗虬，台州人。（据《唐才子传校笺·罗虬传》笺）早年事迹无考。《唐摭言》卷十载：“罗虬词藻富赡，与宗人隐、邺齐名。咸通、乾符中，时号‘三罗’。”又《唐语林》卷三记：“（刘）允章少孤自立，以臧否为己任。及掌贡举，尤恶朋党。初，进士有‘十哲’之号，皆通连中官，郭纁、罗虬并其徒也。每岁，有司无不为其干挠，根蒂牢固，坚不可破。都尉于琮方以恩泽主盐铁，以续极力，允章不应，纁竟不就试。比考帖，（罗）虬居其间，允章诵其诗，有‘帘外桃花晒熟红’，不知‘熟红’何用。虬已具在去留中，对曰：‘诗云：关关雎鸠，在河之洲；窈窕淑女，君子好逑。侍郎得不思之?’顷之唱落，众莫不失色。”［按，所记乃本年此时刘允章知贡举时事，罗虬为“芳林十哲”之一］《唐摭言》卷九“芳林十哲”条云：“咸通中自（沈）云翔辈凡十人，今所记者有八，皆交通中贵，号‘芳林十哲’。芳林，门名，由此人内故也。然皆有文字，盖礼所谓君子达其大者远者，小人知其近者小者。”据《唐摭言》所记“芳林十哲”为沈云翔、林缮（改名绚）、郑圮、刘业、唐询、吴商叟、秦韬玉、郭缥等。（据《唐语林》，罗虬亦其中之一）

八月

徐州赴桂林戍卒八百人，都虞侯许佶等作乱，以粮料判官庞勋为都头，北还，剽掠湘潭、衡山等县，所过剩掠，州县莫能御。（《旧唐书·懿宗本纪》、《资治通鉴》卷二五一记此次兵变）

九月

裴铏在静海军节度幕为掌书记，时开凿天威径成，为撰碑文以记之。《全唐文》卷八〇五裴铏有《天威径新凿海派碑》，碑记咸通九年高骈为静海军节度使时，开凿天威径海路一事，开凿事自咸通九年四月五日起，“于戏！渤海之公之功绩，与凿汴渠开桂岭，可等肩而济其寰区耳。讽与存古，勤洁奉公。精专办事，指麾之外。更能审曲面势，伐山徵材，结构高亭，创修别馆。泉驱来而走碧，桥架险以横虹。神室雷祠，道堂僧署，无不克备，皆能显宏。至其年九月十五日毕工，（林）讽、（余）存古等坚请刻石记次，以示旷代。渤海公从之，因命于掌书记直书其事。铡当秉笔，不敢退让，铭曰：‘天地汗漫，人力微茫。渡危走食，冒险驾航。脱免者稀，倾沈是当。我公振策，励山凿石。功施艰难，霆助震激。泄海成派，泛舟不窄。渤海坦夷，得饷我师。天道开泰，神威秉持。’”又《新唐书·艺文志三》记裴铏“《传奇》三卷，高骈从事”。《直斋书录解题》卷十一记《传奇》六卷，并谓撰者为“高骈从事也”。则裴铏时为高骈掌书记。又《全唐诗》卷五九八有高骈《过天威径》诗：“豺狼坑尽却朝天，战马休嘶瘴岭烟。归路峻峨今坦荡，一条千里直如弦。”［按，高骈内召任金吾将军在本年八月，此诗乃其赴朝时过天威径所咏，其时约在八九月间］

鱼玄机（840—868）卒，年二十九。鱼玄机因妒笞杀女婢绿翘伏法，终年二十九岁，有集一卷。晚唐人皇甫枚《三水小牍》：“一女僮曰绿翘，亦明慧有色。忽一日，机为邻院所邀……迨暮方归院。绿翘迎门曰：‘适某客来，知炼师不在，不舍辔而去矣。’客乃机素相昵者，意翘与之私。及夜……讯之。翘曰：‘自执巾盥数年，实自检御……炼师不在，客无言策马而去。若云情爱，不蓄于胸襟有年矣。幸炼师无疑。’机愈怒，裸而笞百数，但言无之。……言讫，绝于地。机恐，乃坎后庭瘗之。……时咸通戊子春正月也。……遂录玄机京兆。府吏诘之辞伏。……至秋竟戮之。在狱中亦有诗曰：‘易求无价宝，难得有心郎’、‘明月照幽隙，清风开短襟。’此其美者也。”（《太平广记》卷一三〇）［按，咸通戊子岁即本年］玄机善吟咏，美风调，其诗婉茜悲凄，幽柔多情，然多未能系年。《唐才子传》卷八《鱼玄机传》记玄机“玄机，长安人，女道士也。性聪慧，好读书，尤工韵调，情致繁缛。咸通中及笄，为李亿补阙侍宠。夫人妒，不能容，亿遣隶咸宜观披戴”。有怨李诗云：“易求无价宝，难得有心郎。”与李郢端公同巷，居止接近，诗简往反。复与温庭筠交游，有相寄篇什。尝登崇真观南楼，睹新进士题名，赋诗曰：“云峰满目放春情，历历银钩指下生。自恨罗衣掩诗句，举头空羡榜中名。”观其志意激切，使为一男子，必有用之才，作者颇赏怜之。时京师诸宫宇女郎，皆清俊济楚，簪星曳月，惟以吟咏自遣，玄机杰出，多见酬酢云。徐献忠《唐诗品》：“玄机形气幽柔，心惊流散。其于子安情寄已甚，而《感怀》、《期友》及《迎李近仁员外》诸作，持思翩翩，尚有余恨，虽桑间濮上，何复自殊？其诗婉茜悲凄，有风人之调。女郎间求之，则是兰英绮密，左芬充腴，生与同时，亦非廊庑间客也。”从今存鱼玄机诗可知，这位女诗人交往颇广。明代诗评家钟惺说：“想玄机一代才色，当时奔走慕悦之者不少。”《直斋书录解题》卷十九著录《鱼玄机集》一卷。《全唐诗》卷八〇四编其诗一卷。

公元869年（唐懿宗咸通十年　己丑）

正月

庞勋遣将围泗州，大破官军。（见《旧唐书·懿宗本纪》）

郑谷二十二岁，作《迁客》诗。谷与李羽有交，时，羽等遭贬谪，谷因有是作。（见《郑谷诗集编年校注》及《旧唐书·懿宗本纪》）

二月

礼部侍郎王凝知贡举。归仁绍、司空图、欧阳玭、林慎思、虞鼎、余镐等三十人登进士第。

归仁绍以第一名中进士科状元。《永乐大典》引《苏州府志》：“咸通十年，侍郎王凝知贡举，归仁绍登第。”［按，《旧唐书·归登传》作“仁召”］元洪景修编《新编古今姓氏遥华韵》甲集卷九：“归融……子仁超，通三礼，咸通进士第一。”［按“召”、“超”皆为“绍”之讹］《太平广记》卷二五七引《皮日休文集》云：“唐皮日休尝谒归仁绍，数往而不得见。”

司空图（837—908），本年进士及第。《旧唐书·文苑传》：“司空图，咸通十年登进士第。主司王凝，于进士中尤奇之。”《唐才子传》：“司空图字表圣，河中人也。父舆，大中时为商州刺史。图，咸通十年归仁绍榜进士。主司王凝，初典绛州，图时方应举，自别墅到郡谒见，后更不访。亲知阍吏遽申‘司空秀才出郭矣’。或入郭访亲知，即不造郡斋。琅琊知之，谓其专敬，愈重之。及知举日，司空一捷，列第四人登科。同年讶其名姓甚暗，成事太速，有浮薄者号之为‘司徒空’。琅琊知有此说，因召一榜门生开筵，宣言于众曰：‘某叨忝文柄，今年榜帖全为司空先辈一人而已。’由是声采益振。”《唐诗纪事》：“图，河中虞乡人。少有文采，未为乡里所称。会王凝自尚书郎出为绛州刺史，图以文谒之，大为凝知。入知制诰，迁中书舍人，知贡举，擢图上第。顷之，凝出为宣州观察使，辟图为从事。既渡江，御史府奏图监察，下诏追之，图感凝知己之恩，不忍轻离幕府。满百日不赴阙，为台司所劾，遂以本官分司。久之，召拜礼部员外郎，俄知制诰，故集中有文曰：‘恋恩稽命，黜系洛师，于今十年，方忝

纶阁。'"司空图有《记恩门王凝故事》云："愚尝袭迹门下，受知特异。"其《省试》诗云："粉闱深秋唱同人，正是终南雪霁春。闲系长安千匹马，今朝似减六街尘。"《榜下》诗云："三十功名志未伸，初将文字竞通津。春风漫折一枝桂，烟阁英雄笑杀人。"又《太平广记》卷二七五"段章"条引司空图《段章传》："段章者，咸通十年，事前进士司空图。"

欧阳玭，生卒年不详，本年进士及第。《淳熙三山志》卷二六："玭，衮之子，字□中，终书记。"玭为琳之弟。玭善诗，福州闽县（今福建闽侯）人。进士及第，官终掌书记。《全唐诗》存诗五首，《全唐文》存赋一篇。

林慎思（？—约 880），本年进士及第。林永撰《唐水部郎中伸蒙子家传》云："伸蒙子姓林氏，讳慎思，字虔中，福州长乐人。少倜傥有大志，力学好修，与昆弟五人筑室读书稠岩山中。咸通五年，首荐礼部，不第，退居槐里。咸通十年，王凝侍郎归仁绍榜中进士第。"［按，《淳熙三山志》所记不同，云慎思终水部郎中、万年令］慎思少有大志，读书山中。咸通五年（864）初举不第，退居槐里，撰《儒范》七篇，辞艰理僻，不为世知。次年，复撰《伸蒙子》三卷，论兴亡之理。后又作《续孟子》，阐孟氏之说。进士及第，复中宏词科。历校书郎、兴平尉，迁水部郎中、万年令。广明元年（880），黄巢入长安。慎思间道逃出，为黄巢军所追杀。《伸蒙子》、《续孟子》二书今传。《全唐文》录二书自序。事迹见唐林永《唐水部郎中伸蒙子林子家传》（见《伸蒙子》卷首）。

虞鼎，生卒年不详，本年进士及第。杨钜《唐御史里行虞鼎墓志铭》："公虞姓，讳鼎，字少微，会稽人。登咸通十年进士。"

余镐，生卒年不详，本年进士及第。四库本《福建通志》卷三十三《选举一·唐科目》："咸通十年己丑归仁绍榜：建阳县余镐。"同上卷四十四《人物二·兴化府》："余镐，字周京，其先家建阳。咸通十年与闽县欧阳玭、长乐林慎思同第进士，除校书郎。"（参［民国］《建阳县志》卷七、卷十）

知贡举为礼部侍郎王凝。《旧唐书·王正雅传》："王凝暮年，移疾华州。踰年，以礼部侍郎征。凝性坚正，贡闱取士，拔其寒俊，而权豪请托不行，为其所怒，出为商州刺史。"司空图《王凝行状》："中外之议，谓公不司文柄，为朝廷阙政，竟拜礼部侍郎。韦澄迈在内廷，悬入相之势，其弟保殷干进，自谓殊等不疑。党附者又方据权，亦多请托。攘臂傲视，人为寒心，公显言拒绝。及榜出沸腾，以为近朝难事。"

顾云年约十九，应进士试落第。有《上池州卫郎中启》献池州刺史。（见《全唐文》卷八一五）后出京，郑谷有《同志顾云下第出京偶有寄勉》之作，谓"凤策联华是国华（顾云著有《凤策联华》），春来偶未上仙槎。乡连南渡思菰米，泪滴东风避杏花。……一般情绪应相信，门静莎深树影斜"。（见《郑谷诗集编年校注》）"《唐诗纪事》卷六七："顾云字垂象，池州鹾贾之子也。……有文，号《凤策联华编稿》。"马端临《文献通考》卷三三记《凤策联华》三卷："陈氏曰：'多以拟古为题，盖行卷之文也。'"

郑谷应进士试落第，有《曲江春草》诗。诗云："花落江堤簇暖烟，雨余草色远相连。香轮莫辗青青破，留与游人一醉眠。"（见傅义《郑谷诗集编年校注》）

三月

曹松在广州，本年前后曾陪岭南东道节度使郑愚游荔枝园，有诗咏之。松另有《岭南道中》、《南海》等诸诗作。郑愚此时前后亦有题广州使院之作。《全唐诗》卷七一七曹松有《南海陪郑司空游荔园》诗："荔枝时节出旌斿，南国名园尽兴游。……叶中新火欺寒食，树上丹砂胜锦州。他日为霖不将去，也须图画取风流。"郑愚《醉题广州使院》："数年百姓受饥荒，太守贪残似虎狼。今日海隅鱼米贱，大须惭愧石榴黄。"（见《全唐诗》卷八七〇） 诗难考确年，姑系于此。尤袤《遂初堂书目》著录有《郑愚集》。

四月

温庭皓为庞勋所杀。《资治通鉴》卷二五一咸通十年四月壬辰载："（庞）勋杀（崔）彦曾及监军张道谨、宣慰使仇大夫、僚佐焦璐、温庭皓，并其亲属、宾客、仆妾皆死。"庭皓，太原祁县（今属山西）人。温庭筠弟。生年不详。举进士不第。约大中十二年（858），辟山南东道节度使从事，与段成式、韦蟾、余知古等人唱和于襄阳徐商幕。后，诸人之诗章唱和，集为《汉上题襟集》十卷，今佚。约咸通七年（866），入感化军节度使幕。九年（868），庞勋起义军入徐州，胁其作节度使表，不从，被杀（一说释之，后被杀）。诏赠兵部郎中。光化三年（900）追赐进士及第。能诗，《观山灯献徐尚书》、《梅》较有名。《全唐诗》存诗四首。事迹见《唐诗纪事》卷五八。《唐摭言》卷十《海叙不遇》条："温庭皓，庭筠之弟，辞藻亚于兄。"

庞勋与官军战于泗州、柳子，大败，归徐州。（见《资治通鉴》卷二五一）

六月

戊戌，懿宗以徐州庞勋反，战事不息，久旱虫灾，民生困弊，遂下制布告中外。制曰："动天地者莫若精诚，致和平者莫若修政。……然而烛理不明，涉道唯浅，气多堙郁，诚未感通。旱暵是虞，虫螟为害，蛮蜑未宾于遐裔，寇盗复蠹于中原。尚驾戎车，益调兵食，俾黎元之重困，每宵旰而忘安。今盛夏骄阳，时雨久旷，忧勤兆庶，旦夕焦劳。……而油云未兴，秋稼阙望，因兹愆亢……矧复暴政烦刑，强官酷吏，侵渔蠹耗，陷害孤茕，致有冤抑之人，构成灾沴之气。主守长吏，无忘奉公。代叛兴师，盖非获已，除奸讨逆，必使当辜，苟或陷及平人，自然风雨愆候。……昨陕虢中使回，方知蝗旱有损处，诸道长史，分忧共理……内有饥歉，切在慰安，哀此蒸人，毋俾艰食。……咨尔多士，俾予一人，既引过在躬，亦渐几于理。布告中外，称朕意焉。"（见《旧唐书·懿宗本纪》）

唐延庆院经藏碑建，赵璘撰《唐延庆院经藏铭》。（见《宝刻丛编》）赵璘，（约804—871后）本年（869）约六十六岁，为山南东道裴坦幕从事。（见《北梦琐言》卷十）《因话录》一书约完成于此时。唐小说家。璘，字泽章。德州平原（今属山东）人，祖籍邓州南阳（今属河南）。柳中庸外孙。幼年寓居江汉间。长庆中修业于越州。

大和八年（834）进士及第。开成三年（838）登博学宏词科。授秘书省校书郎。大中七年（853）任左补阙。十年（856）为祠部员外郎。出为汉州刺史。约十三年（859）授衢州刺史。咸通十年（869）为山南东道节度使从事。后官金部郎中。出身世家，仕历数朝，多识朝廷典故，娴于旧事。《新唐书·艺文志四》著录《表状集》一卷，已佚；《因话录》六卷，记玄宗朝后期至宣宗末或懿宗初遗闻轶事，为唐人笔记小说集佳作，今传。《全唐文》存文二篇。事迹见其《书戒珠寺》、《因话录》及《新唐书·艺文志三》。周勋初有《赵璘考》。

约本年夏，章碣陪浙东观察使王沨游宴，作《陪浙西王侍郎夜宴》诗。碣又有《赠婺州苏员外》诗赠婺州刺史苏粹。（均见《全唐诗》卷六六九）时，章碣已有诗名。《唐摭言》卷十《海叙不遇》条记章碣“咸通末，以篇什著名”。其诗多为七律，重藻饰，诗风华丽。诗未详作年，今略述于此。《对月》诗云：“残霞卷尽出东溟，万古难消一片冰。公子踏开香径藓，美人吹灭画堂灯。琼轮正碾丹霄去，银箭休催皓露凝。别有洞天三十六，水晶台殿冷层层。”《春日经湖上友人别业》诗云：“绿泉溅石银屏湿，黄鸟逢人玉笛休。天借烟霞装岛屿，春铺银绣作汀洲。”（均见《全唐诗》卷六六九）

七月

郑畋在中书舍人任，夜值频繁，作《初秋寓直三首》、《夜景又作》、《禁直和人饮酒》、《下直早出》等诗作。（均见《全唐诗》卷五五七）

九月

唐南面招讨使马举兵围徐州，拔之，庞勋欲南趋濠州，为马举兵追及，勋溺水而死，徐州之乱平。（见《旧唐书·懿宗本纪》、《资治通鉴》卷二五一）

郑畋所撰讨庞勋文书，世所推重。时畋仍在中书舍人任，充翰林学士，有《杪秋夜直》等诗。《旧唐书·郑畋传》记郑畋咸通“十年，王师讨徐方，禁庭书诏旁午，畋洒翰泉涌，动无滞思，言皆破的，同僚阁笔推之。寻迁户部侍郎”。（《新唐书·郑畋传》所记略同）《全唐文》卷七六七录存郑畋制诰多篇，当为此时前后所草。畋《杪秋夜直》诗：“蕊宫裁诏与宵分，虽在青云忆白云。待报君思了归去，山翁何急草移文。”（见《全唐诗》卷五五七）

吴融于庞勋徐州兵乱平定后途经汴路，赋诗抒怀。作有《彭门用兵后经汴路三首》其一云：“长亭（一作门）一望一徘徊，千里关河百战来。……霜凋绿野愁无际，烧接黄云惨不开。若比江南更牢落，子山词赋莫兴哀。”（见《全唐诗》卷六八四）《新唐书·吴融传》：“吴融字子华，越州山阴人。……融学自力，富辞调。”又《宣和书谱》卷十：“融幼力学，能世其家，文辞富赡。”《唐才子传·吴融传》亦称其“初力学，富辞调，工捷”。

秋，曹松游南海未归，旅中有诗抒怀。其《南海旅次》诗云：“忆归休上越王台，归思临高不易裁。……城头早角吹霜尽，郭里残潮荡（一作带）月回。心似百花开未得，年年争发（一作向）被春催。”（见《全唐诗》卷七一七）其《上广州支使王拾遗》诗（见《全唐诗》卷七一六）盖亦此时前后所作。

十一月

十一月，博学宏词科，以吏部侍郎杨知温，吏部侍郎于德孙、李玄考官；司封员外郎卢荛，刑部侍郎杨戴考试宏词选人。（见《旧唐书·懿宗本纪》）

十一月，拔萃科，以虞部郎中宋震、前昭应主簿胡德融考科目举人。（见《旧唐书·懿宗本纪》）

十二月

南诏骠信酋龙进攻巂州，陷犍为，又攻占嘉州。唐定边节度使窦滂单骑逃遁，南诏复进陷黎、雅。（见《资治通鉴》卷二五一）

朝廷因战事而权停明春举试。《旧唐书·懿宗本纪》咸通十年十二月："诏以兵戈才罢，且务抚宁，其礼部贡举，宜权停一年。"

陆龟蒙由苏州应举赴京，途中闻停贡举诏，东返。后有诗及此。龟蒙《奉酬袭美先辈吴中苦雨一百韵》诗，中云："笠泽卧孤云，桐江钓明月。……趴迹尚吴门，梦魂先魏阙。寻闻天子诏，赫怒诛叛卒。宵旰悯烝黎，谟明问征伐。……射策亦何为。春卿遂聊辍。伊余将贡技，未有耻可刷。却问渔樵津，重耕烟雨垅。"（见《全唐诗》卷六一七）

冬，罗隐曾至长沙，上书湖南观察使于瓌乞赐一官。时年三十七岁。其《投湖南于常侍启》，中云："光阴不驻，齿发渐高。当家贫亲老之时，是失路亡羊之日，泪将欲尽，口不敢开。……所以仰蟾桂之高高，恐无仙骨；睹鱼鬐之敛敛，忽有痴心。窃希常侍从来许与之言，作此改张之计；俾其七郡，与奏一官，致之于髯参短簿之间，责之以驽马铅刀之用。所冀内资骨肉，外罄筋骸。但系受恩，何须及第。"（见《罗隐集·杂著》）

冬，唐彦谦以庞勋乱被平定，感褚遂良蒙冤而死，赋诗二十韵。其《咸通中始闻褚河南归葬阳翟是岁上平徐方大肆庆赏又诏八品锡其裔孙追叙风概因成二十韵》诗，中云："册府藏余烈，皇纲正本朝。不听还笏谏，几覆缀旒祧。咫尺言终直，怆惶道已消。……飞燕潜来赵，黄龙岂见谯。既迷秦帝鹿，难问贾生鹏。……罗织黄门讼，笙簧白骨销。……近者淮夷戮，前年归马调。……异时穷巷客，怀古漫成谣。"（见《全唐诗》卷六七二）

约本年冬，郑畋与韦蟾有诗唱酬。郑畋《酬隐珪舍人寄红烛》诗："蜜炬殷红画不如，且将归去照吾庐。今来并得三般事，灵运诗篇逸少书。"（见《全唐诗》卷五五七）蟾，字隐珪。进士及第已十六年，时在朝为中书舍人（见《唐诗纪事》卷五八），充翰林学士。《翰林学士壁记》："韦蟾……（咸通）十年六月七日自职方郎中充。其年九月七日，加户部郎中知制诰。其年十一月十一日，迁中书舍人，依前允。"十三年（872），韦蟾累加承旨学士，改御史中丞兼刑部侍郎。乾符元年（874），出为鄂岳观察使。官终尚书左丞。能诗，文字浅俗，格多不高。《岳麓道林寺》效杜诗体制，颇有佳句，为论者称道。《全唐诗》存诗十首、断句四句，《全唐文》存文一篇。事迹见《重修承旨学士壁记》。(《唐诗纪事》卷五八)

本年

皮日休约三十六岁，佐郡苏州，荐陆龟蒙于刺史崔璞。陆与皮、崔等交往酬和甚密，集其唱和诗为《松陵集》十卷。日休《寄题镜岩周尊师所居》诗亦约作于本年。其诗序云："处州仙都山……黄老徒周君景复居焉。……东牟段公柯昔为州日，闻其名，梯其室以造之。……后柯别十二年，日休至吴，处人过，说周君尚存，吟想其道，无由以睹，因寄题是诗云。"(见《全唐诗》卷六一四)

崔璞本年(869)自谏议大夫出为苏州刺史。与皮日休等诗歌唱和。璞，唐之诗人。清河(今属河北)人。生卒年不详。懿宗、僖宗时人。于十二年(871)，罢归京洛。乾符元年(874)由前同州刺史为右散骑常侍。《松陵集序》云："(咸通)十年，大司谏清河公出牧于吴，日休为郡从事。居一月，有进士陆龟蒙字鲁望者以其业见造，凡数编。"清河公乃崔璞。(见《全唐文》卷九九六)《全唐诗》存诗二首。事迹见其诗及皮日休《松陵集序》、《旧唐书·僖宗本纪》。

《松陵集》十卷成。其为众诗人合集。唐陆龟蒙等著，陆龟蒙编。松陵，苏州镇名，即今江苏吴江。懿宗咸通十年(869)，崔璞为苏州刺史，皮日休为从事，陆龟蒙前往访谒，因相与交游，诗歌唱和。当时在苏州的张贲、郑璧等也参与唱和，得诗六百余首，由陆龟蒙编为《松陵集》，皮日休作序。《新唐书·艺文志四》等有所著录。传世刊本，有明弘治十五年(1502)刘济民刻本，毛晋汲古阁刊本。其后，毛扆得宋刻本四册，加以校勘，但毛校原本已不知所在。陶湘涉国有影印宋人刻本，最为近古。

薛能约五十三岁，赴江州刺史任，周繇、张蠙均有诗送行。张蠙有《送薛能郎中赴江州》诗(见《全唐诗》卷七〇二)，周繇亦有《送江州薛尚书》(见《全唐诗》卷六三五)，"尚书"，一作"郎中"。周繇，《永乐大典》引《池州府志》云"字允元"，乃池州至德人。

严恽本年(869)至苏州访皮日休、陆龟蒙，甚相知。(置"薛能"条后)

江西观察使李骘至惠山，探访诗僧若冰，若冰已去世。冰，一作水，误。姓氏、生卒年、籍贯不详。大和中，为无锡惠山寺僧。工书能诗。有诗集，未见著录，已佚。《全唐诗》存诗一首。李骘有《读惠山若冰师诗集因题古院五首》、《题惠山寺诗并序》。李骘(?—约870)去年(868)出为江西观察使。约明年卒于任。骘，唐之诗人。一作鸷。陇西成纪(今甘肃秦安西北)人，家于涔阳(今湖北公安)。大和五年(831)游江东，肄业于无锡惠山寺。居三年，讽诵经史诸子之书。开成中，佐荆南节度使李石幕，为巡官。会昌中，入为祠部员外郎。大中十年(856)后，为山南东道节度副使。咸通七年(866)由太常少卿、弘文馆学士入为翰林学士。加知制诰，迁中书舍人。九年(868)，出为江西观察使。卒于任。能诗文。读书于惠山寺时，作歌诗数百篇，多散佚。《全唐诗》存诗五首，《全唐诗补编》补三首；《全唐文》存文四篇，

《唐代墓志汇编续集》存墓志一篇。事迹见其文及岑仲勉《翰林学士壁记注补》卷一二。

崔铉（？—869）卒。铉，字台硕。博州（治今山东聊城东北）人。大和元年（827）进士及第。累佐使幕。入为左拾遗。开成五年（840）自司勋员外郎充翰林学士。累迁户部侍郎承旨。会昌三年（843），拜中书侍郎、同平章事。五年（845），罢为陕虢观察使。擢河中节度使。大中三年（849）召为御史大夫，寻加正议大夫、中书侍郎、同平章事。九年（855），罢为淮南节度使。咸通初，移山南东道节度使。咸通六年（865）徙岭南节度使。卒于任。少以《咏架上鹰》诗知名。曾主持修撰《续会要》四十卷。事迹见新、旧《唐书》本传。

道怤（869—937）生。五代高僧。俗姓陈。温州永嘉（今浙江温州）人。少出家于永嘉开元寺。后游闽入楚，谒曹山本寂等，终嗣雪峰义存。返浙，住越州镜清寺。吴越武肃王命居天龙寺，私署顺德大师。文穆王请居龙册寺，吴越禅学至此而兴。天福二年（937）卒，年七十。一说七十四。《全唐诗补编》录诗偈九首。事迹见《宋高僧传》卷一三、《景德传灯录》卷一八。

柳祥生卒年、籍贯不详。撰传奇小说集《顺湘录》十卷，未知作年。所记叙及咸通十年（869）马举镇淮南及黄巢起义事，当为僖宗、昭宗时人。著录于《新唐书·艺文志三》，有散佚。今传一卷二十余则。《太平广记》录四十三则。该书一作李隐作。

独孤霖本年判户部出院。霖，唐散文家，河南（治今河南洛阳）人。生卒年不详。独孤及侄孙。咸通三年（862）自右补阙充翰林学士，加司勋员外郎、知制诰。五年（864）加库部郎中。六年（865）进中书舍人、工部侍郎。七年（866）充承旨学士。八年（867）改户部、兵部二侍郎。十年（869）判户部出院。十二、十三年（871、872）为宣歙观察使。官终秘书监。能文。《新唐书·艺文志四》著录《玉堂集》二十卷，已佚。《全唐文》存文七篇。事迹见《重修承旨学士壁记》、《新唐书·宰相世系表五下》。

夏侯孜本年因治蜀之失，朝廷追究，贬太子少保分司东都。不久卒。孜，唐之文学家。字好学。亳州谯县（今安徽亳州）人。生卒年不详。宝历二年（826）进士及第。释褐幕府从事。累迁婺、绛二州刺史。大中中，入为谏议大夫。转给事中。大中五年（851）出为陕虢观察使。十年（856），迁刑部侍郎。累迁户部侍郎，判户部事。十二年（858），以本官同平章事。咸通元年（860）出为剑南西川节度使。入为左仆射同平章事。出为河中节度使。《全唐诗》存诗一首，《全唐文》存文二篇。事迹见新、旧《唐书》本传，《资治通鉴》卷二四九、二五〇。

徐商本年（869）出为荆南节度使，入为吏部尚书，累迁太子太保，卒。商，唐之诗人。字义声，又字秋卿。郑州新郑（今属河南）人。生卒年不详。少有大志。大和五年（831）进士及第（又误作大中十三年）。释褐秘书省校书郎。累迁侍御史。会昌三年（843）自礼部员外郎充翰林学士。加礼部郎中、知制诰。迁兵部郎中。拜中书舍人、户部侍郎。迁尚书左丞。大中八年（854）出为河中节度使。改山南东道节度使。咸通六年（865）以兵部尚书同平章事。十年（869），出为荆南节度使。入为吏部尚书。累迁太子太保，卒。《新唐书·艺文志二》著录《徐氏谱》一卷，已佚。《全唐诗》存诗一首、断句一联。事迹见唐李骘《徐襄州碑》，《重修承旨学士壁记》，《旧唐书·徐彦若传》附传，《新唐书·徐有功传》附传。

公元 870 年（唐懿宗咸通十一年　庚寅）

正月

甲寅朔，群臣上尊号，赦天下。（见《资治通鉴》）［按，《旧唐书》记为十二年正月，《新唐书》记为十一年十一月，皆非］《唐语林》："咸通十年，停贡举。前一年，日者言己丑年无文柄，值至仁必当重振。明年，上加尊号，内有'至仁'两字。韩衮为补阙，上疏请复之。夏侯孜谓杨玄翼云：'李九丈行不得事，我行之。'九丈即卫公也。"

聂夷中去年入长安应进士试，因礼部停贡举，滞留京中，贫困潦倒。其《住京寄同志》、《长安道》诸诗约作于此时前后。《唐才子传·聂夷中传》："咸通十二年礼部侍郎高湜下进士，与许棠、公乘亿同袍。时兵革多务，不暇铨注。夷中滞长安久，皂裘已弊，黄粮如珠。"夷中《住京寄同志》中云："在京如在道，日日先鸡起。不离十二衔，日行一百里。……贵贱与贤愚，古今同一轨。……自嫌性如石，不达荣辱理。"《长安道》："此地无驻马，夜中犹走轮。所以路旁草，少于衣上尘。"（均见《全唐诗》卷六三六）

许棠四十九岁，因礼部停贡举，入江西观察使李骘幕，作《陈情献江西李常侍五首》以献，自诉穷困潦倒之情。（见《全唐诗》卷六〇三）此前许棠曾远游边塞，颇受奔波干谒之苦。其《投徐端公》、《新年呈友》诗作于本年或之前。前诗云："无谋寻旧友，强喜亦如愁。丹桂阻丹恳，白衣成白头。穷吴迷钓业，大漠事贫游。"后诗云："清晨窥古镜，旅貌近衰翁，处世闲难得，关身事半空。"（均见《全唐诗》卷六〇三）

七日，罗隐往歙州途中，作《人日新安道中见梅花》诗。诗云："长途酒醒腊天寒，嫩蕊香英扑马鞍。不上寿阳公主面，怜君开得却无端。"诗题下注云："其年以徐寇停质举。"（见《罗隐集·甲乙集》卷十一）隐另有《江南》、《江北》诸诗，难考作年，姑系于此。

博学宏词科，以吏部尚书萧邺、吏部侍郎于德孙、吏部侍郎杨知温考官；司勋员外郎李耀、礼部员外郎崔澹等考试应宏词选人。（见《旧唐书》本纪）

朝廷以徐州乱平，下大赦诏。（见《资治通鉴》卷二五二）

南诏骠信蛮军围成都，唐军战之于新津、双流等地。（见《新唐书·懿宗本纪》）张云为成都少尹，有《咸通解围录》一卷，记本年成都被南诏围困事，著录于《新唐书·艺文志二》，已佚。《资治通鉴考异》存其佚文若许。

二月

停质举。《太平广记》引《年号记》："咸通十一年，以庞勋盗据徐州，久屯戎卒，连年飞輓，物力方虚，因诏权停贡举一年。是岁进士卢尚卿自远至阙，闻诏而回，乃赋《东归诗》曰：'九重丹诏下尘埃，深琭文闱罢选才。桂树放教遮月长，杏园终待隔年开。自从玉帐论兵后，不许金门谏猎来。今日灞陵桥上过，关人应笑腊前回。'"罗隐《谗书重序》云："隐次《谗书》之明年，以所试不如人，有司用公道落去。其夏，调膳于江东，不随岁贡。又一年，朝廷以彭门就辟，刀机犹湿，诏吾辈不宜求试。"《谗书》作于丁亥，其明年为咸通九年，又一年为十年己丑，"诏吾辈不宜求试"，谓停质举之诏下于十年也。隐又作《陈黯集后序》云："黯字希孺，曩者与予声迹相接于京师，各获誉于进取。咸通庚寅岁，胶其道于蒲津秋试之场。"亦谓是年停质举也。

朝廷大赦诏传至苏州，陆龟蒙感而赋诗，皮日休奉和。陆龟蒙《徐方平后闻赦因寄袭美》："新春旒扆御翚轩，海内初传涣汗恩。秦狱已收为疠气，瘴江初返未招魂。英材尽作龙蛇蛰（时停贡举），战地多成虎豹村。除却数般伤痛外，不知何事及王孙。"（见《全唐诗》卷六二四）皮日休作《奉和鲁望徐方平后闻赦次韵》（见《全唐诗》卷六一三）

甲午，颜庆复为剑南东川节度使，率军力战解成都围。《新唐书·懿宗本纪》本年载："（正月）云南蛮寇黎、雅二州，及成都。二月甲申，剑南西川节度副使王建立及云南蛮战于城北，死之。甲午，剑南东川节度使颜庆复及云南蛮战于新都，败之。"《资治通鉴》卷二五二详载其事，并云："蛮知有备，自是不复犯成都矣。"

三月

寒食日，李频友人归觐，频赋诗送别。李频时在苏州。其《苏州寒食日送人归觐》，中云："江城寒食下，花木惨离魂。几宿投山寺，孤帆过海门。"（见《全唐诗》卷五八九）

春，皮日休、陆龟蒙在苏州唱和往来，说诗论艺，颇多长篇酬和之作。后张贲、羊昭业、李縠、崔璐、魏璞等人亦多与皮、陆往来唱和。陆龟蒙《读襄阳耆旧传因作五百言寄皮袭美》诗记两人相识往还事云："从知偶东下，帆影拂吴岫。……伊余抱沉疾，鲠颥守圭窦。………陈诗采风俗，学古穷篆籀。……唯君枉车辙，以逐海上臭。被襟两相对，半夜忽白昼。"皮日休有和作《鲁望读襄阳耆旧传见赠五百言过褒庸材靡有称是然襄阳曩事历历在目……予次而赞之因而寄答亦诗人无言不酬之义也次韵》（见《全唐诗》卷六〇九）。龟蒙复有《袭美先辈以龟蒙所献五百言既蒙见和复示荣唱至于千字提奖之重蔑有称实再抒鄙怀用伸酬谢》（见《全唐诗》卷六一七）。诗乃酬和皮日休《鲁望昨以五百言见贻过有褒美内揣庸陋弥增愧悚因成一千言上述吾唐文物之盛次叙相得之欢亦叠和之微旨也》诗。其诗论及诗文、文论云："邺下曹父子，猎贤甚熊罴。发论若霞驳（魏文帝《典论》有论文篇），裁诗如锦摛。徐王应刘辈，头角咸相衰。或有妙绝赏，或为独步推。或许润色美，或嫌诋诃痴。倏以中利病，且非混醇醨。雅当乎魏文，丽矣哉陈思。不肯少选妄，恐贻后世嗤。吾祖仗才力（士衡《文赋》），革车蒙虎皮。手持一白旄，直向文场麾。轻若脱钳钛，豁如抽扊扅。精钢不足利，騕褭何劳追。大可罩山岳，微堪析毫厘。十体免负赘，百家咸起痿。争入鬼神奥，不容天地私。一篇迈华藻，万古孑遗。刻鹄尚未已，雕龙奋而为（刘勰有《文心雕龙》）。

刘生吐英辩，上下穷高卑。下臻宋与齐，上指轩从羲。岂但标八索，殆将包两仪。人谣洞野老，骚怨明湘累。立本以致诘，驱宏来抵巇。清如朔雪严，缓若春烟羸。……梁元尽索虏，后主终亡隋。哀音但浮脆，岂望分雄雌。吾唐揖让初，陛列森咎夔。作颂媲吉甫，直言过祖伊。明皇践中日，墨客肩参差。岳净秀擢削，海寒光陆离。皆能取穴凤，尽拟乘云螭。迩来二十祀，俊造相追随。”（见《全唐诗》卷六〇九）

四月

戊子，敕：“去年属以用军之际，权停贡举一年，今既偃戈，却宜仍旧。来年宜别许三十人及第，进士十人，明经二十人。已后不得援例。”（见《旧唐书·懿宗本纪》本年四月条，《册府元龟》，《唐会要》）

五月

一日，郑畋时为翰林学士承旨，在朝候对，作六韵诗《五月一日紫宸候对时属禁直穿内而行因书六韵》。（见《全唐诗》卷五五七）时畋乃自户部侍郎加承旨学士。（据《翰林学士壁记》）

六月

夏秋间，李频离苏州，有辞别曹确诗。李频有《吴门别主人》诗，诗题一作《吴门月夜与曹太尉话别》。（见《全唐诗》卷五八七）曹确时以病求免左仆射、门下侍郎、同平章事，朝廷授为浙西观察使。（见《旧唐书·懿宗本纪》）

夏，苏州久雨未晴，皮日休奉崔璞之命祷于震泽，并作《吴中苦雨因书一百韵寄鲁望》赠陆龟蒙。诗云：“我公大司谏，一切从民欲……念涝为之灾，拜神再三告。太阴霍然收，天地一澄肃。”（见《全唐诗》卷六〇九）其《太湖诗序》云：“咸通九年，自京东游。……从北固至姑苏。……十一年夏六月，会大司谏清河公忧霖雨之为患，乃择日休将公命，祷于震泽。祀事既毕，神应如响。”（见《全唐诗》卷六一〇）陆龟蒙作《奉酬袭美先辈吴中苦雨一百韵》。此诗述及与皮日休结识、酬唱往来情景云：“其时心力愦，益使气息惙。永夜更呻吟，空床但皮骨。君来赞贤牧，野鹤聊簪笏。谓我同光尘，心中有溟渤。轮蹄相压至，问遗无虚月。首到春鸿濛，犹残病根茇。看花虽眼晕，见酒忘肺渴。隐几还自怡，逢声亦争喝。抽毫更唱和，剑戟相磨戛。”（见《全唐诗》卷六一七）约此时或之前，皮日休有《苦雨杂诗寄鲁望》、《奉酬鲁望夏日四声四首》、《苦雨中又作四声诗寄鲁望》等诗（均见《全唐诗》卷六一六），陆龟蒙则有《奉酬袭美苦雨见寄》、《奉酬袭美苦雨四声重寄三十二韵》等诗。（均见《全唐诗》卷六三〇）

夏秋间，许棠北游边塞，至天雄军驻地秦川一带，有抒怀及干谒诗。其《献独孤尚书》：“虚抛南楚滞西秦，白首依前衣白身。退鹢已经三十载，登龙曾见一千人。魂离为役诗篇苦，泪竭缘嗟骨相贫。今日鞠躬高旆下，欲倾肝胆杳无因。”（见《全唐诗》

卷六〇四）此独孤尚书为天雄军节度使独孤云。（据《唐方镇年表》卷八）。许棠此行尚有《秦中遇友人》、《成纪书事二首》。（均见《全唐诗》卷六〇四）此时前后，棠有《边城晚望》、《隗嚣宫晚望》、《将过单于》、《陇州旅中书事寄李中丞》、《银州北书事》、《出塞门》、《雁门关野望》、《塞外书事》、《夏州道中》、《陇上书事》、《塞下二首》、《五原书事》等边塞之作。（均见《全唐诗》卷六〇三）

八月

张贲……，约此时前后与陆龟蒙、皮日休、郑璧等人往还唱和。贲，字润卿，南阳人。登大中进士第，唐末为广文博士。寓吴中，与皮、陆二生游。其诗多羁旅感激，若“异乡无限思，尽付酒醺醺。”（见《唐诗纪事》卷六四张贲条）皮日休有《寄怀南阳润卿》、《南阳润卿将归雷平因而有赠》（见《全唐诗》卷六一四）、《江南道中怀茅山广文南阳博士三首》（见《全唐诗》卷六一三〇）；陆龟蒙有《寄怀华阳道士》（见《全唐诗》卷六二六）、《江南秋怀寄华阳山人》（见《全唐诗》卷六二三）、《奉和袭美怀华阳润卿博士三首》（见《全唐诗》卷六二五）。张贲有《旅泊吴门》、《贲中间有吴门旅泊之什蒙鲁望垂和更作一章以伸酬谢》诗（均见《全唐诗》卷六三一），龟蒙亦有《和张广文贲旅泊吴门次韵》，中云：“高秋能叩触，天籁忽成文。苦调虽潜倚，灵音自绝群。”（见《全唐诗》卷六二二）又《又次前韵酬广文》，中云：“独倚秋光岸，风漪学篳文。玄堪教凤集，书好换鹅群。”又有《江南秋怀寄华阳山人》诸诗（均见《全唐诗》卷六二三）。

处士魏朴（一作璞），字不琢，工诗文，此时前后与皮日休、陆龟蒙唱和。皮日休赠以《五贶诗》。陆龟蒙亦应皮日休之邀而有和诗。皮日休《五贶诗并序》云：“毘陵处士魏君不琢，气真而志放，居毘陵凡二纪，闭门穷学……日休尝闻道于不琢，敢不求雅物，成雅思乎？于是买钓船一……谓之五泻舟。天台杖一，……谓之华顶杖……皆寄于不琢，行以资云水之兴，止以益琴籍之玩。真古人之雅贶也，因思乘韦之义，不过于词。遂为五篇，目之曰五贶，兼请鲁望同作。”日休诗五题为：《五泻舟》、《华顶杖》、《太湖砚》、《乌龙养和》、《诃陵樽》。（均见《全唐诗》卷六一二）陆龟蒙作《奉和袭美赠魏处士五贶诗》，其中《太湖砚》云：“谁截小秋滩，闲窥四绪宽。绕为千嶂远，深置一潭寒。坐久云应出，诗成墨未干。不知新博物，何处拟重刊。”（见《全唐诗》卷六二二）

九月

高湘在右谏议大夫任，为时相所排，贬高州司马，有怨愤之作。《玉泉子》：“及咸通中，韦保衡、路岩作相，除不附己者十司户。崔沆循州……高湘高州……初高湜与弟湘少不相睦。咸通末既出高州……愤湜不佑己，尝赋诗云：‘唯有高州是富家’之句焉。”（参《旧唐书·高湘传》）《资治通鉴》卷二五二咸通十一年载：“秋八月乙未，同昌公主薨。上痛悼不已，杀翰林医官韩宗劭等二十余人……中书侍郎、同平章事刘瞻召谏官传言之，谏官莫敢言者，乃自上言，以为：‘……械系老幼三百余人，物议沸腾，道路嗟叹。奈何以达理知命之君，涉肆暴不明之谤！……’……上大怒，叱出之。”九月贬刘瞻等外出，并贬右谏议大夫高湘等于岭南，“皆坐与刘瞻亲善，为韦保衡所逐也”。

郑畋草刘瞻罢相制，不称路岩意，贬梧州刺史。《资治通鉴》卷二五二咸通十一年九月载：“丙子，贬（刘）瞻康州刺史。翰林学士承旨郑畋草瞻罢相制辞曰：‘安数亩之居，仍非己有；却四方之赂，惟畏人知。’（路）岩谓郑畋曰：‘侍郎乃表荐刘相也。’出贬梧州刺史。”

秋，罗隐在湖南衡阳主簿任，有赠范郧及寄友人诗。经杜甫墓，有诗咏之。《罗隐集·杂著》有《湘南应用集序》，中云：“去年冬，河南公按察长沙郡，隐因请事笔砚，以资甘旨。明年夏，隐得衡阳县主簿。”［按，河南公乃于瓌，其去年（即咸通十年）即任湖南观察使，本年夏罗隐遂有衡阳主簿之任］隐此时有《衡阳泊木居士庙下作》（见《罗隐集·甲乙集》卷二）、《湘中赠范郧》（见《罗隐集·甲乙集》卷四）。隐在湘两年，有《经耒阳杜工部墓》诗：“紫菊馨香覆楚醪，奠君江畔雨萧骚。旅魂自是才相累，闲骨何妨冢更高。骥騄丧来空蹇蹶，芝兰衰后长蓬蒿。屈原宋玉怜君处，几驾青缡缓郁陶。”

十月

二十四日，罗隐《湘南应用集》成，并为之序。《罗隐集·杂著·湘南应用集序》云：“冬十月，乞假归觐，阻风于洞庭、青草间，因思湘南文书，十不一二，盖以失落于马上军前故也。今分为三卷，而举牒、祠祭者亦与焉。某月二十四日序。”

薛能由给事中为京兆尹。（见《旧唐书·懿宗本纪》）

十一月

薛逢年约六十五，赋诗讥宰相王铎。后迁秘书监，卒。《旧唐书·薛逢传》云：“王铎作相，逢又有诗云：‘昨日鸿毛万钧重，今朝山岳一尘轻。’铎又怨之。以恃才褊忿，人士鄙之。迁秘书监，卒。”

五日，孙樵撰文祭友人谏议大夫高锡望。樵《祭高谏议文》云：“咸通十一年十一月五日，友人孙樵，谨遣家僮……敬祭于故友滁州刺史赠谏议大夫高公叶卜之灵。”（见《全唐文》卷七九五）咸通九年十一月庞勋将张行简攻陷滁州，杀害刺史高锡望。又樵此前有《与高锡望书》，论撰史之态度笔法，文云：“史才最难……唐朝以文索士，二百年间，作者数十辈，独高韩吏部。吏部修《顺宗实录》，尚不能当孟坚，其能与子长、子云相上下乎？……古史有直事俚言者，有文饰者，乃特纪前人一时语，以为实录，非谓俚言奇健，能为史笔精魄。故其立言序事，及出没得失，皆字字典要，何尝以俚言汩其间哉。……为史官者，明不顾刑辟，幽不愧神怪。若梗避于其间，其书可烧也。”（见《全唐文》卷七九四）又孙樵有《孙氏西斋录》，亦“授其友高锡望传之”者，乃记唐高祖至武宗朝事，盖为编年杂录。（见《全唐文》卷七九五）

皮日休应新罗弘惠上人所请，为撰灵鹫山周禅师碑，并赋诗为上人送行。时陆龟蒙亦有奉和之篇。皮日休《庚寅岁十一月新罗弘惠上人与本国同书请日休为灵鹫山周禅师碑将还以诗送之》："三十麻衣弄渚禽，岂知名字彻鸡林。勒铭虽即多遗草，越海还能抵万金。……二千余字终天别，东望辰韩泪洒襟。"（见《全唐诗》卷六一四）陆龟蒙《和袭美为新罗弘惠上人撰灵鹫山周禅师碑送归诗》："一函迢递过东瀛，只为先生处乞铭。已得雄词封静检，却怀孤影在禅庭。……遥想勒成新塔下，尽望空碧礼文星。"（见《全唐诗》卷六二六）

十二月

顾云约二十岁，至天雄军，有投献之作。其《投西边节度使启》，中云："伏以尚书勇冠山西，声闻陇右。……某稷下儒生，天涯客子……蓍言利见，龟告叶从，径趋沙漠而来，直指旌旗之下。"（见《全唐文》卷八一五）

秋冬间，许棠、张乔、喻坦之、任涛、剧燕、吴罕、张蠙等均在京兆府应试。时京兆参军李频主试，试《月中桂》诗，张乔擅场，而李频以棠老于场屋而首荐之。时许棠、张乔诸人均以诗齐名，号"咸通十哲"。《唐摭言》卷十载："张乔，池州九华人也，诗句清雅，敻无与伦。咸通末，京兆府解，李建州时为京兆参军主试，同时有许棠与乔及喻坦之、剧燕、任涛、吴罕、张蠙、周繇、郑谷、李栖远、温宪、李昌符，谓之十哲。其年府试《月中桂》诗，乔擅场。诗曰：'与月长洪濛，扶疏万古同。根非生下土，叶不坠秋风。每以圆时足，还随缺处空。影高群木外，香满一轮中。未种青霄日，应虚白兔宫。何当因羽化？细得问神功。'其年频以许棠在场席多年，以为首荐。"乔，字伯迁。池州青阳（今属安徽）人。生卒年不详。早年隐居于九华山，又曾与许棠共隐于庐山。咸通中应举，不趋时俗，太子少师郑薰召为门下客。应京兆府试，众推第一。明年进士试落选。广明元年（880）后归隐于九华。无成而终。工诗，有时名。与许棠、张蠙、周繇合称"九华四俊"，复与许、周等称"咸通十哲"。长于近体，尤工五律。多纪行写景、送别寄赠、感怀咏物之作，写仕取失意、离别思乡之哀愁。《河湟旧卒》、《将归江淮书》、《促织》、《猿》等诗作，反映边塞和战乱实际，同情民生疾苦，指斥侯门，较多现实内容。其游边之作有《游边感怀二首》（见《全唐诗》卷六三九）、《书边事》（见《全唐诗》卷六三八）、《再书边事》（见《全唐诗》卷六三九）等。张乔宗尚贾岛，有《题贾岛吟诗台》（见《全唐诗》卷六三九）。郑谷《故少师从翁隐岩别墅……》诗中注云："（张）乔诗苦道贞。"（见《全唐诗》卷六七五）元辛文房谓其"诗句清雅，迥少其伦"（《唐才子传》）。清贺裳称其诗有"入情之句"、"有一气贯串之妙，尤能作景语"（见《载酒园诗话又编》）。颇多传世佳句。《沿汉东归》"绝壁云衔寺，空江雪洒船"、《华山》"树粘青霭合，崖夹白云浓"等为写景佳句。《新唐书·艺文志四》著录《张乔诗集》二卷，有散佚。今传《张乔诗集》四卷。《全唐诗》存诗二卷，《全唐诗补编》补一首。少数作品系误收。《全唐文》存文一篇。事迹见《唐才子传校笺》卷一〇。

曹松与许棠素有交，松此前有《山中寒夜呈进士许棠》诗。（见《全唐诗》卷七一六）

张乔亦与许棠亦为知友，此前张乔即有《送友人进士许棠》、《江上逢进士许棠》、《送许棠下第游蜀》（见《全唐诗》卷六三八、卷六三九）

冬，张贲有《和袭美寒夜见访》诗。（见《全唐诗》卷六三一）贲颇推皮日休文才。有《和袭美醉中先起次韵》、《和皮陆酒病偶作》、《偶约道流终乖文会答皮陆》、《酬袭美先见寄倒来韵》、《奉和袭美醉中即席见赠次韵》等诗作。（均见《全唐诗》卷六三一）

本年

谭铢为僧文珦撰《庐州明教寺转关经藏记》，记其创转关经藏之事。其文云："大唐咸通庚寅岁，庐之佛寺曰明教，有禅那僧文珦创转关经藏成，命铢记其事。铢常学释氏，因录其义以喻之。"（见《全唐文》卷七六〇）

齐己本年七岁，寺僧以其聪颖，劝其捐俗。遂出家，于大沩山寺为僧。齐己本佃户胡氏之子也。与诸童子为寺司牧牛，然天性颖悟，于风雅之道日有所得，往往以竹枝画牛背为篇什，众僧奇之，且欲壮其山门，遂劝令出家。（见宋陶岳《五代史补》卷三《僧齐己》）后齐己为唐末五代著名诗僧。有《白莲集》、《诗格》、《风骚旨格》等著作。《宋高僧传》卷三〇有传。

严恽（？—870）卒。唐之诗人。字子重。吴兴（治今浙江湖州）人。累举进士不第。大中四、五年（850、851）间，杜牧为湖州刺史，与之过从酬和，有《和严恽秀才落花》诗。咸通十年（869）严恽至苏州，访皮日休、陆龟蒙，甚相知。卒，皮、陆有诗悼之。诗工于七言，往往有清便柔媚、时轶常轨之作。《全唐诗》存诗一首。

皮日休、陆龟蒙以诗伤悼严恽。皮日休《伤进士严子重诗并序》云："余为童在乡校时，简上抄杜舍人牧之集，见有与进士严恽诗。后至吴，一日，有客曰严某，余志其名久矣，遽怀文见造，于是乐得礼而观之。其所为工于七字，往往有清便柔媚，时可轶骇于常轨。其佳者曰：'春光冉冉归何处，更向花前把一杯。尽日问花花不语，为谁零落为谁开？'余美之，讽而未尝息。……未几，归吴兴。后两月（咸通十一年也），雪人至云：'生以疾亡于所居矣。'噫，生徒以词闻于士大夫，竟不名而逝，岂止此而湮没耶。江湖间多美材，士君子苟乐退而有文者死，无不为时惜，可胜言耶！于是哭而为诗。鲁望生之友也，当为我同作。"（见《全唐诗》卷六一四）稍后陆龟蒙即有《严子重以诗游于名胜间旧矣余晚于江南相遇甚乐不幸且没袭美作诗序而吊之其名真不朽矣又何戚其死哉余因息悲而为之和》（见《全唐诗》卷六二五）。

崔璐、皮日休、陆龟蒙本年有唱和酬答之作。日休《正乐府十篇》极受诸人称誉。崔璐作《览皮先辈盛制因作十韵以寄用伸款仰》（见《全唐诗》卷六三一），日休酬和以《奉酬崔璐进士见寄次韵》（见《全唐诗》卷六〇九），陆龟蒙则有《奉和袭美酬前进士崔璐盛制见寄因增至一百四十言》（见《全唐诗》卷六一八）之作。崔璐诗赞誉日休之为人与诗文云："在人为英杰，与国作祯符。……勇果鲁仲由，文赋蜀相如。……既比曾参行，仍兼君子儒。"龟蒙诗推崇日休云："近者韩文公，首为开辟锄。夫子又继起，阴霾终廓如。搜得万古遗，裁成十编书。……清词忽窈窕，雅韵何虚徐。

……俪曲信寡和，末流难嗣初。”龟蒙所称皮氏“十编书”指《正乐府十篇》。

皮日休《正乐府十篇》作于此时之前，乃其反映现实之名作，姑系于此。其诗为《卒妻怨》、《橡媪叹》、《贪官怨》、《农父谣》、《路臣恨》、《贱贡士》、《颂夷臣》、《惜义鸟》、《诮虚器》、《哀陇民》。此诗序云：“乐府盖古圣王采天下之诗，欲以知国之利病，民之休戚者也。……诗之美也，闻之足以劝乎功；诗之刺也，闻之足以戒乎政。……由是观之，乐府之道大矣。今之所谓乐府者，唯以魏晋之侈丽，陈梁之浮艳，谓之乐府诗，真不然矣。故尝有可悲可惧者，时宣于咏歌，总十篇，故命曰正乐府诗。”(见《全唐诗》卷六〇八)

约本年，江南进士颜萱过张祜故居，忆及少时蒙其抚爱，感而赋诗咏吊之，并邀陆龟蒙同作。龟蒙应邀奉和，且请皮日休同作以传张祜之事。颜萱《过张祜处士丹阳故居》诗之序云：“萱与故张处士祜，世家通旧。尚忆孩稚之岁，与伯氏尝承处士抚抱之仁。……光阴徂谢，二纪于兹，适经其故居……因吟五十六字，以闻好事者。”（见《全唐诗》卷六三一）颜萱，字弘至，江南进士，中书舍人颜荛弟。龟蒙有和颜萱诗之作《和过张祜处士丹阳故居并序》。其序云：“张祜，字承吉，元和中作宫体小诗，辞曲艳发，当时轻薄之流，能其才，合噪得誉。及老大，稍窥建安风格，诵乐府录，知作者本意。短章大篇，往往间出。谏讽怨谲，时与六义相左右。善题目佳境，言不可刊置别处，此为才子之最也。……友人颜弘至行江南道中，访其庐，作诗吊而序之，属余应和。余……邀袭美同作，庶乎承吉之孤，倚其传而有怜者。”（见《全唐文》卷六二六）皮日休和诗为《鲁望悯承吉之孤为诗序邀予属和……》。（见《全唐诗》卷六一四）

义存本年（870）建院于雪峰山。世号雪峰和尚。僖宗时赐号真觉大师。

卢尚卿，本年赴京应试，逢朝廷停贡举，赋《东归诗》以纪之。尚卿，生卒籍贯不详。僖宗中和二年（882）始进士及第于蜀中。《全唐诗》存诗一首。事迹见《唐诗纪事》卷五八。

王定保（870—940）生。《唐摭言》卷三《散序》条云：“定保生于咸通庚寅岁。”定保擅小说，有《唐摭言》传世。南昌（今属江西）人。诗人吴融婿。光化三年(900）中进士。任容管巡官，后为刘隐幕属。南汉大有初，官宁远军节度使。十三年(940)，拜中书侍郎、同平章事，是年卒。工文辞，撰《南宫七奇赋》及《唐摭言》十五卷。(见《唐摭言》卷三、《新五代史·南汉世家》、《十国春秋》、《南汉书》本传）王素有文考定保事迹。

崔居俭（870—939）生。居俭，五代文学家。卫州（治今河南卫辉）人。少举进士。后梁贞明中为中书舍人。后唐同光元年（923），授刑部侍郎，充史馆修撰。改御史中丞。天成元年（926），迁兵部侍郎。历尚书左丞、工部尚书。太常卿。应顺元年(934）徙秘书监。复为工部尚书。后晋天福二年（937）转户部尚书。四年（939），卒。《全唐诗》存诗一首，《全唐文》存文一篇，《唐文拾遗》补一篇。事迹见《旧唐书·崔宁传》、《新五代史》本传。

张晔（816—870）卒。晔，字日章。邓州南阳（今属河南）人。大中前后用古调诗应进士举，知名于世。然屡试不第，失意而终。著古律诗千余首，为时人所称。《寄征衣》诗尤有名，《全唐诗补编》收之。其余作品已佚。事迹见唐李夷遇《唐故乡贡进士南阳郡张公墓志铭》（见《千唐志斋藏志》）。

薛调进士及第十六年，本年充翰林学士。

公元 871 年（唐懿宗咸通十二年　辛卯）

正月

辛酉，葬懿宗爱女文懿公主，丧事极尽豪侈。《资治通鉴》卷二五二咸通十二年："春正月辛酉，葬文懿公主。韦氏之人争取庭祭之灰，汰其金银。凡服玩，每物皆百二十舆，以锦绣、珠玉为仪卫、明器，辉焕三十余里。……上与郭淑妃思公主不已，乐工李可及作《叹百年曲》，其声凄惋，舞者数百人，发内库杂宝为其首饰，以绝八百匹为地衣，舞罢，珠玑覆地"。并诏命百僚为挽歌辞。（见《旧唐书·懿宗本纪》）

陆龟蒙与皮日休诗歌唱和频频。陆龟蒙作《早春雪中作吴体寄袭美》（见《全唐诗》卷六二四），皮日休有《奉和鲁望早春雪中作吴体见寄》（见《全唐诗》卷六一三）。龟蒙赋《独夜有怀因作吴体寄袭美》（见《全唐诗》卷六二四），日休酬以《奉和鲁望独夜有怀吴体见寄》（见《全唐诗》卷六一三）。龟蒙有《上元日道室焚修寄袭美》、《正月十五日惜春寄袭美》（均见《全唐诗》卷六二四），而日休则有《奉和鲁望上元日道室焚修》、《奉酬鲁望惜春见寄》（均见《全唐诗》卷六一三）。

罗隐三十九岁，东归途中阻风夏口，有纪行及赠友诗。作《自湘川东下立春日泊夏口阻风登孙权城》、《春日忆湖南旧游寄卢校书》（见《罗隐集·甲乙集》卷二）又有《龙丘东下却寄孙员外》（见《罗隐集·甲乙集》卷二）、《寄三衢孙员外》（见《罗隐集·甲乙集》卷三）赠衢州刺史孙玉汝。（参《容斋续笔》卷十一）

二月

中书舍人高湜知贡举。李筠、裴枢、许棠、刘希、李拯、公乘亿、聂夷中、曾繇、韦保乂等四十人登进士第。

李筠以第一名登进士科状元。

裴枢，生卒年不详，本年进士及第。《旧唐书·裴遵庆传》："遵庆子向，向子寅。寅子枢，字纪圣，咸通十二年登进士第。"

许棠年五十，登进士第，以《洞庭》诗闻名。贯休闻其及第，寄诗桂雍称许许棠。《唐才子传》："许棠字文化，宣州泾人也。咸通十二年李筠榜进士及第。时及知命，尝曰：'自得一第，稍觉筋骨轻健，愈于少年，则知一名乃孤进之还丹也。'调泾县尉。"《唐语林》："许棠初试进士，与薛能、陆肱齐名。薛擢第，尉周至，肱下第，游太原，棠并以诗送之。棠登第，薛已自京尹出镇徐州；陆亦出守南康，招棠为倅。初，高侍郎湜知举，棠纳卷，览其诗云：'退鹢已经三十载，登龙仅见一千人。'乃曰：'世复有屈于许棠者乎！'永宁刘相以其子希同年，留为淮南馆驿官。"《唐摭言》："许棠久困名场，咸通末，马戴佐大同军幕，棠往谒之。一见如旧相识，留连数月，但诗酒而已，未尝问所欲。一旦大会宾客，命使者以棠家书授之，棠惊愕莫知其来，启缄即知戴潜遗一介恤其家矣。”《永乐大典》引《池州府志》：“张乔字伯迁。时李频以参军主试，乔及许棠、张蠙、周繇皆华人，时号‘九华四俊’。试以《月中桂》为题，乔诗擅场，人皆推为首选，乔曰：‘许君场屋旧游，乔何敢居上！’遂推棠为首。”张乔《送许棠及第归宣州诗》曰：“雅调一生吟，谁为晚达心。傍人贺及第，独自却沾襟。宴别喧天乐，家归碍日岑。青门许攀送，故里接云林。”又李频《送许棠及第归宣州诗》曰：“高科终自致，志业信如神。待得逢公道，由来合贵身。秋归方觉好，旧梦始知真。更想青山宅，谁为后主人。”又贯休《闻许棠及第因寄桂雍诗》曰：“时清道合出尘埃，清苦为诗不仗媒。今日桂枝平折得，几年春色并将来。势扶九万风初极，名到三山花正开。更有平人居蜇屋，还应为作一声雷。”《金华子杂编》卷下：“许棠常言于人曰：‘往者未成事，年渐衰暮，行倦达官门下，身疲且重，上马极难。自喜一第以来，筋骨轻健，揽辔升降，犹愈于少年时。”’《唐诗纪事》卷七十许棠传云：“棠，字文化，宣州泾县人。登咸通十二年进士第。”又《新唐书·艺文志四》：“《许棠诗》一卷。”

刘希，生卒年不详，本年进士及第。希字至颜，邺之子。（见《宰相世系表》）

李拯，生卒年不详，本年进士及第。《旧唐书·文苑传》：“李拯字昌时，陇西人。咸通十二年登进士第。”拯光启元年（885）拜尚书郎。转考功郎中知制诰。次年被嗣襄王李熅逼为翰林学士。忧怨不安，望终南山而吟诗。后为乱军所杀。《全唐诗》存诗一首。事迹见《旧唐书·文苑传》。

公乘亿，生卒年不详，出身贫寒，三十举而名不成，久困场屋，今年始登第。《唐才子传》：“公乘亿字寿山，咸通十二年进士。”［按，“寿山”，《新、旧书》、《高钦传》作“寿仙”］《唐摭言》：“公乘亿，魏人也，以词赋著名。咸通十二年，垂三十举矣。尝大病，乡人误传已死。其妻自河北来迎丧，会亿送客至坡下，遇其妻。始夫妻阔别积十余岁，亿时在马上见一妇粗缞跨驴，依稀与妻类，因睨之不已，妻亦如是。乃令人诘之，果亿内子，与之相持而泣，路人叹异之。后旬日，亿登第矣。”亿本年登进士第后，乾符四年（877），任万年县尉，为京兆尹崔淯差为京兆府试官。后与李山甫同为魏博节度使乐彦祯辟为从事，加授监察御史衔。昭宗时，又为魏博节度使罗弘信从事，卒。亿擅诗，亦善笺奏。其诗多为时人书于屋壁，以为法式。《新唐书·艺文志四》著录《公乘亿诗》一卷、《赋集》十二卷，《宋史·艺文志七》著录《珠林集》四卷、《华林集》三卷、集七卷，均散佚。《全唐诗》存诗四首、断句一联，《全唐文》存文三篇。事迹见《唐摭言》卷二、八，《北梦琐言》卷二，《新唐书·艺文志四》，《唐诗纪事》卷六八，《唐才子传校笺》卷九。

聂夷中约三十五岁，登进士第。有送人归江南诗。后授华阴县尉，赴任时颇困顿，“惟琴书而已”。《北梦琐言》卷二：“咸通十二年，礼部侍郎高湜知举。榜内孤贫者公乘亿，赋诗三百首，人多书于屋壁。许棠有《洞庭》诗，尤工，时人谓之‘许洞庭’。最奇者有聂夷中，河南中都人，少贫苦，精于古体，有《公子家》诗云……又《咏田家》诗云：‘父耕原上田，子劚山下荒。六月禾未秀，官家已修仓。’……又云：‘三月卖新丝，五月粜新谷。医得眼前疮，剜却心头肉。我愿君王心，化为光明烛。不照绮罗筵，只照逃亡屋。’所谓言近意远，合三百篇之旨也。”又，夷中作《送友人归江南》（《全唐诗》卷六三六），以诗送别下第友人。此后，聂夷中有华阴尉之任。《唐才子传

·聂夷中传》记其“滞长安久，皂裘已弊，黄粮如珠，始得调华阴县尉，之官惟琴书而已。”夷中，字坦之。河南中都（今河南沁阳）人。一说河东（治今山西永济西）人，误。出身贫苦，备尝辛楚。擅五古，所作诗“多伤俗悯时之举，哀稼穑之艰难”。其《伤田家》、《田家》、《公子行》等诗尤脍炙人口。五代冯道称《伤田家》诗“语虽鄙俚，曲尽田家之情状”。并吟此诗讽后唐明宗，明宗遂命左右录其诗，常讽诵之。其诗古朴无华，言近意远，辛文房称其“古乐府尤得体，皆警省之辞，稗补政治，‘乐而不淫，哀而不伤’，正《国风》之义也”。《新唐书·艺文志四》著录《聂夷中诗》二卷，《直斋书录解题》卷一九则记为一卷，均散佚。《全唐诗》编诗为一卷。任三杰有《聂夷中诗注析》。事迹见《北梦琐言》卷二、《新唐书·艺文志四》、《新唐书·高钛传》、《唐诗纪事》卷六一、《唐才子传校笺》卷九。

曾繇，生卒年不详，本年进士及第。《永乐大典》引《宜春志》：“咸通十二年，曾繇登进士第。”

韦保乂，生卒年不详，本年进士及第。《旧唐书·韦保衡传》：“弟保乂，进士登第。”《唐摭言》：“韦保乂，咸通中以兄在相位，应举不得，特敕赐及第，擢入内庭。”[按，韦保衡于咸通十一年四月同平章事，十三年十一月拜司空]

博学宏词科：《旧唐书》本纪：“三月，以吏部尚书萧邺，吏部侍郎归仁晦、李当考官；司封郎中郑绍业，兵部员外郎陆勋等试宏词选人。”陆勋，唐之小说家。苏州嘉兴（今属浙江）人。生卒年不详。曾任校书郎。本年（871）以兵部员外郎参与考试宏词选人。后官吏部郎中。撰《陆氏集异记》二卷，《郡斋读书志》子部小说类有著录，今传四卷本，《四库全书总目》疑后人附会。事迹见《唐尚书省郎官石柱题名考》卷三、《元和姓纂四校记》卷一〇。

林慎思，本年登博学宏词科。然徐松《登科记考》列为咸通十年，考云：“《永乐大典》引《长乐县志》：‘林慎思，咸通十年以宏词登第。’按，林永作家傅云：‘咸通十一年，高实侍郎下再试中宏词，拔萃魁敕。’考‘高实’疑‘高湜’之讹，高湜于十二年知举，无试宏词事，当从《长乐县志》。”徐氏所考盖误，当移至本年。

知贡举：中书舍人高湜。《旧唐书》本纪：“咸通十一年十月，以中书舍人高湜权知礼部贡举。”《新唐书》：“时士多由权要干请，湜不能裁。既而抵帽于地曰：‘吾决以至公取之，得谴固吾分。’乃取公乘亿、许棠、聂夷中等。”《玉泉子》：“高湜雅与路岩相善，湜既知举，问岩所欲言。时岩以去年停质举，已潜奏恐有遗滞，请加十人矣。即托湜以五人。湜喜其数寡，形于颜色。不累日，十人制下，湜未之知也。岩执诏笑谓湜曰：‘前者五人，侍郎所惠也。今之十人，某自致也。，湜竟依其数放焉。”

喻坦之、张乔在长安落第，薛能有诗寄慰。《唐摭言》卷十《海叙不遇》：“乔与喻坦之复受许下薛能尚书深知，因以诗唁二子曰：‘何事尽参差，惜哉吾子诗。……何曾见尧日，相与啜浇漓。’”薛能此诗即《寄唁张乔喻坦之》。（见《全唐诗》卷五五八）。坦之本年后事迹无考，其诗有《代北言怀》等。曹松有《送进士喻坦之游太原》（见《全唐诗》卷七一六）诗。《直斋书录解题》卷十九著录《喻坦之集》一卷。《全唐诗》卷七一三编其诗一卷。

任涛复落第。任涛前亦曾数举不第，江西观察使李骘赏其诗，特放免乡里之役。

不久卒。任涛乃咸通十哲之一，洪州人。《唐摭言》卷十载："任涛……诗名早著。有'露团沙鹤起，人卧钓船流'。他皆仿此。数举败于垂成。李常侍骘廉察江西，特与放乡里之役，盲俗互有论列。骘判曰：'江西境内，凡为诗得及涛者，即与免放乡役，不止一任涛矣。'"《唐才子传·任涛传》曰："未几，涛逝去，有才无命，大可怜也"。《全唐诗》卷七九五仅存任涛诗上引二句。

顾云年约二十一，进士试落第，作《投户部裴德符郎中启》，祈为援引。（见《全唐文》卷八一五）

唐彦谦落第，前曾于试夜题诗。其《试夜题省廊桂》："麻衣穿穴两京尘，十见东堂绿桂春。今日竞飞杨叶箭，魏舒休作画筹人。"（见《全唐诗》卷六七二）

郑谷年二十四，在京落第，有《寄边上从事》及《送太学颜明经及第东归》之作。（见《郑谷诗集编年校注》）。

三月

暮春，崔璞罢苏州刺史任，有诗。皮日休、陆龟蒙均唱和。崔璞赋《蒙恩除替将还京洛偶叙所怀因成六韵呈军事院诸公郡中一二秀才》（见《全唐诗》卷六三一），皮日休有《谏议以罢郡将归以六韵赐示因仁酬献》（见《全唐诗》卷六一二），陆龟蒙亦有《谨和谏议罢郡叙怀六韵》（见《全唐诗》卷六二三）。

春，张乔游曲江而赋诗自诮。时顾云亦落拓京华，乔有诗赠之。张乔有《春日游曲江》（见《全唐诗》卷六三九），其《自诮》云："每到花时恨道穷，一生光景半成空。只应抱璞非良玉，岂得年年不至公。"又其《赠进士顾云》诗中云："潮槛烟波别钓津，西京同□获□贫。与君愁寂无消处，赊酒青门送楚门。"（均见《全唐诗》卷六三九）

约本年春，贯休上庐山，有抒怀寻友之作。此行贯休诗有《再到钟陵作》（见《全唐诗》卷八三五）、《江西再逢周琏》（见《全唐诗》卷八三二）。

四月

薛能仍在京兆尹任，路岩罢相，能以语讥之。《资治通鉴》卷二五二咸通十二年："门下侍郎、同平章事路岩与韦保衡素相表里，势倾天下。既而争权，浸有隙，保衡遂短岩于上。夏四月癸卯，以岩同平章事，充西川节度使。岩出城，路人以瓦砾掷之。权京兆尹薛能，岩所擢也，岩谓能曰：'临行，烦以瓦砾相饯！'能徐举笏对曰：'向来宰相出，府司无例发人防卫。'岩甚惭。能，汾州人也。"

六月

十二日，顾云作《题致仕武宾客嵩山旧隐诗序》。其序云："宾客讳攸绪，则天皇后从侄也。…… 时睿文英武明德至仁广孝皇帝御宇十二岁也。龙集辛卯，律中林钟十二日丙寅题。"

七月

新秋，陆龟蒙数度与皮日休诗歌唱和。陆龟蒙作《早秋吴体寄袭美》（见《全唐诗》卷六二六）、《新秋月夕客有自远相寻者作吴体二首以赠》（见《全唐诗》卷六二四）。时皮日休有《奉和鲁望早秋吴体次韵》、《新秋即事三首》以酬答（均见《全唐诗》卷六一四），而陆龟蒙复作《和袭美新秋即事次韵三首》（见《全唐诗》卷六二六）。

八月

胡曾为路岩从事，时岩罢相镇西川，其上书路岩盖在此时前后。曾咸通中屡下第，数赋诗寄愤。《唐才子传·胡曾传》载："曾……咸通中进士。初，再三下第，有诗云：'翰苑几时休嫁女，文章早晚罢生儿。上林新桂年年发，不许闲人折一枝。'"曾另有《寒食都门》诗（见《全唐诗》卷六四七），又有《谢赐钱启》、《剑门上路相公启》上路岩（见《全唐文》卷八一一）。后云："（某）效枚叟之文章，虽怜七岁，感潘生之岁月，已叹二毛。失路肠回，违邦足刖。……那能倚马，妄窃攀龙。仰天上之程途，已亲台席；指人间之歧路，尚感客星。披雾非遥，拜尘在即。"

秋，许棠及第后归宣州，李频、林宽、张乔皆有送行之作。后张乔东归，李洞赋诗以送。李频有《送许棠及第归宣州》："高科终自致，志业信如神。……秋归方觉好，旧梦始知真。"(见《全唐诗》卷五八八)。张乔有《送许棠及第归宣州》（见《全唐诗》卷六三八），林宽有《送许棠先辈归宣州》（见《全唐诗》卷六〇六）。张乔东归宣州，李洞有《送张乔下第归宣州》，中云："诗道世难通，归宁楚浪中。早程残岳月，夜泊隔淮钟。"（《全唐诗》卷七二一）

秋，郑谷以诗为京兆尹薛能所赏，故作《献大京兆薛常侍能》诗以呈献。又有诗题于张乔所居。其《访题进士张乔延兴门外所居》诗云："近日文场内，因君起古风。"（均见《郑谷诗集编年校注》）

皮日休、陆龟蒙、张贲等秋宴，分韵赋诗。皮日休有《秋夕文宴得遥字》、《寒夜文宴得泉字》诗（均见《全唐诗》卷六一四），陆龟蒙有《寒夜文宴得惊字》、《秋夕文宴得成字》诗。后诗下注："梁昭明尝文宴，赋诗各五韵，刘孝威第七方成。"（均见《全唐诗》卷六二六）。皮日休、张贲、陆龟蒙三人又有联句《寒夜文宴联句》、《药名联句》（见《全唐诗》卷七九二），陆龟蒙、皮日休有《寒夜联句》、《开元寺楼看雨联句》，此外皮、陆两人与嵩起之有《报恩寺南池联句》。

十月

许彬罢举归睦州。郑谷作《闻进士许彬罢举归睦州怅然怀寄》。（见《全唐诗》卷六七四）黄滔《答陈磻隐论诗书》云："（希刘）咸通季初贡于小宗伯……是时张乔、许彬、林希刘皆咸有诗名，而退飞不已。"（见《全唐文》卷八二三）《剧谈录》卷下："自大中、咸通之后，每岁试春官者千余人，其间有名声，如……许琳（"彬"之误）

……以律诗传，皆苦心文华，厄于一第。”《全唐诗》卷六七八编许彬诗一卷。

十二月

方干年约六十三，作《送睦州侯郎中赴阙》诗。诗云：“昔著政声闻国外，今留儒术化江东。……郡人难议酬恩德，遍在三年礼遇中。”（见《全唐诗》卷六五二）

本年

汪遵年约四十六，作《过杨相宅》诗。此诗又作尹璞诗，题为《题杨收相公宅》。（注：《抒情录》作江（汪）遵诗）《崇文总目》卷五记汪遵《咏史诗》一卷，《全唐诗》卷六〇二收其诗六十一首，《全唐诗续补遗》卷十三又补诗一首。

刘驾（822—?）约卒于此后数年间，暂系于此。聂夷中有诗哭之。驾工古风诗，有诗一卷。聂夷中《哭刘驾博士》：“出门四顾望，此日何徘徊。终南旧山色，夫子安在哉？君诗如门户，夕闭昼还开。君名如四时，春尽夏复来。……君坟须数尺，谁与夫子偕。”（见《全唐诗》卷六三六）此前李洞有《和刘驾博士赠庄严律参师》诗。（见《全唐诗》卷七二三）驾，字司南。江州都昌（今属江西）或浔阳（今江西九江）人。初举进士不第，滞留长安。大中三年（849）献《唐乐府十首》以贺收复河、湟。五年（851）复落第。六年（852）进士及第，始归故山。官至国子博士。卒年不详。能诗，与曹邺友善，俱工五言古诗，并称“曹刘”。张为《诗人主客图》列为“高古奥逸主”孟云卿之“升堂”。自称“昔蒙大雅匠，勉我工五言”，“学古以求闻”。所作题材广泛，感情深沉，善用比兴手法，风格淳厚古朴，颇有揭露社会现实、同情民生疾苦的篇章。胡震亨称其：“多有惬心句堪击节”（见《唐音癸签》卷八）。《早行》、《弃妇》、《贾客词》等为传世佳作。驾诗多古风，然多未知作年，其中如《反贾客乐》：“无言贾客乐，贾客多无墓。行舟触风浪，尽入鱼腹去。农夫更苦辛，所以羡尔身。”《春台》云：“谁能学公子，走马逐香车。六街尘满衣，鼓绝方还家。”《古出塞》云：“古来犬羊地，巡狩无遗辙。九土耕不尽，武皇犹征伐。”《战城南》：“城南征战多，城北无饥鸦。白骨马蹄下，谁言皆有家。……莫争城外地，城里终（一作有）闲土。”其他如《空城雀》、《弃妇》、《出门》、《效陶》、《上马叹》等诗，皆为写实，并寓托讥讽。张为《诗人主客图》列为“高古奥逸主”孟云卿之“升堂”。自称“昔蒙大雅匠，勉我工五言”、“学古以求闻”。《直斋书录解题》卷一九著录《刘驾集》一卷，《宋史·艺文志七》著录《古风诗》一卷，有散佚。今传《刘驾诗集》一卷。《全唐诗》存诗一卷。《直斋书录解题》卷一九著录《刘驾集》一卷，《宋史·艺文志七》著录《古风诗》一卷，有散佚。今传《刘驾诗集》一卷。《全唐诗》存诗一卷。

薛调本年自翰林学士加知制诰。

李讷本年复为华州刺史。官终太子太傅。讷，字敦止。荆州石首（今属湖北）人，祖籍赵郡（治今河北赵县）。生卒年不详。排行二十三。进士及第。开成五年（840）自左补阙充翰林学士。会昌二年（842）迁职方员外郎。四年（844）为吏部员外郎知制诰。大中初自礼部郎中知制诰进中书舍人。六年（852），出为华州刺史，徙浙东观察使。九年（855）贬朗州刺史。历华州刺史。河南尹等。咸通十二年（871）复为华州刺史。官终太子太傅。《全唐文》存文五篇，内《纪崔侍御遗事》等二篇非其所作。事迹见新、旧《唐书·李逊传》。

李琪（871—930）生。琪，字台秀。河西敦煌（今属甘肃）人。李敬方孙。十岁通六籍，博览文史。昭宗时进士及第。天复元年（901）登博学宏词科。授武功尉。累迁殿中侍御史。后梁时，自左补阙为翰林学士。梁太祖所下征伐诏旨，皆琪所作。累迁户部侍郎、翰林承旨。贞明六年（920）由尚书左丞为中书侍郎、平章事。罢为太子少保。后唐同光初，历太常卿。吏部尚书、御史大夫、尚书右仆射。以太子少傅致仕。博学多才，喜称人善，以文章秀丽知名于世。曾预修《梁太祖实录》。撰有《皇王大政论》十卷、《金门集》十卷、《应用集》三卷、《玉堂遗范》三十卷，分别著录于《宋史·艺文志》儒家类、别集类、总集类，并佚。《宋史·艺文志七》另有李祺《刀笔集》十五类、《象台四六集》七卷，一说系李琪作，亦佚。《全唐诗》存诗二首、断句一联，《全唐诗补编》补一首；《全唐文》存文九篇，《唐文拾遗》补一篇。事迹见新、旧《五代史》本传，参《太平广记》卷一七五。

陈黯（约 805—871 或 876）卒，年七十二，有集三卷。后黄滔、罗隐均为其文集作序。黄滔《陈先生集序》作于 902 年，云："先生之文词，不尚奇，切于理也。意不偶立，重师古也。其诗篇词赋笺檄皆精而切，故于官试尤工。"（见《文苑英华》卷七〇七，又见《莆阳黄御史集》）罗隐亦于天复二年作《陈先生集后序》（见《文苑英华》卷七〇七）。黯，散文家，字希孺，号昌晦，又号场老。泉州南安（今属福建）人，郡望颍川（治今河南许昌）。黄滔姑父。少聪颖。十岁能诗，十三知名乡里。十七作《苏武谒汉武帝陵庙赋》，为时人推伏。二十为文。年过四十，始应试。自会昌五年（845）至咸通六年（865）屡试不第，遂绝意仕取，衔恨而终。卒年为咸通十二年（871）或乾符三年（876）。与罗隐等友善。有文名。尤长于小品，为晚唐名家。《御暴说》、《禹诰》等乃讥刺时世之作，与皮日休、陆龟蒙之小品文同一风概。（见《全唐文》卷七六七）。立论大胆，是传世佳作。所作多散佚，黄滔搜遗文三十一篇、诗赋若干篇为五卷，并作集序，复请罗隐作后序。《新唐书·艺文志四》著录《陈黯集》为三卷。《宋史·艺文志七》作一卷，已佚。《郡斋读书志》卷四中记《陈黯文集》三卷。《全唐文》卷七六七存文十篇，《全唐诗》存诗一首。事迹见唐黄滔《颍川陈先生集序》。

赵璘（约 804—871 后）卒。璘，小说家。字泽章。德州平原（今属山东）人，祖籍邓州南阳（今属河南）。柳中庸外孙。幼年寓居江汉间。长庆中修业于越州。大和八年（834）进士及第。开成三年（838）登博学宏词科。授秘书省校书郎。大中七年（853）任左补阙。十年（856）为祠部员外郎。出为汉州刺史。约十三年（859）授衢州刺史。咸通十年（869）为山南东道节度使从事。后官金部郎中。出身世家，仕历数朝，多识朝廷典故，娴于旧事。《新唐书·艺文志四》著录《表状集》一卷，已佚；《因话录》六卷，记玄宗朝后期至宣宗末或懿宗初遗闻轶事，为唐人笔记小说集佳作，今传。《全唐文》存文二篇。事迹见其《书戒珠寺》、《因话录》及《新唐书·艺文志三》。周勋初有《赵璘考》。

段公路本年从茂名归南海。其余事迹不详，姑系于此。小说家。祖籍临淄邹平（今属山东）。生卒年不详。段文昌孙。咸通中因事南游五岭间，十二年（871）归南海。其间到过雷州、富州等地。后北返。乾符初在夏口。曾官万年尉。采岭南民风土俗、歌谣哀乐等异于中土者，为《北户录》三卷，征引汉魏至唐著作多种。友人陆希声作《北户录序》，谓其"博而且信"，在同时小说中别具特色。《新唐书·艺文志二》著录于地理类，今传。《全唐文》存文一篇。事迹见其文及《北户录》。

公元872年（唐懿宗咸通十三年　壬辰）

正月

许棠年五十一，游润州甘露寺、金山寺，皆有诗。所作有《题甘露寺》（见《全唐诗》卷六〇四）、《题金山寺》（见《全唐诗》卷六〇三）。

郑谷年二十六岁，待试长安，有诗投人以求援。郑谷《投所知》："砌下芝兰新满径，门前桃李旧垂阴。却应回念江边草，放出春烟一寸心。"（据傅义《郑谷年谱》）

幽州节度使张允伸于本年正月卒，其子张简会留后。（见《资治通鉴》卷二五二）

二月

幽州牙将张公素夺张简会军政，自称留后。四月，即以张公素为留后。（据《旧唐书·懿宗本纪》、《资治通鉴》卷二五二）《资治通鉴》称"允伸镇幽州二十三年，勤俭恭谨，边鄙无警，上下安之"。

中书舍人崔瑾（一说礼部侍郎崔殷梦）知贡举，郑昌图、周繇、韦庠、裴贽、郑延昌、赵崇、邹希回等三十人登进士第。

郑昌图以第一名中进士科状元。《玉芝堂谈荟》作"郑昌符"。《玉堂闲话》："广明年中，凤翔副使郑侍郎昌图未及第前，尝自任以广度宏襟，不拘小节，出入游处，悉姿情焉。洎至舆论喧然，且欲罢举。其时同里有亲表家仆自宋亳庄上至，告其主人云：'昨过洛京，于谷水店边逢见二黄衣使人西来，某遂与同行。至华岳庙前，二黄衣使与某告别，相揖于店后，面谓某曰："君家郎君应进士举无?"仆曰："我郎主官已高，诸郎君见修学。"次又问曰："莫亲戚家儿郎应无?"曰："有。"使人曰："吾二人乃是今年送榜之使也。自泰山来到金天处，印署其榜，子幸相遇。"仆遂请窃窥其榜，使者曰："不可。汝但记之。"遂画其地曰："此年状头姓偏傍有阝，名两字，下一字在口中。榜尾之人姓偏傍亦有此阝，名两字，下一字亦在口中。记之，记之。"'遂去。郑公亲表颇异其事，遂访岐副具话之，且勉以就试。昌图其年状头及第，榜尾邹希回也，姓名画点皆同。"《唐摭言》："咸通末，执政病举子车服僭差，不许乘马。时场中不减千人，虽势可热手，亦皆骑驴。或嘲之曰：'今年敕下尽骑驴，短辔长鞦满九衢。清瘦儿郎尤自可，就中愁杀郑昌图。'昌图魁伟甚，故有此句。"［按，执政，《卢氏杂说》作杨玄翼］又曰："郑光业中表间有同人试者，于时举子率皆以白纸糊案子面。昌图潜纪之曰：'新糊案子，其白如银。入试出试，千春万春。'光业弟兄共有一巨皮箱，凡同人投献辞有可嗤者，即投其中，号曰苦海。昆季或从客用资谐戏，即命二仆舁苦海于前，人阅一编，靡不极欢而罢。光业常言，及第之岁，策试夜有一同人突入试铺，为吴语谓光业曰：'必先，必先，可以相容否？'光业为辍半铺之地。其人复曰：'必先，必先，咨仗取一杓水。'光业为取。其人再曰：'便干托煎一椀茶，得否？'光业欣然与之烹煎。居二日，光业状元及第，其人首贡一启，颇叙一宵之素。略曰：'既取水，更煎茶。当时之不识贵人，凡夫肉眼；今日之俄为后进，穷相骨头。'"

周繇，生卒年不详，本年进士及第。《唐才子传》："周繇，江南人。咸通十三年郑昌图榜进士，调福昌县尉。"《永乐大典》引《池州府志》："周繇字允元。"《唐诗纪事》："繇字为宪，池州人。及咸通进士第，以《明皇梦锺馗赋》知名，调池之建德令。李昭象以诗送曰：'投文得士而今少，佩印还家古所荣。'后以御史中丞与段成式、韦蟾、温庭皓同游襄阳徐商幕府。"又，《唐摭言》卷十云："周繁，池州青阳人也。兄繇，以诗篇中第。"《直斋书录解题》卷十九已载"繇，咸通十三年进士"。又，《全唐诗》卷六〇六林宽有《和周繇校书先辈省中寓直》诗。周繇生卒年不详。周繁兄。大中十年（856）至十四年（860），为山南东道节度使徐商幕从事，一说检校御史中丞，误。与段成式、温庭筠等交往酬和甚密，集为《汉上题襟集》十卷（已佚）。咸通十一年（870）应京兆府试，主试李频荐取之。进士及第，以《明皇梦钟馗赋》知名。授校书郎。乾符中调福昌尉。迁至德令。工赋能诗，有时名。与弟繁称"至德二周"，与张乔、许棠、张蠙称"九华四俊"，复与许棠、郑谷等称"咸通十哲"。为诗俯思仰咏，深造阃域，时号"诗禅"。多登临送别、酬赠题咏之作，工于近体，善于写景，颇有佳句。《登甘露寺》、《甘露寺东轩》两诗，明杨慎《升庵诗话》以为胜过张祜《题润州金山寺》诗。"山从平地有，水到远天无"、"殿锁南朝像，龛禅外国僧"等诗句较有名。《直斋书录解题》卷一九著录《周繇集》一卷，有散佚。今传《周繇诗》一卷。《全唐诗》存诗一卷，《全唐文》存律赋一篇。事迹见《唐才子传校笺》卷八。

张演，生卒年不详，本年进士及第。《唐才子传》卷八《周繇传》："同登第者有张演者，工诗，间见一二篇，亦佳作也。"张演，两《唐书》无传，《新志》亦未有著录。《新唐书》卷七二下《宰相世系表》二下始兴张氏世系表有"张演，初名球者，系度支郎中张复鲁之子"，殆即其人。则张演为韶州曲江人。其登科之年，《登科记考》亦失考，似应据此补入咸通十三年。元释圆至《笺注唐贤三体诗法》（明广陵钱元卿刻本）卷一："张演，咸通十三年郑昌符榜及第。"又见北京大学图书馆藏日本刻本《增注唐贤绝句三体诗法》卷一。又见《全唐诗》卷六〇〇。元辛文房谓其"间见一二篇，亦佳作也"。《全唐诗》存诗一首，一作王驾或张蠙诗。《全唐诗补编》补二首、断句二句。事迹见《唐才子传校笺》卷八。

韦庠，生卒年不详，本年进士及第。见《广卓异记》。

裴贽，生卒年不详，本年进士及第。《旧唐书·裴坦传》："族子贽，字敬臣，及进士第。"贽，（？—905）籍贯不详。排行三十五。进士登第，累迁右补阙、御史中丞。知大顺元年（890）、二年（891）贡举，擢王驾、杜荀鹤等。乾宁四年（897）迁礼部尚书，知下年贡举，擢殷文圭等。光化三年（900）迁刑部尚书，又拜中书侍郎、同中书门下平章事，充集贤殿大学士。昭宗幸凤翔，为大明宫留守。罢为左仆射。天祐二年（905）以司空致仕，贬青州司户，被杀。《全唐诗》存诗一首，《全唐文》存文一

篇。事迹见《新唐书·裴坦传》附传，《资治通鉴》卷二五四、二六二至二六五，《登科记考》卷二三、二四。

郑延昌，生卒年不详，本年进士及第。《新唐书》："郑延昌字光远，咸通末得进士第。"

赵崇，生卒年不详，本年进士及第。《广卓异记》："咸通十三年，礼部侍郎崔殷梦下三十人及第。其后郑昌图、赵崇、裴贽、郑延昌等四人相次拜相。"

邹希回，生卒年不详，本年进士及第。《唐摭言》："咸通十三年三月，新进士集于月灯阁，为蹙鞠之会。击拂既罢，痛饮于佛阁之上。四面看棚栉比，悉皆褰去帷箔而纵观焉。先是饮席未合，同年相与循槛肆览。邹希回年七十余，榜末及第。时同年将欲即席，希回坚请更一巡历，众皆笑，或谑之曰：'彼亦何敢望回。'"

博学宏词科。《册府元龟》："三月，以礼部尚书萧邺、吏部侍郎独孤云考官；职方郎中赵蒙、驾部员外郎李超考试宏词选人。试日萧恸替，差右丞孔温裕权判。"《文苑英华》载公乘亿《春风扇微和诗》，注云"咸通宏词"，疑在是年。

知贡举一作"中书舍人崔瑾"，一作礼部侍郎崔殷梦。今两存之，待考。

《登科记考》作"中书舍人崔瑾"。考云："《旧唐书·崔郾传》：'子瑾，历尚书郎、知制诰。咸通十三年知贡举，选拔颇为得人，寻拜礼部侍郎。'《广卓异记》引《登科记》：'元和二年，崔邠连放二榜。大和二年，邠之弟郾连放二榜。大和九年，郾之弟郸放一榜。大中七年，郾之子瑶又放一榜。崔氏六榜，皆刻石于长乐街泰宁寺，时人谓之曰榜院。瑶后为陕州长史，其词曰："惟尔诸父，自元和代一于尔躬，五十年间，四主文柄，上下六载，辉耀一时。充于庭臣，皆汝门生，天下以为盛。"咸通十三年，郾之子瑾又放一榜，乃命门生韦庠刻石，将饰七榜。"

又有史载：知贡举为礼部侍郎崔殷梦。《广卓异记》（《笔记小说大观》本）云："咸通十三年（872）礼部侍郎崔殷梦下二十人及第。其后郑昌图（赵崇、裴贽、郑延昌）等四人相次拜相。"《唐才子传》卷八《周繇》条："周繇，江南人。咸通十三年郑昌图榜进士，调福昌县尉。"则谓十三年知贡举又有崔殷梦。宋洪迈《容斋续笔》（上海古籍出版社1978年版）卷十一《唐人避讳》条："《语林》载崔殷梦知举，吏部尚书归仁晦托弟仁泽，殷梦惟惟而已。无何，仁晦复诣托之，至于三四。殷梦敛色端笏，曰：'某见进表让此官矣。'仁晦始悟己姓，殷梦讳也。[按，《宰相世系表》，其父名龟从，此又与高相类。"则崔殷梦本年知贡举] 又《旧唐书》卷一五五《崔邠传》："（崔）瑾，历尚书郎、知制诰，咸通十三年知贡举，选拔颇为得人，寻拜礼部侍郎。"[按，唐知贡举例于前一年秋冬抵任，而《旧唐书》书诸官知贡举时间又例为抵任时，此例甚多，不待详举]《旧唐书》本传云十三年知举，则应十四年春放榜。而《广卓异记》引《登科记》云："咸通十三年，郾之子瑾又放一榜"，盖误抵任年为放榜年。又，前考咸通十三年崔殷梦下有进士郑昌图、赵崇、裴贽、郑延昌等，而此四人，《登科记考》亦系于十三年。可知，咸通十三年（872）知贡举为礼部侍郎崔殷梦，十四年（873）知贡举为中书舍人崔瑾。又，《北梦琐言》（上海古籍出版社1981年版）卷五《张濬、乐朋龟与田军容外事》条："乐公举进士，初陈启事谒李昭侍郎自媒云：“别于九经、书、史及《老》、《庄》洎八都赋外，著八百卷书。请垂比试。”此仅

言侍郎，未云知贡举，徐松引此，云十四年李昭侍郎知贡举，未当。又，《孙可之文集》卷八录咸通十三年九月撰《康僚墓志铭》云康僚大中二年主持京兆解，获解而登第之人有“今春官贰卿崔公殷梦”，是本年殷梦确任礼部侍郎。《容斋续笔》卷十一引《语林》谓殷梦知举，归仁晦以弟诣托，因犯其家讳而不允。仁晦弟延泽于十五年及第。综上诸证，崔殷梦知本年贡举证据较多；但史书却明确记载崔瑾知本年举，但尚缺直接佐证。未知孰是，今两存之。

黄滔，字文江，莆田人。首次应考，败北。《黄御史公集》后所附《年考》云：“滔以咸通壬辰登荐，年三十三。”［按，今本《黄御史公集》无此，见《登科记考》引］壬辰即咸通十三年（872）。

十九日，皮日休为常熟令周君作《破山龙堂记》。记云：“常熟，泽国也，风雨怪物日作于民……汝南周君为令之初年，夏且旱，禜其神于破山之潭上，果雨以应……于是命工以土木介其象，为宝宫以荫之……君为其祠已，乞文其事。日休佳君之为，志在民，故从之。咸通十三年二月十九日襄阳皮日休记。”（见《全唐文》卷七九七）

春末，日休返回京都，为著作佐郎，太常博士。（参《唐才子传校笺·皮日休传》）

二十六日，薛调（830—872）暴卒于驾部郎中、知制诰、翰林学士任，年四十三。时人以为中鸩毒。后赠户部侍郎。有《无双传》传奇。（据李剑国《唐五代志怪传奇叙录》）又丁居晦《重修承旨学士壁记》（《翰苑群书》）云：“薛调，咸通十一年十月十七日自□部员外郎加驾部郎中充。十二年正月二十六日加知制诰，依前充。十三年二月二十六日卒官，三月十一日赠户部侍郎。”调河中宝鼎（今山西万荣西南）人。姿貌甚美，人号“生菩萨”。大中八年（854）进士及第。咸通元年（860）官右拾遗。累迁户部员外郎。十一年（870）加驾部郎中，充翰林学士。十二年（871）加知制诰。郭妃悦其貌，欲以为驸马。不久暴卒，时人以为中鸩毒。长于小说，撰《无双传》，为晚唐爱情传奇佳作。《太平广记》存该文。《唐代墓志汇编续集》存墓志一篇。事迹见《重修承旨学士壁记》、《唐语林》卷四。

三月

春，郑谷落第京华，东归途经郢州石城，有《鹧鸪》等诗，颇为人称誉，谷之称“郑鹧鸪”以此。（见《唐才子传·郑谷传》）其《鹧鸪》诗云：“暖戏烟芜锦翼齐，品流应得近山鸡。雨昏青草湖边过，花落黄陵庙里啼。游子乍闻征袖湿，佳人才唱翠眉低。相呼相应湘江阔，苦竹丛深春日西。”（见《郑谷诗集编年校注》）

春，许棠往游扬州，有《讲德陈情上淮南李仆射八首》献淮南节度使李蔚，以期援引。（见《全唐诗》卷六〇四）《太平广记》卷二〇四李蔚条引《桂苑丛谈》云：“咸通中，丞相李蔚拜端揆日，自大梁移镇淮海，政绩日闻，未期周，荣加水土，移风易俗，甚洽群情。……公按辔恭己而治之，补缀颓毁，整葺坏纲，功无虚日。”事与许棠诗合。据《旧唐书·懿宗本纪》李蔚于咸通十一年（870）十一月徙镇淮南。

罗隐曾至湖州谒见刺史裴德符，作《上霅川裴郎中》诗献之。（见《罗隐集·甲乙集》卷四）

春，贯休与睦州刺史冯岩多有往还，屡上诗。并赠渡水僧障子、山水障子等物，均有诗纪之。贯休有《上冯使君五首》（见《全唐诗》卷八二七），《上冯使君渡水僧障子》（见《全唐诗》卷八三〇），《上冯使君山水障子》（见《全唐诗》卷八三一），《上冯使君水晶数珠》（见《全唐诗》卷八三四），《陪冯使君游六首》（见《全唐诗》卷八三七）等，后诗包括《登干霄亭》、《游灵泉院》、《过相思岭》、《钓罾潭》、《锦沙墩》、《迎仙阁》六诗。

五月

萧遘贬播州司马，途经三峡，曾月夜赋诗以自悼。遘，本年前已任起居舍人，为宰相韦保衡所挤而遭贬。《旧唐书·萧遘传》："入朝为右拾遗，再迁起居舍人。与韦保衡同年登进士第，保衡以幸进无艺，同年门生皆薄之。遘形神秀伟，志操不群，自比李德裕，同年皆戏呼'太尉'，保衡心衔之。及保衡作相，掎遘之失，贬为播州司马。途经三峡，维舟月夜赋诗自悼，虑保衡见害，遽有神人谓之曰：'相公勿忧，予当御侮奉卫。'遘心异之。"

八月

归义节度使张义潮卒，以沙州长史曹义金为节度使。后朝命不及，自回鹘陷甘州，诸州原隶归义者又多为羌、胡所据。（据《资治通鉴》卷二五二）胡三省注云："自唐末讫于宋朝，河、湟之地遂悉为戎，中国不能复取。"

九月

三日，康僚（？—872）葬于孟州。僚，一作镣。辞赋家。越州会稽（今浙江绍兴）人。幼嗜书，及冠能属辞。会昌元年（841）进士及第，又登博学宏词科，授秘书省正字。三年（843），辟桂管观察支使，试秘书郎。大中二年（848）为京兆府参军，充进士试官，取孙樵、高璩等。三年（849），授大理评事兼监察御史、户部巡官。咸通元年（860）累官检校礼部郎中兼侍御史，充转运巡官。二年（861），授海州刺史。秩罢，居淮阴。八年（867）拜大理少卿。九年（868），迁仓部郎中，充西川宣慰制置盐铁法使兼西川供军使，贬澧州刺史。移郑州长史，十三年（872）卒。尤工辞赋。孙樵称其"援毫立成，清媚新峭，学者无能如"。代表作《汉武帝重见李夫人赋》描写细腻生动，是晚唐写爱情的律赋名篇。《全唐文》存律赋二篇。

孙樵应前左拾遗陈昼寄书所请，为康僚撰墓志铭并序。其《唐故仓部郎中康公墓志铭并序》，记："公幼嗜书，及冠，能属辞，尤攻四六文章，援毫立成，清媚新峭，学者无能如"。（见《全唐文》卷七九五）

约本年秋，周繇为校书郎，寓直赋诗，林宽奉和。林宽和诗为《和周繇校书先辈省中寓直》。（见《全唐诗》卷六〇六）

杜荀鹤游湖南。行前有《将游湘湖有作》。（见《全唐诗》卷六九一）经马当山

庙，咏《将过湖南经马当山庙因书三绝》（见《全唐诗》卷六九三），中有讥刺贪官奸商之意。至长沙，赋诗《献长沙王侍郎》，献湖南观察使王凝（见《全唐诗》卷六九二）。

十月

顾云落第京华，有投献文多篇，求人援引。作有《投翰林刘学士启》、《又谢下第后使人存问启》、《投顾端公启》及《投刑部赵郎中启》等。（均见《全唐文》卷八一五）

十一月

李频迁侍御史，有《入朝遇雪》之作。《新唐书·李频传》："懿宗嘉之，赐绯衣……俄擢侍御史……迁累都官员外郎"。频《入朝遇雪》中云："霜鬓持霜简，朝天向雪天。"（见《全唐诗》卷五八九）

本年

姚鹄本年在台州刺史任。有诗集一卷。胡震亨谓"姚居云鹄吟笔，见甄李赞皇，如'入河残日雕西尽'，又'雪坛当醮月孤明'，清拔不可多得。"（见《唐音癸签》卷八）《新唐书·艺文志四》著录《姚鹄诗》一卷。《全唐诗》卷五五三编其诗一卷。

罗邺屡下第，有文名，尤长律诗，与罗隐、罗虬号"三罗"。《唐诗纪事》卷六九罗虬条谓："虬，词藻富赡，与宗人隐、邺齐名，咸通、乾符中，时号'三罗'。"《唐才子传》卷八其小传："邺尤长律诗。时宗人隐、虬俱以声格著称，遂齐名号。"

牛希济（872？—？）生。希济以词著称五代。字号不详。陇西狄道（今甘肃临洮）人，或曰安定鹑觚（今甘肃灵台）人。牛峤兄子。早有文名，遭时丧乱，流寓巴蜀，依季父峤以居。气直嗜酒，为峤所责。王衍召对，除起居郎，累官翰林学士、御史中丞。蜀亡入洛，降于后唐。明宗试以"蜀主降唐诗"，希济诗意但述数尽，不谤君亲。明宗称之，遂拜雍州节度副使。希济词，《花间集》、《词林万选》录五调十四首。王国维辑有《牛中丞词》，收入《唐五代二十一家词辑》。其词笔清俊，胜于乃叔，雅近韦庄。《临江仙》（"洞庭波浪"）推为词家之隽。《全唐诗》存诗一首，《全唐文》存文二卷。事迹见《十国春秋》本传。

于瑰本年贬袁州刺史。后，事迹不详。瑰，字匡德。河南（治今河南洛阳）人。生卒年不详。大中七年（853）以状元登进士第。授校书郎。咸通五年（864）以兵部员外郎试吏部平判选人，转吏部员外郎。十年（869），出为湖南观察使。十三年（872），贬袁州刺史。《全唐诗》存诗二首。事迹见《旧唐书·懿宗本纪》、《唐诗纪事》卷五三、《唐尚书省郎官石柱题名考》卷四。

韦蟾进士及第十九年，本年累加为承旨学士。

李磎（？—895）本年（872）至乾符元年（874）间，先后为宣武、河阳节度使

从事。

张重本年为桂管观察使。曾游东观作诗。其余事迹不详。重，一作丛。生卒年、籍贯不详。《全唐诗》存诗一首。事迹见《桂林风土记·东观》，参《唐方镇年表》卷七。

陆肱，约本年为虔州刺史，辟许棠为从事。肱，辞赋家。湖州（今属浙江）人，原籍苏州嘉兴（今属浙江）。生卒年不详。陆畅侄孙。大中九年（855）进士及第。授江夏尉。咸通六年（865）自前振武从事试平判入等。累迁尚书郎中。约咸通十三年（872）为虔州刺史。官终湖州刺史。与李频友善。工文能诗，与薛能、许棠齐名。尤善辞赋，以《春赋》（已佚）著称。《全唐文》存律赋四篇，《万里桥赋》较好。《全唐诗》存诗一首。事迹见《唐诗纪事》卷五三。

许棠（822—?）本年为虔州刺史陆肱辟为从事。

封彦卿本年，贬潮州司户。次年，迁台州刺史。后，事迹不详。彦卿，诗人，字峙元。其先渤海蓨县（今河北景县）人。生卒年不详。封敖子。大中元年（847）应进士试，主考因其父居重位，未予及第，奏请定夺，经复试，所试文字均合格，给予进士及第。六年（852）至九年（855）间，为浙东观察使李讷幕观察判官。咸通中，官至中书舍人。贬潮州司户之次年，迁台州刺史。《全唐诗》存诗一首。事迹见《旧唐书·懿宗本纪》、《新唐书·宰相世系表一下》、《赤城志》、《唐诗纪事》卷五九、《登科记考》卷二二。

公元873年（唐懿宗咸通十四年　癸巳）

正月

云、朔暴乱，代北骚动，诏太原节度使崔彦昭、幽州节度使张公素帅师讨之。先是，去年十二月，朝命以振武节度使李国昌移镇云中，国昌以病辞军务，不奉命，后其子克用又杀害云中防御使段文楚，据云州，自称留后。李国昌为沙陀人。（见《旧唐书·懿宗本纪》。）

二月

中书舍人崔瑾知贡举。一说李昭知贡举。孔缥、唐彦谦、杜让能、李渥、曹希幹、韦昭范等三十人登进士第。《唐语林》："大中、咸通之后，每岁试礼部者千余人。其间有名声如何植、李玫、皇甫松、李孺犀、梁望、毛浔、具麻、来鹄、贾随以文章称。温庭筠、郑渎、何涓、周铃、宋耘、沈驾、周系以词翰显。贾岛、平曾、李淘、刘得仁、喻坦之，张乔、剧燕、许琳、陈觉以律诗传。张维、皇甫川、郭郉、刘廷辉以古风著。虽然，皆不中科。"

孔缥以第一名中进士科状元。《广卓异记》引《登科记》："孔纬，大中二年状元及第。弟缥，咸通十四年状元及第。缄，乾符三年状元及第。

唐彦谦，生卒年不详，进士及第。《唐才子传》："彦谦字茂业，并州人。咸通举进士及第。"《唐诗纪事》："彦谦，唐俭裔孙，历慈、绛、澧三州刺史，自号鹿门先生，陶谷之祖也。谷避晋祖讳，改姓陶，后遂不易，识者非之。”又曰：“彦谦学义山为诗。”其《试夜题省廊柱》诗云：“麻衣穿穴两京尘，十见东堂绿桂春。今日竞飞杨叶箭，魏舒休作画筹人。”（见《全唐诗》卷六七二）《唐诗鼓吹》卷八郝天挺注亦云：“唐彦谦，字茂业，并州人也。咸通末举进士，为河中从事，历晋、绛二州刺史，后为阆州刺史，卒号鹿门先生。”

杜让能，生卒年不详，本年进士及第。《旧唐书·杜审权传》：“子让能，咸通十四年登进士第，释褐咸阳尉。”《新唐书》：“让能字群懿。”《唐语林》：“杜让能，丞相审权之子。韦相保衡，审权之甥，保衡少不为让能所礼。保衡为相，让能久不中第。及登第，审权愤其沈厄，以一子出身，奏监察御史。”

李渥，生卒年不详，进士及第。《旧唐书·李蔚传》：“子渥，咸通末进士及第，释褐太原从事。”［按，《唐诗纪事》卷五十三录李渥《秋日登临越王楼》诗，又云：“渥，时为乡贡进士，后登第。”］渥，族望陇西姑臧（今甘肃武威）。生卒年不详。僖宗朝宰相李蔚子。大中年间，为乡贡进士。咸通十四年（873）进士兵及第。释褐为太原从事。累迁中书舍人。礼部侍郎。光化三年（900）知贡举，擢卢延让、王定保等进士及第。官终右散骑常侍。《全唐诗》存诗一首。

曹希幹，生卒年不详，本年进士及第。《唐诗纪事》：“希幹，汾之子，咸通十四年登第。汾以尚书镇许下，其子希幹及第，用钱二十万。榜至镇，张宴，置榜于侧。时进士胡锜有启贺，略曰：‘桂枝折处，著莱子之彩衣；杨叶穿时，用鲁连之旧箭。’又曰：‘一千里外，观上国之风光；十万军前，展长安之春色。”（参《唐摭言》卷三）

韦昭范，生卒年不详，本年进士及第。《唐摭言》：“宣慈寺门子不记姓名，酌其人义侠之徒也。咸通十四年，韦昭范先辈登第，昭范乃度支侍郎杨严懿亲，宴席间帟幕器皿之类，皆假于计司。杨公复遣以使库供借。其年三月中，宴于曲江亭，供帐之盛，罕有伦拟。时饮兴方酣，俄睹一少年跨驴而至，骄悖之状旁若无人。于是俯逼筵席。长耳引颈及肩，复以巨箠振筑佐酒，谑浪之词所不忍聆。诸君子骇愕之际，忽有于众中批其颊者，随手而坠。于是连加殴击，复夺所执箠箠之百余。众皆致怒，瓦砾乱下，殆将毙矣。当此之际，紫云阁门轧开，有紫衣从人数辈驰之，曰：‘莫打，莫打。’传呼之声相续。又一中贵驱殿甚盛，驰马来救。门子乃操箠迎击，中者无不面仆于地，敕使亦为所箠。既而奔马而返，左右从而俱入，门亦随闭而已。座内甚欣愧，然不测其来，仍虑事连宫禁，祸不旋踵。乃以缗钱束素，召行殴者讯之曰：‘尔使人与诸郎君谁素，而能相为如此？’对曰：‘某是宣慈寺门子，亦与诸郎君无素，第不平其下人无礼耳。’众皆嘉叹，悉以钱帛遗之。复相谓曰：‘此人必须亡去，不则当为擒矣。’后旬朔，座中宾客多有假途宣慈寺门者，门子皆能识之，靡不加敬。竟不闻有追问之者。”

一说李昭知贡举。本年原阙知贡举者，《登科记考》徐氏考云：“按《唐语林》：‘咸通十三年，卢庄为阁长，都尉韦保衡欲以知礼部。’庄七月卒，是年知举未知何人。考《唐才子传》载高蟾事，有‘于马侍郎下下第，明年李昭知贡’，虽其言不无舛误，而李昭知举自必实有是事。《北梦琐言》载乐朋龟举进士，亦云李昭侍郎，似为可据。唐中叶数十年中，知举姓名按年可考，惟此年不详，疑其为李昭也。‘马侍郎’疑为‘高侍郎’之误，谓前年高湜知举。”然，《唐才子传》卷九《高蟾》条：“高蟾河朔间

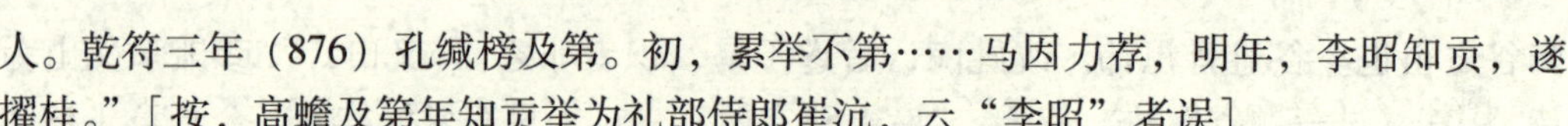

人。乾符三年（876）孔缄榜及第。初，累举不第……马因力荐，明年，李昭知贡，遂擢桂。”［按，高蟾及第年知贡举为礼部侍郎崔沆，云“李昭”者误］

一说中书舍人崔瑾知贡举。详见上年知贡举崔殷梦条。

乐朋龟本年举进士不第。广明元年（880），随僖宗奔蜀。中和元年（881），依靠宦官推荐，自右拾遗充翰林学士知制诰。累迁至承旨、兵部侍郎知制诰，守兵部尚书。

秦韬玉应举屡为有司斥落。本年复因曾与路岩作文书而致斥落。《唐语林》卷七载：“秦韬玉应进士举，出于单素，屡为有司所斥。京兆尹杨损奏复等列，时在选中，明日将出榜。其夕忽叩试院门，大声曰：‘大尹有帖！’试官沈光发之，曰：‘闻解榜内有人，曾与路岩作文书者，仰落下。’光以韬玉为问，损判曰：‘正是此。’”《唐摭言》卷九《芳林十哲》条载，韬玉为咸通中交结宦官，为士人所轻鄙之“芳林十哲”之一，故为杨损所斥落。今存韬玉诗多难系年，其中作于长安者颇多，多有抒发感愤之情者，约作于落第时。如《曲江》、《天街》、《豪家》、《贵公子行》、《陈宫》、《读五侯传》、《隋堤》、《钓翁》、《织锦妇》、《贫女》、《紫骝马》（均见《全唐诗》卷六七〇）等。其诗颇为王定保所称：“韬玉有词藻，亦工长短歌，有《贵公子行》曰：‘阶前莎毯绿不卷，银龟喷香挽不断。……却笑儒生把书卷，学得颜回忍饥面。’”（见《唐摭言》卷九）其《贫女》：“蓬门未识绮罗香，拟托良媒益自伤。谁爱风流高格调，共怜时世俭梳妆。敢将十指夸纤巧，不把双眉斗画长。苦恨年年压金线，为他人作嫁衣裳。”尤脍炙人口。

三月

卢简方新任单于大都护、振武节度、麟胜等州观察使，而此时李国昌据振武，简方至岚州而病卒。自是代北诸镇即为沙陀侵掠。见《旧唐书·宗懿纪》。

李频年约六十岁，以侍御史出使鄜州，多有题赠、留别与即事之作。有《春日鄜州赠裴居言》、《鄜州留别王从事》（均见《全唐诗》卷五八八），《朔中即事》、《赠泾州王从事》（均见《全唐诗》卷五八七））等。

春，罗隐至湖南谒观察使王凝，有《投湖南王大夫启》。（见《罗隐集·杂著》）

春，郑谷作《送沈光》，送其往湖南。（见《郑谷年谱》）

四月

唐懿宗崇佛，遣使诣法门寺迎佛骨。京城夹道为彩楼，竞为侈靡，仪卫之盛，难以比拟。时贯休闻知此事，作《闻迎真身》。诗云：“四海无波八表臣，恭闻今岁礼真身。……可怜优钵罗花树，三十年来一度春。”（见《全唐诗》卷八三六）《资治通鉴》卷二五二咸通十四年载懿宗迎佛骨事云：“三月，癸巳，上遣使诣法门寺迎佛骨，群臣谏者甚众……上曰：‘朕生得见之，死亦无恨！’广造浮图、宝帐、香舆、幡花、幢盖以迎之，皆饰以金玉……上御安福门，降楼膜拜，流涕沾臆，赐僧及京城耆老尝见元和事者金帛，迎佛骨入禁中。三日，出置安国荣化寺。宰相已下竞施金帛，不可胜纪。”《旧唐书·懿宗本纪》所载略同。

六月

李频已任都官员外郎，作《感怀献门下相公》诗，求出为建州。（见《全唐诗》卷五八七）

七月

薛能出镇徐州，李频赋《送薛能赴镇徐方》诗送行。（见《全唐诗》卷五八九）

十八日，懿宗崩，年四十一。宦官左军中尉刘行深、右军中尉韩文约立少子普王李儇即位（儇时年十一），是为僖宗。（见《旧唐书·懿宗本纪》、《资治通鉴》卷二五二）

九月

宰相韦保衡贬为贺州刺史；十月，再贬崖州澄迈令，旋令自尽。（见《旧唐书·懿宗本纪》、《资治通鉴》卷二五二）韦保衡在相时多谮人，众皆怨之。

郑谷在长安参加府试，作《咸通十四年府试木向荣》诗。（见《全唐诗》卷六七五）

秋，贯休与睦州刺史冯岩唱和颇多。贯休有《拟齐梁体寄冯使君三首》（见《全唐诗》卷八二七），《桐江闲居作十二首》及《秋夜吟》。（均见《全唐诗》卷八三〇）秋末，贯休离睦州桐江寓所回山，有《别冯使君》（见《全唐诗》卷八三五）。

十月

唐彦谦闻李渎死于贬所，感而赋《闻李渎司勋下世》诗以吊。（见《全唐诗》卷六七二）《玉泉子》载："咸通中，韦保衡、路岩作相，除不附已者十司户：崔沆循州，李渎绣州……内绣州、播州、雷州三人不回。"

十二月

诏送佛骨还法门寺。（据《资治通鉴》卷二五二）

本年

方干约六十五岁，回越州，王龟任浙东观察使，作《献浙东王大夫二首》、《献王大夫二首》、《献王大夫》谒之。（均见《全唐诗》卷六五二、卷六五三）。《旧唐书·王龟传》：龟"性简澹萧洒，不乐仕进，少以诗酒琴书自适，不从科试。……及从父起在河中，于中条山谷起草堂，与山人道士游。……以右补阙征……（咸通十四年），转越州刺史、御史大夫、浙东团练观察使"。《北梦琐言》卷六亦载："诗人方干……王龟大夫重之。既延人内，乃连下两拜，亚相安详以答之，未起间，方又致一拜，时号'方三拜'也。"《唐摭言》卷十所记略同。

薛逢年约六十八，其终秘书监约在本年前后。有诗集十卷等。卒年不详，盖在本年前后数年中。逢七律诗多精警，其中如《猎骑》、《惊秋》、《悼古》(均见《全唐诗》卷五四八)，以及七绝《观猎》、《狼烟》、《侠少年》亦颇有俊拔之致。胡震亨称“薛陶臣殊有写才，不虚俊拔之目，长歌似学白氏，虽以此得名，未如七律多警”(见《唐音癸签》卷八)。辛文房《唐才子传·薛逢传》亦谓“逢天资本高，学力亦赡，故不甚苦思，而自有豪逸之态。第长短皆率然而成，未免失浅露俗，盖亦当时所尚，非离群绝俗之诣也”。《新唐书·艺文志四》著录《薛逢诗集》十卷、《别纸》十三卷。《直斋书录解题》卷十六录有薛逢《四六集》一卷。《宋史·艺文志七》则载《薛逢别集》九卷、《薛逢赋》四卷、《薛逢诗》一卷。《全唐诗》卷五四八编其诗一卷。又《旧五代史》卷六八《薛廷珪传》云：“初，廷珪父逢，著《凿混沌》、《真珠帘》等赋，大为时人所称。”《南部新书》卷丙亦称“逢作《凿混沌赋》知名”。《全唐文》卷七六六载《凿混浊赋》、《天上种白榆赋》。

卢肇(约819—?)约本年罢吉州刺史回宜春。林韫学书于肇，肇授以拨镫法。肇擅赋，尤以《海潮赋》驰名。林韫《拨镫序》云：“韫咸通末为州刑掾，时庐陵卢肇罢南浦太守回宜春。公之文翰，海内知名。韫窃慕小学，因师于卢公子弟安期。岁余，卢公忽相谓曰：‘子学吾书，但求其力尔，殊不知用笔之方，不在于力，用于力，笔死矣。……意在笔前，然后作字……吾昔授教于韩吏部，其法曰拨镫，今将授子，子勿妄传，推拖撚拽是敢。诀尽于此，子其旨而味乎。”(见《全唐文》卷七六三)又卢肇此前尚曾贬连州，有《被谪连州》、《谪连州书春牛榜》(均见《全唐诗》卷五五一)卢肇之卒约此后数年。肇字子发。袁州宜春(今属江西)人。少穷苦自励。大和九年(835)，值李德裕贬袁州长史，投以文卷，由此见知。会昌三年(843)举进士，时李为相，荐之于知贡举王起，遂以状元及第。授秘书省校书郎。大中元年(847)鄂岳观察使卢商辟为从事。咸通元年(860)起，河东节度使卢简求、荆南节度使裴休先后奏署门吏。五年(864)，自潼关防御判官入为秘书省著作郎，迁仓部员外郎，充集贤院直学士。六年(865)出为歙州刺史。改池州刺史。贬连、春二州刺史。约十四年(873)罢归。官至吉州刺史。卒年不详。有奇才，工书法。能诗文，尤善辞赋，是晚唐重要辞赋作者。文章伟丽可观，为时人所推重。《海潮赋》费时二十余年写成，规模宏大，是唐人以赋体为科学论文的重要作品。《题甘露寺》“地从京口断，山到海门回”为张祜所仰伏。《病马》“尘土卧多毛已暗，风霜受尽眼犹明”(《全唐诗》及《全唐诗外编》未收)，陆游赞为“足为当时佳句”(见《跋唐卢肇集》)。《新唐书·艺文志四》著录《海潮赋》、《通屈赋》各一卷，《宋史·艺文志七》又著录《愈风集》十卷、《大统赋注》六卷，并散佚。宋许衷集遗文近百篇为《文标集》，亦佚。童说复集遗文为三卷。传世有《豫章丛书》刊《袁州二唐人集》本。事迹见《唐诗纪事》卷五五，参周勋初《卢肇考》及《唐刺史考》。

刘蜕年五十三岁，本年前后任中书舍人，后出为商州刺史，卒。有《文泉子》十卷。贯休曾有诗赠之。《新唐书·艺文志四》记刘蜕“咸通中书舍人”，《直斋书录解题》卷十六亦谓“其为西掖在咸通时”(参《郎官石柱题名新著录》)。《北梦琐言》卷三载：“唐刘舍人蜕……紫微历登华贯，出典商于，霜露之思，于是乎止。临终亦戒其

子如先考之命。”故《全唐文》小传记其“终商州刺史”。其卒当在本年后不久。《新唐书·艺文志四》著录刘蜕有《文泉子》十卷，《直斋书录解题》卷十六所记同，且记其“自为序云：‘覃以九流之旨，配以不竭之义，曰泉。’有《文塚铭》甚奇。”［按，据其《上崔尚书书》，蜕又曾有《旧拔刺书》一卷、《杂歌诗》二卷］又《全唐诗》卷八三〇贯休有《赠抱麻刘舍人》寄刘蜕。

陆勋约本年撰成《陆氏集异记》二卷，时为比部郎中。

杜光庭应举不中，为道士。事在咸通中，未知确年，姑系于此。《蜀梼杌》卷上："光庭字宾圣，京兆杜陵人，寓居处州。方干见之，谓曰：‘此宗庙中宝玉大圭也。’与郑云叟应百篇举，不中，入天台为道士。”《十国春秋》本传：“杜光庭，字宾至（“至”字当为“圣”之讹），缙云人，一曰长安人……唐咸通中应九经举，不第，遂入天台山学道。”

牛蘩本年出为剑南西川节度使。

卢携进士及第十八年，本年以左谏议大夫充翰林承旨学士。

孙纬本年为盐铁推官。纬字中隐。武邑武遂（今河北徐水）人。生卒年不详。咸通八年（867）登宏词科。本年任盐铁推官，后为左司员外郎。僖宗时为歙州刺史。又曾为户部郎中。官至吏部侍郎。《全唐诗》存诗一首，《唐代墓志汇编续集》存墓志一篇。事迹见其文及《唐尚书省郎官石柱题名考》卷二、一一。

杨凝式（873—954）生。凝式，五代文学家。字景度，自号癸巳人、希维居士、关西老农，人称杨风子。华阴（今属陕西）人。天祐二年（905）进士及第。释褐授度支巡官。迁秘书郎。后梁时官殿中侍御史、礼部员外郎，改考功员外郎。历仕后唐、晋、汉。后周时，以尚书右仆射致仕。改左仆射、太子太保，显德元年（954）卒。工文能诗。《全唐诗》存诗四首、断句三，《全唐诗补编》补二首；《全唐文》存文一篇，《唐文拾遗》补一篇。事迹见新、旧《五代史》本传。

赵鸿本年访杜甫故迹至同谷，咏诗刻石。鸿，诗人。蔡州（治今河南汝南）人。生卒年不详。懿宗、僖宗时人。进士及第。曾为太学博士。李频称其“词赋已垂名”。《全唐诗》存诗三首。事迹见唐李频《和太学博士归蔡中》、《集注草堂杜工部诗外集·酬唱附录》。

皇甫枚，唐代小说家，撰有《三水小牍》。枚，一作牧。字遵美。邠州三水（今陕西旬邑）人，郡望安定（治今甘肃泾川北）。生卒年不详。白敏中外孙。本年为汝州鲁山令。

智晖（873—956）生。晖，五代诗僧。俗姓高。咸秦（今陕西咸阳一带）人。年二十，从终南山圭峰温禅师受戒。后杖锡出游江南。住洛阳中滩，建浴院，供僧众洗涤。后梁开平五年（911）归圭峰旧居。后周显德三年（956），卒。工书画，精于吟咏，得风骚之体，撰歌颂千余首。作品多佚。《全唐诗补编》录诗偈一首。事迹见《宋高僧传》卷二八、《景德传灯录》卷二〇。

第二章

唐僖宗乾符元年至唐哀帝天祐三年（公元874—公元906年）共33年

·引　言·

吴融《禅月集序》：至于李长吉以降，皆以刻削峭拔、飞动文彩为第一流，有下笔不在洞房蛾眉、神仙诡怪之间，则掷之不顾。迩来相效，学者靡漫浸淫，困不知变。呜呼！亦风俗使然也。

（贯休）上人之作，多以理性，复能创新意，其语往往得景物于混茫之际，然其旨归必合于道。太白、乐天既殁，可嗣其美者，非上人而谁？（同上）

孙光宪《北梦琐言》：进士李洞慕贾岛，欲铸而顶戴，尝念“贾岛佛”，而其诗体又僻于贾。复有包贺者，多为粗鄙之句。

孙光宪《白莲集序》：议者以唐末诗僧，唯贯休禅师骨气混成，境意卓异，殆难俦敌。

罗大经《鹤林玉露》：晚唐诗绮靡乏风骨，或者薄之，且因王维、储光羲辈而并薄其人，然气节之士往往出于其间。昭宗末年，朱温篡形已成，韩偓在翰林，苏俭数为经营入相，偓怒曰：“公不能有所为，今朝夕不济，乃欲以此相污耶！”昭宗欲相偓，偓辞而荐赵崇。崔胤怒，使温谮而逐之，昭宗与之泣别，偓泣曰：“臣得远贬，及死乃幸，不忍见篡弑之辱也。”司空图初为礼部员外郎，弃官隐居琯谷，累征不起。柳璨以诏书征之，图惧，诣洛阳入见，佯为衰野，坠笏失仪。乃下诏以为傲代钓名，放还山。罗隐，乾符中举进士，十上不第。黄巢乱，归依钱镠。及朱温篡，诏至，痛哭劝镠举义，镠不能从。温闻其名，以谏议大夫招之，不就，事镠终于著作佐郎。若三子者，又可以晚唐诗人薄之乎？

计有功《唐诗纪事》：唐诗自咸通而下，不足观矣。乱世之音怨以怒，亡国之音哀以思，气丧而语偷，声烦而调急，甚者忿目褊吻，如戟手交骂。大抵王化习俗，上下俱丧，而心声随之，不独士子之罪也，其来有源矣。司空图辈，伤时思古，退己避祸，清音泠然，如世外道人，所谓变而不失正者也。余故尽取晚唐之作，庶知律诗末伎，初若虚文，可以知治之盛衰。

辛文房《唐才子传》：（李洞）家贫，吟极苦，至废寝食。酷慕贾长江，遂铜写岛像，载之巾中。常持数珠念贾岛佛，一日千遍。人有喜岛者，洞必手录岛诗赠之，叮咛再四曰："此无异佛经，归焚香拜之。"其仰慕一何如此之切也！然洞诗逼真于岛，新奇或过之。时人多诮僻涩，不贵其卓峭，唯吴融赏异。

方回《瀛奎律髓》：（贯休）为诗有极奇处，亦有太粗处。"尽日觅不得，有时还自来"，为人嘲作《失猫》诗，此类是也。然道价甚高，年寿亦高。

杨慎《升庵诗话》：晚唐江东三罗，罗隐、罗虬、罗邺也，皆有集行世，当以邺为首。如《闺怨》云："梦断南窗啼晓鸟，新霜昨夜下庭梧。不知帘外如珪月，还照边庭到晓无。"《南行》云："腊晴江暖鸊鹈飞，梅雪香沾越女衣。鱼市酒村相识遍，短船歌月醉方归。"此二诗，隐与虬皆不及也。

学诗者动辄言唐诗，便以为好，不思唐人有极恶劣者，如薛逢、戎昱，乃盛唐之晚唐。晚唐亦有数等，如罗隐、杜荀鹤，晚唐之下者。李山甫、卢延逊，又其下下者，望罗、杜又不及矣。其诗如"一个祢衡容不得"，又"一领青衫消不得"之句。其他如"我有心中事，不向韦三说"、"昨夜洛阳城，明月照张八"，又如"饿猫窜鼠穴，饥犬舐鱼砧"，又如"莫将闲话当闲话，往往事从闲话生"，又如"水牛浮鼻渡，沙鸟点头行"，此类皆下净优人口中语，而宋人方采以为诗法，入《全唐诗话》，使观者曰：是亦唐诗之一体也。如今称燕、赵多佳人，其间有跛者、眇者、瓶瓮者，疥且痔者，乃专房宠之曰：是亦燕、赵佳人之一种，可乎。（同上）

王世贞《宋太史诗集序》：今夫士一操觚翰而业诗，即知有五七言近体，业五七言近体，即知有唐，而不知唐之盛而衰孽之，盖至于懿、昭之际而极矣。温、韦、韩、罗诸君子不能有所救改，而廑廑焉用其小给之才，偏悟之识，泛猎之学，苟就之思，以簧鼓聋虫之耳。粗者快于事，精者巧于情，其萎苶飒沓之气不待词毕，而小夫为鼓掌，大雅之士有掩耳而叹息矣。以故黄齐白马之祸，浅者不见用，用者不见免，而唐遂瓜剖而为六七，历数世而弗能一，宁非其征也？

王夫之《姜斋诗话》：含情而能达，会景而生心，体物而得神，则自有灵通之句，参化工之妙。若但于句求巧，则性情先为外荡，生意索然矣。"松陵体"永堕小乘者，以无句不巧也。然皮、陆二子，差有兴会，犹堪讽咏。若韩退之以险韵、奇字、古句、方言矜其饾饤之巧，巧诚巧矣，而于心情兴会，一无所涉，适可为酒令而已。

贺裳《载酒园诗话》：诗至晚唐而败坏极矣，不待宋人。大都绮丽则无骨，至郑谷、李建勋，益复靡靡。朴澹则寡味，李频、许棠，尤无取焉。甚则粗鄙陋劣，如杜荀鹤、僧贯休者。贯休村野处殊不可耐。如《怀素草书歌》中云："忽如鄂公喝住单雄信，秦王肩上搭着枣木槊。"此何异伧父所唱鼓儿词？又如《山居》第八篇末句云："从他人说从他笑，地覆天翻也只宁。"岂不可丑！然犹在周存、卢延让上，以尚有"叶和秋蚁落，僧带野云来"、"青云名士如相访，茶渚西峰瀑布冰"数语，殊涵清气也。

王士禛《五代诗话》引《西清诗话》：至于罗隐、贯休，得志于偏霸，争雄逞奇，语欲高而意未尝不卑，乃知天禀自然，有一定而不能易者。

洪亮吉《北江诗话》：七律至唐末造，惟罗昭谏最感慨苍凉，沉郁顿挫，实可以远绍浣花，近俪玉溪。盖由其人品之高，见地之卓，迥非他人所及。次则韩致尧之沈丽，司空表圣之超脱，真有念念不忘君国之思。孰云吟咏不以性情为主哉。若吴子华之悲

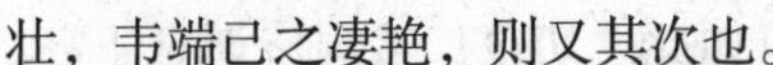

壮，韦端己之凄艳，则又其次也。

管世铭《读雪山房唐诗序例》：唐末惟七言绝句，不少名篇。司空图《赠日本鉴禅师》，崔涂《读庾信集》，骨色神韵，俱臻绝品，可以俯视众流矣。曹唐《小游仙》、王涣《惆怅词》至为凡陋，然“玉诏新除沈侍郎”、“他年江令独来时”，未尝无孤鹤出群之致。罗虬《比红儿》百首，胡曾《咏古》诸篇，轻佻浅鄙，又下二人数等，不识何以流传至今。选中亦各收其一，此外皆当付之秉炬矣。

叶燮《原诗》：大抵古今作者，卓然自命，必以其才智与古人相衡，不肯稍为依傍，寄人篱下，以窃其余唾。窃之而似，则优孟衣冠；窃之而不似，则画虎不成矣。故宁甘作偏裨，自领一队，如皮、陆诸人是也。

延君寿《老生常谈》：温飞卿七律，如《赠蜀将》、《马嵬》、《陈琳墓》、《苏武庙》诸作，能与义山分驾，永宜楷式。至皮、陆两家，多工于琢句，可读可不读。司空表圣神韵音节，胜于皮、陆。方干、罗隐、郑谷、周朴辈，皆有可观。至“鸳鸯”、“鹧鸪”等名目，皆近场屋一派，又当别论。大约晚唐诸人诗，总当以义山为宗，余皆从略。

丁仪《诗学渊源》：晚唐末季，诗尚艳体，复涉秾纤，而典雅远逊前人。唯（韩）偓与李咸用、吴融新颖精切，有温、李风格。

公元874年（唐僖宗乾符元年　甲午）

正月

翰林学士卢携作《乞蠲租赈给疏》，上疏言关东因旱灾，所在皆饥，请求蠲免税收，发仓赈给。（见《全唐文》卷七九二《资治通鉴》卷二五二乾符元年春正月丁亥载皤翰林学士卢携上言，以为：‘陛下初临大宝，宜深念黎元……朝廷傥不抚存，百姓实无生计。乞敕州县，应所欠残税，并一切停征，以俟蚕麦；仍发所在义仓，亟加赈给。至深春之后，有菜叶木牙，继之桑椹，渐有可食；在今数月之间，尤为窘急，行之不可稽缓。’敕从其言，而有司意不能行，徒为空文而已。”

二月

礼部侍郎裴瓒知贡举。归仁泽、刘崇望、夏侯泽、崔致远、顾云、蒋曙、杨环等三十人登进士第。《禹拜昌言赋》为本年试题。（见《全唐文》卷八二三黄滔《答陈皤隐论诗书》）《文苑英华》卷四三载《禹拜昌言赋》，以“圣人之心，闻善必拜”为韵，作者佚名。

归仁泽以第一名中进士科状元。《永乐大典》引《苏州府志》：“侍郎裴瓒知举，归仁泽状元。”元洪景修编《新编古今姓氏遥华韵》甲集卷九：“归仁泽，习二礼，咸通进士第一。”

刘崇望（838—899），进士及第。《旧唐书》本传：“崇望字希徒，符之子。崇望咸通十五年登进士科。”《金华子》：“光德刘相崇望举进士，因朔望起居郑太师从谠，阍者已呈刺。适遇裴侍郎瓒后至，先入从容，公乃命刘秀才以入。相国以主司在前，不敢升进座隅，拜于副阶上。郑公降而揖焉，亟乃趋出。郑公伫立于阶所，目送之，候其掩映门屏方回步。谓瓒曰：‘大好及第举人。’瓒惟惟。明年，列于门生矣。”崇望，散文家。字希徒。河南（治今河南洛阳）人。进士及第，乾符四年（877）辟宣歙转运巡官。历忠武、剑南西川从事等。入为长安尉，直弘文馆。累迁吏部员外郎。光启二年（886）授谏议大夫，充翰林学士。累加户部侍郎知制诰、承旨，转兵部。龙纪元年（889）拜中书侍郎、同中书门下平章事。大顺二年（891）罢为武宁节度使，拜太常卿。乾宁二年（895）贬昭州司马，改兵部尚书。光化二年（899）卒。能文，长于制诰。《新唐书·艺文志四》著录《中和制集》十卷，已佚。《全唐文》存文二十篇。事迹见新、旧《唐书》本传。

夏侯泽，生卒年不详，进士及第。《旧唐书·夏侯孜传》：“子泽，登进士第。《北里志》：“故硖州夏侯表中泽，相国少子，及第中甲科，皆流品知闻者，宴集尤盛。而表中性疏猛，不拘言语，为牙娘批颊，伤其面颇甚。翌日期集于师门，同年多窃视之。表中因厉声曰：‘昨日子女牙娘抓破泽额，同年皆骇然，裴公俛首而哂，”注云：“裴公瓒，其年主司。”

崔致远（857—928 后），进士及第。《东国通鉴》：“崔致远，少梁部人，十八登第。致远《桂苑笔耕》序云：“右臣自年十二，离家西泛。当乘桴之际，亡父诫之曰：‘十年不第进士，则勿谓吾儿，吾亦不谓有儿。往矣，勤哉，无隳乃力。’臣佩服严训，不敢弭忘，悬刺无遑，冀谐养志，实得人百之，己千之。观光六年，金名榜尾，后调授宣州溧水县尉。”致速又状奏云：“前湖南观察巡官裴璙，是某座主侍郎再从弟。某去乾符三年冬到湖南起居座主侍郎之时，见于诸院弟兄中，偏所记念。”崔致远有《奉和座主尚书避难过维阳宠示绝句三首》（见《全唐诗外编·补逸》卷十九，附录卷。“阳”疑当作“扬”）诗，即与奉和裴瓒之作。“尚书”之称，殆谓礼部尚书也。致远乃新罗国（今韩国）诗人，散文家。字海夫，号孤云。庆州沙梁部人。年十二入唐求学。乾符元年（874）宾贡及第。后寓居洛阳。调授宣州溧水尉。广明元年（880）淮南节度使高骈辟为都统巡官兼殿中侍御史，专事表状文书。与顾云、周繇、高彦休等有交往。中和四年（884）充国信使东归。拜新罗国侍讲兼翰林学士、守兵部侍郎、知瑞书监。出为太山郡太守。真圣女王七年（893）官富城郡太守。次年进位阿餐。后隐居伽耶山而终。工诗，多近体述德酬赠、纪行题咏之作，风格平易浅近。归国后诗较有现实意义。亦能文，多表状书牒等，骈俪之气颇重。《新唐书·艺文志四》著录《四六》一卷，已佚；《桂苑笔耕集》二十卷，今传。《三国史记》、《东文选》等存诗约四十首，多归国后作。并有《孤云先生文集》传世。新罗叙事长诗《双女坟》一说亦其所作。事迹见《三国史记》卷四六。

顾云（？—约 894），擢进士第，约二十四岁。《永乐大典》引《池州府志》：“顾云字垂象，一字士龙，贵池人。咸通十五年进士第。”《唐诗纪事》：“云初下第，郑谷有诗勉之云：‘《凤策联华》是国华，春来偶未上仙槎。乡连南渡思菰米，泪滴东风送杏花。吟聒暮莺归庙院，睡销迟日寄僧家。一般情绪应相信，门静莎深树影斜。”《唐语林》：“顾云受知于相国令狐公。虽鹾商子，而风韵详整。顾赋为时所称。切于成名，尝有启事陈于所知，只望丙科尽处，竟列名于尾科之前也。”顾云及第后，授秘书省正字，李昭象有《题顾正字溪居》诗。（见《全唐诗》卷六八九）《唐诗纪事》卷六七李昭象条记昭象“移居九华，与张乔、顾云辈为方外友”。**蒋曙，生卒年不详，本年进士及第。**《新书·蒋乂传》：“乂子系。系子曙，字耀之，咸通末由进士第署鄂岳团练判官。”

杨环，生卒年不详，本年进士及第。《广州人物传》卷三：“杨环，南海人，力学工诗，隐居罗浮。咸通末登进士第。”（参《南海集》、《续前定录》）明欧大任《百越先贤志》卷四同。天一阁［嘉靖］《惠州府志》卷十二《流寓传》：“杨环，南海人，力学工诗，隐居罗浮。咸通末登进士第。”日本藏［万历］《粤大记》卷二十四：“杨环，南海人。力学工诗，隐居罗浮。咸通末登进士第。”又日本藏［康熙］《南海县志》卷五、卷十三所记同上。

知贡举为礼部侍郎裴瓒。《旧唐书》本纪：“七月，以礼部侍郎裴瓒为潭州刺史。”《唐文拾遗》卷三十六崔致远《吏部裴瓒尚书》：“昔年掌贡，搜海岳以皆空；今日抡材，酌淄渑而不混。清通所莅，淆乱必除。”又《第二》：“伏以礼称选士，实资秀孝之科，书贵知人，允属铨衡之职。君命既将，历试物情，固得佥谐。而况侍郎云鹤性情，天骥行止，琐窗近日，高批帝语于笔端；绛帐生风，妙选群才于门下。”

赵能卿下第南归，郑谷、张蠙均有诗送之。郑谷《送进士赵能卿下第南归》诗，中云：“洒泪惭关吏，无书对越人。远帆花月夜，微岸水天春。（见《郑谷诗集编年校注》）张蠙亦有《和友人送赵能卿东归》：“一第时难得，归期日已过。……楚阔天垂草，吴空月上波。无人不有遇，之子独狂歌。”（见《全唐诗》卷七〇二）

三月

罗隐年四十二，在李蔚淮南幕。时游扬州禅智寺，有诗纪之。《吴越备史》卷一《罗隐传》记罗隐“凡十上不中第，遂更名。初从事湖南，历淮、润，皆不得意”。罗隐有《投永宁李相公启》上李蔚，言及淮南为幕僚时事。（见《罗隐集·杂著》）。另有《春日独游禅智寺》，中云：“远树连天水接空，几年行乐旧隋宫。花开花谢长如此，人去人来自不同。”（见《罗隐集·甲乙集》卷二）

四月

高骈赴镇西川，途中有《赴西川途经虢县作》、《入蜀》、《马嵬驿》等诗作。（均见《全唐诗》卷五九八）此前在天平军节度使任时有《平流园席上》诗。《旧唐书·僖宗本纪》乾符元年四月载：“以天平军节度使，检校尚书右仆射兼郓州刺史高骈检校司空兼成都尹，充剑南西川节度副大使、知节度事。”骈在天平军任作《平流园席上》（见《全唐诗》卷五九八），曹邺亦有《从天平军节度使游平流园》（见《全唐诗》卷五九二）。

五月

方干为浙东观察使王龟所嘉赏。王龟拟荐为谏官，会龟猝卒而不果。《唐摭言》卷十《韦庄奏请追赠不及第人近代者》条载："王大夫廉问浙东，（方）干造之……王公将荐之于朝，请吴子华为表章。无何公遘疾而卒，事不谐矣。"《嘉泰会稽志》卷十五云："（方干）隐于会稽，渔于镜湖，萧然山水间，以诗自放。咸通中太守王龟知其亢直，荐之以谏官。"方干有《谢王大夫奏表》、《哭王大夫》两诗（《全唐诗》卷六五二）。

八月

郑仁表任起居郎，为左拾遗孔纾作墓志铭。为宰相刘邺所恶，贬死岭外。仁表文章俊拔，曾游北里，有赠妓人俞洛真诗。又曾与吴仁璧、张蠙交游。《旧唐书·郑仁表传》："仁表文章尤称俊拔，然恃才傲物，人士薄之。自谓门地、人物、文章具美，尝曰：'天瑞有五色云，人瑞有郑仁表。'"又《北里志》卷八《俞洛真》条记郑仁表游北里，曾赠诗洛真，其诗云："巧制新章拍拍新，金罍巡举助精神。时时欲得横波眄，又怕回筹错指人。"吴仁必璧有《读度人经寄郑仁表》（见《全唐诗》卷六九〇），张蠙亦有《别郑仁表》（见《全唐诗》卷七〇二）。《唐诗纪事》卷六一又记仁表"仕为起居郎，为刘邺所恶，贬死岭外"。《旧唐书·郑仁表传》载："刘邺少时，投文于洎，仁表兄弟嗤鄙之。咸通末，邺为宰相，仁表竟贬死南荒。"《全唐文》卷八一二仅载仁表《左拾遗鲁国孔府君墓志铭并序》一篇，孔府君即孔纾，卒六七月间。《全唐诗》卷六〇七载仁表《赠妓仙哥》、《赠妓俞洛真》二首。

章碣、卢员外均自扬州赴长安，罗隐以诗送行。罗隐有《送章碣赴举》（见《全唐诗》卷六五五）及《淮南送工部卢员外赴阙》（见《罗隐集·甲乙集》卷十一）。

郑谷往同州投狄归昌，蒙首荐。又有《赠日东鉴禅师》之作。（参《郑谷年谱》）谷《赠日东鉴禅师》："故国无心渡海潮，老禅方丈倚中条。夜深雨绝松堂静，一点山萤照寂寥。"

九月

黄滔觅举于岭南东道，有《南海韦尚书启》（见《莆阳黄御史集》）上岭南东道节度韦荷后，为其所荐赴京应试。参加广州府试，滔赋《广州试越台怀古》诗。（见《全唐诗》卷七〇六）

吴融有诗与皮日休往还。时融已由故乡越州山阴移居松江。吴融有《和皮博士赴上京观中修灵（宝）斋赠威仪尊师兼见寄》、《高侍御话及皮博士池中白莲因成一章寄博士兼奉呈》。（均见《全唐诗》卷六八七）融本年盖已由越州山阴移居松江（见文德元年条），其咏两地风物生活之诗歌难于系年，姑系于此。融之秋日诗有《秋日感事》、《秋事》、《秋园》、《秋色》、《红叶》、《红树》、《新雁》等诗。（均见《全唐诗》卷六八四、卷六八六、卷六八七）又《新唐书·吴融传》："吴融，字子华，越州山阴人。"

后融又徙居于苏州长洲县（见《唐才子传校笺·吴融传》笺）。

十一月

庚寅，大赦，改元为乾符。（见《旧唐书·僖宗本纪》）

南诏渡大渡河，败唐军。（见《旧唐书·僖宗本纪》、《资治通鉴》卷二五二）

十二月

南诏又乘胜攻陷黎州，入邛崃关，攻雅州。成都惊扰。朝中下诏发河东、山南西道、东川兵援之，命西川节度使高骈总其事。（见《旧唐书·僖宗本纪》、《资治通鉴》卷二五二）

本年

濮州人王仙芝聚众数千，起于长垣。时民生艰难，相聚为盗，所在蜂起。《资治通鉴》卷二五二于本年末载："上年少，政在臣下，南牙、北司互相矛盾。自懿宗以来，奢侈日甚，用兵不息，赋敛愈急。关东连年水旱，州县不以实闻，上下相蒙，百姓流殍，无所控诉，相聚为盗，所在蜂起。州县兵少，加以承平日久，人不习战，每与盗遇，官军多败。是岁，濮州人王仙芝始聚众数千，起于长垣。"据胡注，长垣属滑州，宋时属开封府。

杜荀鹤至湘南，有投献行旅之作。荀鹤作《冬末投长沙裴侍郎》、《投长沙裴侍郎》上湖南观察使裴瓒，望其举荐。（见《全唐诗》卷六九一、卷六九二）又与友人游览赋诗，作《冬末同友人泛潇湘》（见《全唐诗》卷六九二）。后往游桂岭，作《冬末自长沙游桂岭留献所知》以留别（见《全唐诗》卷六九二）。

陈陶约卒于本年前后。此前，贯休、尚颜等曾有诗寄之；卒后，方干、杜荀鹤、曹松等作诗悼念。有《文录》十卷（参《唐才子传校笺·陈陶传》）。陈陶卒前隐居西山时，贯休有《春寄西山陈陶》："搔首复搔首，孤怀草萋萋。春光已满目，君在西山西。堑水成文去，庭柯擎翠低。所思不可见，黄鸟花中啼。"（见《全唐诗》卷八二九）尚颜亦有《与陈陶处士》中云："钟陵城外住，喻似玉沉泥。道直贫嫌杀，神清语亦低。"（见《全唐诗》卷八四八）齐己有《过陈陶处士旧居》："一室贮琴尊，诗皆大雅言。夜过秋竹寺，醉打老僧门。……闲庭除鹤迹，半是杖头痕。"（见《全唐诗》卷八四〇）杜荀鹤《哭陈陶》云："耒阳山下伤工部，采石江边吊翰林。两地荒坟各三尺，却成开解哭君心。"（见《全唐诗》卷六九三）曹松《哭陈陶处士》中云："白日埋杜甫，皇天无耒阳。如何稽古力，报答甚茫茫。"（见《全唐诗》卷七一六）《诗人主客图》标举陈陶"蝉声将月短，草色与秋长"、"比屋歌黄竹，何人撼白榆"句，并将其与周朴列为"清奇僻苦"主之上入室。其诗以《陇西行四首》为世所诵，其二云："誓扫匈奴不顾身，五千貂锦丧胡尘。可怜无定河边骨，犹是春闺梦里人。"又有《水调词十首》及乐府《将进酒》、《巫山高》、《关山月》、《空城雀》、《悲哉行》、《钱塘对酒曲》等。孙光宪谓陈陶“有逸才，歌诗中似负神仙之术，或露王霸之说，虽文章之士，亦未足凭，而以诗见志，乃宣文之遗训也”（见《北梦琐言》卷五）。辛文房称：“陶公赋诗，无一点尘气，于晚唐诸人中最得平淡，要非时流所能企及者。”（见《唐才子传·陈陶传》）丁仪评陈陶“诗宗元和，格调高于诸人，而诙奇间类长吉，乐府诸作尤神似焉”（《诗学渊源》卷八）。《新唐书·艺文志四》著录陈陶《文录》十卷，《郡斋读书志》卷四中记《陈陶集》二卷，《崇文总目》卷五则录《陈陶文集》十卷。

段公路南游五岭，撰《北户录》。陆希声《北户录序》云：“间声以事南游五岭间，常采其民风土俗、饮食衣制、歌谣哀乐有异于中夏者，录而志之。至于草木果蔬虫鱼羽毛之类，有瑰形诡状者亦莫不毕载，非徒止于所闻见而已。又能连类引证，与奇书异说相参验，真所谓博而且信者矣。”公路有《祷孟公祝词》云：“公路咸通辛卯年，从茂名归南海。”（见《唐文拾遗》卷三二）《新唐书·艺文志二》著录《北户杂录》三卷。

陆希声自义兴隐居召为右拾遗，上言“当谨视盗贼”。《周易传序》、《北户录序》盖作于本年或稍后。后者述及当时文风。《新唐书·陆希声传》：“隐义兴。久之，召为右拾遗。……希声见州县刓敝，上言当谨视盗贼。明年，王仙芝反，株蔓数十州，遂不制。”（参宋赵不悔、罗愿《新安志》卷九）陆希声《周易传序》：“予乾符初任右拾遗。”（见《全唐文》卷八一三）又希声有《北户录序》，乃为段公路《北户录》而撰（见《全唐文》卷八一三）。文中述及其时文坛风气及其论文之旨云：“诗人之作本于风俗，大抵以物类比兴达乎情性之源。自非观化察时，周知民俗之事，博文多见，曲尽万物之理者，则安足以蕴为六义之奥，流为弦歌之美哉。由是言之，则古之学者固不厌博，博而且信，君子难之。”希声，苏州吴县（今江苏苏州）人。陆翱子。生年在大和二年（828）前。大中中为岭南从事。咸通初，商州刺史郑愚辟为从事。后隐居义兴君山之阳，自号君阳遁叟。本年召为右拾遗，上言谨防“盗贼”。不久，爆发王仙芝起义。累迁至歙州刺史。昭宗即位，授给事中。乾宁二年（895），拜户部侍郎、同中书门下平章事。在位无所轻重。罢为太子少师。三年（896），以李茂贞兵犯长安，带病避难，卒。希声博学，工书法，能文章。所作《北户录序》肯定该书“博且信”，批评“近日著小说者”皆言鬼神变怪、荒唐怪诞之事，或以诙谐为笑乐之资，强言故事，诋訾前贤；《唐太子校书李观文集序》推崇韩愈“大革流弊”之功，肯定李观文章“不古不今，卓然自作一体”，可见其文学主张。《君阳遁叟山居记》说隐居养生事，铺叙议论，较有特色。诗长于近体，写山居景物和隐逸生活，思致清淡，语言平易。有《周易传》二卷、《春秋通例》三卷、《道德经传》四卷、《颐山诗》一卷，著录于《新唐书·艺文志》；又有《君阳通叟山集（居）记》、《颐山录》各一卷，见《宋史·艺文志》。《君阳遁叟山集（居）记》见《全唐文》，余佚。《全唐诗》存诗二十二首，《全唐文》存文六篇。事迹见《新唐书·陆元方传》附传。

贯休乾符初已结束江西之游回到婺州。《禅月集》卷五《闻前王使君在泽潞居》诗云：“使君圣朝瑞，乾符初刺婺。德变人性灵，笔变人风土。”王使君即王慥，休集中寄怀王慥之作颇多，可见其交情之厚。《旧唐书·僖宗本纪》载：乾符三年六月，以

“荆南节度副使王慥为主客郎中”；七月，以“金部郎中王慥为户部郎中”。据此，则王慥官荆南节度副使之前曾任婺州刺史。

王枢咸通末，任湖州判官。本年为为商州刺史。枢，诗人。生卒年、籍贯不详。《全唐诗》存诗一首。事迹见《资治通鉴》卷二五二、《诗话总龟》前集卷一四。

王镕（874—921）生。唐末五代文学家。其先回鹘部人。世为镇州节度使。十岁时为镇州留后。不久，授镇州节度使。唐昭宗时为中书令，进封北平王。唐亡，归后梁。贞明七年（921）为部将所杀。《全唐诗》存诗二首，《全唐文》存文三篇。事迹见唐卢质《王镕墓志铭》，新、旧《唐书》本传，新、旧《五代史》本传。

李庾（？—874）卒。庾，辞赋家。祖籍陇西成纪（今甘肃秦安西北）。唐宗室子弟。开成宰相李石从子。依靠李石之力，进士及第。大中中，累拜监察御史，分司东都。后为中书舍人。咸通十四年（873）为湖南观察使。本年卒于任。工辞赋。所作《两都赋》为世所称。《全唐文》存赋一篇，《匋斋藏石记》及《曲石精庐藏唐墓志》存墓志二篇，《全唐诗补编》存诗一首。事迹见《旧唐书·僖宗本纪》、《唐语林》卷三、《唐诗纪事》卷五六“郑畋”。

李磎（？—895）本年结束宣武、河阳节度使从事生活，入朝为官。沈光本年主京兆府试。

陈翰本年为库部员外郎。约会昌末、大中初官金部员外郎。其余仕宦难于系年。翰，唐代编纂家。生卒年、籍贯不详。又曾为屯田员外郎。《新唐书·艺文志四》著录所编《异闻集》十卷。该书收录唐传奇名篇，有散佚，可考者四十余篇，是唐人重要传奇作品集。《太平广记》存二十五篇。事迹见岑仲勉《郎官石柱题名新考订》。（参程毅中《〈异闻集〉考》）

常达（801—874）卒。达，诗僧，俗姓顾，字文举。海隅人。年二十四出家于何阳大福山。后游学江淮诸名刹。研习释典，兼攻老、庄百家之书。会昌中朝廷毁寺，遂遁迹山间。大中、咸通中住持苏州破山寺，病卒。能书工诗。于五七言诗师法元和体，著《青山履道歌》（已佚），流播人口。今传《唐四僧诗》本《常达诗集》一卷，收《破山山居八咏》，《全唐诗》作《山居八咏》。事迹见《宋高僧传》卷一六。

崔璞本年为右散骑常侍。璞，清河（今属河北）人。生卒年不详。懿宗、僖宗时人。咸通十年（869）自谏议大夫出为苏州刺史。与皮日休等诗歌唱和。十二年（871），罢归京洛。历同州刺史、右散骑常侍。《全唐诗》存诗二首。事迹见其诗及皮日休《松陵集序》、《旧唐书·僖宗本纪》。

裴坦（？—874）卒。坦，文学家。字知进。籍贯不详。大和八年（834）进士及第。辟宣歙观察使府从事。召拜右拾遗、史馆修撰。大中初，为楚州刺史。历户部、左司二员外郎。迁职方郎中、知制诰。十一年（857），为中书舍人。十四年（860），权知礼部贡举。咸通二年（861）出为江西观察使。历谏议大夫、华州刺史。乾符元年，拜中书侍郎、同中书门下平章事，卒。性简俭。《全唐文》存文一篇，《全唐诗补编》存诗一首、断句二句。事迹见《旧唐书》之《宣宗本纪》、《懿宗本纪》及《新唐书》本传。

公元 875 年（唐僖宗乾符二年　乙未）

正月

辛卯，有事于南郊，大赦。制曰："词科出身，士林所重，本贵践历，渐至显荣。近者惟扇浇风，皆务躁进，麻衣才脱，结绶王畿。是能十年宦途，今来半岁迁授，颇为讹弊，须举重明。自今以后，进士及第并许满二周年后，诸道藩镇及户部度支、盐铁，及在京诸司方得奏请。如未及奏官限内，有摄职处，一任随牒摄。其弘文馆、集贤院奏请直馆校理，并依此月限。如出身后，诸道奏已请初衔，未得两考者，辄便奏畿内尉充。在职两考，方得依资除官改转。其授使下官，先自有月限资序，一一须守旧规，不得超越比拟。"（见《新唐书》本纪、《文苑英华》）

是月，敕："进士策名，向来所重，由此从官，第一出身。诚宜行止端庄，宴游俭约，事务率醵，动合兢修，保他日之令名，成在此之慎静。岂宜纵逸，惟切追欢！近年以来，浇风大扇。一春所费，万余贯钱。况在麻衣，从何而出？力足者乐于书罚，家贫者苦于成名。将革弊讹，实在中道。宜令礼部，切加戒约，每年有名宴会、一春罚钱及铺地等，相许每人不得过一百千，其勾当分手不得过五十人。其开试开宴，并须在四月内。稍有违赴，必举朝章。仍委御史台，当加纠察。"（见《唐大韶令集》）僖宗《戒约新及第进士宴游敕》略同。（见《全唐文》卷八八）（参《登科记考》）

高骈年五十五岁，在西川节度使任，击退南诏进攻；后南诏遣使请盟，骈宴犒之，感而赋《锦城写望》、《宴犒蕃军有感》诗。（均见《全唐诗》卷五九八）（参《旧唐书·僖宗本纪》、《资治通鉴》）

章碣长安应进士试，库部郎中韦岫出守泗州，碣赋诗送之。碣《送韦岫郎中典泗州》诗："玉皇恩诏别星班，去压徐方分野间。……想忆朝天独吟坐，旋飞（一作携）新作过秦关。"（见《全唐诗》卷六六九）（参《新唐书·循吏传》）韦岫字伯起，韦宙弟。碣又有《长安春日》。（见《全唐诗》卷六六九）

二月

中书舍人崔沆知礼部贡举。郑合敬、张文蔚、崔胤、崔澄、杨涉、林嵩、孟棨、郑隐、陈说、林徵等三十人登进士第。赋试《王者之道如龙首赋》，以"龙之视听，有符君德"为韵；诗歌试《一一吹竽诗》，又试《涨曲江池诗》，以春字为韵。（见《黄御史集》、《文苑英华》、《登科记考》）

郑合敬以第一名中进士科状元。（见《玉芝堂谈荟》）《唐摭言》卷三："郑合敬先辈《及第后宿平康里诗》曰：'春来无处不闲行，楚润相看别有情。好是五更残酒醒，时时闻唤状头声。'楚娘字润娘，妓之尤者。"孙棨《北里志》楚儿条："楚儿字润娘，素为三曲之尤，而辩慧，往往有诗句可称。"宋赵与时《宾退录》卷二云："唐僖宗乾符二年，礼部侍郎崔沆下进士三十二人，郑合敬第一。"合敬，郑州荥泽（今河南荥阳）人。生卒年不详。状元及第，官至谏议大夫。《全唐诗》存诗一首，但署作"郑合，一作郑合敬"。事迹见《新唐书·宰相世系表五上》、《登科记考》卷二三。

张文蔚，生卒年不祥，本年进士及第。《旧唐书·张裼传》："子文蔚，乾符二年进

士擢第。"《旧五代史·张文蔚传》："唐乾符初登进士第。时丞相裴坦兼判盐铁，解褐署巡官。"

崔胤（崔彻、崔敬本），《旧唐书·崔慎由传》："子胤，字昌遐，乾宁二年登进士第。"［按，"乾宁"为"乾符"之误］《旧唐书·张裼传》："崔胤擅朝政，与文蔚同年进士，尤相善。"《全唐文》卷九十一，昭宗《贬崔允工部尚书诏》："崔允，奕叶公台，蝉联珪组。冠岁名升于甲乙，壮年位列于公卿。"作"允"者盖后人避讳改，作"胤"是。《新唐书》本传载胤于天复四年（904）正月为朱全忠所诛，年五十一。《北里志》又有崔彻、崔敬本为"崔四十相"之载，并录于此，以备查阅。

崔瀣，生卒年不详，本年进士及第。《唐语林》："崔沆知贡举，得崔瀣。时榜中同姓，瀣最为沆知，谈者称'座主、门生，沆、瀣一气。'"《南部新书》卷五略同。

杨涉，生卒年不详，本年进士及第。《永乐大典》引《苏州府志》："侍郎崔沆知举，杨涉登第。"《旧唐书·杨收传》："涉，杨严长子，乾符二年登进士第。"

林嵩，生卒年不详，本年进士及第。《唐才子传》："林嵩字降臣，长乐人也。乾符二年礼部侍郎崔沆下进士。"《淳熙三山志》："林嵩，长溪人，终金州刺史。"《新唐书·艺文志四》谓嵩"乾符进士第"。林嵩，诗人、辞赋家。字降臣，一作降神。长溪（今福建霞浦）人。生卒年不详。进士及第，返乡，为福建观察使李诲所器重。寻召授秘书省正字。不久复东归，为福建观察使辟为团练巡官，转度支使。在任有政声。后除毛诗博士，官至金州刺史。嵩诗赋兼擅。辛文房称其"工诗善赋，才誉与公乘亿相高，功名之士，翕然而慕之"（见《唐才子传》）。《新唐书·艺文志四》著录《林嵩赋》一卷，《宋史·艺文志七》则记《林嵩诗》一卷，均已佚。《全唐诗》存诗一首，《全唐文》存文二篇。事迹见《新唐书·艺文志四》、《淳熙三山志》卷二六、《唐才子传校笺》卷九、《福建通志》卷一。

孟棨，生卒年不详，本年进士及第。《唐摭言》："孟棨年长于小魏公，放榜日，棨出行曲谢，沆泣曰：'先辈，吾师也。'沆泣，棨亦泣。棨出入场籍三十余年。"棨，小说家。棨，一作启。字初中。生卒年、籍贯不详。会昌中开始应举，举场沦落三十余年，本年始进士及第。光启二年（886）前累迁至司勋郎中。该年撰成《本事诗》。后不知所终。一说开成中曾任梧州刺史，误。所撰《本事诗》一卷，多记唐人诗歌本事，开我国古代诗话以诗系事之新体例，为唐人笔记小说集较重要者，见《新唐书·艺文志四》。传世有《历代诗话续编》本等。《全唐文》存文一篇。事迹见其《本事诗序》、《唐摭言》卷四。

郑隐，生卒年不详，本年进士及第。《唐摭言》："郑隐者，其先闽人，徙居循阳，因而耕焉。少为律赋，辞格固寻常。咸通末，小魏公沆自阙下黜循州佐，于时循人稀可与言者，隐贽谒之，沆一见甚慰意，自是日与之游。隐年少，懒于事，因傲循官寮，由是犯众怒，故责其逋租，系之非所。沆闻大怒，以钱代隐输官，复延之上席。未几，沆以普恩还京，命隐偕行。隐禀性趑趄，沆之门吏、家仆靡不恶之，往往呼为乞索儿。沆待之如一。行次江陵，隐狎游多不馆宿，左右争告沆。沆召隐微辨，隐以实对。沆又资以财帛，左右尤不测也。行至商颜，诏沆知贡举。时在京骨肉闻沆携隐，皆以书止之，沆不能舍，遂令就策试。然与诸亲约，止于此耳。暨榜除之夕，沆巡廊自呼隐者三四，矍然顿气而言曰：‘郑隐，崔沆不与了却，更有何人肯与之！’一举及第。然隐远人，素无关外名，足不迹先达之门，既及第而益孤。上过关宴，策蹇出京，盘桓淮浙间。中和末，郑续镇南海，辟为从事。诸同舍皆以无素知闻，隐自谓有科第，志无复答。既赴辟，同舍皆不睦。续不得已，致隐于外邑。居岁余，又不为宰君所礼。会续欲贡士，以幕内无名人，迎隐尸之。其宰君谓隐恨且久，仇之必矣，遂于饯送筵置鸩。隐大醉，吐血而卒。”《淳熙三山志》：“郑隐字伯超，福清人。”《全唐文》卷八二四黄滔《代陈蠲谢崔侍郎启》有“户部郑郎中伏话郑隐先辈专传侍郎尊旨”语，即指此郑隐。题中之“崔侍郎”，指崔沆。

陈说，生卒年不详，本年进士及第。《淳熙三山志》：“郑合敬榜进士陈说，字昌吉，侯官人。终韶州刺史。”《唐文拾遗》卷二十九黄棨撰《朝散大夫使持节韶州诸军事守韶州刺史上柱国陈府君（说）墓志铭并序》：“府君讳党，字昌言，其先颍川人。……裴公帅闽日，尝大器之，命与子弟处，子弟即故相国公坦也。年中乃与计偕，以发泄奇蓄，遇公道大开，声光崛振，仅及“□”举，遂擢高科，时尤重其名，牓下授秘书省正字。”

林徵，生卒年不详，本年进士及第。《闽书》卷七十七《英旧志·福州府·长乐县·唐选举》：“乾符二年乙未：林徵，慎思子。”慎思登咸通十年（869）进士第，见前。

知贡举：中书舍人崔沆。《旧唐书》本纪：“乾符元年十月，以中书舍人崔沆为中书侍郎。”二年五月又云：“中书舍人崔沆为礼部侍郎。”盖沆于放榜后正拜侍郎，元年之中书侍郎，系权知贡举之误也。《唐语林》：“自兴元元年癸亥德宗幸梁洋，二年甲子鲍防侍郎知举，至乾符二年乙未崔沆侍郎知举，计九十二年，而二年停质举。九十年中，登进士第者一百一十六人，诸科在外。惟范阳卢氏不出座主。”

黄滔试而未第。《黄御史集》卷一载《省试王者之道如龙首赋》，原注：“以‘龙之视听，有符君德’为韵。乾符二年下第。”黄滔《黄御史公集》卷四《省试一一吹竽》，注：“乾符二年。”滔有《省试奉诏涨曲江池》诗，下注：“以春字为韵，时乾符二年。”（见《全唐诗》卷七〇六）滔另有《下第》、《辇下寓题》（见《全唐诗》卷七〇四、卷七〇六），诗皆落第京华所作，作年难考，并记于此。

李频初抵建州刺史任，有《之任建安渌溪亭偶作二首》。（见《全唐诗》卷五八九）

郑谷年二十八，落第京华，有《阙下春日》、《席上贻歌者》、《曲江》等诗。（见《郑谷年谱》）

杜荀鹤年三十，有《感春》诗，感慨时光易逝。（见《全唐诗》卷六九三）

四月

浙西狼山镇遏使王郢等作乱，曾攻陷苏常二州，转掠二浙，南及福建。（见《旧唐书·僖宗本纪》乾符二年四月）《资治通鉴》卷二五二云：“浙西狼山镇遏使王郢等六十九人有战功，节度使赵隐赏以职名而不给衣粮，郢等论诉不获，遂劫库兵作乱，行

收党众近万人，攻陷苏常，乘舟往来，泛江入海，转掠二浙，南及福建，大为人患。”

薛能年约五十九，在徐州感化军节度使任。时李晦离河南尹任赴福建为观察使，能作《送福建李大夫》送之。（见《全唐诗》卷五五九）。《旧唐书·僖宗本纪》乾符二年四月记：“河南尹李晦检校左散骑常侍，兼福州刺史、福建都团练观察使。”又《唐诗纪事》卷六十薛能条：“能，字大拙……京兆尹温璋贬，命权知尹事。出领感化节度，入授工部尚书。”

六月

王仙芝、黄巢已有数万之众。巢此前有咏菊抒怀诗。《资治通鉴》卷二五二，乾符二年六月：“王仙芝及其党尚君长攻陷濮州、曹州，众至数万；……冤句人黄巢亦聚众数千人应仙芝。巢少与仙芝皆以贩私盐为事，巢善骑射，喜任侠，粗涉书传，屡举进士不第，遂为盗，与仙芝攻剽州县……众至数万。”黄巢《不第后赋菊》：“待到秋来九月八，我花开后百花杀。冲天香阵透长安，满城尽带黄金甲。”（见《全唐诗》卷七三三）又有《题菊花》（同上），题下注引《贵耳集》云：“巢五岁时，侍其翁与父为菊花诗。翁未就，巢信口曰：‘堪与百花为总首，自然天赐赭黄衣。’父怪，欲击之，翁曰：‘可令再赋。’巢应声云云。”诗云：“飒飒西风满院栽，蕊寒香冷蝶难来。他年我若为青帝，报与桃花一处开。”

七月

杜荀鹤离家赴京，有《离家》诗。诗云：“丈夫三十身（一作今）如此，疲马离乡懒著鞭。槐柳路长愁杀我，一枝蝉到一枝蝉。”（见《全唐诗》卷六九三）唐时俗语有“槐花黄，举子忙”语，举子至秋日为觅举而奔忙。荀鹤此时为觅举而离乡赴京。

张彦远任大理卿。彦远有《历代名画记》、《法书要录》之作。《新唐书·艺文志一》著录张彦远《法书要录》十卷，下记“乾符初大理卿”（参《旧唐书·僖宗本纪》）。张彦远此后行迹无考。《新唐书·艺文志三》又著录其《历代名画记》十卷。陶宗仪《书史会要》卷五称其“工字学，隶书外多喜作八分，尝撰《法书要录》十卷，具载古人论书语，自汉至唐上下千百载间，其大笔名流几不逃彀中矣”。

秋，罗邺随崔安潜自江西移镇忠武，途中有诗。贯休有诗送行。罗邺《钟陵崔大夫罢镇攀随再经匡庐寺宿》：“一抛文战学从公，两逐旌旗宿梵宫。酒醒月移窗影畔，夜凉身在水声中。侯门聚散真如梦，花界登临转悟空。明发不堪山下路，几程愁雨又愁风。”（见《全唐诗》卷六五四）又贯休《送罗邺赴许昌辟》诗云：“方得论心又别离，黯然江上步迟迟。不堪回首崎岖路，正是寒风皴错时。美似郗超终有日，去依刘表更何疑。前程不少南飞雁，聊寄新诗慰所思。”（见《全唐诗》卷八三五）贯休又有《海边见罗邺》：“清世诗声出，谁人得似君。……楚木寒连寺，修江碧入云。相思喜相见，庭叶正纷纷。”（见《全唐诗》卷八三二）又罗邺集中《牡丹》、《长城》、《野花》、《鹦鹉咏》、《雁二首》、《梅花》、《竹》、《秋蝶二首》、《莺》、《鸳鸯》、《早梅》、《春风》、《芳草》、《萤二首》、《柳絮》、《鸡冠花》、《蝉》、《冬夕江上言事五首》、《旧侯家》、《经故洛城》、《老将》、《温泉》、《陈宫》、《过王濬墓》、《伤侯第》、《吴王古宫井三首》、《叹平泉》、《宫中二首》、《春望梁石头城》、《新安城》、《上阳宫》等诗，大都难于系年，暂系于此。

罗隐游江夏，有诗。谒观察使韦蟾，有诗呈之。罗隐《上鄂州韦尚书》："往岁先皇驭九州，侍臣才业最风流。文穷典诰虽余力，俗致雍熙尽密谋。……都缘未免江山兴，开济生灵校一秋。"（见《罗隐集·甲乙集》卷二）时韦蟾出镇鄂岳。又罗隐尚有《西塞山》、《游江夏口》、《江夏酬高崇节》、《酬高崇节》。（见《罗隐集·甲乙集》卷四、卷六、卷七、卷十一）

十月

右补阙董禹上疏论时弊，为宦官所忌，被贬外出。时宦者田令孜任中尉，有宠于僖宗，招权纳贿，朝政紊乱。《资治通鉴》卷二五二乾符二年："九月，右补阙董禹谏上游畋，乘驴击球，上赐金帛以褒之。邠宁节度使李侃奏为假父华清宫使道雅求赠官，禹上疏论之，语颇侵宦官。枢密使杨复恭等列诉于上。冬十月，禹坐贬郴州司马。"时宦官当权，朝政紊乱。《资治通鉴》本年正月载："上之为普王也，小马坊使田令孜有宠，及即位，使知枢密，遂擢为中尉。上时年十四，专事游戏，政事一委令孜，呼为阿父。令孜颇读书，多巧数，招权纳贿。……令孜说上籍两市商旅宝货悉输内库，有陈诉者，付京兆杖杀之。宰相以下，钳口莫敢言。"

十二月

山东各地起事者甚众，至于淮南。王仙芝进兵沂州。《资治通鉴》卷二五二乾符二年："群盗侵淫，剽掠十余州，至于淮南，多者千余人，少者数百人。诏淮南、忠武、宣武、义成、天平五军节度使、监军亟加讨捕及招怀。十二月，王仙芝寇沂州，平卢节度使宋威表请以步骑五千别为一使，兼帅本道兵所在讨贼。"

本年

曹松有《林下书怀寄建州李频员外》诗，寄建州刺史李频。（见《全唐诗》卷七一六）后，至建州依李频。频卒，流落无所遇。天复元年（901）始进士及第。

本年前后周朴在闽，福建观察使杨发、李诲曾先后召其入幕，不往。咸通、乾符时，朴寄食福州乌石山僧寺，高傲纵逸，一篇一咏，脍炙人口。其题咏福州诸寺之作约在本年前后。林嵩《周朴诗集序》记周朴"闽之廉问杨公发、李公诲，中朝重德，羽翼词人，奇君之诗，召而不往"（见《全唐文》卷八二九）。《唐音癸签》卷六九记周朴"避地福州，寄食乌石山僧寺"。《乌石山志》卷七亦记周朴"唐季避地居福州乌石山之神光寺……性喜吟诗，尤尚苦涩"。《周朴诗集序》记朴"与李建州频，方处士干为诗友。一篇一咏，脍炙人口。……高傲纵逸，林观宇宙，视富贵如浮云，蔑珪璋如草芥。惟山僧钓叟相与往还。蓬门芦户不庇风雨，稔不秫，歉不变，晏如也。……

松蟠鹤翅，泥曳龟尾，一丘一壑，宽于天地”。朴在闽时作有《福州东禅寺》、《登福州南涧寺》、《福州神光寺塔》、《福州开元寺塔》（均见《全唐诗》卷六七三）等诗。又其《赠念经僧》诗有“月皎海霞散”句（见《全唐诗》卷六七三），寺离海不远，当亦在福州所作。以上诸诗作年不详，约在本年前后，姑记于此。

本年前后，周繇任福昌县尉，曾返乡省亲，杜荀鹤赋诗送别。荀鹤有《送福昌周繇少府归宁兼谋隐》诗（见《全唐诗》卷六九二)。《唐才子传·周繇传》记繇“咸通十三年郑昌图榜进士，调福昌县尉”。繇调福昌县尉前曾任校书郎，林宽有《和周繇校书先辈省中离直》(见《全唐诗》卷六〇六)。

约本年前后，宫女有题诗置于袍中，以抒相思之情。《唐诗纪事》卷七八僖宗宫人条载：“僖宗自内出袍千领，赐塞外吏士。神策军马真，于袍中得金锁一枚，诗一首云：‘玉烛制袍夜，金刀呵手裁。锁寄千里客，锁心终不开。’真就市货锁，为人所告，主将得其诗，奏闻。僖宗令赴阙，以宫人妻真。后僖宗幸蜀，真昼夜不解衣，前后捍御。”

本年前后，皇甫枚撰传奇《非烟传》。枚，字遵美，安定三水人，乃白敏中外孙。咸通末为汝州鲁山主簿，唐亡，寓居汾晋，自号三水人，撰《三水小牍》。其中《非烟传》一题《步非烟传》，乃作于咸通末之后，确年无考，姑系于此（参李剑国《唐五代志怪传奇叙录》)。

王镣本年迁左司郎中，改汝州刺史。王仙芝攻汝州，王镣被俘。镣，字德擢。扬州（今属江苏）人。生卒年不详。王炎子。富有才情，但数举不第。经卢肇等推荐，始于咸通中进士及第。累官仓部员外郎。乾符二年（875）迁左司郎中，改汝州刺史。王仙芝攻汝州，王镣被俘。后贬韶州司马。终太子宾客。《全唐诗》存诗一首。事迹见《唐诗纪事》卷六六、《唐尚书省郎官石柱题名考》卷一。

皮日休本年于王仙芝起义后，回到吴郡，为毗陵副使。乾符五年（878），黄巢起义军渡江入浙西，继而攻下杭州、越州，日休参加农民起义军。

杨知至本年为京兆尹。知至，字幾之。虢州弘农（今河南灵宝）人。生卒年不详。杨汝士子。会昌四年（844）应进士试，初被知贡举王起奏为进士及第，后被黜落。杨作诗抒其哀怨。其后仍以进士及第。大中中，为浙东团练判官。咸通中，得宰相刘瞻赏识，擢比部郎中知制诰。以刘瞻得罪，贬琼州司马。乾符二年（875）为京兆尹。次年，为工部侍郎。官终户部侍郎。能诗。任浙东团练时所作送崔元范入京诗，为时人所称诵。《全唐诗》存诗二首。事迹见《旧唐书》之《懿宗本纪》、《僖宗本纪》，新、旧《唐书·杨虞卿传》附传，《唐诗纪事》卷五九。

宗亮，诗僧，本年尚在世。终年八十。俗姓冯。一称月僧。明州奉化（今属浙江）人。生卒年不详。开成中出家为僧。大中中，为明州国宁寺住持。有诗名。撰诗集三百多首。《全唐诗补编》存诗四首。事迹见《宋高僧传》卷二七。

钱镠本年为临安石镜镇将之偏将。

徐仁嗣本年，加司封郎中。仁嗣，诗人。新郑（今属河南）人。生卒年不详。徐商子。咸通三年（862）进士及第。累至司封员外郎。乾符初，充翰林学士，旋加司封郎中。《全唐诗》存诗一首。事迹见《唐尚书省郎官石柱题名考》卷五。

萧倣（796—875）卒。倣，文学家。字思道。祖籍南兰陵（治今江苏武进西北）。大和元年（827）进士及第。大中中累迁谏议大夫、给事中。出为岭南节度使。咸通二年（861）为左（一作右）散骑常侍。四年（863）知贡举。贬蕲州刺史。六年（865）由吏部侍郎出为义成节度使。十四年（873）以兵部尚书同平章事。进中书、门下侍郎。再迁司空。乾符二年（875）卒。居官鲠正。能文，《谏懿宗奉佛疏》为唐人奏疏名篇。《全唐文》存文四篇，《全唐诗》存诗二首。事迹见新、旧《唐书》本传。

崔棁（875—942）生。唐代散文家。棁，字子文。博陵安平（今属河北）人。后梁贞明三年（917）进士及第。开封府尹王瓒辟掌奏记。后唐明宗时授监察御史。长兴二年（931）为都官郎中、知制诰。应顺元年（934）由翰林学士、中书舍人迁工部侍郎。后晋天福二年（937）由户部侍郎迁兵部侍郎，充翰林学士承旨。权知次年贡举。拜尚书左丞迁太常卿。七年（942），为太子宾客分司西都，是年卒。好学，颇涉经史，工文辞。平生所作文章、碑诔、制诏甚多，多不传。《全唐文》存文七篇，《全唐诗》存乐章一组共七首。事迹见新、旧《五代史》本传。参《旧五代史》之后唐、后晋本纪。

公元876年（唐僖宗乾符三年　丙申）

二月

礼部侍郎崔沆知贡举。一说李昭知举。孔缄、高蟾、苗廷乂等三十人登进士第。是年韦硎、沈驾、罗隐、周繁等第罢举，见《唐摭言》。

孔缄，生卒年不详，本年以第一名中进士科状元。

高蟾，生卒年不详，本年进士及第。《唐才子传》："高蟾，河朔间人。乾符三年孔缄榜及第。初，累举不上，题省墙间曰：'冰柱数条搘白日，天门几扇锁明时。阳春发处无根蒂，凭仗东风次第吹。'怨而切，是年人论不公。又《下第上马侍郎》云：'天上碧桃和露种，日边红杏倚云栽。芙蓉生在秋江上，莫向春风怨未开。'意指亦直，马怜之。又有'颜色如花命如花'之句，自况时运蹇窒。马因力荐。明年，李昭知贡，遂擢第。"［按，"马侍郎"、"李昭"皆误。《四库全书》本《唐才子传》乾符三年作乾符二年］《唐诗品汇》亦云：'按唐登科记，进士有两高蟾"。计有功《唐诗纪事》卷六一高蟾条于蟾赋《初落第》诗后云：'时谓蟾无躁竞心，后登第。'又蟾《下第后上永崇高侍郎》诗（见《全唐诗》卷六六八），韦庄《又玄集》卷下已选录此诗，题作《下第后献高侍郎》。唐末韦縠《才调集》卷八亦录此诗，一题作《下第后上永崇高侍郎》，宋洪迈《万首唐人绝句》卷三四又题作《下第后上高侍郎》。而高蟾座主，当为崔沆。蟾，生卒年不详。出身寒素，性倜傥不群，尚气节，胸襟磊落。初累举进士不第，赋诗自嗟。后为人力荐，遂于本年登进士第（一说于乾符二年）（见《唐才子传》）。乾宁中，官至御史中丞。蟾与诗人郑谷、贯休有交往，两人皆有诗赠之。辛文房称蟾"诗体则气势雄伟，态度谐远，如狂风猛雨之来，物物竦动，深造理窟，亦一奇逢掖也'（见《唐才子传》）。《新唐书·艺文志四》著录《高蟾诗》一卷，已散佚。《全唐诗》编其诗为一卷。事迹见《新唐书·艺文志四》，《唐诗纪事》卷六一，《唐才子传校笺》卷九。

苗廷乂，生卒年不详，本年进士及第。原作“苗延”，徐氏考云：“延，乾符三年登进士第，见《韩文考异》引《登科记》。《世系表》，恽生廷乂。‘延’盖‘廷乂’之讹。”《千唐志斋藏志》咸通十二年苗义符撰《唐故上党苗君墓中哀词》云：‘吾与仲弟廷乂同经营’，可确定当作‘廷乂’。

博学宏词科。《旧唐书》本纪：“三月，以吏部尚书归仁晦、吏部侍郎孔晦、吏部侍郎崔荛宏词选人，考功郎中崔庾、考功员外郎周仁举为考官。”

知贡举：一说礼部侍郎崔沆。一说李昭知举。未知孰是，今两存之。

《唐才子传》、《唐仆尚丞郎表》皆谓本年为李昭知贡举。《北梦琐言》卷五谓乐朋龟举进士，曾“谒李昭侍郎自媒”。

《旧唐书·崔沆传》谓本年知贡举为礼部侍郎崔沆。“乾符初，拜舍人，寻迁礼部侍郎，典贡举。选名士十数人，多至卿相。”是则崔沆为礼部侍郎时，仍知贡举。而本纪载：三年九月，礼部侍郎崔沆为尚书右丞，则此年沆知举也。另《黄御史集》有《代陈蠲谢崔侍郎启》云：“某词学疏芜，进取乖拙，一叨贡士，累黜名场。足间之刖处纵横，额上之点痕重叠。今春伏遇侍郎精求俊彦，历选滞遣，某又名碍龙头，迹乖豹变。都由薄命，翻负至公。以此怔忪莫宁，惶惑无已。在良时而自失，于异日以何归？谓一生而便可甘心，叹二纪而徒劳苦节。岂料侍郎，坚垂记录，确赐悯伤。令后人而副取前心，指陋质而说为遗恨。将使蔡经之骨，终系仙家；士燮之魂，却还人世。盖施阴德，岂止阳功。喜极翻惊，感深惟泣。明年春色，致身虽出于他门；今日恩光，碎首须归于旧地。”

郑谷与春试而未第，有《乾符丙申岁奉试春涨曲江池》诗(见《全唐诗》卷六七五)。

三月

罗隐作《与招讨宋将军书》责招讨将军宋威“横摧士伍，鞭挞馈运”，故使王仙芝等陷睢阳，胁大梁。（见《罗隐集·谗书》，据《资治通鉴》卷二五二乾符二年十二月条）

杜荀鹤在京应试落第，有《长安春感》。（见《全唐诗》卷六九二）

胡曾（约839—?）在西川高骈幕为从事，有《草檄答南蛮有咏》等诗文。《唐诗纪事》卷七一胡曾条记：“高骈镇蜀，南蛮时飞一木夹，有借锦江饮马之语。曾时为记室，以檄破之，兼有诗云：‘辞天出塞阵云空，雾卷霞开万里通。亲受虎符安宇宙，誓将龙剑定英雄。残霜敢冒高悬日，秋叶争禁大段风。为报南蛮须屏迹，不同蜀将武侯功。’”所咏诗即《草檄答南蛮有咏》（见《全唐诗》卷六四七）。《鉴戒录》卷二《判木夹》条所记略同。胡曾另有《代高骈回云南牒》，系代高骈作。（见《全唐文》卷八一一）

七月

罗隐游江州，有行旅诗，及献江州刺史陈檠诗。罗隐所作为《上江州陈员外》、

《九江早秋》、《江州望庐山》、《宿彭蠡馆》等诗（见《罗隐集·甲乙集》卷二、卷五、卷七）。

郑谷南下游至湘桂一带，作《远游》诗。（据傅义《郑谷年谱》）

八月

苏鹗《杜阳杂编》三卷成，并撰序。其序文末署“乾符三年秋八月”。鹗少好学，十举不第，遂将所闻见之事辑录为此书。苏鹗《杜阳杂编》序云：“予髫年好学，长而忘倦。尝览王嘉《拾遗记》、郭子横《洞冥记》及诸家怪异录，谓之虚诞。而复问博文强记之士，或潜夫辈，颇得国朝故实。始知天地之内无所不有……屡接朝事，同人语事，必三复其言，然后题于简册，藏诸箧笥。暇日阅所纪之事逾数百纸，中仅繁鄙者并弃而弗录，精实者编成上中下三卷，自代宗广德元年癸卯懿宗咸通癸巳，合一百一十载。……知我者谓稍以补东观绨油之遗阙也。”鹗，小说家，字德祥，京兆武功（今属陕西）人。生卒年不详。幼好学，长而忘倦。屡举进士不第。本年编次所录为《杜阳杂编》三卷。光启中始进士及第（一说光启二年及第）。勤于记述，能文。《杜阳杂编》记代宗至懿宗十朝事，文辞铺张缛艳，后世词赋多所取材。传世版本多种，中华书局排印本较适用。《新唐书·艺文志三》又著录苏鹗《演义》十卷，《杜阳杂编》三卷。其《演义》，今传辑本二卷。事迹见其《杜阳杂编序》及《新唐书·艺文志三》。

郑谷游湘南，作《中秋》诗。其诗云：“清香闻晓莲，水国雨余天。……乱兵何日息，故老几人全。”（见《郑谷诗集编年校注》）

九月

黄滔在长安，作《刑部郑郎中启》二篇，向刑部郎中郑诚行卷乞援，并代郑诚撰写多篇启文。又受陈鐲之托，代草感谢崔沆侍郎荐举之文。（见《全唐文》卷八二三）滔明年又有《下第东归留辞刑部郑郎中诚》（见《全唐诗》卷七〇五）诗。《新唐书·艺文志》记有《郑诚集》，并云：“字申虞，福州闽县人。”《淳熙三山志》卷二六亦记其“字申虞，闽县人。历刑部郎中，郢、安、邓三州刺史”。以诚闽人，滔亦闽人，故特向其行卷。黄滔又有《代郑郎中上静恭卢相公启》、《代郑郎中上郑相公启》、《代郑郎中上令狐相启》（《全唐文》卷八二三）。滔另有《代陈鐲谢崔侍郎启》，中云：“户部郑郎中伏话郑隐先辈专传侍郎尊旨，伏蒙于新除永乐侍郎处特赐荐论……今春伏遇侍郎精求俊彦，历选滞遗，某又名碍龙头，迹乖豹变。”（见《全唐文》卷八二四）[按，户部郑郎中即郑滈，崔侍郎即崔沆]

李频在建州刺史任，贯休作《秋寄李频使君二首》寄之。（见《全唐诗》卷八三二）

罗隐约作《寄陆龟蒙》，于龟蒙之人品文品颇为推重（见《罗隐集·甲乙集》卷五）。《唐诗纪事》卷六四陆龟蒙条记此诗云：“龟蒙攻文，与颜荛、皮日休、罗隐、吴融友善。家贫，与张搏为庐江、吴兴二郡丞，李蔚、卢携景重之。罗隐寄诗曰：‘龙楼李丞相，昔岁仰高文。黄阁今无主，青山竟不焚。夜船乘海月，秋寺伴江云。只恐尘

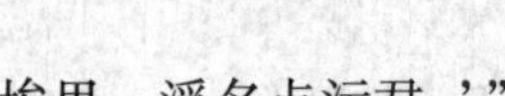

埃里，浮名点污君。’”

王仙芝攻掠河南十五州，本月攻占汝州，执刺史王铎。又南攻唐、邓、安、黄等州。关东诸州仅能守城，不敢出战。《旧唐书·僖宗本纪》乾符三年，“七月，草贼王仙芝寇掠河南十五州，其众数万。是月，贼逼颍、许，攻汝州，下之，虏刺史王铎。刑部侍郎刘承雍在郡，为贼所害。贼遂南攻唐、邓、安、黄等州。时关东诸州府兵不能讨贼，但守城而已”。

十月

李频（？—876）卒于建州刺史任，后葬于永乐州，百姓立庙梨山以祠之。诗人郑谷、曹松、张蠙、贯休、张乔等人皆有诗哭吊之。有诗集一卷。《新唐书·李频传》记李频任建州刺史，“卒官下，丧归，父老相与扶柩，葬永乐州，为立庙梨山，岁祠之”。（参《旧唐书·僖宗本纪》）频，字德新。睦州寿昌（今属浙江）人，一说当为睦州清溪（今浙江淳安）人。少秀悟。及长，与方干友善。以姚合有诗名，不惮千里求其品第。合以女妻之。大中八年（854）进士及第。授秘书郎，累佐使幕。约咸通八年（867），为南陵尉或南陵主簿。十一年（870），以京兆参军主持京兆府试，首荐许棠。试判入等，迁武功令，惩豪强，赈饥民，懿宗嘉之。擢侍御史，迁都官员外郎。乾符二年（875）出为建州刺史。卒于官。频之卒，时人多有哭吊之作。曹松有《哭李频员外》（见《全唐诗》卷七一六），郑谷有《哭建州李员外频》（见《全唐诗》卷六七四），张蠙有《哭建州李员外》（见《全唐诗》卷七〇二），张乔亦有《吊建州李员外》（见《全唐诗》卷六三八），而贯休《闻李频员外卒》诗中云：“落叶平津岸，愁人李使君。文章应力竭，茅土始天分。”（见《全唐诗》卷八三一）频工诗，尚苦吟，尤长于五言律诗。多酬赠、寄送、行旅、题咏之作，写思乡之情、朋友之谊、失意之感。宋严羽《沧浪诗话·诗评》谓其诗“不全是晚唐，间有似刘随州处”。辛文房谓“频诗虽出晚年，体制多与刘随州相抗，骚严风谨，惨惨逼人”。（见《唐才子传·李频传》）。明胡震亨《唐音癸签》卷八谓频“诗松活似姚监，其不全似者，意思少，更率于选琢也。然亦可谓才倩矣”。《送人游吴》、《湘口送友人》等诗为世所称。有《李频诗》一卷，著录于《新唐书·艺文志四》，一名《建州刺史集》、《梨岳集》，传世有《四部丛刊三编》影印元刊本等。《全唐诗》编诗三卷，“补遗”补二首，《全唐诗补编》补三首。事迹见《新唐书》本传，《唐才子传校笺》卷七。

十一月

公乘亿为罗让撰神道碑文。其《唐太师南阳王罗公神道碑》中云：“烈考讳珍，魏博节度押衙亲事厢虞候。公少立奇节，倜傥不群……乾符三年六月十一日，遘疾于宽仁坊之私第……当年十一月二十四日，迁宅兆于贵乡县迎济乡蔡林。”（见《全唐文》卷八一三）据《旧唐书·罗弘信传》：“罗弘信字德孚，魏州贵乡人。曾祖秀，祖珍，父让，皆为本州军校。”

约本年冬，林宽在长安，作《陪郑诚郎中假日省中寓直》诗。（见《全唐诗》卷六〇六）时林宽诗多有写长安景物者，未知作年，姑述于此。《终南山》：“标奇耸峻壮长安，影入千门万户寒。徒自倚天生气色，尘中谁为举头看。”又有《长安遣怀》、《曲江》、《长安即事》、《朱坡》、《下第寄欧阳瓒》等诗。

十二月

薛能在感化节度使任，时王仙芝率军攻申、光、庐、寿、舒、通等州，淮南节度使刘邺奏求增兵，朝中令薛能选精兵数千助之。（见《资治通鉴》卷二五二）《资治通鉴》记，十二月，王仙芝攻蕲州，刺史裴偓延至城中，并上言招降王仙芝，仙芝欲受降得官，黄巢反对，王仙芝终不受命，但军中分裂，“贼乃分其军三千余人从仙芝及尚君长，二千余人从（黄）巢，各分道而去”。

本年

本年或之前数年，张蠙曾游边塞，多有边塞之作。张蠙有游边塞之作多首，如《朔方书事》、《边情》、《云朔逢山友》、《登单于台》、《过萧关》、《蓟北书事》等，难考作年，姑系于此。咸通十二年（871）卢潘出镇朔方灵武时，张蠙已有游边依幕之想，其《送卢尚书赴灵武》诗云：“山川不异江湖景，宾馆常闻食有鱼。”其边塞之作多展现唐季边塞形势，《朔方书事》云：“秋尽角声苦，逢人唯荷戈。……雁远行垂地，烽高影入河。仍闻黑山寇，又觅汉家和。”《云朔逢山友》云：“塞深行客少，家远识人稀。战马分旗牧，惊禽曳箭飞。”《过萧关》云：“陇狐来试客，沙鹘下欺人。晓戍残烽火，晴原起猎尘。”《蓟北书事》云：“度碛如经海，茫然但见空。戍楼承落日，沙塞碍惊蓬。暑过燕僧出，时平虏客通。”（均见《全唐诗》卷七〇二）

陆肱在虔州刺史任，时辟许棠为从事，与郑谷、崔橹、张蠙等人均有诗谊。郑谷有《南康郡牧陆肱郎中辟许棠先辈为郡从事因有寄赠》诗。（见《全唐诗》卷六七四）《唐语林》卷七载：“许棠初试进士，与薛能、陆肱齐名。……棠登第，薛已自京尹出镇徐州，陆亦出守南康。”《唐摭言》卷十二《酒失》条云：“崔橹酒后失虔州陆郎中肱，以诗谢之曰：‘醉时颠蹶醒时羞，麹糵催人不自由。叵耐一双穷相眼，不堪花卉在前头。’”又张蠙有《南康夜宴东溪留别郡守陆郎中》中云：“竹叶樽前教驻乐，桃花纸上待君诗。”（见《全唐诗》卷七〇二）

赵光远、孙棨等人本年前后与豪贵子弟恣游长安北里。与妓杨莱儿等人交往情密，多有题咏之作。《唐摭言》卷十《韦庄奏请追赠不及第人近代者》条载：“赵光远，丞相隐弟子，幼而聪悟。咸通、乾符中，以为气焰温、李，因之恃才不拘小节，常将领子弟，恣游狭斜。”《北里志·杨妙儿》条记赵光远应进士举前后与名妓杨莱儿交游，后又谓“莱儿乱离前有阛阓豪家以金帛聘之，置于他所，人颇思之，不得复睹”。《杨妙儿》条载：“长妓曰莱儿，字蓬仙，貌不甚扬，但利口巧言，诙谐臻妙……进士天水光远……一见溺之，终不能舍。莱儿亦以光远聪悟俊少，尤谄附之。又以俱善章程，愈相知爱。……是岁冬，（莱儿）大夸于宾客，指光远为一鸣先辈。及光远下第……莱儿正盛饰，立于门前以俟榜。小子弟辈马上念诗以谑之，曰：‘尽道莱儿口可凭，一冬夸婿好声名。适来安远门前见，光远何曾解一鸣。’莱儿尚未信，应声嘲答曰：‘黄口小儿口没凭，逡巡看取第三名。孝廉持水添瓶子，莫向街头乱椀鸣。’……光远尝以长句诗题莱儿室曰：‘鱼钥兽环斜掩门，萋萋芳草忆王孙。醉凭青琐窥韩寿，困掷金梭恼谢鲲。不夜珠光连玉匣，辟寒钗影落瑶樽。欲知明惠多情态，役尽江淹别后魂。’莱儿酬之曰：‘长者车尘每到门，长卿非慕卓王孙。定知羽翼难随凤，却喜波涛未化鲲。娇别翠袖粘去袂，醉歌金雀碎残樽。多情多病年应促，早办名香为返魂。’”今存光远之作亦多狎妓之什，文辞华艳，其《咏手》二首（见《全唐诗》卷七二六）即是。《唐才子传·赵光远传》言：“光远等千金之子，厌饫膏粱，仰荫承荣，视若谈笑，骄侈不期而至矣。况年少多才，京邑繁盛，耳目所荡，素少闲邪之虑者哉？故辞意多裙裾妖艳之态，无足怪矣。有孙启、崔珏同时恣心狂狎，相为唱和，颇陷轻薄，无退让之风。”孙启应作孙棨，字文威，自号无为子。《北里志·王团儿》条，孙棨自记其狎游之事云：“予在京师与群从少年习业，或倦闷时，同诣此处，与二福［按，指妓福娘、小福］环坐，清谈雅饮，尤见风态。予尝赠宜之诗曰：‘彩翠仙衣红玉肤，轻盈年在破瓜初。霞杯醉劝刘郎饮，云髻慵邀阿母梳。不怕寒侵绿带宝，每爱风华倩持裙。漫图西子晨妆样，西子原来未得如。’得诗甚多，颇以此诗为称惬，持诗于窗左红墙，请予题之。及题毕，以未满壁，请更作一两篇，且见戒无艳。予因题三绝句……其三曰：‘试共卿卿戏语粗，画堂连遣侍儿呼。寒饥不奈金如意，白獭为膏郎有无。’……他日，（宜之）忽以红笺授予，泣且拜，视之诗曰：‘日日悲伤未有图，懒将心事话凡夫。非同覆水应收得，只问仙郎有意无。’……因授予笔请和其诗。予题其笺后曰：‘韶妙如何有远图，未能相为信非夫。泥中莲子虽无染，移入家园未得无。’览之，因泣不复言。”又崔珏诗亦多香艳之作，如《美人尝茶行》、《和友人鸳鸯之什》、《有赠》、《和人听歌》等皆是。

约本年前后，罗隐有《题方干诗》，盛赞方干之作。诗云：“中间李建州，夏汭偶同游。顾我论佳句，推君最上流。九霄无鹤板，双鬓老渔舟。世难方如此，何当浣旅愁。”（见《罗隐集·甲乙集》卷五）

郑棨约本年前后为吏部员外郎，于公事之暇，搜求遗闻逸事，撰成《开天传信记》一书。其《开天传信记》一书署“吏部员外郎郑棨”。其序云：“余何为者也？郑棨累忝台郎，思勤坟典，用自修励。窃以国朝故事，莫盛于开元、天宝之际。服膺简策，管窥王业，参于闻听，或有阙焉。承平之盛，不可殒坠，辄因簿领之暇，搜求遗逸，传于必信，名曰《开天传信记》。斗筲微器，周鼎不节之咎，何已遏乎？好事者观其志，宽其愚，是其心也。”（见《全唐文》卷四〇八）。

卢文纪（876—951）生。五代文学家。字子持。京兆万年（今陕西西安）人。进士及第。事后梁，累官刑部侍郎、集贤殿学士。后唐明宗时，为御史中丞，迁工部尚书。贬石州司马。长兴末为太常卿。清泰元年（934）授中书侍郎、同平章事。后晋时，罢为吏部尚书，累迁太子太傅。后汉时迁太子太师。后周时拜司空，广顺元年（951）卒。《全唐文》存文六篇，《唐文拾遗》补一篇；《全唐诗》存诗一首。事迹见新、旧《五代史》本传。

李节本年由户部郎中迁驾部郎中。余之仕宦不详。诗人。生卒年、籍贯不详。大中年间进士及第。为泾阳县尉。《全唐诗》存诗一首，《全唐诗补编》补一首；《全唐文》存文一篇。事迹见《唐尚书省郎官石柱题名考》卷一一。

沈光本年辟福建观察使韦岫幕从事，署监察御史或殿中侍御史。光，散文家，吴兴（治今浙江湖州）人。生卒年不详。咸通三年（862）游任城，题李白酒楼。七年（866）进士及第。授秘书省校书郎。辟湖南从事。约乾符元年（874）为京兆司功参军，主京兆府试。本年入韦岫幕。仕终侍御史。与罗隐等友善。工文章古诗。韦岫誉其《洞庭乐赋》（已佚）为“一片宫商”。《李白酒楼记》亦知名于世。《新唐书·艺文志四》著录《沈光集》五卷（题曰《云梦子》），已佚。《全唐文》存文一篇。事迹见《唐才子传校笺》卷八。

张云（？—约 876）卒。云，散文家。字景之，一字瑞卿。籍贯不详。咸通四年（863）为起居郎，上疏论令狐滈不当为拾遗，贬兴元少尹。后为成都少尹。乾符中，因常出轻视剑南西川节度使吴行鲁之言，被吴毒死。有《咸通解围录》一卷，记咸通十一年（870）成都被南诏围困事，著录于《新唐书·艺文志二》，已佚。《太平广记》、《资治通鉴考异》有佚文。《全唐文》存文二篇。事迹见《北梦琐言》卷三、《旧唐书·艺文志二》、《新唐书·懿宗本纪》。

罗隐本年，丁父忧。服除，再至长安。

萧遘进士及第十二年，本年充翰林学士。旋拜中书舍人，迁户部侍郎、翰林学士承旨。

裴思谦本年以凉王傅分司为卫尉卿。此后仕历难以系年。思谦，诗人。字自牧。河东闻喜（今属山西）人。生卒年不详。开成三年（838）以宦官仇士良关节状元及第。大中五年（851）至七年（853）间，为河中节度使郑光幕节度判官。本年为凉王傅。官至左散骑常侍兼大理卿。《全唐诗》存诗一首。事迹见《唐摭言》卷九、《旧唐书·僖宗本纪》、《新唐书·宰相世系表一上》、《太平广记》卷二六一引《卢氏杂说》。

公元 877 年（唐僖宗乾符四年　丁酉）

正月

沈光受聘为韦岫福建观察使府从事，为一时雅事，时罗隐、李洞均赋诗送行。此前沈光即有《洞庭乐赋》为韦岫所称赏。《北梦琐言》卷七载：“前进士沈光有《洞庭乐赋》，韦八座岫谓朝贤曰：‘此赋乃一片宫商也。’后辟为闽从事。”《唐才子传·沈光传》所记略同。又罗隐有《送沈光侍御赴职闽中》（见《罗隐集·甲乙集》卷五），李洞亦有《送沈光赴福幕》诗，题下小注：“一作送福州从事。”（见《全唐诗》卷七二一）

韦庄年约四十二岁，由鄠杜移居虢州，其《三堂早春》诗约作于此时。（据夏承焘《唐宋词人年谱·韦端己年谱》）（见《浣花集》卷一）

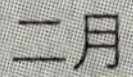

二月

浙东王郢又出兵攻陷望海镇，掠明州，攻陷台州。（见《资治通鉴》）

中书舍人高湘知礼部贡举。刘覃、郑赍、邵安石、章碣等三十人登进士第。《唐摭言》："乾符四年，新进士曲江春醮甲于常年。有温定者，久困场籍，坦率自恣，尤愤时之浮薄，因设奇以侮之。至其日，蒙衣肩舆，金翠之饰，夐出于众，侍婢皆称是，徘徊于柳阴之下。俄顷诸公自露棚移乐登鹢首，既而谓是豪贵，其中姝丽必矣。因遣促舟而进，莫不注视于此，或肆调谑不已。群兴方酣，定乃于帘前垂足。定膝胫极伟而长毳，众忽睹之，皆掩袂，亟命遏舟避之。或曰：'此必温定也。'"

刘覃，生卒年不详，本年登进士第。《唐摭言》："唐时新进士，尤重樱桃宴。乾符四年，刘邺第三子覃及第。时邺以故相镇淮南，敕邸吏日以银一铤资覃醵罚，而覃所费往往数倍。邸吏以闻，邺命取足而已。会时及荐新，状元已下方议醵率，覃潜遣人厚以金帛预购数十石矣。于是独置是宴，大会公卿。时京国樱桃初出，虽贵达未及适口，而覃山积铺席，复和以糖酪者，人享蛮榼一小盎，亦不啻数升。以至参御辈，靡不沾足。"又云："乾符四年，诸先辈月灯阁打毬之会，时同年悉集。无何，为两军打毬军将数辈私较于是。新人排比既盛，勉强迟留，用抑其锐。刘覃谓同年曰：'仆能为群公小挫彼骄，必令解去，如何?'状元已下，应声请之。覃因跨马执杖，跃而揖之曰：'新进士刘覃拟陪奉，可乎?'诸辈皆喜。覃驰骤击拂，风驱电逝，彼皆愕眙。俄策得毬子，向空砾之，莫知所在。数辈惭沮，俛偭而去。时阁下数千人，因之大呼笑，久而方止。"《北里志》："刘覃登第年十六七，永宁相国邺之爱子。自广陵入举，辎重数十车，名马数十驷。时同年郑赍先辈扇之。"

郑赍，生卒年不详，本年进士及第。《北里志》："郑赍本吴人，或荐裴瓒为，东床因与名士相接。素无操守，粗有词学。乾符四年，裴公致其捷，与郑覃同年（盖"刘覃"之误），因诣事覃，以求维扬幕。不慎廉隅，猥亵财利，又薄其中馈，竟为时辈所弃斥。"《新唐书·艺文志》："赍字贡华，乾符进士第。"赍，苏州吴县（今江苏苏州）人，郡望荥阳（今属河南）。生卒年不详。大中中居长安，与冯涓有交往。本年进士及第，谄事淮南节度使刘邺之子覃，求入淮南幕。天复中挈家自华州徙陈州。天祐二年（905）为西京留守判官。为人素无操守，粗有词学，长于楷书。《新唐书·艺文志四》著录《郑赍集》十卷（《宋史·艺文志七》作《行宫集》），已佚。《全唐诗》存断句一联。事迹见《北里志》、《北梦琐言》卷三、《新唐书·艺文志四》。

邵安石，生卒年不详，本年进士及第。《唐摭言》："邵安石，连州人也。高湘侍郎南迁归阙，途次连江，安石以所业投献遇知，遂挈至辇下。湘主文，安石擢第。诗人章碣赋《东都望幸诗》刺之曰：'懒修珠翠上高台，眉目连娟恨不开。纵使东巡也无益，君王自领美人来。'"曹松《送邵安石及第归连州觐省诗》曰："及第兼归觐，宜忘涉驿劳。青云重庆少，白日一飞高。转楚闻啸狖，临湘见叠涛。海阳沈饮罢，何地佐旌旄。"（见《全唐诗》卷七一六）

博学宏词科。《旧唐书》本纪："正月，以吏部尚书郑从谠、吏部侍郎孔晦、吏部侍郎崔荛考宏词选人。"

知贡举为中书舍人高湘。《旧唐书》本纪："三年九月，中书舍人高湘权知礼部侍郎。"又《高锴传》："锴子湘，乾符初为中书舍人。三年，迁礼部侍郎，选士得人。"湘，字濬之。生卒年、籍贯不详。进士及第。大中中，佐浙东观察使李讷幕。历长安令、司封员外郎。咸通七年（866）以吏部员外郎试拔萃选人。拜中书舍人，改右谏议大夫。十一年（870），坐贬高州司马。僖宗初，召为太子右庶子，复为中书舍人。本年知贡举。出为江西观察使。卒。《全唐诗》存诗一首。事迹见新、旧《唐书·高钍传》，《唐诗纪事》卷五九，《唐尚书省郎官石柱题名考》卷四。

章碣落第，怨主考高湘，徇私，作《东都望幸》诗刺之。史载其本年及第，误。黄滔落第将东归，有《崔右丞启》二文，上尚书右丞崔沆（见《全唐文》卷八二四），述食贫计尽，难寓长安之境况。又有《下第东归留辞刑部郑郎中諴》，中云："万里家山归养志，数年门馆受恩身。"（见《全唐诗》卷七〇五）

王仙芝攻陷鄂州，黄巢攻陷郓州。（见《旧唐书·僖宗本纪》、《资治通鉴》卷二五三）

镇海节度使裴璩平定王郢之乱。（《资治通鉴》卷二五三）

三月

黄巢攻陷沂州。（《资治通鉴》卷二五三）

兵部员外郎裴渥出任蕲州刺史，李山甫、罗隐在长安，均赋诗送之。李山甫有《送蕲州裴员外》（见《全唐诗》卷六四三），又罗隐亦有同题之作（见《罗隐集·甲乙集》卷十）。

七月

来鹏，举进士屡不第。本年前后在福建韦岫幕，其诗思清丽，为岫所赏爱。约此时曾献诗韦岫，岫力荐之。《唐才子传·来鹏传》："鹏，豫章人，家徐孺子亭边，林园自乐。……鹏工诗，蓄锐既久，自伤年长，家贫不达，颇亦忿忿，故多寓意讥讪。当路虽赏清丽，不免忤情，每为所忌。如《金钱花》云：'青帝若教花里用，牡丹应是得钱人。'《夏云》云：'无限旱苗枯欲尽，悠悠闲处作奇峰。'……坐是，凡十上不得第。韦岫尚书独赏其才，延待幕中，携以游蜀。又欲纳为婿，不果。是年力荐，夏课卷中献诗有云：'一夜绿荷风剪破，嫌它秋雨不成珠。'岫以为不祥，果失志。"又《北梦琐言》卷七记来鹏入福建事云："唐进士来鹏，诗思清丽，福韦尚书岫爱其才，曾欲以子妻之，而后不果。"据《唐方镇年表》卷六，韦岫镇福建在乾符三年至五年，鹏在福建约在本年前后。

吴融往游湖州，谒见湖州刺史郑仁规，有《湖州溪楼书献郑员外》、《离霅溪感事献郑员外》献之。（见《全唐诗》卷六八四、卷六八七）

八月

王仙芝兵攻陷安州、随州，又转掠复、郢等州。（见《资治通鉴》卷二五三）

杜荀鹤本年三十二岁。秋八月前后又离家赴京觅仕，临行赋诗留别其弟。至安陆遇兵乱，赋诗记之。抵荥阳，复有寄诸弟之咏。此行杜荀鹤所作有《将入关安陆遇兵

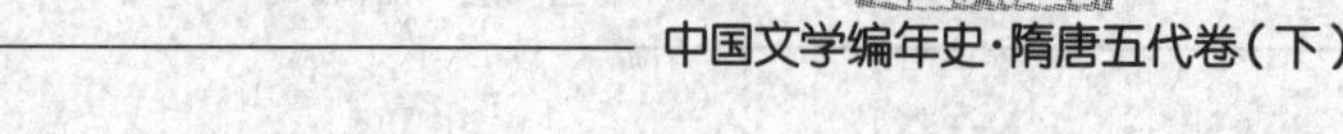

寇》、《入关因别舍弟》、《行次荥阳却寄诸弟》、《馆舍秋夕》、《长安道中有作》。（均见《全唐诗》卷六九二）

九月

郑谷有《从叔郎中诚辍自秋曹分符安陆……》诗寄献从叔郑诚。（见《郑谷诗集编年校注》）

秋，韦庄在虢州，有诗描绘村居生活。（据《韦端己年谱》）韦庄所作有《虢州涧东村居作》、《三堂东湖作》，又有《渔塘十六韵》，题下注云："在朱阳县石岩下，古老云，洛水一派流出此山。"（见《浣花集》卷一）

十月

公乘亿约此时前后为万年县尉，时任京兆府试官，罗隐、周繁等人以等第荐举。郑谷亦与试，有《残月如新月》诗。《唐摭言》卷二《置等第》载："乾符四年，崔清为京兆尹，复置等第。差万年县尉公乘亿为试官。试《火中寒暑退》赋、《残月如新月》诗。李时（文公孙）、韦硎、沈驾、罗隐、刘纂、倪曙、唐骈、周繁（池人，善赋）、吴廷隐、贾涉（其年所试八韵，涉擅场，而屈其等第）。"又，郑谷有《京兆府试残月如新月》。（见《郑谷诗集编年校注》）

十二月

黄巢兵攻陷匡城、濮州。王仙芝进攻荆南，自郢州长寿县贾堑镇渡汉水。（见《资治通鉴》卷二五三）

本年

薛能约六十一岁，在徐州感化军节度使任。作《彭门偶题》、《彭门解嘲二首》、《清河泛舟》、《题彭祖楼》等。（见《全唐诗》卷五五九）

崔道融本年移居永嘉，自号"东瓯散人"，与司空图为诗友。《唐才子传》卷九云："道融，荆人也，自号'东瓯散人'，与司空图为诗友。出为永嘉令。"（参《直斋书录解题》卷一九，周祖谟、吴在庆《唐才子传校笺·崔道融》笺）司空图有《寄永嘉崔道融》一诗。道融此后或久居永嘉，或更有漂泊，无考。（见《十国春秋》卷九五）

皮光邺（877—948）生。光业，五代文学家。字文通。襄阳（今湖北襄樊）人。皮日休子。武肃王钱镠时，累署浙西节度推官。奉使后梁，赐进士及第，授秘书郎。迁右补阙，兼两浙观察支使。文穆王时，知东府事。天福二年（937）为吴越国宰相。工文能诗，辞文宏赡。《宋史·艺文志五》著录《妖怪录》五卷、《皮氏见闻录》十三卷、《启颜录》六卷、《三余外志》三卷，并佚。《全唐诗》存断句四句，《全唐诗补编》补断句二句。《全唐文》存文二篇。事迹见《吴越备史》卷三、《十国春秋》本传。

李濬本年自秘书省校书郎入直史馆。濬，唐代小说家。无锡（今属江苏）人。生卒年不详。李绅侄。一说李绅子。本年自秘省入直史馆。后归无锡。曾撰李绅叙制章表等为上下二卷，已佚。《宋史·艺文志五》著录《松窗小录》（即《松窗杂录》）一卷（《唐文拾遗》以为系宪、穆间李濬作，误），今传。《全唐文》存其《慧山寺家山记》一文。事迹见该文。

沈驾本年应京兆府试，试官公乘亿取入等第。然省试落第，无成而终。辞赋家。生卒年、籍贯不详。工赋，与温庭筠、周繁等知名于世。作品已佚。事迹见《剧谈录》卷下、《唐摭言》卷二。

罗绍威（877—910）生。唐末五代诗人。字端己。魏州贵乡（今河北大名）人。少有英气，明习吏事。文德元年（888），授左散骑常侍，充魏博节度副使。光化元年（898），袭父位为魏博节度使，年二十二。累加检校太傅、兼侍中，封长沙郡王。天祐元年（904）封邺王。唐亡，事后梁，累拜太师兼中书令。开平四年（910）卒。好学工书，喜文学，爱招延文士。聚书数万卷，开学馆，置书楼，每歌酒宴会，与宾佐赋诗，甚有情致。在当时藩牧中，最获文章之誉。尤嗜罗隐诗，尊隐为叔父，名己所作诗集为《偷江东集》，颇为邺中人所讽咏。《公宴诗》“帘前淡泊云头日，座上萧骚雨脚风”，虽深于诗者亦叹服。《旧唐书》本传谓该诗集凡五卷。《宋史·艺文志七》著录《政余诗集》一卷，《诗薮·杂编》卷二作《政余集》五卷，《唐音癸签》卷三〇作一卷，另著录《偷江东集》五卷。其集并佚。《全唐诗》存诗二首、断句二句、判语一则，其中《白菊》一作罗隐诗。事迹见新、旧《唐书》及新、旧《五代史》本传。

周慎辞本年官苏州刺史。慎辞，一作慎嗣。字若讷。生卒年、籍贯不详。咸通初进士及第。本年前后又曾为户部郎中。《新唐书·艺文志四》著录《宁苏集》（《宋史·艺文志七》作《周慎辞表状》）五卷，作品已佚。事迹见《唐代墓志汇编续集》咸通〇〇八、《新唐书·艺文志四》、《宋高僧传·楚南传》、《唐尚书省郎官石柱题名考》卷一一。

周繁本年，应京兆府试，作《火中寒暑退》赋、《残月如新月》诗，与罗隐等同时中等第（一说进士及第，误）。繁，池州至德（今安徽东至）人。生卒年不详。排行二十三。周繇弟。累举进士不第。中和间，为淮南节度使从事，与崔致远有交往。后不知所终。工律诗，有温庭筠之风。著《小山集》。作品已佚。事迹见《唐摭言》卷二、一〇。

恒超（877—949）生。五代高僧。俗姓冯。范阳（治今北京）人。年十五，通六籍，尤善诗，辞调新奇，流传人口。因感悟人生，出家为僧。后梁乾化三年（913）至五台山受木叉戒。后于魏博并汾间学大小乘经律论。龙德二年（922）起，驻锡于棣州开元寺，置院讲经二十余年。后汉宰相冯道表奏于高祖，赐紫衣。乾祐二年（949）病卒。《全唐诗》存诗一首。事迹见《宋高僧传》卷七。

姚岩杰本年为饶州刺史颜标撰文千余言，不肯删去一二字。岩杰，散文家。号象（一作蒙）溪子。陕州硖石（今河南陕县东南）人。姚崇裔孙。生卒年不详。幼聪悟，弱冠博通经史。曾以诗酒放游江左，隐居于庐山，恃才傲物。约咸通六年（865）居婺源，谒刺史卢肇于歙州，与蒯希逸游。中和末病寓洪州，遇军乱，不知所终（一说病终)。工文，仰慕司马迁、班固，时称大儒。友人顾云称其文“心刃掘出兴亡根”、“时时说及开元理”、“呵叱潘陆鄙琐屑，提挈扬（杨）孟归孔门”（《池阳醉歌赠匡庐处士姚岩杰》）。撰《象溪子》二十卷，已佚。《全唐诗》存诗一首、酒令二句。事迹见《唐摭言》卷一〇。

裴澈本年为礼部员外郎、翰林学士，奉诏撰《唐故广王墓志铭并序》。

罗隐本年四十五岁，时在长安。郑仁规出守湖州，隐赋《送霅川郑员外》诗送之。（见《罗隐集·甲乙集》卷八）

公元878年（唐僖宗乾符五年 戊戌）

正月

裴铏在西川节度副使任，有《题文翁石室》诗。（见《全唐诗》卷五九七）《唐诗纪事》卷六七裴铏条记此诗云：“乾符五年，铏以御史大夫为成都节度副使。《题石室》诗曰：‘文翁石室有仪形，庠序千秋播德馨。……更叹沱江无限水，争流只愿到沧溟。’时高骈为使，时乱矣，故铏诗有‘愿到沧溟’之句，有微旨也。铏作《传奇》，行于世。”铏之生卒年、籍贯不详。其所著《传奇》一书，记神仙诡谲事，鲁迅以为铏为高骈从事，“骈后失志，尤好神仙，卒以叛死，则此或当时谀导之作，非由本怀”（见《中国小说史略》第十篇）。汪辟疆称其《传奇》“文奇事奇，藻丽之中，出以绵渺，则固一时巨手也”，又谓其“文采典赡，拟诸皇甫枚、苏鹗之伦，未能轩轾”（见《唐人小说叙录》）。《新唐书·艺文志三》、《郡斋读书志》卷一三均著录《传奇》三卷，而《直斋书录解题》卷一一记为六卷，皆散佚。《全唐诗》存诗一首，《全唐文》存文一篇。事迹见《新唐书·艺文志三》、《唐诗纪事》卷六七。今人周楞伽辑有《裴铏传奇》，其中传奇名篇有《昆仑奴》、《聂隐娘》、《裴航》、《封陟》等篇。

胡曾在高骈西川幕为从事，骈移镇荆南时，曾有《贺高相公除荆南启》。（见《全唐文》卷八一一）

二月

中书舍人崔澹知贡举。孙偓、牛峤、侯潜、杜彦林（杜彦殊）、崔昭愿、卢择、李茂勋、李深之、卢嗣业、康耕、陈蜀、赵光逢、王玫、蒋子友、邓承勋、章碣等十人登进士第。试《以至仁伐至不仁赋》。（见《唐摭言》，参《太平广记》卷一三八“刘允章”条引《卢氏杂说》）

孙偓以第一名中进士科状元。《新唐书》：“偓字龙光，父景商。偓第进士。”《唐摭言》：“孙龙光偓，崔殷梦下状元及第。前一年，尝梦积木数百，龙光潜履往复。既而请李处士圆之，处士曰：‘贺郎君，来年必是状元。何者？已居众材之上也。’”《北里志》：“郑举举者，善令章。孙偓为状元，颇惑之，与同年侯潜、杜彦殊、崔昭愿、赵光逢、卢择、李茂勋数人多在其舍，他人不得预。卢嗣业与同年，非旧知闻，多称力穷，不遵醵罚，致诗状元曰：‘未识都知面，频输复分钱。苦心亲笔砚，得志助花钿。徒步求秋赋，持盃给暮饘。力微多谢病，非不奉同年。’”（参《淳熙三山志》、

《玉芝堂谈荟》、《唐史余沉》卷三《懿宗·崔澹崔殷梦》)《全唐文》卷八四一裴廷裕有《授孙偓判户部制》:“孙偓壁立孤峰,渭清一派。早以闺门之行,闻于乡里之间。张融高文,聚为玉海;孙绰丽赋,掷作金声。颇喧惊座之词华,遂整冲天之羽翰。鹏张上国,颜渊首冠于诸科。”偓乃武邑(今属河北)人。生卒年不详。进士及第,累官京兆尹。乾宁二年(895)迁户部侍郎、同中书门下平章事。三年(896),为凤翔四面行营都统。四年(897),罢相,坐事贬衡州司户。卒。《全唐诗》存诗三首、断句一联(其中《答门生王涣李德邻赵光胤王拯长句》系误收裴赞诗),《全唐诗补编》重录一首。事迹见《唐摭言》卷八、《新唐书》本传。

牛峤,生卒年不详,本年进士及第。《唐才子传》:“牛峤字延峰,陇西人,宰相僧孺之后。乾符五年孙偓榜第四人进士。”《唐诗纪事》:“峤字松卿,一字延峰,乾符五年进士。历遗、补、尚书郎。王建镇蜀,辟判官。及僭位,为给事中。”峤博学有文,以歌诗著名。有集三十卷、《歌诗集》三卷,已佚。《花间集》录其词十三调三十二首。近人王国维辑有《牛给事词》,收入《唐五代二十一家词辑》。《全唐诗》卷八九二收录其词二十七首,有《忆江南》、《西溪子》、《江城子》、《定西番》、《女冠子》四首、《菩萨蛮》七首、《更漏子》三首及《木兰花》等等。(参《十国春秋》卷四四,《郡斋读书志》卷四中及《旧唐书》卷一七二《牛僧孺传》)

侯潜,字彰臣,生卒年不详,本年进士及第。(见《北里志》)

杜彦林,一作杜彦殊(‘殊’疑‘林’之讹)。字宁臣,生卒年不详,本年进士及第。(见《北里志》)《旧唐书》卷一七七云:“彦林、弘徽,乾符中相次登进士第。”《新唐书·宰相世系表》云:“彦林,字宁臣,中书舍人。”

崔昭愿,字勋美,生卒年不详,本年进士及第。(见《北里志》)

卢择,字文举,生卒年不详,本年进士及第。(见《北里志》)

李茂勋,为茂蔼之弟。生卒年不详,本年进士及第。或疑李茂勋即李深之。《北里志》:“刘郊文崇鲁及第年,惑于郑举举。同年宴而举举有疾不来,遂令同年李深之为酒纠。”[按,深之非刘崇鲁同年,而应与孙偓为同年。深之为字,各待考。或疑为李茂勋。今并存待考]

李深之,生卒年不详,本年进士及第。(参《北里志》及《唐语林》卷七)

卢嗣业,生卒年不详,本年进士及第。(见《北里志》)《旧唐书》卷一六三《卢简辞传》云:“简辞无子,以简求子贻殷、玄禧入继……简求十子,而嗣业、汝弼最知名。嗣业进士登第,累辟使府;广明初,以长安尉直昭文馆。”

康軿(康骈),軿《新唐书·艺文志》:“軿字驾言。”《永乐大典》引《池州府志》:“康軿,乾符五年登进士第。”康軿《剧谈录序》云:“軿咸通中始随乡赋,以薄技献于春官。爰及窃名,殆将一纪。”又《郡斋读书志》卷十三著录“《剧谈录》三卷”,注:“唐康軿字驾言撰。乾符中登进士第。”軿,一作骈。生卒、世系不详。池州(治今安徽贵池)人。咸通中开始应试。乾符四年(877)京兆府试入等。本年进士及第。明年(879)登博学宏词科。授崇文馆校书郎。广明元年(880)避乱退居江南。景福至天复间居宁国节度使田頵幕,为上宾。能诗文。乾宁二年(895)撰成《剧谈录》二卷,追记昔时新见异闻,多天宝以来故事,选材新颖,行文曲折,为晚唐传奇小说集较佳者，后世有所取资。《新唐书》卷五九《艺文志三》"小说家类"著录康軿《剧谈录》三卷，《郡斋读书志》卷三下所载同。《宋史》卷二〇六《艺文志五》"小说类"著录康骈《剧谈录》二卷。《宋史·艺文志七》又著录《九华杂编》十五卷，已佚。《全唐诗》存词一首。事迹见其《剧谈录序》、《新唐书·艺文志三》、《新唐书·田颙传》。

陈蜀，生卒年不详，本年进士及第。《永乐大典》引《闽中记》："陈蜀字文都，闽县人。乾符五年及第。初，神人谓曰：'当在山下水边及第。'至是主司乃崔澹也。"

赵光逢（？—927），本年进士及第。（见《旧唐书·赵隐传》）《旧五代史》本传："光逢幼嗜坟典，动守规检，议者目之为玉界尺。僖宗朝登进士第。逾月，辟度支巡官。"光逢字延吉，见《北里志》。苏轼《赵抃碑》："唐德宗世，植为岭南节度使。植生隐，隐生光逢、光裔。"光逢，京兆奉天人。生年无考。唐相赵隐之子。《旧唐书》卷一七八传云："光逢，乾符五年登进士第，释褐凤翔推官。入朝为监察御史，丁父忧免。僖宗还京，授太常博士。历礼部、司勋、吏部三员外郎，集贤殿学士、转礼部郎中。"（参《新唐书》卷一八三、《新五代史》卷三四及《旧五代史》卷五八）光逢景福中以侍部郎中知制诰，召为翰林学士。拜中书舍人、户部侍郎、学士承旨。乾宁二年（895）迁尚书左丞。三年（896）拜御史中丞，改礼部侍郎。天复元年（901）因朝政动乱，退居洛阳。四年（904）起为吏部侍郎。改尚书左丞、太常卿。唐亡，仕梁为中书侍郎同平章事。后唐天成二年（927）拜太保，封齐国公，卒。有文名。《全唐诗》存诗八首。事迹见《旧唐书》及新、旧《五代史》本传。

王玫，生卒年不详，本年进士及第。《福建通志》卷三三《选举志》一《唐科目》："乾符五年戊戌孙偓榜：晋江县王玫及第，温州平阳令。"

蒋子友，生卒年不详，本年进士及第。谈钥《嘉泰吴兴志》卷十三《寺院·归安县》："宜妙院，在县东九十里琅琊乡古博村。唐乾符五年进士蒋子友舍宅建，号兴福院。"

邓承勋，生卒年不详，本年进士及第。《万姓统谱》卷一〇九"唐"："邓承勋，南海人，积学，应荐上京师，登乾符进士。仕为虔州司马、节度副使。柳陛（当作"玭"）录其家范以教子孙。累官至江州刺史。"日本藏［万历］《粤大记》卷四《科第·唐进士科》："乾符五年：邓承勋，南海人，江州刺史。"日本藏［康熙］《南海县志》卷五《选举志·唐进士》："乾符：邓承勋，江州刺史。"同上卷十三《人物列传下·义行》："邓承勋，积学，应荐诣京师，从宰相刘瞻制诰，登乾符五年进士。"四库本《广东通志》卷四十四《人物志·广州府》："邓承勋，南海人，积学，膺荐上京，从宰相刘瞻习制诰，久之，登乾符五年进士，为处州司马。待选家居时，节度副使柳玭甚礼重之，录其家范以教子孙。会黄巢破广州，执节度使李迢，索玭甚急，承勋潜以小舟济玭免难。及巢贼平，承勋拜江州刺史，谢病归。"《旧唐书·柳公绰传》附《柳玭传》载：玭"出广州节度副使，明年，黄巢陷广州，郡人邓承勋以小舟载玭脱祸"。

章碣，生卒年不详，本年进士及第。《乾隆杭州府志》卷一〇七《选举志》、《唐进士》："乾符四年丁酉孙偓（？）榜：章碣，孝标子。"［按，《唐诗纪事》载碣曾以诗讥讽乾符四年知贡举高湘，断非该年进士］此言："孙偓榜"进士，当移至本年。另嘉庆《浙江通志》卷一八二引万历《严州府志》："（碣）考标子，乾符三年进士。"盖"三"为"五"之讹。碣后流寓常州，不知所终。与方干、罗隐等友善。长于七律，曾创为七律平仄各押韵体，自称"变体"，时人多仿效之。其题咏赠寄、送别游宴之作，时见愤激之气。其《癸卯岁田此陵登高贻同志》之句"尘土十分归举子，乾坤大半属偷儿"颇有名。其《樊书坑》曰："坑灰未冷关东乱，刘项从来不读书。"尤为唐诗名篇。方干有《赠进士章碣》："织锦虽云用旧机，抽梭起样更新奇。……籍地落花春半后，打窗斜雪夜深时。此时才子吟应苦，吟苦鬼神知不知。"（见《全唐诗》卷六五二）辛文房《唐才子传》称"碣有异才"。清贺裳《载酒园诗话又编》赞其《焚书坑》"自足名家"。《新唐书·艺文志四》著录《章碣诗》一卷，《宋史·艺文志七》著录相同。《唐才子传·章碣》谓："今有诗一卷，传于世。"有明正德依宋刊本《章碣诗集》一卷，附于《章考标诗集》后。清康熙席启寓（寓）编《唐诗百名家全集》本《章碣诗集》一卷，江标编《唐人五十家小集》也有《章碣诗集》一卷。《全唐诗》存诗一卷，《全唐诗补编》补断句一联。

明经科：林翱。四库本《福建通志》卷三十三《选举一·唐科目》："乾符五年戊戌孙偓榜：明经林翱，莆田人，藻子。"［光绪］《莆田县志》卷十二《选举志·唐·明经》："乾符五年戊戌：林翱，藻子。"

博学宏词科。《旧唐书》本纪："三月，以吏都尚书郑从谠、吏部侍郎崔沆考宏词选人。"

知贡举：中书舍人崔澹。《旧唐书》本纪："四年八月，以中书舍人崔澹权知贡举。"《唐摭言》："崔澹试《以至仁伐至不仁赋》，时黄巢方炽，因为无名子嘲曰：'主司何事厌吾皇，解把黄巢比武王。'"澹，字知止，博陵安平（今属河北）人。生卒年不详。崔远父。大中十三年（859）进士及第。累迁礼部员外郎。咸通十一年（870）考试应宏词选人。乾符初，为司封郎中，充翰林学士。二年（875），进中书舍人。四年（877），出翰林院，为中书舍人。本年权知贡举。六年（879），为吏部侍郎，主试宏词选人。《全唐诗》存诗一首。事迹见新、旧《唐书·崔珙传》。

振武节度使李国昌之子李克用为沙陀副兵马使，屯蔚州。攻占云州，杀害大同防御使段文楚，李克用即入府舍治事。（见《资治通鉴》卷二五三）

王仙芝被杀。（见《旧唐书·僖宗本纪》）

黄巢闻王仙芝被杀，即自号冲天大将军，改元王霸，袭陷沂州、濮川。（见《资治通鉴》卷二五三）

罗隐本年四十六岁，落第长安，赋《偶兴》、《送汝州李中丞十二韵》诗，诗中述及当时战乱事。（见《罗隐集·甲乙集》卷六、卷十一）

三月

王仙芝余部王重隐攻陷洪州，江西观察使高湘逃奔湖口；后仙芝别将曹师雄又转掠宣、润二州。黄巢则引兵渡长江，攻陷虔、吉、饶、信等州。同时湖南又军乱，都

将高杰驱逐观察使崔瑾。（均见《资治通鉴》卷二五三）

四月

罗隐途过蕲州，有《投蕲州裴员外启》，以所著《谗书》呈献刺史裴渥。（见《罗隐集·杂著》）

五月

李国昌、李克用父子合兵攻陷遮虏军，又进击宁武及岢岚军。（见《资治通鉴》卷二五三）

林宽在长安，逢宰相卢携贬太子宾客分司，赋《送升道靖恭相公分司》诗以送。（见《全唐诗》卷六〇六）徐松《唐两京城坊考》卷三即记卢携宅在靖恭坊。《资治通鉴》卷二五三乾符五年五月载："郑畋卢携议蛮事，携欲与之和亲，畋固争以为不可。携怒，拂衣起……上闻之，曰：'大臣相诟，何以仪形四海！'丁酉，畋、携皆罢为太子宾客分司。"《全唐诗》卷六〇六编林宽诗一卷。

七月

杜荀鹤落第东归，赋《下第东归将及故园有作》诗。（见《全唐诗》卷六九二）

八月

沙陀军攻岢岚军，败唐官军；晋阳闭门守城。（见《资治通鉴》卷二五三）

黄巢攻宣州，不克，乃引兵攻浙东，开山路七百里，攻剽福建诸州。（见《资治通鉴》卷二五三）

七日，王凝（820—878）卒，司空图有《故宣州观察使检校礼部王公行状》。"公讳凝，字成庶。……乾符五年八月七日，薨于位，享年五十八。……图忝迹门下，义服终始。兢命撰德，唯以漏略为愧。"（见《全唐文》卷八一〇）（参《新唐书·王凝传》）

司空图年四十二，自去年即随王凝在宣歙观察使幕。凝卒，为撰行状。《旧唐书·司空图传》记图随王凝至商州任后，又记凝"廉问宣歙，辟为上客。召拜殿中侍御史，以赴阙迟留，责授光禄寺主簿，分司东都"。

郑谷时闻乡人述说本年正月江陵战乱事，感而赋《渚宫乱后作》诗。（见《郑谷诗集编年校注》，参《资治通鉴》卷二五三）

秋，薛能自徐州节度使移任许州忠武军节度使，有《柳枝词五首》，以供歌妓歌咏。另有《许州旌节到作》。（均见《全唐诗》卷五六一）薛能《柳枝词五首序》云："乾符五年，许州刺史薛能于郡阁与幕中谈宾酣饮醅酎，因令部妓少女作杨柳枝健舞，复歌其词，无可听声。自以五绝为杨柳新声。"（见《全唐诗》卷五六一）（参《唐诗纪事》卷六十）又能尚有《折杨柳十首》、《柳枝四首》（均见《全唐诗》卷五六一），未知作年，今并叙于此。前诗有序云：“此曲盛传，为词者甚众，文人才子，各炫其能，莫不条似舞腰，叶如眉翠，出口皆然，颇为陈熟。能专于诗律，不爱随人，搜难抉新，誓脱常态，虽欲弗伐，知音其舍诸。”

秋，皮日休由太常博士出任毗陵副使。《唐诗纪事》卷六四皮日休条记：“为太常博士，遭乱，归吴中。黄巢寇江浙，劫以从军。”参《郡斋读书志》卷四中《资治通鉴》卷二五三乾符五年六月：“以高骈先在天平有威名，仙芝党多郓人，乃徙骈为镇海节度使。”日休殆于其时从高骈。陆龟蒙《风人诗四首》其一云：“十万全师出，遥知正忆君。”此所谓“十万全师”即指高骈军。（见《全唐诗》卷六二七）

十二月

甲戌，黄巢攻陷福州，福州观察使韦岫弃城出走。

黄巢攻破广州，时刘谦为广州牙将。巢麾军湖湘，广州表谦封州刺史、贺江镇遏使，以御梧、桂以西。岁余，有战舰百余艘。［按，后谦子刘隐为南海王，隐弟龑即皇帝位，国号大越，史称南汉］（见《新五代史·南汉世家》、《资治通鉴》卷二五三）

河东节度使崔季康、昭义节度使李钧与李克用战于岢岚军之洪谷，大败，李钧战死。（见《旧唐书·僖宗本纪》、《资治通鉴》卷二五三）

顾云本年约二十八岁，以试秘书省校书郎为高骈镇海节度幕行营都招讨判官。（见《嘉定镇江志》卷十四，《资治通鉴》卷二五三本年六月）入幕时，有长启及短歌《筑城篇》、《天威行》等十篇呈献高骈。（见《全唐诗》卷六三七）顾云有《天威行》及《筑城篇》。

屯田员外郎陈翰约本年前后撰成《异闻集》十卷。（见《新唐书·艺文志》）此书下注陈翰“唐末屯田员外郎，依《新唐志》例，此为撰书之题衔”。

公元 879 年（唐僖宗乾符六年　己亥）

正月

黄巢兵为高骈所败，进军广州。《资治通鉴》卷二五三乾符六年正月载：“镇海节度使高骈遣其将张璘、梁缵分道击黄巢，屡破之，降其将秦彦、毕师铎、李罕之、许勍等数十人。巢遂去广州。”

河东节度使崔季康上年十二月为沙陀李克用所败，本月收余众归太原，其衙将张锴等又鼓噪兵士，杀崔季康父子。（见《旧唐书·僖宗本纪》）

二月

中书舍人张读知贡举。杜弘徽、李袭吉、骆用锡等三十人登进士第。

杜弘徽，生卒年不详，本年进士及第。《旧唐书·杜审权传》：“三子，让能、彦林、弘徽。彦林、弘徽，乾符中相次登进士第。”

李袭吉，生卒年不详，本年进士及第。《新五代史》本传：“李袭吉，父图，洛阳

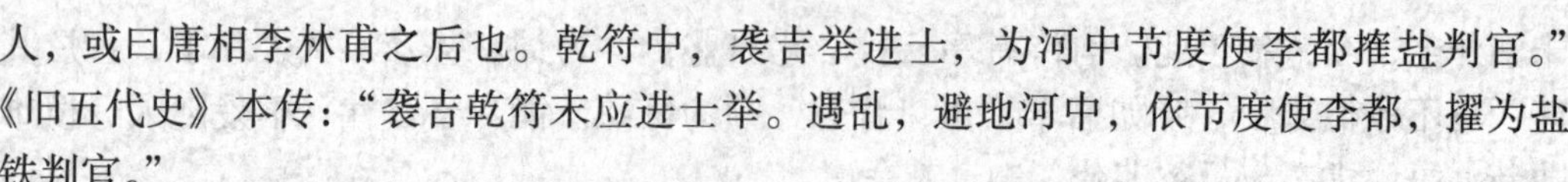

人，或曰唐相李林甫之后也。乾符中，袭吉举进士，为河中节度使李都推盐判官。”《旧五代史》本传：“袭吉乾符末应进士举。遇乱，避地河中，依节度使李都，擢为盐铁判官。”

骆用锡，生卒年不详，本年进士及第。光绪《安徽通志》卷一五四《选举表》四《进士》：“乾符己亥张读榜：骆用锡，南陵人。”［按，本年知贡举为中书舍人张读，此误为唐］郑谷有《贺进士骆用锡登第》诗。

博学宏词科。《旧唐书·僖宗本纪》：“三月，以吏部侍郎崔沆、崔澹试宏词选人，驾部郎中卢蕴、刑部郎中郑顼为考官。”

康锐去年进士及第，本年博学宏词登科。（见《永乐大典》引《池州府志》）

知贡举：中书舍人张读。《旧唐书》本纪：“五年十二月，以中书舍人张读权知礼部贡举。”《旧唐书·张荐传》：“张读累官至中书舍人、礼部侍郎，典贡举，时称得士。”读（834 或 835—883 后）字圣用，一作圣朋。深州陆泽（今河北深州）人。张荐孙，牛僧孺外孙。幼聪颖，擅词赋。大中六年（852）进士及第。十年（856）辟宣歙观察使从事。历司封员外郎等，累迁至中书舍人。乾符六年（879）权知礼部贡举，时称得士。迁礼部侍郎，权知尚书左丞。中和元年（881）为吏部侍郎，选牒精允，调者乞留二年。后兼弘文馆学士，判院事，卒。有俊才。家学渊源，尤长于小说。《新唐书·艺文志三》著录《宣室志》十卷，记仙鬼灵异故事，情节多曲折生动，描叙较细致，为唐传奇小说集较杰出者，对《聊斋志异》等有影响。另撰《建中西狩录》十卷，见《新唐书·艺文志二》，已佚。传世《宣室志》十卷，已非全文。中华书局点校本较完备。事迹见新旧《唐书》本传。

卢渥本年六十岁，时居洛阳，自前中书舍人出任陕虢观察使，洛阳饯送者甚众，“都人耸观”。渥有诗题于嘉祥驿。此前渥典制诰，文稿颇多，人称为“一时之典则”。《唐诗纪事》卷五九：“（渥）及赴任，陕郊洛城，自居守分司朝臣已下，互设祖筵，洛城为之一空，都人耸观，亘数十里。”渥《题嘉祥驿》见《全唐诗》卷五六六。司空图《故太子太师致仕卢公神道碑》记卢渥“拜某官知制诰……前后六年，编录盈笥，实一时之典则也。……免丧，拜陕虢观察使兼御史中丞”。（见《全唐文》卷八〇九）

三月

周朴（？—878 或 879）被杀。朴在福州，为黄巢所获，巢劝朴归附，朴不从被杀。其诗集二卷，林嵩所编，嵩并为撰集序。贯休曾有诗与周朴交往。《新唐书·黄巢传》载：“初，军中谣曰：‘逢儒则肉，师必覆。’巢入闽，俘民绐称儒者，皆释。时（乾符）六年三月也。才路围福州，观察使韦岫战不胜，弃城遁，贼入之，焚室庐，杀人如爇。……又求处士周朴，得之，谓曰：‘能从我乎？’答曰：‘我尚不仕天子，安能从贼！’巢怒斩朴。”林嵩《周朴诗集序》记周朴被杀事云：“乾符七年，闽城殒贼，悲夫！”（见《全唐文》卷八二九）然此记周朴被杀在乾符七年，即广明元年，误。又此前贯休有《途中逢周朴》、《怀张为周朴》。（《全唐诗》卷八三〇、卷八二七）朴，字见素，一作太朴。籍贯有泉州（今属福建）、吴兴（治今浙江湖州）等说。一说长乐

（今属福建）人，误。生于睦州，今人或以为睦州桐庐（今属浙江）人。长于闽中。家贫，淡于名利，隐居不仕。大中、乾符中，福建观察使杨发、李诲奇其诗，先后召之，避而不往。本年被杀，与方干、李频为诗友。爱苦吟。每遇景物，搜奇抉，但文思艰涩，一月方得一句，未及成篇，佳句已播人口，时称“月锻季炼”。《诗人主客图》将周朴列为“清奇僻苦主”孟郊之上入室，且称引其“古陵寒雨绝，高鸟夕阳明”、“高情千里外，长啸一声初”句。工于近体，多寄送题咏、行旅登临之作，写离别思乡之情、避世游赏之趣。风格清奇峻峭。明胡震亨谓其“从苦思中得猛句，陡目欲惊，其不合者亦多可憎，是贯休一流诗”（见《唐音癸签》卷八）。《塞上曲》等为传世佳作。周朴诗集之编纂，林嵩《周朴诗集序》云：“有僧楼［按，应作栖］浩，高人也，与先生善，捃拾先生遗文，得诗一百首。中和二年冬十月携来访余，且惊且喜。余欲先生之文与方干齐，集毕遂为之序。”《新唐书·艺文志四》著录《周朴诗》二卷。《全唐诗》卷六七三编其诗一卷。

来鹏因战乱离福建韦岫幕，避难于山中，作《山中避难作》诗。（见《全唐诗》卷六四二）

张乔约本年春游上元，有《题上元许棠所任王昌龄厅》诗。时逢杨夔，夔有《金陵逢张乔》诗，共叹命运之坎坷。（分别见《全唐诗》卷六三九、卷七六三）

春，陆龟蒙在苏州笠泽之滨辑其所为文为《笠泽丛书》，并自作序以记。旋即往湖州震泽别业，有《自遣诗》三十首。《笠泽丛书序》中云：“丛书者，丛脞之书也。丛脞犹细碎也。细而不遗大，可知其所容也。乾符六年春，卧于笠泽之滨，败屋数间，盖蠹书十余箧，伯男儿才三尺许长。……体中不堪羸耗，时亦隐几强坐，内抑郁则外扬为声音，歌诗赋颂铭记传叙，往往杂发，不类不次，浑而载之，得称为丛书，自当谖忧之一物，非敢露世家耳目，故凡所讳，其中略无避焉。”（见《全唐文》卷八〇〇）龟蒙又有《自遣诗三十首》，其诗序云：“《自遣诗》者，震泽别业之所作也。故疾未平，厌厌卧田舍中。农夫日以耜事相聒。每至夜分不睡，则百端兴怀搅人，思益纷乱无绪。且诗者，持也，谓持其情性，使不暴去。因作四句诗，累至三十绝，绝各有意。既曰自遣，亦何必题为。”（见《全唐诗》卷六二八）

贯休本年四十八岁。春，赋《循吏曲上王使君》赠婺州刺史王慥。（见《全唐诗》卷八二七）

五月

陆龟蒙仍在震泽别业，闻黄巢兵围广州，有《闲书》一诗。（见《全唐诗》卷六二四）《旧唐书·僖宗本纪》，乾符六年“五月，贼围广州，仍与广南节度使李岩、浙东观察使崔璆书，求保荐，乞天平节钺。……黄巢陷广州，大掠岭南郡邑”。

七月

陆龟蒙约此时或稍后作《记稻鼠》一文，记湖州旱灾，群鼠为患，而官府急索赋

税状况，借硕鼠以讥刺执政者。文中云："乾符己亥岁，震泽之东曰吴兴，自三月不雨至于七月，岁时河坳沮洳者埃𡏖尘勃……且魏风以硕鼠刺重敛，硕鼠斥其君也。有鼠之名，无鼠之实，诗人犹曰'逝将去汝，适彼乐土'，况乎上捃其财，下啗其食，率一民而当二鼠，不流浪转徙，聚而为盗何哉。"（见《全唐文》卷八〇一）

贯休于六、七月间有《怀薛尚书兼呈东阳王使君》一诗怀念薛能，上呈王慥。（见《全唐诗》卷八三四）又有《贺雨上王使君二首》诗，又以久旱逢雨贺婺州刺史王慥。（见《全唐诗》卷八三七）

八月

陆龟蒙逢久旱暴雨，由此而念及近年来兵起世乱，生民涂炭之局势，感而赋《战秋辞》以抒怀。（见《全唐诗》卷六二一）［按，龟蒙另有《送小鸡山樵人序》，云乾符六年自春起无雨大旱，至八月忽暴雨］

九月

陆龟蒙作《小鸡山樵人歌》，复有《送小鸡山樵人序》。时年成歉收，遂赋《刈获》诗直斥执政者恣意征索之行径。龟蒙《小鸡山樵人歌》之序云："小鸡山在胥门外光福之西，龟蒙岁入薪五千束于其山。其供事之樵畦曰顾及。乾符六年九月，致薪二百五十，责之曰……与之酒，继之以歌。"（见《全唐诗》卷六二一）同时，又有《送小鸡山樵人序》中云："小鸡山在震泽西……乾符六年春弗雨，夏支流将绝。八月暴雨而巨艑可实而行之矣。九月朔，方置薪二百五十于门，召而责之曰……"（见《全唐文》卷八〇〇）又有《刈获》中云："自春徂秋天弗雨，廉廉早稻才遮亩。芒粒稀疏熟更轻，地与（一作上）禾头不相拄。我来愁筑心如堵，更听农夫夜深语，凶年是物即为灾，百阵野凫千穴鼠。平明抱杖入田中，十穗萧条九穗空。……本作耕耘意若何，早豸兼教食人食。……今之为政异当时，一任流离恣征索。……欲卖耕牛弃水田，移家且傍三茅宅。"（见《全唐诗》卷六二一）

贯休约此时有《贺郑使君》诗，献福建观察使郑镒。（见《全唐诗》卷八三七）

十月

黄巢于九月攻占广州，本月离广州北上，攻陷潭州。其别将尚让乘胜进逼江陵。唐军则自掠江陵，焚荡杀掠，士民僵尸满野。（见《资治通鉴》卷二五三乾符六年十月条）

十一月

黄巢北向襄阳，为山南东道节度使刘巨容、江西招讨使曹全晸所败，转攻鄂州，又转掠饶、信、池、宣、歙、杭等十五州，众至二十万。（见《资治通鉴》卷二五三）

杜荀鹤已移家长林山居，闻黄巢军已退，有《长林山中闻贼退寄孟明府》、《乱后山居》、《乱后归山》等诗。（见《全唐诗》卷六九一）

韦庄年四十四岁，在长安，闻湖南、荆渚陷落，有《又闻湖南荆渚相次陷没》、《冬日长安感志寄献虢州崔郎中二十韵》诗感叹之。（见《浣花集》卷二、卷一）

十二月

卢携入相。前，携任太子宾客分司，与诗人司空图往还，曾题诗于司空图所居屋壁以誉之。《旧唐书·司空图传》记："乾符六年，宰相卢携罢免，以宾客分司，图与之游，携嘉其高节，厚礼之。尝过图舍，手题于壁曰：'姓氏司空贵，官班御史卑。老夫如且在，不用念屯奇。'"

冬，陆龟蒙有《村夜二首》，诗中指斥豪贵之家奢侈淫靡，抒发守道扶荀孟，致君尧舜之志。（见《全唐诗》卷六一九）

本年

尚颜有《怀陆龟蒙处士》诗。（见《全唐诗》卷八四八）此前其诗已获薛能称赏，然能不喜其为僧。颜荛《颜上人集序》云："荛同年文人故许泗节度使尚书薛公字大拙，以文人不言其名，擅诗名于天下，无所与让，唯于颜公许待优异，每吟其警句。常曰：'吾不喜颜为僧，嘉有诗僧为吾枝派以增薛氏之荣耳。'性端静寡合，而价誉自彰，名公钜人争识其面。"（见《全唐文》卷八二九）

林嵩已离秘书省正字任东归，在福建，游太姥山，撰《太姥山记》。《福建通志》卷一《文苑传》记林嵩任秘书省正字，"值黄巢之乱，遂东归。观察使辟为团练巡检官……虽在军旅，不忘俎豆之事"。林嵩《太姥山记》文末署"乾符六年记"。（《全唐文》卷八二九）

胡曾（约 839—?）约本年为道州延唐令。为令时，建舜庙碑，撰碑记。后不知所终。《九嶷山志》卷一《陵庙》云："舜庙在大阳溪……僖宗时，长沙胡曾权延唐令，请复立于玉琯岩下，有敕建舜碑记。"（参《宁远县志》卷六《名宦》）曾，邵州邵阳（今属湖南）人。早年曾寓居长沙。咸通中举进士不第（一说进士及第，误）。十二年（871）辟剑南西川节度使路岩幕掌书记。乾符二年（875）高骈镇蜀，复辟为掌书记。五年（878）骈徙荆南节度使，复从之。本年为道州延唐令。后不知所终。工诗，长于律绝。著《咏史诗》七绝一百五十首，唐末以来广为传诵，有注释者，有拟效者。前蜀内侍宋光溥曾咏其《姑苏台》讽谏王衍。明人《三国演义》、《列国志》多引用之。《唐才子传》谓其"作咏史诗，皆题古君臣争战，废兴尘迹。经览形胜，关山亭障，江海深阻，一一可赏。人事虽非，风景犹昨，每感辄赋，俱能使人奋飞，至今庸夫孺子亦知传诵。后有拟效者，不逮矣。至于近体律绝等，哀怨清楚，曲尽幽情，擢居中品不过也。"《四部丛刊》三编收有宋钞本《新雕注胡曾咏史诗》，卷首有胡曾序，云："夫诗者，盖美盛德之形容，刺衰政之荒怠，非徒尚绮丽瑰琦而已。故言之者无罪，读之者足以自戒……晋宋诗人，佳句名篇，虽则妙绝，而发言指要亦已疏□。齐代既失轨范，梁朝又加穿凿。八病兴而文义坏，声律□□□雅崩，良不能也。曾不揣庸陋，转采前王得失……成一百五十篇……虽则讥讽古人，实欲裨补当代，庶几与大雅相近者。”亦能文，工骈体。《代高骈回云南牒》指斥南诏轻启边衅，义正辞严，颇有名。《新唐书·艺文志四》著录《安定集》十卷，已佚。《宋史·艺文志七》著录《胡曾诗》一卷，已佚；又《咏史诗》三卷，传世以《四部丛刊三编》影宋抄本最善。《全唐诗》存诗一卷又一首［按，《赠薛涛》当为王建诗］，《全唐诗补编》补三首《全唐文》存文四篇，《唐文拾遗》补一篇。王重民有《补唐书胡曾传》。事迹见《唐才子传校笺》卷八。

僧澮为苏州僧藏廙作真赞。《宋高僧传》卷十二《唐苏州藏廙传》，释藏廙于乾符“六年三月中辰前别众后终，享年八十二……时澮交为谠作真赞”。澮交为诗僧，生卒年、籍贯不详。僖宗时人。能诗。《写真》为《唐诗镜》等所选录，受好评。诗云：“图形期自见，自见却伤神。已是梦中梦，更逢身外身。水花凝幻质，墨彩染（一作聚）空尘。堪笑予兼尔，俱为未了人。”（见《全唐诗》卷八二三）《全唐诗》存诗三首。事迹见《宋高僧传·藏廙共传》。

阙名撰《树萱录》一卷，乃成于僖宗时。（参李剑国《唐五代志怪传奇叙录》）

李洞，字才江，雍州人。生卒年不详。至本年已久困名场。五代何光远《鉴戒录》卷九《分命录》云：“咸通中，王建侍御吟诗寒碎，竟不显荣；乾符末（约879年或之前），李洞秀才出意穷愁，不登名第。是知诗者，陶人情性，定乎穷通。”李洞应举早于乾符时。《全唐诗》卷七二三收李洞《乙酉岁自蜀随计趁试不及》诗云：“客卧涪江蘸月厅，知音唤起进趋生。寒梅折后方离蜀，腊月圆前未到京……文昌一试应关分，岂校褒斜两日程。”乙酉岁乃唐懿宗咸通六年（865）。是此，则洞于咸通六年前已客居涪江，其年冬自蜀赴京应试，因起程太晚致误试期。从咸通六年至本年，已过十四载。

薛能约六十三，在许州忠武军节度使任。此前，有《重游德星亭感事》。（见《全唐诗》卷五五九）

崔涂年约三十，有《己亥岁感事》诗。乃感时逢新岁，兵起世乱而作。（见《全唐诗》卷六七九，参《唐才子传校笺·崔涂传》笺）《唐才子传·崔涂传》云：“涂，字礼山。……工诗，深造理窟，端能竦动人意，写景状怀，往往宣陶肺腑。”

令狐绹（802？—879?）卒。绹，散文家。字子直。祖籍敦煌（今属甘肃）。令狐楚子。排行八。大和四年（830）进士及第。授宏文馆校书郎。开成元年（836）为左拾遗。累迁右司郎中。大中元年（847）出为湖州刺史。二年（848）拜考功郎中、知制诰，转充翰林学士。三年（849）进中书舍人、御史中丞，充学士承旨。四年（850）迁户部、兵部侍郎，拜同中书门下平章事。十三年（859）罢为河中节度使。咸通二年（861）改宣武节度使。三年（862）迁淮南节度使。十年（869）为太子太保，分司东都，十三年（872）授凤翔节度使。乾符二年（875）进封赵国公。卒年七十八。能文。《宋史·艺文志七》著录《令狐绹表疏》一卷，已佚。《全唐文》存文三篇，《唐代墓志汇编续集》存墓志一篇，《全唐诗》存诗一首。事迹见新、旧《唐书·令狐楚传》附传。

裴澈（？—887）本年为中书舍人，撰《唐故凉王墓志铭并序》。

公元880年（唐僖宗广明元年　庚子）

正月

乙卯朔，改元广明。

二月

礼部侍郎崔厚知贡举。郑蔼、刘崇鲁、何迎、李深之、钱珝、杨钜等三十人进士及第。

郑蔼以第一名中进士科状元。

刘崇鲁，生卒年不详，本年进士及第。《旧唐书·刘崇望传》："崇鲁，广明元年登进士第。"《新唐书》："崇鲁字郊文。"崇鲁为刘符第四子。

何迎，生卒年不详，本年进士及第。"《永乐大典》引《宜春志》："何迎，广明元年登进士第。

钱珝，生卒年不详，本年进士及第。《唐才子传》："钱珝，吴兴人，起之孙也。乾宁（为'乾符'之讹）六年郑蔼榜及第。"珝龙纪元年（889）官太常博士，以宦官着朝服侍上，与李绰等奏论之。历京兆府参军。大顺、景福中授蓝田尉，充集贤校理。乾宁二年（895）经宰相王珝推荐，以膳部郎中知制诰。三年（896）进中书舍人。光化三年（900）以王抟得罪，坐贬抚州司马。南行途中，编其文五百四十篇、表奏百篇成《舟中录》二十卷，并作序。又曾官章陵令，时间不详。工诗能文。五绝组诗《江行无题一百首》（又误作钱起诗），写南行时襄阳至浔阳间山川景物和见闻感触，规模之大，为现存唐人纪行诗所仅见。"翳日多乔木"、"兵火有余烬"等篇真实反映了战乱以后农村凋敝现实及百姓厌战情绪。"咫尺愁风雨"、"万木已清霜"等篇及《未展芭蕉》也是传世佳作。文章多制、表之类，《舟中录序》较好。《新唐书·艺文志四》著录《舟中录》二十卷，《宋史·艺文志七》著录《钱珝制集》十卷，并佚。《全唐诗》存诗一卷，《全唐诗补编》移正八首；《全唐文》存文五卷。事迹见《新唐书·钱徽传》、《唐才子传校笺》卷九。

杨钜，生卒年不详，本年进士及第。《永乐大典》引《苏州府志》："广明元年，钱珝、杨钜登第。"《新唐书·艺文志》："钜字文硕。"[按，钜，杨收次子] 见《旧唐书》杨收传。

知贡举：礼部侍郎崔厚。《旧唐书·僖宗本纪》："乾符六年十月，以礼部侍郎张读权知左丞事。"《永乐大典》引《苏州府志》："广明元年，侍郎崔厚知举。"

崔橹约本年举进士落第，其游江南、湖南之诗作或作于本年前。善诗，工四六文、有集四卷。崔橹，又作崔鲁。《唐才子传·崔鲁传》云"鲁，广明间举进士"。橹行迹难具考，其诗有《临川见新柳》、《过南城县麻姑山》（见《全唐诗》卷八八四）。《唐摭言》卷十《海叙不遇》云："崔橹慕杜紫微为诗，而橹才情丽而近荡，有《无机集》三百篇。尤能咏物，如《梅花》诗曰：'强半瘦因前夜雪，数枝愁向晚来天。'……《山寺》诗曰：'云生柱础降龙地，露洗林峦放鹤天。'如此数篇，可谓丽矣。若《莲花》诗曰：'无人解把无尘袖，盛取残香尽日怜。'此颇形迹。复能为应用四六之文，辞亦深侔章句。”《唐才子传·崔鲁传》称其诗“皆绮制精深，脍炙人口。……善于状景咏物，读之如咽冰雪，心爽神怡，能远声病，气象清楚，格调且高，中间别有一种风情，佳作也。诗三百余篇，名《无机集》。”《新唐书·艺文志四》著录崔橹《无机集》四卷。《全唐诗》卷五六七编其诗一卷。

唐僖宗好骑射、斗鸡、击球，自诩为击球状元。左拾遗侯昌业上疏极谏，诏赐死。（见《资治通鉴》卷二五三本年二月条）

沙陀兵入雁门关，攻忻、代二州，又以二万人逼太原。河东节度使康传圭为其部将所杀，监军周从寓以姑息慰谕，事稍平。（见《旧唐书·僖宗本纪》、《资治通鉴》卷二五三。）

春，杨夔在湖州，时湖州刺史杜孺休入茶山，夔赋《送杜郎中入茶山修贡》诗以送。（见《全唐诗》卷七六三）

七月

黄巢军“北逾五岭，犯湖、湘、江、浙”。（见《旧唐书》卷二〇〇下《黄巢传》）

是时，贯休避乱至毗陵，有《避地毗陵上王慥使君》，题注：“时黄贼陷东阳，公避地于浙右。”另有《东阳罹乱后怀王慥使君五首》。（见《禅月集》卷一四、卷二二）

八月

郑谷年三十三，曾至兴州，有《兴州东池》，其《题兴善寺》、《秘阁伴直》等诗盖作于此时之前。（见《郑谷年谱》）

九月

薛能时为许州节度使，时徐州兵经许昌，许军惧徐州兵，又见薛能尚慰劳之，其大将周岌逐薛能，自据其城。《旧唐书·僖宗本纪》载广明元年九月，“徐州兵三千人赴溵水，途经许。许军惧徐人见袭，许州大将岌自溵水以其戍卒还，逐薛能，自据其城”。（参《资治通鉴》卷二五三）能，字大拙，一作太拙。汾州（治今山西汾阳）人。大约生于元和十二年（817）前后。少流寓并州。会昌六年（846）进士及第。大中八年（854）书判入等，补周至尉。累佐使幕。咸通二年（861）入为侍御史。五年（864），辟剑南西川节度副使，摄嘉州刺史。七年（866）返京。历主客、度支、刑部郎中及江州、同州刺史等。十一年（870）由给事中权知京兆尹。十四年（873）出为感化军节度使。入为工部尚书。复节度徐州。乾符五年（878）徙忠武军节度使。本年被乱军所逐。卒于中和二年（882）至光化三年（900）之间。世称薛许昌。治政严察，禁绝请谒，性倨傲。嗜诗成癖，日课一章，作品数量为当时之冠。论诗较推许陶潜、杜甫，尤崇贾岛，轻视李白，批评白居易《荔枝诗》兴旨卑泥、刘禹锡等的《柳枝词》文字太僻，宫商不高，刘得仁诗千篇一律，讥刺当时诗坛“四方联络尽蛙声”（见《题后集》）。自负其“专于诗律，不爱随人，搜难抉新，誓脱常态”（见《折杨柳十首并序》)。尤长于近体，多寄送赠答、游历登临、咏物感怀之作，抒写个人遭际和感慨。少数作品忧国忧民，反对藩镇叛乱，但欠深刻。其诗喜翻旧案，好辟我境，疏淡工整，洗净声色，不乏排奡、浩荡之作，颇有佳句，为郑谷、卢延让等推崇、师法，但思想平庸，才力有限，文字率易，格调大多不高，远逊李白、刘禹锡、白居易等，稍高于刘得仁之流。《黄河》、《华岳》等较知名。“青春背我堂堂去，白发欺人故故生”（见《春日使府寓怀二首》）等亦传诵人口。著有《江干集》（又作《一年集》，当误），已佚；又《薛能诗集》十卷，著录于《新唐书・艺文志四》，有散佚。今传《薛许昌诗集》十卷。《全唐诗》存诗四卷三百余篇，“谐谑”及“补遗”补五首、断句四句，多于集本。《全唐诗补编》补一首、断句二句。事迹见《唐才子传校笺》卷七。

秋，齐己欲往访陆龟蒙，龟蒙时居甫里。然为兵戈所阻，齐己赋《寄松江陆龟蒙处士》诗寄之。中云：“万卷功何用，徒称处士休。闲敲太湖石，醉听洞庭秋。……中间欲相访，寻便阻戈矛。”（见《全唐诗》卷八四三）

秋，李洞有《上司空员外》赠司空图诗。诗曰：“禅心高卧似疏慵，诗客经过不厌重。……夜眠古巷当城月，秋直清曹入省钟。禹凿故山归未得，河声暗老两三松。”（见《全唐诗》卷七二三）

时司空图有《擢英集述》之作，又有诗寄崔道融。司空图《擢英集述》中云：“遇则以身行道，穷则见志于言。各擅英灵，宁甘顿挫。自昭明妙选，振起斯文，荣虽著于方将，恨皆缠于既往。……夫著言纪事，在演致于全篇，赋象缘情，或标工于偶句。虽豹文必备，方成隐雾之姿，而翠羽已零，犹称凌波之玩。诚欲兼搜于笔海，亦当间掇于兰丛。人不陋今，才惟振滞。韵笙簧于骚雅，资粉泽于风流。事窃推公，盖止交游之内，僭将罪我，益知褒采之难。题以擢英，庶能耸听。有唐仪曹外吏司空图。”（见《全唐文》卷八〇九）又司空图有《寄永嘉崔道融》。（见《全唐诗》卷六三三）

十月

陆龟蒙时居甫里，有《禽暴》一文记时事。（见《全唐文》卷八〇一）

十一月

丁卯（《旧唐书》作“己巳”），黄巢陷东都。（见《资治通鉴》、《旧唐书・僖宗本纪》）

司空图作《感时上卢相》及《乱前上卢相》，献宰相卢携。（均见《全唐诗》卷六三三，参《旧唐书・司空图传》）

崔道融本年或居永嘉，司空图有《寄永嘉崔道融》。道融有《献浙东柳大夫》诗献浙东观察使柳韬。道融又曾与镜湖处士方干相逢，有《镜湖雪霁贻方干》诗赠之。（见《全唐诗》卷六三三、卷七一四）道融生年无考，自号“东瓯散人”，与司空图为诗友，曾出为永嘉令。（见《唐才子传》卷九）黄滔有《祭崔补阙》，中记：“洎博陵崔君之生也，迥禀高奇，兼之文学。近则继李飞之蜕随贡，远则同毛义之志奉亲。东浮

谢公旧州，式避戈戟，遁于仙岩濬谷，克业经纶。”（见《唐黄御史公集》卷六）

十二月

甲申，上与诸王后妃数百骑，自子城由含光殿金光门出幸山南。是日晡晚，黄巢军入京城立国号大齐。宰相卢携自杀，大臣豆卢瑑、崔沆、刘邺等皆被杀。（见《旧唐书·僖宗本纪》、《资治通鉴》卷二五四）

刘邺（？—800）为黄巢捕杀。有《甘棠集》三卷等。《旧唐书·刘邺传》，邺拜左仆射，“巢贼犯长安，邺从驾不及，与崔沆、豆卢瑑匿于金吾将军张直方之家旬日……为贼所得，迫以伪命，称病不应，俱为贼所害”。邺，字汉藩。润州句容（今属江苏）人。刘三复子。六七岁能赋诗，为李德裕赏识。以德裕贬官，无所依，遂以文章客游江浙间。大中八年（854）辟陕虢团练判官，授秘书省校书郎。十年（856）辟镇国军判宫。十四年（860）入为左（一作右）拾遗，充翰林学士。赐进士及第。咸通二年（861）进起居舍人。三年（862）加兵部员外郎知制诰，进中书舍人。五年（864）迁户部侍郎。十一年（870）加承旨学士，拜诸道盐铁使。十二年（871）拜礼部尚书、同平章事。十四年（873）罢为左仆射。乾符元年（874）出为淮南节度使。六年（879）入为左仆射。广明元年（880）被黄巢起义军所杀。能诗工文。每有制作，人皆传诵。《新唐书·艺文志四》著录《甘棠集》三卷，《宋史·艺文志七）著录《刘邺集》四卷、《从事》三卷。《秘书省续编到四库阙书目》记其《翰苑集》一卷今存敦煌本《甘棠集》残本四卷，其余已佚。《全唐文》存文一篇，《全唐诗》存诗二首。事迹见新、旧《唐书》本传。

徐寅作《闻长安庚子岁事》述广明之乱。其云：“皇王去国未为恨，寰海失君方是忧。五色大云凝蜀郡，几般妖气扑神州。”（见《钓矶文集》卷九）

杜光庭应举不第，入天台山学道，久之，道声日起，为僖宗召见。黄巢入长安，从幸兴元。《十国春秋》本传：“长安有潘尊师者，道术甚高，雅为僖宗所重，时时以光庭为言。僖宗因召见，大悦。已而从幸兴元，竟留于蜀。”

来鹄避乱于荆襄，有《鄂渚除夜书怀》之作。（见《全唐诗》卷六四二）

五日，司空图感黄巢入长安，夜赋《庚子腊月五日》诗以抒怀。诗云：“复道朝延火，严城夜涨尘。骅骝思故第，鹦鹉失佳人。禁漏虚传点，妖星不振辰。何当回万乘，重睹玉京春。”

韦庄在长安候明年春试，适值黄巢入长安，陷兵中。时大病，与弟妹相失，感时叹世，有《贼中与萧韦二秀才同卧重疾二君寻愈余独加焉恍惚之中因有题》、《雨霁晚眺》（见《浣花集》卷二）。《北梦琐言》卷六《以歌词自娱》条记“蜀相韦庄应举时，遇黄寇犯阙”。

韩偓年三十九，黄巢陷长安，偓仓皇离京，萍漂不定。自咸通庚辰（860）至本年（庚子）（880），所积千余首诗稿，大多散失，韩偓乃重为掇拾，其《香奁集》之编盖始于此时。韩偓《玉山樵人集》所附《香奁集》序云：“余溺章句信有年矣，诚知非丈夫所为，不能忘情，天所赋也。自庚辰、辛巳之际，迄辛丑、庚子之间，所著歌诗

不啻千首。其间以绮丽得意亦数百篇，往往在士大夫之口，或乐工配入声律，粉墉椒壁，斜行小字，窃咏者不可胜记。大盗入关，缃帙都坠，迁徙不常厥居，求生草莽之中，岂复以吟讽为意。或天涯逢旧识，或避地遇故人，醉咏之暇，时及拙唱。自尔鸠辑，复得百篇，不忍弃捐，随时编录。”韩偓《香奁集》中多是绮艳冶媚之作，即后人所称“香奁体”者。清末戴钧著《香奁集发微》，以为韩偓此集中皆有“美人”、“香草”微言大义存焉。冯浩《玉谿生诗集笺注》云香奁体之托物言志，乃师承义山之“无题”诗：“余尝读韩致尧《香奁集》，当以贾生忧国、阮籍途穷之志读之……既以所丁不辰，转喉触忌，壮志文心，皆难发露，于是托为艳体，以消无聊之况。其《思录旧诗，凄然有感》云：‘缉缀小诗钞卷里，寻思闲事到心头。自吟自泣无人会，肠断蓬山第一流。’故已自道破苦心，后人薄之，或且以为和凝之作，可怪矣。义山所遭之时，大胜于致尧……至于托事言衷、缠绵凄楚一而已矣。义山诗法，冬郎幼必师承，《香奁》寄恨，仿佛《无题》，皆楚骚之苗裔也。”清吴汝纶《评注韩翰林集》所收清赵衡序言：“往岁余用桐城吴先生群书点勘，读公诗，至《香奁集》，尝题七字句近体诗，谓与义山《无题》诸作，皆可当贾生之痛哭，盖公诗初受义山，最为深隐难读……惟大盗入关之先，蕴蕴棼棼；大乱将作，诸在势要，犹自瞢然，恣其威福，语多忌讳。此则公与义山所遇之时略同，默尔不可，语又不能，不得已而假物寓兴，主文谲谏，甚至下乃托于男女媟亵之事，贾生痛哭，犹不足以喻之。”（见《关中丛书》吴汝纶《韩翰林集·序》）韩偓香奁体诗固多深隐之作，然亦是艳情诗大炽的时代风气浸淫所致。黄巢入长安前，韩偓应进士试几二十年，时当懿、僖之代，进士科举者之任诞无忌，尤甚于他时。偓处身其间，放浪不羁、冶游取乐，艳情诗之作亦是必然。陈寅恪《唐代政治史述论稿》曰：“唐之进士一科与倡伎文学有密切关系，孙棨《北里志》所载即是一证。又韩偓以忠节著闻，其平生著述中《香奁》一集，浮艳之词，亦大抵应进士举时所作。”

冬，贯休在毗陵，有《上孙使君》、《避地毗陵寒月上孙徽使君兼寄东阳王使君三首》赠常州刺史孙徽及前婺州刺史王慥。（见《全唐诗》卷八三六、卷八二七）

本年

罗虬约本年或稍后以妒杀所爱之营妓杜红儿，后追悔，取古之美女有才德者，作绝句百首以比红儿，诗盛传一时。罗虬《比红儿诗》一百首，其序云：“比红者，为雕阴官妓杜红儿作也。美貌年少，机智慧悟，不与群辈妓女等。余知红者，乃择古之美色灼然于史传三数十辈，优劣于章句间，遂题比红诗。”（见《全唐诗》卷六六六，参《唐摭言》卷十）

皮日休为黄巢大齐朝翰林学士。《南部新书》卷癸云：“皮日休，历太常博士，后从巢寇，遇祸。”同书卷丁记：“黄巢令皮日休作谶词，云：‘欲知圣人姓，田八二十一；欲知圣人名，果头三屈律。’巢大怒，盖巢头丑，掠鬓不尽，疑三屈律之言是其讥也，遂及祸。”《唐诗纪事》卷六四所载略同，并谓其时皮日休为黄巢朝之翰林学士。[按，一说黄巢退出长安后，日休为唐室所杀。详见“中和三年本年‘皮日休’”条]

《新唐书·艺文志三》著录皮日休《鹿门家钞》九十卷，《新唐书·艺文志四》记《皮日休集》十卷、《胥台集》七卷、《文薮》十卷、《诗》一卷，又有与陆龟蒙唱和诗《松陵集》十卷。《唐才子传·皮日休传》评皮日休与陆龟蒙次韵唱和诗云："夫次韵唱酬，其法不古，元和以前，未之见也。暨令狐楚、薛能、元稹、白乐天集中，稍稍开端，以意相和之法渐废，间作。逮日休、龟蒙，则飙流顿盛，犹空谷有声，随响即答。韩偓、吴融以后，守之愈笃，汗漫而无禁也。于是天下翕然，顺下风而趋，至数十反而不已，莫知非焉。"胡震亨称"皮袭美未第前诗，尚朴涩无采。第后游松陵，如《太湖》诸篇，才笔开横，富有奇艳句矣。律诗刻画堆垛，讽之无音，病在下笔时先词后情，无风骨为之干也"。（见《唐音癸签》卷八）

曹松感乾符六年之战乱，赋《己亥岁二首》。其避乱隐居洪州西山当在本年前后，有《乱后入洪州西山》、《江西逢僧省文》、《钟陵寒食日郊外闲游》、《江西题东湖》、《九江暮春书事》、《滕王阁春日晚眺》等。（见《全唐诗》卷七一七、卷七一六）

唐彦谦约于本年前后避乱隐居于汉南鹿门山，以著述为任，自号鹿门先生。《旧唐书·唐彦谦传》："乾符末，河南盗起，两都覆没，以其家避地汉南。"《新唐书》本传亦记其"乾符末，避地汉南"。郑贻《鹿门诗集叙》记彦谦"光启七年，隐居鹿门山，以著述为任"。（见《唐文拾遗》卷三三）

黄巢乱京之际，郑谷奔避巴蜀。其《叙事感恩上狄右丞》云："寇难旋移国，飘零几听蛩。半生悲逆旅，二纪间门墉。蜀雪随僧踏，荆烟逐雁冲。"此后六年，谷长期漂游巴蜀荆楚，有《谷自乱离之后在西蜀半纪之余……吟四韵以谢之》。（见《全唐诗》卷六七四）

王仁裕（880—956）生。仁裕，小说家。字德辇。天水（今属甘肃）人。唐末任秦州节度判官。后入蜀，事后主为中书舍人、翰林学士。前蜀亡，仕后唐，以都官郎中充翰林学士。后晋时累官给事中。开运二年（945）迁左散骑常侍。后汉天福十二年（947）以户部侍郎充翰林学士承旨。后周广顺元年（951）为太子少保。显德三年（956）卒。仁裕有诗名，多奉和题咏之作。曾作诗万首，集为百卷，号《西江集》，蜀人呼为"诗窖子"。集已散佚，《全唐诗》存诗一卷，《全唐诗补编》补二首。另著《开元天宝遗事》，今存。又有《玉堂闲话》、《王氏见闻录》，已散佚，部分条文存于《太平广记》中。三集皆采异闻奇事，叙述宛转，语言生动，颇富传奇色彩。事迹见新旧《五代史》及《十国春秋》本传。

王棨本年东归故里，卒。棨，辞赋家。字辅之，一作辅文。福州福唐（今福建福清）人。生卒年不详。大中十一年（857）初应京兆府试，以《三箭定天山赋》中第二名。因京兆尹作梗，未获荐送。咸通三年（862）进士及第，试《倒载干戈赋》、《天骥呈材赋》。辟福建团练判官，检校监察御史。约咸通九年（868），辟江西团练判官。乾符二年（875），平判入等，授大理司直。除太常博士，迁水部郎中。广明元年（880），东归故里，卒。世称王郎中。据《桂苑笔耕集》，高骈幕下亦有王棨，是否一人，难以臆定。工赋，现存辞赋及表现特定生活的抒情赋数量居晚唐作者之首，是晚唐律赋名家。赋风清婉，托意奇巧。《江南春赋》感叹齐梁亡国，托古讽今，对偶精工，尤有名。《贫赋》、《凉风至赋》等开拓了律赋的新领域。《白雪楼赋》是现存最早赋写私家楼阁之作，与王泠然《汝州薛家竹亭赋》共同开后人叙写私家楼阁之风。《宋史·艺文志七》著录《王棨诗》一卷，已散佚。宋时有《麟角集》一卷（附省试诗），有清人辑本传世。《全唐文》存律赋二卷，《全唐诗补编》存诗二十一首。事迹见唐黄璞《王郎中传》。曾广开等有《王棨考》。

修睦（？—918）本年后居庐山，与栖隐、贯休等为诗道之游。光化中为庐山僧正。后应征辟赴吴国。天祐十五年（918）死于朱瑾之难。能诗，多近体，写僧居情致、景物。《秋日闲居》较佳。友人李咸用谓“贯休之后，惟修睦而已矣”（《读修睦上人歌篇》）。《直斋书录解题》卷一九著录《东林集》一卷，已佚。《全唐诗》存诗二十七首（含“补遗”），《全唐诗补编》补四首。事迹见《唐才子传校笺》卷三。

栖隐自本年起，隐居庐山折桂峰。与贯休、处默、曹松等为诗友。隐，字巨征。籍贯、生年不详。少出家为僧。俗姓徐。光化三年（900），游岭南。后唐天成中卒。有诗百余首，号《桂峰集》，宋初尚存。作品已佚。事迹见《宋高僧传》卷三〇。

侯圭为东蜀从事，撰《贾阆仙墓表》。《舆地碑目》卷四《普州碑记》：“贾阆仙墓表，广明庚子东蜀从事上谷侯圭表：于戏！有唐诗流贾君之墓。”墓表未载于《全唐文》，今亦不存。

公元 881 年（唐僖宗广明二年　唐僖宗中和元年　辛丑）

正月

庚戌朔，车驾在兴元。丁卯，次成都。（见《旧唐书·僖宗本纪》、《资治通鉴》卷二五四）

孙樵随僖宗入蜀，后迁职方郎中。时与李潼、司空图并号为“行在三绝”。孙樵《孙可之文集序》自谓：“从军邠国，忝历华资，久居兰省。广明元年，狂寇犯阙，驾避岐陇，诏赴行在，迁职方郎中。朝廷以省方蜀国，文物攸兴，品藻朝伦，旌其才行，诏曰‘行在三绝’：右散骑常侍李潼有曾、闵之行，职方郎中孙樵有扬、马之文，前进士司空图有巢、由之风，列在青史，以彰有唐中兴之德。”（参《资治通鉴》卷二五四）

李洞此时避乱寓居龙州，有《乱后龙州送郑郎中兼寄郑侍御》。（见《全唐诗》卷七二二）

二十七日，侯圭作《东山观音院记》，时圭仍为东蜀从事。《东山观音院记》云：“广明初，梓州浮图祠大小共十二。……辛丑岁正月二十七日。”侯圭另有《割鸿沟赋》。（均见《全唐文》卷八〇六）侯圭生平事迹未能考详。官至散骑常侍，李洞有《戏赠侯常侍》、《吊侯圭常侍》。（见《全唐诗》卷七二三、卷七二一）

立春日，韦庄在长安，于兵中遇弟妹，有《立春日作》、《辛丑年》等诗。（均见《浣花集》卷二）

郑谷元日在巴微度岁，赋有《巴江》诗。（见《郑谷诗集编年校注》）

二月

户部侍郎韦昭度知礼部贡举。于棁、黄郁、李端、王彦昌、杜升等十二人登进士第。《唐语林》："广明元年，卢渥中丞知举，帖经后，黄巢犯阙，天子幸蜀，韦昭度侍郎于蜀代放十二人。"

于棁，生卒年不详，本年进士及第。《唐摭言》："于棁旧名韬玉，长兴相国兄子。贵主视之如己子，莫不委之家政，往往与于关节，由是众议喧然。广明初，崔厚侍郎榜，贵主力取鼎甲。榜除之夕，为设庭燎，仍为宴具，以候同年展敬。选内人美少者十余辈，执烛跨乘，列于长兴西门。既而将入辨色，有朱衣吏驰报曰：'胡子郎君未及第。'诸炬应声掷之于地。巢寇难后，于川中及第，依栖田令孜矣。或曰棁及第非令孜力，后依其门耳。"

黄郁，生卒年不详，本年进士及第。《唐摭言》"黄郁，三衢人，早游田令孜门。擢进士第，历正郎、金紫。李端，曲江人，亦受知于令孜。擢进士第，又为令孜宾佐。"

李端，生卒年不详，本年进士及第。

王彦昌，生卒年不详，本年进士及第。《唐摭言》："王彦昌，太原人，家世簪冕，推于鼎甲。广明岁，驾幸西蜀，恩赐及第。后为嗣薛王知柔判官。昭宗幸石门，时宰臣、学士不及随驾，知柔以京尹判鹾，权中书事，属近辅表章继至，切于批答，知柔以彦昌名闻，遂命权知学士。居半载，出拜京尹。又左常侍、大理寺卿。为寺胥所累，南迁。"

杜昇，生卒年不详，本年进士及第。《唐摭言》："杜昇父宣猷，终宛陵。昇有词藻，广明岁，苏导给事刺剑州，昇为军倅。驾幸西蜀，例得召见，特敕赐绯。导寻入内庭，韦中令自翰长拜主文，昇时已拜小谏，抗表乞就试，从之。登第数日，有敕复前官并服色，议者荣之。"《唐语林》："杜昇自拾遗赐绯后，应举及第，又拜拾遣，时号'著绯进士。'"

知贡举：户部侍郎韦昭度。《旧唐书》本传："从僖宗幸蜀，拜户部侍郎。中和元年，权知礼部贡举。"（参《唐语林》）

徐夤闻僖宗避乱入蜀，感而赋《闻长安庚子岁事》诗。（见《全唐诗》卷七一〇）明黄仲昭《八闽通志》卷七二《人物》："徐夤字昭梦，莆田人。"

来鹄仍避地鄂渚，春三月，与友人登头陀山，赋《鄂渚清明日与乡友登头陀山》诗抒怀。（见《全唐诗》卷六四二）

司空图避乱河中，有《南北史感遇十首》、《避乱》、《乱后》等诗作。（均见《全唐诗》卷六三二）

四月

唐彦谦此时为王重荣辟为河中从事，曾奉使岐下，有《奉使岐下闻唐弘夫行军为贼所擒伤而有作》。（见《全唐诗》卷六七二）《唐才子传·唐彦谦传》称"彦谦才高负气，毫发逆意，大怒叵禁。博学足艺，尤长于诗。亦其道古心雄，发言不苟，极能

用事，如自己出。初师温庭筠，调度逼似，伤多纤丽之词。后变淳雅，尊崇工部。唐人效甫者，惟彦谦一人而已。”彦谦亦擅用典，宋洪刍《洪驹父诗话》云：“山谷言：唐彦谦诗最善用事。其《过长陵》诗云：‘耳闻明主提三尺，眼见愚民盗一抔。千古腐儒骑瘦马，灞陵斜日重回头。’又《题沟津河亭》云：‘烟横博望乘槎水，月上文王避雨陵。’皆佳句。”叶梦得《石林诗话》中亦称：“杨大年、刘子仪皆喜唐彦谦诗，以其用事精巧，对偶亲切。”

五月

李克用声言奉诏将兵征讨黄巢，过太原，见城门闭，“克用纵沙陀剽掠居民，城中大骇”，后“沙陀掠阳曲、榆次而归”。（见《资治通鉴》卷二五四，又见《旧唐书·僖宗本纪》）

崔致远代高骈起草《请巡幸江淮表》。另有《出师后告辞状》、《谢令从军状》（均见《桂苑笔耕集》卷十七）。

罗隐仍隐居池州，有《酬丘光庭》等诗。（见《罗隐集·甲乙集》卷十一）

七月

丁巳，改广明二年为中和元年，赦天下。（见《旧唐书·僖宗本纪》、《资治通鉴》卷二五四）

八日，崔致远代高骈作《檄黄巢书》，此书颇为人所传诵。徐有榘《桂苑笔耕集序》谓“凡表状文告，皆出其（崔致远）手。其讨黄巢檄天下传诵。奏除殿中侍御史，赐绯鱼袋”。（见《桂苑笔耕集》卷十一）

中元，罗隐思及僖宗播迁西蜀，有《中元甲子以辛丑驾幸蜀四首》。（见《罗隐集·甲乙集》

僖宗在成都，专与宦官同处，议天下事。左拾遗孟昭图上疏谏之，为宦者田令孜所抑，孟昭图被贬为嘉州司户，途中被沉于水。（见《资治通鉴》卷二五四）孟昭图疏中有云：“去冬车驾西幸，不告南司，遂使宰相、仆射以下悉为贼所屠，独北司平善。伏见前夕黄头军作乱，陛下独与令孜、敬瑄及诸内臣闭城登楼，并不召王铎已下及收朝臣入城；翌日，又不对宰相，又不宣慰朝臣。”《资治通鉴》载，昭图“疏入，令孜屏不奏。辛未，矫诏贬昭图嘉州司户，遣人沉于蟇颐津，闻者气塞而莫敢言”。

罗虬时任台州刺史，军乱，被杀。《嘉定赤城志》卷八《秩官门·郡守》）《吴越备史》卷一记：“（杜）雄，台州杨梅镇人也。初与朱党、娄文俱为草寇……文害刺史罗虬……以杜雄知台州。”（参《资治通鉴》卷二五四“中和元年八月条”）虬，台州（治今浙江临海）人。生年不详。咸通以来，累举进士不第，因依附宦官，与秦韬玉等合称“芳林十杰”。乾符六年（879）官台州刺史。广明元年后，充鄜延节度使从事。怒杀歌妓杜红儿，复思之，遂作绝句百首，追感其冤。中和元年（881）前后被杀。有诗名，与罗隐、罗邺合称“江东三罗”，成就最下。长于七绝，词藻富赡。组诗《比红儿诗》百首，盛行于时，是唐人专以妇女为题材诗作规模较大者，著录于《郡斋读书志》卷一八。传世有一卷本，宋方春、清沈可培分别有注本。《全唐诗》卷六六六编《比红儿诗》一卷，《全唐诗逸》补一首、断句四联。事迹见《唐才子传校笺》卷九。

秋，崔涂溯江入蜀赴举，时有《入蜀赴举秋夜与先生话别》、《秋夕与友人话别》、《秋夕与友人同会》等诗作。（见《全唐诗》卷六七九）

十月

沈光撰《唐再建大厅记》。《唐才子传校笺·沈光传》补笺引《宝刻丛编》卷一三《婺州》云："《唐再建大厅记》，唐前福州观察支使沈光撰，广明二年十月立。"《唐再建大厅记》今不存，《全唐文》卷八〇二仅载其《太白酒楼记》一文。《唐才子传》卷八沈光传谓："《太白酒楼记》等文，皆仪表于世。有诗集及《云梦子》五卷，并传世。光风鉴澄爽，神情俊迈。"《新唐书·艺文志四》著录"《沈光集》五卷，题曰云梦子"。

十一月

罗隐离池州前往润州，在润州曾登甘露寺，有《甘露寺看雪上周相公》献节度使周宝。（见《罗隐集·甲乙集》卷八）《十国春秋》谓"隐由是从事湖南、历淮、润诸镇，复多龃龉不合"。

十二月

崔涂入蜀途中过汉江、夷陵，有《初过汉江》、《夷（一作巴）陵夜泊》、《巴山道中除夜书怀》等诗。（见《全唐诗》卷六七九）其《巴山道中除夜书怀》诗颇为诗评家所推赏。谢榛《四溟诗话》卷三谓"梁比部公实曰：崔涂《岁除》诗云：'乱山残雪夜，孤独异乡人。'观此羁旅萧条，寄意言表，全章老健，乃晚唐之出类者。"贺裳亦称"读之如凉雨凄风飒然而至，此所谓真诗，正不得以晚唐概薄之"（见《载酒园诗话·又编》）。

冬，李洞与诗僧夜集茅斋，有《避地冬夜与二三禅侣吟集茅斋》诗。（见《全唐诗》卷七二一）

本年

林嵩已加授监察御史衔，黄滔有《寄越从事林嵩侍御》诗寄之，称誉其词赋之美。（见黄滔《唐黄御史公集》卷三）

陆龟蒙（？—约881）约本年卒。陆龟蒙病居苏州甫里，作《自怜赋》自伤，未几卒。（见《全唐文》卷八〇〇）吴融撰诔文祭之，颜荛为作墓志。龟蒙，散文家、诗人。字鲁望。自号江湖散人、甫里先生、天随子。苏州吴县（今江苏苏州）人。幼聪悟，通六经，尤明《春秋》。弱冠攻文，有时名。咸通初，至饶州，三日无所诣，刺史蔡京就见之，龟蒙拂衣而去。约四年（863），游润州。六年（865），往睦州，谒刺史陆墉。十年（869），皮日休来苏州佐郡，荐陆于刺史崔璞。陆与皮、崔等交往酬和甚密，集其唱和诗为《松陵集》十卷。十一年（870），被荐为乡贡进士。十二年（871）应试落第。次年，应聘为湖州刺史张抟幕从事。乾符三年（876），张任苏州刺史，陆复佐其幕。四年（877），复至湖州。后归苏州。六年（879），抱病编成《笠泽丛书》。中和初卒。友人颜荛为作墓志，吴融作《奠陆龟蒙文》。光化三年（900）追赐进士及第。龟蒙与皮日休齐名，世称皮陆。文学主张见于《复友生论文书》、《苔赋并序》等，认为“求文之旨趣、规矩”，无出于六经、孟轲、扬雄之书。孟轲、扬雄之“辞”均为“文”，“文者辞之总，辞者文之用”，重视文学作品“惩劝之道”，“化下风上之旨”。文学成就以杂文小品最著。代表作《招野龙对》、《马当山铭》、《野庙碑》等，继承发展了元结的文风，以杂文手法、谲异色彩和古朴笔意，揭露社会的不平、统治者的残暴、世风的败坏，显现出独特的光彩和锋芒。诗歌今存六百首左右。龟蒙自称：“少攻歌诗，欲与造物者争柄，遇事辄变化不一。其体裁，始则凌铄波涛，穿穴险固，囚镍怪异，破碎阵敌，卒造平淡而后已。”（见《甫里先生传》）诗受韩愈影响较深，以清奇峻险、避熟就生为重要特色，但也有平淡质直和研整幽婉、明丽致密的一面。较多的作品抒写个人的逸致闲情，但《村夜二篇》、《杂讽九首》、《筑城词》等，也表现了关心和同情民生疾苦、揭露统治者残酷腐败的思想感情。众体之中，七言绝句继承李商隐倩巧流丽诗风而加以新变，别出机杼，风神缥缈，气韵生动，成就最高。代表作《白莲》、《怀宛陵旧游》、《和袭美春夕酒醒》等，均为唐诗名篇。一生富于著述，然散佚颇多。《新唐书·艺文志》杂传记。别集和总集类分别著录：《小名录》五卷、《笠泽丛书》三卷、《诗编》十卷、《赋》六卷及《松陵集》十卷。今传《笠译丛书》四卷、补遗一卷，《松陵集》十卷，《小名录》二卷。宋人辑有《甫里先生文集》二十卷。《全唐文》编文二卷；《全唐诗》编诗十四卷，《全唐诗补编》补三首。事迹见《新唐书》本传、《唐才子传校笺》卷八。《唐摭言》卷十《海叙不遇》条记龟蒙：“诗篇清丽，与皮日休为唱和之友；有集十卷，号曰《松陵集》。中和初，遘疾而终。颜荛给事为文志其墓，吴子华奠文千余言，略曰：‘大风吹海，海波沦涟，涵为子文，无隅无边。长松倚雪，枯枝半折，挺为子文，直上巅绝。风下霜晴，寒钟自声，发为子文，铿锵杳清。武陵深阒，川长昼白，间为子文，渺茫岑寂。豕突鲸狂，其来莫当。云沉鸟没，其去倏忽。腻若凝脂，软于无骨。霏漠漠，澹涓涓。春融冶，秋鲜妍。触即碎，潭下月，拭不灭，玉上烟。’”颜荛所作墓志不存，吴融所作祭文收于《全唐文》卷八二〇。

王驾居蒲中，与司空图诗文往还，留诗逾百篇，图有《与王驾评诗书》之作，推奖其五言诗思与境偕。司空图《与王驾评诗书》中云：“足下末伎之工，虽蒙誉于贤哲，未足自信，必俟推于其类，而后神跃而色扬。……国初主上好文雅，风流特盛。沈、宋始兴之后，杰出于江宁，宏肆于李、杜极矣。右丞苏州，趣味澄敻，若清风之出岫。大历十数公，抑又其次焉。（元白）力勍而气孱，乃都市豪估耳。刘公梦得、杨公巨源，亦各有胜会。阆仙、东野、刘得仁辈，时时得佳致，亦足涤烦。厥后所闻，逾褊浅矣。然河汾蟠郁之气，宜继有人。今王生者寓居其间，浸渍益久。五言所得，长于思与境偕，乃诗家之所尚者。……经乱索居，得其所录，尚累百篇，其勤亦至矣。”（见《全唐文》卷八〇七）《诗话总龟》卷十《雅什》门上引：王驾“号守素先生，与司空图、郑谷为诗友”。郑谷即有《送进士王驾下第归蒲中》（见《郑守愚文集》卷二）诗。

杜荀鹤仍居池州山中。目睹时艰，多有反映田园荒芜、民生凋敝、官吏盘剥之作。其《山中寡妇》、《乱后逢村叟》、《乱后送友人归湘中》、《题所居村舍》等诗，盖作于本年前后。（见《全唐诗》卷六九一、卷六九二）

郑启约本年赋《严塘经乱书事》诗。其一云：“尘生宫阙雾濛濛，万骑龙飞幸蜀中。……虽知四海同盟久，未合中原武备空。星落夜原妖气满，汉家麟阁待英雄。”其二中云：“正是四郊多垒日，波涛早晚静鲸鲵。”（见《全唐诗》卷六六七）

贯休本年避乱于山寺，重加修改润饰旧作，成《山居诗二十四首》。其序云：“愚咸通四五年中，于钟陵作山居诗二十四章。放笔，稿被人将去。厥后或有散书于屋壁，或吟咏于人口。一首两首，时时闻之，皆多字句舛错。洎乾符辛丑岁，避寇于山寺，偶全获其本，风调野俗，格力低浊，岂可闻于大雅君子。一旦抽毫改之，或留之、除之、修之、补之，却成二十四首。亦斐然也。蚀木也，概山讴之例也。或作者气合，始为一朗吟之可也。”（见《全唐诗》卷八三七）

冯涓本年为眉州刺史，其余生平事迹难以系年。涓以散文名家。字信之。婺州东阳（今属浙江）人，一说信都（治今河北冀州）人。生卒年不详。登大中十一年（857）进士第（一作大中十四年），颇有文名。新罗国筑高楼，遣使厚金请其撰记，世以此荣之。又登宏词科，授京兆府参军。以时危世乱，隐居商山十年。乾符时为祠部郎中。中和元年（881），为眉州刺史，为战事所阻未至任，遂于成都墨池灌园自给，羁旅六年，艰苦备尝，作《怀秦赋》及《南冠集》、《龙吟集》。景福时，为王建辟为西川节度判官，后拜前蜀御史大夫，卒。涓性滑稽，语多讥诮，尤工章奏。何光远《鉴戒录》称其“清苦直谏，比讽箴规，章奏合于教化。所著文章，迥超群品，诸儒称之为大手笔”。《十国春秋》谓其有《南冠集》、《龙唫集》三卷、《长乐集》十卷，又有《檄龙文》、《大虫牓》等，皆佚。《全唐诗》存诗二首、断句二句，《全唐诗补编》补诗二首又四句；《全唐文》存文三篇。事迹见《鉴戒录》卷四、《北梦琐言》卷三、《唐诗纪事》卷六六、《十国春秋》本传。

杨奇鲲（？—881）卒。奇鲲，南诏诗人。籍贯不详。唐末为南诏宰相。中和元年（881），南诏与唐联姻，奇鲲至蜀迎公主。僖宗以高骈上言，乃鸩杀之。能诗。出使途中所赋“风里浪花吹又白，雨中岚色洗还青”、“江鸥聚处窗前见，林狖啼时枕上闻”等句，孙光宪称为“词甚清美”。《全唐诗》存残诗一首，《全唐诗补编》补一首。事迹见《北梦琐言》卷一一、《新唐书·南蛮传中》。

知玄（809—881）卒。唐代高僧。字后觉，俗姓陈。眉州洪雅（今属四川）人。五岁能诗。十一岁出家于宁夷寺。杜元颖镇蜀，命升座讲谈于成都大慈寺，时称陈菩萨。后至长安资圣寺，文宗宣入内庭为顾问。武宗灭佛，遂离长安，止桂林开元寺。大中初复至长安，住宝应寺。后居法乾寺、兴善寺。李商隐以弟子礼事之。八年（854）归蜀。咸通中曾游泽州。中和元年（881）诏赴行在，赐号悟达国师，乞归彭州丹景山，卒。著述甚多，佛学著作外，撰箴论碑志歌诗等编为二十余卷。今存《慈悲水忏法》三卷。《全唐诗》存诗三首。事迹见《宋高僧传》卷六。

公元 882 年（唐僖宗中和二年　壬寅）

正月

崔涂入蜀途中经归州昭君宅、过巫山，有《过昭君故宅》、《巫山庙》之咏。（见《全唐诗》卷六七九）

二月

贡举试在成都。礼部侍郎归仁绍知礼部贡举。杨注、卢尚卿、程贺、秦韬玉、裴廷裕、于邺等二十八人登进士第。

杨注，生卒年不详，本年进士及第。《永乐大典》引《苏州府志》："侍郎归仁绍知举，杨注登第。"《旧唐书·杨收传》："注中和二年进士登第。"注为杨严第二子。

卢尚卿，生卒年不详，本年进士及第。《唐诗纪事》："尚卿，僖宗中和二年登第于蜀。"尚卿咸通十一年（870）赴京应试，逢朝廷停贡举，赋《车归诗》以纪之。《全唐诗》存诗一首，余皆佚。

程贺，生卒年不详，本年进士及第。经二十五举方于本年登第。何光远《鉴戒录》卷九《卓绝篇》载："程贺员外因咏《君山》得名，时人呼为'程君山'。……《咏君山》曰：'曾于方外见麻姑，说到君山此本无。云是昆仑山顶石，海风飘落洞庭湖。'"又孙光宪《北梦琐言》卷十一："唐崔亚郎中典眉州，程贺以乡役差充厅子……崔公见贺风味有似儒生，因诘之曰：'尔读书乎？'贺降阶对曰：'薄涉艺文。'崔公指一物，俾其赋咏，雅有意思，处分令归。选日装写所业执贽，甚称奖之，俾称进士……凡二十五举及第，时中和二年也。入京则馆博陵之第。亚卒，贺服缞三年。"（参《太平广记》卷一八三"程贺为崔亚持服"条）

秦韬玉，生卒年不详，本年进士及第。《唐才子传》："秦韬玉谄事田令孜，巧宦，未期年官至丞郎，判盐铁，保大军节度判官。僖宗幸蜀，从驾。中和二年，礼部侍郎归仁绍放榜，特勅赐进士及第，令于二十四人内安插，编入春膀。"《唐诗纪事》："韬玉字仲明，京兆人。父为左军军将。韬出入田令孜之门，又与刘晔、李嵓士、姜垍、蔡铤之徒交游中贵，各将两军书尺，侥求巍科，时谓'对军解头'。僖宗幸蜀，韬玉以工部侍郎为令孜神策判官。小归公主文，韬玉准勅及第，仍编入榜中。韬玉以书谢，新人呼同年曰：'三条烛下，虽阻门阑；数仞墙边，幸同恩地。'"《唐语林》："秦韬玉应进士举，出于单素，屡为有司所斥。京兆尹杨损奏复等列，时在选中。明日将出牓，其夕忽叩试院门，大声曰：'大尹有帖。'试官沈光发之，曰：'闻解榜内有人曾与路岩作文书者，仰落下。'光以韬玉为问，损判曰：'正是此。'"韬玉，字中明，一作仲明。籍贯有京兆（治今陕西西安）、郃阳（今陕西合阳）二说，今人或以为湘（今湖南）人。父为左军军将。应进士举，因出身寒素，屡试不第。咸通中，同辈十人交结宦官，号芳林十哲（一说咸通十哲，误）。咸通十四年（873）或乾符元年（874），应京兆府试入选，又因曾与前宰相路岩交结而黜落。广明元年（880）从僖宗入蜀，为宦官田令

孜擢用。本年赐进士及第。四年（884）官工部侍郎、判度支，兼十军司马。为人热衷功名。有文才，工长短歌。多抒怀咏物、乐府题咏，抒写贫贱失志之悲愤。《豪家》、《贵公子行》等指斥豪门奢华显赫，较多现实内容。《贫女》尤有名。所作情致宛切，语言浅近。元辛文房谓其诗“恬和浏亮”。有《投知小录》三卷，见《新唐书·艺文志四》，已散佚。今传《秦韬玉诗集》一卷。《全唐诗》存诗一卷，《全唐诗补编》补一首、断句二句 。

裴廷裕（？—907？）本年登进士第。廷裕，一作延裕。字膺余。绛州闻喜（今属山西）人。大顺时，累官右补阙，奉诏与柳玭、孙泰等修撰宣宗实录，逾年而修例未成，遂独采宣宗朝耳目闻睹，撰成《东观奏记》三卷。乾宁中，为翰林学士，历司封郎中知制诰，迁左散骑常侍。后梁初，贬湖南，卒。廷裕文思敏捷，时人号为“下水船”。《新唐书·艺文志二》、《直斋书录解题》卷五均著录其《东观奏记》三卷，今存。此外存诗二首，见《全唐诗》；文两篇，见《全唐文》。事迹见《新唐书·艺文志二》、《唐摭言》卷一三。《唐诗纪事》卷六一。

于邺（于武陵），生卒年不详，本年进士及第。《唐才子传》卷八《于武陵传》云：“武陵，名邺，以字行，杜曲人也。大中时尝举进士，不称意，携书与琴，往来商洛、巴蜀间，或隐于卜中，存独醒之意。”《唐才子传校笺》云：“《直斋书录解题》谓‘于武陵大中进士’，不确，辛传所述大中尝举进士，亦未为確论。……《唐诗纪事》卷六三云：‘邺唐末进士’，殆系事实而史籍失载，《登科记考》亦复失考。邺曾自郿县入斜谷，经褒谷，至褒中，过百牢关入蜀。邺《过百牢关贻舟中者》云：‘蜀国少平地，方思京洛间。远为千里客，来度百牢关。帆影清江水，铃声碧草山。不因名与利，尔我各应闲。’词谓入蜀所求者名利，殆系入蜀应进士举。因黄巢攻占长安，僖宗入蜀，中和元年、二年、三年均在蜀试举。邺与同舟人入蜀既曰因名与利，则似系为应举而来。中和二年进士登第二十八人，三年登第三十人，今《登科记考》此两年间仅考得七人，盖因战乱，《登科记》阙如故也。邺殆系中和二、三年登第，《唐诗纪事》谓唐末进士，似近之。”今从之，姑系本年。

知贡举：礼部侍郎归仁绍。《登科记考》作“礼部侍郎归仁泽”，徐氏考云：“黄休复《益州名画录》，僖宗幸蜀回銮之日，令常重允于中和院写御容及随驾文武臣寮真，内有尚书礼部侍郎、知贡举归仁泽。则是年为仁泽知举，诸书言仁绍者误。”然《永乐大典》引《苏州府志》，侍郎归仁绍知举，杨注登第。《旧唐书·杨收传》云：“注，中和二年进士登第。”则徐松考误。

王驾在蜀中应试落第，归蒲中，郑谷有《送进士王驾下第归蒲中》诗送之。（见《全唐诗》卷六七六）

崔涂在蜀落第，赋《蜀城春》以抒发失意之情。（见《全唐诗》卷六七九）

三月

来鹏约此时在蜀，有《寒食山馆书情》诗。后卒于蜀。有诗一卷。《北梦琐言》卷七载来鹏为福建观察使韦岫赏识，“曾欲以子妻之，而后不果。尔后游蜀，夏课卷中有诗云：‘一夜绿荷风剪破，赚他秋雨不成珠。’识者以为不祥。是岁不随秋赋，而卒于通议郎”。其《寒食山馆书情》云：“独把一杯山馆中，每经时节恨飘蓬。”即作于蜀。（见《全唐诗》卷六四二）来鹏诗思清丽，多寓讥刺不平之意，其《蚕妇》云：“晓夕采桑多苦辛，好花时节不闲身。若教解受繁华事，冻杀黄金屋里人。”《古剑池》、《云》、《金钱花》等皆类此。《新唐书·艺文志四》著录《来鹏诗》一卷。《全唐诗》卷六四一编其诗一卷。

五月

顾云本年约三十二岁，在高骈淮南节度使幕。时高骈被罢都统及盐铁转运使，怨愤不已，请顾云为草《代高骈上僖宗奏》奏文。文中抨击朝政，要求“戮卖官鬻爵之辈”。（见《全唐文》卷八一五）

六月

崔致远本年二十八岁，仍在高骈淮南节度使幕，为高骈撰《谢加侍中兼实封表》、《谢就加侍中兼实封状》等文多篇。（见《桂苑笔耕集》卷二、卷三）

九月

李洞在成都，时与兵部侍郎郑凝绩论诗著棋，有《锦江陪兵部郑侍郎话诗著棋》诗。（见《全唐诗》卷七二一）

韦庄春离长安，后居洛阳。时有《洛阳吟》、《睹军回戈》等诗。（见《浣花集》卷三）

黄巢同州防御使朱温降唐，任同华节度使。《资治通鉴》卷二五五中和二年载：“黄巢所署同州防御使朱温屡请益兵以扞河中，知右军事孟楷抑之，不报。温见巢兵势日蹙，知其将亡，亲将胡真、谢瞳劝温归国。九月丙戌，温杀其监军严实，举州降王重荣。温以舅事重荣，王铎承制以温为同华节度使。”

杜荀鹤至扬州，逢张乔、顾云等友人，作《维扬逢诗友张乔》、《乱后旅中遇友人》、《江南逢李先辈》、《贺顾云侍御府主与子弟奏官》等诗。（见《全唐诗》卷六九一、卷六九二）

黄滔时逢世乱，惆怅失意，有《壬癸岁书情》诗。诗云：“故园招隐客，应便笑无成。谒帝逢移国，投文值用兵。……匹马迷归处，青云失曩情。江头寒夜宿，垅上歉年耕。……惆怅灞桥路，秋风谁人行。”（见《全唐诗》卷七〇六）

十月

林嵩在福建观察使幕为从事。应僧栖浩请，为周朴诗集作序。其《周朴诗集序》云：“先生为诗思迟，盈月方得一联一句。得必惊人，未暇全篇，已布人口。有僧楼（应作栖）浩，高人也，与先生善，捃拾先生遗文，得诗一百首。中和二年冬十月，携

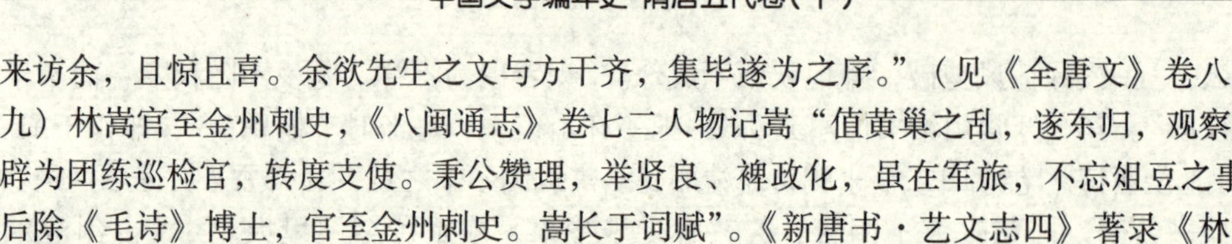

来访余，且惊且喜。余欲先生之文与方干齐，集毕遂为之序。”（见《全唐文》卷八二九）林嵩官至金州刺史，《八闽通志》卷七二人物记嵩“值黄巢之乱，遂东归，观察使辟为团练巡检官，转度支使。秉公赞理，举贤良、裨政化，虽在军旅，不忘俎豆之事。后除《毛诗》博士，官至金州刺史。嵩长于词赋”。《新唐书·艺文志四》著录《林嵩赋》一卷。《唐才子传·林嵩传》谓“有诗一卷，赋一卷，传于世”。《全唐诗》仅载其诗一首，《全唐文》卷八二九载文二篇。

十二月

杜荀鹤游至宣州，遇兵乱，愤而赋《旅泊遇郡中叛乱示同志》诗，描述当地官府杀人抢夺之混乱局势。（见《全唐诗》卷六九二）

本年

僧处默本年前后隐居于庐山，罗隐有诗寄之。此前处默与罗隐同游北固山、钱塘，其诗为罗隐所推赏。罗隐有《寄处默师》：“甘露卷帘看雨脚，樟亭倚柱望潮头。十年顾我醉中过，两地与师方外游。久隔兵戈常寄梦，近无书信更堪忧。香炉烟霭虎溪月，终棹铁船寻惠休。”（见《全唐诗》卷六六〇）罗隐另有《北固亭东望寄默师》、《钱塘遇默师忆润州旧游》。（见《全唐诗》卷六六四、卷六六五）

方干仍在浙东隐居，《贼退后赠刘将军》诗约作于本年。（见《全唐诗》卷六五二）

李山甫本年前曾客游太原，不得志，常为诗托讽，狂歌痛饮。约本年有《乱后途中》、《兵后寻边三首》等诗。（见《全唐诗》卷六四三）《唐才子传·李山甫传》记其咸通中累举进士不第后，又谓其“落魄有不羁才，须髯如戟，能为青白眼，生憎俗子，尚豪侠，虽箪食豆羹，自甘不厌。为诗托讽，不得志，每狂歌痛饮，拔剑斫地，少抒郁郁之气耳”。

冯道（882—954）生。道，五代文学家。字可道，自号长乐老。瀛州景城（今河北河间）人。唐末为刘守光幽州掾。后唐同光元年（923）为翰林学士，迁中书舍人、户部侍郎。天成元年（926）拜相，清泰元年（934）出为同州节度。后晋时再拜相，进封燕国公。历仕后汉、后周。显德元年（954）卒，谥号文懿。道工诗文，风格浅显，追步白居易。《旧五代史》称其文“典丽之外，义含古道”，《青箱杂记》称其“诗虽浅近而多谙理”。著有《冯道集》六卷，《河间集》五卷，《诗集》十卷，皆已散佚。《全唐诗》存诗五首、断句八句，《全唐诗补编》补诗二首、断句一句。事迹见新、旧《五代史》本传。

欧阳澥（？—882）卒。澥，诗人。泉州晋江（今属福建）人。欧阳詹孙。咸通初年开始应举，出入举场近二十年，均未能及第。中和二年（882）寓居汉南，宰相韦昭度以书令襄州刺史首荐其应举，而澥因心痛去世。《全唐诗》存诗一首、断句四句。事迹见《唐摭言》卷一〇、《唐诗纪事》卷六七。

公元 883 年（唐僖宗中和三年　癸卯）

正月

郑谷本年三十八岁，时在成都应进士试，有《锦浦》诗。（见傅义《郑谷年谱》）

二月

礼部侍郎夏侯潭知贡举。崔昭纬、刘崇谟等三十人在成都登进士第。

崔昭纬以第一名中进士科状元。《唐摭言》："张曙、崔昭纬中和初西川同举……昭纬其年首冠。后七年，自内庭大拜。"（参《新唐书·宰相世系表》、《玉芝堂谈荟》及新《旧唐书》本传）张曙《下第戏赠状元崔昭纬》诗云："千里江山陪骥尾，五更风水失龙鳞，昨夜浣花溪上雨，绿杨芳草为何人。"（见《全唐诗》卷六九〇）薛廷珪草《授前京兆府参军钱珝蓝田县尉充集贤校理乡贡进士崔昭纬秘书省秘书郎充集贤校理制》。（见《全唐文》卷八三七）《广卓异记》卷七："昭纬中和三年状元及第。"

刘崇谟（刘崇謩），生卒年不详，本年进士及第。《旧唐书·刘崇望传》："刘崇谟，中和三年进士及第。"《新唐书·宰相世系表》一上、《旧五代史·刘岳传》并作"謩"。

知贡举：礼部侍郎夏侯潭。《旧唐书·夏侯孜传》："子潭，累官至礼部侍郎。中和三年选士，多至卿相。"《唐文拾遗》卷三十六崔致远《礼部夏侯潭侍郎》："伏承荣膺宠命，伏惟感慰。侍郎泰初朗鉴，日月难踰。孝若美资，风尘莫染，儒室别开其户牖，相门必继其弓裘。是以始于宪府宣威，便见仪曹主贡，履历而皆遵仙路，操持而永振贞风。柏列朝霜，昨日揖登台御史；桂开夜月，今朝选入室生徒。采珠而蓬岛待空，搜玉而蓝峰寡色。副天下正人之颙望，息场中艺士之屈声。某早沐眷私，不任欣抃云云。"

韦庄寓居洛阳，有《北原闲眺》、《中渡晚眺》等诗。前诗云："春城回首树重重，立马平原夕照中。五凤灰残金翠灭，六龙游去市朝空。……欲问向来陵谷事，野桃无语泪华红。"后诗云："魏王堤畔草如烟，有客伤时独扣舷。妖气欲昏唐社稷，夕阳空照汉山川。千重碧树笼春苑，万缕红霞衬碧天。家寄杜陵归不得，一回回首一潸然。"（均见《浣花集》卷三，参夏承焘《韦端己年谱》）

张曙本年才名籍甚，然时于蜀中落第，而崔昭纬则为本年状元，曙颇不平，遂赋《下第戏状元崔昭纬》诗。（见《全唐诗》卷六九〇）《唐摭言》卷十一云："张曙、崔昭纬，中和初西川同举，相与诣日者问命。时曙自恃才名籍甚，人皆呼为将来状元，崔亦分居其下。……既而曙果以惨恤不终场，昭纬其年首冠。曙以篇什刺之曰：'千里江山陪骥尾……绿杨芳草属何人！'"［按，曙后于大顺二年登第，此前事迹不详］

郑谷在蜀落第，时心情愁怅，有诗抒怀。其《蜀中赏海棠》、《读故许昌薛尚书集》诗亦约此时前后作。郑谷《蜀中春日》："海棠风外独沾巾，襟袖无端惹蜀尘。和暖又逢挑菜日，寂寥未是探花人。……何事晚来微雨后，锦江春学曲江春。"又《蜀中赏海棠》诗，中云："浓澹芳春满蜀乡，半随风雨断莺肠。"（参《郑谷诗集编年校注》）郑谷《读故许昌薛尚书集》诗乃评述薛能诗之力作，颇有文学史料价值，诗云："篇篇高

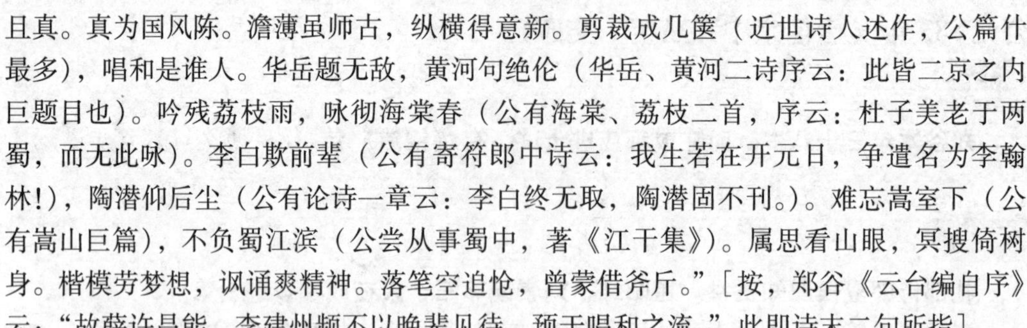

且真。真为国风陈。澹薄虽师古，纵横得意新。剪裁成几箧（近世诗人述作，公篇什最多），唱和是谁人。华岳题无敌，黄河句绝伦（华岳、黄河二诗序云：此皆二京之内巨题目也）。吟残荔枝雨，咏彻海棠春（公有海棠、荔枝二首，序云：杜子美老于两蜀，而无此咏）。李白欺前辈（公有寄符郎中诗云：我生若在开元日，争遣名为李翰林!），陶潜仰后尘（公有论诗一章云：李白终无取，陶潜固不刊。）。难忘嵩室下（公有嵩山巨篇），不负蜀江滨（公尝从事蜀中，著《江干集》）。属思看山眼，冥搜倚树身。楷模劳梦想，讽诵爽精神。落笔空追怆，曾蒙借斧斤。"［按，郑谷《云台编自序》云："故薛许昌能、李建州频不以晚辈见待，预于唱和之流。"此即诗末二句所指］

唐廷任李克用为雁门节度使、检校二部尚书，出兵征讨黄巢。二月，李克用军与河中、易定、忠武军合，大败黄巢将尚让于梁田波。（见《资治通鉴》卷二五五）。

罗隐约此时离润州幕往游扬州，时多有题咏游览之作。（见《罗隐集·甲乙集》卷二）其《广陵春日忆池阳有寄》诗，中云："烟水濛濛接板桥，数年经历驻征桡。……别后故人冠獬豸，病来知己赏《鹪鹩》。"

三月

韦庄在洛阳逢从长安逃难而来之秦妇，秦妇叙述长安被黄巢军占领后之情景，以及一路逃难之见闻，庄遂撰成名篇《秦妇吟》。旋即离洛阳往浙西谒见镇海军节度使周宝，途中及抵浙西后多有题咏、陪侍之作。韦庄《秦妇吟》乃长篇叙事诗。中云：

"中和癸卯春三月，洛阳城外花如雪。东西南北路人绝，绿杨悄悄香尘灭。路旁忽见如花人，独向绿杨阴下歇。……借问女郎何处来，含颦欲语声先咽。回头敛袂谢行人，丧乱漂沦何堪说。三年陷贼留秦地，依稀记得秦中事。君能为妾解征鞍，妾亦与君停玉趾。"［按，癸卯年三月即本年三月］诗中述及广明兵入长安后之情景有云："家家流血如泉沸，处处冤声声动地。舞伎歌姬尽暗捐，婴儿稚女皆生弃。东邻有女眉新画，倾国倾城不知价。长戈拥得上戎车，回首香闺泪盈把。……北邻少妇行相促，旋解云鬟拭眉绿。已闻击托坏高门，不觉攀缘上重屋。须臾四面火光来，欲下回梯梯又摧。烟中大叫犹未救，梁上悬尸已作灰。……长安寂寂今何有，废市荒街麦苗秀。采樵斫尽杏园花，修寨诛残御沟柳。华轩绣毂皆销散，甲第朱门无一半……昔时繁盛皆埋没，举目凄凉无故物。内库烧为锦绣灰，天街踏尽公卿骨。……霸陵东望人烟绝，树锁骊山金翠灭。……明朝晓至三峰路，百万人家无一户。破落田园但有蒿，摧残竹树皆无主。……千间仓兮万斯箱，黄巢过后犹残半。自从洛下屯师旅，日夜巡兵入村坞。……入门下马若旋风，罄室倾囊如卷土。家财既尽骨肉离，今日残年一身苦。"（见《浣花集补遗》）《北梦琐言》卷六《以歌词自娱》条记韦庄"著《秦妇吟》一篇，内一联云：'内库烧为锦绣灰，天街踏尽公卿骨。'尔后公卿亦多垂讶，庄乃讳之。时人号'秦妇吟秀才'。他日撰家戒，内不许垂《秦妇吟》障子，以此止谤，亦无及也"。又谓《浣花集》卷四《陪金陵府相中堂夜宴》、《润州显济阁晓望》、《观浙西府相畋游》诸诗，皆此时前后南游之作。是时至光启二年（886）数年中，韦庄均居江南为浙西周宝客，有诗数首，或即此时之作，难考作年暂系于此。《官庄》题下小注：

"江南富民，悉以犯酒没家产，因以此诗讽之。浙帅遂改酒法，不入财产。"《解维》诗云："又解征帆落照中，暮程还过秣陵东。二年辛苦烟波里，赢得风姿似钓翁。"《台城》："江雨霏霏江草齐，六朝如梦鸟空啼。无情最是台城柳，依旧烟笼十里堤。"《过扬州》："当年人未识兵戈，处处青楼夜夜歌。……淮王去后无鸡犬，炀帝归来葬绮罗。二十四桥空寂寂，绿杨摧折旧官河。"《江亭酒醒却寄维扬饯客》："别筵人散酒初醒，江步黄昏雨雪零。满坐绮罗皆不见，觉来红树（一作红烛）背银屏。"《上元县》题下小注："浙西作。"诗中云："南朝三十六英雄，角逐兴亡尽此中。有国有家皆是梦，为龙为虎亦成空。"《金陵图》诗云："谁谓伤心画不成，画人心逐世人情。君看六幅南朝事，老木寒云满故城。"又《谒蒋帝庙》："建业城边蒋帝庙，素髯清骨旧风姿。……金陵客路方流落，空祝回銮奠酒卮。"（均见《浣花集》卷四，参夏承焘《韦端己年谱》）

四月

四月甲辰（《新唐书》作"丙午"）李克用收复京城。（见《旧唐书·僖宗本纪》、《资治通鉴》卷二五五"中和三年四月条"，记此甚详，略曰：李克用与诸将和黄巢军战于渭南，大败之。黄巢弃城出走。官军进长安，暴掠民众。

崔致远仍在高骈淮南幕为都统巡官，代高骈撰《贺收复京城状》、《贺收复京阙表》。（见《桂苑笔耕集》卷六、卷一）

五月

黄巢离长安后东走，击蔡州，节度使秦宗权兵败，降于巢，与之连兵。（见《资治通鉴》卷二五五）

罗隐与顾云相会于淮南高骈幕海风亭。时高骈惑于求仙，隐赋《后土庙》等诗以讥之，遂连夜乘舟返钱塘。后又著《广陵妖乱志》以记高骈迷惑于神仙之事。《罗隐集·甲乙集》卷二有《后土庙》诗。何光远《鉴戒录》卷八记此诗云："隐又与顾云先辈谒淮南高相公骈。顾为人风雅，时渤海公辟留，隐遂辞归钱塘。高与宾幕小酌觞隐于海风亭。是时盛暑，有青蝇入座，渤海公命扇驱之。顾谑隐曰：'青蝇被扇扇离座。'隐立酬之曰：'白泽遭钉钉在门。'议者以才调相讥，两俱全美。隐度高公欲继淮南王求仙所为妖乱，潜题《后土庙》刺之，连夕挂帆而返。……诗曰：'四海干戈尚未宁，又于淮水建仪形。九天玄女犹无圣，后土夫人岂有灵。一带野云侵鬓绿，两条宫柳入眉青。韦郎少年知何在，端坐惟看《太白经》。'高后失政，因吕用之等幻惑，为毕师铎所害，隐自钱塘著《妖乱志》以非之。"隐又有《淮南高骈所造迎仙楼》诗："鸾音鹤信杳难回，凤驾龙车早晚来。仙境是谁知所处？人间空自造楼台。云侵朱槛应难到，虫网闲窗永不开。子细思量成底事，露凝风摆作尘埃。"（见《罗隐集·甲乙集》卷三）《广陵妖乱志》载："高骈末年惑于神仙之说……每遇军旅大事，则以少牢祀之。（吕）用之、（张）守一皆云神遇，骈凡有密请，即遣二人致意焉。中和元年，用之以神仙好楼居，请于公廨邸北跨河为迎仙楼。其斤斧之声，昼夜不绝，费数万缗，半岁方就。"据《资治通鉴》卷二五四，高骈造迎仙楼及延和阁在中和二年四月。隐赋此诗盖在此时前后。

六月

黄巢与秦宗权合兵攻陈州，未能下，围之，时河南许、汝、唐、邓、孟、郑、汴、曹、濮、徐、兖等数十州，皆罹兵害。（见《旧唐书·僖宗本纪》、《资治通鉴》卷二五五）

司空图避乱于河中，撰有《解县新城碑》文。（见《全唐文》卷八〇九）

七月

朱温改名全忠，任宣武节度使。（见《资治通鉴》卷二五五）

九月

章碣在常州，与友人登高赋《癸卯岁毘陵登高会中贻同志》诗以抒感慨。（见《全唐诗》卷六六九）

冬，贯休感兵乱未息，友朋久离，遂赋《怀高真动二首》诗二首以寓怀友之情。（《全唐诗》卷八三一）

本年

剧燕，投诗河中节度使王重荣，为所称赏，而后以陵轹同事被杀。《唐摭言》卷十载，剧燕与许棠、张乔等人齐名，号“咸通十哲”。又谓：“剧燕，蒲坂人也，工为雅正诗。王重荣镇河中，燕投赠王曰：‘只向国门安四海，不离乡井拜三公。’重荣甚礼重。为人多纵，陵轹诸从事，竟为正平之祸。”（参《剧谈录》卷下）

崔致远仍在高骈幕，有《补安南录异图记》之撰，记述安南民俗。（见《桂苑笔耕集》卷十六）

皮日休大约本年被杀。日休，散文家、诗人。先字逸少，后改袭美。襄阳（今湖北襄樊）人。大约生于唐文宗太和末年至开成初年（834—838）。青少年时代，在襄阳鹿门山读书，并从事耕耨，时以渔钓为乐。咸通四年（863）初，离家出游，循汉水南下，至沅湘间。复北上，经江州达河南，由南阳入蓝田关，抵长安。这次长途漫游，不仅是为了开阔视野，遨游山水，更是为了以自己的诗文进谒当时的名流权贵，以造成舆论影响，便于考取进士。咸通七年（866）春，应进士举，不第。乃取道洛阳，退归寿州东别墅，编次自己的诗文集《文薮》，作为“行卷”，以备次年再度应试。咸通八年（867），登进士第，未授官职。九年（868），又离京师东游华、嵩诸山，经洛阳、扬州，抵苏州。次年，在苏州刺史崔璞幕下为郡从事，与吴中名士陆龟蒙相识，结为诗友，酬答唱和，得诗甚多。十三年（872）春末，返回京都，为著作佐郎，太常博士。僖宗乾符二年（875），王仙芝起义后，皮日休回到吴郡，为毗陵副使。乾符五年（878），黄巢起义军渡江入浙西，继而攻下杭州、越州，皮日休参加了农民起义军。广明元年（880）十二月，起义军攻下长安，黄巢称帝，以皮日休为翰林学士。黄巢败退长安以后，约在中和三年（883），日休被唐室所杀。皮日休是中国文学史上少数参加过农民起义的诗人。他的思想十分复杂，基本上属于儒家正统，又有激进，充满叛逆精神的一面。对儒家经典、儒家代表人物推崇备至，认为孔子为代表的儒家学说是万古不移的治世之道，并极力推崇当朝儒学大师、古文运动的倡导者韩愈，宣扬韩愈在排斥异说、捍卫儒学上的功业，意在重振儒家道统的权威，以发挥其治世济民的功能。皮日休的诗歌，集中在其早期自编集《文薮》，及后期和陆龟蒙合编的《松陵集》之中。前者主要是散文，诗仅一卷，而后者存诗三百余首。《文薮》所载，数量虽少，现实性很强，继承了中唐新乐府运动的传统，揭露现实，抨击时政，同情人民疾苦，是皮日休诗歌的精华所在。而《松陵集》所存，数量虽多，内容较空泛，多为玩山娱水、歌咏茶酒、酬唱应和之作。他的文章，几乎全部集中在他的《文薮》之中，此外《全唐文》还辑录短文七篇。其中的政论小品文最为后世所称道，鲁迅曾指出皮日休“并没有忘记天下，正是一塌糊涂的泥塘里的光彩和锋芒”（见《南腔北调集·小品文的危机》）。这主要是针对晚唐时期华靡衰落的文风对比而言的。皮日休充满犀利批判锋芒的短文，确是晚唐时期独树一帜的奇葩。事迹见《北梦琐言》卷二、《旧唐书·僖宗本纪》、《新唐书·黄巢传》、《唐诗纪事》卷六四、《唐才子传校笺》卷八。

许棠（822—?）本年或之后卒。棠字文化。宣州泾县（今属安徽）人。开成、会昌间初试进士，与薛能、陆肱齐名。后能、肱相次及第，棠困举场约三十年。漫游太原及夏、盐、秦、陇等州，滞燕入蜀，往来家乡与长安之间。咸通十一年（870）应京兆府试，主试李频首荐之。十二年（871）始进士及第。约十三年（872）虔州刺史陆肱辟为从事。十四年（873）或乾符元年（874）调泾县尉。后为淮南馆驿卢。广明元年（880）前后任江宁丞。卒年在中和三年（883）后。工诗，自谓“吟诗似有魔”，但不善和韵。与张乔、张蠙、周繇合称“九华四俊”，复与郑谷、李昌符等称“咸通十哲”。长于五律，多纪行送别、投赠寄远、登临题咏、书事写怀之作。《冬杪归陵阳别业五首》、《塞上二首》等忧伤社会动乱和边塞局势，较多现实内容。所作工于写景，“致语楚楚”（明胡震亨《唐音癸签》卷八）。《过洞庭》尤佳，时人谓之“许洞庭”。“四顾疑无地，中流忽有山”一联，其时多取以题扇。《登渭南县楼》、《旅中送人归九华》等也是传世佳作。《新唐书·艺文志四》著录《许棠诗》一卷，有散佚。今传《文化集》一卷。《全唐文》存文一篇。事迹见《唐才子传校笺》卷九。

张读（834或835—883后）本年或之后卒。读字圣用，一作圣朋。深州陆泽（今河北深州）人。张荐孙，牛僧孺外孙。幼聪颖，擅词赋。大中六年（852）进士及第。十年（856）辟宣歙观察使从事。历司封员外郎等，累迁至中书舍人。乾符六年（879）权知礼部贡举，时称得士。迁礼部侍郎，权知尚书左丞。中和元年（881）为吏部侍郎，选牒精允，调者乞留二年。后兼弘文馆学士，判院事，卒。有俊才。家学渊源，尤长于小说。《新唐书·艺文志三》著录《宣室志》十卷，记仙鬼灵异故事，情节多曲折生动，描叙较细致，为唐传奇小说集较杰出者，对《聊斋志异》等有影响。另撰《建中西狩录》十卷，见《新唐书·艺文志二》，已佚。传世《宣室志》十卷，已非全文。中华书局点校本较完备。事迹见新、旧《唐书》本传。

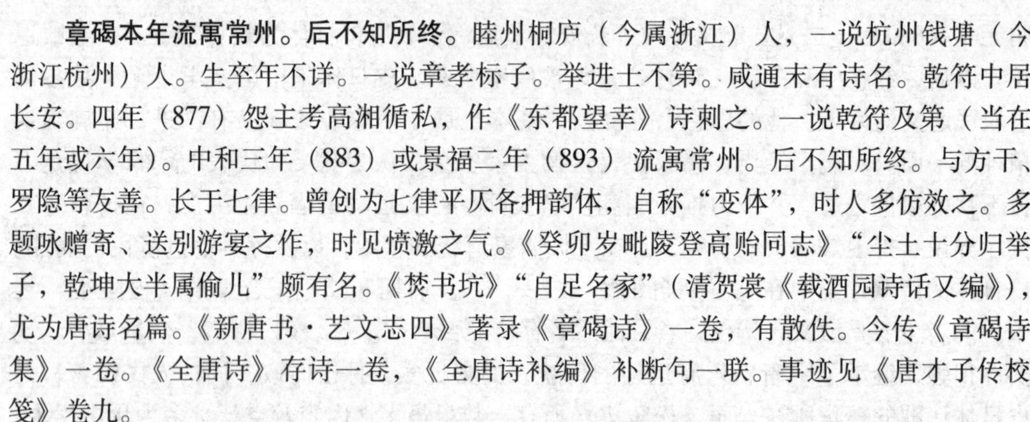

章碣本年流寓常州。后不知所终。睦州桐庐（今属浙江）人，一说杭州钱塘（今浙江杭州）人。生卒年不详。一说章孝标子。举进士不第。咸通末有诗名。乾符中居长安。四年（877）怨主考高湘循私，作《东都望幸》诗刺之。一说乾符及第（当在五年或六年）。中和三年（883）或景福二年（893）流寓常州。后不知所终。与方干、罗隐等友善。长于七律。曾创为七律平仄各押韵体，自称“变体”，时人多仿效之。多题咏赠寄、送别游宴之作，时见愤激之气。《癸卯岁毗陵登高贻同志》“尘土十分归举子，乾坤大半属偷儿”颇有名。《焚书坑》“自足名家”（清贺裳《载酒园诗话又编》），尤为唐诗名篇。《新唐书·艺文志四》著录《章碣诗》一卷，有散佚。今传《章碣诗集》一卷。《全唐诗》存诗一卷，《全唐诗补编》补断句一联。事迹见《唐才子传校笺》卷九。

慧寂（807—883）卒。唐代高僧。俗姓叶。韶州偵昌（今广东南雄）人，一作韶州怀化（今广东番禺）人。年十七，依南华寺通禅师下削发为僧。后参潭州大沩山灵祐禅师，居其处十四五年。晚年住袁州仰山，世称仰山和尚。本年卒，大顺二年（891）敕号通智大师。与灵祐共创伪仰宗。《全唐诗补编》录诗偈五首。事迹见《祖堂集》卷一八、《宋高僧传》卷一二、《景德传灯录》卷一一。参唐陆希声《仰山通智大师塔铭》。

公元884年（唐僖宗中和四年　甲辰）

二月

停质举。《唐摭言》：“国朝自广明庚子之乱，甲辰天下大荒，车驾再幸岐梁，道殣相望，郡国率不以贡士为意。江西节帅钟传令公起于义聚，奄有疆土，充庭述职，为诸侯表式，而乃孜孜以荐贤为急务。虽州里白丁，片文只字来贡于有司者，莫不尽礼接之。至于考试之辰，设会供帐，甲于治平。行乡饮之礼，常率宾佐临视，拳拳然有喜色。复大会以饯之，筐篚之外，率皆资以桂玉，解元三十万，解副二十万，海送皆不减十万。垂三十载，此志未尝稍怠。时举子有以公卿关节不远千里而求首荐者，岁尝不下数辈。”

三月

罗隐在钱塘虚白堂见牡丹，相传堂中牡丹乃白居易所手植，隐以是感而赋《虚白堂前牡丹相传云太傅手植在钱塘》诗。（见《罗隐集·甲乙集》卷十）

张曙避乱巴南，春与郡刺史登楼饮宴为乐，应刺史之请而有《击瓯赋》之作。（见《全唐文》卷八二九）

郑谷以春停进士试，遂漫游蜀中名胜，有《蜀中三首》等诗作。（见傅义《郑谷年谱》）

四月

高彦休《阙史》成，并作序记之。彦休自号参寥子，乾符元年始应进士举，《阙史》乃据其历年闻见所记之轶事辑成。《直斋书录解题》卷十一记高彦休著有《阙史》，谓其“自号参寥子，乾符中人”。又《全唐文》卷八一七有其《阙史序》，中谓“愚乾符甲午岁生唐世二十有一，始随乡荐于小宗伯。……或预闻长者之论，退必草于捣网。岁月滋久，所录甚繁。辱亲朋所知，谓近强记。中和岁，齐偷构逆，翠华幸蜀。搏虎未期，鸣銮在远。旅泊江表，问安之暇，出所记述，亡逸过半。其间近屏帏者，涉疑诞者，又删去之。十存三四焉。共五十一篇，分为上下卷，约以年代为次。……甲辰岁清和月编次”。[按，甲辰岁即本年，清和月即四月]《阙史》多记大中、咸通朝后之事。其《序》又记云：“自武德、贞观而后，吮笔为小说小录、稗史野史、杂录杂纪者多矣。贞元、大历已前，捃拾无遗事。大中、咸通而下，或有可以为夸尚者、资谈笑者。垂训诫者，惜乎不书于方册，辄从而记之。其雅登于太史氏者，不复载录。”

郑谷时游蜀中，经蟆颐津，感田令孜沉杀孟昭图事，赋诗吊之。经峨嵋山，又有诗咏之。《蜀江有吊》诗，题下小注云：“僖宗幸蜀，时田令孜用事，左拾遗孟昭图疏论之。令孜矫贬嘉州司户，使人沉之蟆颐津。事见令孜传。”（见《全唐诗》卷六七六）

六月

黄巢（？—884）兵败走狼虎谷，为其甥林言所杀。巢，诗人、起义军首领。曹州冤句（今山东菏泽）人。排行六。盐商出身。少以贩私盐为业。善击剑骑射，喜养亡命者。举进士不第。乾符二年（875）率众响应王仙芝起义。五年（878）王仙芝遇害，被推为王，号“冲天大将军”，任命官吏，建元王霸。转战湖、湘，南至交、广。广明元年（880）攻入长安，即帝位，国号大齐，改元金统。中和三年（883）唐军攻进长安，巢率兵东入河南。四年（884）兵败至泰山狼虎谷，自杀未成，为外甥林言所杀。能诗。七绝《题菊花》、《菊花》二诗，立意高超，思致瑰奇，辞采壮伟，脱出窠臼，为古代咏菊名篇。《全唐诗》存诗三首，《自题像》当系元稹诗。事迹见新、旧《唐书》本传。

崔致远代高骈撰《贺杀黄巢表》献朝廷。（见《桂苑笔耕集》卷一）《资治通鉴》卷二五六中和四年六月载：“甲辰，武宁将李师悦与尚让追黄巢至瑕丘，败之。巢众殆尽，走至狼虎谷。丙午，巢甥林言斩巢兄弟妻子首，将诣时溥，遇沙陀博野军，夺之，并斩言首以献于溥。”

七月

李克用于五月兵至汴州时，朱全忠曾密谋害之，克用逃出。本月上表自陈击破黄巢功，而为朱全忠所图，请发兵诛讨。朝廷姑息，藩镇则各自为政，时相攻击。（见

《旧唐书·僖宗本纪》、《资治通鉴》卷二五六）

九月

崔致远约此时以其堂弟自新罗来唐迎归，获幕主高骈允许，将归新罗，作《谢许归觐启》，《陈情上太尉》、《归燕吟献太尉》等诗文以酬谢高骈，又有酬别友人诗多首。（见《桂苑笔耕集》卷二十）

秋，崔涂离成都东归，江行经巫山，有《巫山旅别》等诗。（见《全唐诗》卷六七九）

罗隐有《魏城逢故人》述及民生因战乱、赋重而致贫困之状。（见《罗隐集·甲乙集卷六》）此诗《才调集》卷八题作《绵谷回寄蔡氏昆仲》。

十月

画家常重胤约此时于成都大圣慈寺画僖宗及随驾大臣像。宋黄休复《益州名画记》卷上《常重胤》条云："重胤者，粲子也。僖宗皇帝幸蜀，回銮之日，蜀民奏请留写御容于大圣慈寺。其时随驾写貌待诏，尽皆操笔，不体天颜。府主陈太师敬瑄遂表进重胤。御容一写而成，内外官属，无不叹骇，谓为僧繇之后身矣。宣令中和院上壁，及写随驾文武臣僚真。"所画诸臣中有陈敬瑄、韦昭度、乐朋龟、杜让能、张读及行在十军司马、工部侍郎、判度支诗人秦韬玉等多人。

崔致远由唐乘舟返新罗，本月至东牟县东乳山候风，有《上太尉别纸五首》。又曾泊舟于大珠山下，啸月吟风，咏《石峰》等诗十首。（见《桂苑笔耕集》卷二十）

十一月

秦韬玉在成都，有《新修曹溪六祖禅院记》之撰。宋佚名《宝刻类编》卷六载："《新修曹溪六祖禅院记》，秦韬玉撰，中和四年十一月，成都。"

十二月

十五日，杜光庭撰成《历代崇道记》。光庭时三十五岁，为太清宫文章应制宏教大师。此文记唐及历代崇道简况，末记本年僖宗至蜀青羊宫，"下诏曰：太上垂祥，青羊应现，礼宜崇饰，用答殊休。诸道州府紫极宫，宜委长吏如法修饰，仍选有科仪道士祭醮。是月［按，指本年十月］乙卯，奏收复京师，有以见大道垂休，圣祖昭祐，洪图延永，唐祚无疆者也。又敕翰林学士承旨尚书兵部侍郎知制诰乐朋龟撰碑立之，伏乞颁示天下，以表皇家承神仙之苗裔，感太上之灵贶，实万代之无穷也。臣今校会从国初已来，所造宫观约一千九百余所，度道士计一万五千余人，其亲王贵主及公卿士庶或舍宅舍庄为观，并不在其数。则帝王之盛业，自古至于我朝，莫得而述也"。文末署"中和四年十二月十五日，上都太清宫文章应制宏教大师，赐紫道士杜光庭上进谨记"。（见《全唐文》卷九三三）

黄巢虽平，秦宗权兵势仍盛，河南、山东等地，仍被兵灾。（见《资治通鉴》卷二五六本年十二月）

孙樵本年在成都，仍任职方郎中。时所著文已有二百余篇，遂择其中三十五篇，编成文集十卷。《孙可之文集·自序》云："樵遂检所著文及碑、碣、书、檄、传、记、铭、志得二百余篇，丛其可观者三十五篇，编成十卷，藏诸箧笥，以贻子孙。是岁中和四年也。"序末署"朝散大夫尚书职方郎中上柱国赐绯鱼袋孙樵"。《新唐书·艺文志四》著录孙樵《经纬集》三卷，《直斋书录解题》卷十六记《孙樵集》十卷，并谓"自为序，凡三十五篇，盖其删择之余也"。

周繇约于本年迁池州至德令，李昭象有诗送行。其卒盖在本年之后。繇以《明皇梦钟馗赋》知名，乃"咸通十哲"之一。有集一卷。《唐诗纪事》卷五四周繇条记繇"调池之建德令，李昭象以诗送曰：'投文得仕而今少，佩印还家古所荣。'"《大明一统志》卷十六池州府人物记："周繇，建德人。……归隐九华山。……仆射王徽称其孝弟，可以表俗，奏为至德令。尝著《明皇梦钟馗赋》。弟繁，亦有文声，称至德二周。"《唐才子传·周繇传》称其"家贫，生理索寞，只苦篇韵，俯有思，仰有咏，深造阃域，时号为诗禅。警联如《送人尉黔中》云：'公庭飞白鸟，官俸请丹砂。'《望海》云：'岛间应有国，波外恐无天。'《甘露寺》云：'殿锁南朝像，龛禅外国僧。'又'山从平地有，水到远天无。'又'白云连晋阁，碧树尽芜城。'《江州上薛能尚书》云：'树翳楼台月，帆飞鼓角风。'又'郡斋多岳客，乡户半渔翁'等句甚多，读之使人竦，诚好手也。落拓杯酒，无荣辱之累，所交游悉一时名公"。《直斋书录解题》卷十九著录《周繇集》一卷。《全唐诗》卷六三五编其诗一卷，然有元繇诗数首羼人。《全唐文》卷八一二即载其《梦舞钟馗赋》一篇。

孙棨著成《北里志》一卷。棨于广明元年前频随计吏，久寓长安，时游北里，成此书。有《赠妓人王福娘》等诗。广明后，久罹惊危，遂于本年追怀游狭邪事，著《北里志序》，署"时中和甲辰无为子序"。则棨号无为子。《序》云："自大中皇帝好儒术，特重科第……上往往微服长安中，逢举子则狎而与之语，时以所闻质于内庭学士及都尉，皆耸然莫知所自。故进士自此尤盛，旷古无俦。然率多膏粱子弟，平进岁不及三数人。由是仆马豪华，宴游崇侈，以同年俊少者为两街探花使，鼓扇轻浮，仍岁滋盛。……诸妓皆居平康里。举子新及第进士、三司幕府，但未通朝籍，未直馆殿者，咸可就诣。如不吝所费，则下车水陆备矣。其中诸伎多能谈吐，颇有知书言话者。……比常闻蜀妓薛才辩，必谓人过言，及睹北里二三子之徒，则薛涛远有惭德矣。予频随计吏，久离京华，时亦偷游其中，固非兴致。每思物极则反，疑不能久，常欲纪述其事以为他时谈薮。……不谓泥蟠未伸，俄逢丧乱，銮舆巡省……遁窜山林，前志扫地尽矣。静思陈事，追念无因，而久罹惊危，心力减耗，向来闻见不复尽记，聊以编次，为太平遗事云。"（见《全唐文》卷八二七）《全唐诗》卷七二七录孙棨《赠妓人王福娘》、《题妓王福娘墙》、《戏李文远》、《题刘泰娘舍》等诗，皆录自《北里志》，乃棨此前游北里之作。诗多轻艳，如第一首云："彩翠仙衣红玉肤，轻盈年在破瓜初。霞杯醉劝刘郎赌，云髻慵邀阿母梳。不怕寒侵缘带宝，每忧风举倩持裾。谩图西子晨妆样，西子元来未得如。"

王铎（？—884）被杀。铎字昭范。祖籍太原（今属山西）。会昌元年（841）进士及第。累迁右补阙。咸通二年（861），由驾部郎中知制诰。五年（864），转礼部侍郎，知贡举，时称得人。十一年（870），以礼部尚书同平章事。出为宣武节度使。乾符四年（877）复拜门下侍郎、平章事。六年（879），出为荆南节度使，以对付黄巢军。罢为太子宾客。中和元年（881）复拜门下侍郎、平章事。出为义成节度使。四年（884）徙义昌节度使，过魏州，为乐从训劫杀。《全唐诗》存诗三首，《全唐诗补编》补一首；《全唐文》存文一篇，《唐文拾遗》补一篇。事迹见新、旧《唐书》本传。

顾蒙本年避乱至广州，未几卒。蒙，宣州宣城（今属安徽）人。生卒年不详。广明元年（880）后，流落江浙间，依浙西观察使。中和四年（884），避乱至广州，生活贫困，不久病逝。光化三年（900）追赐进士及第。博览经史，颇通《易经》。工文，为一时之杰。有《大顺图》三卷。作品已佚。事迹见《唐摭言》卷一〇。

公元885年（唐僖宗中和五年　唐僖宗光启元年　乙巳）

正月

诏曰：“朕每念艰难之本，思拯济之图，理少乱多，古犹今也。盖搜扬之未至，非爵赏之不行。况自乡里沽名，物情贾怨，朝市有争先之党，山林多独往之人。彼岂自穷，驱而莫返。其有文苞经纬，道冠儒元，贞遁自肥，浮名不染，岂无加等之爵，以待非常之流。今委使臣，远近徵访，必行备礼，以耸群芳。且几贵研深，用惟体要。运当无事，固垂拱而可持；时属多虞，非拔奇而不振。或有才优将略，业洞兵钤，辨胜负于风云，计长短于主客，妙得神传之决，耻成儿戏之名，不俟临机，方期制变，或销声于屠钓，或屈志于风尘，勿愧自媒，当期致用。至乃旁规国病，动适事宜，深探货殖之源，备得富强之术，排于浮议，郁彼良图。又有志擅纵横，久潜缁褐，材推超异，见辱侪流，苟全一艺之工，不必万夫之敌。亦有推研历象，校步星辰，言必效于机先，术岂疑于亿中。是资奇器，孰曰异端，亦在劝来，伫加殊赏。噫！功名可慕，少壮几何，在君亲则忠孝相资，念国家则安危同切。勿甘流俗，犹徇宴安。并委使臣榜示访求，长吏津置发遣。同心体国，无使淹延，悬赏俟能，必期升擢。朕虽锺艰否，亦谓忧勤。高祖、太宗之在天，固当垂祐；社稷生灵之有主，夫岂乏贤。达我敷求，咨尔将命，勿孤翘瞩，苟自因循。其间儒学优游，军谋弘远，密陈时务，愿应制科者，已从别勑处分。斯弛遗才，沈沦末位，不碍文武，并须升闻。布告天下，咸使知悉。”（见《册府元龟》）［按，《唐大诏令集》作“五月”］

新年，陆肱作《知四十九年非赋》。中云：“往事多违，今来觉非。嗟忽度于时景，惧将萌于祸机。新年当艾服之初，方能知过；往岁比灵蓍之数，未省防微。”（见《文苑英华》卷九三，又见《全唐文》卷六二二）肱，湖州（今属浙江）人，原籍苏州嘉兴（今属浙江）。生卒年不详。陆畅侄孙。大中九年（855）进士及第。授江夏尉。咸通六年（865）自前振武从事试平判入等。累迁尚书郎中。约咸通十三年（872）为虔州刺史，辟许棠为从事。官终湖州刺史。与李频友善。工文能诗，与薛能、许棠齐名。尤善辞赋，有《陆肱赋》一卷（见《宋秘书省续编到四库阙书目》）。《全唐文》卷六二二存律赋四篇，《万里桥赋》较好。《唐诗纪事》卷五三谓“肱以《春赋》得名”，今佚。又云：“郑谷寄诗云：‘江山多胜境，宾主是贫交。’”《全唐诗》存诗一首。

崔致远本年三十一岁，时在归高丽途中，作有《祭巉山神文》。（见《桂苑笔耕集》卷二十）

二月

礼部侍郎归仁泽知贡举。许祐孙、倪曙、崔彦扮、裴廷裕等三十五人登进士第。

许佑孙以第一名中进士科状元。（见《玉芝堂谈荟》）

倪曙，生卒年不详，本年进士及第。《十国春秋》卷六二其本传谓“倪曙，字孟曦。福州侯官人。唐中和时及第，有赋名，官太学博士”。（参《永乐大典》引《闽中记》）《唐摭言》卷二《置等第》条载，倪曙于乾符四年（877）参加京兆府试，试《火中寒暑退》赋、《残月如新月》诗。《淳熙三山志》：“倪曙仕刘隐为工部侍郎、平章事。中和五年及入等第。”曙，一作署、晓。乾符四年（877）应京兆府试，试官公乘亿取入等第。然省试落第。广明元年（880）避乱归乡。中和五年（885）进士及第。官太学博士。天祐中，依泉州刺史王延彬，与徐寅、陈郯等赋诗饮酒为乐。未几，游岭南，清海军节度使刘隐辟为从事。后仕南汉，乾亨元年（917），拜工部侍郎，改尚书左丞。五年（921），拜同平章事。不久，以病卒。有赋名，属词清妙。《宋史·艺文志七》著录《获稿集》三卷、《倪曙赋》一卷。作品已佚。事迹见《十国春秋》本传，参《唐摭言》卷二、《登科记考》卷二三。

崔彦扮，新罗人，登进士第。《东国通鉴》：“彦扮，新罗人，禀性宽厚，自少能文。年十八，入唐登科。四十二还国，拜执事侍郎、瑞书院学士。及新罗归附，太祖命为太子，委以文翰之任。”（见《登科记考》本年条）

裴廷裕，生卒年不详，本年登进士第。《新唐书·艺文志》：“裴廷裕字膺余。”《唐摭言》：“小归尚书榜，裴起部与郊之李搏先辈旧友，搏以诗贺廷裕曰：‘铜梁千里曙云开，仙籍新从紫府来。天上已张新羽翼，世间无复旧尘埃。嘉祯果中君平卜，贺喜须斟卓氏杯。应笑戎蕃刀笔吏，至今泥滓曝鱼鳃。’”乾隆《山西通志》卷六五：“光启二年（当为元年之误）进士：裴廷裕，闻喜人，蜀中登第，左散骑常侍。”

知贡举：尚书礼部侍郎归仁泽。《唐仆尚丞郎表》据《益州名画录》载中和四年九、十月间中和院写真，归仁泽时为“尚书礼部侍郎知贡举”。（参 882 年“知贡举”条）

司空图，本年四十九岁。僖宗自成都还至凤翔，司空图召为知制诰，迁中书舍人。时司空图于中书舍人任上作《纶阁有感》诗：“风涛曾阻化鳞来，谁料蓬瀛路却开。欲去迟迟还自笑，狂才应不是仙才。”（见《全唐诗》卷六三三）

三月

丁卯，车驾至京师。己巳，御宣政殿大赦，改元光启。（见《旧唐书·僖宗本纪》时黄巢初平，诸藩割据，常赋殆绝，皇朝政权已名存实亡。《旧唐书·僖宗本纪》：“时李昌符据凤翔，王重荣据蒲、陕，诸葛爽据河阳、洛阳，孟方立据邢、洺，李克用据太原、上党，朱全忠据汴、滑，秦宗权据许、蔡，时溥据徐、泗，朱瑄据郓、齐、曹、濮，王敬武据淄、青，高骈据淮南八州，秦彦据宣、歙，刘汉宏据浙东，皆自擅兵赋，迭相吞噬，朝廷不能制。江淮转运路绝，两河、江淮赋不上供，但岁时献奉而已。国命所能制者，河西、山南、剑南、岭南西道数十州。大约郡将自擅，常赋殆绝。藩侯废置，不自朝廷，王业于是荡然。”

李洞约此时仍在梓州，曾游东川节度使高仁厚幕府，春日作《东川高仆射》诗。旋离梓州幕，暮春作《寄东蜀幕中友》诗，寄梓地幕中友人。（均见《全唐诗》卷七二三）李洞崇奉诗人贾岛，离梓州，特往贾岛生前曾任职之遂州长江县凭吊，复至普州贾岛墓祭奠，作《过贾阆仙旧地》：“鹤外唐来有谪星，长江东注冷沧溟。境搜松雪仙人岛，吟歇林泉主簿厅。片月已能临榜黑，遥天何益抱坟青。年年谁不登高第，未胜骑驴入画屏。”（见《全唐诗》卷七二三）又有《贾岛墓》：“一第人皆得，先生岂不销。位卑终蜀土，诗绝占唐朝。旅葬新坟小，魂归故国遥。我来因奠酒，立石用为标。”［按，《唐摭言》卷十《海叙不遇》载：“李洞，唐诸王孙也。尝游两川，慕贾阆仙为诗，铸铜像其仪，事之如神。”］《北梦琐言》卷七亦记“进士李洞慕贾岛，欲铸而顶戴，尝念贾岛佛，而其诗体又僻于贾”。其诗亦有《题晰上人贾岛诗卷》：“贾生诗卷惠体装，百叶莲花万里香。供得半年吟不足，长须字字顶司仓。”（见《全唐诗》卷七二三）

崔道融在永嘉，时僖宗自蜀返长安，道融闻而赋《銮驾东回》诗咏之。诗曰：“两川花捧御衣香，万岁山呼辇路长。天子还从马嵬过，别无惆怅似明皇。”（见《全唐诗》卷七一四））《唐才子传》卷九云：“道融，荆人也，自号‘东瓯散人’，与司空图为诗友。出为永嘉令。”《直斋书录解题》卷一九称“荆南崔道融”，司空图有《寄永嘉崔道融》一诗，即为此时所作。《十国春秋》卷九五有道融传。

罗隐在杭州，时僖宗还京城，赋诗以讽。《鉴戒录》卷八《钱塘秀》条载：“昔僖宗在蜀日，（罗）隐吟诗数首以刺诸侯。及銮辂还京，为朝贵所嫉，竟不成名。……驾还京诗曰：马嵬杨柳尚依依，又见銮舆幸蜀归。泉下阿蛮应有语，这回休更说杨妃。”明闵无衢《罗江东外记》引《剔齿闻思录》所记与此略同。《罗隐集·甲乙集》卷十题此诗作《帝幸蜀》。

郑谷本年三十八岁，自广明元年黄巢乱京奔避巴蜀后，漂游巴蜀荆楚六年，离蜀前作有《谷自乱离之后在西蜀半纪之余……吟四韵以谢之》一诗。（见《全唐诗》卷六七四）本年初，僖宗返銮，谷随驾回到长安，途中作有《回銮》诗。到京，作《长安感兴》，诗曰：“徒劳悲丧乱，自古戒繁华。落日狐兔径，近年公相家。可悲闻玉笛，不见走香车。寂寞墙匡里，春阴挫杏花。”另有《渼陂》诗，亦咏长安乱后荒凉景象。

六月

秦宗权攻占洛阳。（见《资治通鉴》）

九月

王重荣求援于太原沙陀李克用。

重阳日，司空图登上方，作《乙巳岁愚春秋四十九辞疾拜章将免左掖重阳独登上方》诗，知其曾上章辞中书舍人之职。然未果。

李磎为司封郎中，自淮楚赴京经泗州，撰《泗州重修鼓角楼记》。此记文末云："积月，而史官尚书司封郎中李磎自淮楚趋阙驿泗，于是郡从事张信与同僚及将吏等磨石濡笔，且以众志白于公，请磎为记。磎不敢辞，即所闻实书于石。于戏！楼以中和五年二月二十八日成，以其年九月三十日书。"（见《全唐文》卷八〇三）

秦韬玉本年春随僖宗自蜀还长安，本年秋当在京任职。此后行踪未详。有《长安书怀》等诗颇为人所称许。著有《投知小录》三卷等。去年秋冬间，画家常重胤于成都大圣慈寺画僖宗及从驾诸大臣像，中有"行在十军司马、工部侍郎判度支秦韬玉"（见去年十月条）。本年春僖宗返长安，秦韬玉当随驾同返长安，此时当亦任官于京。然本年后韬玉事亦无考，未知其卒于何年。又《唐摭言·芳林十哲》条载："韬玉有词藻，亦工长短歌，有《贵公子行》曰：'阶前莎毬绿未卷，银龟喷香挽不断。乱花织锦柳捻线，妆点池台画屏展。主人功业传国初，六亲联络驰朝车。斗鸡走狗家世事，抱来皆佩黄金鱼。却笑书生把书卷，学得颜回忍饥面。'"又《唐才子传·秦韬玉传》称引韬玉咏潇湘之句"女娲罗裙长百尺，搭在湘江作山色"。陶岳《零陵总记》亦称："秦韬玉有诗云：'岚收楚岫和空碧，秋染湘江到底清。'……皆曲尽其妙。"（宋阮阅《诗话总龟》卷十六《留题》门下引）［按，此处所引诗句乃秦韬玉《长安书怀》中句，诗见《全唐诗》卷六七〇："凉风吹雨滴寒更，乡思欺（一作撩）人拨不平。长有归心悬马首，可堪无寐枕蛩声。岚收楚岫和空碧，秋染湘江到底清。早晚身闲著蓑去，橘香深处钓船横。"］《新唐书·艺文志四》著录韬玉《投知小录》三卷、《直斋书录解题》卷十九记《秦韬玉集》一卷。［按，《投知小灵》今已不传，《全唐诗》卷六七〇编其诗一卷］

十二月

河中、太原之师大败官军。乙亥，沙陀逼京师。丙子，田令孜奉僖宗出幸凤翔。乱军掠长安。《旧唐书·僖宗本纪》："沙陀逼京师……初，黄巢据京师，九衢三内，宫室宛然。及诸道兵破贼，争货相攻，纵火焚剽，宫室居市闾里，十焚六七……至是，乱兵复焚，宫阙萧条，鞠为茂草矣。"（参《新唐书·僖宗本纪》）

崔涂作《南山旅舍与故人别》诗。以李克用沙陀兵进占长安，诗有"一日又将暮，一年看即残。……那堪试（一作更）回首，烽火是长安"之句。见（《全唐诗》卷六七九）

沈颜行经江西临川，获颜真卿所撰碑，碑为真卿所沉，颜感而撰《碎碑记》。其《碎碑记》中云："乙已岁冬十二月，客钟陵，由章江入剑池，过临川。……维舟于岸左。岸左有小渚，……垂舟之介，揭厉而获碑。……字残阙，存者十七八。考其文，则故临川内史颜鲁公之文。识者以为公牧临川日所沉碑，其文亦多载鲁公之德业，辄碎败而已。……夫德业者，病不著于当世，岂病扬于后世乎？苟鲁公德业，史传不载，虽全是碑，亦不能扬鲁公德业于后世。夫如是，碎之何伤?”（见《全唐文》卷八六八）颜，生年不详。湖州德清人，字可铸。少有词藻，为文精速。吴任臣《十国春秋》卷十一谓：“沈颜……唐翰林学士传师之孙也。……少有词藻，琴奕皆臻神境，时人为之语曰‘下水船’，言为文精速，无不载也。”

本年

姚岩杰本年前后曾居匡庐，号“蒙溪先生”。其时顾云赠诗极称其文才。本年前后，岩杰患病寓于逆旅，后不知所终。有《蒙溪子》二十卷。《全唐诗》卷六三七顾云有《池阳醉歌赠匡庐处士姚岩杰》诗，中云：“蒙溪先生梁公孙，忽然示我十轴文。展开一卷读一首，四顾特地无涯垠。又开一轴读一帙，酒病豁若风驱云。文锋斡破造化窟，心刃掘出兴亡根。经疾史恙万片恨，墨炙笔针如有神。呵叱潘陆鄙琐屑，提挈扬孟归孔门。时时说及开元理，家风飒飒吹人耳。”又《唐摭言》卷十记岩杰“有集二十卷，目曰《蒙溪子》。中和末，豫章大乱，岩杰苦河鱼之疾，寓于逆旅，竟不知其所终”。《唐诗纪事》卷六六则记其“有集二十卷，目曰《蒙溪子》。中和末，豫章大乱，岩杰病死”。《全唐诗》卷六六七仅有其《报颜标》一诗。

唐彦谦约本年在长安，作《克复后登安国寺阁》诗。曰：“千门万户鞠蒿藜，断烬遗垣一望迷。惆怅建章鸳瓦尽，夜来空见玉绳低。”（见《全唐诗》卷六七二）

杨夔作《复宫阙后上执政书》，痛陈官吏由贿而达、恃权刻削，耗民如城狐社鼠之时敝。文中云：“今大兵之后，生民陷于涂阱……自大驾南巡，官失其守。……居外者恃内之权，恣其刻削；居内者恃外之遗，益其侈靡，耗民之生如城之狐，蠹民之力如社之鼠，枯骸朽皮尽取后已。”（见《全唐文》卷八六六）夔，新旧《唐书》、新旧《五代史》皆无传，《唐才子传校笺》卷十谓夔约于僖宗光启至昭宗乾宁间寓居湖州，盖终生未入仕途。夔有《送郑谷》诗云：“春江激激清且急，春雨蒙蒙密复疏。一曲狂歌两行泪，送君兼寄故乡书。”绎其诗意，夔应与谷同乡，即同为袁州宜春人。又《永乐大典》引《宜春志》，列夔为唐进士（徐松《登科记考》卷二七引），可证夔确为宜春人。夔每于诗文中称“弘农杨夔”（《全唐文》卷八六七《乌程县新建庙宇记》）、“阌乡杨夔”（《全唐文》卷八六七《歙州重筑新城记》）。据《旧唐书》卷三八《地理志》一载，河南道号州（汉弘农郡），所属有阌乡县；弘农阌乡系杨氏郡望。《全唐文》卷八六六载夔《湖州录事参军新厅记》云：“甲辰年，今太守以彭门之旧，擒巢于莱芜……明年春，玉辇还阙，遂以功牧于吴兴。”甲辰为唐僖宗中和四年（884），明年即光启元年。据此，夔本年应寓居湖州。

李隐约于本年前后撰有《大唐奇事记》十卷。［按，此书一作《奇事记》、又作《大唐奇事》、《唐记奇事》］隐，赵郡赞皇人，字岩士。曾官秘书省校书郎。书成当在僖宗中和、光启中，姑系于本年。(见《唐五代志怪传奇叙录》)

张乔本年仍退隐九华，与李昭象、顾云、杜荀鹤为诗友。乔，生卒年无考。字伯迁，池州九华人。诗句清雅，敻无与伦。《唐摭言》载张乔为“咸通十哲”之一。《永乐大典》引《池州府志》又谓："（张）乔及许棠、张蠙、周繇皆华人，时号九华四俊。"杜荀鹤亦池州石埭人，时久居九华山中，故张乔避乱归隐之后，与荀鹤为诗友。《唐风集》卷中《李昭象云与二三同人见访有寄》云："得君书后病颜开，云拉同人访我来。"同集卷上另有《维扬逢诗友张乔》诗云："天下方多事，逢君得话诗。""生计吟消日，人情醉过时。"

吴融，字子华，山阴人。本年仍久困名场，但颇负声名。《新唐书》卷二〇三本传云："吴融，字子华，越州山阴人。"《唐才子传》卷九、《南部新书》庚卷、《宣和书谱》卷一〇等所载皆同。《唐摭言》卷五"切磋条"云："吴融，广明、中和之际，久负屈声。虽未擢科第，同人多贽谒之如先达。"融龙纪元年登进士第前，困于名场达二十年之久。

时齐己行迹，遍及名山古刹。齐己早年行迹，《宋高僧传》概述曰："如是药山、鹿门、护国，凡百禅林，孰不请参。"《唐才子传》卷九则云："游江海名山，登岳阳，望洞庭，时秋高水落，君山如黛，唯湘川一条而已。欲吟，杳不可得，徘徊久之。来长安数载，遍览终南、条、华之胜。归过豫章，时陈陶近仙去，已留题有云：'夜过修竹寺，醉打老僧门。'"

文益（885—958）生。益，五代高僧。俗姓鲁。余杭（今属浙江）人。七岁出家，二十岁受戒于越州开元寺。后南游闽中，参拜高僧，遂得法。晚年居金陵报恩禅院传法。中兴元年（958）卒，谥大法眼禅师。好为文笔，慕支遁、汤惠休诗体，时作偈颂真赞。《全唐诗》存诗一首，《全唐诗补编》补十二首。事迹见《宋高僧传》卷一三。

方干（约 809—约 885）卒。干，字雄飞。一作飞雄，误。睦州清溪（今浙江淳安）人。一说睦州桐庐（今属浙江）人，不确。排行十四。章八元外孙。幼有清才，为徐凝所器重，授以诗律。大和、会昌中屡举进士，以唇缺而不中，遂隐居镜湖，与李频等为益友。大中初游岭南，重逢李群玉。九年（855），至处川谒刺史段成式。约十三年（859），在杭州送别李远。咸通十四年（873）应邀谒浙东观察使王龟，误三拜，人称"方三拜"。王龟将荐于朝，未果。约光启元年（885）卒，私谥玄英先生。卒年或说在咸通十四年（873），误。光化三年（900）追赐进士及第。与姚合、喻凫等交谊也甚厚。有诗名。孙郃《方玄英先生传》称："广明、中和为律诗，江之南未有及者。"张为《诗人主客图》列为"清奇雅正主"李益之"升堂"。多投赠寄送、登临题咏、行旅隐逸之作，抒写乡愁旅思、失意情怀，描摹自然风光，少数作品较多现实内容。诗风清润小巧，佳句颇多。明胡震亨《唐音癸签》卷八谓："方干诗炼句，字字无失，固应有高坚峻拔之目，但嫌其微带经籍气，村貌棱棱尔。"《旅次洋州寓居郝氏林亭》、《题报恩寺上方》、《题君山》。《过申州作》都是传世佳作。弟子杨弇等收集其遗诗得三百七十余篇，分为十卷，著录于《新唐书·艺文志四》等，有散佚。今传《玄英先生诗集》十卷，诗三百十六首。《全唐诗》存诗六卷，三百四十七首；《全唐诗补编》补八首。事迹见《唐才子传校笺》卷七。

李存勖（885—926）生。五代词人，即后唐庄宗。小字亚子。本西突厥人，别自号曰沙陀，而以朱耶为姓。懿宗时，以军功赐姓李氏。李克用长子。同光元年（923）灭梁称帝，建立后唐，在位四年。勇气过人而溺于声色。善音声、歌舞、俳优之戏。

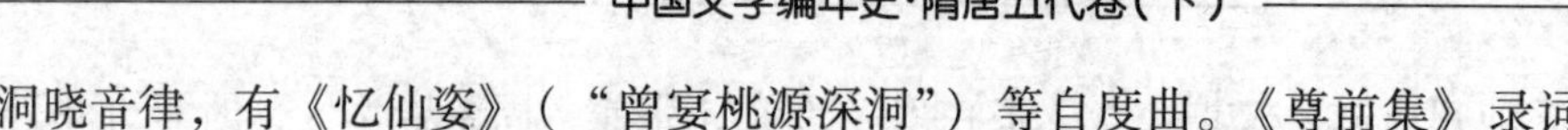

洞晓音律，有《忆仙姿》（“曾宴桃源深洞”）等自度曲。《尊前集》录词四首。《歌头》一首，疑为伪作。《全唐诗补编》存诗五首。事迹见新、旧《五代史》本传。

陈陶（？—约885前）约本年或之前卒。陶，唐代诗人。字嵩伯。籍贯不详。早年有读书封侯之志。举进士不第。大和中游闽，干谒州郡。会昌中寓洪州。后游容州、广州。约大中三年（849）复归洪州。十二年（858）江西军乱，遂隐于西山，以种柑橘为生，读书为事。后病卒于山中。与任蜕、元孚、贯休等友善。工诗。张为《诗人主客图》列为“清奇僻苦主”孟郊之“上入室”。尤长于乐府。《陇西行四首》之二为唐诗名篇。《新唐书·艺文志四》著录《文录》十卷，已散佚。今传辑本《陈嵩伯诗集》一卷，《全唐诗》存诗二卷，混有陈羽及五代陈陶之诗。事迹见其诗、贯休等人诗，及《北梦琐言》卷三。

梁文矩（885—943）生。五代散文家。字德仪。郓州（治今山东东平北）人。后梁时，试太子校书，转秘书郎。历项城令、兖州观察判官。后唐时，佐庄宗养子李嗣源幕，为掌书记。天成初，授右谏议大夫。累迁兵部尚书。清泰初，拜太常卿。后晋高祖即位，授吏部尚书。改太子少师。以太子太保致仕。天福八年（943）卒。喜清静之教，聚道书数千卷。能文。《全唐文》存文六篇。事迹见《旧五代史》本传。

公元886年（唐僖宗光启二年　丙午）

正月

僖宗自凤翔逃至宝鸡。（参《旧唐书·僖宗本纪》、《资治通鉴》卷二五六）

崔致远已在新罗，撰奏状《进诗赋表状等集状》上新罗朝廷，献其在唐时所作诸诗文集凡二十八卷。《桂苑笔耕集》卷首有一文，其《状》文后署“其诗赋表状等集八卷随状奉进谨进。中和六年正月前都统巡官承务郎侍御史内供奉赐紫金鱼袋臣崔致远状奏”。《唐文拾遗》卷四三本文题为《进诗赋表状等集状》，系致远献其文集之奏状。文末致远自谓。文首记其所献二十八卷为“私试今体赋五首一卷、五言七言今体诗共一百首一卷、杂诗赋共三十首一卷、《中山覆簣集》一部五卷、《桂苑笔耕集》一部二十卷”。其《桂苑笔耕集》二十卷今存中土，有四部丛刊本，乃上海涵芬楼借无锡孙氏小缘天藏高丽旧刊本影印者。其《状》叙此集之撰云：“及罢微秩，从职淮南，蒙高侍中愿委笔砚，军书辐至，竭力抵当。四年用心，万有余首，然淘之汰之，十无一二，敢比披沙见宝，粗胜毁瓦画墁，遂勒成桂苑集二十卷。臣适当乱离，寓食戎幕，所谓饘于是，粥于是，辄以笔耕为目。”（见《唐文拾遗》卷四三，《桂苑笔耕集》卷首文）致远本年后之仕历，南京图书馆所藏高丽活字校印本《桂苑笔耕集》二十卷卷端有高丽人徐有榘所撰序云：“后四年，充国信使东归。事宪康王、定康王为翰林学士、兵部侍郎。出为武城太守。真圣时，挚家入江阳郡伽倻山以终焉。葬在湖西之鸿山。”《新唐书·艺文志四》著录致远《四六》一卷、《桂苑笔耕》二十卷。《宋秘书省续编到四库阙书目》记其《中山覆篑集》五卷、诗赋三卷。

司空图年五十，在中书舍人任，时僖宗避乱赴宝鸡，图不获从，遂复退还河中，作《丙午岁旦》抒怀。曰：“鸡报已判春，中年抱疾身。……多虑无成事，空休是吉人。梅花浮寿酒，莫笑又移巡。”（见《全唐诗》卷八八五《补遗四》）《旧唐书·司空图传》记其正拜中书舍人后，“其年僖宗出幸宝鸡，复从之不及，退还河中”。

郑谷，三十八岁。年初抵巴江，后又南下至峡中。有《巴江》、《奔避》、《峡中二首》等诗，备述旅途之艰辛。其《巴江》诗题注云：“时僖宗省方南梁。”南梁，即僖宗驻跸之兴元。（详参《旧唐书》卷三九《地理志二》，山南西道所属之梁州兴元府）其诗云：“孤馆秋声树，寒江落照村。更闻归路绝，新寨截荆门。”（见《全唐诗》卷六七六）《峡中二首》（见《全唐诗》卷六七四）之一云：“荆州未解围，小县结茅茨。”之二又云：“传闻殊不定，銮辂几时还……夜船归草市，春步上茶山。”据此可知，郑谷作《奔避》等三首诗时，僖宗尚播迁在外，而其欲前往之荆州又长期被围。考《资治通鉴》卷二五六光启元年九月记：“蔡军围荆南。”蔡军即秦宗权所遣之秦宗言部。光启二年十二月又记：“秦宗言围荆南二年，张环婴城自守……宗言竟不能克而去。”在这段时间里，唐僖宗被宦官田令孜所挟，出幸凤翔、兴元，故郑诗曰：“传闻殊不定，銮辂几时还？”时时不忘于心。谷此次奔避，先至巴江，再南下至峡中，拟取长江水路前往荆州旧居，但因荆州长期被围，只好结茅茨于小县，暂住等待。

三月

罗隐本年五十四，仍在钱塘。约此时有《春晚寄钟尚书》诗，寄江西观察使钟传，言己老且病。又刘校书往歙州，隐有《送刘校书之瓣安寄吴常侍》诗送行，并嘱代向刺史吴圆转达自己近况。（见《罗隐集·甲乙集》卷一、卷九）

四月

韦庄于本年夏初自润州北上，过汴宋路拟往兴元谒僖宗。此行有《汴堤行》、《夏初与侯补阙江南有约，同泛淮汴，西赴行朝。庄自九驿路先至甬桥，补阙由淮楚续至泗上，寝病旬日，遽闻捐馆，回首悲恸，因成四韵吊之》、《旅次甬西，见儿童以竹枪纸旗戏为阵列，主人叟曰，斯子也三世没于阵，思所袭祖父仇，余因感之》等诗记之。（见韦庄《浣花集》卷四）

五月

僖宗仍在兴元。上月朱玫逼凤翔百官逼襄王煴权监军国事，还长安，本月，又奉煴即皇帝位，号令诸镇。李克用不听，谋出兵攻朱玫。（见《旧唐书·僖宗本纪》、《资治通鉴》卷二五六）

六月

因战乱，至六月方于行在兴元放榜，中书舍人郑损知礼部贡举。陆扆、顾在镕、苏鹗等九人登进士第。

陆扆以第一名为进士科状元。《旧唐书》本传：“扆字祥文，本名允迪。吴郡人，

徙家于陕。曾祖澧，祖师德，父鄯。扆光启二年登进士第。其年，从僖宗幸兴元。”《北梦琐言》：“陆扆举进士，属僖宗再幸梁洋，随驾至行在，与中书舍人郑损同至逆旅。扆为宰相韦昭度所知，欲身事之速了，屡告昭度。昭度曰：‘奈已深夏，复使何人为主司？’扆以郑损对，昭度从之。因令扆致意，榜帖皆扆自定。其年六月，状头及第。后在翰林署，时苦热，同列戏之曰：‘今日好造榜天矣。’然扆名冠一时，兄弟三人，时谓‘三陆’，希声及威也。”《唐诗纪事》：“扆诗有‘今秋已约天台月’之句。或云，扆昭宗末举进士及第，六月榜出，盛暑，同舍戏之曰：‘造榜天也。’观扆此诗，岂幸仓猝苟科第者。”

顾在镕，生卒年不详，本年进士及第。《永乐大典》引《苏州府志》：“光启二年，陆扆状元，顾在镕登第。”

苏鹗，生卒年不详，本年进士及第。《新唐书·艺文志》：“字德祥，光启中进士第。”《艺海珠尘》本《苏氏演义》卷首注：‘鹗字德祥，京兆武功人，唐光启二年进士，历官未详。”《全唐文》卷八一三有苏鹗小传。《新唐书·艺文志三》记苏鹗有《演义》十卷、《杜阳杂编》三卷。《直斋书录解题》卷十称其《苏氏演义》“考究书传，订正名物，辨证讹谬，有益见闻”。《新唐书·艺文志》记鹗“光启中进士第”，《郡斋读书志》卷三下等所记同。[按，《演义》十卷已佚，清修《四库全书》时，从《永乐大典》辑得二卷]《杜阳杂编》三卷，今存。

知贡举：中书舍人郑损。徐松《登科记考》作“中书舍人郑延昌”，误。《永乐大典》载《苏州府志》：“是年，中书舍人郑损权知贡举。”《唐摭言》卷八“自放状头”条：“郑损舍人，光启中随驾在兴元，丞相陆公扆为状元。先是，扆与损同止逆旅，扆于时出丞相文忠公之门，切于了却身事。时已六月，恳叩公希奏置举场。公曰奈时深夏，须使何人为主司？扆曰郑舍人其人也。公然之。……其榜贴皆扆自定。”《北梦琐言》所记略同。《旧唐书·陆扆传》，云扆光启二年登第。《永乐大典》引《苏州府志》亦云：“光启二年，中书舍人郑损权知贡举。”

镇海节度使周宝以兵袭常州，逐刺史张郁。（见《资治通鉴》卷二五六）

七月

秦宗权攻陷许州，杀节度使鹿晏弘。（见《旧唐书·僖宗本纪》、《资治通鉴》卷二五六）

九月

黄滔有《鄜畤李相公》诗上李思孝。其《夏州道中》、《塞上》、《塞下》等边塞之作疑在本年或之前。（均见《全唐诗》卷七〇五）

司空图秋日有《五十》一诗。诗云：“闲身事少只题诗，五十今来觉徒衰。……漉酒有巾无黍酿，负他黄菊满东篱。”（见《全唐诗》卷六三二）

韦庄过昭义、相州路归金陵，途中有《自孟津舟西上雨中作》、《含山店梦觉作》、《题貂黄岭官军》、《过内黄县》、《壶关道中作》、《垣县山中》、《上元县》、《谒蒋帝

庙》、《台城》、《长干塘别徐茂才》诸诗。（均见《浣花集》卷四）

十月

方干（约 809—约 886）约此时前卒，年约七十八，私谥玄英先生。后其甥杨弇及孙郃等集其诗为《玄英先生诗集》，王赞为作序。方干卒后，孙郃、杜荀鹤诸人有哭吊之作。《唐才子传·方干传》记在咸通末，此误。方干卒。席启寓《唐诗百名家全集·方玄英先生诗集》所录孙郃《玄英先生传》云："光启、文德间，客有至自鉴湖者，云先生亡矣。说先生将殁于世，乃与其子曰：'志吾墓者谁欤？能无自志焉。吾之诗，人自知之，遂志其日月姓名而已。'然先生不壮，家甚贫，时以书告急于越帅刘公，公许之未至也。又书曰：'救溺者徐徐，行则不及矣。'帅遗钱十万，绢五束，先生复书不能他词，唯曰千感万思耳，翌日而卒。"刘克庄《后村诗话》新集卷四亦谓干"卒光启、文德间，临终语其子曰：'吾诗人自知之，志吾墓者，纪其岁月而已。'其诗高处在晚唐诸公之上"。各书所记方干卒在光启、文德间，时越帅刘公汉宏尚在任。《新唐书·僖宗本纪》，"杭州刺史董昌攻越州，浙东观察使刘汉宏奔于台州"在光启二年十月，《资治通鉴》卷二五六所记同。则方干之卒当在刘汉宏奔台州之前。方干卒后，其诗为孙郃等人编成集。《唐才子传·方干传》云："乐安孙郃等缀其遗诗三百七十余篇，为十卷。"《郡斋读书志》卷四中亦谓"门人谥玄英先生。其甥杨弇与孙郃编次遗诗，王赞为序，郃又为作《玄英先生传》附"。[按，《四库全书总目》卷一五一《元英集》八卷下记："是集前有乾宁丙辰中书舍人祁县王赞序。"] 王赞为序，在方干卒后十一年，其序见《全唐文》卷八六五，题为《玄英先生诗集序》。序云："建中之后，其诗弥善，钱起为最，杜甫雄鸣于至德、大历间，而诗人或不尚之。呜呼，子美之诗，可谓无声无臭者矣。吴越故多诗人，未有新定方干擅名于杭越，流声于京洛。夫干之为诗，锓肌涤骨，冰莹霞绚，嘉肴自将，不吮余隽，丽不葩纷，苦不棘癯。当其得志，倏与神会，词若未至，意已独往。予为儿时，得生诗数十篇，必独好之。生时尚存，地远莫克相见。其后生名愈藉，为诗者多能讽之，而生殁矣。今年遇乐安孙郃于荆，早与生善，出示所作《玄英先生传》，且曰与其甥杨弇洎门僧居远收掇其遗诗，得三百七十余篇，析为十卷，欲予为之序，冀偕之不朽。先是，丹阳有南阳张祐。[按，应作祜，下同] 差前于生，其诗发言横肆，皆吴越之遗逸。予尝较之，张祐升杜甫之堂，方干入钱起之室矣。干之出处行事，郃传实备之，不复互出。"孙郃之《方玄英先生传》见《全唐文》卷八二〇，又见《唐诗纪事》卷六三。其中评方干诗云："广明、中和间为律诗，江之南未有及者。"葛立方《韵语阳秋》卷二评方干诗"清润小巧，盖未升曹、刘之堂"，并引孙郃称方干诗语云："其秀也，仙蕊于常花，其鸣也，灵鼍于众响。"何光远《鉴戒录》亦称"方干为诗练句，字字有功。寄人云：'鹤盘远势投孤屿，蝉曳残声过别枝'"。（见《诗话总龟》卷十一《雅什》门下引）又方干卒后，孙郃、杜荀鹤、唐彦谦、虚中诸诗人均有哭吊诗，作年难考，今一并引录于此。孙郃《哭方玄英先生》："牛斗文星落，知是先生死。……官无一寸禄，名传千万里。……犹喜韦补阙，扬名荐天子。"（见《全唐诗》卷六九四）又杜荀鹤《哭方干》："何言寸禄

不沾身，身没诗名万古存。况有数篇关教化，得无余庆及儿孙。……天下未宁吾道丧，更谁将酒酹吟魂。”（见《全唐诗》卷六九二）唐彦谦《吊方干处士二首》之二中云：“不比他人死，何诗可挽君。”（见《全唐诗》卷六七一）虚中《悼方干处士》：“先生在世日，只向镜湖居。明主未巡狩，白头闲钓鱼。……独有为儒者，时来吊旧庐。”（见《全唐诗》卷八四八）《新唐书·艺文志四》著录《玄英先生诗集》十卷。《全唐诗》编其诗六卷（卷六四八—六五三）。

十一月

学士李拯被乱兵所杀。拯本年十月为嗣襄王煴逼任翰林学士。时典章浊乱，拯约此时前后有《退朝望终南山》诗以抒情志。（见《全唐诗》卷六〇〇）《旧唐书·李拯传》曾记此诗之作云：“僖宗再幸宝鸡，拯扈从不及，在凤翔。襄王僭号，逼为翰林学士。拯既污伪署，心不自安。后朱玫秉政，百揆无叙，典章浊乱，拯尝朝退，驻马国门，望南山而吟曰：‘紫宸朝罢缀鸳鸾，丹凤楼前驻马看。唯有终南山色在，晴明依旧满长安。’吟已涕下。及王行瑜杀朱玫，襄王出奔，京城乱，拯为乱兵所杀。”

孟棨《本事诗》成，撰序记之。其《本事诗序》云：“诗者，情动于中而形于言，故怨思悲愁，常多感慨。抒怀佳作，讽刺雅言，著于群书，虽盈厨溢阁，其间触事兴咏，尤所钟情，不有发挥，孰明厥义？因采为《本事诗》，凡七题，犹四始也。情感、事感、高逸、怨愤、征异、征咎、嘲戏，各以其类聚之。亦有独掇其要，不全篇者，咸为小序以引之，贻诸好事。其有出诸异传怪录，疑非是实者，则略之。拙俗鄙俚，亦所不取。闻见非博，事多阙漏，访于通识，期复续之。……时光启二年十一月，大驾在褒中。前尚书司勋郎中、赐紫金鱼袋孟棨序。”（见《全唐文》卷八一七）孟棨，棨，一作启。字初中。生卒年、籍贯不详。会昌中始应举，乾符二年（875）始进士及第。累迁司勋郎中。本年撰成《本事诗》后，不知所终。一说开成中曾任梧州刺史，误。所撰《本事诗》一卷，多记唐人诗歌本事，开古代诗话以诗系事之新体例，为唐人笔记小说集较重要者。著录于《新唐书·艺文志四》，传世有《历代诗话续编》本等。《全唐文》存文一篇。事迹见其《本事诗序》、《唐摭言》卷四。

高骈年六十六，已兼中书令，充江淮盐铁转运使、诸道行营兵马都统，然崇奉神仙，日夕斋醮，炼金烧丹，其《步虚词》等诗约此时所作。（见《旧唐书·僖宗本纪》）《旧唐书·高骈传》记骈为中书令之后又谓“骈方怨望，而甘于伪署，称蕃纳贿，不绝于途，宴安自得，日以神仙为事。……于府第别建道院，院有迎仙楼、延和阁，高八十尺，饰以珠玑金钿。侍女数百，皆羽衣霓服，和声度曲，拟之钧天。日与（吕）用之、（诸葛）殷、（张）守一三人授道家法箓，谈论于其间，宾佐罕见其面”。则骈沉溺于神仙事在本年前后，其《步虚词》云：“青溪道士人不识，上天下地鹤一只。洞门深锁碧窗寒，滴露研朱点《周易》。”又有《广陵宴次戏简幕宾》：“一曲狂歌酒百分，蛾眉画出月争新。将军醉罢无余事，乱把花枝折赠人。”（均见《全唐诗》卷五九八）两诗同为骈信神仙、溺歌舞之咏。

十二月

朱玫属将王行瑜自凤州引兵归长安，斩朱玫。诸军大乱，焚掠京城。裴澈、郑昌图等奉襄王煴奔河中，节度使王重荣遂执杀煴，以其首级送往兴元行在。（见《旧唐书·僖宗本纪》、《资治通鉴》卷二五六）《旧唐书·僖宗本纪》记王行瑜兵入长安云："是冬苦寒，九衢积雪，兵人之夜，寒冽尤剧，民吏剽剥之后，僵冻而死蔽地。"《资治通鉴》亦记云："诸军大乱，焚掠京城，士民无衣冻死者蔽地。"

本年

张允（886—950）生。允，散文家。镇州束鹿（今河北辛集）人。初仕镇州参军。后唐同光中，累迁起居舍人，充弘文馆直学士，水部员外郎、知制诰。清泰初，改给事中，充六军判官。罢职，迁左散骑常侍。后晋高祖即位，进《驳赦论》。天福五年（940）迁礼部侍郎，掌天福六年（941）、七年（942）、八年（943）贡举。改御史中丞。转兵部侍郎、知制诰，充翰林学士承旨。后汉乾祐初，授吏部侍郎。乾祐三年（950），卒。《全唐文》存文四篇。事迹见新、旧《五代史》本传。

公元 887 年（唐僖宗光启三年　丁未）

正月

李山甫仍为魏博判官，出使太原、汴州等地。山甫长于诗，其《牡丹》诗受到司空图称赞。有诗、赋各一卷。《全唐文》卷八一二有乐彦祯《致太原汴州两镇书》中云："光启三年正月五日，魏博节度使、开府仪同三司、检校司空、同中书门下平章事……致书于二镇足下……有事则同谋，有征则同举……谨请当道李山甫判官奉书陈情。"

人日，司空图作《光启三年人日逢鹿》诗。诗云："浮世仍逢乱，安排赖佛书。……知非今又过，蘧瑗最怜渠。"（见《全唐诗》卷八八五《补遗四》）

二月

尚书右丞柳玭知贡举。赵昌翰、郑谷、李屿（李兴）、赵光裔、郑徽、黄匪躬、翁洮、侯翮等二十五人进士及第。

赵昌翰本年以第一名中进士科状元。宋葛立方《韵语阳秋》卷十八云："今之新进士，不问甲科高下，唱名出皇城，则例唱状元，莫知其端。唐郑谷登第……赵昌翰榜第八名也。"（上海古籍出版社 1984 年 10 月影印宋刻本，又见中华书局 1981 年 4 月版《历代诗话》第 633 页）是知赵昌翰为光启三年状元。《广卓异记》引《赵氏科名录》云："赵氏十三榜，十四人登科。内光启三年故柳大夫榜，再从弟两人同年及第，即昌翰、光庭（光裔之误）也。"

郑谷，以第八名登进士第。宋祖无择《都官郑谷墓志铭》谓谷"光启三年进士及第"。《唐才子传》卷九《韵语阳秋》卷一九所载同。《永乐大典》引《宜春志》亦云：

"郑谷，史之子，光启三年登进士第。"《文苑英华》载郑谷《涨曲江池诗》注云"乾符丙申岁春"，误。薛廷珪《授郑谷右拾遗制》："谷《二雅》驰声，甲科得隽。"谷《擢第后入蜀题海棠诗》云："手中已有新春桂，多谢烟香更入衣。"《郡斋读书志》卷十八、《直斋书录解题》卷十九、《文献通考》卷二四三作光启三年及第。《云台编》卷二有《寄同年礼部赵郎中》、《春夕伴同年礼部赵员外省直》，赵员外、赵郎中皆指赵光裔，见《郎官石柱题名考》卷十九、卷二十。

李屿（李兴），又，李屿或作李兴。徐松《登科记考》云："郑谷有《荆渚八月十五夜值雨，寄同年李屿诗》。"又，李屿或作李兴。《唐诗纪事》卷五十八《李郢传》："郢子兴［按，上海古籍出版社点校本据《全唐诗》改作'屿'；王仲镛校笺本据张本改作'玙'］，字鲁珍，生于南海，尤能诗，每一篇成，必脍炙人口。后登甲科。"《唐音统签》卷六二九《戊签》三十一李郢小传引《纪事》同上。《唐诗纪事》录作"李兴"。屿进士及第，后仕历不详。《全唐诗》存诗一首。

赵光裔，生卒年不详，本年进士及第。《旧唐书·赵隐传》："子光裔，光启三年擢第。"《旧五代史·赵光逢传》："光逢与弟光裔皆以文学德行知名。"郑谷有《寄同年礼部赵郎中诗》，又有《春夕伴同年礼部赵员外省直诗》。诗中之赵即赵光裔，考见陶敏《全唐诗人名考证》。

郑徽，生卒年不详，本年进士及第。《郑谷诗集》卷一有《驻跸华下同年司封员外从翁许共游西溪久违前契戏成寄赠》。"从翁"，即从父。郑谷另有《送司封从叔员外徽赴华州裴尚书均辟》，此"司封员外从翁"即郑徽，与谷为同年。

黄匪躬，生卒年不详，本年进士及第。《十国春秋》："黄匪躬，连州人。登唐光启三年进士。"四库本《广东通志》卷三十一《选举志·进士》："光启三年丁未：黄匪躬，连州人。"同治《连州志》卷四《选举志》："光启丁未科：黄匪躬，梁幕府奏记。"

翁洮，生卒年不详，本年进士及第。万历《严州府志》卷十一："光启三年柳玭榜：翁洮，寿昌人。仕至员外郎。"《万姓统谱》卷一："翁洮，字子平，寿昌人。举进士，授主客员外郎。退居不仕，僖宗遣使征之不起。"《全唐诗》卷六六七小传："翁洮，字子平，睦州人。光启三年进士第，官主客员外郎。"又见光绪《浙江通志》卷一二三《选举一·唐·进士》。洮，睦州（治今浙江建德）人。生卒年不详。后隐居不仕，与方干有交往唱和。《全唐诗》存诗十三首。事迹见其诗及《全唐诗》所附小传。

侯翮登书判拔萃科。《十国春秋》卷四十四本传："侯翮，成都人也。风仪端秀，善文辞，尤工奏记表章。唐光启中，以拔萃出身为邠宁从事。僖宗幸蜀，拜中书舍人、翰林学士。"

知贡举为尚书右丞柳玭。旧籍有谓郑延昌本年知举，误。《广卓异记》引《赵氏科名录》、及万历《严州府志》等，亦载本年为柳玭知贡举，未容轻疑。玭（？—894?），以小说名家。京兆华原（今陕西耀县）人。柳仲郢子。初以明经及第，释褐授秘书正字。又由书判拔萃，辟度支巡官。拜右补阙。咸通末为昭义节度副使。入为刑部员外郎。出为岭南节度副使。乾符六年以黄巢攻陷广州，逃还。召为起居郎。再迁中书舍人、御史中丞。擢尚书右丞，本年知贡举，擢郑谷等。文德元年（888）以吏部

侍郎修国史，拜御史大夫。景福二年（893）坐事贬泸州刺史，卒于任。著有《续贞陵遗事》一卷、《柳氏训序》一卷，著录于《新唐书·艺文志二》，并散佚。《资治通鉴考异》、《唐语林》等有佚文。《全唐文》存文三篇。事迹见新、旧《唐书》本传。（参《登科记考》卷二三）

春，司空图感慨世乱，遂退隐中条山谷替别墅，有《丁未岁归琯谷》、《退栖》等诗。（见《全唐诗》卷六三二）

三月

壬辰，车驾至凤翔。（见《资治通鉴》）

四月

扬州牙将毕师铎自高邮率兵回攻扬州，破城，囚高骈于别室，并邀宣歙观察使秦彦来扬州主事。（见《旧唐书·僖宗本纪》、《资治通鉴》卷二五七）

顾云本年约三十七岁，时在高骈淮南幕。毕师铎囚禁高骈，顾云遂退居霅川，杜门著书。（见《唐诗纪事》卷六七）

六月

河中牙将常行儒杀其帅王重荣，推重荣之兄重盈为兵马留后。

七月

温宪本年约四十六岁，在山南从事任。约此时其同事李巨川曾上表为其父庭筠称屈。《唐摭言》卷十《海叙不遇》条："温宪，先辈庭筠子，光启中及第，寻为山南从事。辞人李巨川草荐表，盛述宪先人之屈。略曰：'蛾眉先妒，明妃为去国之人；猿臂自伤，李广乃不侯之将。'"温宪非光启中及第，而在龙纪元年（889），然时确已为山南从事。《唐诗纪事》卷七十温宪条云："宪，光启中为山南从事，李巨川草荐表，盛述先人之屈……"又《旧唐书·李巨川传》："王重荣镇河中，辟为掌书记……及重荣为部下所害，朝议罪参佐，贬为汉中掾。时杨守亮帅兴元，素知之，闻巨川至，喜谓客曰：'天以李书记遗我也！'即命管记室，累迁幕职。"

八月

聂夷中本年约五十一岁，约此时有《短歌》之咏以抒发其人生感受。（见《全唐诗》卷六三六）有诗集二卷。夷中与刘驾善，《哭刘驾博士》对驾颇称誉。夷中诗亦颇为世所称，如《田家》："父耕原上田，子劚山下荒。六月禾未秀，官家已修仓。"又《咏田家》："二月卖新丝，五月粜新谷。医得眼前疮，剜却心头肉。我愿君王心，化作光明烛。不照绮罗筵，只照逃亡屋。"《资治通鉴》卷二七六后唐宗天成四年九月载：

"上（唐明宗）又问（冯）道：'今岁虽丰，百姓赡足否?'道曰：'农家岁凶则死于流殍，岁丰则伤于谷贱，丰凶皆病者，惟农家为然。臣记进士聂夷中诗云："二月卖新丝……（诗略）。"语虽鄙俚，曲尽田家之情状。农于四人之中最为勤苦，人主不可不知也。'上悦，命左右录其诗，常讽诵之。"《旧五代史·冯道传》亦载之。又《北梦琐言》卷二亦称夷中"少贫苦，精于古体，有《公子家》诗云：'种花于西园，花发青楼道。花下一禾生，去之为恶草。'又《咏田家》……所谓言近意远，合三百篇之旨也"。其他如《古兴》、《闻人说海北事有感》、《早发邺北经古城》及乐府诗《乌夜啼》、《行路难》、《胡无人行》等皆含蓄讽刺，所谓"乐而不淫，哀而不伤，正《国风》之义也"。（见《唐才子传》聂夷中传条）《新唐书·艺文志四》著录《聂夷中诗》二卷，《全唐诗》卷六三六编其诗一卷。

九月

二十六日，牛峤赋《登陈拾遗书台览杜工部留题慨然成咏》诗。时峤因战乱游至梓州，登陈拾遗书台，见杜甫留题，慨而成咏。中云："伊余诚未学，少被文章役。兴来挥兔毫，欲竞雕弧力。虽称含香吏，犹是飘蓬客。薄命值乱离，经年避矛戟。今来略倚柱，不觉冲暝色。哀安忧国心，谁怜鬓双白。"诗末署："光启三年九二十六日。"（见《永乐大典》卷三一三四引《潼川志》）

秋，唐彦谦在兴元杨守亮幕，有《兴元沈氏庄》、《登兴元城观烽火》、《南梁戏题汉高庙》之作。（见《全唐诗》卷六七二）

十一月

杨行密破秦彦、华师铎军，入据扬州，自称淮南留后。（见《旧唐书·僖宗本纪》、《资治通鉴》卷二五七）

十二月

东川节度使顾彦朗、壁州刺史王建连兵攻成都，与陈敬瑄酷战。（参《旧唐书·僖宗本纪》、《资治通鉴》卷二五六、卷二五七）

罗隐，五十五岁。归钱镠，初任钱塘县令。沈崧《罗给事墓志》云："始以光启三年，罢随计吏，投迹本藩，乃遇淮浙钱令公吴越国王，将清国步，聿求群彦，光赞永图。因置钱塘县，以策表上请，诏下可之。由是直绾铜章，尊容朱绂，荐寻偃室，擢升隗台，拜秘书省著作郎，辟为镇海军节度掌书记。"《旧唐书·昭宗本纪》载钱镠于乾宁四年（897）始受封为吴王。《旧五代史》卷一二三《钱镠传》称："梁祖革命，以镠为尚父、吴越国王。"沈崧《墓志》称罗隐"乃遇淮浙钱令公吴越国王"者，显系称誉之辞。《吴越备史》本传谓隐谒钱镠时，"惧不见纳，遂以所为《夏口》诗标于卷末云'一个祢衡容不得，思量黄祖谩英雄'之句。王览之大笑，因加殊遇。复命简书辟之，曰：'仲宣远托娄荆州，都缘乱世；夫子辟为鲁司寇，只为故乡。'隐曰：'是不可去矣!’简辞，孔目官章鲁风之辞也”。

本年

章鲁风本年已居钱镠幕。鲁风，一作鲁封。桐庐人。生卒年不详。镠辟罗隐之简辞，即出其手。《十国春秋》卷八五有传云：“章鲁封（原注：一作鲁风），桐庐人也。频举进士不第。有隽才，少与罗隐齐名。”（参《北梦琐言》卷五）

司空图《一鸣集》结集，图自为序，即《中条山王官谷序》，首次使用“知非子之号”；又作《山居记》，中言其于山居之壁备列当朝至行清节文学英特之士。其《中条山王官谷序》云：“知非子雅嗜奇，以为文墨之伎不足曝其名也。盖欲揣机穷变，角功利于古豪。及遭乱窜伏，又故无有忧天下而访于我者，曷以自见平生之志哉。因手捃拾诗笔，残缺无几，乃以中条别业‘一鸣’以目其前集，庶警子孙耳。其述先大夫所著家牒照乘传，乃补亡舅（原注：名权，四岁能讽诵。其舅水轮陈君赋十六著刘氏洞史二十卷）赞祖彭城公中兴事，并愚自撰密史皆别编次云。……有唐光启三年泗水司空图中条王官谷濯缨亭记。”（见《全唐文》卷八〇七）其《山居记》云：“西南之亭曰濯缨，濯缨之窗旦鸣，皆有所警。堂曰九籥之堂，室日九衔之室。皓其壁以模玉川于其间，备列国朝至行清节文学英特之士，庶存耸激耳。……光启三年丁未岁记。”[按，所列之文有《三贤赞》，乃赞房玄龄、李靖、魏徵三人。又有《观音赞》、《今相国地藏赞》、《香岩长老赞》、《兵部恩门王贞公赞》、《国老君赞》，又《李翰林写真赞》赞李白云：“水浑而冰，其中莫莹。气澄而幽，相万象一镜。跃然翙然，傲睨浮云。仰公之格，称公之文。”]

钱元瓘（887—941）生。元瓘，五代诗人。初名传瓘。字文宝，一作明宝。杭州临安（今属浙江）人。钱镠第五子。初为盐铁发运巡官，稍迁金部郎中。天祐二年（905），累迁检校左仆射、内牙将指挥使。历湖州刺史、镇海军节度使、清海军节度使。武肃王宝大元年（924）充两浙节度使。后唐长兴三年（932）嗣吴越王位。天福六年（941）卒，谥文穆。幼聪敏。善抚将士，好儒学，善为诗。曾使其国相沈崧置择能院，录用吴中人士。然性奢僭，好治宫室。有诗千篇，编其尤者三百篇为《锦楼集》十卷，已佚。《全唐诗补编》存诗二首又二句；《全唐文》存文三篇，《唐文拾遗》补一篇。事迹见新、旧《五代史》及《十国春秋》本传，参五代和凝《吴越文穆王钱元瓘碑铭》。

宋齐丘（887—959）生。齐丘初字超回，后字子嵩。庐陵（今江西吉安）人，一说豫章（今江西南昌）人。吴天祐九年（912），依昇州刺史李昪，为推官。累迁右谏议大夫。大和三年（931）拜右仆射，兼中书侍郎、同平章事。南唐昇元元年（937）为左丞相。六年（942），出为镇南军节度使。保大元年（943）复召为相。罢为浙西节度使。乞归九华山，赐号九华山人。五年（947），复出为镇南军节度使。交泰元年（958），坐累放还。次年赐死，一说自缢而死。能诗文，马令谓其“为文有天才而寡学，不经师友议论。词尚诡诞，多违戾先王之旨”。《陪游凤凰台献诗》，为李昪所欣赏。撰有《化书》六卷、《理训》十卷、《玉管照神局》二卷、《祀玄集》三卷，分别

著录于《宋史·艺文志》杂家类、五行类、别集类，并佚。《全唐诗》存诗三首、断句二句、酒令二句，《全唐诗补编》补一首、断句三句；《全唐文》存文四篇，《唐文拾遗》补二篇。事迹见马令《南唐书》卷二〇、陆游《南唐书》卷四、《江南野史》卷四及《十国春秋》卷二〇。（参《新五代史·南唐世家》）

王霞卿题诗于唐安寺壁。霞卿，女诗人。蓝田（今属陕西）人。生卒年不详。为会稽令韩嵩妾。韩去世后，王流落于会稽。光启三年（887）题诗于唐安寺壁。进士殷彝见而和之，以求谒见。王答诗拒之。《全唐诗》存诗二首。事迹见《补侍儿小名录》。

罗邺（831？—896？）本年前后游于巴蜀间，后闲居而终。邺，杭州余杭（今属浙江）人，一说苏州吴县（今江苏苏州）人。父为盐铁小吏，家富。咸通中，数举进士不第，入池州刺史幕，辟江西观察使从事。乾符三年（876），又佐忠武节度使幕。光启三年（887）前后，游于巴蜀间。晚年闲居故乡。一生功名失意。光化三年（900）追赐进士及第，赠补阙。有诗名，佳句播在时人之口。与族人罗隐、罗虬并称“江东三罗”，较逊于隐而高于虬。长于七言律、绝，多纪行题寄、咏物感怀之章，抒发功名无成的惆怅哀怨之情。《牡丹》、《公子行》等较多社会内容。其诗文思清丽，工致绵密，声韵和畅。《新唐书·艺文志四》著录《罗邺诗》一卷，有散佚。今传辑本《罗邺诗集》一卷。《全唐诗》存诗一卷，《全唐诗补编》补三首、断句一句。

罗绍威（877—910）生。绍威，唐末五代诗人。字端已。魏州贵乡（今河北大名）人。少有英气，明习吏事。文德元年（888），授左散骑常侍，充魏博节度副使。光化元年（898），袭父位为魏博节度使，年二十二。累加检校太傅兼侍中，封长沙郡王。天祐元年（904）封邺王。唐亡，事后梁，累拜太师兼中书令。开平四年（910）卒。

殷七七本年遭遇润州军变。七七，诗人。名天祥，又名道筌。自称七七，俗多呼之。生卒年、籍贯不详。曾游长安，与周宝相识。乾符中，卖药于泾州，时周宝为泾原节度使，延之重礼。周宝为浙西节度使，殷至润州卖药，周召而师敬之。本（年）润州军变，殷在甘露寺被推落北崖，时人以为坠江而死。其后又有人见其在江西卖药。后入蜀，不知所终。相传有异术。《全唐诗》存诗二首。事迹见《太平广记》卷五二《续仙传》。

萧遘（？—887）被赐死。遘，诗人。字得圣。南兰陵（治今江苏武进西北）人。咸通五年（864）进士及第。释褐为秘书省校书郎、太原从事。入为右拾遗，再迁起居舍人。为宰相韦保衡所嫉，贬播州司马。保衡死，以礼部员外郎征还。约乾符三年（876），充翰林学士。拜中书舍人，迁户部侍郎、翰林学士承旨。中和元年（881）正月改兵部侍郎、判度支；三月，以本官同平章事。光启二年（886）罢为太子太保。次年，因曾受伪命，赐死于永乐。少负大志，以经时治世为已任；为宰相，风采峭整。终被卷入政变事件而被杀，士人惜之。《全唐诗》存诗三首、断句二句，《唐代墓志汇编续集》存墓志一篇。事迹见新、旧《唐书》本传。

裴澈（？—887）被处死。澈，又误作徹。字深源。孟州济源（今属河南）人。咸通中进士及第。乾符四年（877）为礼部员外郎、翰林学士，奉诏撰《唐故广王墓志铭并序》。六年（879），为中书舍人，撰《唐故凉王墓志铭并序》。进祠部郎中、户部侍郎。广明元年（880）拜工部侍郎同平章事。中和元年（881）出为鄂岳观察使。三年

(883)，以判度支为中书侍郎、同平章事。光启二年（886），伪署嗣襄王宰相。次年，被僖宗下令斩首。《全唐诗》存诗一首，《唐代墓志汇编续集》存文二篇。事迹见其所撰墓志、《旧唐书·僖宗本纪》、《新唐书、宰相世系表一上》、《唐诗纪事》卷六八。

公元 888 年（唐僖宗光启四年　唐昭宗文德元年　戊申）

二月

壬午，僖宗车驾发自凤翔。（见《资治通鉴》卷二五七本年二月条）

己丑，僖宗至长安。（见《资治通鉴》卷二五七本年二月条）

戊子，大赦，改元文德。以韦昭度兼中书令。（详参《旧唐书·僖宗本纪》、《资治通鉴》卷二五七、《十国春秋》卷三五《前蜀纪一》）

中书舍人或礼部侍郎郑延昌知贡举，郑贻矩、崔涂、谢脩、陈峤等二十八人登进士第。

郑贻矩，生卒年不详，以第一名登进士科状元。

崔涂，生卒年不详，本年进士及第。《唐才子传》："崔涂字礼山，光启四年郑贻矩榜进士及第。"崔涂《入蜀赴举秋夜与先生话别诗》曰："欲怆峨嵋别，中宵寝不能。听残池上雨，吟尽枕边灯。失计方期隐，修心未到僧。云门一万里，应笑又担簦。"[按，"礼山"，王安石《百家诗选》作"礼仙"]《新唐书·艺文志四》："《崔涂诗》一卷：字礼山。光启进士第。"

谢脩，生卒年不详，本年进士及第。《万姓统谱》卷一〇五：唐"谢脩，龙溪人，隐于青樵文圃山。自广明西幸，人多忍耻以事虏，独脩遁迹，必俟光启回銮乃出，寻擢上第。"《闽书》卷九十《英旧志·泉州府·同安县·唐进士》："文德五（按当作元）年戊申：谢脩。"同上《传》云："谢脩字升之，词藻超迈，时辈推许。自广明西幸，人多忍耻事虏，独脩遁遁迹，必俟光启回銮乃出，遂登文德初进士。"[乾隆]《泉州府志》卷三十三《选举一·唐进士》："文德元年戊申薛贻矩榜：谢脩，同安人。《八闽通志》作晋江人。"[按，"薛"为"郑"之讹。(参乾隆《福建通志》卷三十三)]

陈峤，生卒年不详，本年进士及第。徐松《登科记考》谓峤光启二年（886）年登进士科，考云："《黄御史集·司直陈公墓志铭》：'公讳峤，字延封。齠龀好学，弱冠能文。与高阳许龟图、江夏黄彦修居莆之北岩精舍，五年而二子西去，复居北平山。两地穴管宁之榻，十年索随氏之珠，然后应诏诸侯，求试宗伯。而以咸通、乾符之际，龙门有万仞之险，莺谷无孤飞之羽，才名则温岐、韩株、罗隐皆退黜不已。故公自丁丑之丙申，高价驰而逸步蹶。既而大盗移国，德公文行之深者，安州郑郎中諴、孙拾遗泰，叹而勉之。久乃持辇下之屈名，适蜀中之贡府，致乡士倒屣，场席开路。清风既尔，窃为权官沽诸，将求识而荐之。公时已出经试，比言之者□。策纸而已。[按，《黄御史集》作"而亡"] 是举，光启二年收开，三年荣登故相荥阳郑公礼部上第。'又有《喜陈先辈峤及第诗》云：'不是驾前偏落羽，锦城争得杏园花。'又《祭陈蠕文》注云：'林端公贞元七年首闽越之科第，以《珠还合浦赋》擅名。后十年，莆邑许

员外荣登。自此文学之士继踵，而悉不偶时，旷八十七年，始钟于延封。其文以《申秦续篇》擅名。后六七年，徐正字及第，兼某尘忝。林端公同延封榜，皆第十二人。'《唐摭言》：'陈峤谒安陆郑郎中诚，三年方一见。诚从容谓峤曰："识闵廷言否？"峤曰："偶未知闻。"诚曰："不妨与之往还，其人文似西汉。"'"［按，宋李献民《莆阳比事》卷一："文德元年有陈峤。"］注云："《莆志》云光启四年，盖是年改元文德。"《淳熙三山志》卷二六同。黄滔《陈公墓志》云："光启二年收开，三年荣登故相荥阳郑公礼部上第。"疑"三年"不作"光启三年"解，而系指峤二年始试，历三举方及第。《黄御史公集》卷三《喜陈先辈及第（原注：峤）》云："今年春已到京华，天与吾曹雪怨嗟。……不是驾前偏落羽，锦城争得杏园花。"僖宗于光峤元年末驾幸凤翔，至本年二月始返京师。如黄诗所述，则峤为凤翔落第，本年春京兆登科。同书卷六《祭陈侍御峤文》云蠕在许稷后八十七年登第，后六七年徐寅及第。以许、徐二人及第年推之，亦以本年最为近是。

知贡举：郑延昌。徐松《登科记考》作"尚书右丞柳玭"，考云："按《唐会要》：'僖宗谥议，右丞、权知礼部侍郎柳玭撰。僖宗葬于文德元年十二月，其时柳玭犹权知礼部侍郎，是此年知举。'"［按，严耕望《唐仆尚丞郎表》卷十六《辑考五下·礼侍》"郑延昌"条云："郑延昌，以中书舍人或迁礼侍，知光启三年春贡举，放榜。"《全唐文》卷八二六黄滔《陈峤墓志》："光启二年收开，三年荣登故相荥阳郑公礼部上第。"据前陈峤条，此"三年"非指"光启三年"，而指"历三举方及第"，则延昌知贡举为峤及第光启四年即本年］

徐氏引《唐会要》卷二以证柳玭知四年举，仅属推测，此外并无确据。《唐会要》云玭撰僖宗谥议，所列官职恰与三年官守同，疑非列当时之官。《唐诗纪事》卷七十云温宪于"僖、昭之间，就试于有司，值郑相延昌掌邦贡也，以其父文多刺时，复傲毁朝士，抑而不录"。本年三月僖宗去世，昭宗即位，正所谓"僖、昭之间"；宪明年（龙纪元年）及第，则延昌在其前知举。综合诸证，本年当以延昌知举为是。

三月

癸卯，僖宗崩于灵符殿，昭宗即位。（见《资治通鉴》）唐僖宗，初名俨，后更名儇，懿宗五子。咸通二年（861）生，十二岁即皇帝位。在位凡十五年，天下崩裂。自广明至文德，首尾九年，其间除光启元年曾在长安居住数月外，余皆播迁在外，备受辛苦。享年仅二十九岁。（详参《旧唐书·昭宗本纪》、《资治通鉴》卷二五七、《十国春秋》卷三五《前蜀纪一》）

僖宗弟寿王杰立，是为昭宗。昭宗好文重德，初即位，为人所称。（见《旧唐书·昭宗本纪》、《资治通鉴》卷二五七）

吴融游浙东，遇李长史，作《文德初闻车驾东游》、《赠李长史歌》。融《赠李长史歌》序云："余客武康县既旬日，将去，邑长相饯于溪亭。座中有李长史，袖出芦管，自请声以送客，且言我业此二十年，年少时，五陵豪侠无不与之游，梨园新声一闻之，明日皆出我下。洎巢贼腥秽宫阙，逃难于东。江淮间非吾上，又无乐（一作知

音)。敝衣旅食，双鬓雪然。然风月好时，或亭皋送别，必引满自劝，不能忘情。一曲未终，泫然承睫。越鸟胡马之，感动傍人。罗进士隐初遇金陵，有赠诗，尚能成诵在口。余悯李之流落，仰罗之所感，故赠之。时光启戊申岁清明月之八日。”(见《全唐诗》卷六八七)

郑谷年四十一，时在梓州，有《东蜀春晚》诗。(见傅义《郑谷年谱》)

司空图仍隐居于中条山王官谷别业，有《光启四年春戊申》诗。(见《全唐诗》卷六三二)

四月

魏博军乱，杀其帅乐彦祯。同月，孙儒陷扬州，杨行密溃围而出，据宣州。(详参《旧唐书·昭宗本纪》、《资治通鉴》卷二五七、《十国春秋》卷三五《前蜀纪一》)

七月

七日，罗隐为钱氏家族撰庙碑记。隐五十六岁，时钱镠新创祖庙。罗隐《钱氏九州庙碑记》文末署“文德元年七月七日记”。(见《罗隐集·杂著》

九月

罗隐任钱塘县令，晚秋，有《县斋秋晚酬友人朱瓒见寄》诗。(见《罗隐集·甲乙集》卷九)时罗隐为钱塘县令，沈崧《罗给事墓志》，罗隐以光启三年依钱镠，钱镠“因置钱塘县，以策表上请，诏下可之”。

十二月

蔡州牙将申丛执秦宗权，折其足，乞降；别将郭璠杀申丛，执送秦宗权于汴州。是年，王建与陈敬瑄仍激战于蜀中。由此至景福二年(893)，蜀中战火绵延近七年，生灵涂炭，民不聊生。(详参《旧唐书·昭宗本纪》、《资治通鉴》卷二五七、《十国春秋》卷三五《前蜀纪》一。)

郑谷仍在避乱漂泊中，时赋《漂泊》、《江际》诸诗感慨世乱身困，盼望息兵回长安。(见傅义《郑谷年谱》)

韦庄年五十一，仍在婺州，有《和郑拾遗秋日感事一百韵》诗，与郑拾遗唱和。(见《浣花集》卷五、夏承焘《韦端己年谱》)另有《李氏小池十二韵》、《婺州和陆谏议》、《婺州屏居》、《和陆谏议避地寄东阳》、《东阳酒家赠别二绝》等诗。

贯休年五十七，居婺州(东阳)，与韦庄往还。贯休有《和韦相公话婺州陈事》。(见《禅月集》卷十三)

刘昫(888—947)生。昫，文学家、史学家。字耀远。涿州归义(今河北雄县)人。初为易州军事衙推。后唐庄宗时，拜太常博士，擢翰林学士。累加库部郎中。明宗即位，拜中书舍人。长兴四年(933)拜中书侍郎兼刑部尚书、平章事。清泰初，兼

判三司，加吏部尚书。门下侍郎，监修国史。后晋时，天福二年（937）充东都留守，判河南府事。历太子太保、太子太傅。开运元年（944）授司空、平章事，监修国史，复判三司。罢为太保。四年（947）卒。好学，文学优赡。曾主持修撰《唐书》，后世称《旧唐书》，今传。《全唐文》存文七篇，《唐文拾遗》补二篇。事迹见新、旧《五代史》本传。

李山甫约本年卒。山甫，诗人、辞赋家。生卒年、籍贯不详。咸通中数举进士不第，尤怨愤朝中显贵。后流寓河朔间。中和三年（883）魏博节度使乐彦祯辟为判官。四年（884）怂恿其子伏兵劫杀前宰相王铎。光启三年（887）嗣襄王熅叛乱，曾奉使联合幽、邢、沧诸镇以讨之。后不知所终，或说殆卒于文德元年（888）魏博军乱。工诗能赋。诗长于七言律、绝，多感时怀古、咏物纪行、寄送题赋之作，写失意哀伤、愤世嫉俗之情。《公子家二首》、《乱后道中》等指斥当权者骄淫腐败，表现战乱之苦，较多现实内容。元辛文房谓其“诗文激切，耿耿有奇气”。明胡震亨《唐音癸签》卷八谓其“满腔怨毒，语不忌俚”。《寒食》、《隋堤柳》等为传世佳作。《贫女》与秦韬玉同题之作并称于世。“世乱僮欺主，年衰鬼弄人”（《自叹拙》）后世成为俗谚。《新唐书·艺文志四》著录《李山甫赋》二卷，已佚；《李山甫诗》一卷，有散佚。今传《李山甫诗集》一卷。《全唐诗》存诗一卷，《全唐诗补编》补三首。事迹见《唐才子传校笺》卷八。

李昪（888—943）生。昪，文学家。即南唐烈祖。字正伦。徐州（今属江苏）人，一说海州（治今江苏连云港西南）人。少孤，流寓濠、泗间。后为徐温义子，冒姓徐，名知诰。仕吴，武义元年（919）累官至左仆射，参知政事。拜太尉、中书令。大和三年（931）出镇金陵。五年（933），封齐王。天祚三年（937）即帝位，建齐国，改元昪元。次年改国号为唐，史称南唐。保大元年（943）卒，庙号烈祖。《全唐文》存文七篇，《唐文拾遗》补五篇；《全唐诗》存诗一首。事迹见新、旧《五代史》本传等。

僧鸾本年前后，还俗，遭公卿鄙弃。僧鸾乃诗僧。俗姓鲜于，名凤。蜀（今四川）人。生卒年不详。有逸才而不拘检。约咸通六年（865），至嘉州谒刺史薛能。薛以其颠率难为举子，命出家。不肯以常僧为师，自披剃于该州百尺大佛前。后入长安，为文章供奉，与张乔、李洞游。文德元年（888）前后还俗，至江西为判官。又为小将军，被害于黄州。诗崇李白。长于歌行，诡奇崛丽，有时名。有诗集一卷，已佚。《全唐诗》存诗二首，卷八五一存诗二句，实鸾为僧之作。事迹见《北梦琐言》卷一〇。

公元889年（唐昭宗龙纪元年　己酉）

正月

癸巳朔，大赦，改元龙纪。（见《旧唐书·昭宗本纪》）

崔道融在永嘉，值新年有《元日有题》诗。（见《全唐诗》卷七一四）《唐才子传》卷九云：“道融，荆人也，自号‘东瓯散人’，与司空图为诗友。出为永嘉令。”（见《十国春秋》卷九五、《直斋书录解题》卷一九）司空图有《寄永嘉崔道融》一诗。道融自广明至唐末之行迹已无从详考，或久居永嘉，或更有漂泊。道融未尝举进士。

二月

己丑，监送秦宗权于京师。昭宗受百官朝贺，以宗权徇市、告庙，斩于独柳。《旧唐书·昭宗本纪》："初，自诸侯攻长安，黄巢东出关，与宗权合。巢贼既平，而宗权之凶徒大集。西至金、商、陕、虢，南极荆、襄，东过淮甸，北侵徐、兖、汴、郑，幅员数十州，五六年间，民无耕织，千室之邑，不存一二。岁既凶荒，皆脍人而食。丧乱之苦，未之前闻。宗权既平，而朱全忠连兵十万，吞噬河南，兖、郓、青、徐之间，血战不解，唐祚以至于亡。"

礼部侍郎赵崇知礼部贡举。李瀚、温宪、吴融、韩偓、唐备、崔远等二十五人登进士第。

李瀚，以第一名中进士科状元。

温宪，进士及第。《唐才子传》："温宪，庭筠之子也。龙纪元年李瀚榜进士及第，去为山南节度从事。大著诗名。"《唐诗纪事》卷七〇："温宪员外，庭筠子也。僖、昭之间，就试于有司。……既不第，遂题一绝于崇庆寺壁。后荥阳公登大用，因国忌行香见之，悯然动容。暮归宅，已除赵崇知举，即召之，谓曰：'某顷主文衡，以温宪庭筠之子，深怒嫉之。今日见一绝，令人恻然，幸勿遗也。'于是成名。诗曰：'十口沟隍待一身，半年千里绝音尘。鬓毛如雪心如死，犹作长安下第人。'"《唐摭言》卷一〇《海叙不遇》："温宪……辞人李巨川草荐表，盛述宪先人之屈，略曰：'蛾眉先妒，明妃为去国之人；猿臂自伤，李广乃不侯之将。'"宪诗有清丽闲淡，诗境如画者，如《春鸠》云："村南微雨新，平绿净无尘。散睡桑条暖，闲鸣屋脊春。"《杏花》云："团雪上晴梢，红明映碧寥。店香风起夜，村白雨休朝。静落犹和（一作频霑）蒂，繁开正蔽条。淡然闲赏久，无以破妖娆。"（均见《全唐诗》卷六六七）宪，太原祁县（今属山西）人。生年一说 842 年，卒年不详。以父庭筠故，久困场屋。官终检校员外郎（一说郎中）、山南西道从事。有诗名，与许棠、郑谷等合称"咸通十哲"。《唐才子传》谓宪有集传世，然宋元公私书目均未载录，其集亦不见传。《全唐诗》卷六六七仅存诗四首，《全唐诗补编》补一首。《唐文拾遗》卷三二补录其《唐集贤直院官荣王府长史程公墓志铭并序》一篇。据《北梦琐言》卷二〇、《十国春秋》卷四二载，宪子名温颢，善以隐僻绘事为能，仕前蜀高祖，官至常侍。颢子郢，仕历无考。

吴融，本年进士及第。韦昭度讨蜀，表掌书记。（见《新唐书》本传）《唐才子传》卷九："融字子华，山阴人。龙纪元年李瀚榜及进士第。"《唐诗纪事》："韩偓与吴子华侍郎同年。《玉堂伴直，怀昔敍恳，因成长句，兼呈同年》云：'往年莺谷接清尘，今日鼇山作侍臣。二纪许谐劳笔砚，一朝宣入掌丝纶。声名烜赫文章士，金紫雍容富贵身。绛帐恩深无路报，语余相聚却酸辛。'又注云：'予与子华，俱久困名场。'"《北梦琐言》："吴融侍郎，乃赵崇大夫门生。"（参《直斋书录解题》卷一九、《唐才子传》卷九、《登科记考》卷二四）融《祝风》诗云："余仍辘轲者，进趋年二纪。"参韩偓《与吴子华侍郎同年玉堂同直怀恩叙恳因成长句四韵兼呈诸同年》，则吴融与韩偓俱久困名场达二十年之久。《唐摭言》卷五“切磋”条载：“吴融，广明、中和之际，久负屈声，虽未擢科第，同人多贽谒之如先达。有王图（者），工词赋，投卷凡旬月，融既见之，殊不言图之臧否，但问图曰：‘更曾得卢休信否？何坚卧不起，惜哉！’……休，图之中表，长于八韵，向与子华同砚席。”融《唐英歌诗》卷上《灵池县见早梅》题注：“时太尉中书令京兆公奉诏讨蜀，余在幕中。”据《旧唐书》卷一七九《韦昭度传》、《资治通鉴》卷二五七载，昭宗即位，韦昭度守中书令，封岐国公。文德元年，亦即龙纪元年。韦昭度奉诏为西川节度使，入蜀讨陈敬瑄，融及第后即随韦入蜀，为掌书记。融后累迁侍御史。复坐累贬官，流寓荆南，依节度使成汭，与贯休过从酬和甚密。召为左补阙，充翰林学士，拜中书舍人。复擢户部侍郎。昭宗奔凤翔，扈从不及，流寓阌乡。召还翰林，迁承旨学士、兵部侍郎，卒。工诗能文，擅书法。论诗推崇李白“气骨高举，不失颂咏风刺之道”，亦称誉白居易“讽谏五十篇”，不满李贺以来“以刻削峻拔飞动文采为第一流”的倾向。（见《禅月集序》）众体兼备，尤长于律诗。题材较广泛，前人谓其诗“靡丽有余，而雅重不足”（见元辛文房《唐才子传》），“近体诗虽品格不高，思路颇细，兼有情致”（见清贺裳《载酒园诗话又编》）。诗风接近温庭筠、李商隐，但将温、李之绮丽温馨引向疏淡凄清一路。《倒次元（原）韵》诗开和韵诗之一体。代表作《金桥感事》、《太保中书令军前新楼》等气格沉雄、音节浏亮，为晚唐杰构。律赋亦为晚唐名家。《沃焦山赋》写唐末现实，较出色。《新唐书·艺文志四》著录《吴融诗集》四卷、《制诰》一卷，《宋史·艺文志七》著录《吴融集》五卷、《赋集》五卷，已散佚。今传《唐英歌诗》三卷。《全唐诗》存诗二卷，《全唐诗补编》补三首；《全唐文》存文十六篇。另有《冤债志》一卷，乃伪书。

韩偓（842—923?）本年四十八岁，登进士第。（见《郡斋读书志》卷四、《唐才子传》卷九）偓十岁已能诗，然竟困科场二十余载，方得一第，《与吴子华侍郎同年玉堂同直怀恩叙恳因成长句四韵兼呈诸同年》：“二纪计偕劳笔砚，一朝宣入掌丝纶”。（参《唐诗纪事》卷五六）偓及第后拜谒宰相，有《及第过堂日作》诗：“早随真侣集蓬瀛，阊阖门开尚见星。龙尾楼台迎晓日，鳌头宫殿入青冥。暗惊凡骨升仙籍，忽讶麻衣谒相庭。百辟敛容开路看，片时辉赫胜图形。”（见《全唐诗》卷六八二）同年新科进士欢会，偓作《初赴期集》：“轻寒著背雨凄凄，九陌无尘未有泥。还是平时旧滋味，慢垂鞭袖过街西。”又有《余作探使以缭绫手帛子寄贺因而有诗》，云：“解寄缭绫小字封，探花筵上映春丛。黛眉印在微微绿，檀口消来薄薄红。缠处直应心共紧，砑时兼恐汗先融。帝台春尽还东去，却系裙腰伴雪胸。”又有《及第后出京别锦儿》，题下小注云：“及第后出京，别锦儿与蜀妓。”诗云：“一尺红绡一首诗，赠君相别两相思。画眉今日空留语，解佩他年更可期。临去莫论交颈意，清歌休著断肠词。出门何事休惆怅，曾梦良人折桂枝。”（四诗均见《全唐诗》卷六八二）《唐才子传》：“韩偓字致尧，京兆人。龙纪元年礼部侍郎赵崇下擢第。”《唐诗纪事》：“偓父瞻，李义山同年。偓小字冬郎，义山云尝即席为诗相送，一座尽惊，句有老成之风。因有诗云：‘十岁裁诗走马成，冷灰残烛动离情。桐花万里丹山路，雏凤清于老凤声。’偓字致尧，今曰致光，误矣。自号玉山樵人。”又云：“偓天复初入翰林。其年冬，驾幸凤翔，偓有扈从之功。返正初，上面许偓为相。奏云：‘陛下运契中兴，当复用重德镇风俗，臣座主右仆射赵崇可充是选。乞回臣之命授崇，天下幸甚。’上嘉叹。翌日，制用崇暨兵部侍郎王赞为相。时梁太祖在京，素闻崇之轻佻，赞复有舋，驰入请见，于上前具言二公长短。上曰：‘赵崇是偓荐。’时偓在侧，梁王叱之。偓奏曰：‘臣不敢与大臣争。’上曰：‘韩偓出。’寻谪官入闽。”《名贤氏族言行类稿》卷十五：“韩偓字致光，京兆人，擢进士第。……帝疾宦人骄横，欲尽去之，偓曰云云。帝前膝曰：‘此事始终属卿。’偓荐御史大夫赵崇，劲正雅重，可以准绳中外。帝知偓崇门生也，叹其能让。”偓登进士第，初佐河中幕府，召拜左拾遗，迁刑部员外郎。历司勋（一作司封）郎中、翰林学士、中书舍人。从昭宗避乱凤翔，以功拜兵部侍郎、翰林学士承旨。为朱全忠所恶，贬州司马。天祐复召为翰林学士，惧不赴任，后入闽依王审知。寓居南安卒。韩偓诗多感时伤事，慨叹身世之作。清人评其《韩内翰别集》云：“此集忠愤之气，溢于句外，激昂慷慨，有变风变雅之遗。”（见《四库全书简明目录》）而其《香奁集》多涉艳情，词致婉丽，致后人称艳情诗为“香奁体”。实当时诗坛风气使然。《新唐书·艺文志》著录其《金銮密记》五卷、《韩偓诗》一卷、《香奁集》一卷。《郡斋读书志》卷一八则记为《韩偓诗》二卷、《香奁集》一卷，《直斋书录解题》卷一九又记为《香奁集》二卷、《入内廷后诗集》一卷，《别集》三卷、《金銮密记》三卷。今存《玉山樵人集》（内附《香奁集》）为传世通行本。《全唐诗》存诗四卷，词二首；《全唐文》存文十七篇。事迹见《新唐书》本传、《唐诗纪事》卷六五、《唐才子传校笺》卷九、《十国春秋》本传。有诗谱、年谱数种。

唐备，字里、世系及生卒年皆无考，本年进士及第。《唐才子传》卷九：“备，龙纪元年进士。工古诗，多极讽刺，颇干教化，非浮艳轻斐之作。同事于濆者，共一机轴（杼），大为时流所许。”此后仕历无考。备之诗文，宋元公私书目皆未著录，宋阮阅《诗话总龟》卷一《讽喻》门引卢瓌《抒情集》云：于濆为诗，颇关教化……又有唐备者，与濆同声，咸多比讽。有诗曰：‘天若无雪霜，青松不如草。地若无山川，何人重平道！’《题道旁木》云：‘狂风拔倒树，树倒根已露。上有数枝藤，青青犹未悟。’又曰：‘一日无天风，四冥波尽息。人心风不吹，波浪高百尺。’又《别家》曰：‘蝉鸣槐穗落。’又有《离家》诗曰：‘兄弟惜分离，拣日皆言恶。’皆协骚雅。”魏庆之《诗人玉屑》卷九《唐备诗》数条皆本此。备工五言古诗，多以比兴手法讽喻现实，笔调冷峻，文词简朴，与于濆、曹邺等，能在“嘲云戏月，刻翠粘红”之外，继承元稹、白居易讽喻诗的现实主义精神而有所开拓。作品多佚，《全唐诗》卷七七五录其诗三首，《全唐诗外编·续补遗》卷一三复录其《别家》诗二散句，皆录自《唐才子传·唐备传》。

崔远，生卒年不详，本年进士及第。《旧唐书·崔珙传》：“珙弟玙，玙子澹。澹子远，龙纪元年进士登第。”

李冉，生卒年不详，本年进士及第。原作“李□”。韩偓有《访同年虞部李郎中诗》、《春阴独酌寄同年虞部李郎中诗》、《同年前虞部李郎中自长沙赴行在，以紫石砚赠之诗》等诗，偓又有《奉和孙舍人肇荆南重围中寄诸朝士二篇时李常侍洵严谏议龟李起居殷衡李郎中冉皆有继和余久有是债今至湖南方暇牵课》一诗。（均见《全唐诗》卷六八〇）中有李郎中冉，疑即其人也。《新唐书·宰相世系表》李氏姑藏大房有“冉，右司郎中”。

程忠，生卒年不详，本年进士及第。《浯田程氏宗谱》卷二录七十一世：“忠字匪躬，以字行，昭宗龙纪二舍人赵崇下擢进士第，授蓝田尉。世难还家。”龙纪无二年，“无二”疑为“元年”之误。

知贡举：礼部侍郎赵崇。《北梦琐言》：“唐赵大夫崇清介，门无杂宾，慕王濛、刘真长之风也。标质堂堂，不为文章，号曰无字碑。每遇转官，旧例各举一人自代。亚台未尝举人，云朝中无代己也。世亦以此少之。”又曰：“梁相张策尝为僧，返俗应举。亚台鄙之曰：‘刘、蔡辈虽作僧，未为人知，翻然贡艺，有何不可？张策衣冠子弟，无故出家，不能参禅访道，抗迹尘外，乃于御帘前进诗，希望恩泽。如此行止，岂掩人口！某十度知举，十度斥之。’清河公乃东依梁主，而求际会。盖为天水拒弃，竟为梁相也。”《唐摭言》：“张策，同文子也。自小从学浮图法，号藏机，椠名内道场为大德。广明庚子之乱，赵少师崇主文，策为时事更变，求就贡籍，崇庭谴之。策不得已，复举博学宏词。崇职受天官，复黜之，仍显扬其过。策后为梁太祖从事，天祐中在翰林，太祖颇奇之，为谋府，策极力媒蘖，崇竟罹冤酷。”吴融有《和寄座主尚书诗》、《和座主尚书登布善寺楼诗》、《浐水席上献座主侍郎诗》、《和座主尚书春日郊居诗》，盖皆谓崇也。

三月

吴融离京随韦昭度赴蜀，为其幕吏，途中有《赴职西川过便桥书怀寄同年》之作。（见《全唐诗》卷六八六）《北梦琐言》卷四记吴融在韦昭度幕时事云：“吴融侍郎策名后，曾依相国太尉韦公昭度，以文笔求知。每起草先呈，皆不称旨。吴乃祈掌武亲密，俾达其诚。且曰：‘某幸得齿在宾次，唯以文字受眷。虽愧荒拙，敢不著力。未闻惬当，反甚忧惧。’掌武笑曰：‘吴校书诚是艺士，每有见请，自是吴家文字，非干老夫。’由是改之，果惬上公之意也。”

郑谷在西陵峡尝小江园新茶，有《峡中尝茶》咏之。三月暮，舟抵巴山，与颜惠詹事相遇，有《颜惠詹事即孤侄舅氏谪官黔巫舟中相遇怆然有寄》诗，感慨其谪官黔巫。抵江陵后，又有《江行》诗，慨叹世乱身病，离乡漂泊。（见傅义《郑谷年谱》）

四月

封朱全忠为东平王。（见《旧唐书·昭宗本纪》）

五月

王建攻陷成都，迁陈敬瑄于雅州。

六月

杭州刺史钱镠攻下宣州。

司空图复拜中书舍人，旋以疾辞。时河北乱，因寓居华阴。有《华下》、《华下送文浦（一作涓）》等诗。（见《全唐诗》卷六三二、《旧唐书·司空图传》，参《资治通鉴》卷二五八“龙纪元年六月”条）

七月

诏于杭州置武胜军。（见《旧唐书·昭宗本纪》）

八月

公乘亿仍在魏博幕为从事，亿承法主大德藏晖之请，为卒于去年七月之奖公撰塔碑文。其《魏州故禅大德奖公塔碑》中云：“和尚姓孔，字存奖。家本邹鲁……禅大德元公者，即临济之大师也。和尚一申礼谒，得奉指归。传黄檗之真筌，授白云之秘诀。所为醍醐味爽，乍灌顶以皆醒；薝蔔花香，才经手而分馥……岂谓一念俱尸，奄从物化。斯乃文德元年七月十二日也。……有亲信弟子藏晖、行简，一以主丧，一以传法。大德奉先师之遗命，于龙纪元年八月二十三日，于本院焚我真身，用观法相。……遂建塔于府南贵乡县薰风里，附于先师之塔志也。亿到职之初，曾获瞻礼。法主大德藏晖不以亿才业庸浅，具闻于我公相，请撰斯文。”（见《全唐文》卷八一三）公乘亿仕历终魏博从事，《旧五代史·司空颋传》：“罗绍威为节度副大使，颋以所业干之。幕客公乘亿为延誉，罗弘信署为府参军。”亿卒年不可考，《旧五代史·孙隲传》云：“唐光启中，魏博从事公乘亿以女妻之，因教以笺奏程式。……亿既死，魏帅以章表笺疏淹积……或以隲为言，即署本职，主奏记事。”亿有诗及赋集，又其诗多佚，且均未能系年。《新唐书·艺文志四》著录《公乘亿诗》一卷、《赋集》十二卷。《崇文总目》卷五又记有其《华林集》三卷、《珠林集》四卷。《全唐诗》卷六〇〇载其诗仅四首，《全唐文》卷八一三载其文三篇。

十月

司空图约此时撰《石氏墓志铭》，时仍居华阴。其《蒲帅燕国太夫人石氏墓志铭》，中记石氏薨于光启丙午（即光启二年）八月，“以龙纪元年十月迁祔于河东县某里瑯琊公之茔，礼也。同盟致享，备物充庭。”（见《全唐文》卷八一〇）［按，石氏乃王重荣、王重盈之母］

十一月

唐昭宗李杰更名为晔。

罗隐年五十七，（见《旧唐书·昭宗本纪》）唐昭宗改名表，颇为时人所称。《吴越备史·罗隐传》载："及为贺昭宗更名表，曰：'左则虞舜之全文，右则姬昌之半字。'当时京师称为第一。"《十国春秋·罗隐传》亦记此事，并记在"昭宗改名晔"时。

钱珝，为太常博士，两度进状反对宦官着朝服参与祭祀典礼。《唐会要》卷九下《杂郊议下》记："龙纪元年十一月己丑朔，将有事于圜丘；辛亥，上宿斋于武德殿，宰相百僚朝服于位。时两军中尉杨复恭及两枢密皆朝服侍上，太常博士钱珝、李绰等奏论之。"《旧唐书·昭宗本纪》详载其事。

本年

司空图年五十三，召拜舍人，未几，以疾辞。寓居华阴。撰《题柳柳州集后序》、《与李生论诗书》。诗作有《华下》、《华下送文涓》等。《旧唐书》本传云："龙纪初，复召拜舍人。未几又以疾辞。河北乱，乃寓居华阴。"《题柳柳州集后序》云："今于华下方得柳诗，味其深搜之致，亦深远矣。"《华下》诗云："不用名山访真诀，退休便是养生方。"绎其诗意，当作于河北军乱、寓居华阴时。其《与李生论诗书》，标举有本年诗作《华下送文浦》等，约作于本年稍后，文中提出"辨于味而后可以言诗"及"韵外之致"等诗论观点。其文曰："文之难而诗尤难，古今之喻多矣。愚以为辨于味而后可以言诗也。……王右丞、韦苏州，澄澹精致，格在其中，岂妨于道学哉！贾阆仙诚有警句，然视其全篇，意思殊馁，大抵附于蹇涩方可致其才，亦为体之不备也，矧其下者哉！噫，近而不浮，远而不尽，然后可以言韵外之致耳。愚窃尝自负，既久而愈觉缺然。然得于早春，则有'草嫩侵沙长，冰轻著雨销。'又'人家寒食月，花影午时天'……皆不拘于一概也。盖绝句之作本于诣极，此外千变万状，不知所以神而自神也，岂容易哉！"（见《全唐文》卷八〇七）

韦庄年五十四。自今年起三年内，自浙游赣、湘、鄂、皖等地，又返婺州。《唐才子传·韦庄传》记庄此次之游云："庄早尝寇乱，间关顿踬，携家来越中，弟妹散居诸郡。江西、湖南，所在曾游，举目有山河之异。故于流离漂泛，寓目缘情，子期怀旧之辞，王粲伤时之制，或离群轸虑，或反袂兴悲，四愁九怨之文，一咏一觞之作，俱能感动人也。"其所作诗有《不出院楚公》、《抚州江口雨中作》、《题袁州谢秀才所居》等诗。（参夏承焘《韦端己年谱》）

郑谷，四十二岁。仍在漂泊中，有《倦客》、《荆渚八月十五日夜值同年李屿》等诗。《倦客》诗曰："十年五年道路中，千里万里西复东。"谷自广明元年（880）随驾奔蜀直至本年，首尾十载，长期东奔西走，飘泊不定，故自称"倦客"。其三次入蜀，至本年秋又二次返回荆州矣。《荆渚八月十五日夜值同年李屿》诗云："共待辉光夜，翻成黯淡秋……明年佳景在，相约向神州。"诗乃及第后离蜀返回荆州之作，其时尚未授官。（参《郑谷年谱》）

查文徽（889—959）生。文徽，诗人。字光慎。歙州休宁（今属安徽）人。幼好学。稍长，任气好侠。南唐烈祖时，为浙西判官。入为水部员外郎、侍御史。中主时，迁谏议大夫、中书舍人，拜枢密副使。保大二年（944），为江西安抚使。迁抚州观察使，拜永安军留后。后为吴越所俘。放归后，以工部尚书致仕。坐累，安置宣州。显德六年（959），卒。《全唐诗》存诗一首。事迹见马令及陆游《南唐书》。《十国春秋》本传。

悟真（？—889?）约本年卒。悟真，僧人。籍贯不详。原为沙州释门义学都法师。大中五年（851）至长安，授京城临坛大德。后为河西释门都僧统，知沙州法律三学教主。敦煌遗书存歌、诗二篇，文三篇、邈真赞十数篇。事迹见其作品。

常浩，唐代女诗人。生卒年、籍贯不详。入籍娼门为妓。《又玄集》选录其诗，当为光化以前人。《全唐诗》存诗二首。事迹见所附小传。

公元 890 年（唐昭宗大顺元年　庚戌）

正月

戊子朔，大赦，改元大顺。（见《旧唐书·昭宗本纪》）

李洞约此时在长安，游宰相刘崇望光德里茅亭，有《题刘相公光德里新构茅亭》之作。（见《全唐诗》卷七二二）

吴融在韦昭度西蜀幕，时简州归降，融赋《简州归降贺京兆公》诗以祝贺，称颂昭度功绩。（见《全唐诗》卷六八六）《资治通鉴》卷二五八大顺元年正月载："韦昭度营于唐桥，王建营于东闾门外，建事昭度甚谨。辛亥，简州将杜有迁执刺史员虔嵩降于建，建以有迁知州事。"

二月

丁巳，国子祭酒孔纬提议内外文臣捐钱助修国学，昭宗从之。《旧唐书·昭宗本纪》大顺元年二月载："丁巳，宰臣兼国子祭酒孔纬以孔子庙经兵火，有司释奠无所，请内外文臣自观察使、制使下及令佐，于本官料钱上缗抽十文，助修国学，从之。"（参《旧唐书·孔纬传》）

御史中丞裴贽为知贡举。杨赞禹、王驾、戴思（一作司）颜、王虬、张莹、林衮、张乔等二十一人登进士第。

杨赞禹以第一名中进士科状元。《黄御史集》有《寄杨赞图学士诗》，注云："学士与元昆俱以龙脑登选。"元昆即赞禹。薛廷珪《授杨赞禹左拾遗制》云："赞禹连中殊科，首冠群彦。"《全唐文》卷八二三黄滔《与杨状头书》："谨献书状元先辈：圣人之道没，必假后贤以援之。故天将假后贤以援之，必先否其人之数，而后克亨其道。苟知厥理，繇是得而言之。且咸通、乾符之贡士，其有德行文学人地如先辈而在举场，则其举罕再，而先辈在举场逮二十年，何哉？是知天否先辈当年之数，以亨今日之道，假于春官、天官之网，首冠群彦，基我中兴，使天下之人翕然向风，奔走慕义，以偃干戈，岂不然乎？今俾天下之人奔走瞻之，为龙门管钥，宗伯之处士也，莫不俟我之启。某顷者频试于小宗伯，姓名罔为人之所闻，然多受知于前辈。故安州郑郎中、江陵蒋校书谓所业赋偶公道，必为宗师之荐宗伯之求。某佩斯言十有五年矣。幸蜀之后，东蛰闽越。洎前年榜，伏覩先辈荣登。逮王先辈希龙之还，敬话先辈之道某熟得而知，

勉某提携所业直扣门仞。昨某之来也，朝及京师，暮期刺谒，今幸于此遽获贽投。果蒙先辈逾涯越等加之赏录，便许荐拔，充宗伯之所求。则二贤之言斯验矣。若某则己登选于今日也，某草泽单寒，无门报德，且世之感恩谢知，罔不率以杀身为辞。夫杀身之期，是待知己于患难，某今感先辈之恩知，谨惟铭刻肌骨。故献书于座右以陈露之，伏惟始终怜察焉。不宣。某再拜。”又，《广卓异记》卷十九《兄弟二人状元及第》条云：“右按《登科记》：杨赞禹大顺元年状元及第，弟赞图乾符四年状元及第。”

王驾，生卒年不详，本年进士及第。《唐才子传》：“王驾字大用，蒲中人，自号守素先生。大顺元年杨赞禹榜登第，授校书郎。”（参王安石《唐百家诗选》卷十九《直斋书录解题》卷十九）、《唐诗纪事》：“僖宗幸蜀，驾下第还蒲中，郑谷以诗送云：‘孤单取仕休言命，早晚逢人。苦爱诗。’后有《次韵王驾校书结绶见寄之什》云：‘直应归谏苑，方肯别山村。勤苦常同业，孤单共感恩。’驾仕至礼部员外郎，与司空图、郑谷为诗友。”王驾及第前已颇负声名，与司空图、郑谷交游唱和。司空图有《与王驾评诗书》一文，另有《与台丞书》，云：“又有王驾者，勋休之后，于诗颇工，于道颇固……其他当俟阁下操人柄救时艰……庶不驱之仇人。”蒲州（治今山西永济）人。生卒年不详。中和中，至蜀，应举不第。本年始进士及第，授校书郎。乾宁中，仕至礼部员外郎。后弃官归隐。工于诗，有时名。司空图《与王驾评诗书》评其诗：“五言所得，长于思与境偕，乃诗家之所尚者。”所作《雨晴》、《社日》二诗，写景生动，构思巧妙，情趣盎然，为传世名篇。宋谢枋得《谢叠山诗话》：“王驾《古意》……‘西风吹妾妾忧夫’与‘寒到君边衣到无’两句，见夫妇之至情。”范晞文《对床夜话》卷五亦谓“情新因意胜，意胜逐情新”，上官仪诗也。王驾有‘雨前初见花间蕊，雨后全无叶底花’，脱胎工矣。人以为此格自驾始，非也。”有《王驾诗集》六卷，著录于《新唐书·艺文志四》。《直斋书录解题》卷一九作《王驾集》一卷。其集已佚。《全唐诗》及其“补遗”存诗七首，内二首与他人互见。《全唐诗补编》补一首。事迹见《唐才子传校笺》卷九。

戴思颜（戴司颜），生卒年不详，本年进士及第。生卒年、籍贯不详，本年进士及第。《唐才子传》：“戴思颜，大顺元年杨赞禹榜进士及第，与王驾同袍。”《唐诗纪事》、《唐摭言》、《全唐诗》并作“司颜”。思颜曾至边塞，有咏边之作。乾宁中官太常博士。有诗名。吴乔《围炉诗话》卷二称其《江上雨》为“情景皆真，故能浃洽”。元辛文房称其诗“气宇盘礴，每有过人”，并谓“有集今传”，然今存诗多坦率平易，其诗集亦未见宋元以来书目所著录。《全唐诗》存诗二首、断句二句。事迹见《唐才子传校笺》卷九。

王虬，生卒年不详，本年进士及第。《新唐书·艺文志》：“字希龙，泉州南安（今属福建）人。大顺初举进士第。黄滔《与杨状头书》有“王先辈希龙……”等语。《新唐书·艺文志四》著录《王虬集》十卷，作品已佚。

张莹，生卒年不详，本年进士及第。淳熙《三山志》：“莹字昭文，连江（今属福建）人。杨赞禹榜进士，终礼部尚书，知延州。”唐末五代以辞赋名家。《宋史·艺文志七》著录《吊梁赋》一卷，已佚。《全唐诗》存断句一联。事迹见《登科记考》卷二四。

林衮，生卒年不详，本年进士及第。（见《登科记考》卷二四）淳熙《三山志》："衮字谠言，闽县人，终秘书校书郎。"与《元和姓纂》之广陵监察御史林衮姓名相同，但时代、官历异。

张乔，本年进士及第。《新唐书》卷六〇《艺文志四》："《唐彦谦诗集》三卷；《张乔诗集》二卷；《王驾诗集》六卷字大用；《吴仁璧诗》一卷字廷实，并大顺进士第。"明代广陵钱元卿刻本《笺注唐贤三体诗法》卷一、日本刻本《增注唐贤绝句三体诗法》卷首皆言张乔登大顺进士第。《唐诗品汇》卷首："张乔，池州人，咸通中京兆府解试首荐。《唐书》：昭宗大顺进士。"天一阁藏嘉靖《池州府志》卷七《人物篇·甲科·贵池·唐》："张乔，大顺元年第。"又《池州府志》卷《人物篇·贤哲》："张乔……昭宗大顺元年登进士第。"万历《池州府志》卷五、卷六所载略同。

知贡举：御史中丞裴贽。裴贽凡三榜，二榜见后，是年当为第一榜。《唐摭言》："裴公第一榜，拾遗卢参预之。"谓通榜也。黄滔《与裴侍郎启》"伏惟侍郎中丞顷持文柄。"（参严耕望《唐仆尚丞郎表》卷十六《辑考五下·礼侍》）

三月

郑谷年四十三，时在长安。友人韦序授拾遗，谷以《贺左省新除韦拾遗》诗贺之。（傅义《郑谷诗集编年校注》）

五月

宰相张濬听朱全忠之计，请讨伐李克用，昭宗勉强从之。朝廷遂召集汴、滑、孟三军，讨伐河东李克用沙陀军，以张濬为太原四面行营兵马都统，孙揆副之，朱全忠为南面招讨使。此后数月，河北、河东用兵不绝。（见《旧唐书·昭宗本纪》、《资治通鉴》卷二五八）

七月

孙揆兵败被擒。

杜荀鹤年四十五，离池州山居入京赴举。途中逢高员外，赋《乱后出山逢高员外》诗，坦言此行意在干谒时贤。（见《全唐诗》卷六九二）荀鹤《别舍弟》、《入关寄九华友人》，均离山居赴京所咏。（见《全唐诗》卷六九一、卷六九二）

韩偓年四十九岁，去年新及第，例就辟外幕，佐王重盈河中幕。在幕中年余，作有《边上看猎赠元戎》一诗。（见《全唐诗》卷六八二）后于本年入朝为右拾遗。钱珝《授司勋郎中兼侍御使知杂事赐绯鱼韩偓本官充翰林学士制》载："具官韩偓，动人之行，率性自强，慎动不渝，考祥甚远，资以讲学，见于文章……朕初嗣丕业，擢升谏曹。"（见《全唐文》卷八二一）

九月

甲申，幽、云两州蕃、汉兵三万攻雁门，太原将李存信、薛阿檀击败之。（见《资治通鉴》卷二五八）

雁门被攻时李洞于南归途中赋《蕃寇侵逼南归道中》诗以纪之。（见《全唐诗》卷七二一）

吴融随韦昭度军在蜀中，已二载，起怀乡之愁，赋《坤维军前寄江南弟兄》诗，以寄江南兄弟。（见《全唐诗》卷六八六，参《北梦琐言》卷四）

闰九月

司空图于重阳咏《歌者十二首》，抒发其乱世隐逸情怀。其十云："重九仍重步渐阑，强开病眼更登攀。年年认得酣歌处，犹恐招魂葬故山。"（见《全唐诗》卷六三四，参《中国史历日和中西历日对照表》）

十月

陆希声编次中唐古文家李观文为三编，并撰集序。序中评论李观、韩愈文，称韩愈"落落有老成之风"。希声时约六十三岁，前曾累官歙州刺史。又曾授书法于僧詧光，后有诗寄詧光，为詧光所荐，召为给事中。希声《唐太子校书李观文集序》，文末署"大顺元年十月日给事中陆希声序"。序云："自广明丧乱，天下文集略尽。予得元宾文于汉上，惜其恐复磨灭，因条次为三编，论其意以冠于首。""贞元中，天子以文化天下，天下翕然兴于文。文之尤高者李元宾观、韩退之愈。始元宾举进士，其文称居退之之右。及元宾死，退之之文日益高。今之言文章，元宾反出退之之下。论者以元宾早世，其文未极，退之穷老不休，故能卒擅其名。予以为不然。要之，所得不同，不可以相上下者。文以理为本，而辞质在所尚。元宾尚于辞，故辞胜其理。退之尚于质，故理胜其辞。退之虽穷老不休，终不能为元宾之辞；假使元宾后退之之死，亦不能及退之之质。此所以不相见也。夫文兴于唐虞而隆于周汉，自明帝后，文体寖弱，以至于魏、晋、宋、齐、梁、隋，嫣然华媚，无复筋骨。唐兴犹袭隋故态，至天后朝陈伯玉始复古制，当世高之。虽博雅典实，犹未能全去谐靡。至退之乃大革流弊，落落有老成之风，而元宾则不古不今，卓然自作一体，激扬发越，若丝竹中有金石声。每篇得意处，如健马在御，蹀蹀不能止。其所长如此，得不谓之雄文哉！"（见《全唐文》卷八一三）希声曾将书法真诀传授名僧詧光。《宋高僧传》卷三十《后唐明州国宁寺詧光传》称："释詧光，字登封，姓吴氏，永嘉人也。……幼舍家于陶山寺剃度。……多作古调诗，苦僻寡味，得句时有得色。长于草隶，闻陆希声谪宦于豫章，光往谒之。陆恬静而傲气，居于舟中，凡多回投刺，且不之许接。一日设方计干谒，与语数四，苦祈其草法，而授其五指拨镫诀。光书体当见遒健，转腕回笔，非常所知。乃西上，昭宗诏对御榻前书，赐紫方袍。"《唐诗纪事》卷四八陆希声条记："古之善书，鲜有得笔法者。希声得之，凡五字：擫、押、钩、格、抵。用笔双钩，则点画遒劲，而尽妙矣，谓之拨镫法。希声自言昔二王皆传此法，至阳冰亦得之。希声以授沙门䛒光。䛒光入长安为翰林供奉，希声犹未达，以诗寄䛒光云：‘笔下龙蛇似有神，天池雷雨变逡巡。寄言昔日不龟手，应念江头洴澼人。’䛒光感其言，引荐希声于贵倖，后至相。”《新唐书·陆希声传》记希声“擢累歙州刺史。昭宗闻其名，召为给事中”。希声有《寄䛒光上人》。（见《全唐诗》卷六八九）

十一月，张濬军溃，唐师败绩。合讨河东之役，终以朝廷蒙羞而告终。（见《旧唐书·昭宗本纪》、《资治通鉴》卷二五八）

十二月

李克用上表诉冤。张濬贬连州刺史。（见《旧唐书·昭宗本纪》）

杜荀鹤在长安准备应春试，时近腊，赋《长安冬日》诗。（见《全唐诗》卷六九一）

本年

宰相杜让能监修国史，荐钱珝、司空图、顾云等为修国史人选。《旧唐书·昭宗本纪》载，龙纪元年三月，“以右仆射、门下侍郎、集贤殿大学士杜让能为左仆射，监修国史，判度支”；十二月，“宰相杜让能兼司空”。《唐诗纪事》卷六七“顾云”条载：“宰相杜某，奏云与卢知猷、陆希声、钱珝、冯渥、司空图等，分修宣、懿、僖三朝实录，皆一时之选也。”［按，“宰相杜某”，即杜让能］

韦庄年五十五，客游鄂、赣。有《西塞山》、《齐安郡》、《送李秀才归荆溪》、《谒巫山庙》、《钟陵夜阑作》等诗。

王徽（？—890）卒。徽，以散文名家。字昭文。京兆杜陵（今陕西西安东南）人。大中十一年（857）进士及第，已年过四十。释褐秘书省校书郎。乾符初，累迁司封郎中、长安令，充翰林学士。改职方郎中知制诰，拜中书舍人。累加尚书左丞，学士承旨。广明元年（880）改户部侍郎、同平章事。为黄巢所俘，逃至河中。授兵部尚书，充京城四面宣慰催阵使。光启中，授昭义节度使。中和四年（884）由大明宫留守权知京兆尹。以得罪幸臣，授太子少师。昭宗即位，授吏部尚书。进右仆射，本年卒。《全唐文》存文三篇。事迹见新、旧《唐书》本传。

张琳，本年领邛南招安使，寻知留后。琳，许州（治今河南许昌）人。生卒年不详。唐末为眉州刺史，修通济堰，民受其惠。后事王建，为永平节度判官。领邛南招安使，寻知留后。授节度副使。大顺中，累迁武信军节度使。卒于官。有《张琳集》十卷，著录于《宋史·艺文志七》。作品已佚。事迹见《十国春秋》本传。

张琰，唐代女诗人。琰，误作瑛。生卒年、籍贯、事迹不详。《又玄集》曾选其诗，生活于昭宗之前。《全唐诗》存诗三首、断句四句。

袁皓，（？—890？）约本年卒。皓，唐代散文家、诗人。字退山，自称碧池处士。袁州宜春（今属江西）人。咸通六年（865）进士及第。曾以“侍御”佐幕。任当阳令、吉州和抚州刺史。广明元年（880），随僖宗奔蜀。中和元年（881），为仓部、礼部（一作虞部）二员外郎。龙纪元年（889），为集贤殿图书使。卒。博学能文。所作《吴相客记》以龙蛇为喻，说明统治者以干戈得天下不能久长；《齐处士言》阐述薄赋利民的重要，针对现实，有激而发，笔锋犀利，文字生动。两文都是晚唐小品文名篇。诗成就不高。《新唐书·艺文志》著录《碧池书》三十卷、《兴元圣功录》三卷、编《道林寺诗》二卷，《宋史·艺文志七》著录《袁皓集》一卷，并佚。《全唐文》存文三篇，《全唐诗》存诗四首。事迹见《新唐书·艺文志四》、《唐诗纪事》卷六七。

公元891年（唐昭宗大顺二年　辛亥）

正月

十日，进士科榜下。知贡举礼部侍郎裴贽。崔昭矩、陈鼎、黄璞、杜荀鹤、王涣、李德邻、王拯、赵光胤、张曙、吴仁璧、蒋肱、罗兖（罗衮）、吴蜕、王翃等二十七人登进士第。《南部新书》卷辛载："杜荀鹤……大顺二年正月十日，裴贽下第八人。其年放榜日，即荀鹤生日。"《洞微志》亦记："杜荀鹤……裴贽侍郎下第八人登科，乃大顺三年正月十日荀鹤生日也。"（见《诗话总龟》卷五《投献》门引）

崔昭矩，以第一名中进士科状元。《唐摭言》："崔昭矩，大顺中裴贽下状元及第。翌日，兄昭纬登庸。"［按，《宰相表》，崔昭纬以大顺二年正月庚申同平章事，是昭矩为此年状元］《北梦琐言》："唐进士崔昭矩为状元，有进士团所由动静举罚，一日所由疏失，状元笞之。逡巡所由谢杖于阶前，对诸进士曰：'崔十五郎不合于同年前面瞋决所由，请罚若干。'博陵无言以对。"

陈鼎，以第二名登进士第。《淳熙三山志》："鼎，福清人。崔昭矩榜进士。"［按，《十国春秋》载，黄晟辟前进士陈鼎、羊绍素为宾客］当即其人。黄滔《祭陈先辈》（黄滔，原注为"鼎"）："维光化四年岁次辛酉正月二十七日祭于东君之灵。……始者，随即归越，上书入秦，擅价而侯门倾动，呈功而凤藻精新。咸通之年，九霄也鹞路；乾符之际，万仞也龙津。既而瓯岭经兵，蜀川迎帝，匪无随驾之恳，实切问安之计。肩负樵饭，志销丹桂。虽深藏豹之诫，难遏化鲲之势。都堂昔日，困一千辈之交锋；大国中兴，作第二人之登第。"（见《全唐文》卷八二六）《吴越备史》卷二："（黄）晟颇尚礼士，辟前进士陈鼎、羊绍素以为门宾。"

黄璞，以第四名中进士。《新唐书·艺文志》："璞字绍山，大顺中进士第。"徐夤《赠黄校书先辈璞闲居诗》曰："取得骊龙第四珠，退依僧舍卜贫居。"《淳熙三山志》："黄璞字德温，侯官（今福建闽侯）人，后迁莆田。官至崇文馆校书郎，自号雾居子，有集二十卷。"璞，五代以小说名家。登进士第，授尚衣监主簿。寻归闽，景福二年（893）为故观察使陈岩撰墓志。乾宁元年（894）入京，任崇文馆校书郎。约光化中致仕归闽，移居莆田。天祐元年（904）尚在世，约卒于后梁初。璞与闽中文士黄滔、徐夤、翁承赞等均有过往唱酬。撰《闽川名士传》，自薛令之而下凡五十四人。所记虽为真人真事，然情节结构颇富虚构色彩，人物形象鲜明，语言亦生动优美，为唐人传奇之别类。《新唐书·艺文志二》著录此书为一卷，久已散佚，今存十二条：《太平广记》六条，《莆阳比事》四条，《全唐文》二条（后二书复出者不计）。《新唐书·艺文志

四》又著录其《霖居子》十卷，《三山志》卷二六称其“有集二十卷”，今佚。《唐文拾遗》补文一篇。事迹见《新唐书·艺文志二》、《三山志》卷二六、《莆阳比事》卷二引《黄氏家传》、《闽书》卷七五。

杜荀鹤（846—904）年四十六，以第八名中进士。《唐新纂》收《荀鹤举进士及第，东归过夷门，献梁太祖诗》句云：“四海九州空第一，不同诸镇府封王。”《唐才子传》：“（荀鹤）尝谒梁王朱全忠，与之坐……荀鹤寒进，连败文场甚苦……至是送春官。大顺二年，裴贽侍郎放第八人登科。正月十日放榜，正荀鹤生朝也。王希羽献诗曰：‘金榜晓悬生世日，玉书潜记上昇时。九华山色高千尺，未必高于第八枝。’荀鹤居九华，号九华山人。”（参《南部新书》辛卷、《唐才子传》卷九、《郡斋读书志》卷四、《全唐诗》卷六九一《杜荀鹤小传》、徐松《登科记考》卷二四）顾云《唐风集序》云：“大顺初，帝命小宗伯河东裴公掌邦贡。次二年，遥者来，隐者出，异人俊士始大集都下，于群进士中得九华山人杜荀鹤，拔居上第。诸生谢恩日，列坐既定，公揖生谓曰：圣上嫌文教之未张，思得如高宗朝射洪拾遗陈公子昂，作诗出没二雅，驰骤建安，削苦涩僻碎，略淫靡浅切，破艳冶之坚阵，擒彫巧之酋帅，皆摧撞折角，崩溃解散，扫荡辞场，廓清文祲。然后戴容州、刘随州、王江宁率其徒，扬鞭按辔，相与呵乐，来朝于正道矣。以生诗有陈体，可以润国风，广王泽，因擢生以塞诏意。生勉为中兴诗宗。”（见《全唐文》卷八一五）[按，此文一作《杜荀鹤文集序》]《北梦琐言》：“唐右补阙张曙……曾戏同年杜荀鹤曰：‘杜十四（一作杜十五）仁贤大荣幸，得与张五十郎同年。’荀鹤答曰：‘张五十郎大荣幸，得与荀鹤同年。天下只闻杜荀鹤名字，岂知张五十郎耶？’彼此大咍。”《唐诗纪事》：“荀鹤……擢第年四十六矣。李昭象《喜杜荀鹤及第诗》云：‘深岩贫复病，榜到见君名。贫病浑如失，山川顿觉清。一春新酒兴，四海旧诗声。日使能吟者，西来步步轻。’又殷文圭《寄贺杜荀鹤及第》云：‘一战平畴五字劳，书归乡去锦为袍。大鹏出海翎犹湿，骏马辞天气正豪。九子旧山增秀绝，《二南》新格变风骚。由来稽古符公道，平地丹梯甲乙高。’”《十国春秋》：“荀鹤庭前椿树生二芝，次年及第，因名之为科名草。”荀鹤及第试卷，至宋时犹存，王禹玉作《庞颍公神道碑》，其家送润笔金帛外，参以古书名画三十种，内一种即荀鹤试卷。（见《石林燕语》）荀鹤及第后有《辞座主侍郎》一诗，诗云：“一饭尚怀感，况攀高桂枝。此恩无报处，故国远归时。”宋葛立方《韵语阳秋》卷一八云：“杜荀鹤老而未第，求知己甚切。《投裴侍郎》云：‘只望至公将卷读，不求朝士致书论。’《投李给事》云：‘相知不相荐，何以自谋身。’《投所知》云：‘知己虽然切，春官未必私。宁教读书眼，不有看花期。’《投崔尚书》云：‘闭户十年专笔砚，仰天无处认梯媒。’如是等句，几于哀鸣矣。”荀鹤《近试投所知》中云：“白发随梳落，吟怀说向谁。敢辞成事晚，自是出山迟。”（见《全唐诗》卷六九一）荀鹤本年登进士第后还乡，为宣州节度使田頵幕吏。天复初奉田頵命出使大梁，值田頵兵败被杀，遂留朱全忠幕。天祐元年任主客员外郎、知制诰，充翰林学士，旋卒。荀鹤为唐末著名诗人，论诗主张“诗旨未能忘救物”（见《自叙》）、“言论关时务，篇章见国风”（见《秋日山中》）。顾云称其诗“雅丽清省激越之句，能使贪吏廉，邪臣正……其壮语大言，则决起逸发，可以左揽工部袂，右拍翰林肩”（见《唐风集序》）。尤擅近体诗。为诗刻苦，自言“此心闲未得，到处被诗磨”（见《泗上客愁》）。其《宫人怨》一诗，宋人评为唐人宫词中第一佳作。所著有《唐风集》三卷，录诗三百余篇，顾云为其作序。《郡斋读书志》卷一八著录《唐风集》十卷，《直斋书录解题》卷一九则记为三卷。今尚存宋蜀刻本《杜荀鹤文集》三卷。《全唐诗》（含“补遗”）编诗三卷又一首，《全唐诗逸》补四句，《全唐诗补编》补三首八句，重录一首。事迹见唐顾云《唐风集序》、《北梦琐言》卷六、《旧五代史》卷二四、《唐诗纪事》卷六五、《唐才子传校笺》卷九。

王涣（859—901）三十三岁，进士及第。《唐诗纪事》卷六六载，涣于“大顺二年侍郎裴贽下登第”。卢光济《唐故清海军……王府君墓志铭》亦云：“今司空致政闻喜裴公贽主贡籍之日，登俊造之科。”又记王涣“君适当游戏之年，已无所好弄，独于文学笔砚，乃天敕其性，才十余岁，其章句之妙，遽有老成人之风，遂稍稍布于名士之听。未数载，妍词丽唱，喧著缙绅，靡不相传，成诵在口，如非玄赋，与彼生知，信未可造次企拟也。既随计吏，自若闻人，贽执之初，声称藉甚，故凡所仰止者皆世之名士，朝之钜贤，俾成羽翰，迭用唱和……”《唐才子传·王涣传》称：“涣工诗，情极婉丽。尝为《惆怅诗》十三首（按疑为十二首之误），悉古佳人才子，深怀感怨者，以崔氏莺莺、汉武李夫人、陈乐昌主、绿珠、张丽华、王明君，及苏武、刘、阮辈事成篇，哀伤媚妩。如：‘谢家池馆花笼月，萧寺房廊竹飐风。夜半酒醒凭槛立，所思多在别离中。’又，‘梦里分明入汉宫，觉来灯背锦屏空。紫台月落关山晓，肠断君王信画工’等，皆绝唱，喧炙士林。在晚唐诸人中，霄壤不侔矣。”又此诗之一云：“八蚕薄絮鸳鸯绮，半夜佳期并枕眠。钟动红娘唤归去，对人匀泪拾金钿。”之九云：“陈宫兴废事难期，三阁空余绿草基。狎客沦亡丽华死，他年江令独来时。”《唐摭言》：“大顺中，王涣自左史拜考功员外，同年李德邻自右史拜小戎，赵光胤自补兖拜小仪，王拯自小版拜少勋。涣《首唱长句感恩上裴公》曰：‘青衿七十榜三年，逮礼含香次第迁。珠彩乍连星错落，桂花曾对月婵娟。玉经磨琢多成器，剑拔沈埋便倚天。应念衔恩最深者，春来为寿拜尊前。’裴公答曰：‘谬持文柄得时贤，粉署清华次第迁。昔岁策名皆健笔，今朝称职并同年。各怀器业宁推让，俱上青云岂后先。何事老来犹赋咏，欲将酬和永流传。’”涣以文学名家。涣，又误作焕。字文吉，一作群吉。并州太原（今属山西）人。少好文，十余岁已有诗名。进士及第之明年，授秘书省校书郎。辟山南西道节度推官，授试太常寺协律郎。二年（893）授长安尉，充直学士。拜左拾遗，转右补阙。乾宁二年（895）迁起居郎。转司勋员外郎。光化元年（898）官考功员外郎。天复元年（901）为吏部员外郎，复以检校考功郎中兼御史中丞充清海军节度掌书记，卒于路，年四十三。一说以礼部侍郎致仕，年九十，误。涣工诗能文，以气概文学自负。妍词丽唱，传诵人口，在晚唐诗人中颇知名。咏昭君等篇尤称绝唱。撰《燕南笔稿》十卷、《西府笔稿》三卷、《从知笔稿》五卷及辞赋三十篇、诗三百首、文二百篇，集已散佚。《全唐诗》存诗十四首。事迹见唐卢光济《唐故清海军节度掌书记太原王府君墓志铭》。（见岑仲勉《金石论丛》）

李德邻，生卒年不详，与王涣本年同登进士第。（见《唐摭言》）

王拯，生卒年不详，与王涣、李德邻等同年登进士第。（见《唐摭言》）

赵光胤，《旧唐书·赵隐传》：“子光胤，大顺二年进士登第。”《旧五代史》：“光胤，光逢之弟也，俱以词艺知名，亦登进士第。”

张曙，《唐摭言》：“张曙、崔昭纬，中和初西川同举，相与诣日者问命。曙自恃才名籍甚，人皆目为将来状元，崔亦分居其下。无何，日者殊不顾曙，第目崔曰：‘将来万全高第。’曙有愠色，日者曰：‘郎君亦及第，然须待崔家郎君拜相，君当于此时过堂。’既而曙果以惨恤不终场，昭纬其年首冠。曙以篇什刺之曰：‘千里江山陪骥尾，五更风水失龙鳞。昨夜浣花溪上雨，绿杨芳草属何人?’崔甚不平。会夜饮，崔以巨觥饮张，张推辞再三。崔曰：‘但吃却，待我作宰相与郎君取状头。’张拂衣而去，因之大不悦。后七年，崔自内廷大拜，张后于三榜裴贽下及第，果于崔下过堂。”（参《唐诗纪事》卷六六）曙以辞赋、诗名家。邓州南阳（今属河南）人。排行五十。生卒年不详。中和三年（883）应举于蜀中，自恃才名，时人呼为“将来状元”，竟落第。久之，方进士及第。官至右补阙。工文能诗。词采秀丽，知名于世。《鄠郊赋》写长安乱离，时人比之为庾信《哀江南赋》。《全唐文》存赋一篇；《全唐诗》存诗、词各一首，《全唐诗补编》补二首。事迹见《北梦琐言》卷四。

吴仁璧，生卒年不详，本年进士及第。史载仁璧，字廷宝，一字廷实，又字廷玉。《永乐大典》引《苏州府志》云：“吴仁璧，字廷宝，长洲人。……侍郎裴贽知贡举，仁璧登第。”《唐音戊签》九十：“吴仁璧，字廷玉，吴人，大顺二年进士第。”吴仁璧传，见《十国春秋》卷八八。《新唐书》六〇《艺文志四》著录《吴仁璧诗》一卷，注云：“字廷实，并大顺进士第。”

蒋肱，生卒年不详，本年进士及第。《唐摭言》卷一《广文》条载：“大顺二年，孔鲁公在相位，特置吴仁璧于蒋肱之上。”吴仁璧为广文生，蒋肱为乡贡。咸通、乾符以来，率以广文生为末第，鲁公特矫其弊如此。《永乐大典》引《宜春志》：“蒋肱登大顺三年进士第。”［按，“三”盖“二”之讹。］天一阁藏［正德］《袁州府志》卷七《科第·唐》亦载：“蒋肱，大顺二年进士。”肱，袁州宜春（今属江西）人。生卒年不详。以乡贡登进士第。后曾居荆南节度使成汭幕，为上宾，住五花馆。《全唐诗》存诗一首，但将其断句一联误作路德延诗。事迹见《唐摭言》卷一、《南部新书》癸、《登科记考》卷二四。

罗兖（罗衮），生卒年不详，本年进士及第。《永乐大典》引《临邛续志》：“罗兖，临邛人，应进士举。文学优赡，操尚甚高。唐大顺中策名，不归故乡。时属丧乱，朝廷多故，契阔兵难，备历饥寒。蜀先主致书于翰林令狐学士、吴侍郎，选书记一员。欲以桂阳应聘。外郎谓知己曰：‘誓拥马通衢，服弊布衣，以俟外朝，无复西归，为鲁国东家某也。’竟通朝籍，终于梁礼部员外郎也。”《唐音戊签·余》卷七：“罗衮，字子制，临邛人。文学优赡，大顺中策名，历右拾遗、起居郎。”《全唐诗》卷七三四亦作“罗衮”。兖（衮）天复中为左拾遗，以昭宗诛宦官，上言为刘蕡伸冤。天祐二年（905）为起居郎，预议昭宗谥号，迁右补阙。唐亡，仕后梁，开平中为主客员外郎，曾奉使吴越。官终礼部员外郎。文学优赡，操尚甚高。有《罗兖（衮）集》二卷，著录于《新唐书·艺文志四》，已佚。《全唐诗》存诗三首，《全唐诗补编》补一首；《全唐文》存文二十篇，《唐文续拾》补一篇。事迹见《北梦琐言》卷五、《旧唐书·哀帝本纪》、《唐会要》卷二、《唐诗纪事》卷六八。

吴蜕，生卒年不详，本年进士及第。《十国春秋·吴程传》："程，山阴人。父蜕，大顺中登进士，解褐镇东军节度掌书记。"《吴越备史》卷四："（吴）程字正臣，山阴人。……父蜕，大顺中登进士，解褐镇东军节度掌书记，右拾遗，累官礼部尚书。"蜕为镇东军节度掌书记时，与罗隐同幕，相友善。迁右拾遗，隐有《暇日感怀因寄同院吴蜕拾遗》诗。钱镠称吴越国王，蜕累官至礼部尚书。有《文场应用》三卷，著录于宋《秘书省续编四库阙书目》，已佚。《全唐文》存文一篇。事迹见《十国春秋·吴程传》。

王翃，《新书·艺文志》："翃字雄飞，大顺进士第。"翃以辞赋名家，生卒年、籍贯不详。《新唐书·艺文志四》著录《王翃赋》一卷，作品已佚。

杨彦伯，登童子科。《明一统志》卷五十五《临江府·人物·唐》："杨彦伯，新淦人。幼颖悟，大顺间擢童子科，昭宗亲试之，彦伯应对详雅，上曰：'刘晏之徒也。'御制诗赐之。后宰安福县。"天一阁［嘉靖］《临江府志》卷五《选举表六·科第·唐·新淦》："杨彦伯［按，原误作'伯彦'］，童子科，有传。"同书卷六《人物志·唐》："杨彦伯，字鼎臣，新淦人。大顺间擢童子科，昭宗亲试之，彦伯应对详雅，上曰：'刘晏之徒也。'以诗赐之。后为安福令，州以异闻，赐绯鱼，历官门下侍郎。"天一阁［隆庆］《临江府志》卷十二《人物列传·唐》、《江西通志》卷四十九、卷七十三皆同。又《十国春秋》卷九本传："新淦人也。唐时童子科及第。已而从昭宗至凤翔，走还乡里。……天祐中江西平，彦伯仕于高祖，累官户部侍郎。睿帝时，临轩策命齐王制诰，诏彦伯摄门下侍郎行事。"

知贡举：礼部侍郎裴贽（？—905）。徐松《登科记考》作"御史中丞裴贽"，误。黄滔《上裴侍郎启》云："某伏念荐孟明则子桑所能，免叔向匪祁奚莫议。推言及是，沥恳为宜，上渎清隆，敢希容听。伏惟侍郎中丞，顷持文柄，大阐至公。垂为圣代之准绳，悬作贡闱之日月。某为后无私之两榜，遂乖必字于十年。伏蒙侍郎中丞，曲赐矜伤，直加赏录。连岁薦论琐质，顷极重言。而以弱植难培，幺弦易断，且惊负累，空费生成。既而不罪龙钟，愈隆恩遇。昨者面容跪履，亲俾窥天，仍如琢玉之品题，更启如金之然诺。便于此日，上翥重霄。今则已除主文，只祈阴德，延颈于沟隍之底，瞻恩于邱岳之隆。虽龟龙不瑞于匹夫，而犬马合田于本主。沾巾堕睫，沥胆披肝，不在他门，誓于死节。下情无任攀托依投恳悃之至。"启言"无私之两榜"，即谓裴贽第二榜。严耕望《唐仆尚丞郎表》卷十六《辑考五下·礼侍》"裴贽"条亦云："裴贽，大顺元年春，以某官知贡举，放榜。是年冬，又以礼侍知贡举。二年正月十日辛酉，或八日己未，放榜。"贽字敬臣。籍贯不详。排行三十五。进士及第，累迁右补阙、御史中丞。知大顺元年（890）、二年（891）贡举，擢王驾、杜荀鹤等。乾宁五年（898）三知贡举，擢殷文圭等。光化三年（900）迁刑部尚书，又拜中书侍郎、同中书门下平章事，充集贤殿大学士。昭宗幸凤翔，为大明宫留守。罢为左仆射。天祐二年（905）以司空致仕，贬青州司户，被杀。《全唐诗》存诗一首，《全唐文》存文一篇。事迹见《新唐书·裴坦传》附传，《资治通鉴》卷二五四、二六二至二六五。

李洞于试策夜献诗知礼部贡举裴贽，希冀公道选人，然仍落第。《唐摭言》卷一〇

（海叙不遇）条云："洞三榜裴公，第二榜夜策，帘献曰：'公道此时如不得，昭陵恸哭一生休。'寻卒蜀中。裴公无子，人谓屈洞之致也。"《唐才子传》卷九、《唐诗纪事》卷五八所载略同。《纪事》云："裴公，贽也。"据《新唐书·裴贽传》，裴贽知贡举凡三次，即大顺元年、二年及乾宁五年（898），其第二榜抑洞在本年。

郑谷本年四十四岁，漂泊于江南，时许郴下第，有《送进士许郴》等诗作。（见《郑谷诗集编年校注》）《唐诗纪事》卷七一载："郴，睦州人。"谷《送进士许郴》诗曰："泗上未休兵，壶关事可惊。流年催我老，远道念君行……何当食新稻，岁稔又时平。"《资治通鉴》卷二五九景福元年（892）记："朱全忠连年攻时溥［按，徐、汴交兵始于光启三年］，徐、泗、濠三州民不得耕获。兖、郓、河东兵救之皆无功。复值水灾，人死者十六七。"

二月

朝廷复河东李克用检校太师、中书令等职。（见《旧唐书·昭宗本纪》）

李昭象、王希羽、殷文圭诸人喜杜荀鹤登进士第，皆有贺作。荀鹤过关试后拟归旧山，有辞别座主裴贽及同年诗。荀鹤《关试后筵上别同人》："日午离筵到夕阳，明朝秦地与吴乡。同年多是长安客，不信行人欲断肠。"（见《全唐诗》卷六九三）时李昭象居池州九华山中，而殷文圭亦池州青阳人。《十国春秋》卷十一本传云："殷文圭，池州人（一云陈州西华人），小字桂郎。居九华山若学，所用墨池，底为之穴。"《嘉靖池州府志》卷七"顾云"条云："少与杜荀鹤、殷文圭肄业九华，文名藉甚。"又荀鹤《辞座主侍郎》云："一饭尚怀感，况攀高桂枝。此恩无报处，故国远归时。"（见《全唐诗》卷六九一）

三月

淮南节度使孙儒被宣州观察使杨行密攻杀。杨行密并孙儒之众，复据广陵。［按，《资治通鉴》记在景福元年（892）六月，今从《旧唐书·昭宗本纪》］

张曙登第后与杜荀鹤屡唱和。《唐诗纪事》卷六六张曙条载："杜荀鹤，同年生也，酬曙诗云：'天上诗名天下传，引来齐到玉皇前。大仙録后头无雪，至药成来灶绝烟。笑蹑紫云金作阙，梦抛尘世铁为船。九华山叟惊凡骨，同到蓬莱岂偶然。'"［按，此诗《全唐诗》卷六九二题作《依韵次（一作酬）同年张曙先辈见寄之什》］荀鹤更有《晚春寄同年张曙先辈》之作。（见《全唐诗》卷六九二）张曙此后曾任右补阙，《北梦琐言》卷四谓"（张曙）文章秀丽，精神敏俊，甚有时称"。此后行迹难考。曙曾有《浣溪沙》词作，《北梦琐言》卷八载："唐张祎侍郎，朝望甚高，有爱姬早逝，悼念不已。因入朝未回，其犹子右补阙曙，才俊风流，因增大阮之悲，乃制《浣溪沙》，其词曰：'枕障薰炉隔绣帏，二年终日两相思，好风明月始应知。天上人间何处去？旧欢新梦觉来时，黄昏微雨画帘垂。'置于几上。"又张曙亦擅赋，《北梦琐言》卷四谓："曙有《击瓯赋》，其警句云：'董双成青琐鸾惊（一作飞），啄开珠网；穆天子红缰马解，踏破琼田。'又有《鄠郊赋》，叙长安乱离，亦《哀江南》、《悲甘陵》之比，区区之荀

鹤，不足拟论。”［按，《击瓯赋》今存于《全唐文》卷八二九］

七月

陈敬瑄屡战屡败，后终不得已开城，迎王建入成都。前蜀政权基本确立。宋路振《九国志》卷六记前蜀政权始末云：“高祖（即王建）以唐大顺二年入成都，至后主（王衍）咸康二年国灭，父子二世，凡三十五年。”

郑谷在泸州，有《荔枝树》之咏（参《资治通鉴》景福元年条、《旧唐书·昭宗本纪》）及《次韵和礼部卢侍郎江上秋夕寓怀》之次韵诗。（见《郑谷诗集编年校注》）

八月

吴融随韦昭度自蜀返京，有《太保中书令军前新楼》诗。诗曰：“尽日卷帘江草绿，有时欹枕雪峰晴。不知奉诏朝天后，谁此登临看月明。”《资治通鉴》卷二五八记，大顺二年八月，韦昭度讨蜀无功，奉诏返京。

秋，李洞有诗送韦昭度。遇吴融，融以诗百篇示之，洞称赏其《西昌新亭》诗为绝唱。李洞《送韦太尉自坤维除广陵》：“全蜀拜扬州，征东辍武侯。……谢朝明主喜，登省旧僚愁。隔海城通舶，连河市响楼。”（见《全唐诗》卷七二二）《唐摭言》卷十《海叙不遇》记李洞、吴融相遇：“时人但诮其（李洞）僻涩，而不能贵其奇峭，唯吴子华深知之。子华才力浩大，八面受敌，以八韵著称，游刃颇攻骚雅。尝以百篇示洞，洞曰：‘大兄所示百篇中，有一联绝唱：《西昌新亭》曰‘暖漾鱼遗子，晴游鹿引麛’。子华不怨所鄙，而喜所喜。”

十月

冯涓为王建辟为西川节度判官。涓前曾授眉州刺史，然以世乱未赴任，居成都墨池灌园自给，有《怀秦赋》、《蜀驮引》等以见志。《太平广记》卷二五七冯涓条引《王氏见闻录》：“冯涓，旧唐名士，雄才奥学，履历已高。唐帝幸梁洋，涓扈跸焉。至汉中，诏除眉州刺史。”《唐诗纪事》卷六六冯涓条记：“时危，隐商山十里。昭宗（“僖宗”之误）以为眉州刺史。陈、田拒命，涓弃郡，于成都墨池灌园自给……后分符眉州，不得之任。在西川重围中，跼蹐于陈、田之间，羁愁六年，徒步糊口，著《怀秦赋》。有《南冠》、《龙吟》等集，皆伤蹭蹬也。集有《蜀驮引》，其要云：‘昂藏大步蚕丛国，曲颈微伸高九尺。卓女窥窗莫我知，严仙据案何曾识?’又《题支机石》云：‘不随俗物皆成土，只待良时却补天。’惜知己之不遇也。”又《十国春秋·冯涓传》记涓“于成都墨池灌园自给，著《怀秦赋》及《蜀驮引》以见志。高祖分藩西川，表涓节度判官”。

牛峤于王建镇西川之初，被辟为判官。《唐诗纪事》、《郡斋读书志》、《唐才子传》等，均记牛峤“王建镇西川，辟为判官”。

十二月

冬，黄滔作《与裴侍郎启》上书裴贽。滔于本年春裴贽知贡举时落第，时朝廷已新命知贡举，滔仍祈裴贽为之延誉于来年主文者。其文曰：“伏惟侍郎中丞顷持文柄，大阐至公。……滔为后无私之两榜，遂乖必字于十年。伏蒙中丞曲赐悯伤，直加赏录。……今则已除主文，只祈阴德延颈于沟隍之底，瞻恩于邱岳之隆。”（见《全唐文》卷八二四）

本年

羊昭业等在朝修撰国史。《唐摭言》卷十二《轻佻》条载：“顾云，大顺中制同羊昭业等十人修史。云在江淮，遇高逢休谏议。……逢休授之一函甚草创……并不言云。但曰：‘羊昭业等拟将一尺三寸汗脚，踏他烧残龙尾道，懿宗皇帝虽薄德不任，被前件人罗织，执大政者亦大悠悠。’”《全唐诗》卷六三一小传称：“大顺中，昭业尝预修国史。”此后行踪无考。《宋史·艺文志七》著录《羊昭业集》十五卷。[按，《全唐文》未载其文，《全唐诗》卷六三一仅载其《皮袭美见留小燕次韵》一诗] 羊为吴人，与皮日休诗酒唱和当在苏州。

司空图年五十五，仍寓居华阴，作《说鱼》一文。（见《全唐文》卷八〇八）

吴仁璧擢进士第后虽入浙谒钱镠，然谢绝入其幕，有《投谢钱武肃》诗。（见《全唐诗》卷六九〇）《雅言杂载》：“吴仁璧，关右人，举进士。游罗浮洞，学老庄于张先生，得其大旨，辞归谋入京取应。……是年中第，入浙谒钱武肃，殊礼之，累辟入幕，坚辞不就，以诗谢云：‘东门上相好知音，数尽台前郭隗金。累重虽然容食椹，力微无计报焚林。弊貂不称芙蓉幕，衰朽仍惭玳瑁簪。十里溪光一山月，可堪从此负归心！’”（见《诗话总龟》卷四七《神仙》门引）

闽人谢廷浩时以辞赋著名，人称锦绣堆。《唐摭言》卷十《海叙不遇》载：“谢廷浩，闽人也。大顺中，颇以辞赋著名，与徐夤不相上下，时号锦绣堆。”

李昌符约本年卒于膳部郎中任。郑谷有《寄膳部李郎中昌符》。（见《全唐诗》卷六七四）李洞亦有《吊膳曹从叔郎中》，诗云：“华省支残俸，寒蔬办祭稀。安坟对白阁，买石折朱衣。蜀客弹琴哭，江鸥入宅飞。帆吹佳句远，不独遍王畿。”（见《全唐诗》卷七二二）《唐才子传·李昌符传》谓其“有诗集一卷，行于世”。

韦庄年五十六，漫游江西后返回婺州。有《章江作》、《饶州余干县琵琶洲有故韩宾客宣城裴尚书修行李侍郎旧居遗址犹存客有过之感旧因以和吟》、《信州西三十里山名仙人城下有月岩山其状秀拔中有山门如满月之状余因行役过其下聊赋是诗》、《衢州江上别李秀才》、《婺州水馆重阳日作》等诗。

顾敻事王建，本年尝作武举榜以谑建。《北梦琐言逸文》卷二引《太平广记》卷三六二《顾敻》条云：“伪蜀王先主起自利、阆，号亲骑军，皆拳勇之士。四百人分□□□□，执紫旗，凡战阵，若前军将败，麾紫旗以副之，莫不□□□□靡，霆骇星散，未尝挫衄。此团将卒多达，或至节将，□□□□至散员，亦享官禄。以之定霸，皆资福人。于时，□□□□淮南黑云都，皆□紫旗之类也。此从各有名号，时顾

□□□□□□亦尝典郡，多杂戏谑，会造武举，助曰大顺□□□□侍郎李吒吒下进士及第，李破肋、李吉丫、樊忽雷、日游神、玉号弛、郝牛屎、□□贡、陈波斯、罗蛮子，试《亡命山泽赋》、《到处不生草诗》，斯亦麦铁杖、韩擒虎之流也。”（参宋马永易《实宾录》卷六）

张直，本年至其后数年（891—905）间为平卢节度王师范幕从事。直，自号逍遥先生。濮州（治今山东鄄城北）人。生卒年不详。昭宗时人。《全唐诗》存诗二首。事迹见《全唐诗》所附小传。

林鼎（891—944）生。鼎，五代以文学名家。侯官（今福建闽侯）人，生于明州（治今浙江宁波）。吴越王钱镠时为观察押牙。文穆王即位，署镇海军掌书记、节度判官。天福二年（937）掌教令。寻拜丞相。保大二年（944）卒。有《吴江应用》二十卷，著录于《宋史·艺文志七》；又有《金陵怀古百韵诗》，僧希觉为作注，见《宋高僧传·希觉传》。作品已佚。事迹见《十国春秋》本传。

公元892年（唐昭宗景福元年　壬子）

正月

丙午朔，大赦，改元景福。（见《旧唐书·昭宗本纪》）［按，《资治通鉴》卷二五九作“丙寅”］

凤翔李茂贞、邠州王行瑜、华州韩建、同州王行约、秦州李茂庄等上表疏兴元杨守亮纳杨复恭，请求讨伐；诏未下，李茂贞已发兵攻兴元，且遗宰相杜让能书，凌蔑王室。（见《资治通鉴》卷二五九、《旧唐书·昭宗本纪》）

二月

蒋泳知礼部贡举，归黯、崔鱴等三十人登进士第。（见《登科记考》卷二四本年条）

归黯以第一名中进士科状元。《广卓异记》引《登科记》：“归仁泽，乾符元年状元及第。子黯，大顺三年状元及第。”《唐摭言》：“归黯亲迎拜席日，状元及第。榜下板巡，脱白期月，无疾而卒。”

崔鱴（764—797），本年登进士第。《匋斋臧石记》三六《唐故右拾遗崔君与郑氏夫人合附志》云：“府君讳鱴，字济之，清河人也……年廿八，擢进士甲科第……以乾宁四年八月廿日终于华州之官舍，享年三十三。”跋云：“当廿八擢第时，实为昭宗景福元年。”

汪极，生卒年不详，本年进士及第。《弘治徽州府志》卷六：“汪极，歙人，大顺三年进士。”《全唐诗》卷六九〇有汪极《奉试麦垄多秀色》诗一首，其小传云：“字极甫，歙人，大顺三年进士。”然《光绪安徽通志》卷一五四《选举表》四《进士》：“大顺辛亥裴贽榜：江（“汪”之讹）极，歙人。”又，许承尧《歙县志》卷四《选举志·科目》：“大顺二年辛亥：汪（江）极。”皆误。极能诗，《全唐诗》存诗一首。事迹见《全唐诗》所附小传。

知贡举：蒋泳，未知何官。（见《唐才子传》）

郑谷年四十五，自江南返长安，有《淮上别友人》诗。诗云："扬子江头杨柳春，杨花愁杀渡江人。数声风笛离亭晚，君向潇湘我向秦。"（见《郑谷诗编年校注》）

朱全忠连年与感化节度使时溥交战，徐、泗、濠三州民不得耕获。（见《资治通鉴》卷二五九景福元年二月条）

五月

司空图年五十六，朝廷又以谏议大夫征，不起，寓居华阴，奉旨为王重盈撰《太尉琅琊王公河中生祠碑》。《旧唐书·司空图》："景福中又以谏议大夫征。时朝廷微弱，纲纪大坏，图自惟出不如处，移疾不起。"司空图乃奉旨撰《生祠碑》，《碑》云："正月，上自将佐，下逮淄黄五郡，联属四封，耆艾共忻弘庇，请建生祠……微臣付以祀典阙文，朝恩特允。"《碑》又云：景福元年"五月日，都押衙录事参军，又诣让军使特进思猷，请奏别立碑纪。上亦俯从人愿，有命微臣。……臣迹本寓居，心非昧利，久怀赞激，窃听讴谣。奉眷奖于丝纶，素惭鸿笔……方备编修，敢辞纪述。"王禹偁《五代史阙文》云："河中节度使王重荣（当为盈，此误）请图撰碑，得绢数千匹。图致于虞乡市心，恣乡人所取，一日而尽。是时盗贼充斥，独不入琯谷。河中士人依图避难，获全者甚众。"

六月

杨行密再入扬州，杨吴政权基本确立。《九国志》卷一述杨吴政权始末云："太祖（杨行密）以唐景福元年再入扬州，至睿帝（杨溥）天祚三年为南唐所篡，盖晋天福三年也。历传四主，凡四十六年。"

夏，顾云为诗友杜荀鹤编文集，分为三卷，名《唐风集》，并为作集序。时顾云年约四十二，在长安，为太常博士，修国史。南宋蜀刻本《杜荀鹤文集》卷端有顾云所作《杜荀鹤文集序》，《全唐文》卷八一五题作《唐风集序》。《序》记杜荀鹤及第之"明年，宁亲江表，以仆故山偕（又作"皆"）隐者，出平生所著五七言凡三百篇见简……仆幸为之叙录，乃分为上中下三卷，目曰《唐风集》……景福元年夏太常博士修国史顾云撰序"。序又称荀鹤诗谓："咏其雅丽清苦激越之句，能使贪吏廉，邪臣正，父慈子孝，兄良弟顺，人伦纲纪备矣。其壮语大言，则决起逸发，可以左揽工部袂，右拍翰林肩，吞贾、喻八九于胸中曾不虿介。或情发乎中，则极思冥搜，游泳希夷，形兀枯木（南宋本《杜荀鹤文集序》作'神游希夷，形死枯木'），五声劳于呼吸，万象悉于抉剔。信诗家之雄杰者也。美哉，悲公之知人为不诬矣。於戏！旌别淑慝，史臣之职也，仆幸得为之叙录。视其人齿尚壮，才力未尽，讴吟之兴方酣。视其继作，得如周颂、鲁颂者，广之为《唐风集》。老而益精，留次序。"

九月

秋，李洞经河池，值僧可止讲《因明》于河池，洞曾赠诗三首。李洞有《赠可上人》诗："寺门和鹤倚香杉，月吐秋光到思巉。将法传来穿泱漭，把诗吟去入嵌岩。……不断清风牙底嚼，无因内殿得名衔。"（见《全唐诗》卷七二三）《宋高僧传》卷七《后唐洛京长寿寺可止传》记，僧可止景福中至河池，"诗人李洞者风骨僻异，慕贾阆仙之模式，景福中在河池相遇，赠止三篇。……止风神峭拔，戒节孤高，百家子史，经目无遗。该博之外，尤所长者，近体声律诗也。有《赠樊川长老诗》，流传人口。"

约本年秋，吴融在长安，赋《和陆拾遗题谏院松》诗奉和陆扆。（见《全唐诗》卷六八四）《旧唐书·陆扆传》："龙纪元年冬，召授蓝田尉，直弘文馆，迁左拾遗，兼集贤学士。"陆扆题谏院松诗已佚，唯《禁林闻晓莺》存《全唐诗》卷六八八。

十月

黄滔年约五十三，待试长安，作《与杨状头书》，献书前年状元杨赞禹，谢其赏荐之功，述说十余年来举场甘苦之事。（见《全唐文》卷八二三）

十一月

凤翔兵攻陷兴元府。山南西道节度使杨守亮、前左军中尉杨复恭、判官李巨川溃围而遁。（见《资治通鉴》卷二五九，《旧唐书·昭宗本纪》）

十二月

唐彦谦在壁州刺史任，其后事迹不详，约卒于本年或之后。（参《旧唐书·唐彦谦》、《郡斋读书志》卷四）彦谦，字茂业，号鹿门先生。并州晋阳（今山西太原）人。生年约在开成、会昌间。咸通二年（861）起举进士，十余年不第。一说咸通末进士及第。广明元年（880）以其家避地汉南。王重荣镇河中，约中和元年（881）辟其为河中节度使从事，累奏至节度副使。二年（882）授晋州刺史。改绛州刺史。光启三年（887）贬山南西道参军事。留署节度判官，迁副使。官终阆、壁二州刺史。卒于汉中，时间不详。晚年隐居鹿门山，专事著述，与薛能为诗友。博学多艺，恃才负气。工诗。早年师法李商隐、温庭筠。后转学杜甫，为唐人学杜较早而知名者。多咏史咏物、行旅纪游、感事书怀之作。《宿田家》、《采桑女》、《毗陵道中》等则反映民生疾苦，社会现实。古体抒情写景峻切明畅，有魏晋遗风。近体得温庭筠之藻绮纤丽、李商隐之清峭感怆，而较为清浅流转。《新丰》、《仲山》等为传世佳作。《长陵》"耳闻明主提三尺，眼见愚民盗一抔"，《离鸾》"不疾不成双点泪，断多难到九回肠"等名句传诵人口。有遗诗近二百篇。时人郑贻辑为《鹿门集》三卷，并为作集序。郑贻《序》记其诗集之编辑事云："君卒，藁多散落，予为辑缀，仅二百余篇。黄钟玉磬，咸其章章者，因题曰《鹿门集》，析为三卷。"又评彦谦诗云："君出其中，翕轻清以为性，结冷汰以为质，煦鲜荣以为词，偏于逸歌长句，骏奔踔厉，往往而剧。李白、杜

甫死，非君而谁哉?”（见《唐文拾遗》卷三三）薛廷珪亦曾为彦谦集作序。唯薛序今佚。《旧唐书·唐彦谦传》：“彦谦博学多艺，文词壮丽，至于书画音乐博饮之技，无不出于辈流。尤能七言诗，少时师温庭筠，故文格类之。……有诗数百篇，礼部侍郎薛廷珪为之序，号《鹿门先生集》，行于时。”（参《唐才子传》）

《苕溪渔隐丛话》前集卷二二唐彦谦条引洪驹父《诗话》云：“山谷言，唐彦谦诗最善用事，其《过长陵诗》云：‘耳闻明主提三尺，眼见愚民盗一抔。千古腐儒骑瘦马，灞陵斜日重回头。’”因赞彦谦诗“用事精巧，对偶亲切”。同书又引《石林诗话》谓西昆诗人好其诗而竞效之，云：“杨大年、刘子仪皆喜彦谦诗，以其用事精巧，对偶精切。黄鲁直诗体虽不类，然不以杨、刘为过。如彦谦《题高庙》云……每称赏不已，多示学诗者以为模式。”

于彦谦诗渊源所自，《唐诗纪事》卷六八唐彦谦条云：“彦谦学义山为诗。”《全唐诗话》卷四李商隐条亦云：“鹿门先生唐彦谦为诗纂，慕玉溪，得其清峭感怆，盖其一体也，然警绝之句亦多有。”故杨慎《升庵诗话》卷八亦云：“唐彦谦绝句，用事隐僻，而讽谕悠远似李义山。如《奏捷西蜀题沱江驿》云：‘野客乘轺非所宜，况将儒服报戎机。锦江不识临邛酒，幸免相如渴病归。’即李义山‘相如未是真消渴，犹放沱江过锦城’之意也。余如《登兴元城观烽火》……《邓艾庙》云：‘昭烈遗黎死尚羞，挥刀斫石恨谯周。如何千载留遗曲，血食巴山伴武侯。’……《汉殿》云：‘鸟去云飞意不通，夜坛斜月转桐风。君王寂虑无消息，却就真人觅钜公。’首首有藉，堪吟咏，比之贯休、胡曾辈天壤矣。”《唐才子传·唐彦谦传》称其“博学足艺，尤长于诗，亦其道古心雄，发言不苟，极能用事，如自己出”；“初师温庭筠，调度逼似，伤多纤丽之词”。“后变淳雅，尊崇工部。唐人效甫者，惟彦谦一人而已。……有诗集传于世，薛廷珪序云。”

《新唐书·艺文志四》著录《唐彦谦诗集》三卷，《郡斋读书志》卷四记其《鹿门诗》一卷。今传《鹿门集》三卷《附操拾遗、续拾遗各一卷》。《全唐诗》卷六七一至卷六七二编其诗二卷，“补遗”补十一首；《全唐诗补编》补一首。然其中多杂有元人戴表元诗，王兆鹏有专文考析，并见陈尚君《唐才子传校笺·唐彦谦传》补笺。事迹见《旧唐书》本传、《新唐书·唐俭传》附传、《唐才子传校笺》卷九。

太子少詹事边冈造《景福崇玄历》成。（见《资治通鉴》卷二五九景福元年条）

冬，罗邺入蜀，有《大散岭》、《凤州北楼》、《嘉陵江》、《上东川顾尚书》等诗。（均见《全唐诗》卷六五四）

冬，李洞在长安，时田昉出刺龙州，洞作《送龙州田使君旧诗家》以送。（见《全唐诗》卷七二二）田昉事见《资治通鉴》卷二六〇乾宁三年正月条。

本年

裴廷裕撰成《东观奏记》三卷，作《东观奏记序》。其《序》云：“圣文睿德光武宏孝皇帝自寿邸即位二年，监修国史丞相晋国公杜让能以宣宗、懿宗、僖宗三朝实录未修，岁月渐远，虑圣迹湮坠，乃奏上选中朝鸿儒硕学之士十五人，分修三圣实录，

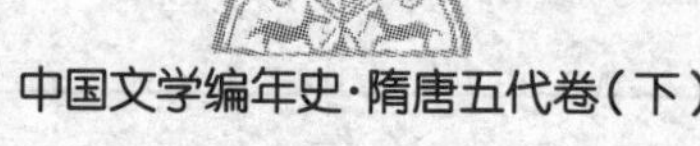

以吏部侍郎柳玭、右补阙裴廷裕、左拾遗孙泰……太常博士郑光庭专修宣宗实录。廷裕奉诏之日，惕不敢息，思摭实无隐，以成一朝之书。逾岁，修例竟未立。国朝故事，以左右史修起居注，逐季送史馆。史馆别设修撰官。起居注外，又置日历。至修实录之日，取信于日历起居注，参而成之。伏自宣宗皇帝宫车宴驾，垂四十载，中原大乱，日历与起居注不存一字，致儒学之士，阁笔未就。……廷裕自为儿时，已多记忆，谨采宣宗朝耳闻目睹，撰成三卷，非编年之史，未敢闻于县官，且奏记于监国史晋国公，藏之于阁，以备讨论。”（见《全唐文》卷八四一）据《唐会要》卷六三《修国史》条，裴廷裕等大顺二年（891）二月奉诏修国史。《直斋书录解题》卷五记《东观奏记》三卷，“唐右补阙裴廷裕膺余撰，记宣宗朝事凡八十九条”。

郑遨应进士举，不第，入少室山为道士，赋《拟峰诗》三十六章，又有《景福中作》、《山居》等诗。（见《全唐诗》卷八五五）《旧五代史》卷九三、《新五代史》卷三四有传。《旧唐书·郑遨传》云：“郑云叟，本名遨，云叟其字也，以唐明宗庙讳，故世传其字焉。本南燕人也。少好学，耿介不屈。唐昭宗朝，尝应进士举，不第，因欲携妻子隐于林壑，其妻非之，不肯行。云叟乃薄游诸郡，获数百缗以赡其家，辞诀而去。寻入少空山，著《拟峰诗》三十六章，以导其趣，人多传之。”《新唐书·郑遨传》：“郑遨字云叟，滑州白马人也。……遨少好学，敏于文辞。唐昭宗时，举进士不中，见天下已乱，有拂衣远去之意，欲携其妻子与俱隐，其妻不从，遨乃入少室山为道士。”

王涣年三十四，授秘书省校书郎。卢光济《王公墓志铭》称涣登第后，“明年膺美制，授秘书省校书郎”。

翁承赞本年赴京应举。承赞字文尧，闽中福唐人。生卒年不详。四年后承赞所作《擢探花使三首》之二云：“今日始知春气味，长安虚度四年花。”

康軿离京往依宣州田頵幕，頵荐授中书舍人。《新唐书》卷一八九《田頵传》及《资治通鉴》卷二五九载，景福元年八月，杨行密表荐田頵为宣州节度使。軿由崇文馆校书郎往依田頵，頵荐为中书舍人。

韩偓五十岁，以疾解官，归万年老家养疴。

义忠（781—892）卒。唐代僧人。忠，一作中。俗姓杨。京兆高陵（今属陕西）人。生于福州福唐（今福建福清）。年十四，剃发为僧。二十七具戒。宝历元年（825）至漳州三平山建寺居之。世称三平大师。景福元年（892）卒。《全唐诗补编》录诗偈五首。事迹见唐王讽《漳州三平大师碑铭并序》。

李昊（892—966）生。昊，五代文学家、史学家。字穹佐。籍贯不详。自称李绅之后。少随父居关中。天祐初，流寓新平十余年。后梁时，随泾州节度使刘知俊降前蜀，为武信军节度使从事。王衍时，官至中书舍人、翰林学士。前蜀亡，仕后唐为检校兵部郎中。西川节度使孟知祥辟为观察推官，迁掌书记。知祥称帝，擢礼部侍郎、翰林学士。广政十一年（948），累迁至门下侍郎兼户部尚书、同平章事。后蜀亡，仕未为工部尚书。乾德四年（966）卒。长于书奏章表，前、后蜀之降表，皆为所草，蜀人夜表其门曰“世修降表李家”。撰有《后蜀高祖实录》三十卷、《后蜀主实录》四十卷、《蜀书》二十卷。《蜀祖经纬略》一百卷、《枢机集》二十卷，分别著录于《宋史·艺文志》编年类、霸史类及别集类，并佚。《全唐文》存文四篇。事迹见《宋史》、《十国春秋》本传。

杨复恭（？—892）卒。复恭，唐代诗人。字子恪。本姓林。弘农（治今河南灵宝）人。幼为宦官。咸通十年（869）自河阳监军入拜宣徽使，擢枢密使。下迁飞龙使。广明元年（880）复擢枢密使。光启元年（885）授观军容使。昭宗立，加金吾上将军，颇擅朝政。大顺二年（891）致仕。景福元年（892）为镇国军节度使韩建所杀。复恭知书，有学术。《宋史·艺文志七》著录《行朝诗》一卷。作品已佚。事迹见新、旧《唐书》本传。

公元893年（唐昭宗景福二年　癸丑）

二月

礼部侍郎杨涉知贡举，崔胶、易标、张鼎、归蔼、卢玄晖、张道古、杜晏、曹愚、孔闰、卢汝弼、崔承祐等二十八人登进士第。

崔胶以第一名登进士科状元。

易标，生卒年不详，本年登进士第。《永乐大典》引《宜春志》："景福二年，易标登进士第。"

张鼎，生卒年不详，本年登进士第。《唐才子传》："张鼎字台业，景福二年崔胶榜进士。"鼎，工诗。籍贯、仕历、生卒年皆不详。《宋史》卷二〇八《艺文志七》"别集类"著录《张鼎诗》一卷，已佚。

归蔼，生卒年不详，本年登进士第。《永乐大典》引《苏州府志》："景福二年，侍郎杨涉知举，归蔼登第。"《旧五代史》："归蔼字文彦，吴郡人也。登进士第。"

卢玄晖，生卒年不详，本年登进士第。《唐摭言》："卢大郎补阙玄晖，升平郑公之甥也。晖少孤，长于外氏，愚常诲之举进士。咸通十一年初举，广明庚子岁，遇大寇犯阙，窜身南服。时外兄郑续镇南海，晖向与续同庠序。续仕州县官，晖自号白衣卿相，然二表俱为愚钟爱。尔来未十稔，续为节行将，晖乃穷儒，复脱身虎口，挈一囊而至，续待之甚厚。时大驾幸蜀，天下沸腾，续勉之出处。且曰：'人生几何，苟富贵可图，何须一第耳！'晖不答，复请宾佐诱激者数四，复虚右席以待晖。晖因曰：'大朝设文学之科以待英俊，如晖者能否焉敢期于饕餮？然闻昔舅氏所勖，常以一第见勉。今旧馆寂寥，奈何违夙昔之约。苟白衣没世，亦其命也。若见利改图，有死不可。'续闻之加敬。自是龙钟场屋复十许岁，大顺中方为弘农公所擢。卒于右衮。"

张道古（？—908）本年登进士第。《唐诗纪事》："昭宗时，拾遗张道古贡《五危二乱表》，黜于蜀。后闻驾走西岐，又迁東洛，皆契五危之事，悉归二乱之源。因吟一章《上蜀王诗》曰：'封章才达冕旒前，黜诏俄离玉座端。二乱岂由明主用，五危终被佞臣弹。西巡凤府非为固，东播銮舆卒未安。谏疏至今如可在，谁能更与读来看？'道古，临淄人，景福中进士，释褐为著作郎，迁右拾遗。"《新唐书》卷五九《艺文志三》亦云："道古字子美，景福进士第。"（参《蜀梼杌》卷上）道古后入西川王建幕，仍以直言遭贬，竟至武成元年（908）因之而遇害。（见《鉴戒录》卷四、《北梦琐言》

卷五、《太平广记》卷二〇三引《耳目记》）

杜晏，生卒年不详，本年进士及第。宋查籥撰《杜莘老行状》载，晏乃杜甫后代，谓：杜甫子宗文生东山翁，东山翁生礼，礼生详，详生晏。景福中第进士，官至侍御史。

曹愚，生卒年不详，本年进士及第。《淳熙三山志》："愚字古直，长溪人。景福二年及第。天一阁［嘉靖］《福宁州志》卷八《科贡·进士》于景福二年癸丑著录：曹愚字古直，在坊城西人，歙州刺史。"

孔闰，生卒年不详，本年进士及第。《永乐大典》卷六六六六引《南雄府图经志》："唐孔闰，少聪明，嗜学，年十九，唐景福初及第，官至朝散大夫、袁州司牧。"《明一统志》卷八十《南雄府·保昌志·人物》亦载："孔闰，保昌人。少聪明嗜学，景福初进士，官至朝散大夫，迁袁州刺史。"天一阁［嘉靖］《南雄府志·选举表》："唐昭宗景福癸丑进士科：孔闰，保昌人，聪敏嗜学，年十九及第。"同治《广东通志》卷三〇四引《南雄志》："孔闰，保昌人。少聪明嗜学，景福初进士。"注："南雄、保昌二志选举作癸丑科，时年十九。"

卢汝弼，生卒年不详，本年进士及第。《登科记考》卷二十七《附考·进士科》云："简求子，登进士第。"见《旧唐书·卢简辞传》。《南部新书》："范阳卢氏，自兴元元年甲子至乾符二年乙未，凡九十二年，登进士者一百十六人，而字皆连于子。"《旧五代史·卢汝弼传》引《资治通鉴》云："卢汝弼，唐昭宗景福中进士擢第，历台省。"（参《册府元龟》卷九四九"总录部·逃难二"）然《册府元龟》卷七二九谓："卢汝弼，唐大顺中登进士第。"未知孰是，姑附本年，以待确考。汝弼擅书法，《宣和书谱》卷六载："卢汝弼，字子诰，不知何许人也。祖纶，唐贞元中有诗名；父简求，为河东节度使。汝弼少力学，不喜为世胄，笃意科举，登进士第，文采秀丽，一时士大夫称之。复留意书翰，作正书取法有归。当五季士风凋弊，以字画名家者尤少。汝弼能力振所学，诚不易得。"今存卢汝弼诗皆未能考得作年，审其诗意，多为登第前之作。《秋夕寓居精舍书事》中云："叶满苔阶杵满城，此中多恨恨难平。疏簷看织蠨蛸网，暗隙愁听蟋蟀声。醉卧欲抛羁客思，梦归偏动故乡情。觉来独步长廊下，半夜西风吹月明。"《闻雁》中云："何处最添羁客恨，竹窗残月酒醒闻。"又《和李秀才边庭四时愁》，《诗薮》内编卷六称为"语意新奇，韵格超绝"，尤为人所称。其一云："春风昨夜到榆关，故国烟花想已残。少妇不知归不得，朝朝应上望夫山。"其《薄命妾》、《鸳鸯》二诗亦寓情寄意，怨郁感慨。（均见《全唐诗》卷六八八）卢汝弼传，见《旧唐书》卷一六三、《新唐书》卷一七七、《旧五代史》卷六〇、《新五代史》卷二八及《唐才子传》卷九。

崔承祐。生卒年不详，本年进士及第。《全唐文》卷九二二纯白《新罗国石南山故国师碑铭后记》："仁渷者，辰韩茂竣人也，人所谓一代三鹤、金榜题名：曰崔致远、曰崔仁渷、曰崔承祐，□中中人也。学围海岳，加二车于五车；才包风云，除三步于七步。实君子国之君子，亦大人乡之大人。是或折桂中花，扇香风于上国；得葱罗域，推学究于东乡。"《三国史记》卷四十六《薛聪传》附崔承祐传云："崔承祐，以唐昭宗龙纪二年入唐，至景福二年侍郎杨涉下及第。"又《海东龙榜·中朝制科·新罗》亦

载："崔承祐，唐昭宗景福二年入唐登第。"

明经科：贾潭。徐铉《贾宣公墓志铭》："公讳潭，字孟泽，洛阳人。六代祖黄门侍郎晋国公，至五代祖荪，高祖穜，曾祖昶，祖琛，考翃。潭景福二年以学究一经射策高第。"

知贡举：礼部侍郎杨涉。黄滔有《上杨侍郎启》云："伏以羲爻不兆之文，何人复演；鲁史不褒之事，旷古谁称？厥理非遥，斯言可喻。伏以侍郎，荣司文柄，弘阐至公，历选滞遗，精求文行。泉下则大臣有感，揭起销沈；场中则寒族无差，酌平先后。所以如某者，曾干衡镜，经定否臧。若不蒙指向后人，说为遗恨，则宰辅之为荐举，帝王之作知音，而主且不言，人谁肯信？繇是须出侍郎金口，须自侍郎瑶函。今则论启无私，恩加琐质，锡生成于此日，迥分付于将来。早从握内以挤排，便是眼前之科第。然后念以渐临风水，莫如蓬岛之音尘；俾拜云水，亲吐兰言而诲论。留心即是，自古所希，莫不拳跼循涯，蘭干抹泣，质向神鬼，誓于子孙。莺谷乘春，虽托他门而振羽；靡躯异日，须归旧地以论恩。沥肝胆以无穷，寓笺毫而莫载。下情无任感恩恳悃之至。"又，《全唐文》卷九十三哀帝《授杨涉平章事制》："往典贡闱，则文行兼采。"

韦庄年五十八，落第京华，有《癸丑年下第献新先辈》、《投旧知》、《寄江南诸弟》、《绛州过夏留献郑尚书》等诗。（见《浣花集》卷八）

黄滔年约五十四，再次下第，有上礼部侍郎杨涉之《杨侍郎启》。（见《莆阳黄御史集》）

孙定，本年复落第，醉中作《寄孙储》，抒写失意之悲。定，字志元。涪州（治今重庆涪陵）人。生卒年不详。此前数举进士不第，族弟孙储应举，遭其谑侮。储后贵显，不加提携。晚年纵情杯酒，无成而卒。有诗歌千余首，多毁于战火。《全唐诗》存诗一首。事迹见《唐摭言》卷一〇。

三月

春，郑谷四次入蜀省拜恩地（座主）柳（玭）。随即逝京，年末释褐为鄠县尉。郑谷《舟次通泉精舍》诗末注云："时谷将之泸州省拜恩地。"《将之泸州旅次遂州》诗又云："我拜师门更南去，荔枝春熟向渝泸。"谷又有《次韵和礼部卢侍郎江上秋夕寓怀》诗云："卢郎到处觉风生，蜀郡留连亚相情……未脱白衣头半白，叨陪属和信为荣。"原注："时中仪在泸州，恩门大夫待遇优厚。"题曰"秋夕"，知本年秋郑谷尚在泸州。其《结绶鄠郊縻摄府署偶有自咏》一诗，云谷及第后六年（即本年）释褐为鄠县尉，七年（即明年）春兼摄京兆府参军。

诗僧处默约本年春前后有《忆庐山旧居》之作，此前有《山中作》、《织妇》、《萤》等诗。（均见《全唐诗》卷八四九）处默此后行踪无考，其卒后裴说有《哭处默上人》。（见《全唐诗》卷七二〇）《宋史·艺文志七》著录《处默诗》一卷。《全唐诗》卷八四九录其诗八首。

罗邺年约六十九，春仍在蜀，有《闻子规》、《看花》、《自蜀入关》等诗。（见

《全唐诗》卷六五四）邺此后行迹无考。光化三年（900）韦庄奏请追赠不及第者中有罗邺，则光化三年前邺已卒。有集一卷。《唐才子传·罗邺传》称“邺素有英资，笔端超绝，其气宇亦不在诸人下。初无箕裘之训，顿改门风，崛兴音韵，驰誉当时，非易事也”。又云：“邺尤长律诗。时宗人隐、虬，俱以声格著称，遂齐名，号‘三罗’。隐雄丽而坦率，邺清致而联绵。”宋李颀《古今诗话》：“《咏牡丹》诗甚多。罗邺云：‘落尽春红始见花，幄笼轻日护香霞。实栽池馆恐无地，看到子孙能几家？’人谓之‘诗中虎’。”《新唐书·艺文志四》著录《罗邺诗》一卷。《全唐诗》卷六五四编其诗一卷。

贯休年六十二岁，作《寄翰林陆学士》诗寄陆扆。（见《全唐诗》卷八三四）扆颇有文名。《旧唐书·陆扆传》云：“扆文思敏速，初无思虑，挥翰如飞，文理俱惬，同舍服其能，天子顾待特异。尝金銮作赋，命学士和，扆先成。帝览而嗟挹之，曰：‘朕闻贞元时有陆贽、吴通玄兄弟，能作内庭文书，后来绝不相继。今吾得卿，斯文不坠矣。’”

四月

汴军陷徐州，节度使时溥举家自焚死；徐州为朱全忠所有。王建杀陈敬瑄、田令孜于蜀。

冯涓在王建西川节度使幕为判官，工于章奏，为王建草《为蜀王建草斩陈敬瑄、田令孜表》。（见《全唐文》卷八八九）《十国春秋·冯涓传》：“涓性滑稽，语多讥诮。高祖常问：‘击抡之戏，创自何人？’涓对曰：‘丘八所制。’高祖大笑。又与司空王锴等小酌，锴举令一字三呼，两物相似，曰：‘乐乐乐，冷淘似馎饦。’涓曰：‘已已已，驴粪似马矢。’座中大噱，涓但长啸而已。生平尤工于章奏。先是景福间，高祖杀陈敬瑄、田令孜，命涓草表，曰：‘开匣出虎，孔宣父不责他人；当路斩蛇，孙叔敖盖非利己。专杀不行于阃外，先机恐失于彀中。’一时为中朝所诵。”（参《资治通鉴》卷二五九）

杨夔寓居湖州，有《乌程县新修东亭记》。《记》云：“癸丑夏，复诏（周）生宰乌程。”其《小池记》及《湖州录事参军新厅记》等文约此时前后作。（均见《全唐文》卷八六六）

五月

王潮与弟王审知克福州，潮自称留后，汀、建二州及岭海皆来降。王闽政权正式确立。《九国志》卷一〇述王闽政权始末云：“司空（即王潮）以唐景福二年有泉、汀五洲地，为节度使，至天德帝（即王延政）天德三年灭于南唐，历七主，凡五十三年。”（参《资治通鉴》卷二五九景福二年条）

六月

幽州节度使李匡威谋害王镕，夺其帅。恒州三军攻匡威，杀之。

七月

山南西道节度使李茂贞恃功骄横，上表讥讽朝廷无能。谓“今朝廷但观强弱，不计是非”、“约衰残而行法，随盛壮以加恩”。（见《资治通鉴》卷二五九景福二年七月条）

徐彦若出任山南西道节度使。《旧唐书·昭宗本纪》载，景福二年七月，“以中书侍郎、同平章事徐彦若检校尚书左仆射、同平章事、兼凤翔尹，充凤翔陇州节度使。时茂贞恃兵求兼领山南节度，昭宗久之不行，茂贞表章不逊，深诋时政，上不能容，将加兵问罪，故以彦若代之”。（参《旧唐书》卷一七九《徐彦若传》）

王涣年三十五，入山南节度使徐彦若幕，为推官。卢光济《王公墓志铭》云，涣任校书郎不久，“我故府太尉齐国公厌罢枢务，节制褒梁。唯此初筵，真为刘楚，以节度推官上请，俞制授试太常寺协律郎充职”。

韦庄约此时有《绛州过夏留献郑尚书》诗献刑部尚书郑延昌，又有《寄江南诸弟》、《投寄旧知》之作。（均见《浣花集》卷八）

九月

钱镠受封为镇海军节度使、浙江西道观察使等，移军治于杭州，吴越政权基本确立。吴越钱镠未曾称帝，然仍以杜棱、阮结、顾全武等为将校，以沈崧、皮光邺、林鼎、罗隐为宾客。割据一隅，与王建、杨行密、王潮等并为偏霸之主。（《旧五代史·吴越世家》）

李茂贞败朝廷讨伐之师于兴平，进逼京师。昭宗不得已，以出兵讨伐之责归于宰相杜让能，贬出，后又赐死途中。制复以茂贞为凤翔节度使兼山南西道节度使，守中书令。茂贞尽有凤翔、兴元、洋、陇、秦等十五州之地。（见《旧唐书·昭宗本纪》、《资治通鉴》卷二五九）

沈崧年三十一，佐浙西钱镠幕，与罗隐、皮光邺、林鼎等为同僚，为钱镠草谢表。（见《吴越备史·罗隐传》）崧，字吉甫，闽人。祖辂，大理评事，赐绯。父朝，福州长溪县令。（见《吴越备史》卷二《沈崧传》、《十国春秋》卷八六）

罗隐年六十一，时已拜秘书省校书郎，为钱镠镇海军掌书记。修改沈崧为钱镠所草谢表。《吴越备史》本传云：“王初授镇海节度时，命沈崧草谢表，盛言浙西繁富，成以示隐。隐曰：‘今浙西兵火之余，日不暇给，朝廷执政，方切于贿赂，此表入，执政岂无意于要求邪？’乃请更之。其略曰：‘天寒而麋鹿常游，日暮而牛羊不下。’朝廷见之曰：‘此罗隐词也。’”（参《宣和书谱》卷一一、《十国春秋》本传、沈崧《罗给事墓志》）

十一月

杭州罗城毕工，罗隐此时或稍后撰《杭州罗城记》。（见《罗隐集·杂著》）

徐夤有《寄两浙罗书记》称誉罗隐。诗云："进即湮沉退却升，钱塘风月过金陵。鸿才入贡无人换，白首从军有诏征。博簿集成时辈骂，《谗书》编就薄徒憎。怜君道在名长在，不到慈恩最上层。"（见《全唐诗》卷七〇九）

本年

顾云等人约本年修三朝实录成，授虞部员外郎。（见《唐诗纪事》卷六七）

司空图年五十七，仍居华阴。本年或明年拒赴谏议大夫任。《旧唐书·司空图传》："景福中，又以谏议大夫征。时朝廷微弱，纪纲大坏，图自深惟出不如处，移疾不起。"

黄璞弃校书郎任，隐居不出，有《雾居子》、《闽川名士传》等书。《淳熙三山志》卷二六谓璞"官至崇文馆校书郎。当昭宗之世，杜门不仕"。璞退隐后，黄滔有《寄从兄璞》、徐夤有《赠黄校书先辈璞闲居》寄之。（见《全唐诗》卷七〇四、卷七〇九）后，璞曾为陈岩作传。《唐文拾遗》卷三三《观察使检校司徒兼御史大夫陈岩墓志》，记陈岩大顺三年（即景福元年）卒，景福二年八月"厝于闽县敦业乡太平里……江夏黄璞为名士传以伸之，又为神道碑以明之"。璞此后行踪不详。今所存之《林孝子传》、《欧阳行周传》、《王郎中传》等当为《闽川名士传》中文。《新唐书·艺文志二》著录其《闽川名士传》一卷，《新唐书·艺文志四》又著录其《雾居子》十卷。《郡斋读书志》卷二下于其《闽川名士传》三卷下记："唐神龙以来，闽人知名于世者，效楚国先贤传为之。"《直斋书录解题》卷七此书下谓"所记人物自薛令之而下凡五十四人"。

郑良士（856—930）年三十八岁，献诗得官。宋赵与泌、黄岩孙《仙溪志》卷一〇记："郑良士，旧名昌士，避唐讳改今名，字君梦。……唐广明、龙纪中，以五七字诗入于贡籍，策试不中……昭宗景福二年，献诗五百篇，授国子四门博士。累迁康、恩二州刺史，兼御史中丞。"《十国春秋》本传同。良士于天复元年（901）弃官归隐。后梁贞明元年（915），始赴闽王审知辟命，初署馆驿巡官，寻辟建州判官。迁威武军节度掌书记，转左散骑常侍兼御史大夫。后唐长兴元年（930）卒，年七十五。《新唐书·艺文志》著录《白岩集》十卷，又《冲垒集》五卷、诗集十卷，均已佚。《全唐诗》存诗三首。事迹见《新唐书·艺文志四》、《仙溪志》卷四、《唐才子传校笺》卷一〇、《十国春秋》本传。

僧尚颜与陆希声、郑谷以诗论交。颜荛《颜上人集序》记："颜公姓薛氏，字茂圣，少工为五言诗，天赋其才，迥超名辈。……余景福间为尚书郎，故相国陆希声为给事中。一日谓余曰：颜公自荆门惠然访我，兴尽而去，无以赠其行，请于知交赋送别。余亦勉为应命，而莫之披睹也。……向之送别者……凡四十三首。"（见《全唐文》卷八二九）郑谷有《赠尚颜上人》。（见《郑谷诗集编年校注》）尚颜，尚书薛能之宗人，工五言诗。生卒年不详，诸史无传。出家荆门，本年前曾一度至京师，为文章供奉，旋归荆州。尚颜与陆肱为旧交，四十年前有《送陆肱入关》诗，云："舟行复陆行，始得到咸京……衣锦还乡日，他时有此荣。"（见《全唐诗》卷八四八）尚颜另有赐紫之荣，齐己有《酬尚颜上人》诗，云："紫绶苍髭百岁侵，绿苔芳草绕阶深。"尚颜为供奉、赐紫之时间难以确考，暂系于此。《直斋书录解题》卷一九，著录尚颜《供奉集》一卷。

赵抟，有爽迈之度，工歌诗，与本年进士及第之张鼎同时。举进士不第，失意而终。（见《唐才子传》卷一〇）抟，又作搏、溥。生卒年、籍贯不详，生平无考。《新唐书》卷六〇《艺文志四》"别集类"著录《赵抟歌诗》二卷，列于晚唐五代诗人之间。《崇文总目》卷一二"别集类"、《通志》卷七〇《艺文略》八"别集诗类"等所录同。作品已佚。《全唐诗》卷七七一收抟诗二首，为感慨身世、指斥时弊之作。

赵光逢本年或明年，以祠部郎中知制诰，寻召充翰林学士，拜中书舍人、户部侍郎、学士承旨。后改兵部侍郎、尚书左丞、学士如故。（见《旧唐书》本传）

刘山甫署王审知威武军节度推官，时审知入闽。《北梦琐言》卷九云："唐彭城刘山甫，中朝士族也。其先宦于岭外，侍从北归，泊船于青草湖。登岸见有北方毘沙门天王，因诣之，见庙宇摧颓，香灯不续。山甫少年而有才思，元随张处权请郎君咏之，乃题诗曰：'坏墙风雨几经春，草色盈庭一座尘。自是神明无感应，盛衰何得却由人。'是夜梦为天王所责，自云：'我非天王，南岳神也。主张此地，汝何相侮！'俄而警觉，而风浪斗起，倒樯绝缆，沉溺在即。遽起悔过，令撤诗牌然后已。山甫自序。"《十国春秋》卷九五传云："刘山甫，彭城人。太祖入闽，署山甫威武军节度判官。"（参《九国志》卷一〇）

陈金凤（893—935）生。五代女词人。福唐（今福建福清）人。闽主王延钧皇后。后梁开平三年（909）为王审知选入后宫，为才人。王延钧即位后，封为淑妃。龙启元年（933）立为皇后。性放荡侈纵。永和元年（935），被杀。《全唐诗》存词二首。事迹见《十国春秋》本传。

崔仲容，光化以前人。唐代女诗人。生卒年、籍贯、事迹不详。《又玄集》选入其诗，《全唐诗》存诗三首。

章碣，本年流寓常州，后不知所终。碣，诗人。睦州桐庐（今属浙江）人，一说杭州钱塘（今浙江杭州）人。生卒年不详。一说章孝标子。举进士不第。咸通末有诗名。乾符中居长安。四年（877）怨主考高湘徇私，作《东都望幸》诗刺之。一说乾符中及第（当在五年或六年）。中和三年（883）或景福二年（893）流寓常州。后不知所终。与方干、罗隐等友善。长于七律。曾创为七律平民各押韵体，自称"变体"，时人多仿效之。多题咏赠寄、送别游宴之作，时见愤激之气。《癸卯岁毗陵登高贻同志》"尘土十分归举子，乾坤大半属偷儿"颇有名。《焚书坑》"自足名家"（清贺裳《载酒园诗话又编》），尤为唐诗名篇。《新唐书·艺文志四》著录《章碣诗》一卷，有散佚。今传《章碣诗集》一卷。《全唐诗》存诗一卷，《全唐诗补编》补断句一联。事迹见《唐才子传校笺》卷九。

公元 894 年（唐昭宗乾宁元年　甲寅）

正月

乙丑，大赦，改元乾宁。李茂贞入朝，陈兵自卫。（见《旧唐书·本纪》）

郑谷年初兼摄京兆府参军，颇有诗名，不久迁右拾遗。有《忝官谏垣明日转对》、《早入谏院》等诗。（参傅义《郑谷年谱》）薛廷珪有《授长安县尉直宏文馆杨赞禹左拾遗鄠县郑谷右拾遗制》中云："以谷二雅驰声，甲科得隽。……闻尔谷之诗什，往往在人口而伸王泽，举贤劝善，允得厥中。"（见《全唐文》卷八三七）[按，郑谷《顺动后蓝田偶作》诗题注云："时丙辰初夏月。"诗曰："小谏升中谏，三年待玉除。"]洪迈《容斋四笔》卷一五《官称别名》条云："唐人好以它名标榜官称，今漫疏于此，以示子侄之未能尽知者……谏议为大坡、大谏，补阙为中谏，又曰补衮，拾遗为小谏，又曰遗公。"谷《春暮寄怀韦起居衮》一诗亦云："长安一夜残春雨，右省三年老拾遗。"丙辰为乾宁三年，逆推之，则郑谷本年初迁右拾遗。

二月

礼部侍郎李择知贡举，苏检、韦庄、徐夤（徐寅）、卢（盧）仁炯、王倜、陈乘、唐禀（廪）、孔昌庶、李德休、韦郊等二十八人登进士第。张佶登明经科。[按，是年进士当为三十人，韦庄《放榜日》诗有"三十仙才上翠微"句]本年之试题，当为《止戈为武赋》及《省试东风解冻诗》等。《十国春秋》："徐夤试《止戈为武赋》。"《徐正字集》有《省试东风解冻诗》。《止戈为武赋》以"和众安人，是为武德"为韵。（见《钓矶文集》卷四）

苏检以第一名中进士科状元。检，吴人也。《太平广记》引《闻奇录》："苏检登第，归吴省家。"

韦庄（836？—910）五十九岁，进士及第，释褐为校书郎。有《南省伴直》、《与东吴生相遇》等诗，《喜迁莺》词二首等。（参夏承焘《唐宋词人年谱》）《唐才子传》："韦庄字端己，京兆杜陵人也。乾宁元年苏检榜进士，释褐校书郎。"《唐诗纪事》："韦庄，见素之后。"《北梦琐言》："蜀相韦庄，应举时遇黄寇犯阙，著《秦妇吟》一篇，内一联云：'内库烧为锦绣灰，天街踏尽公卿骨。'尔后公卿亦多垂讶，庄乃讳之。时人号'秦妇吟秀才'。他日撰家戒，内不许垂《秦妇吟》障子。以此止谤，亦无及也。"韦庄《放榜日》云："一声天鼓辟金扉，三十仙才上翠微。葛水雾中龙乍变，缑山烟外鹤初飞。邹阳暖艳催花发，太皞春光簇马归。回首便辞尘土世，彩云新换六铢衣。"又有《喜迁莺》词其二云："街鼓动，禁城开，天上探人回。凤衔金榜出云来，平地一声雷。莺已迁，龙已化，一夜满城车马。家家楼上簇神仙，争看鹤冲天。"（见《韦庄集·浣花集》，人民文学出版社1958年三版）又《浣花集》卷九有《与东吴生相遇》诗，题下小注云："及第后出关作。"诗云："十年身事（一作身世）各如萍，白首相逢泪满缨。老去不知华有态，乱来唯觉酒多情。贫疑陋巷春偏少，贵想豪家月最明。且对一樽开口笑，未衰应见泰阶平。"《蜀梼杌》卷下、《宣和书谱》卷十一皆云庄"乾宁中举进士"。《直斋书录解题》卷十九谓庄："唐乾宁元年进士。"庄，诗人兼词人。幼即能诗，以艳语见长。屡举进士不第，逢黄巢入京，逃离长安，作《秦妇吟》。辗转飘荡十余载，本年，已近花甲，才进士及第。后奉诏随谏议大夫李洵入蜀，宣谕西川节度使王建罢兵。回朝，自右补阙改左补阙。取唐人丽句，辑为《又玄集》

三卷，选录才子 150 人名诗 300 首。天复元年，为西蜀掌书记。王建据蜀称帝，深受倚重，官至门下侍郎兼吏部尚书、同平章事。在蜀，卜居成都浣花溪畔杜甫草堂旧址，因名其诗集曰《浣花集》。

徐夤（徐寅）（？—917？）本年进士及第，有《省式东风解冻诗》、《止戈为武赋》（见《钓矶文集》卷六、卷四），即本年省试诗赋。夤，一作寅。字昭梦，莆田（今属福建）人。［按，《唐摭言》卷一〇、宋徐师仁《唐秘书省正字徐公钓矶文集序》、宋刘克庄《跋徐先辈集》（《后村大全集》卷九六）、元徐玩《钓矶文集序》等均作徐夤］《唐才子传》卷十作徐寅。《唐才子传校笺》笺曰："寅、夤义通，古书多借寅为夤，当以夤为是。"《十国春秋》：徐寅字昭梦，莆田人。登唐乾宁进士第。试《止戈为武赋》，一烛裁尽，已有"破山加黠，拟戍无人"之句，礼部侍郎李择览而奇之。黄滔自称及第在夤后一年，夤登第在陈峤后七年，滔有《司直陈公墓志铭》云："（公）讳峤，字延封。……闽越江山，莆阳为灵秀之最。贞元中林端公藻冠东南之科，第十年而许员外稷继翔。……公追二贤之后，七年而徐正字夤捷，八年而愚□。"［按，原阙字，当为"捷"字］（见《黄御史集》卷六）［按，峤于僖宗光启二年（886）登第，见《登科记考》卷二二］黄滔于乾宁二年（895）及第，见《黄御史集》附录《唐昭宗实录》及《莆阳志》。又黄滔《祭陈峤文》注云："林端公贞元七年首闽越之科第，以《珠还合浦赋》擅名。后十年，莆邑许员外荣登。自此文学之士继踵，而悉不偶时，旷八十七年，始钟于延封。其文以《申秦续篇》擅名。后六七年，徐正字及第，兼某尘忝。"（见《全唐文》卷八二六）又李献民《莆阳比事》卷一云："乾宁元年，有徐夤、陈乘。"《永乐大典》引宋《莆阳志》云："乾宁元年，徐夤、陈乘登进士第。"［按，此据《登科记考》卷二四乾宁元年陈乘名下引，但同卷景福元年徐寅名下亦引《莆阳志》，作乾符元年，符当为宁之讹］刘克庄《跋徐先辈集》亦云："公元年乾宁登第。"（参《淳熙三山志》卷二六、乾隆《福建通志》卷三十三）［按，《唐才子传》卷一〇谓夤（寅）"大顺三年（按，大顺仅二年）蒋泳下进士及第"；徐松《登科记考》卷二四列寅为景福元年进士，知贡举蒋泳。皆误］（参《唐才子传校笺·徐寅》）徐寅《放榜日诗》曰："喧喧车马欲朝天，人探东堂榜已悬。万里便随金鹭鹭；三台仍借玉连钱。花浮酒影彤霞烂，日照衫光瑞色鲜。十二街前楼阁上，卷帘谁不看神仙。"夤又有《曲江宴日呈诸同年诗》曰："鵷鹓惊与凤凰同，忽向中兴遇至公。金榜连名昇碧落，紫花封敕出琼宫。天知惜日迟迟暮，春为催花旋旋红。好是慈恩题了望，白云飞尽塔连空。"夤及第后授秘书省正字。未久，黄滔《酬徐正字寅》诗："已免蹉跎负岁华，敢辞霜鬓雪呈花。名从两榜考升第，官自三台追起家。"（见《唐黄御史公集》卷三）宋徐师仁《唐秘书省正字徐公钓矶文集序》引《九国志·徐夤传》云："（公）乾宁初举进士……侍郎李择览而奇之，是岁释褐秘书省正字。"（见《钓矶文矶》卷首附，师仁序中自称为夤七世孙）《五代史补》："徐夤登第，归闽中，途经大梁，因献太祖赋。时梁祖与太原武皇为仇敌，武皇眇一目，又出自沙陀部落，夤欲曲媚梁祖，故词及之，云'一眼胡奴，望英威而胆落'。未几有人得其本示太原者，武皇见而大怒。及庄宗之灭梁也，四方诸侯以为唐室复兴，奉琛为庆者相继。王审知在闽中，亦遣使至，遽召其使，问曰：'徐夤在否？'使不敢隐，以无恙对。庄宗因惨然曰：'汝归语王审知，父母之仇不可同天。徐夤指斥先帝，今闻在彼中，何以容之！'使回，具以告审知，曰：'如此则主上欲杀徐夤尔。今杀则未敢奉诏，但不可用矣。'即日戒阍者，不得引接。徐夤坐是终身止于秘书正字。'"夤及第前即以词赋驰声，然困于名场。《唐才子传·徐夤传》云："（夤）工诗，尝赋《路旁草》云：'楚甸秦川万里平，谁教根向路旁生。轻蹄绣毂长相蹋，合是荣时不得荣。'时人知其蹭蹬。后果须鬓交白，始得秘书正字。"《唐摭言》卷十《海叙不遇》条载："谢庭皓……大顺中，颇以词赋著名，与徐夤不相上下。"夤《长安述怀》云："黄河冰合尚来游，知命知时肯躁求。词赋有名堪自负，春风落第不曾羞。……十载公卿早言屈，何须课夏更冥搜。"（见《全唐诗》卷七〇九）夤，于唐末五代以诗赋名，本年进士及第后，任秘书省正字，后弃官客游汴梁朱全忠幕。天复二年（902）归闽，王审知辟居幕府，与黄滔、杨沂丰等文咏唱和。天祐元年（904）去职，泉州刺史王延彬招为幕客。与延彬、陈乘、郑良士等诗酒唱和。后梁贞明初归隐莆田延寿溪，卒贞明中。夤工诗，长于咏物。尤善辞赋，时号"锦绣堆"。有《五王宅赋》、《丰年为上瑞赋》、《垂衣裳而天下治赋》、《首阳山怀古赋》、《均田赋》、《朱虚侯唱田歌赋》、《口不言钱赋》、《御赋》、《寒赋》等。（见《全唐文》卷八三〇）其赋曾雕版印卖，并为渤海国人抄写回国，家家以金书列为屏障。宋洪迈《容斋四笔》卷七云："晚唐士人作律赋，多以古事为题，寓悲伤之旨，如吴融、徐夤诸人是也。"有《徐夤赋》五卷，《探龙集》五卷，元人编为《钓矶文集》十卷，今存。又有《雅道机要》一卷，亦存。事迹见宋徐师仁及元徐玩《钓矶文集序》、《闽书》卷二〇五、《十国春秋·徐夤传》。

卢仁炯，生卒年不详，本年与徐夤同榜进士及第。徐夤有《寄卢端公同年仁炯诗》。（参徐松《登科记考》）

王倜，生卒年不详，本年与徐夤同榜进士及第。徐夤有《赠垂光同年诗》曰："丹桂攀来十七春，如今始见茜袍新。须知红杏园中客，终作金銮殿里臣。逸少家风惟笔札，元成事业是陶钧。他时黄阁调元处，莫忘同年射策人。"《新唐书·宰相世系表二中》有王倜，出自琅邪临沂王氏，"字垂光，鄠尉，直弘文馆"，其父博，字昭逸，相昭宗。王倜亦为昭宗时人，与徐夤同时。《金石萃编》卷一一八有天祐三年（906）十二月建《王审知德政碑》，署："将仕郎、前守京兆府鄠县尉、直弘文馆王倜书。"

陈乘，生卒年不详，本年与徐夤同榜进士及第。《永乐大典》引《莆阳志》："乾宁元年，徐夤、陈乘登进士第。"《十国春秋》："陈乘，仙游人。"徐锴《陈氏书堂记》谓乘为陈崇之族子。乘及第后，官秘书郎。后退居乡里，与徐夤、郑良士等诗歌酬和。《全唐诗》存诗一首。事迹见《十国春秋》本传、《登科记考》卷二四。

唐禀（唐廪），生卒年不详，本年进士及第。《永乐大典》引《宜春志》："乾宁元年，唐廪登进士第。"（参《登科记考》卷二四）《新唐书·艺文志四》著录："唐禀《贞观新书》三十卷。"注："禀，袁州萍乡人。集贞观以前文章。"天一阁［嘉靖］《袁州府志》卷七《选举表·科第·南唐》："乾祐元年：萍乡唐廪，秘书正字，进士。"［按，此言"南唐"、"乾祐"皆误。当以《新唐书》为正］禀（廪）进士及第，曾官秘书正字。与齐己友善，齐己有《送唐禀正字归萍川》。所撰《贞观新书》三十卷，已佚。《全唐诗》存诗一首，《全唐诗补编》补三首。

孔昌庶，生卒年不详，或为本年进士。昌庶，迥之子。（见《宋史·孔承恭传》）《阙里文献考》谓昌庶为乾宁元年进士，未知所据，附此待考。

李德休，生卒年不详，本年进士及第。《旧五代史》卷六〇本传："李德休，字表逸，赵郡赞皇人也。祖绛，山南西道节度使，唐史有传。父璋，宣州观察使。德休登进士第，历盐铁官、渭南尉、右补阙、侍御史。天祐初，两京丧乱，乃寓迹河朔。"杨凝式撰长兴三年（932）正月三日《唐故礼部尚书致仕赠太子少保赵郡李公（德休）墓志铭并序》云："公讳德休，字表逸，赵郡赞皇人也。……乾宁初，春官侍郎李公择下登进士第，升甲科。"（见《全唐文补遗》册五，第 67 页）《辑绳》所载略同。

韦郊，昭宗时人，与韦庄为同榜进士。韦庄有《和同年韦学士华下途中见寄》诗。（见《全唐诗》卷七〇〇）《旧唐书》卷一五八《韦贯之传》："序、雍、郊皆登进士第。……郊文学尤高，累历清显，自礼部员外郎知制诰，正拜中书舍人。昭宗末，召充翰林学士，累官户部侍郎、学士承旨卒。"（参《登科记考》卷二十七《附考·进士科》）

郑准，生卒年无考，本年进士及第。准，字不欺，荥阳人。《新唐书》卷六〇《艺文志四》"别集类"著录郑准《渚宫集》一卷，注云："字不欺，登乾宁进士第。"《唐诗纪事》卷六一所载同。清郑王臣《莆风清籁集》卷二郑准小传云："字不欺，……乾宁四年进士及第。"盖误。宋陶岳《五代史补》卷一《郑准作归姓表》云："（准）性淳直，能为文，长于笺奏。成汭镇荆南，辟为判官。"《北梦琐言》卷七亦云："（准）以文笔依荆州成中令。"郑准进士及第后旋为成汭所辟，从事荆南后十年，成汭出兵救鄂州杜洪，败死。释尚颜《寄荆门郑准》诗云："珍重荆南郑从事，十年同受景升恩。"

知贡举：礼部侍郎李择。（见《十国春秋》）

徐夤《省试东风解冻诗》曰："暖气飘苹末，冻痕销水中。扇冰初觉泮，吹海旋成空。入津三春照，朝宗万里通。岸分天影阔，色照日光融。波起轻摇绿，鳞游乍跃红。殷勤排弱羽，飞翥趁如（一作和）风。"（见《徐正字集》，《四部丛刊》三编本《钓矶文集》卷六）

徐夤《止戈为武赋》曰："书契天设，文明日新，将究止戈之意，式彰为武之仁。足还太素，以寿生灵，志肃三军，欲致理而生乎至理，论归八法，见古人兮教以今人。昔者楚庄王薄诸晋国，小臣请筑于京观。厥王乃陈乎道德，谓临戎制胜，诚不在乎干戈；示子传孙，事宜规于翰墨。且武也者，战而不阵，师克在和。考其字以因明所字，止其戈而焉用其戈？愿剑戟而弃于农耕。贤哉若彼，问军旅而对以俎豆。圣也如何？矧乎伏羲画卦以穷微，仓颉造书而允中，于会意以无息，实临文而可讽。下破山而加点，理绝乘危；上拟戍以无人，诚难动众。以五兵为武者非武之资，合两字为武者是武之奇。当用究言而不用，有为讵及于无为？乌迹斯验，人情可窥，亦由月并日而明焉；其仪不昧，秋悬心而愁矣。厥义咸知，是宜遵史籀之文，赞升平之主。两阶屡舞以称圣，七德交修而曰武，亦何异威而不猛，宥刑而夏楚宁施？舍之而藏，得象而筌蹄奚睹？今我后洞穷经之旨，知为君之难，功不宰而八蛮自服，书同文而万国咸安。列圣摧凶，我则怀远而柔迩；前王伐罪，我则去杀而胜残。故得文物重新，妖氛自弭。庐人之百炼宁问？吕望之六韬可委。士有偶明试而赋止戈，获赞皇风而之□□□……"

（见《四部丛刊》三编本《钓矶文集》卷四）

昭宗命郑綮为宰相，以綮上章论列朝政阙失，不避宰执；且綮每以诗谣托讽，深有所蕴，有“郑五歇后体”之誉。《旧唐书·郑綮传》：“朝政有阙，（綮）无不上章论列。事虽不行，喧传都下，执政恶之，改国子祭酒。物议以綮匡谏而置之散地不可，执政惧，复用为常侍……綮善为诗，多侮剧刺时，故落格调，时号‘郑五歇后体’。……昭宗还宫，庶政未惬，綮每形于诗什而嘲之，中人或诵其语于上前。昭宗见其激讦，谓有蕴蓄，就常奏班簿侧注云：‘郑綮可礼部侍郎、平章事。’……明日果制下……累表逊让不获。既入视事，侃然守道，无复诙谐。”《新唐书·郑綮传》：“綮本善诗，其语多俳谐，故使落调，世共号‘郑五歇后体’。”（参《资治通鉴》卷二五九、《新唐书·昭宗本纪》）

三月

三四月间，河东军与汴军大战于邢、洺。李克用御下失策，车裂主将李存孝。从此，河东兵势浸弱，而朱全忠独盛矣。

二十七日，张濬作《杜鹃花诗》寄岭南东道节度使刘崇龟。注云：“山居洞前，得杜鹃花，走笔偶成，桂府仪射。寄呈广州仆射刘公。乾宁元年三月二十七日，在临桂龙隐岩。”（见《唐方镇年表》页1046引《广西志·金石》）濬为张仲素孙。初应进士试，不得志，遂隐居学纵横术以干时。后，荣登台显，尤遍历兵部郎中、兵部侍郎、兵部尚书。曾拜平章事、授左、右仆射。天复三年（903），为朱全忠派兵暗杀于家中。性倜傥，涉猎文史，好大言。有《张濬表状》一卷。

黄滔年约五十五，在长安，与陈峤、陆扆交游，赋《和陈先辈陪陆舍人春游曲江》诗。（见《全唐诗》卷七〇六）

五月

镇海节度使钱镠同平章事。（见《资治通鉴》卷二五九）

此时或稍后，罗隐有《题玄同先生草堂三首》，隐时年六十二。《唐音统签·戊签》诗题下注云：“闾丘方达有道术，隐余杭大涤山。景福中，吴越王奏请赐紫，号玄同先生，重建天柱宫以居。一日，作控鹤，坐而逝。”本诗之一云：“杳杳诸天路，苍苍大涤山。……相府旧知己，教门新启关。太平匡济术，流落在人间。”（见《罗隐集·甲乙集》卷六）

六月

戊午，以李磎同平章事、礼部郎中，知制诰刘崇鲁出班痛哭。极言磎奸邪，两人互为攻讦，胡三省注云：“当是时，强藩遥制朝廷，视当朝宰相特鬼朴耳。”可见当时方镇跋扈之状。（见《资治通鉴》卷二五九）崇鲁兄崇龟时为岭南东道节度使，闻之忧甚。《旧唐书·刘崇龟传》：“昭宗命李磎同平章事，崇鲁出班而痛哭。时崇龟在外，闻崇鲁哭麻，不食数日。”庚申，磎罢。未几，崇鲁以沮止李磎为相，贬崖州司户。（见新、旧《唐书·刘崇鲁传》）崇鲁，字郊文。河南（治今河南洛阳）人。生卒年不详。崇望弟。广明元年（880）进士及第。中和二年（882）为右拾遗，迁左补阙、翰林学士。景福中，以水部郎中知制诰。本年贬崖州司户。官终水部员外郎。《全唐诗》存诗一首。事迹见新、旧《唐书》本传。

七月

本年七月，华州兵执杨复恭、杨守亮、守信等，八月献诸阙下，诏斩于独柳。（见《资治通鉴》，参《旧唐书·昭宗本纪》）

郑綮求罢宰相，以太子少保致仕。自谓“诗思在渭桥风雪中驴子上”，颇为后世所称。《北梦琐言》卷七记：“唐相国郑綮，虽有诗名，本无廊庙之望。……昭宗时，吴雄据淮海，朝廷务行姑息，因盛言郑公之德，由是登庸，中外惊骇。于时皇纲已紊，四方多故，相国既无施展，事必依违。太原兵至渭北，天子震恐，渴于攘却之术。相国奏对，请于文宣王谥号中加一‘哲’字，其不究时病，率此类也。同列以其忝窃，每讥侮之。相国乃题诗于中书壁上，其诗曰：‘侧坡蛆昆仑，蚁子竞来拖。一朝白雨下，无钝无喽啰。’意者以时运将衰，纵有才智，亦不能康济，当有玉石俱焚之虑也。时亦然之。相国《题老僧诗》云：‘日照西山雪，老僧门未开。冻瓶粘柱础，宿火焰炉灰。童子病归去，鹿麑寒入来。’常云：此诗属对，可以称衡，重轻不偏也。或曰：‘相国近有新诗否？’对曰：‘诗思在灞桥风雪中驴子上，此处何以得之？’盖言平生苦心也。”

八月

黄滔在江州，寄诗徐夤，与江州刺史陈卓夜宴赋诗。滔《寄徐正字夤》云：“八月月如冰，登楼见姑射。美人隔千里，相思无羽驾。……何当诗一句，同吟祝玄化。”（见《全唐诗》卷七〇四）滔《江州夜宴献陈员外》诗云：“多次欢娱簇眼前，浔阳江上夜开筵。数枝红蜡啼香泪，两面青娥拆瑞莲。……因知往岁楼中月，占得风流是偶然。”（见《全唐诗》卷七〇五）陈卓在江州事，《疏山白云禅院记》有载。（见《全唐文》卷九二〇）黄滔又有《秋夕贫居》、《入关旅次言怀》、《旅怀》等诗，盖作于及第前之秋日，暂系于此。（均见《全唐诗》卷七〇四）

郑谷客居西蜀已半纪有余，秋，闻圆昉上人卒，忆己客居蜀中时，多寓上人精舍中，因怆然作诗哀吊。其《谷自乱离之后，在西蜀半纪之余，多寓止精舍，与圆昉上人为侣，昉公于长松山旧斋，尝约他日访会，劳生多故，游宦数年，曩契未谐，忽闻谢世，怆吟四韵以吊之》诗云：“几思闻静（一作净）话，雨夜对禅床。未得重相见，秋灯照影堂。孤云终负约，薄宦转堪伤。梦绕长松塔，遥焚一炷香。”（见《郑谷诗集编年校注》）

韦庄于尚书省伴值，有《南省伴直》诗。诗云：“文昌二十四仙曹，尽倚红檐种露桃。一洞烟霞人迹少，六行槐柳鸟声高。星分夜彩寒侵帐，兰惹春香绿映袍。何事爱

留诗客宿，满庭风雨竹萧骚。”诗题下注：“甲寅年自江南到京后作。”（见《浣花集》卷八）

王贞白有《秋日旅怀寄右省郑拾遗》诗寄郑谷。此前贞白曾将自己所作诗五百首呈郑谷，附《寄郑谷》诗，云：“五百首新诗，缄封寄去时。只凭夫子鉴，不要俗人知。”（均见《全唐诗》卷七〇一）贞白又曾与贯休切磋诗艺，《青琐后集》载：“王贞白，唐末大播诗名，尝作《御沟》诗云：‘一派御沟水，绿槐相荫清。此波涵帝泽……愿向急流倾。’示贯休，休曰：‘剩一字。’贞白扬袂而去。休曰：‘此公思敏。’书一‘中’字于掌。逡巡，贞白回曰：‘此中涵帝泽。’休以掌中示之，不异所改。”（见《诗话总龟》卷十一《雅什》门引）

十月

中书侍郎、平章事王抟被贬为湖南节度使；同月，制御史中丞崔胤为兵部侍郎、同平章事。（见《旧唐书·昭宗本纪》、《资治通鉴》卷二五九）

吴融时在京任侍御史，羊绍素、韦彖以所作赋投献。融见彖赋中之句“有丹青二人：一则矜能于狗马，一则夸妙于鬼神”，大奇之，荐之为京兆府府元。（见《唐摭言》卷五《切磋》条）

十二月

李克用攻陷幽州，以刘仁恭为兵马留后。（见《旧唐书·昭宗本纪》、《资治通鉴》卷二五九）

本年

司空图年五十八，被召为户部侍郎，奉旨撰《华帅许国公德政碑》，数日乞还。《碑》文曰：“乾宁元年，上御便殿，遂出镇国监军使董重彦所奏前后将吏军人百姓僧道等恳请，为其帅置生祠纪德表章……翌日，遂下诏前户部侍郎司空图，条次所上，刊示无穷。”（见《全唐文》卷八一〇）《旧唐书》本传谓：“乾宁中，又以户部侍郎征，一至阙廷致谢，数日乞还山，许之。”

贯休年六十二，谒钱镠，献诗五章，并为杭州众安桥强氏药肆画罗汉一堂。《宋高僧传》卷三〇本传云：“乾宁初，赍志谒吴越武肃王钱氏，因献诗五章，章八句，甚惬旨，遗赠亦丰。”其所献诗今已佚。《唐诗纪事》卷七五又云：“钱镠自称吴越国王，休以诗投之曰：‘贵逼身来不自由，几年勤苦蹈林丘。满堂花醉三千客，一剑霜寒十四州。莱子衣裳宫锦窄，谢公篇咏绮霞羞。他年名上凌烟阁，岂羡当日万户侯。’镠谕改为四十州，乃可相见。曰：‘州亦难添，诗亦难改。然闲云孤鹤，何天而不可飞。’”（参宋释文莹《续湘山野录》）此盖系后人伪托，不可信。《唐才子传》卷一〇、《十国春秋》卷四七传等均转引此诗，皆误。（见傅璇琮《五代诗话序》）又《宋高僧传》本传云：“休善小笔，得六法，长于水墨，形似之状可观。受众安桥强氏药肆请，出罗汉一堂，云每画一尊，必祈梦得应真貌，方成之。与常体不同。自此游黔歙，与唐安寺兰阇黎道合。”

尚颜居荆州，后此十年间与郑准交游往还。其《寄荆门郑准》诗云：“珍重荆南郑从事，十年同受景升恩。”另参本年郑准条。

朱朴约本年迁国子毛诗博士。朴，唐代文学家。襄州襄阳（今湖北襄樊）人。生卒年不详。以三史举，由荆门令进京兆府司录参军，改著作郎。约乾宁元年（894），迁国子毛诗博士。三年（896），擢左谏议大夫、同中书门下平章事。进中书侍郎。四年（897），罢为秘书监，三贬郴州司户参军，卒（一说为韩建所杀，误）。为人迂腐木讷。能诗文。《新唐书·艺文志》著录《致理书》十卷、《杂表》一卷、《朱朴诗》一卷（《宋史·艺文志七》作《荆山子诗集》四卷），并佚。《全唐文》存文一篇。事迹见新、旧《唐书》本传。

顾云（？—约 894）约本年卒。《唐诗纪事》卷六七记顾云修史成，“加虞部员外郎。乾宁初卒。……有文号《凤册联华编藁》、《昭亭杂笔》。”云，字垂象，一字士龙。池州秋浦（今属安徽）人。盐商子。早年曾与杜荀鹤、殷文圭同在九华山读书。大中、咸通中，谋试于长安，为令狐绹所赏识。乾符元年（874）进士及第。授校书郎。约中和元年（881），辟淮南节度使从事，检校监察御史。转观察支使。光启三年（887），淮南军乱，因退居霅川，杜门著书。大顺中，宰相奏与司空图等分修《宣懿、僖三朝实录》。书成，加虞部员外郎。官至虞部郎中，约卒于乾宁元年 894。文章、辞赋为时所称。景福元年（892）为杜荀鹤诗所作《唐风集序》，称颂陈子昂、戴叔伦、刘长卿、王昌龄，赞扬荀鹤诗可以“润国风，广王泽”，“左揽工部袂，右拍翰林肩，吞贾（岛）喻（凫）八九于胸中”，可见其文学主张。其文有投启、诗序等，多干谒之作，骈俪之气甚重。亦能诗，多七言歌行，《苔歌》、《池阳醉歌赠匡庐处士姚岩杰》思致奇逸，描写生动，较有特色。《新唐书·艺文志四》著录其所撰《顾氏编遗》、《苕川总载》、《纂新文苑》、《集遗具录》各十卷，《启事》一卷，《赋》二卷；《宋史·艺文志七》著录《凤策联华》三卷等，并散佚。《直斋书录解题》卷十六著录其《凤策联华》三卷，并谓：“多以拟古为题，并行卷之文也。”今传《贵池先哲遗书·贵池唐人集》、《顾云诗文》，诗文各一卷。《全唐诗》存诗一卷，《全唐诗补编》补三首；《全唐文》存文一卷。事迹见《新唐书·艺文志四》、《唐诗纪事》卷六七。

张昭（894—972）生。昭，五代文学家。本名昭远，字潜夫。濮州范县（今属河南）人。后唐时，为翰林学士、左补阙，累官御史中丞。后晋天福二年（937）迁户部侍郎，充翰林学士。历兵部、吏部侍郎。八年（943），充史馆修撰，判馆事。拜尚书左丞。后汉时，官吏部侍郎。太常卿。后周时，为户部、兵部尚书。仕宋，拜吏部尚书，开宝五年（972）卒。博通经史，勤于撰述。曾预修后唐懿祖、献祖纪年录各一卷、庄宗实录二十卷等，撰《朱梁列传》十五卷、《后唐列传》三十卷、《太康平吴录》二卷、《补注庄子》十卷等及别集《嘉善集》十卷，著录于《宋史·艺文志》，并佚。《全唐文》存文一卷，《唐文拾遗》、《唐文续拾》各补一篇；《全唐诗》存诗一首，《全唐诗补编》补一首。事迹见《宋史》本传，参《旧五代史》唐、晋、汉、周诸帝纪。

陈陶（894？—？）约本年生。陶，五代诗人。剑浦（今福建南平）人，一说鄱阳（治今江西波阳东北）人。好游学，善解天文，自负台铉之器，不肯妄干托。南唐升元中，见秉政者用人不明，遂隐于洪州西山，以吟咏自适。宋初尚在世。人多误认与大中处士陈陶为同一人，陶敏《陈陶考》辨别之。《全唐诗》陈陶诗中混有其诗。事迹见《江南野史》卷八。

柳玭（？—894？）约本年卒。玭，唐代小说家。初以明经及第，释褐授秘书正字。又由书判拔萃，辟度支巡官。拜右补阙。咸通末为昭义节度副使。入为刑部员外郎。出为岭南节度副使。乾符六年（879）以黄巢攻陷广州，逃还。召为起居郎。再迁中书舍人、御史中丞。擢尚书左丞，知光启三、四年（887、888）贡举，擢郑谷、崔涂等。后以吏部侍郎修国史，拜御史大夫。景福二年（893）坐事贬泸州刺史。卒于任。著有《续贞陵遗事》一卷、《柳氏训序》一卷，著录于《新唐书·艺文志二》，并散佚。《资治通鉴考异》、《唐语林》等有佚文。《全唐文》存文三篇。事迹见新、旧《唐书》本传，参《登科记考》卷二三。

海印，生卒年、籍贯不详，暂系于此。五代时蜀国女尼、女诗人。住成都慈光寺。才思清峻，落笔成韵。为唐代不多见的能诗的女尼。《全唐诗》存诗一首，《全唐诗补编》补断句二联。事迹见《鉴戒录》卷一〇。

公元895年（唐昭宗乾宁二年　乙卯）

二月

河中节度使王重盈卒。（见《旧唐书·昭宗本纪》、《资治通鉴》卷二六〇）

刑部尚书崔凝知礼部贡举，试《人文化天下赋》，以“观彼人文，以化天下”为韵，又试《内出白鹿宣示百官诗》。（均见《黄御史集》）先放张贻宪等二十五人登进士第。昭宗责其滥进，令覆汰。重放赵观文、程晏、崔赏、崔仁宝、卢赡、韦说、封渭、韦希震、张蠙、黄滔、卢鼎、王贞白、沈崧、陈晓、李龟祯等十五人及第。张贻宪、孙溥等十人被落下。知贡举崔凝贬台州刺史。是年韦彖府元落第。（见《唐摭言》卷二《府元落第》）王贞白《御试后进诗》云：“三时赐食天厨近，再宿偷吟禁漏清。二十五家齐拔宅，人间已写上升名。”注云：“是年初放二十五人，后覆汰，止放十五人也。”

乙未，进士科放榜，敕曰：“高宗梦傅说，周文遇子牙，列位则三公，弼谐则四辅。朕纂承鸿绪，克绍宝图，思致理平，未臻至化。今大朝方兴文物，须择贤良，冀于佥选之间，以观廊庙之器。今年新及第进士张贻宪等二十五人，并指挥取今月九日于武德殿祗候。委中书门下准此处分，仍付所司。”［按，黄滔《放榜日诗》注云：“其年当日奏试。”］

丙申，试新及第进士张贻宪等于武德殿东廊。内一人卢赓称疾不至，宣令舁入。又云华阴省亲，其父偓进状乞落下。分二十五铺分，不许往来。内出四题，《曲直不相入赋》，取“曲直”二字为韵。《良弓献问赋》，以“太宗问工人：木心不正，脉理皆邪，若何道理”，取五声字轮次，各双用为韵。［按，《容斋四笔》引作“皆取五声依轮次，以双周隔句为韵，限三百二十字成”〕《询于刍荛诗》，回纹，正以“刍”字、倒以“荛”字为韵。《品物咸熙》，七言八韵成。令至九日午后一刻进纳。

丁酉，宣翰林学士承旨、户部侍郎、知制诰陆扆，秘书监冯渥，于云韶殿考所试诗赋。各赐衣一袭、毡被等。

己亥，敕：“朕自君临寰海，八载于兹。梦寐英贤，物色岩野，思名实相符之士，艺文具美之人，用立于朝，庶裨于理。且令每岁乡里贡士，考覈求才，必在学贯典坟，词穷牧化，然后升于贤良之籍，登诸俊造之科。如闻近年已来，兹道浸坏，鹖多披于隼翼，羊或服于虎皮。未闻一卷之师，已在迁乔之列。永言其弊，得不以惩！昨者崔凝所考定进士张贻宪等二十五人，观其所进文书，虽合程度，必虑或容请托，莫致精研。朕是以召至前轩，观其实艺，爰于经史，自择篇题。今则比南郭之竽音，果分一一；慕西汉之辞彩，无愧彬彬。既鉴妍媸，须有升黜。其赵观文、程晏、崔赏、崔仁宝等四人，才藻优赡，义理昭宣，深穷体物之能，曲尽缘情之妙。所试诗赋，辞艺精通，皆合本意。其卢赡、韦说、封渭、韦希震、张蠙、黄滔、卢鼎、王贞白、沈崧、陈晓、李龟祯等十一人，并试诗赋，义理精通，用振儒风，且蹑异级。其赵观文等四人，并卢赡等十一人，并与及第。其张贻宪、孙溥、李光序、李枢、李途等五人，所试诗赋，不副题目，兼句稍次，且令落下，许后再举。其崔砺、苏楷、杜承昭、郑稼等四人，诗赋最下，不及格式，芜类颇甚。曾无学业，敢窃科名？浼我至公，难从滥进。宜令所司落下，不令再举。其崔凝爵秩已崇，委寄殊重，司吾取士之柄，且乖慎选之图，辜朕明恩，自贻伊咎。委中书门下行敕处分奏来。其进士张贻宪等二十四人名，准此处分。赐陆扆、冯渥银器分物，其落下举人并赐绢三疋。”

中书门下覆奏：“伏以文学设科，得其人则儒雅道长，非其才则趋竞者多。实在研精，仍资澄汰。昨者宣昭贡士，明试殿庭，题自尽取于典坟，赋咏用观其工拙。果周睿鉴，尽叶至公。升黜而惩劝并行，取舍而宪章斯在。其赵观文等二十四人，望准宣处分。崔凝商量，别状奏闻。”

丁未，敕：“国家文学之科，以革隋弊。岁登俊造，委之春官。盖欲华实相符，为第一用。近浸讹谬，虚声相高。朕所以思得贞正之儒，以掌其事。而闻刑部尚书、知贡举崔凝，百行有常，中年无党，学窥典奥，文赡菁英。洎遍践清华，多历年数，累更显重，积为休声。遂辍其宪纲，任之文柄，宜求精当，稍异平常。朕昨者以听政之余，偶思观阅，临轩比试，冀尽其才。及览成文，颇多芜类。岂宜假我公器，成彼私荣？既观一一之吹，尽乏彬彬之美。且乖朕志，宜示朝章。尚遵含垢之恩，俾就专城之任，勉加自省，勿谓无恩。可贬合州刺史。”（以上均见《黄御史集》引《昭宗实录》）又《唐摭言》卷七《好放孤寒》条云：“昭宗皇帝颇为寒进开路。崔凝覆试，但是子弟，无问文章高下，率多退落，其间屈人颇多。孤寒中唯程晏、黄滔擅场之外，其余以程试考之，滥得亦不少矣。然如王贞白、张蠙律诗，赵观文古风之作，皆臻前辈之阃阈者也。”《容斋四笔》：“唐昭宗乾宁二年进士二十五人，覆试但放十五人。自状头张贻宪以下重落，其六人许再入举场，四人所试最下，不许再入。苏楷其一也。故挟此恨，至于驳昭宗圣文之谥。是时国祚如赘疣，悍镇强藩请隧问鼎之不暇，顾惓惓若此。贻宪等六人，讫唐末不复缀榜，盖是时不糊名，一黜之后，主司不敢再收拾也。有黄滔者，是年及第，闽人也。九世孙沃为吉州永丰宰，刊其遗文，初试、覆试凡三赋皆在。考《曲直不相入赋》以题中‘曲直’二字为韵，释云‘邪正殊途，各有好恶’，终篇只押两韵。《良弓献问赋》，取五声字次第用，各随声为赋格。于是第一韵尾句云‘资国祚之崇崇’，上平声也。第二韵‘乘宝祚之绵绵’，下平声也。第三韵‘曾非惟惟’，上声也。第四韵‘露其言而粲粲’，去声也。而阙入声一韵。赋韵如是，前所未有。国将亡，必多制，亦云可笑矣。信州永丰人王贞白，时再试中选，郡守为改所居坊名曰‘进贤’，且减户税，亦后来所无。”

赵观文重试以第一名中进士科状元。《唐诗纪事》：“赵观文，乾宁二年崔凝下第八人登第。是年，命陆扆重试，而观文为榜首。”《桂林风土记》：“进贤坊，因赵观文状头及第，前陈太保改坊名。”黄滔《和同年赵先辈观文诗》云：“玉兔轮中方是树，金鳌顶上别无山。虽然回首见烟火，事主酬恩难便闲。”（见《黄御史集》）褚载《贺赵观文重试及第诗》云：“一枝仙桂两回春，始觉文章可致身。已把色丝要上第，又将彩笔冠群伦。龙泉再淬方知利，火浣重烧转更新。今日街头看御榜，大能荣耀苦心人。”孔平仲《珩璜新论》：“赵观文，桂州人，状元及第。”观文以状元及第荣归故里，桂管观察使改其所居坊为进贤坊。《全唐文》小传谓其曾官侍讲学士。与黄滔、褚载等交往酬和。工诗能文。五代王定保称其古风“臻前辈之阃阈”。（见《唐摭言》卷七）《全唐文》存文一篇。事迹见《登科记考》卷二四。

程晏生卒年不详，本年进士及第。《郡斋读书志》：“程晏字晏然，乾宁二年进士。”晏，籍贯不详。工文，为晚唐小品文名家，有集七卷。所作长于议论，好为翻案之词，短小精悍，构思独特，时有新意，也间见迂腐之说。《齐司寇对》、《设毛延寿自解语》等托物喻人或借古讽今，表示对奸佞和藩镇等的反对，具有现实内容。今《全唐文》卷八二一存文七篇，皆杂文，所论颇新异。其《设毛延寿自解语》云：“帝见王嫱美，召毛延寿责之曰：‘君欺我之甚也！’延寿曰：‘臣以为宫中美者，可以乱人之国。臣欲宫中之美者，迁于胡庭。是臣使乱国之物，不逞于汉而移于胡也。……陛下以为美者，是能乱陛下之德也，臣欲去之，将静我而乱彼。陛下不以为美者，是不能乱我之德，安能乱彼谋哉！臣闻太上无乱，其次去乱，其次迁乱。今国家不能无乱，陛下不能去乱，臣为陛下迁乱耳，恶可以为美为彼得乎。’帝不能省。君子曰：良画工也，孰诬其货哉！’”（见《全唐文》卷八二一）《新唐书·艺文志四》著录：“《程晏集》七卷。”注：“字晏然，乾宁进士第。”《新唐书·艺文志》著录《程晏集》七卷，《郡斋读书志》则记为六卷，并谓“集皆杂文”。《宋史·艺文志七》著录《程晏集》十卷，已佚。《全唐文》存小品七篇。

崔赏，生卒年不详，本年进士及第。

崔仁宝，生卒年不详，本年进士及第。黄滔《寄同年崔学士仁宝诗》云：“半因同醉杏花园，尘忝鸿炉与铸颜。已脱素衣酬素发，敢持青桂爱青山。虽知珠树悬天上，终赖银河接世间。毕使海涯能拔宅，三秦二十四畿寰。”（见《黄御史集》）

卢赡，生卒年不详，本年进士及第。黄滔有《寄同年卢员外诗》云：“听尽鹦声出雍州，秦吴烟月十经秋。龙门在地从人上，郎省连天须鹤游。休恋一台惟妙绝，已经三字入精求。当年甲乙皆华显，应念槐宫今雪头。”（见《黄御史集》）

韦说（？—927），生年不详，本年进士及第。说，唐末五代以诗名家。京兆万年（今陕西西安）人。进士及第，久之，为殿中侍御史。后梁时，官至礼部侍郎。后唐同光元年（923），拜同平章事。天成元年（926）再贬夷州司户。次年被杀于贬所。能诗。《宋史·艺文志七》著录《韦说诗》一卷，已佚。《全唐诗补编》存断句二句。事迹见新、旧《五代史》本传。

封渭，生卒年不详，本年进士及第。黄滔《二月二日宴中贻同年封先辈渭诗》云："帝尧城里日衔杯，每倚嵇康到玉颓。桂苑五更听榜后，蓬山二月看花开。垂名入甲成龙去，列姓如丁作鹤来。同戴大恩何处报，永言交道契陈雷。"又有《寄同年封舍人渭诗》云："唐城接轸赴秦川，忧合欢离骤十年。龙颔摘珠同泳海，凤杯辉翰别升天。八行真迹虽收拾，四户高扃柰隔悬。能使邱门终始雪，莫教华发独潸然。"（均见《黄御史集》）

韦希震，生卒年不详，本年进士及第。

张蠙，生卒年不详，本年进士及第。《唐才子传》："张蠙字象文，清河人也。乾宁二年赵观文榜进士及第，释褐为校书郎。"黄滔有《贻张蠙同年诗》云："梦思非一日，携手却凄凉。诗见江南雹，游经塞北霜。驰车先五漏，把菊后重阳。惆怅天边桂，谁教岁岁香。"（见《黄御史集》）《唐诗纪事》："蠙登第，尉栎阳。避乱入蜀，王蜀时为金堂令。"《直斋书录解题》卷十九："（张蠙）乾宁二年进士。"蠙此前曾屡下第，有《投所知》、《下第述怀》、《长安寓怀》、《言怀》等干谒叹穷乞援之作。（见《全唐诗》卷七〇二）《唐才子传》记："（蠙）初以家贫，累下第，留滞长安，赋诗：'月里路从何处上，江边身合几时归。十年九陌寒风夜，梦扫芦花絮客衣。'"《十国春秋》卷四四记："（蠙）为'咸通十哲'之一，又与许棠、张乔、周繇三人合称'九华四俊'。"《池州府志》谓"九华四俊"皆"华人"，九华山在池州境内。唐末士人多有避地南迁者，蠙之隐九华即此。蠙幼即聪颖，能诗。大中、咸通以来累举不第，滞留长安，北游边塞。本年进士及第，授校书郎。调栎阳尉，迁犀浦令。天祐四年（907）王建开国，仕蜀为膳部员外郎。乾德中官金堂令。王衍爱其诗，蠙献诗二百首，将被召为知制诰，为权臣所沮。卒于官。工诗。诗长于近体，尤工五律，多边塞纪行、投赠寄送、述怀题咏之作。《边情》、《边将》、《吊万人冢》等讽刺统治者穷兵黩武，揭露将军以牺牲战士邀取功勋，同情士卒的不幸，较多现实内容。所作写情真实深切，绘景鲜明工致，语言平易清畅，颇有佳句。《登单于台》、《夏日题老将林亭》、《丛苇》、《寄友人》等为传世名篇。明胡应麟称其"白日地中出，黄河天外来"为"唐诗之壮浑者，终于此"。（见《诗数》杂编卷四）"花明无月夜，声急正秋天"、"墙头雨细垂纤草，水面风回聚落花"等也为论者称赏。清贺裳："但其最警处辄不能出前人范围。"（见《载酒园诗话又编》）撰《张蠙诗集》二卷，著录于《新唐书·艺文志四》，有散佚。《全唐诗》存诗一卷，《全唐诗补编》补一首、断句三句。《述怀》与崔橹两存之。事迹见《唐才子传校笺》卷一〇。

黄滔（840—915 后）年五十六，自咸通十三年被荐，至此二十三年才登一第。有《省试内出白鹿宣示百官》、《放榜日》、《成名后呈同年》、《御试二首》等诗，《御试曲直不相入赋》、《御试良弓献问赋》等赋。滔《华岩寺碑铭》："愚冠扣师关，壮以随

计，乾宁二年忝登甲科。”（见《全唐文》卷八二六）《黄御史集》引《莆阳志》：“黄滔字文江，乾宁二年乙卯赵观文榜进士。光化中，除四门博士。寻迁监察御史里行，充威武军节度推官。”又集后《年考》云：“滔以咸通壬辰登荐，年三十三，又越二十三年，乃登第。”其《放榜日》云：“吾唐取士最堪夸，仙榜标名出曙霞。白马嘶风三十辔，朱门秉烛一千家。郄诜联臂升天路，宣政飞章奏日华。岁岁人人来不得，曲江烟水杏园花。”（见《全唐诗》卷七〇五）其《成名后呈同年》云：“业诗攻赋荐乡书，二纪如鸿历九衢。待得至公搜草泽，如从平陆到蓬壶。虽惭锦鲤成穿鹤，忝获骊龙不寐珠。蒙楚数疑休下泣，师刘大喝已为卢。人间灰管供红杏，天上烟花应白榆。一字连镳巡甲族，千般唱罚赏皇都。名推颜柳题金塔，饮自燕秦索玉姝。退愧单寒终预此，敢将恩岳怠斯须。”其《御试诗》云：“已表隋珠各自携，更从琼殿立丹梯。九华灯作三条烛，万乘君悬四首题。灵凤敢期翻雪羽，洞箫应或讽金闺。明朝莫惜场场醉，青桂新香有紫泥。”“六曹三省列簪裾，丹诏宣来试士初。不是玉皇疑羽客，要教金榜带天书。词臣假寐题黄绢，宫女敲铜奏《子虚》。御目四篇酬九百，敢从灯下略踌躇。”滔登第后未及除官即返闽中，其《出京别同年诗》云：“一枝仙桂已攀援，归去烟涛浦口村。虽恨别离还有意，槐花黄日出青门。”（均见《黄御史集》）

卢鼎，生卒年不详，本年进士及第。《宰相世系表》：“鼎字调臣，起居舍人。”与起居郎苏楷、罗衮请改昭宗谥曰襄。黄滔《寄少常卢同年诗》云：“官拜少常休，青緺换鹿裘。狂歌离乐府，醉梦到瀛洲。古器岩耕得，神方客谜留。清溪莫沈钓，王者或畋游。”

王贞白，生卒年不详，本年进士及第。贞白，字有道，信州永丰人。洪迈《容斋四笔》卷六：“唐昭宗乾宁二年试进士，……信州永丰人王贞白时再试中选。”其《御试后进诗》注云：“是年初放二十五人，后覆汰止放十五人也。”《新唐书·艺文志》谓贞白“乾宁进士第”。《郡斋读书志》卷五下、《直斋书录解题》卷十九皆谓贞白“乾宁二年进士”。《唐才子传》：“王贞白字有道，信州永丰人也。乾宁二年登第。时榜下，物议纷纷，诏翰林学士陆扆于内殿覆试。中选，授校书郎。”《唐诗纪事》：“天祐年中内试，贞白札翰狼藉，帝览拂下玉案。有黄门奏：‘此举人有诗名。’御批曰：‘粗通，放。’”［按，“天祐”字误］僧贯休《送王贞白重试及第东归诗》云：“辛苦酬心了，东归谢所知。可怜经试者，如折两三枝。雨毒逢花少，山多爱马迟。此行三可羡，正值倒戈时。”（见《全唐诗》卷八〇三）裴说《见王贞白》诗云：“共贺登科后，明宣见紫宸。又看重试榜，还见苦吟人。此得名浑别，归来话亦新。分明一枝桂，堪动楚江滨。”（见《全唐诗》卷七二〇）

沈崧（863—938）年三十三，本年进士及第，旋归浙西钱镠幕。《吴越备史》卷二本传云：“沈崧字吉甫，闽人也。祖辂，大理评事，赐绯。父超，福州长溪县令。崧初生时，有大蛇坠床前，引首视之，久而方去。既七日将浴，忽大风雨，震坏浴盆。乾宁二年，崔凝主礼闱，二十五人登进士第，渝滥尤众。昭宗命覆试，凡落十人。是日，崧再以章奏捷。寻归宁，途由淮甸，淮帅辟之，不就，遂归武肃。”［按，《闽书》及《玉芝堂谈荟》以崧为乾宁三年状元，皆误］《吴越备史》本传称崧及第后“遂归武肃”，亦不确。景福二年（893）九月，崧已在钱镠幕，崧及第后仍返浙西而非初归钱镠。崧，五代文学家。崧，一作松，误。字吉甫，一作文甫。闽县（今福建福州）人。进士及第，仍返钱镠幕，除浙西营田副使，授秘书监、检校兵部尚书、右仆射。文穆王钱元瓘时，为吴越国宰相，置择能院，选吴中贤士录用之。天福三年（938）卒。能文，钱镠之书檄表奏多出其手。有文集二十卷，宋《秘书省续编到四库阙书目》又著录《铸金集》一卷（《宋史·艺文志七》作《钱金集》八卷）、诗集六卷，并佚。《罗氏宗谱》存沈崧撰《罗给事（隐）墓志铭》一篇。事迹见《十国春秋》本传，参《新五代史·吴越世家》。

陈晓，生卒年不详，本年进士及第。

李龟祯，生卒年不详，本年进士及第。黄滔《寄同年李侍郎龟祯诗》云："石门南面泪浪浪，自此东西失帝乡。昆璞要疑方卓绝，大鹏须息始开张。已归天上趋双阙，忽喜人间捧八行。莫道秋霜不滋物，菊花还借后时黄。"（见《黄御史集》）

覆落十人。

张贻宪，本为进士科状元，重试被覆落，许后再举。张贻宪，裼之子，见《旧唐书·张裼传》。

孙溥本年重试被覆落，许后再举。（见《黄御史集》所引《昭宗实录》）

李光序重试被覆落，许后再举。（见《黄御史集》所引《昭宗实录》）

李枢重试被覆落，许后再举。（见《黄御史集》所引《昭宗实录》）《旧五代史·李专美传》："专美父枢，唐昭宗时尝应进士举，为覆试所落，不许再举。"此言"不许再举"盖误。

李途重试被覆落，许后再举。（见《黄御史集》所引《昭宗实录》）途，生卒年、籍贯不详。本年进士科复试被黜落，为剑南东川节度掌书记。仕后唐，同光三年（925）自工部郎中为京兆少尹，充修奉诸陵使。有《记室新书》三十卷，采摭故事，缀为俪偶之句，分四百门，著录于《新唐书·艺文志三》类书类。作品已佚。事迹见《旧五代史》卷三二、《郡斋读书志》卷三下、《登科记考》卷二四。

崔砺重试被覆落，不令再举。（见《黄御史集》所引《昭宗实录》）

苏楷重试被覆落，不令再举。（见《黄御史集》所引《昭宗实录》）《旧唐书·哀帝本纪》："苏楷，尚书循之子，凡劣无艺。乾宁二年应进士登第。后物论以为滥，昭宗命翰林学士陆扆、秘书监冯渥覆试黜落，永不许入举场。楷目不知书，手仅能执笔。"《旧五代史》："苏循子楷，乾宁二年登进士第。中使有奏御者云：'今年进士二十余人，侥幸者半，物论以为不可。'昭宗重试于云韶殿，诏云：'苏楷、卢赓等四人，诗句最卑，芜累颇甚。付所司落下，不得再赴举场。'"《唐会要》："天祐二年，苏楷议改昭宗谥号。楷负愧衔怨，与起居郎罗衮、起居舍人卢鼎连署议。"《北梦琐言》卷十七："昭宗先谥圣穆景文孝皇帝，庙号昭宗；起居郎苏楷等驳议，请改为恭灵庄闵皇帝，庙号襄宗。苏楷者，礼部侍郎苏循之子，乾宁二年应进士。楷人才寝陋，兼无德行，昭宗恶其滥进，率先黜落，由是怨望，专幸邦国之灾。其父循，奸邪附会，无誉于时，故希旨苟进。梁祖识其险诐，滋不悦，时为敬翔、李振所鄙。梁祖建号，诏曰：'苏楷、高贻休、萧闻礼，皆人才寝陋，不可尘污班行，并停见任，放归田里。苏循可令致仕。'河朔人士目楷为衣冠土枭。"

杜承昭重试被覆落，不令再举。（见《黄御史集》所引《昭宗实录》）

郑稼重试被覆落，不令再举。（见《黄御史集》所引《昭宗实录》）

卢赓，重试前先已落下。《黄御史集》引《昭宗实录》：“（二月）丙申，试新及第进士张贻宪等于武德殿东廊。内一人卢赓称疾不至，宣令舁人。又云华阴省亲，其父偓进状乞落下。”

黄诜登拔萃科。《淳熙三山志》：“诜字仁泽，乾宁二年登拔萃科。璞之子，终左宣义郎、节度巡察判官，始迁长溪白林。有二子：长慕华，次慕风。”天一阁［嘉靖］《福宁州志》卷八《科贡·进士》：“乾宁二年赵观文榜：黄诜，字归仁，自莆田迁长溪。”日本藏［万历］《福宁州志》卷九《选举志上·先朝进士》：“乾宁二年乙卯赵观文榜：长溪县黄诜。”［按，方志误以黄诜登拔萃科为登进士第］

知贡举：刑部尚书崔凝。《唐摭言》卷十四《主司失意》：“乾宁二年，崔凝榜放，贬合州刺史。先是，李滚附于中贵，既愤退黜，百计摧之。上亦深器滚文学，因之蕴怒。密旨令内人于门搜索怀挟，至于巾履，靡有不至。”（参《全唐文》卷九一昭宗本月己亥《覆试进士敕》）

黄滔《人文化天下赋》曰：“明彼今古，闻诸圣贤，《易》垂言而著在八卦，人有文而形于普天。用以成章，既验斯风之肃穆；瞩之于物，乃知厥德之昭宣。吾君乘（一作秉）此格言，恢乎至理，以为文在天而苟可鉴，文在人而诚足视。在天则时变从之，在人则化成有以。故体此以御宇，取兹而教人。且文也，肇自河龟见，洛书陈，道德故，仁义新。出无为而入有象，齐父子而一君臣。既而上古遐，中古迩，苟流播之如此，乃弛张而若彼。始则六十四位演自周王，旋则三百五篇删于孔氏，故得有国之君，准绳斯文。《诗》、《书》礼乐以表里，干戚俎豆以区分。莫不经天纬地，氛氲。布彼寰瀛，风行而草偃；被于亿兆，玉洁而兰薰。然后铿作《咸》、《韶》，散为《风》、《雅》，调畅动植，周通夷夏。车书得以合矣，贵贱与而同也。遂使九州四海，皆瞻黼黻于朝端；墨客词人，交露锋芒于笔下。大哉人文之义也，焕矣赫矣，可名可观。惟圣朝之所擅，岂悖德之能干？推其时而时或异，论其道而道斯完。故将垂百王而作范，岂惟充万国以咸懽者也。夫如是则肩比三王，威销五霸。弘彰驭马之成政，克俾雕龙之擅价。彬彬乎哉，郁郁乎哉，有以见我唐之至化。”（见《黄御史集》）

黄滔《曲直不相入赋》曰：“曲也者厥理惟何？直也者其词可属。一则见回邪之所自，一则非平正而不欲。故圣人立此格言，为乎懿躅。俾有家而有国，不与混同；令自高而自卑，靡相参触。至如木也，或表从绳之直，或叠来巢之曲。虽则含烟带雨，共呈苍翠于岩间；而耸本盘根，各禀规模于山足。勿言同地而错杂，固乃殊途而瞻瞩。所以方能中规，俟良匠之所知；劲不为轮，信奇才而可录。莫不分彼邪正，镇于时俗。且木之理兮，犹不差忒；人之道兮，切在忠直。直也不可以曲从，曲也不可以直饰。行于己而己有异，施于人而人是测。繇是屈原在楚，餔其糟而不为；比干相殷，剖其心而可得。顾惟忠谠之受性，岂与邪谀而同域。其不相入也，理苟如是，俗奚以惑。小人曲媚，或乘造次以得时；君子直诚，可仗英明而辅国。今我后恢睿哲以御乾，澄圣心而立极。恶似钩而在物，乐如弦而比德。惟曲是斥，彰万乘之准绳；惟直是求，示百王之楷式。微臣之获咏歌，敢不佩之于取则。”（见《黄御史集》）

黄滔《良弓献问赋》曰：“文皇帝以精求要义，下访良弓。以木心之邪正既别，将理道之比方乃同。木若有邪，奚副准绳之一一？理如无苟，必资国祚之崇崇。斯盖体元立制，启圣乘乾。与禹、汤而接轸，将尧、舜以差肩。睹于物也，必有诚焉。言念为弓，尚穷玄于脉理；岂于有国，不注意于英贤？否则何以弘丕图于赫赫，垂宝祚于绵绵者哉！则知黄帝造舟车之旨，其难为比；周武倒干戈之文，殊不称美。观草木而尚此烛幽，统寰区而足彰致理。遂使度木抡材之子，每自依依；献可替否之臣，曾非惟惟。今吾皇播声教以锵洋，濬恩波而浩汗，乾坤与之而合德，夷夏有之而一贯。斯弓不制，洞其理以明明；斯问克兴，露其言而粲粲。儒有生在江岭，来趋辇毂。波涛久慕于化鲲兮。（下阙）”（见《黄御史集》）

黄滔《内出白鹿宣示百官诗》曰：“上瑞何曾乏，毛群表色难。推于五灵少，宣示百寮观。形夺场驹洁，光交月兔寒。已驯瑶草别，孤立雪花团。戴豸惭端士，抽毫跃史官。贵臣歌咏日，皆作白麟看。”（见《黄御史集》）

王贞白《宫池产瑞莲诗》曰：“雨露及万物，嘉祥有瑞莲。香飘鸡树近，荣占凤池先。圣日临双丽，恩波照并妍。愿同指佞草，生向帝尧前。”原注：“帖经日试。”（见《文苑英华》）

三月

一日，陆希声于病中撰《仰山通智大师塔铭》，时希声年约六十八，在宰相任。文云：“自文宗朝，有大沩山大圆禅师居士养道，……天下云从雾集，常数千人。然承其宗旨者，三人而已。一曰仰山，二曰大安，三曰香岩。……大师法名慧寂，居仰山日，法道大行，故今多以仰山为号。……乾宁二年三月一日力疾撰铭。”（见《全唐文》卷八一三）《新唐书·陆希声传》：“昭宗闻其名，召为给事中，拜户部侍郎、同中书门下平章事。”

浙东节度使董昌称帝于越州，僭号称罗平国，年号大圣。镇海军节度使钱镠请以本军进讨，上从之。镠率军至越州城下谴之。（见《旧唐书·昭宗本纪》、《资治通鉴》卷二六〇）

太原李克用请以王重荣之子王珂为河中节度使，而邠州王行瑜、凤翔李茂贞、华州韩建等上章，请以王重盈之子陕州节度使王珙守河中，争执不下。

四月

康骈撰成《剧谈录》二卷。其《剧谈录序》：“骈（应作軿）咸通中始随乡赋，……及窃名殆将一纪，其间退黜羁寓旅乎秦甸洛师，新见异闻，常思纪述。……景福、乾宁之际，耦耕于池阳山中，闭关云林，……是以耘耨之余，粗成前志。所记亦多遗漏，非详悉者不复叙焉。分为二编，目之曰《剧谈录》。文义既拙，复无雕丽之词，亦观小说家流，聊以传诸好事者。乾宁二年建巳月池州黄老山白社序。”（见《唐文拾遗》卷三三）《四库全书总目》谓：（《剧谈录》二卷）唐康骈撰。王定保《唐摭言》作康軿，盖传写之讹。《唐书·艺文志》作康軿。以其字驾言证之，二字义皆相合，未详孰是。诸书引之，皆作骈，疑亦《唐志》误也。骈，池阳人，乾符四年登进士第，官至崇文馆校书郎。是书成于乾宁二年，皆记天宝以来琐事，亦间以议论附之，凡四十条。……其论最当，然稗官所述，半出传闻。真伪互陈，其风自古，未可全以为据，亦未可全以为诬，在读者考证其得失耳，不以是废此一家也。康骈以小说名家。康，误作唐。字驾言，一作驾轻。池州（治今安徽贵池）人。生卒年不详。咸通中开始应试。乾符四年（877）京兆府试入等。五年（878）进士及第。六年（879）登博学宏词科。授崇文馆校书郎。广明元年（880）避乱退居江南。景福至天复间居宁国节度使田頵幕，为上宾。能诗文。本年撰成《剧谈录》二卷，追记昔时新见异闻，多天宝以来故事，选材新颖，行文曲折，为晚唐传奇小说集较佳者，后世有所取资。《新唐书·艺文志三》著录为三卷，传世诸本均作二卷。《宋史·艺文志七》又著录《九华杂编》十五卷，已佚。《全唐诗》存词一首。事迹见其《剧谈录序》、《新唐书·艺文志三》、《新唐书·田頵传》。

陆希声罢为太子少师。（见《资治通鉴》卷二六〇）《新唐书·陆希声传》：“（希声）拜户部侍郎、同中书门下平章事。在位无所轻重，以太子少师罢。”

五月

甲子，李茂贞、王行瑜、韩建等各率精甲数千人入觐，京师大恐，人皆亡窜，吏不能止。茂贞、行瑜、建等强词奏请诛杀宰相韦昭度、李磎，昭宗未之许。是日，行瑜等杀昭度、磎于都亭驿。三帅谋废昭宗，闻太原李克用起兵乃止。诏以翰林学士、户部侍郎、知制诰陆扆为兵部侍郎。（见《旧唐书·昭宗本纪》本年五月条）

李磎（？—895）与其子沇同日被杀。是时强藩遥制朝廷，视当朝宰相特鬼朴耳，磎汲汲于作相，与当朝权臣数争执于帝前，至于被祸。（见《资治通鉴》卷二六〇，参新、旧《唐书·李磎传》）磎，字景望。鄂州江夏（今属湖北）人。大中十三年（859）进士及第。咸通十三年（872）至乾符元年（874）间，先后为宣武、河阳节度使从事。入为水部员外郎。累迁户部郎中。光启元年（885），为司封郎中、史馆修撰。约三年，自中书舍人充翰林学士。大顺中，加户部侍郎知制诰。景福二年（893），以礼部尚书拜同中书门下平章事，制不行。乾宁元年（894），复拜同中书门下平章事。二年（895），为藩镇所杀。磎父子皆擅文学，均有文集，磎尤好学博识，家藏书至万卷。《旧唐书·李磎传》：“磎自在台省，聚书至多，手不释卷，时人号曰‘李书楼’。所撰文章及注解书传之阙疑，仅五百余卷，经乱悉亡。”磎之文章秀绝，尤长于论议。《反五等六代论》驳斥鼓吹分封制、反对郡县制的谬论，针对现实，有激而发，议论畅达，笔锋犀利。《蔡袭传》写蔡袭只身入蕃，忠勇报国，有功而遭受压抑的事实，记叙生动，感慨深沉，也具有现实性。《北梦琐言》卷四谓“唐李相磎，高才奥学，冠绝群彦”。陶宗仪《书史会要》卷五亦称其“善著述，学者宗之，真儒相也。其书见于楷法处是宜，皆有胜韵，兹胸次使之然也”。《北梦琐言》卷六述及李磎之著述：“司空图侍郎撰李公磎行状，以公有出伦之才，为时辈妒忌，罹于非横。其平生著文，有《百家著诸心要文集》三十卷，《品流志》五卷，《易之心要》三卷，注《论语》一部，《明

无为》上下二卷，《义说》一篇。仓卒之辰，焚于贼火，时人无所闻也，惜哉！阳春白雪，世人寡和，岂虚言也！”《新唐书·艺文志四》著录《李磎制集》四卷，已佚。《崇文总目》卷五则记《李磎表疏》一卷。其文今存一卷，三十四篇，有制、议、论、记、传等，录于《全唐文》卷八〇三。事迹见新、旧《唐书·李鄘传》。

李沇（？—895）被杀。《旧唐书》卷一五七：“沇与父同日遇害，诏赠礼部员外郎。”沇，字东济。能诗文，有俊才，以文章深奥称。《北梦琐言》卷七记李沇：“磎相之子也，文学渊奥，迥出辈流。于时公相之子弟，无能及者。应举时，文卷行《明易先生书》（已佚），又有《答明易先生书》，朝士览之，不测涯涘，即其他文章可知也，然恃才躁进，竟罹非祸。”沇之诗歌，思致奇谲，文辞峭拔。其乐府诗风格颇类李贺。如《巫山高》、《秋霖歌》、《梦仙谣》、《方响歌》等。《全唐诗》存五、七言古诗六首。又《秘书省续编到四库阙书目》著录《李沇歌行》一卷。事迹见《旧唐书·李鄘传》、《北梦琐言》卷七。

吴融自侍御史谪官南行，流寓荆南，依荆帅成汭。有《南迁途中作七首》、《登七盘岭二首》、《渡汉江初尝鳊鱼有作》、《溪翁》、《寄友人》、《访贯休上人》、《途中偶怀》、《宿青云驿》、《自讽》等诗。融另有《重阳日荆州作》、《秋日渚宫即事》、《荆州寓居书怀》等诗，均作于本年至明年返京之前。其中《登七盘岭二首》之一云：“才非贾傅亦迁官，五月驱羸上七盘。从此自知身计定，不能回首望长安。”《新唐书》卷二〇三《吴融传》云，融大顺二年（891）随韦昭度自蜀返京后，“累迁侍御史。坐累去官，流寓荆南，依成汭”。吴融《西岳集序》曰：“沙门贯休……晚岁止于荆门龙兴寺。余谪官南行，因造其室。每谭论，未尝不了于理性。自旦而往，日入忘归，邈然浩然，使我不知放逐之感……如此者凡期有半……丙辰（乾宁三年），余蒙恩召归，与上人别。”

六月

以王抟为中书侍郎、平章事。

夏，崔道融在永嘉山居，自编其作品为《东浮集》十卷。《直斋书录解题》卷一九著录《东浮集》九卷，注曰：“唐荆南崔道融撰。自称‘东瓯散人，乾宁乙卯，永嘉山斋编成’，盖避地于此。今缺第十卷。”《唐才子传·崔道融传》：“（道融）有《申唐集》十卷，自序云：‘乾符乙卯夏，寓永嘉山斋，收拾草稿，得五百余篇。’”［按，“乾符”乃“乾宁”之误，《申唐集》应为《东浮集》］（详见《唐才子传校笺·崔道融传》笺）《东浮集》今佚，原有道融自序，陈振孙见之。

七月

李克用举兵渡河，以讨李茂贞等。凤翔之众乱京师，纵火剽掠，且欲逼迁昭宗于凤翔。或传王行瑜、李茂贞欲自来迎车驾。昭宗惧为所迫，以捧日都头李筠、护跸都头李居实、两都兵自卫。（见《旧唐书·昭宗本纪》、《资治通鉴》卷二六〇）

辛酉，昭宗出启夏门，趋南山宿莎城镇，百官扈从不及，户部尚书及盐铁转运使

薛王知柔独先至。昭宗令权知中书事，及置顿使。（见《旧唐书·昭宗本纪》、《资治通鉴》卷二六〇）

甲子，强藩再逼莎城镇，昭宗徙幸石门镇。诏命薛王知柔还京城制置，合禁军以备宫禁。诏李克用讨王行瑜等。（见《旧唐书·昭宗本纪》、《资治通鉴》卷二六〇）

以薛王知柔为清海节度使、同平章事，仍权知京兆尹、判度支，充盐铁转运使，俟反正日赴镇。是年赐岭南节度使军额曰“清海”。（见《资治通鉴》卷二百六十、及胡三省注。页1804）《新表》：“赐岭南东道节度号清海军节度。”（见《旧唐书·昭宗本纪》、《资治通鉴》卷二六〇）

王涣年三十六，迁起居郎。卢光济《王公墓志铭》云：“扈驾行阙，迁起居郎。”［按，“扈驾行阙”，指昭宗出幸石门事］

韩偓年五十四，扈从昭宗出京，感世乱，作《乱后却至近甸有感》一诗，题下注：“乙卯年作。”诗云：“狂童容易犯金门，比屋齐人作旅魂。夜户不扃生茂草，春渠自溢浸荒园。关中忽见屯边卒，塞外翻闻有汉村。堪恨无情清渭水，渺茫依旧绕秦原。”（见《全唐诗》卷六八二）

司空图年五十九，仍寓居华阴。尚颜、徐夤有诗寄之。尚颜《寄华阴司空侍郎》，中云：“诗犹少绮美，画肯爱丹青。换笔修僧史，焚香阅道经。”（见《全唐诗》卷八四八）徐夤《寄华山司空侍郎（一作表圣）二首》其二云：“非云非鹤不从容，谁敢轻量傲世踪。……闲吟每待秋空月，早起长先野寺钟。前古负材多为国，满怀经济欲何从。”（见《全唐诗》卷七〇九）

黄滔约此时离京东返闽中，有《出京别同年》一诗。（见《全唐诗》卷七〇六）

八月

辛亥，车驾还宫。时李茂贞惧，已上章请罪。（见《旧唐书·昭宗本纪》）

司空图离华阴，一度逃至淅上（今湖北郧县），有《淅川二首》等诗。司空图《绝麟集述》云：“驾在石门秋八月，愚自关畿窜淅上。所著歌诗累年［按，疑为“千”之误］首，题于屋壁，且入前集。”（见《全唐文》卷八〇九）《淅上二首》之一云：“华下支离已隔河，又来此地避干戈。”其二云：“西北乡关近帝京，烟尘一片正伤情。愁看地色连空色，静听歌声似哭声。”（见《全唐诗》卷六三二）

韩偓随昭宗返京，参加宫廷内宴，作《秋雨内宴》诗。诗云：“一带清风入画堂，撼真珠箔碎玎珰。更看槛外霏霏雨，似劝须教醉玉觞。”诗题下注“乙卯年作”。（见《全唐诗》卷六八二）大乱甫定，政局板荡，韩偓是诗一片升平，可叹。

钱珝约此时为崔胤作《为集贤崔相公让大学士表·第二表》极写乱后民生多艰之状。诗云：“况在今日，不并往时。天下编氓，殆无膏血，筋力尽疲于战伐，经营多废于耕桑。所在聚兵，肆为厚敛。不负者痛侵刳剥，可免者患至流亡。乡弊家残，不胜条说。”（见《全唐文》卷八三五）

郑谷居蓝田，感慨乱离，有《摇落》诗。诗云：“夜来摇落悲，桑枣半空枝。故国无消息，流年有乱离。霜秦闻雁草，烟渭认帆迟。日暮寒声急，边军在雍岐。”（见

《郑谷诗集编年校注》）

九月

八日，沈颜作《宣州重建小厅记》。文末署“乾宁二年乙卯秋九月八日记”。（见《全唐文》卷八六八）沈颜又有《谗国》、《时辩》、《象刑解》、《时日无吉凶解》、《祭祀不祈说》、《视听箴》、《妖祥辨》等杂文，均未详作年，暂系于此。其《登华旨》颇有新解，云：“尝读李肇《国史补》云，韩文公登华岳之巅，顾视其险绝，恐慄度不可下，乃发狂恸哭，而欲缒，遗书为诀，且讥好奇之过也如是。沈子曰：吁！是不谕文公之旨邪。……文公愤趣荣贪位者之若陟悬崖，险不能止，俾至身危蹐蹶，然后叹不知税驾之所焉可及矣。”

九日，司空图在淅上，感叹兵乱，作《淅上重阳》诗。诗云：“好文时可见，学稼老无成。莫叹关山阻，何当不阻兵。”（见《全唐诗》卷八八五《全唐文补遗》四）

九日，殷文圭有《次韵九华杜先辈重阳寄投宛陵丞相》诗投献田頵。頵于乾宁二年九月前转左仆射、观察宣州、宁国军节度使、加使相。诗云：“日下飞声彻不毛，酒醒时得广离骚。先生鬓为吟诗白，上相心因治国劳。……强酬小谢重阳句，沙恨无金尽日淘。”（见《全唐诗》卷七〇七，参《全唐诗人名考》）

九日，吴融在荆南，作《重阳日荆州作》。诗曰：“万里投荒已自哀，高秋寓目更徘徊。……上（一作旧）国莫归戎马乱，故人何在塞鸿来。惊时感事俱无奈，不待残阳下楚台。”（《全唐诗》卷六八四）融时又有《秋日渚宫即事》、《荆州寓居书怀》、《送荆南从事之岳州》等诗。（均见《全唐诗》卷六八四）融今明两年在荆州与贯休往来频繁，时有《访贯休上人》：“休公为我设兰汤，方便教人学洗肠。自觉尘缨顿潇洒，南行不复问沧浪。”（见《全唐诗》卷六八六）

二十日癸酉，杜光庭撰成《修青城山诸观功德记》。文末署“乾宁二年乙卯九月二十日癸酉杜光庭记”。（见《全唐文》卷九三二）光庭时四十六岁，在成都青城山修道。《全唐诗》卷八五四小传记光庭：“后隐青城山白云溪，自称东瀛子。”

十月

王师败王行瑜军。（见《旧唐书·昭宗本纪》、《资治通鉴》卷二六〇）

黄滔被召赴京任校书郎，离闽，有诗辞别王审知。行经宛陵，有诗赠翁承赞。徐夤有诗赠滔赴任。滔《辞府相》诗题下注：“时蒙堂帖追赴阙。”诗云：“从汉至唐分五州，谁为将相作诸侯。闽江似镜正堪恋，秦客如蓬难久留。匹马忍辞藩屏去，小才宁副庙堂求。今朝拜别幡幢下，双泪如珠滴不休。”（见《莆阳黄御史集》）滔《辄吟七言四韵攀寄翁文尧拾遗》诗，于“今日须怜应若神”句下小注：“滔卯年冬在宛陵，梦文尧作状头及第。”（见《全唐诗》卷七〇五）[按，翁文尧（承赞）乾宁三年及第]徐夤有《依韵答黄校书》诗，中云：“慈恩雁塔参差榜，杏苑莺花次第游。”（见《全唐诗》卷七一一）滔与夤乃前后年相继登第。

十一月

王行瑜为部下所杀。

崔铤以参与王行瑜等拥兵入觐之举，受通缉。铤，一作铤。清河（今属河北）人。生卒年不详。曾官主客员外郎。广明元年（880）以蔚朔等州诸道行营都招讨使判官，充制置副使。光启三年（887）后，为邠宁节度使王行瑜幕节度副使。官至郎中。乾宁二年（895）参与王行瑜等拥兵入觐之举，受通缉。有《崔铤郎中文集》，见《图画见闻志》卷五。作品已佚。事迹见《旧唐书》之《僖宗本纪》、《昭宗本纪》、《韦昭度传》，《唐尚书省郎官石柱题名考》卷二六。

李涪，为宗正卿，以论王行瑜叛乱事，流放岭南。涪，以小说名家。祖籍陇西成纪（今甘肃秦安西北）。生卒年不详。唐宗室。初以《开元礼》及第。僖宗时，曾任河南少尹。本年忤旨，流放岭南。后官太仆卿。光化初，迁国子祭酒。又曾官尚书、常侍。好著述，朝廷礼乐之事多询之，时号"周礼库"。年过六十，开始撰写《刊误》，改《切韵》而全刊吴音。书成于为国子祭酒时，共二卷，五十篇，著录于《新唐书·艺文志三》小说家类，传世有《百川学海》本、《古今逸史》本等。事迹见《北梦琐言》卷六、九，《四库提要辨证》卷一五。

齐己年三十二，与唐禀往还，有《寄唐禀正字》、《送唐禀正字归萍乡》等诗。齐己居长沙道林寺，曾有《楚寺寒夜作》诗。（均见《全唐诗》卷八四一，参《五代史补·僧齐己》，及《诗话总龟》卷十一《雅什》门）

钱珝以膳部郎中知制诰。钱珝《舟中录序》曰："乙卯岁冬十一月，余以尚书郎得掌诰命。"（见《文苑英华》卷七〇七，及《全唐文》卷八三六）薛廷圭有《授膳部郎中知制诰钱珝守中书舍人制》。（见《全唐文》卷八三七）《新唐书》卷一七七（《钱珝传》附）云："珝善文辞，宰相王抟荐知制诰，进中书舍人。"（参同书卷六三《宰相表》下，及《资治通鉴》卷二六〇）珝善文辞，《全唐文》卷八三一至卷八三三录其所草章奏制诰三卷，多代人所撰，其中述及时事者，颇可知时局事势。

十二月

李克用班师太原。（参《旧唐书·昭宗本纪》，《资治通鉴》卷二六〇）

冬，卢延让游荆渚，吴融偶得其诗，大奇之。后融有诗勉延让赴举。《唐摭言》卷六《公荐》："先是延让师薛许昌为诗，词意入癖，时人多笑之。吴翰林融为侍御史，出官峡中，（卢）延让时薄游荆渚，贫无卷轴，未遑贽谒。会融表弟滕籍者，偶得延让百篇，融览，大奇之，曰：'此无他，贵不寻常耳。'于是称之于府主成汭。时故相张公职大租于是邦，常以延让为笑端，及融言之，咸为改观。由是大获举粮，延让深所感激。然犹因循，竟未相面。后值融赴急征入内庭，孜孜于公卿间称誉不已。"融有《雪中寄卢延让秀才》诗："苦贫皆共雪，吾子岂同悲。永日应无食，经宵必有诗。渚宫寒过节，华省试临期。努力图西去，休将冻馁辞。"（参《郡斋读书志》卷四）宋杨亿《杨文公谈苑》记卢延让事云："卢延逊（让）诗浅近，人多笑之，惟吴融独重之，且云：'后必垂名。'延逊诗至今传之，亦有绝好者《宿东林》云：'两三条电欲为雨，六七个星犹在天。'《旅舍言怀》云：'名纸毛坐五门下，家僮骨立六街中。'《赠元上人》云：'高僧解语牙无水，老鹤能飞骨有风。'《蜀路》云：'云间闹铎骡驮去，雪里残骸虎拽来。'《怀江上》云：'饿猫临鼠穴，馋犬舔鱼砧。'《寄人》云：'吟成一个字，捻断数茎髭。'又'树上谘诹批颊鸟，窗间壁剥叩头虫。'余在翰林常召对，上举延逊诗，云'臂鹰健卒悬氊帽，骑马佳人卷画衫'，虽浅近，亦自成一体。"（见《诗话总龟》前集卷八引，参《北梦琐言》卷七《洞庭湖诗》条及《卢诗三遇》条）

本年

章鲁封，本年后，为镇海、镇东军节度使钱镠表奏为孔目官，章拒而被笞，畏死秉命。一说，章后典苏州。鲁封，睦州桐庐（今属浙江）人。生卒年不详。与罗隐同时且齐名。累举进士不第。著《章子》三卷行于世。然该书未见著录。作品已佚。事迹见《北梦琐言》卷五。

阙名所撰《余媚娘叙录》传奇乃成书于本年之后。（见《唐五代传奇叙录》）

刘山甫本年侍从其父北归，题诗天王庙。此后仕历难以系年。山甫，五代小说家。彭城（今江苏徐州）人。生卒年不详。约于唐昭宗大顺元年（890）随父仕岭南，时尚年少。北返经湖南青草湖，题诗天王庙。约自光化初起仕闽王审知，任威武军节度判官、检校殿中侍御史。后梁末帝贞明中徐夤卒，山甫为撰墓志。后卒于闽中。山甫撰有传奇集《金溪闲谈》，记叙奇闻异事，其中颇有情节生动、语言清丽可诵者。《北梦琐言》卷七著录此书为十二卷，久已散佚，今存序文片断及十五条，并见于《北梦琐言》、《太平广记》。《全唐诗》存诗一首。事迹见《北梦琐言》卷七、九，《十国春秋》本传。

刘崇龟（？—895）卒。《北梦琐言》："广南刘仆射崇龟罢镇归阙，至中路得疾而终。"《新唐书·宰相世系表》："赐岭南东道节度号清海军节度。崇龟，有诗名。字子长。河南（治今河南洛阳）人。刘崇望弟、崇鲁兄。咸通六年（865）进士及第。累迁礼部、兵部二员外郎，史馆修撰。中和三年（883）为兵部郎中，拜给事中。大顺中，迁左散骑常侍、集贤殿学士，改户部侍郎。出为广州刺史、清海军节度、岭南东道观察处置等使。乾宁二年（895）卒。《全唐诗》存诗一首。事迹见新、旧《唐书》本传。

清海军节度使刘崇龟死，嗣薛王知柔代为帅，行至湖南，广州将卢琚、覃玘作乱，知柔不敢进。封州刺史刘隐以封州兵攻杀琚、玘，迎知柔，知柔辟隐行军司马。（见《旧唐书·昭宗本纪》、《资治通鉴》卷二六〇）

孟宾于（895？—977？）约本年生。宾于，五代诗人。字国仪，自号群玉峰叟。连州（今属广东）人。后晋天福九年（944）中进士，寻南归，楚马希范辟为永州军事判官，历阳山令。楚亡，归南唐，授水部员外郎，出为新淦令。保大十五年（957）以赃罪去官，隐玉笥山。复起为吉州从事，历丰城令。宋开宝六年（973）以水部郎中分司南都。八年（975）南唐平，归故里。卒于太平兴国元年（976）至三年（978）间。工诗，长于七绝，有名当时，《献主司》诗尤传诵人口。王禹偁称其诗具"雅淡之体，警策之句”（《孟水部诗集序》）。著有《金鳌集》、《湘东集》、《金陵集》、《玉笥集》、《剑池集》，宋人编为《孟水部诗集》，已散佚。《全唐诗》存诗八首、断句十三联，《全唐诗外编》及《续拾》补诗一首、断句七、联句一。事迹见宋王禹偁《孟水部诗集序》、《江南野史》卷八、马令《南唐书》本传、《唐才子传校笺》卷一〇、《十国春秋》本传。

赵上交（895—961）生。上交，五代文学家。名远，以字行。涿州范阳（今属河北）人。后唐时，累官司封郎中，出为泾、秦二镇节度判官。后晋天福六年（941）由左司郎中迁右谏议大夫，拜中书舍人。开运元年（944）改刑部侍郎。历户部侍郎、御史中丞。契丹灭后晋，擢右丞相。旋归后汉，天福十二年（947）由御史中丞为太仆卿。迁秘书监。后周广顺元年（951）为礼部侍郎。次年，知贡举，擢扈载、梁周翰等，时称得士。改户部侍郎，再知举，因选士失实，改太子詹事。迁太子宾客、吏部侍郎，罢职。入宋，为尚书左丞，建隆二年（961）卒。好吟咏。有《赵上交集》二十卷，著录于《宋史·艺文志七》，已佚。《唐文拾遗》存文一篇。事迹见《宋史》本传，参《旧五代史》之晋、汉、周三朝本纪。

公元896年（唐昭宗乾宁三年　丙辰）

正月

癸丑朔，以户部尚书、嗣薛王知柔检校司徒、兼广州刺史、御史大夫，充清海军节度、岭南东道观察处置等使。（见《旧唐书·昭宗本纪》、《资治通鉴》卷二六〇）

立春日，吴融有感战乱局势，作《渚宫立春书怀》。（见《全唐诗》卷六八四）

郑谷年四十九，仍在补阙任。于新春作《右省张补阙茂枢同在谏垣连居光德新春赋咏聊以寄怀》、《定水寺行香》之诗。（见《郑谷诗集编年校注》）

司空图年六十，所藏书七千四百卷毁于战火。司空图《书屏记》云：“丙辰春正月，陕军复入，则前后所藏及佛道图记，共七千四百卷，与是屏皆为灰烬。痛哉！”

二月

礼部侍郎独孤损知贡举。崔谔、杨镣、翁承赞、王权等十二人登进士第。（见徐松《登科记考》卷二四本年条）

崔谔以第一名中进士科状元。《永乐大典》引《莆阳志》：“昭宗御内殿，试崔谔以下十二人。”王权撰《唐故中书舍人清河崔公（詹）墓志铭并序》云：“公讳詹，字顺之，其先清河东武城人也。……公昆季四人：……次曰谔，状头及第，结绶而卒。”（见《全唐文补遗》册三，第296页）［按，《闽书》、《玉芝堂谈荟》、《淳熙三山志》卷二十六以沈崧为乾宁三年状元，均误］

杨镣生卒年不详，本年进士及第。镣，收之子。（见《旧唐书·杨收传》）《永乐大典》引《苏州府志》：“侍郎独孤损知举，杨镣登第。”

翁承赞（？—924?）第四名登进士第。有《擢探花使》等诗数首。《唐才子传》卷一〇：“翁承赞字文尧，乾宁三年礼部侍郎独孤损下第四人进士。又中宏词敕头。”

（参徐松《登科记考》卷二四）《唐诗纪事》："承赞，闽人，唐末为谏议大夫。唐语曰'槐花黄，举子忙。'承赞有诗曰：'雨中妆点望中黄，勾引蝉声送夕阳。忆得当年随计吏，马蹄终日为君忙。'"翁承赞《擢进士诗》曰："霓旌引上大罗天，别领新衔意自怜。蝴蝶流莺莫先去，满城春色属群仙。"又《擢探花使三首诗》曰："洪崖差遣探花来，检点芳丛饮数杯。深紫浓香三百朵，明朝为我一时开。""九重烟暖折槐芽，自是升平好物华。今日始知春气味，长安虚过四年花。""探花时节日偏长，恬淡春风称意忙。每到黄昏醉归去，纻衣惹得牡丹香。"（均见《全唐诗》卷七〇三）黄滔《寄翁文尧拾遗诗》云："龙头凤尾前年梦，今日须怜应若神。"注云："滔卯年冬在宛陵，梦文尧作状头及第。又申年四月十二夜在清源，梦到殿前东道，自西厉声唱'翁某拜右省拾遗'。"承赞，字文尧，自号狎鸥翁，福唐（今福建福清）人。次年复中博学宏词科，任京兆府参军。光化三年（900）累迁右拾遗。天祐元年（904）奉使福州，册封王审知为琅琊郡王，至闽与黄滔、亚齐等唱酬。迁户部员外郎，后梁开平三年（909）复为册闽王副使，一路赋诗，结为《昼锦集》，至闽与黄滔等唱和。寻以右谏议大夫出任福建盐铁副使，就加左散骑常侍、御史大夫。遂留闽依王审知，劝审知建四门学。同光中审知以为相，未拜而卒。承赞有诗名，长于七绝，《题槐》一诗传诵人口。有《翁承赞诗》一卷，孙郃为作序，著录于《新唐书·艺文志四》，已散佚。《全唐诗》编诗一卷，《全唐诗补编》补六首。事迹见《新唐书·艺文志四》、《唐诗纪事》卷六三、《淳熙三山志》卷二六、《唐才子传校笺》卷一〇、《八闽通志》卷七二、《十国春秋》卷九五。

王权生卒年不详，与状元崔谔同榜登进士第。王权撰《唐故中书舍人清河崔公（詹）墓志铭并序》云："公讳詹……公昆季四人：长兄荷，官终礼博；次曰艺，见任司业；次曰谔，状头及第……公之仲兄扶元（一作状元），权之同年也。"（见《全唐文补遗》册三，第 296 页，参《芒洛冢墓遗文四编》卷六）《旧五代史》卷九十二本传载权"举进士"。《名贤氏族言行类稿》卷二十四："王权，字秀山，太原人也。唐左仆射起曾孙，父荛，官至右司。权举进士，为右补阙。"（参元洪景修编《新编古今姓氏遥华韵》戊集卷四）王权于清泰二年（935）以礼部尚书知贡举。（见徐松《登科记考》卷二十五）

知贡举：礼部侍郎独孤损。

寒食日，韦庄有《丙辰年鄜州遇寒食城外醉吟七言五首》，韦庄时年六十一。此诗其一云："满街杨柳绿丝烟，画出清明二月天。好是隔帘华树动，女郎撩乱送秋千。"［按，本年闰正月，故寒食、清明同在二月。据《资治通鉴》卷二六〇］庄又有《鄜州留别张员外》，末云："惆怅却愁明日别，马嘶山店雨濛濛。"（均见《浣花集》卷九）

三月

徐彦若于本年三月兼侍中、大明宫留守。（见《新唐书》卷六三《宰相表》下）

王涣年三十七，为徐彦若援引以本官充大明宫留守推官。卢光济《王公墓志铭》

云："我太尉齐国公时自首台，爰膺重委，以钧轴之任，兼留抚之权。因奏充大明宫留守推官，恩命守本秩加银艾就职。"此"太尉齐国公"指徐彦若。

春，王贞白在京，闻家乡信州刺史巡行至其旧山，作《远闻本郡行春到旧山二首》，谢其关怀。贞白去年登第后曾返其故乡信州，后有《赴选别太守》诗云："改贯永留乡党额，减租重感郡侯恩。"贞白自注："蒙本州改坊名为进贤，并减户税。"（均见《全唐诗》卷七〇一）

四月

湖南兵乱，杀其帅刘建锋，拥马殷为兵马留后。马殷至长沙，据有湖南之地。楚政权确立。《九国志》卷十一记马楚政权始末云"武穆王于唐乾宁三年丙辰，自立于湖南；至后唐（'南唐'之误）保大九年国灭，凡五十七年。"（见《旧唐书·昭宗本纪》、《资治通鉴》卷二六〇）

钱镠攻并浙东，斩董昌。（见《旧唐书·昭宗本纪》、《资治通鉴》卷二六〇）

章鲁风居钱镠幕，为孔目官。《北梦琐言》卷五云："屯难之世，君子遭遇不幸，往往有之。唐进士章鲁封与罗隐齐名，皆浙中人，频举不第，声采甚著。钱尚父土豪崛起，号钱塘八都。洎破董昌，奄有杭越，于是章、罗二人罗其笼罩。然其出于草莱，未谙事体，重县宰而轻郎官。尝曰：'某人非才，只可作郎官，不堪作县令。'即可知也。以章鲁封为表奏孔目官，章拒而见笞；差罗隐宰钱塘，皆畏死禀命也。章、罗以之为耻，钱公用之为荣。玉石俱焚，吁可惜也。"《十国春秋》卷八五传云："武肃王既破董昌，辟鲁封为表奏孔目官，鲁封拒不受，武肃王命吏笞之，已而勉就职。"

十九日，沈颜作《化洽亭记》。文曰："时乾宁三年仲夏月十有九日记。"（见《全唐文》卷八六八）

六月

凤翔兵又犯京畿，王师初战失利。《旧唐书·昭宗本纪》本年记："时岐军犯京师，宫室里闾，鞠为灰烬。自中和以来葺构之功，扫地尽矣。"

七月

李茂贞进逼京师。壬辰，上出自渭北。丙申，至华州，依韩建。（见《旧唐书·昭宗本纪》、《资治通鉴》卷二六〇）胡三省于此处注云："黄巢之乱，宫室燔毁，中和以来，留守王徽补葺粗完。襄王之乱，又为乱兵所焚，及僖宗还京，复加完葺。上出石门，重罹烧爇，还又葺之，至是为茂贞所燔。"

钱珝时任中书舍人，作《宰相谏罢讨伐请不幸奉天表》，奏请昭宗勿远出。中云："陛下虽处奉天之固，不可遽弃京师，勿使奸谋驰于间道，直趋阙下，大纵凶残。……若使銮铃顺动，禁掖顿空，则万姓之心，一时何仰？……况去秋寇孽犯顺，銮辂出居，宗庙震惊。"（见《全唐文》卷八三四）

司空图，朝廷又以兵部侍郎征，称疾不起。《旧唐书》本传云："昭宗在华，征拜兵部侍郎，（图）称足疾不任趋拜，致章谢之而已。"

赵光逢从驾幸华州，拜御史中丞，改礼部侍郎。（见《旧唐书》本传）

陆希声以李茂贞兵犯长安，舆疾避难，卒。《新唐书·陆希声传》："（希声）拜户部侍郎、同中书门下平章事。在位无所轻重，以太子少师罢。李茂贞等兵犯京师，舆疾避难。卒，赠尚书左仆射，谥曰文。"（见《资治通鉴》卷二六〇）希声，苏州吴县（今江苏苏州）人。陆翱子，生年在大和二年（828）前。大中中为岭南从事。咸通初，商州刺史郑愚辟为从事。后隐居义兴君山之阳，自号君阳遁叟。乾符元年（874），召为右拾遗。见州县疲弊，上言谨防"盗贼"。不久，爆发王仙芝起义。累迁至歙州刺史。昭宗即位，授给事中。乾宁二年（895）拜户部侍郎、同中书门下平章事。三年（896）以李茂贞兵犯长安，带病避难，卒。希声博学，工书法，能文章。所作《北户录序》肯定该书"博且信"，批评"近日著小说者"皆言鬼神变怪、荒唐怪诞之事，或以诙谐为笑乐之资，强言故事，诋訾前贤。所撰《唐太子校书李观文集序》推崇韩愈"大革流弊"之功，肯定李观文章"不古不今，卓然自作一体"，可见其文学主张。《君阳遁叟山居记》说隐居养生事。《宣和书谱》卷四称其"尤善属文，通经史，喜著述，且精于正书"。《书史会要》卷五亦称："家世有书名……至希声遂能复振家法，且精于正书。宋钱若水常言，古之善书鲜有得笔法者。唐陆希声得之，凡五字：擫、押、钩、格、抵。自言出自二王，斯与阳冰得之，希声授之䛒光。得其法者为一时之绝。"《新唐书·艺文志一》著录其《周易传》二卷、《春秋通例》三卷；《新唐书·艺文志三》记其《道德经传》四卷；《新唐书·艺文志四》又录其《颐山诗》一卷。《郡斋读书志》卷一记其《周易微旨》三卷，谓"希声大顺中弃官居阳羡，自号君阳遁叟，著传十卷，别撰易图一、指说一、释变一、微旨一，通十卷。此微旨也，皆设问答。"同上书卷之下记希声《吴子》三卷，"魏吴起撰，言兵家机权法制之说。唐陆希声类次为之说料敌、治兵、论将、变动、励士凡六篇"。又有《君阳通叟山集（居）记》一卷，见《宋史·艺文志》。今惟其《君阳遁叟山集（居）记》见《全唐文》，余佚。《全唐诗》存诗二十二首，《全唐文》存文六篇。事迹见《新唐书·陆元方传》附传。

杨夔仍居湖州，作《乌程县修建庙宇记》。夔多有批判社会弊病之杂文。此《记》称："乾宁丙辰秋七月记。"（见《全唐文》卷八六六）夔另有《较贫》云："宏农子游卞山之阴。遇乡叟，巾不完，履不全，负薪仰天吁而复号，夔遂问其故，叟妄言：'逋助军之赋，男狱于县，绝粮者三日矣！今将省之。前日之逋已货其耕犊矣，昨日之逋又质其少女矣。今田瘠而贫，播之莫稔，货之靡售，且以为助军之赋，岂一一于军哉。'夔闻而省悟'于世万类中最为民害者莫若虎之暴'，后又慨叹'然则人不如兽也远矣。'"又《小池记》云："弘农子始卜居于前溪。"（见《全唐文》卷八六七）卞山与前溪均在湖州。（据《嘉泰吴兴志》）夔此后几年间又往宣州，依节度使田頵，具体行迹无考。夔尚有《蓄狸说》、《植兰说》、《止妒》等文，颇与前文相类似，暂系于此。

八月

郑谷，奔赴行在华州，有《奔向三峰寓止近墅》诗，居云台道舍，自编其诗三百首为《云台编》三卷，自为《序》，又题诗三首于卷末。（见《郑谷诗集编年校注》）其《奔向三峰寓止近墅》诗曰："二年奔走破惊魂，来谒行宫泪眼昏。……灞陵散失诗千首，太华凄凉酒一樽。"谷《云台编序》曰："谷勤苦于风雅者，自骑竹之年，则有赋咏。虽属对声律未畅，而不无旨讽。……及冠，则编轴盈笥。求试春闱，历干于大匠，故少师相国太原公，深推奖之。故薛许昌能、李建州频，不以晚辈见待，预于唱和之流。……游举场凡十六年，著述近千余首，自可者无几。登第之后，孜孜忘倦，甚于始学也。丧乱奔离，散坠略尽。乾宁初上幸三峰，朝谒多暇，寓止云台道舍。因以所记，或得章句，缀于笺毫，或得于故侯屋壁，或闻于江左近儒，或只省一联，或不知落句。遂拾坠补遗，编成三百首，分为上、中、下三卷，目之为《云台编》，所不能自负初心，非敢矜于作者。"（见《唐文拾遗》卷三三）谷《卷末偶题三首》其一云："一卷疏芜一百篇，名成未敢暂忘签。何如海日生残夜，一句能令万古传。"其三云："一第由来是出身，垂名须为国风陈。此生若不知骚雅，孤宦如何作近臣。"

十一月

冬，韦庄客宜君，欲卜居不果。有《宜君县北卜居不遂留题王秀才别墅二首》。（见《浣花集》卷九，参夏承焘《韦端己年谱》）

冬，吴融自荆南返京，初官左补阙，旋以礼部郎中充翰林学士。行前，融有《赴阙次留献荆南成相公三十韵》等诗。贯休以《西岳集》赠行，并有诗送行。去年秋以来，融在江陵与贯休酬唱往还频繁。《新唐书》本传记融南依成汭后，"久之，召为左补阙，以礼部郎中为翰林学士"。融自本年为翰林学士，侍笔禁闱计六载。（见吴融《壬戌岁阌乡卜居》）本年底返京后不久，融即"以礼部郎中为翰林学士"。贯休《送吴融员外赴阙》："汉文思贾傅，贾傅遂生还。……云寒犹惜雪，烧猛似烹山。"（见《全唐诗》卷八三一，参《唐才子传校笺·吴融传》笺》）又《文苑英华》卷七一四吴融《禅月集序》云："沙门贯休……止于荆门龙兴寺。余谪官南行，因造其室，每谈论未尝不了于理性。自是而往，日入忘归，邈然浩然，使我不知放逐之感。……丙辰岁，余蒙恩诏归，与上人别，袖出歌诗草本一，曰《西岳集》，以为尽（"赆"之误）矣。"《宋高僧传·贯休传》："（贯休）比谒荆帅成汭，初甚礼焉，于龙兴寺安置。时内翰吴融谪官相遇，往来论道论诗……则乾宁三年也。"吴融《赴阙次留献荆南成相公三十韵》中云："自念为迁客，方谐谒上公。痛知遭止棘，频叹委飘蓬。"（见《全唐诗》卷六八五）融返京后有《寄贯休上人》中云："几同江步吟秋霁，更忆山房语夜分。"又有《寄贯休》。（均见《全唐诗》卷六八四）

韩偓年五十五岁，时为刑部员外郎。冬，随昭宗在奉天重围中，作《乾宁三年丙辰在奉天重围作》。（见《全唐诗》卷六八二，参霍松林、邓小军《韩偓年谱》）

冬，戴司颜为太常博士，时僧从约奉命入朝进《法华经》一千部，司颜有诗赠之，欲得吴融和诗。《唐摭言》卷五《切磋》条云："景福中，江西节度使钟传遣僧从约进

《法华经》一千部，上待之恩渥有加，宣从约入内赐斋，面赐紫衣一副。将行，太常博士戴司颜以诗赠行，略曰：'远来朝凤阙，归去恋元侯。'时吴子华任中谏，司颜仰公之名，志在属和，以为从约之资。融览之，拊掌大笑曰：'遮阿师更不要见，便把拽出得！'其承奉如此矣。"[按，吴融从江陵召还在本年冬，非景福中。司颜此后行迹无考]《唐才子传》卷九略谓其"有诗名，气宇盘礴，每有过人，遂得名家，岂泛然矣……有集今传。"李调元辑《全五代诗》卷一小传称"梁初卒"，未知所据，疑为臆测。《才调集》卷九收戴司颜诗二首，《全唐诗》卷六九〇因之。余皆散佚不传。

本年

罗隐年六十四，有《感弄猴人赐朱绂》诗，讥刺当朝。罗隐科场失意，亦因权贵恶其多有讽刺之作而致。此诗云："十二三年就试期，五湖烟月奈相违。何如买取胡孙弄（一作学取孙供奉），一笑君王便著绯。"题注云："《幕府燕闲录》云：唐昭宗播迁，随驾伎艺人止有弄猴者。猴颇驯，能随班起居。昭宗赐以绯袍，号'孙供奉'，故罗隐有诗云云。朱梁篡位，取此猴，令殿下起居。猴望殿陛，见全忠，径趋其所，跳跃奋击，遂令杀之。唐臣愧此猴多矣。"（见《罗隐集·甲乙集》卷十一）罗隐好讽刺，文献多及之。《鉴戒录》卷八云："罗隐秀才傲睨于人，体物讽刺。"《郡斋读书志》卷四中称其"作诗著文以讽刺为主"。《北梦琐言》卷九载："裴筠婚萧楚公女，言定未几，便擢进士。罗隐以一绝刺之，略曰：'细看月轮还有意，信知青桂近嫦娥。'"《唐诗纪事》卷六九罗隐："昭宗欲以甲科处之，有大臣奏曰：'隐虽有才，然多轻易，明皇圣德，犹横遭讥谤，将相臣僚，岂能免乎凌轹？'帝问讥谤之词，对曰：'隐有《华清》诗云：'楼殿层层佳气多，开元时节好笙歌。也知道德胜尧舜，争奈杨妃解笑何！'其事遂寝。"

僧可止年三十七，进诗，昭宗诏应制内殿，赐紫袈裟。后为幽州节度使召归。其《赠樊川长老》诗约本年前后所赋。《宋高僧传·可止传》记可止景福（892—893）年中至河池，"后于长安大庄严寺化徒数载。乾宁三年，进诗，昭宗赐紫袈裟，应制内殿……止顷在长安讲罢，游终南山逍遥园，是姚秦什法师译经之地，年代寖深，鞠为茂草……奏昭宗乞重修。帝允，仍旧赐草堂寺额。后请樊川净休禅伯聚徒谈玄矣。"可止《赠樊川长老》诗云："瘦颜颧骨见，满面雪毫垂。坐石鸟疑死，出门人谓痴。照身潭入楚，浸影桧生隋。太白曾经夏，清风凉四肢。"（见《全唐诗》卷八二五）

段安节约本年前后任国子司业，著《乐府杂录》。序云："爰自国朝初修郊礼，刊定乐悬，约三代之歌钟，均九威之律度，莫不韵音尽美，雅奏克谐……洎从离乱，礼寺隳颓，簨虡既移，警鼓莫辨，梨园弟子，半已奔亡；乐府歌章，咸皆丧坠。安节以幼少即好音律，故得粗晓宫商，亦以闻见数多，稍能记忆。尝见《教坊记》亦未周详，以耳目所接，编成《乐府杂录》一卷……朝议大夫守国子司业上柱国赐紫金鱼袋段安节撰。"《新唐书·段志玄传》："（安节）乾宁中，为国子司业。善乐律，能自度曲。"安节此后行踪未详。《新唐书·艺文志一》著录其《乐府杂录》一卷，《直斋书录解题》卷十四又记其《琵琶故事》一卷。安节为段文昌之孙，段成式之子，温庭筠婿，附见《新唐书·段成式传》。

虚中，本年前曾与司空图互有诗赠答。《诗话总龟》卷一〇引《郡阁雅谈》云："僧虚中，宜春人。游潇湘山，与齐己、（尚）颜、栖蟾为诗友，住湘江西宗成寺。"《唐才子传》卷八："虚中，袁州人。少脱俗从佛。虽然，读书工吟不缀。居玉笥山二十寒暑，后来游潇湘，与齐己、顾、栖蟾（当为尚颜、栖蟾之讹）为诗友，住湘西宗成寺。长沙马侍中希振敬爱之，延纳于书阁中……时司空图悬车告老，却扫闭门，天下怀仰，虚中欲造见论交，未果。因归华山，寄以诗曰：'门径放莎垂，往来投刺稀……'图得诗大喜，言怀云：'十年华岳山前住，只得虚中一首诗。'其见重如此。"《唐诗纪事》卷七五云："虚中，宜春人也。"虚中《寄华山司空图二首》，今存《全唐诗》卷八四八。其时司空图征拜兵部侍郎，虽不就，称之犹可。《诗话总龟》卷一〇云："僧虚中……集首《寄华山司空图侍郎》云云。"

齐己年三十二岁，本年或之后有《寄华山司空图》一诗。诗云："天下艰难际，全家入华山。几劳丹诏问，空见使臣还……兵戈阻相访，身老瘴云间。"（见《白莲集》卷三）

尚颜居荆门。有《寄华阴司空侍郎》一诗。（见《全唐诗》卷八四八）

高蟾本年前后为御史中丞。蟾，工绝句，有诗一卷。《新唐书·艺文志四》记高蟾"乾宁御史中丞"。《唐才子传·高蟾传》称其"诗体则气势雄伟，态度谐远，如狂风猛雨之来，物物林动，深造理窟"。《新唐书·艺文志四》著录《高蟾诗》一卷。《全唐诗》卷六六八编其诗一卷。

延沼（896—973）生。

杨收（816—896）被赐死。杨收，苏州吴县（今江苏苏州）人，祖籍同州冯翊（今陕西大荔）。杨发弟。年十三，略通诸经义，善于文咏，吴人呼为"神童"。会昌元年（841）进士及第。淮南节度杜悰辟为节度推官，奏授校书郎。累佐其幕。历监察御史、太常博士等。咸通二年（861）自吏部员外郎充翰林学士，加库部郎中知制诰。迁中书舍人、兵部侍郎。四年（863），以本官同中书门下平章事。八年（867），罢为宣歙观察使。贬端州司马，长流瓘州，赐死。《全唐诗》存诗三首，《全唐诗逸》补一首；《全唐文》存文二篇。事迹见新、旧《唐书》本传。

吴仁璧，本年或之后拒绝入钱镠幕。璧，一作壁。字廷宝，一作廷实。苏州长洲（今江苏苏州）人，一说关右（今陕西一带）人。生卒年不详。大顺二年（891）进士及第。乾宁三年（896）后，入浙东。镇东节度使钱镠累辟入幕，坚辞不就；钱请其撰文章，坚不从，被沉于江中。能诗。长于七言绝句，善于咏物用典，语言平实。《新唐书·艺文志四》著录《吴仁璧诗》一卷，已散佚。《全唐诗》存诗十一首、断句四联，后者系误收其女之诗。事迹见《诗话总龟·前集》卷四七。

欧阳炯（896—971）生。炯，五代以词名家。益州华阳（今四川双流）人。少事前蜀后主，为中书舍人，因称欧阳舍人。前蜀亡，降后唐，补秦州从事。及孟知祥镇西川，炯复还蜀。在后蜀历仕武德军节度判官，翰林学士、知贡举，吏部侍郎、加承旨，拜门下侍郎、兼户部尚书同平章事，监修国史。后蜀亡，又从孟昶入宋，为右散骑常侍，俄充翰林学士，就转左散骑常侍，官终本官分司西京。炯性坦率，末年少检

操，雅善长笛。初在成都，卿相争尚奢靡，炯能俭素自守，尝拟白居易讽通诗五十首以献，孟昶手诏嘉美之。但佚名《儒林公议》卷下，又说他应命作宫词（今佚），"淫靡甚于韩偓"。善文章，为《花间集》作序。耽于声乐，好为歌诗，存词二十调四十七首。《花间集》录七调十七首，《尊前集》录十三调三十首。王国维辑有《欧阳平章词》，收入《唐五代二十一家词辑》。炯词多刻画儿女情态，艳语透骨，尤以《浣溪沙》（"相见休言"）为甚。对此，况周颐曾有评说："自有艳词以来，殆莫艳于此矣。"《蕙风词话》卷二）但他也写过一些格调明快、情趣盎然、记岭海风土的小词。《南乡子》八首，俱缘题作赋，写景纪俗均带南国特征，状物真切，质而不俚，一洗绮罗香泽之态，可与李珣词媲美。语意工妙，殆可追配梦得《竹枝》，信一时之杰。《江城子》（"晚日金陵"），咏史吊古，构思超妙，或寓感喟时世之意。《渔父》亦为当时辞家所唱和。炯亦能诗，"虽多而不工"（《宋史·西蜀世家》）。《全唐诗》存诗六首，《全唐诗补编》补二首。事迹见《十国春秋》本传。

罗邺（831？—896?）卒。杭州馀杭（今属浙江）人，一说苏州吴县（今江苏苏州）人。父为盐铁小吏，家富。咸通中，数举进士不第，入池州刺史幕，辟江西观察使从事。乾符三年（876），又佐忠武节度使幕。光启三年（887）前后，游于巴蜀间。晚年闲居于故乡。一生功名失意。光化三年（900）追赐进士及第，赠补阙。有诗名，佳句遍在时人之口。与族人罗隐、罗虬并称"江东三罗"，较逊于隐而高于虬。工七言律、绝，多纪行题寄、咏物感怀之章，抒发功名无成的惆怅哀怨之情。《牡丹》、《公子行》等较多社会内容。其诗文思清丽，工致绵密，声韵和畅。《新唐书·艺文志四》著录《罗邺诗》一卷，有散佚。今传辑本《罗邺诗集》一卷。《全唐诗》存诗一卷，《全唐诗补编》补三首、断句一句。事迹见《唐才子传校笺》卷八。

公元 897 年（唐昭宗乾宁四年　丁巳）

正月

昭宗在华州行营。（见《旧唐书·昭宗本纪》、《资治通鉴》卷二六一）

元日，司空图有《丁巳元日》。（见《全唐诗》卷八八五）

三日，李绰作《升仙庙兴功记》。后署"时乾宁四年正月三日记"。（见《全唐文》卷八二一，参岑仲勉《郎官石柱题名新考订》）绰于龙纪时曾任太常博士，后迁膳部郎中，著有《秦中岁时记》。又曾著《尚书故实》一书。绰《尚书故实序》中云："臣绰避难圃田，寓居佛庙……叨遂迎尘，每容侍话，凡聆征引必异寻常，足广后生，可贻好事，遂纂集尤异者，兼杂以诙谐十数节，作《尚书故实》云耳。"《四库全书总目》卷一二〇子部杂家类《尚书故实》提要谓"其书杂记近事，亦兼考旧闻……在唐人小说中亦《因话录》之亚也"。绰此后行踪无考。《新唐书·艺文志二》著录其《尚书故实》一卷，《新唐书·艺文志三》又记其《秦中岁时记》一卷。

李洞在龙州，有《龙州韦郎中先梦六赤后因打叶子以诗上》诗，上龙州刺史韦贻范。（见《全唐诗》卷七二三）洞卒于本年后不久。《唐才子传·李洞传》谓其"流落往来，寓蜀而卒"。其一生困于名场而以诗称，时人多伤吊之。齐己《寄李洞秀才》

云："到处听时论，知君屈最深。秋风几西笑，抱玉但伤心。"（见《全唐诗》卷八四〇）郑谷《哭进士李洞二首》其一云："所惜绝吟声，不悲君不荣。李端终薄宦，贾岛得高名。"其二云："自闻东蜀病，唯我独关情。若近长江死，想君胜在生。"（见《郑守愚文集》卷三）宋方岳《深雪偶谈》评："独李洞佛名阆仙，所谓瓣香之师，执而不宏，捧心过甚，空圆萧散之气，不复少有，岂非不善学柳下惠耶?"贺裳称引李洞《喜鸾公自蜀归》、《古柏》、《秋日曲江书事》等诗，谓其"取境虽近，运思则远，真'穿天心、出月胁'而成，虽曰雕虫，亦岂易及"!（见《载酒园诗话·又编》）胡震亨则谓："才江虽学贾岛，要为自具生面。所恨刻求新异，艰僻良苦耳。《终南》一篇，句与韵斗险，中叶来长律仅觏，恐阆翁亦未办也。"《新唐书·艺文志四》著录《李洞诗》一卷，所集《贾岛句图》一卷。《郡斋读书志》卷四中载《李洞诗》一卷，注云："（洞）慕贾岛为诗，铜铸其像，事之如神。诗人多诮其僻涩，不贵其奇峭。唯吴融称之。"《直斋书录解题》卷一九"诗集类中"载《李洞集》一卷，卷二二载李洞《句图》一卷。《全唐诗》卷七二一编其诗三卷，同书卷八八六补一首。《全唐诗》编其诗三卷（卷七二一至七二三）。

丁亥，诏立德王裕为皇太子。（见《资治通鉴》卷二六一乾宁四年正月条）

殷文圭自池州至华州行在，作《观贺皇太子册命》诗。（见《全唐诗》卷七〇七）《唐摭言》卷九《表荐及第》条载："乾宁中，驾幸三峰。殷文圭者……家池州之青阳，辞亲间道至行在。"

二月

汴将葛从周攻陷兖州。自是，郓、齐、曹、棣、兖、沂、密、徐、宿、陈、许、郑、滑、濮等州皆为朱全忠所有。惟王师范守青州，亦纳款于汴。（见《旧唐书·昭宗本纪》、《资治通鉴》卷二六一）

韩建迫昭宗罢诸王典兵，囚八王于别第，殿后侍卫四军二万余人皆放散，杀捧日都头李筠于大云桥下，自是天子之卫士尽矣。（见《旧唐书·昭宗本纪》、《资治通鉴》卷二六一）

礼部侍郎薛昭纬在华州主持贡举。杨赞图、韦象、卓云、孙郃、刘纂等二十人登进士第。本年试题有《未明求衣赋》、《驾在华州》诗、《问善如扣钟》诗。（见《唐诗纪事》）（见卓云条）王栖霞七岁，神童科及第，翁承赞登博学宏词科。（据《登科记考》卷二四本年条）[按，本年二月，长安为李茂贞军所占，昭宗在华州行宫，其举试乃在华州，故称华州榜]（见《唐诗纪事》卷六七薛昭纬条）

杨赞图以第一名中进士科状元。《广卓异记》引《登科记》："杨赞禹，大顺元年状元及第。弟赞图，乾宁四年状元及第。"《唐诗纪事》："薛昭纬以侍郎掌贡举，杨赞图为榜首。"殷文圭有《赵侍郎看红白牡丹，因寄杨状头赞图》诗。（见《全唐诗》卷七〇七）黄滔《与杨状头赞图启》："先辈主中兴之文学，作来者之蓍龟。"（见《全唐文》卷八二三）

韦象，生卒年不详，本年进士及第。《永乐大典》引《池州府志》载《唐登科记》："乾宁四年，礼部侍郎薛昭纬下进士二十人，韦彖举选。彖字象先，贵池人。"《唐摭言》："羊绍素夏课有《画狗马难为功赋》，其实取画狗马难于画鬼神之意也。投表兄吴子华，子华览之，谓绍素曰：'吾子此赋未嘉。赋题无鬼神，而赋中言鬼神，子盍为《画狗马难于画鬼神赋》，即善矣。'绍素未及改易，子华一夕成于腹笥。有进士韦彖，池州九华人，始以赋卷谒子华。子华闻之甚喜。彖居数日，贡一篇于子华，其破题云'有丹青二人，一则矜能于狗马，一则夸妙于鬼神'，子华大奇之，遂焚所著，而绍素竟不能以己下之。其年子华为彖取府解。"杜荀鹤有《江上送韦彖先辈》诗。（见《全唐诗》卷六九一）

卓云，生卒年不详，本年进士及第。《淳熙三山志》："卓云，杨赞图榜进士。"《万姓统谱》卷一一四："卓云，河南人，乾宁中及第，作《未明求衣赋》、《驾在华州》诗、《问善如扣钟》诗。"又天一阁［嘉靖］《福宁州志》卷八《科贡·进士》："乾宁四年丁巳杨赞图榜：长溪县卓文，字叔高，又名昙。"日本藏［万历］《福宁州志》卷九《选举志上·先朝进士》同。［按，名作"文"、"昙"者，皆"云"之讹］

孙郃，生卒年不详，本年进士及第。《郡斋读书志》："孙郃字希韩，四明人。乾宁四年进士。为校书郎。"《唐诗纪事》卷六一孙郃条："郃与方干友善，乾宁中，登进士第。好荀、杨、孟子之书，学退之为文，为校书郎中，河南府文学。其文为钱珝所序。诗有'仕宦类商贾，终日常东西'之句。"郃慕方干诗，闻干已辞世，作诗以忆念。《方玄英先生传》记："光启、文德间，客有至自鉴湖者，云先生亡矣。"（见席启寓禹《唐诗百名家全集·方玄英先生诗集》）《新唐书》卷六〇《艺文志四》著录《孙子文集》四十卷，又《孙氏小集》三卷，注："孙郃，字希韩，乾宁进士第。"《全唐诗》卷六九四小传云："……《文集》四十卷、《小集》三卷。今存诗三首。"《全唐文》卷八二〇录其文四篇。

刘纂，生卒年不详，本年进士及第。《唐摭言》："刘纂为等第后，二十一年方及第。"［按，纂为等第在乾符四年］

王栖霞，神童科及第。徐铉《贞素先生王君碑》："君讳栖霞，字元隐，七岁神童及第。"

翁承赞去岁登进士第，今年再登博学宏词科。《唐才子传》卷一〇谓承赞"又中宏词敕头"。《十国春秋》传记其"擢宏词科，任京兆府参军"。《淳熙三山志》："乾宁四年，翁承赞中博学宏词科。"宋刘应李辑《新编事文类聚翰墨全书》后丙集卷一《氏族门》："翁承赞……登进士第，擢宏词。"又《名贤氏族言行类稿》卷二载："承赞乾宁间登进士第，继擢宏词。"

知贡举：礼部侍郎薛昭纬。昭纬，名门之后，去岁十月任命，今年在华州放榜，时号得人。又曰"华州榜"。《旧唐书·昭宗本纪》载，乾宁三年"十月戊申朔，以中书舍人、权知礼部贡举薛昭纬为礼部侍郎"。《旧唐书》卷一五三《薛存诚传》云："薛存诚，字资明，河东人［按，唐宪宗时为御史中丞］……子廷老（文宗时给事中）……（廷老）子保逊，登进士第，位亦至给事中。保逊子昭纬，乾宁中为礼部侍郎，贡举得人，文章秀丽。"《唐诗纪事》卷六七载："华州榜，昭纬寄诸门生诗曰：'时君过听委平衡，粉署华灯到晓明。开卷固难窥浩汗，执心空欲慕公平。机云笔舌临文健，沈宋篇章发韵清。自笑观光浑昨日，披心争不愧群生。'”昭纬恃才傲物，前人颇有言之者。《唐摭言》卷一二《轻佻》条云：“薛保逊，大中朝尤肆轻佻，因之侵侮诸叔，故自起居舍人贬洗马而卒。其子昭纬，颇有父风，尝任祠部员外。时李系任小仪，王荛任小宾。正旦立仗，班退，昭纬吟曰：‘左金乌而右玉兔，天子旌旂。’荛遽请下句，昭纬应声曰：‘上李系而下王荛，小人行缀。’闻者靡不大哂。天复中，自台丞累贬磎州司马。中书舍人颜荛当制，略曰：‘陵轹诸父，代嗣其凶。’”《北梦琐言》卷四亦载：“唐薛澄州昭纬，即保逊之子也。恃才傲物，亦有父风。每入朝省，弄笏而行，旁若无人。好唱《浣溪沙》词。知举后，有一门生辞归乡里，临歧献规曰：‘侍郎重德，某乃受恩。尔后请不弄笏与唱《浣溪沙》，即某幸也。’时人谓之至言。有小吏常学其行步揖逊，公知之，乃召谓曰：‘试于庭前，学得似，则恕尔罪。’于是下帘，拥姬妾而观之。小吏安详傲然，举动酷似，笑而舍之。”《全唐诗》卷八九四录有薛昭蕴《浣溪沙》、《女冠子》、《相见欢》等词十九首。薛昭蕴当为薛昭纬之误。（据贺中复《薛昭蕴考》，文刊于《文献》一九九六年第三期）

三月

韦庄年六十二，有《长安旧里》，诗咏长安荒乱景象。（见《浣花集》卷十，参《韦端己年谱》）

郑谷本年所作诗，另有《叙事感恩上狄右丞》、《寄献狄右丞》二首。狄右丞即狄归昌。《旧唐书·昭宗本纪》记，本年九月，“以御史中丞狄归昌为尚书右丞”。《唐才子传》卷九谓谷“乾宁四年，为都官郎中”。

齐己本年三十四岁，约本年春有诗寄唐禀。其《寄萍乡唐禀正字》禀诗云：“新书声价满皇都，高卧林中更起无？春兴酒香薰肺腑，夜吟云气湿髭须。……长忆前年送行处，洞门残日照菖蒲。”［按，唐禀时撰成《卢观新书》］齐己与唐禀交契极深，另有《送唐禀正字归萍乡》，约作于乾宁二年（895），详该年条。

春，王贞白在家乡信州永丰看牡丹，感而赋《看天王院牡丹》诗。诗云：“前年帝里探花时，寺寺名花我尽知。今日长安已灰烬，忍随南国对芳枝。”（见《全唐诗》卷八八五）又有《戏赠乡人》，诗云：“前年内殿考文华，咫尺天颜隔绛纱。御榜早闻传异国，乡人犹似薄东家。……明日春风动行色，惟愁重别故林花。”（见《全唐诗外编·补逸》卷十四）

右拾遗张道古因去岁十二月上疏言国有“五危二乱”，谪官施州司户参军。今春始行，时贯休赋诗送之，赞颂其敢谏精神。《资治通鉴》卷二六一载：“右拾遗张道古上疏，称：‘国家有五危、二乱。昔汉文帝即位未几，明习国家事，今陛下登极已十年，而曾不知为君驭臣之道……窃伤陛下朝廷社稷始为奸臣所弄，终为贼臣所有也！’上怒，贬道古施州司户。”胡三省注：“昭宗处艰危之中，犹罪言者，其亡宜矣。”《唐诗纪事》卷七一，《鉴戒录》卷一《走马驾》条、卷四《危乱黜》条，《北梦琐言》卷五等均载此事，然具体时间又有“天复中”一说，今从《资治通鉴》。

贯休钦佩道古之直言敢谏，作《送张拾遗赴施州司户》。曰：“道之大道古太古，二字为名争莽卤。社稷安危在直言，须历尧阶挝谏鼓。……一言偶未合尧聪，贾生须看湘江水。君不见顷者百官排闼赴延英，阳城不死存令名。又不见仲尼遥奇司马子，佩玉垂绅合如此。公乎公乎施之掾，江上春风喜相见。”（见《全唐诗》卷八二七）诗乃作于春日。

四月

韦庄年六十二，在华州驾前，李珣奉使入蜀，辟为判官。途中有《过樊川旧居》、《和同年韦学士华下途中见寄》、《过渼陂怀旧》等诗作。《资治通鉴》卷二六一乾宁四年四月记“以右谏议大夫李珣为两川宣谕使，和解王建及顾彦晖”。《唐诗纪事》卷六八韦庄条云：“庄疏旷不拘小节，李珣为两川宣谕和协使，辟为判官。”韦庄《过樊川旧居》题下注：“时在华州驾前奉使蜀作。”（见《浣花集》卷十）韦庄另有《和同年韦学士华下途中见寄》诗：“绿杨城郭雨凄凄，过尽千轮与万蹄。送我独游三蜀路，羡君新上九霄梯。……正是清和好时节，不堪离恨剑门西。”（见《浣花集·补遗》）

钱珝仍在中书舍人任，宰相崔远本年四月又为兵部尚书，珝代远撰《代兵部崔相公谢追赠三代表》之谢表二篇。（见《全唐文》卷八三五，参《新唐书·宰相世系表》三）

六月

乙卯，昭宗以凤翔节度使李茂贞屡犯京师，令其移镇西川，以覃王嗣周为凤翔节度使。

韩偓本年五十六岁，随昭宗在华州。诏命为覃王嗣周凤翔节度掌书记。钱珝撰《授窦回凤翔节度副使、崔澄观察判官、韩偓节度掌书记等制》。（见《全唐文》卷八三二，8773）制下，韩偓由刑部员外郎出为凤翔节度掌书记。偓心甚不平，作《余自刑部员外郎为时权所挤，值盘石出镇藩屏，朝选宾佐，以余充职掌记，郁郁不乐，因成长句寄所知》，中云：“正叨清级忽从戎，况与燕台事不同。开口谩劳矜道在，抚膺唯合哭途穷。”（见《全唐诗》卷六八二）另作《守愚》自遣。

己巳，覃王赴镇，偓等随之。然李茂贞不受代，七月覃王率韩偓等归华州，八月被杀。（见《资治通鉴》卷二六一乾宁四年六月条）韩偓因幕主遇害，于昭宗垂问间语事得体，渐获昭宗信任。

丙寅，韦庄随两川宣谕史李珣至梓州，见王建于张把砦，建不奉诏。李珣宣谕未果，回朝复命，韦庄等随其于年底前返回华州。庄有《汧阳间》、《焦崖阁》、《鸡公帻》等诗。《浣花集》所选诗，终于本年。《十国春秋》卷三五《前蜀纪》一载，本年六月丙寅，“宣谕使李珣（殉）等至梓州，己巳，见建于张把砦，建不奉诏，指执旗者曰：‘战士之情，不可夺也。’”旧载记韦庄此后行迹，《唐诗纪事》卷六八谓“庄疏旷不拘小节，李珣为两川宣谕和协使，辟为判官。以中原多故，潜欲依王建，建辟为掌书记。寻召为起居舍人，建表留之”。《宣和书谱》卷一一云：“李珣为两川宣谕使，辟为判官。庄以中原多事，潜依王建，建奏为掌书记，寻为起居舍人。”［按，两书均谓韦庄随李珣入蜀后即有依王建之事，殊误］庄入蜀依王建，事在光化四年（天复元年，901）（详后）。时韦庄所作《焦崖阁》：“李白曾歌蜀道难，长闻白日上青天。今朝夜过焦崖阁，始信星河在马前。”其《鸡公帻》亦同时之作。（见夏承焘《韦端己年谱》）

草书僧誓光将归永嘉。此前誓光已蒙昭宗御榻前书而得赐紫方袍，复谒华帅韩建，荐号广利，名动朝野。故其行前，宰相崔远及吴融、司空图、罗隐等朝贤名士均有诗送行，计五十家，曾辑为一集。赞宁《宋高僧传·后唐明州国宁寺誓光传》载：“释誓光，字登封，姓吴氏，永嘉人也……好自标遇，慢易缁流。多作古调诗，苦僻寡味，得句时有得色。长于草隶……昭宗诏对御榻前书，赐紫方袍。后谒华帅韩建，荐号曰广利。自华下归故乡，谒武肃王钱氏，以客礼延之。……有朝贤赠歌诗，吴内翰融、罗江东隐等五十家，仅成一集。”

宋岳珂《宝真斋法书赞》卷六有崔远《送广利大师归江东》诗：“楚山枫老楚江清，笠挂高帆浪注罂。真性本无前后际，叶舟谁问去来程。忘机每与鸥为伴，息念应怜月共明。想见家山诸弟子，盛夸新赐大师名。”诗末署：“中书侍郎平章事崔远，乾宁四年季夏二十九日书。”又《宣和书谱》卷十九：“释誓光，江南人也。潜心草字，名重一时。吴融赠其歌曰：‘忽时飞动更惊人，一声霹雳龙蛇活。’司空图亦为之歌曰：‘看师逸迹两师宜，高适歌行李白诗。’当时称美著于篇籍者，不可胜数。……观师光墨迹，笔势遒健，虽未足以与智永、怀素方驾，然亦自是一家法。”

司空图更撰文送之，图之《送草书僧归楚越》曰：“誓光僧生于东越，虽幼落于佛，而学无不至。故逸迹遒劲之外，亦恣为歌诗，以导江湖沉郁之气。是佛首而儒其业者也。……今系名内殿，且为归荣，足以光于远矣。永嘉西岑，康乐胜游之最。是行也，为我以论诗一篇，题于绝壁。”（见《全唐文》卷八〇七）

吴融另有《送广利大师东归》一诗：“紫殿久沾恩，东归过海门。……蕺山如重到，应老旧云根。”下注：“大师善于草圣，故云。”（见《全唐诗》卷六五八）罗隐亦赋《送誓光大师》，题下有注：“以草书应制。”诗中云：“圣主赐衣怜绝艺，侍臣摛藻许高踪。……一种苦心得了，不须回首笑龙钟。”（见《罗隐集·甲乙集》卷九）

七月

甲戌，唐昭宗与亲王学士登华州齐云楼，西望长安，感慨播迁。悲甚，制《菩萨蛮》词，令乐工唱之。亲王以下皆属和。《旧唐书·昭宗本纪》本年七月记：“甲戌，帝与学士、亲王登齐云楼，西望长安，令乐工唱御制《菩萨蛮》词，奏毕，皆泣下沾襟，覃王已下并有属和。”南唐尉迟偓《中朝故事》卷上：“昭宗皇帝……虽运钟艰险，智量过人。每与侍臣言论商较时政，曾无厌倦。乾宁三年，凤翔李茂贞与朝臣有隙，将欲搆难，犯于神京，上乃顺动，欲幸太原。行止渭北华州，韩建迎归郡中。上郁郁不乐，时登城西齐云（楼）眺望。明年秋，制《菩萨蛮》词二首，曰：‘登楼遥望秦宫殿，茫茫只见双飞燕。渭水一条流，千山与万丘。远烟笼碧树，陌上行人去。何处是英雄，迎侬归故宫？'又一曰：'飘飖且在三峰下，秋风往往堪沾洒。肠断忆仙宫，朦胧烟雾中。思梦时时睡，不语常如醉。早晚是归期，穹苍知不知？'"

八月

八月，韩建与宦官刘季述矫制发兵，围十六宅，杀延王、覃王等十一王并其侍者。（见《旧唐书·昭宗本纪》、《资治通鉴》卷二六一）

唐廷赐镇海军节度使钱镠铁券。《十国春秋》卷七七《武肃王世家》乾宁四年载："八月，我师屯崑山。唐敕王起复……又遣中使焦楚锽赍铁券至，券文曰：维乾宁四年，岁次丁巳，八月甲辰朔……"

罗隐年六十五，仍在钱镠幕，为撰《代武肃王钱镠谢赐铁券表》。（见《罗隐集·杂著》）

九月

九月，钱镠受封为吴王。《旧唐书·昭宗本纪》本年九月条载："制以镇海军节度使钱镠为镇海军节度、浙江东西道观察处置等使、杭州越州刺史、上柱国、吴王。"（参《资治通鉴》卷二六一）

九日，司空图作《丁巳重阳》、《喜王驾小仪重阳相访》等诗。"重阳未到已登临，探得黄花且独斟。客舍喜逢连日雨，家山（一作乡）似响隔河砧。乱来已失耕桑计，病后休论济活心。自贺逢时能自弃，归鞭唯拍马鞯吟。"图另有《重阳山居》，与此诗差似。图又有《喜王驾小仪重阳相访》诗："白菊初开卧内明，闻君相访病身轻。群前且拨伤心事，溪上还随觅句行。幽鹤傍人疑旧识，残蝉向日噪新晴。拟将寂寞同留住，且劝康时立大名。"

王驾于重阳日访司空图，图以《喜王驾小仪重阳相访》诗赠之。驾时在礼部侍郎（别称"小仪"）任。驾此后行迹难以具考，或弃官归隐。王安石《唐百家诗选》卷一九、《唐诗纪事》卷六三《王驾》条及《唐才子传》卷九均记王驾仕至礼部员外郎。（参周祖譔、吴在庆《唐才子传校笺·王驾》条）《诗话总龟》前集卷一〇引《诗史》云："王驾大顺中擢第，为礼部员外郎，弃官，号守素先生，与司空图、郑谷为诗友。所为诗少传者。《晴景》一篇最佳，云：'雨前不见花间叶，雨后全无叶底花。蜂蝶飞来过墙去，应疑春色在邻家。'"《唐才子传》卷九则云："（驾）仕至礼部员外郎，弃官嘉遁于别业，与郑谷、司空图为诗友，才名籍甚。"［按，王驾与司空图、郑谷交往，始于驾及第前］司空图赠寄王驾诗，已见前引，其《与王驾论诗书》一文颇为有名；郑谷则有《题进士王驾郊居》、《送进士王驾下第归蒲中》及《次韵和王驾校书结绶见寄之什》等诗，可见三人交游之厚。王驾著述，《新唐书》卷六〇《艺文志四》"别集类"著录《王驾诗集》六卷，《崇文总目》卷五"别集类"、《宋史》卷二〇八《艺文志七》所载同。《直斋书录解题》卷一九"诗集类"则著录《王驾集》一卷。《全唐诗》卷六九〇收录驾诗六首，同书卷八八五《全唐文补遗》四补一首。

郑谷迁都官郎中，后有《寄献狄右丞》、《叙事感恩上狄右丞》、《寄献尚书右丞狄

归昌》，以及《转正郎后寄献集贤相公》与《重访黄神谷东禅者》等诗作。狄右丞即狄归昌，《旧唐书·昭宗本纪》乾宁四年九月载："以御史中丞狄归昌为尚书右丞。"（见傅义《郑谷年谱》）其《叙事感恩上狄右丞》自述近年情事，有云："凋零归两鬓，举止失前踪。得事虽甘晚，陈诗未肯慵。迩来趋九仞，又伴赏三峰。（自注：时大驾在华州）栖托情何限，吹嘘意数重。自兹俦侣内，无复叹龙钟。"

吴融约此时与诸学士在禁中遇雪而赋诗。融《和诸学士秋夕禁直偶（一作遇）雪》诗，中云："大（太）华积秋雪，禁闱生夜寒。砚冰忧诏急，灯烬惜更残。"（见《全唐诗》卷六八五）时吴融亦在翰林学士任。

秋，韦庄使蜀还，过樊州旧居与渼陂等地，有诗咏之。韦庄《过樊川旧居》："却到樊川访旧游，夕阳衰草杜陵秋。……能说乱离唯有燕，解偷闲暇不如鸥。千桑万海无人见，横笛一声空泪流。"又《过渼陂怀旧》："辛勤曾寄玉峰前，一别云溪二十年。……多少乱离无处问，夕阳吟罢涕潸然。"又《汧阳间》："汧水悠悠去似绯，远山如画翠眉横。僧寻野渡归吴岳，雁带斜阳入渭城。"（参《韦端己年谱》、见《浣花集》卷十）

十月，幽州节度使刘仁恭大败沙陀于安塞，李克用单骑仅免。是月，诏裴贽以礼部尚书知明年贡举；朱全忠遣将发兵七万余，南攻杨行密。（见《旧唐书·昭宗本纪》、《资治通鉴》卷二六一）

十一月

朱全忠南下之师全军覆没，自此，江淮之间尽为杨行密所有。（见《旧唐书·昭宗本纪》、《资治通鉴》卷二六一）

黄滔《泉州开元寺佛殿碑记》。《黄御史公集》卷五载此文云："乾宁四年丁巳岁冬十一月日记。"（《全唐文》卷八二五）

十二月

威武军节度使王潮卒，其弟王审知自称福建留后，表于朝廷。（参《旧唐书·昭宗本纪》、《资治通鉴》卷二六一）

张乔或卒于本年前后，具体行迹无考。《全唐诗》卷七二三收李洞《怀张乔张霞》诗云："西风吹雨叶还飘，忆我同袍隔海涛。江塔眺山青入佛，边城履雪白连雕。身离世界归天竺，影挂虚空渡石桥。应念无成独流转，懒磨铜片鬓毛焦。"《嘉靖池州府志》卷七载"张乔……与弟霞俱有文名"。［按，张乔乃咸通末进士，广明之乱遂归隐九华］与其交往唱和之诗人中，较为晚出者乃杜荀鹤、杨夔。杜荀鹤《维杨逢诗友张乔》、杨夔《金陵逢张乔》等诗，并作于早年艰难未遇之际。李洞此诗或可据以推断乔之卒年盖与李洞相先后，系此待考。张乔诗集，《新唐书》卷六〇《艺文志》四〇"别集类"、《直斋书录解题》卷一九"诗集类上"、《宋史》卷二〇八《艺文志七》"别集类"均著录二卷。《全唐诗》卷六三八至六三九亦编存乔诗二卷；《全唐诗外编·续补遗》卷一三补录一首。此外，《全唐文》卷八〇六收乔文一篇。

刘山甫乾宁中奉王审知命，开凿甘棠港。《十国春秋》传云：“乾宁中，（太祖）夜梦金甲神，自称吴安王，许助开凿，因命山甫躬往设祭，具述所梦事。三奠未毕，海内灵怪具见。山甫乃憩僧院，凭高视之，风雷暴兴，见有黄鳞赤鬣非鱼非龙者。凡三昼夜，风雷始息，已别开一港，甚便行旅，即所赐号‘甘棠港’者也。”同书卷九〇《闽世家》一记此事于天祐元年（904），且云：“唐帝赐号曰‘甘棠港’，封其神曰‘灵显侯’。”

公元 898 年（唐昭宗乾宁五年　唐昭宗光化元年　戊午）

正月

驾在华州。李茂贞、韩建闻朱全忠营洛阳宫，累表迎车驾，遂惧，请修复宫阙，奉上归长安。

刘崇望授东川节度使，吴融草制。《资治通鉴》卷二六一本年正月载：“以兵部尚书刘崇望同平章事，充东川节度使。”时吴融为翰林学士，撰《授刘崇望东川节度使制》。（见《全唐文》卷八二〇）又《旧唐书·刘崇望传》记“王溥再知政事，兼吏部尚书，乃改崇望兵部尚书”，下又记崇望出镇东川事，则诗题中之吏部当为兵部。

贯休年七十六，作《送吏部刘相公除东川》诗，送刘崇望。［按，“吏部”当为“兵部”，见上条］诗云：“帝念梓州民，年年战伐频。山川无草木，烽火没烟尘。政乱皆因乱，安人必藉仁。……旌幢山色湿，邛僰鸟啼新。……军雄城似岳，地变物含春。”（见《全唐诗》卷八三一）

早春，裴贽知贡举，于华州放榜。羊绍素、殷文圭、刘鹹、王毂、褚载、孔邈、陈炯、何幼孙、贾泳、卢肃、路德延、伍唐珪等二十人登进士第。试《春草碧色诗》，今存殷文圭、王毂之作。（见《文苑英华》）

羊绍素以第一名中进士科状元。绍素曾仕吴越黄晟。《吴越备史》卷二：“（黄）晟颇尚礼士，辟前进士陈鼎、羊绍素以为门宾。”

殷文圭，生卒年不详，本年携梁王朱全忠表荐进士及第。《唐才子传》卷一〇记：文圭“乾宁五年礼部侍郎裴贽下进士”。文圭字表儒，小字桂郎。池州青阳（今属安徽）人。（见《唐诗纪事》卷八六）去岁在华州行在，随裴枢宣谕汴州，叩朱全忠得表荐，本年及第，自汴宋路驰归江南，（按：唐时所谓“汴宋路”者，即路出汴州、宋州也。参夏承焘《唐宋词人年谱·韦端己年谱》光启二年考述）为宣歙节度使田頵幕客。天复三年（903）杨行密灭田頵，文圭复事行密父子，为淮南节度掌书记。吴武义元年（919）杨隆演称帝，文圭与沈颜等为翰林学士。卒南唐代吴前。文圭本年于进士试前夜作《省试夜投献座主》：“烛然兰省三条白，山束龙门万仞青。圣教中兴周礼在，不劳干羽舞明庭。”放榜后座主门生宴于西溪，文圭复有《行朝早春侍师门宴西溪席上作》，云：“西溪水色净于苔，画鹢横风绛帐开。弦管旋飘蓬岛去，公卿皆是蕊宫来。……三榜生徒逾七十，岂期龙坂纳非才。”其《贺同年第三人刘先辈鹹辟命》亦同时之作。（均见《全唐诗》卷七〇七）及第后，文圭避而不见朱全忠，江南节镇为从事，而全忠与江南节镇交恶，全忠怒其负心。《唐摭言》卷九《表荐及第》条云：“乾宁中，驾幸三峰。殷文圭者，携梁王表荐及第，仍列于榜内。时杨令公行密镇维扬，奄有宣浙，扬、汴榛梗久矣。文圭家池州之青阳，辞亲间道至行在，无何，随榜为吏部侍郎裴枢宣谕判官，至大梁以身事叩梁王，王乃上表荐之。文圭复拟饰非，遍投启事于公卿间，略曰：'于菟猎食，非求尺璧之珍；鶢鶋避风，不望洪钟之乐。'既擢第，由汴宋驰过，俄为多言者所发；梁王大怒。亟遣追捕，已不及矣。自是屡言措大率皆负心，常以文圭为证。白马之诛，靡不由此也。"《唐诗纪事》所载略同："汤（殷）文圭，[按，文圭之后改姓"汤"]池州人，居九华，小字桂郎。苦学，所用墨池底为之穴。举进士，中途遇一叟曰：'眉录，拳文入口，神仙状也。如学道当冲虚，为儒当大有名于天下。'唐末词场请托公行，文圭与游恭独步场屋。乾宁中，帝幸三峰，文圭携梁王表荐及第，仍列榜中。寻为裴枢宣谕判官。至大梁，朱全忠表荐之。既而由汴宋驰归，全忠大怒，遣吏捕之不及矣。自是屡言措大率皆负心，每以文圭为证。白马之祸，盖自此也。文圭事杨行密，终左千牛卫将军。子崇义，自江南归朝，改姓汤，名悦。"《宋太宗实录》卷二十九："（汤）悦字德川，其先陈人，后家于江东之青阳。父文圭，乾宁五年进士登第。"《白孔六帖》卷三十一引《九国志》："吴殷文圭举进士，途中遇一叟，目文圭久之，谓人曰：'向者一人，眉录，拳必入口，神仙状也。如学道，有冲虚，不尔，有大名于天下。'而文圭拳实入口，乾宁中擢第。"又《直斋书录解题》卷十九：殷文圭"乾宁五年进士"。文圭试帖诗《春草碧色诗》曰："细草含愁碧，芊绵南浦滨。萋萋如恨别，苒苒共伤春。疏雨烟华润，斜阳细彩匀。花黏繁灦锦，人藉软胜茵。浅映宫池水，轻遮辇路尘。杜回如可结，誓作报恩身。"（见《文苑英华》）

刘鹹，生卒年不详，本年进士及第。殷文圭《贺同年第三人刘先辈鹹辟命》诗曰："甲门才子鼎科人，拂地蓝衫榜下新。脱俗文章笑鹦鹉，凌云头角压麒麟。金壶藉草溪亭晚，玉勒穿花野寺春。多愧受恩同阙里，不嫌师辟與颜贫。"（《见全唐诗》卷七〇七）

王毂，生卒年不详，本年进士及第。《唐才子传》卷一〇谓："王毂字虚中，宜春人，自号临沂子。乾宁五年羊绍素榜进士。"《新唐书·艺文志》及《唐诗纪事》卷七十皆云毂"乾宁进士第"。《直斋书录解题》卷一九："《褚载集》一卷，唐褚载厚之撰。《王毂集》一卷，唐王毂虚中撰。二人皆乾宁五年进士。"又，《永乐大典》卷六八五引《清源志》云："王毂字虚中，以歌诗著称。少游豫章，崔安潜为江西观察使，甚重之。崔子字昌遐，时在庠序，与毂善。将赴举，昌遐置酒饯之。有日者在座，谓毂曰：'君当待此郎为相，及登第。'后二十年，昌遐入相，毂始擢第。"《唐诗纪事》卷七十亦载："毂始与崔胤同在庠序，相善。将赴举，胤饯之，有日者在坐，曰：'待此郎为相，乃登第。'二十年，胤为相，毂遂登第。"毂及第后即归江西宜春，释贯休《送王毂及第后归江西》诗曰："太宗罗俊彦，桂玉比光辉。难得终须得，言归始是归。风帆天际吼，金鹗月中飞。五府如交辟，鱼书莫便稀。"（见《全唐诗》卷八三一）毂及第前已以歌诗擅名，尤长于乐府，有《玉树曲》播于人口。《诗话总龟》前集卷二九引《百搬明珠》云："唐末有宜春人王毂者，以能诗擅名于时。尝作《玉树曲》云……此诗大播于人口。毂未第时，尝于市廛中，忽见同人被无赖辈殴打，毂前救之，扬声曰：'莫无礼，识吾否？吾便是解道"君臣犹在醉乡中，面上已无陈日月"者！'

无赖辈闻之，敛手惭谢而退。”所诵即其《玉树曲》中句。《唐诗纪事》卷七五王毂：“毂未第时轻忽，被人殴击，扬声曰：‘莫无礼！吾便是“君臣犹在醉乡中，一面已无陈日月”。’殴者敛衽惭谢而退。”毂本年登第所试《春草碧色诗》，今见存于《文苑英华》。诗曰：“习习东风扇，萋萋草色新。浅深千里碧，高下一时春。嫩叶舒烟际，微香动水滨。金塘明夕照，辇路惹芳尘。造坐功何广，阳和力自均。今当发生日，沥恳祝良辰。”毂登第后仕历，《唐诗纪事》卷七十称其“唐末为尚书郎，致仕”。《唐才子传》则云：“历国子博士，后以郎官致仕。”《唐才子传校笺·王毂传》补笺，曾引《永乐大典》卷六八五一《清源志》，谓“拜谒校书郎。唐亡，奔淮南。吴国建，为右补阙以礼部郎中致仕。年八十九卒”。其卒当在南唐中主保大初。《新唐书·艺文志四》著录《王毂诗集》三卷，《崇文总目》卷五又记其编《临沂子观光集》三卷。《唐才子传·王毂传》谓：“有诗三卷。于时宦进，俱素餐尸位，卖降恐后之徒，毂因撰《前代忠臣临老不变图》一卷及《观光集》一卷。”又称其“颇不平久困，适生离难间，辞多寄寓比兴之作，无不知名”。

褚载，生卒年不详，本年进士及第。《直斋书录解题》卷一九谓褚载与王毂“二人皆乾宁五年进士”。《唐才子传》卷一〇所记同。《新唐书·艺文志四》：“《褚载诗》三卷：字厚之，并乾宁进士第。”《唐诗纪事》卷五九所载同。然《全唐诗》卷六九四褚载小传谓“乾宁二年登进士第”，误。载于本年及第前，多有投献于谒之举。《唐诗纪事》：“陆威为郎官，载以文投献，数字犯其家讳，威因矍然。载寻以牍致谢曰：‘曹兴之图画虽精，终惭误笔；殷浩之矜持太过，翻达空函。’”《唐才子传》：“褚载字厚之，家贫，客梁宋间，困甚，以诗投襄阳节度使邢君牙云：‘西风昨夜坠红兰，一宿邮亭事万般。无地可耕归不得，有恩堪报死应难。流年怕老看将老，百计求安未得安。一卷新诗满怀泪，频来门馆诉饥寒。’君牙怜之，赠绢十四，荐于郑滑节度使，不行。乾宁五年，礼部侍郎裴贽知贡举，君牙又荐之，遂擢第。”《诗话总龟》前集卷五（一五?）《自荐》门引宋蔡居厚《诗史》所载同。然《旧唐书》卷一四四《邢君牙传》及同书卷一二《德宗本纪》均载君牙卒于贞元十四年（798），年代渺不可及，则褚载所投献之节度使断非君牙，当另有其人，然久已失其姓名而已。褚载《吊秦叟》诗言及昭宗播迁华州驾在三峰之时事，诗云：“市西楼店金千秤，渭北田园粟万钟。儿被杀伤妻被虏，一身随驾到三峰。”余之作品难考，载此后行迹不详。《唐才子传·褚载传》谓其“后竟流落而卒。集三卷，今传”。《新唐书·艺文志四》亦著录其诗三卷。《崇文总目》卷一二、《通志·艺文略》八录其《咏史诗》三卷。《全唐诗》卷六九四录其诗十四首。

孔邈，生卒年不详，本年进士及第。《册府元龟》：“邈以乾宁五年登进士第。”《旧五代史》：“孔邈，文宣王四十一代孙。登进士第。”

陈炯，生卒年不详，本年进士及第。《永乐大典》引《宜春志》：“陈炯、何幼孙登乾宁五年进士第。”

何幼孙，生卒年不详，本年进士及第。（见《永乐大典》所引《宜春志》）

贾泳，生卒年不详，本年进士及第。《唐摭言》：“贾泳父修，有义声。泳落拓不拘细碎，尝佐武臣倅晋州。时昭宗幸蜀，三榜裴相贽时为前主客员外，客游至郡，泳接之傲睨。裴尝譬笏造泳，泳戎装一揖曰：‘主公，尚书邀放鹞子，勿怪。’如此倥偬而退，裴贽颇衔之。后裴三主文柄，泳两举为裴所黜。既而谓门人曰：‘贾泳潦倒可哀，吾当报之以德。’遂放及第。”

卢肃，生卒年不详，本年进士及第。《唐摭言》：“卢肃，钧之孙，贞简有祖风。光化初，华州行在及第。自大寇犯阙，二十年搢绅靡不褊乏。肃始登第，俄有李鸿者造之，愿佣力，鸿以锥刀暇日，往往反资于肃，此外未尝以所需为意。肃有旧业在南阳，常令鸿征租，皆如期而至。往来千里，而未尝侵费一金。既及第，鸿奔走如初。及一春事毕，鸿即辞去。”

路德延，生卒年不详，本年进士及第。德延阳平寇氏人，唐相路岩之侄，其父岳乃岩之兄。（见《旧唐书》卷一七七《路岩传》）《唐诗纪事》卷六三载：“德延，儋州岩相之犹子……光化初，方就举擢第。”《太平广记》卷一七五云：“路德延，儋州岩相之犹子也。数岁能为诗，居学舍中，尝赋《芭蕉》诗曰：‘一种灵苗异，天然体性虚。叶如斜界纸，心似倒抽书。’诗成，翌日传于都，会儋州坐事诛，故德延久不能振。光化初，方就举擢第，大有诗价。”又有《感旧》诗曰：“初骑竹马咏芭蕉，尝忝名卿诵满朝。五字便容过绛帐，一枝寻许折丹霄。岂知流落萍蓬远，不觉推迁岁月遥。国境永宁身未立，至今颜巷守箪瓢。”［按，乾宁五年八月改元“光化”，则本年亦可称“光化初”。《唐诗类苑》卷一四六录此时题作《就举擢第感旧》。

伍唐珪，生卒年不详，本年进士及第。《光绪安徽通志》卷一五四《选举表》四《进士》：“光化戊午榜：伍唐珪，秋浦人。……”乾宁五年八月甲子改元光化，此称“光化戊午榜”者，实即乾宁戊午榜也。

知贡举：礼部尚书裴贽。《旧唐书》本纪：“乾宁四年十月，以大中大夫、前御史中丞裴贽为礼部尚书，知贡举。”［按，此年为裴贽第三榜］《唐摭言》云：“第二、第三榜，通榜者为谏议柳逊、起居舍人于竞、紫微钱翊。”殷文圭有《省试夜投献座主》诗。［按，殷文圭有《行朝早春侍郎门宴西溪席上作》诗云：“三榜生徒逾七十，岂期龙坂纳非才。”］（见《全唐诗》卷七〇七）“行朝”，当指华州，“师门”即指裴贽，诗当作于乾宁五年春及第后。据《唐摭言》，文圭擢第后不久即归池州。又王涣《上裴公》诗亦云：“青衿七十榜三年，建礼含香次第迁。”（《唐摭言》卷三引）谓本年裴公第三次知举，年逾七旬。

王涣四十岁，除官考功员外郎。值座主裴贽三知贡举，感裴贽拔擢之恩，赋诗以献，贽亦咏诗酬答。《唐摭言》卷三《慈恩寺题名游赏赋咏杂记》条记此诗云：“王涣自左史拜考功员外，同年李德邻自右史拜小戎，赵光允自补衮拜小仪，王拯自小版拜少勋。涣首唱长句感恩，上裴公曰：‘青衿七十榜三年，建礼含香次第迁。珠彩乍连星错落，桂花曾对月婵娟。玉经磨琢多成器，剑拔沈埋便倚天。应念衔恩最深者，春来为寿拜尊前。’裴公答曰：‘谬持文柄得时贤，粉署清华次第迁。昔岁策名皆健笔，今朝称职并同年。各怀器业宁推让，俱上青霄岂后先。何事老来犹赋咏，欲将酬和永留传。’”《唐才子传·王涣传》：“俄自左史拜考功员外郎。同年皆得美除，涣首唱感恩长句，上谢座主裴公，当时甚荣之。”［按，涣上裴公诗曰“青衿七十榜三年”，与殷文圭《行朝早春侍郎门宴西溪席上作》之“三榜生徒逾七十”之句，正复相同，均盛赞裴贽年七十第三次掌贡举事之荣显]《全唐诗》卷六九〇有王涣《上裴侍郎》诗。卢光济《太原王府君墓志铭》谓王涣于官大明宫留守推官之后云："未久次，转司勋员外郎……旋以考绩阙人，乃兼判是局。"（见岑仲勉《金石论丛》）

三月

司空图年六十二，月末赋《戊午三月晦二首》抒怀。其《狂题十八首》亦约本年前后所作。图《戊午三月晦二首》，其一有云："笔砚近来多自弃，不关妖气暗文星。"其二云："牛夸棋品无勍敌，谢占诗家作上流。岂似小敷春水涨，年年鸾鹤待仙舟。"（见《全唐诗》卷六三三）司空图又有《狂题十八首》，其十一云："初时拄杖向邻村，渐到清明亦杜门。三十年来辞病表，今朝卧病感皇恩。"其十七云："十年三署让官频，认得无才又索身。莫道太行同一路，大都安稳属闲人。"（见《全唐诗》卷六三四》）[按，司空图咸通十年（869）擢第，至本年为三十年；又其龙纪元年（889）召为中书舍人，以疾解，自是年起十年后亦即本年。故《狂题》之作盖在本年前后] 颇可见其心境及诗风。

四月

钱珝仍在中书舍人任，曾为册皇后事撰表文。钱珝《册淑妃为皇后文》云："维乾宁[按，原作元，误] 五年岁次戊午四月庚子朔二十七日丙寅……咨尔淑妃何氏，柔既可观……今遣某官某持节册尔为皇后。"（见《全唐文》卷八三三）

五月

朱全忠发兵攻李克用邢、洺、磁等州，陷之。（见《旧唐书·昭宗本纪》、《资治通鉴》卷二六一）

六月

二十一日，罗隐应钱镠之请为东安镇新筑罗城撰写记文。隐《东安镇新筑罗城记》云："噫，天下之无事也，吾乡则有河间凌准宗一、濮阳吴降下己、汝南袁不约还朴以文学进；天下之有事也，吾乡则有太师建徽伯仲及诸将佐以武艺称。岂文武之柄，倚伏而然也？……乾宁五年六月二十一日记。"（见《罗隐集·杂著》）[按，罗城乃钱所筑，始建于大顺二年（891），竣工于景福元年（892）四月]

己亥，昭宗幸华州西溪观竞渡，朝臣应制献诗。时吴融在华州行朝，作《和集贤相公西溪侍宴观竞渡》。（见《旧唐书·昭宗本纪》）诗云："片水耸层桥，祥烟霭庆霄。……浪叠摇仙仗，风微定彩标。都人同盛观，不觉在行朝。"（见《全唐诗》卷六八四）

郑谷亦有《驻跸华下同年司封员外从翁许共游西溪久违前契戏成寄赠》诗当作于本年八月昭宗自华州还京前。诗云："北渚牵吟兴，西溪爽共游。……纵目怀青岛，澄

心想碧流。明公非不爱，应待泛龙舟。”（见《郑谷诗集编年校注》）

八月

壬戌，车驾自华还京师。甲子，大赦，改元光化。（见《旧唐书·昭宗本纪》、《资治通鉴》卷二六一）

吴融在中书舍人任，随昭宗车驾返京城。（见《新唐书·吴融传》）

韩偓扈从昭宗还长安，其忠心与直言为昭宗所赏识，明年（899），授偓司勋郎中兼侍御使知杂事之职。［按，司勋郎中为吏部属官，掌邦国官人之勋级；侍御使，简称御史。据杜佑《通典》，侍御使之职有四：即推、弹、公廨、杂事。……杂事是管理御史台内部诸事，常由年长资深者充任，称作知杂事］光化二年或光化三年初，超迁升任左谏议大夫。

郑谷亦由华州随昭宗返长安，有《入阁》、《回銮》、《光化戊午年举公见示省试春草碧色诗偶成是题》、《初还京师寓止府署偶题屋壁》等诗。《偶题屋壁》云：“惊心不见旧池台，四顾凄凉瓦砾堆。火力不能消地力，乱前黄菊眼前开。”诗中所言乃长安经战火焚毁后之凄凉景象。《回銮》：“妖星沈雨露，和气满京关。……楼台新紫气，云物旧黄山。晓渭行朝肃，秋高旷望闲。庙灵安国步，日角动天颜。浩浩升平曲，流歌彻百蛮。”（见《郑谷诗集编年校注》）

九月

魏博节度使罗弘信卒，子罗绍威年二十二，袭其职，为魏博留后。《旧唐书·罗弘信传》云：“罗弘信，字德孚，魏州贵乡人……子威。”其后《罗绍威传》云：“威字端己。文德初，授左散骑常侍，充天雄军节度副使。自龙纪至乾宁，十年之中，累加官爵。弘信卒，袭父位为留后，朝廷从而命之。”［按，罗弘信卒于本年九月，《旧五代史》卷一四《罗绍威传》记为本年八月，今从《旧唐书》］罗绍威传，见《旧唐书》卷一八一、《新唐书》卷二一〇、《旧五代史》卷一四、《新五代史》卷三九及《五代史补》卷三。

本年

康軿（骈）本年在宣州为田頵客，此后为田頵荐为吏部员外郎，历中书舍人。（见《唐五代志怪传奇叙录》）路振《九国志》卷三《田頵传》记田頵在宣州，“时游其门者杨夔、康軿、夏侯淑、殷文圭、杜荀鹤、王希羽”。《唐方镇年表》卷五记頵镇宣州在景福元年（892）八月至天复三年（903）。《全唐诗》卷八九〇小传谓軿“后为田頵客，荐授中书舍人”。康軿客宣州在光化初，历吏部员外郎、中书舍人，莫详所终。《新唐书·艺文志三》著录其《剧谈录》三卷。《四库全书总目》卷一四二子部小说家类著录为二卷，提要谓是书“皆记天宝以来琐事，亦间以议论附之，凡四十条，今以《太平广记》勘之，一一相合，非当时全部收入，即后人从《广记》钞合也”。

和凝（898—955）生。凝，五代词人。字成绩。郓州须昌（今山东东平）人。梁贞明进士，历仕五代。在梁，义成军节度使贺瑰辟为从事；仕唐，历礼部员外郎，改主客员外郎、知制诰、翰林学士，转主客郎中充职兼权知贡举，迁中书舍人、工部员外郎，皆充学士；仕晋，拜端明殿学士、兼判度支，为翰林学士承旨，后拜中书侍郎同中书门下平章事、加右仆射，罢相，旋转左仆射；在汉，授太子太保，迁太子太傅，封鲁国公；入周，为侍郎，终太子太傅。凝好延揽后进。平生为文，长于短歌艳曲，号为“曲子相公”。《花间集》、《尊前集》存其词十五调二十七首。王国维辑有《红叶稿词》，收入《唐五代二十一家词辑》。多艳冶之作，笔意浅俗，成就不高。《采桑子》（“蝤蛴领上”），题材别致，勾画情窦初开的少女风姿，较为真切动人。《春光好》（“蘋叶软”），色泽鲜明，笔调明快，描绘江南水乡春光骀宕之状，色泽鲜明，笔调明快。但此类词作不多。另著有《演纶》、《游艺》、《孝悌》、《疑狱》、《香奁》、《籝金》等集。有集百余卷，尝自镂模印，分惠于人，其集已亡佚。和凝擅写艳情，以至宋沈括怀疑韩偓《香奁集》亦和凝所作，凝贵后，乃嫁名于韩偓。［按，此说不确］《全唐诗》又存诗一卷；《全唐文》和《唐文拾遗》存文六篇。事迹见新、旧《五代史》本传。

公元 899 年（唐昭宗光化二年　己未）

正月

以兵部尚书陆扆为兵部侍郎、同平章事。

二月

幽州节度使刘仁恭陷贝州，人无少长皆屠之。

礼部侍郎赵光逢知贡举。卢文焕、柳璨等二十七人登进士第。［按，去岁八月昭宗返京，本年举试恢复在长安举行］

卢文焕，生卒年不详，以第一名中进士科状元。《唐摭言》：“卢文焕，光化二年状元及第，颇以宴醵为急务。常俯关宴，同年皆患贫，无以致之。一旦给以游齐国公亭子，既至，皆解带从容。文焕命团司牵驴，时柳璨告文焕以驴从非己有，文焕曰：‘药不瞑眩，厥疾弗瘳。’璨甚衔之。居四年，璨登庸，文焕忧戚日加。璨每遇之曰：‘药不瞑眩，厥疾弗瘳。’”

柳璨，《唐摭言》：“光化二年，赵光逢放柳璨及第。光逢后三年不迁，时璨自内庭大拜，光逢始以左丞征入。未几，璨坐罪诛死。光逢膺大用，居重地十余岁。上表乞骸，守司空致仕。居二年，复征拜上相。”《旧唐书》本传：“柳璨，河东人。曾祖子华，祖公器，父遵。璨少孤贫，好学，僻居林泉。昼则采樵，夜则然木叶以照书。性謇直，无缘饰。宗人璧、玭贵仕于朝，鄙璨朴钝，不以诸宗齿之。”宋柳开《上主司李学士书》曰：“开之大王父，唐光化中赵公司贡士也，实来应举。赵将以榜末处之，据有移书于赵公毁我先君者，赵公始得一书，乃迁名而进一等。以至前后得谤书二十六通，赵公每得一书而必一进名。是岁也，赵下二十七人，故我先君名止于第二。苟是时书未止于二十六人之毁也，即必冠乎首矣。”按此则璨以第二人及第。

知贡举：礼部侍郎赵光逢。《旧唐书·赵隐传》：“乾宁三年，光逢从驾幸华州，拜御史中丞。改礼部侍郎。”《旧五代史·赵光逢传》：“改礼部侍郎，知贡举。”又云：“门人柳璨登庸，除礼部侍郎、太常卿。”

三月

汴、幽两军激战于内黄，燕军大败，刘仁恭父子仅免。幽州节度使刘仁恭发幽、沧等十二州兵十万南下进攻魏州，魏博节度使罗绍威求救于朱全忠，于是汴、魏合兵与幽州战，刘仁恭大败，自是不振，朱全忠兵势在河北遂居首位。（见《旧唐书·昭宗本纪》、《资治通鉴》卷二六一）《资治通鉴》云：“自魏至沧五百里间，僵尸相间。仁恭自是不振，而全忠益横矣。”

司空年六十二岁，本年或明年春作《光化踏青有感》。诗云：“引得车回莫认恩，却成寂寞与谁论。到头不是君王意，羞插垂杨更傍门。”（见《全唐诗》卷六三四）

钱珝仍在中书舍人任，春日，有《省中春暮酬嵩阳焦道士见招》（一题作《中书省言怀因酬嵩阳张道士见寄》）、《见上林春雁翔青云寄杨起居李员外》等诗。（见《钱考功集》卷四、《全唐诗》卷二三八）[按，钱珝诗多有误入钱起《钱考功集》者，本年所引《钱考功集》诗均为钱珝之作（详见吴企明《唐音质疑录·钱起钱珝诗考辨》）]

六月

李罕之卒于怀州，罕之乃贪残悍将。（见《旧唐书·昭宗本纪》、《资治通鉴》卷二六一）

黄滔约六十岁，在京任四门博士，《长安书事》约此时所咏。诗云：“昨日擎紫泥，明日要黄金。炎夏群木死，北海惊波深。伏蒲无一言，草疏贺德音。”（见《全唐诗》卷七〇四）《莆阳黄御史集》所附《裔孙诸志》：“公字文江……光化中守四门博士。”《新唐书·艺文志四》记黄滔“字文江，光化四门博士”。而上引黄滔集所附《年考》则谓其“光化己未守四门博士”。

七月

加荆南节度使成汭兼中书令。（见《旧唐书·昭宗本纪》、《资治通鉴》卷二六一）

罗衮约此时或稍后在拾遗任，时愤保义节度使王珙之残暴，上疏请削夺其所授赠之官爵。罗衮《请削夺王珙授赠官爵疏》中云：“窃见故保义军节度使赠太师王珙，于国不忠，于家不孝。身为首帅，行桀纣之虐，名挂人伦，纵豺狼之性……坐召伯甘棠之树，残毒郡人；对傅说筑版之岩，侵侮王室。朝臣幕客，坐戮辱者非少；军吏百姓，遭杀害者甚众。……考其终始，无改暴横。以珙之骨千鞭，不足快愤嫉之人。”（见《全唐文》卷八二八）《资治通鉴》卷二六一本年六月载：“保义节度使王珙，性猜忍，虽妻子亲近，常不自保；至是军乱，为麾下所杀。”衮曾任拾遗（详天复三年条），上此疏时当在此职。

八月

三日，司空图撰《书屏记》，记述其珍藏之徐浩真迹与七千四百卷佛道图被陕军焚毁之始末。是年，图又有《疑经后序》。图《书屏记》云：“人之格状或峻，其心必劲。心之劲，则视其笔迹，亦足见其人矣。……国初欧虞之后，继有名公。元和、长庆间，先大夫初以诗师友兵部卢公载从事于商於，因题纪唱和，乃以书受知于裴公休……退居中条，时李忻州戎亦以草隶著称，为计吏在满（蒲?），因辍所宝徐公浩真迹一屏以为贶，凡四十二幅，八体皆备，所题多《文选》五言诗。其‘朔风动秋草，边马有归心’十数字或草或隶，尤为精绝。或缀小简于其下，记云‘怒猊抉石，渴骥奔泉，可以视碧落矣’。先公清旦披玩，殆废寝食。常属诫云：‘正长诗英，吏部笔力，逸气相资，奇功无迹。儒家之宝，莫逾此屏也。……’庚子岁遇乱，自虞邑居负之置于王城别业。丙辰春正月，陕军复入，则前后所藏及佛道图记，共七千四百卷，与是屏皆为灰烬。……今旅寓华下，于进士姚凯所居，获览书品及徐公评论，因感愤追述，贻信后学，且冀精于赏览者，必将继有诠次。光化二年八月三日，泗水司空图衔涕撰录谨记。”（见《全唐文》卷八〇九）图又有《疑经》、《疑经后述》二文，后文署“时光化中兴二年”。可知二文皆作于本年。后文中云：“愚为诗为文一也，所务得诸已而已，未尝摭前贤之谬误。然为儒证道，又不可皆无也。……今夏县级邵自淮南缄所著新文而至……及见其《卜年论》，又耸然加敬。钟陵秀士陈用拙出其宗人岳所作《春秋折衷论》数十篇，赡博精致，足以下视两汉迂儒矣。因激刚肠，有低经之说，亦疑经文误耳。”

尚书右仆射王抟生辰，徐夤以门生献《府主仆射王抟生日》。诗云：“熊罴先兆庆垂休，天地氤氲瑞气浮。……数钟龟鹤千年算，律正乾坤八月秋。勋业定应归鼎鼐，生灵岂独化东瓯。”此诗题下小注云：“昭宗光化三年己未八月献。”（见《全唐诗》卷七〇九）［按，光化三年乃光化二年之误，盖本年为己未年。又据《新唐书·宰相表》下，本年此时王抟为尚书右仆射兼门下侍郎，十一月为司空，而明年六月已贬死于蓝田驿。（参《资治通鉴》卷二六二）］

罗隐本年六十七岁，约本年秋在苏州与刺史曹桂游南湖，赋《姑苏城南湖陪曹使君游》诗。诗云：“水蓼花红稻穗黄，使君兰棹泛回塘。倚风荇藻先开路，迎旆凫鹥尽着行。手里兵符神与术，腰间金印彩为囊。少年太守勋庸盛，应笑燕台两鬓霜。”（见《罗隐集·甲乙集》卷一）［按，此曹使君为曹珪，诗约本年秋作。（详《唐五代文史丛考·罗隐〈姑苏城南湖陪曹使君游〉之曹使君及作年》）］

十一月

陕州都将朱简杀留后李璠，自称留后，附朱全忠。朱全忠又兼有陕、虢之地。［按，《资治通鉴》卷二六一本年六月条载，保义节度使王珙为部下所杀（参本年六月罗衮条），部将李璠被推为留后］保义节镇在虢州。胡三省注云：“朱全忠又兼有陕、

號。”

马殷遣将下郴州、连州，自此湖南皆平。（见《旧唐书·昭宗本纪》、《资治通鉴》卷二六一）

十二月

钱珝入值中书省，有《同程九早入中书》、《禁闱玩雪寄薛左丞》、《和王员外雪晴早朝》等诗。其《同程九早入中书》诗中云：“腊雪初明柏子殿，春光欲上万年枝。独惭皇鉴明如日，未灰春光向玉墀。”（见《全唐诗》卷七一二）《禁闱玩雪寄薛左丞》诗：“玄云低禁苑，飞雪满神州。……细统回风转，轻随落羽浮。……为报诗人道，丰年颂圣猷。”（见《全唐诗》卷二三八）《和王员外雪晴早朝》诗：“紫微晴雪带恩光，绕仗偏随鸳鹭行。……独看积素凝清禁，已觉轻寒让太阳。题柱盛名兼绝唱，风流谁继汉田郎。”（见《全唐诗》卷二三九）［按，三诗皆钱珝诗而曾误入钱起集，珝本年前后在中书舍人任，三诗约本年此时所作］（参本年春条）

三日，吴融为贯休诗集所撰《序》就。时融在中书舍人、翰林学士任。《序》云：“夫诗之作者，善善则咏颂之，恶恶则讽刺之。苟不能本此二者，韵虽甚切，犹土木偶不生于气血，何所尚哉。自风雅之道息，为五言七言诗者，皆率拘以句度属对焉。既有所拘，则演情叙事不尽矣。且歌与诗，其道一也。然诗之所拘悉无之，足得于意，取非常语，语非常意，意又尽则为善矣。国朝为能歌诗者不少，独李太白为称首，盖气骨高举，不失颂咏讽刺之道。厥后白乐天为讽谏五十篇，亦一时之奇逸极言。昔张为作诗图五层，以白氏为广大教化主，不错矣。至于李长吉以降，皆以刻削峭拔飞动文采为第一流，而下笔不在洞房蛾眉神仙诡怪之间，则掷之不顾。迩来相数学者，靡漫浸淫，困不知变。呜呼，亦风俗使然。君子萌一心，发一言，亦当有益于事，矧极思属词，得不动关于教化……上人之作，多以理胜，复能创新意。其语往往得景物于混茫之际。然其旨归，必合于道。太白、乐天既殁，可嗣其美者，非上人而谁。……窃虑将来作者，或未深知，故题于卷之首。时己未岁嘉平月之三日。”己未岁即本年，嘉平月为十二月。又此序谓贯休诗集为《西岳集》，此题为《禅月集》，而贯休号禅月乃入蜀后王建所赐，融作此序时尚未号禅月，则序题盖为后人所改。

本年

苏拯约本年前后曾行卷于苏璞。有诗一卷，多有刺世嫉时者。（《唐摭言》卷十一《恶分疏》条载：“光化中，苏拯与乡人陈涤同处。拯与考功苏郎中璞初叙宗党。……拯既执贽，寻以启事温卷……。”苏拯余之事迹难考，暂系其诗于此。其《医人》诗曰：“遍行君臣药，先从冻馁均。自然六合内，少闻贫病人。”《长城》：“蒙公取勋名，岂算生民死。运畚力不禁，碎身砂碛里。黔黎欲半空，长城春未已。”《织妇女》：“歌舞片时间，黄金翻袖取。只看舞者乐，岂念织者苦。”《蜘蛛谕》：“蚕丝何专利，尔丝何专孽。映日张网罗，遮天亦何别。”此外《古塞下》、《雉兔者》亦均针砭时弊之作。《直斋书录解题》卷十九著录《苏拯集》一卷。《全唐诗》卷七一八编其诗一卷。

郑綮（？—909）卒。有《开天传信记》之作。《旧唐书·郑綮传》："移疾乞骸，以太子少保致仕。光化二年卒。"《新唐书·艺文志二》著录其《开天传信记》一卷。《四库全书总目》卷一四二入子部小说家类，《提要》谓："綮字蕴武，荥阳人，登进士第，累官右散骑常侍。好以诗谣托讽，昭宗意其有所蕴蓄。为礼部侍郎平章事。所谓'歇后郑五作宰相，时事可知者'即其人也。《旧唐书》本传称綮尝历监察、殿中、仓户二员外、金刑右司三郎。而是书原本首署其官为吏部员外郎，本传顾未之及，或史文有所脱漏者欤？书中皆记开元天宝故事，凡三十二条，自序称簿领之暇，搜求遗逸，期于必信，故以传信为名。其纪明皇游戏城南、王琚延过其家谋诛韦氏一条，据《唐书》琚传，乃琚选补主簿过谢太子乘机进说，以除太平公主，并无先过琚家之事。司马光作《资治通鉴》，亦不从是书。惟《新唐书》兼采之。然韦氏称制时，琚方以王同皎党亡命江都，安得卜居韦杜？綮所记恐非事实，宜为《资治通鉴》所不取。又如华阴见岳神、梦游月宫、罗公远隐形、叶法善符箓诸事，亦语涉神怪，未能尽出雅驯。然行世既久，诸书言唐事者多沿用之，故录以备小说之一种焉。"

修睦（？—918），本年前后为洪州僧正，与贯休、处默、栖隐等人为诗友。（见《全唐诗》卷八四九修睦小传）修睦诗有《寄贯休上人》、《怀虚中上人》、《思齐己上人》（见《全唐诗》卷八四九），齐己亦有《别东林后回寄修睦》（见《全唐诗》卷八三九）、《送东林寺睦公往吴国》（见《全唐诗》卷八三八）等诗作，当日诸人殷勤唱和由此可见一斑。修睦久在东林寺，其诗有《东林寺》："欲去不忍去，徘徊吟绕廊。"（见《全唐诗》卷八四九）修睦诗多近体，写僧居情致、景致，多为时人推崇。诗人李咸用《读修睦上人歌篇》云："李白亡，李贺死，陈陶赵睦相寻次。须知代不乏骚人，贯休之后惟修睦而已矣。睦公睦公真可畏，开口向人无所忌。才似烟霞生则媚，直如屈轶佞则指。意下纷纷造化机，笔头滴滴文章髓。明月清风三十年，被君驱使如奴婢。"（见《全唐诗》卷六四四）

郑谷仍在都官郎中任，赋诗叙其与朝中显宦谈诗论艺、互借诗集等雅事。郑谷有《谷初忝谏垣今宪长薛公方在西阁知奖隆异以四韵代述荣感》诗，中云："旧诗常得在高吟，不禁公心爱苦心。道自琐闱言下振（舍人于阁下众中奖叹顷年篇什），恩从仙殿对回深。"又有《兵部卢郎中光济借示诗集以四韵谢之》，中云："士子风骚寻失主，五君歌颂久无声。调和雅乐归时正，澄滤颓波到底清。才大始知寰宇窄，吟高何止鬼神惊。"（见《郑谷诗集编年校注》）

齐己年三十六，本年前后在长安，多有与郑谷诗歌往还之诗什。齐己有《赴郑谷郎中招游龙兴观读题诗板谒七真仪像因有十八韵》（见《全唐诗》卷八四三）、《和郑谷郎中看棋》（见《全唐诗》卷八三八）、《永夜感怀寄郑谷郎中》（同上）、《禅庭芦竹十二韵呈郑谷郎中》、《次韵酬郑谷郎中》（见《全唐诗》卷八四九）、《和郑谷郎中幽栖之什》等诗。又《寄郑谷郎中》："诗心何以传，所证自同禅。觅句如探虎，逢知似得仙。神清太古在，字好雅风全。曾沐星郎许，终惭是斐然。"（见《全唐诗》卷八四〇）又《寄孙辟呈郑谷郎中》中云："衡岳去都忘，清吟恋省郎。淹留才半月，酬唱颇盈箱。"（见《全唐诗》卷八四一）又《寄郑谷郎中》云："身离道士衣裳少，笔答禅旧句偈多。……还应笑我降心外，惹得诗魔助佛魔。"（见《全唐诗》卷八四五）又

《寄郑谷郎中》：“人间近遇风骚匠，鸟外曾逢心印师。除此二门无别妙，水边松下独寻思。”（见《全唐诗》卷八四七）

李山甫诗名播于人口，以文笔雄健称，本年于邺中与前翰林待诏王敬傲遇一道观中。山甫此后行迹难考，姑统叙其人其诗于此。《太平广记》卷二〇三引《耳目记》：“时有前翰林待诏王敬傲……后又之见时罗绍威新立……敬傲在邺中数岁。时李山甫文笔雄健，各著一方，适于道观中，与敬傲相遇。”山甫颇有诗名，《诗话总龟》卷三八《讥诮》门记：“李山甫诗名冠于当代，过乌江《题项羽庙》云：‘为虏为王尽偶然，有何惭见渡江船。平分天下犹嫌少，可要行人赠纸钱？’”司空图《偶诗五首》之二亦称“芙蓉骚客空留怨，芍药诗家只寄情。谁似天才李山甫，牡丹属思亦纵横”。（见《全唐诗》卷六三四）所赞者即山甫《牡丹》诗：“邀勒春风不早开，众芳飘后上楼台。数苞仙艳火中出，一片异香天上来。晓露精神妖欲动，暮烟情态恨成堆。知君也解相轻薄，斜倚栏干首重回。”山甫与时人往还之作亦有涉及诗艺者，从中可见其论诗主张与好尚。如《酬刘书记一二知己见寄》诗中云：“自喜幽栖僻，唯惭道义亏。身闲偏好古，句冷不求奇。”《山中依韵答刘书记见赠》诗中云：“谢公寄我诗，清奇不可陪。”《答刘书记见赠》诗云：“吟近秋光思不穷，酷探骚雅愧无功。茫然心苦千篇拙，瞑坐神凝万象空。”《山中览刘书记新诗》中云：“记室新诗相寄我，蔼然清绝更无过。溪风满袖吹骚雅，岩瀑无时滴薜萝。”山甫为诗尚苦吟，其《夜吟》云：“除却闲吟外，人间事事慵。更深成一句，月冷上孤峰。穷理多瞑目，含毫静倚松。终篇浑不寐，危坐到晨钟。”《新唐书·艺文志四》著录《李山甫诗》一卷、《李山甫赋》二卷。《全唐诗》卷六四三编其诗一卷。

沈彬（？864—961），字子文，洪州高安人。约三十五岁。本年初应进士举，下第。（见马令《南唐书》卷一五、陆游《南唐书》卷七、《江南野史》卷六、《十国春秋》卷二九，参《唐诗纪事》卷七一、《舆地纪胜》卷二八、《唐才子传》卷一〇）陆《书》传称彬为“洪州高安人”，马《书》传则谓“筠州高安人”。《唐才子传》从马《书》。据《新唐书》卷四一《地理志》五，洪州豫章郡，所属有高安县。彬之籍贯应从陆《书》本传。《唐诗纪事》卷七一云：“彬，字子文，高安人也。天才狂逸，好神仙之事。少孤，西游以三举为约。尝梦着锦衣，贴月而飞，识者言虽有虚名，不入月矣。洪州解至长安，初举，纳省卷，《梦仙谣》云：‘玉殿大开从容入，金桃烂熟没人偷。风惊宝扇频翻翅，龙误金鞭忽转头。’……第三举纳省卷，《赠刘象》为首云云……主司览彬诗，其年特放象及第。”［按，刘象乃光化四年（天复元年，901）进士］彬后三举不第，自光化四年始捷。

公元900年（唐昭宗光化三年　庚申）

正月

幽、汴罢兵修好。（见《旧唐书·昭宗本纪》、《资治通鉴》卷二六一）

十五日，黄滔撰祭文祭奠亡友陈峤，并为峤撰墓志，文中述及闽中文人之遭际。滔《祭陈侍御峤》一文见《黄御史公集》卷六，又见《全唐文》卷八二六，云：“维光化三年，岁次庚申，正月庚寅朔十五日甲辰，将仕郎守国子四门博士黄滔谨以清酌之奠，敬祭于侍御陈君延封之灵。”又有《司直陈公墓志铭》文称陈峤“所为文扣孟阿、扬雄户牖，凡三百篇。有表奏牍颇为前辈推工”。又叙其与峤之交往及闽中登科词人云：“愚与公同邑。闽越江山，莆阳为灵秀之最。贞元中，林端公藻冠东南之科第。十年而许员外稷继翔其后。词人亹亹，若陈厚庆、陈泛、陈黯、林颢、许温、林速、许龟图、黄彦修、许迢、林郁，俱以梦笔之词，籝金之学，半生随计，没齿衔冤。旷乎百年，而公追二贤之后。七年而徐正字寅捷，八年而愚□，莫不以江山之数耶？猗欤！昔之负高才不以位而碑者，襄阳惟孟先生焉，今也累硕德不隆位而碑者，以陈夫子。”（见《全唐文》卷八二六）

二月

礼部侍郎李渥知贡举。裴格、卢延让、裴皞、王定保、崔籍若、郑珏、吴霭、孔昌明、林用谦等三十六人登进士第。［按，《避暑录》：“光化中，放进士榜，得裴格等二十八人，以为得人。会燕曲江，乃令大官特作二十八饼饺赐之。”此作“三十六人”，未知孰是，录以存疑］

裴格，以第一名登进士科状元。

卢延让（逊），生卒年不详，本年进士及第。《唐才子传》：“卢延让字子善，范隔人也。有卓绝之才，光化三年裴格榜进士。朗陵雷满蔫辟之，满败归伪蜀，［按，《佚存丛书》本《唐才子传》卷十作“满败归伪蜀”］授水部员外郎。累迁给事中，卒官刑部侍郎。延让师许下薛尚书，为诗词意入僻，不竞纤巧，且多健语，下士大笑之。初，吴融为侍御史，出官峡中。时延让布衣，薄游荆渚，贫无卷轴，未遑赘谒。会融弟得延让诗百余篇，融览其警联如《宿东林》云‘两三条电欲为雨，七八个星犹在天’，《旅舍言怀》云‘名纸毛生五门下，家僮骨立六街中’，《赠元上人》云‘高僧解语牙无水，老鹤能飞骨有风’，《蜀道》云‘云闲闹铎骡驮去，雪裹残骸虎拽来’，又云‘树上諏谘批烦乌，窗闲逼驳扣头虫’等，大惊曰：‘此去人远绝，自无蹈袭，非寻常耳。此子后必垂名。余昔在翰林召对，上曾举其“臂鹰健卒横毽帽，骑马佳人卷画衫”一联，虽浅近，自成一体名家，今则信然矣。’遂厚礼遇，赠给甚多。融雪中寄诗云：‘永日应无食，终宵必有诗。’后奋科第，多融之力也。”《唐摭言》：“卢延让，光化三年登第。吴融表弟滕籍者，偶得延让百篇，融览大奇之。由是大获举粮，延让深所感激。然犹因循，竟未相面。后值融赴急徵，入内廷，孜孜于公卿闲称誉不已。光化戊午岁，来自襄南，融一见如旧相识。延让呜咽流涕，于是攘臂成之矣。”《北梦琐言》：“唐卢延让业诗，二十五举方登一第。卷中有句云：‘狐街官道过，狗触店门开。’租庸张浚亲见此事，每称赏之。又有‘饿猫临鼠穴，馋犬舐鱼砧’之句，为成中令油见赏。又有‘栗爆烧毽破，猫跳触鼎翻’句，为王先主建所赏。尝谓人曰：‘平生投谒公卿，不意得力于猫儿、狗子也。’人间而笑之。卢尝有诗云：‘因知文赋易，为下者之乎。’后入翰林，阁笔而已。同列戏之曰：‘因知文赋易，为下者之乎。’竟以不称职，数日而罢也。”按《唐摭言》云：“延让业癖温诗，‘文赋’二句，投吴子华卷中

《说诗》一篇断句也。"《唐诗纪事》作"卢延逊"。宋刘应李辑《新编事文类聚翰墨全书》后丙集卷一《氏族门》："卢延逊，唐人，及第赐宴曲江后有诗云：'莫欺老缺残牙齿，曾吃红绫饼馂来。'"《渔洋诗话》："延逊当即延让，宋避'让'字故也。"未第时，延让与贯休等颇有交契，贯休有《卢秀才赴举》诗。诗云："几载阻兵荒，一名终不忘。还冲猛风雪，如画冷朝阳（小注：时多画李白、王昌龄、常建、冷朝阳冒风雪入京）。句好慵将出，囊空却不忙。明年公道日，去去必穿杨。"（见《全唐诗》卷八三一）

裴皞（855—940）四十五岁，本年进士及第。《旧五代史》本传云："裴皞，字司东，系出中眷裴氏，世居河东为望族。皞容止端秀，性卞急，刚直而无隐。少而好学，苦心文艺，虽遭乱离，手不释卷。唐光化三年（900），擢进士第，释褐授校书郎，历谏职。"两《五代史》均谓皞后晋天福五年（940）病卒，年八十五。

王定保（870—940）三十岁，本年登进士第。《直斋书录解题》卷一一云："王定保，光化三年进士。"定保所作《唐摭言》署曰："唐光化进士王定保撰。"并言其及第事曰："予次匡庐，其夕遥祝九天使者。俄梦朱衣道人长丈余，特以青灰落衣襟霏霏然。常自谓鱼透龙门凡三经复透矣，私心常虑举事中辍。既三举，欲罢不能，于是四举有司，遂幸忝矣。"《五代诗话》卷三《沈彬》条引《郡阁雅谈》云："王定保，唐光化三年李渥侍郎下及第。"［民国］《南昌县志》卷二十一《选举志二·科第上》著录光化进士王定保，又注："《郡阁雅谈》：光化三年李渥侍郎下及第。"定保唐末五代以小说名家，南昌人。诗人吴融婿，事颇曲折，详后。《十国春秋》卷六二："王定保，南昌人。"《资治通鉴》卷二八二称"南昌王定保"。《唐摭言》署云："唐光化进士王定保撰。"《登科记考》卷二四按曰："定保为琅琊王氏。"则定保当为南昌人，琅琊为郡望。刘毓崧《通义堂文集》卷一二《唐摭言跋》考其世系，可参。［按，《宰相世系表》载太原王氏有定保字翊圣，别是一人］定保本年进士及第，南游湖湘，不为马氏所礼。寻任容管巡官，遭乱不得还，岭南帅刘隐辟置幕府。南汉大有初，官宁远军节度使。十三年（940），拜中书侍郎、同平章事，是年卒。定保工文辞，与唐末五代之际文人词客广泛交往。曾撰《南宫七奇赋》，一时称美，已佚。著有《唐摭言》十五卷，备载唐代科举制度，文士风习，以及诗人墨客的异闻轶事，体例颇仿《世说新语》，叙事生动风趣，具有一定传奇意味。今存。事迹见《唐摭言》卷三、《新五代史·南汉世家》、《十国春秋》、《南汉书》本传。

崔籍若，生卒年不详，本年进士及第。《唐摭言》序云："同年卢十三延让、杨五十一赞图、崔二十七籍若。"按杨赞图非此年及第，或是别科同年。

郑珏，生卒年不详，本年进士及第。《旧五代史》本传："珏，光化中登进士第。初，珏应进士，十九年方登第，名姓为第十九，自登第凡十九年为宰相，又昆弟之次第十九。时亦异之。"《通监考异》云："珏，光化三年及第。"《新五代史》云："珏举进士，数不中第。张全义以珏属有司，乃得及第。"［按，《升仙庙兴功记碑》末云"前进士郑珏书"，又注云"光化三年添前字"。盖碑作于乾宁四年正月，是年及第后添前字也］

吴蔼，生卒年不详，本年进士及第。《全唐诗》："吴蔼字廷俊，连州人。光化三年

进士。七岁时《咏野烧诗》曰：‘烟随红焰断，化作白云飞。’识者知其为青云器。”四库本《广东通志》卷三十一《选举志·进士》：“光化二年庚申：吴霭，连州人。”［按，“庚申”为光化三年］又，同治《连州志》卷四《选举志》：“光化庚申科：吴霭。”然《五代诗话》卷二《吴霭》条引《小草斋诗话》云：“唐吴霭字廷俊，连山人。母浣帛于江，触沈鲤而孕，既生，膊上有肉鳞隐起。七岁能诗，尝咏野烧云：‘烟随红焰断，化作白云飞。’识者器之。登光化二年进士，后归朱全忠。”疑“二年”为“三年”之讹。

孔昌明，生卒年不详，本年进士及第。《阙里文献考》，昌明为光化三年进士。未知所据，附此俟考。

翁承裕，日本藏万历《福州府志》卷十六《人文志一·选举》：“光化三年庚申裴格榜：福清翁承裕。”《闽书》卷七十二《英旧志·福州府·福清县·唐科第》：“光化三年：翁承裕，承赞弟。”乾隆《福州府志》卷三十六《选举一·唐进士》：“光化三年庚申裴格榜：翁承裕，承赞弟，福清。《三山志》无，今从《环宇志》增。”［按，胡补据乾隆《福建通志》卷三十三录入。又按，《十国春秋·翁承赞传》：“弟承佑，举光化中进士。”疑“佑”为“裕”之讹］《全唐诗》卷七〇三录有翁承赞《寄舍弟承裕员外》。

林用谦，生卒年不详，本年进士及第。用谦在黄滔及第之后登科，然旋即去世。黄滔有《祭林先辈用谦文》。

明经科：

杨知万，生卒年不详，本年明经及第。《册府元龟》，后唐长兴元年七月，前兴唐府冠氏县尉杨知万经中书陈状，称光化三年明经及第。

林翊，生卒年不详，本年明经及第。四库本《福建通志》卷三十三《选举一·唐科目》：“光化三年裴格榜：明经林翊，莆田人，翱兄，校书郎。”亦见陈补。又光绪《莆田县志》卷十二作“光化二年”误。

知贡举：礼部侍郎李渥。《旧唐书·李蔚传》：“子渥，拜中书舍人，礼部侍郎。光化三年选贡士。”王定保《唐摭言》序亦云“恩门右省李常侍渥”。

沈彬，约三十六岁。第二举下第，有《忆仙谣》诗。咸通七年（865）生。《唐诗纪事》卷七一载：“（沈彬）第二举，《忆仙谣》云：‘白榆风飐九天秋，王母朝回宴玉楼……诗酒近来狂不得，骑龙犹忆上清游。’”

三月

徐夤，约于本年后弃职离京，客汴梁朱全忠幕两年，有《游大梁赋》献朱全忠。夤去年即光化二年八月尚在京供职，有献《府主王抟生日》诗（详上年八月条），本年六月王抟贬死，其弃职离京或在本年六月王抟蒙难之后。十年后，夤有《自题十韵》忆及此时客大梁朱全忠幕之事云：“未有宦路叨卑宦，才到名场得大名。梁苑二年陪众客，温陵十载佐双旌。”诗中自注云：“使宅行夤回文八韵，诗图两面。庚午秋，使楼赴宴，每一倒翻读八韵也。”［按，庚午乃后梁开平四年（910）］《五代史补》卷二记

“徐夤……献太祖《游大梁赋》。时梁太祖与太原武皇为仇敌，武皇眇一目，而又出自沙陀部落，夤欲曲媚梁祖，故词及之云：‘一眼胡奴，望英威而胆落。’”又徐矶仁《徐公钓矶文集序》亦记此事，谓徐夤“及解褐东还，祖为开宴，醉中误触讳。归馆了悟，忧在不测，复制《游大梁赋》以献。其略曰：客有得意还乡，游于大梁。遇郊垧之耆旧，问今古之侯王。父老曰：‘且说当今，休论前古。昔时之功业谁见，今日之声名有睹。’中一联云：‘遂使千金汉将，凭吉梦以神符；一眼胡奴，望英风而胆丧。’祖曾梦韩信授以兵法，胡奴指李克用也。祖读至此大悦，令军士传写，皆讽诵之”。又《洛阳缙绅旧闻记》卷一亦及此事，然云事在夤“下第”年，今不取。

郑谷本年五十三岁，仍在京任都官郎中，约此时前后有《自适》、《朝直》、《自遣》之咏。其《自适》诗云：“年来鬓畔未垂白，雨后江头且踏青。……春风只有九十日，可合花前半日醒。”又《朝直》中云：“落花夜静宫中漏，微雨春寒廊下班。……孤峰未得深归去，名画偏求水墨山。”《自遣》云：“强健宦途何足谓，人微章句更难论。……窥牖晚莺临砌树，近阶春笋隔篱根。朝回何处消长日，紫阁峰南省旧村。”（见《郑谷诗集编年校注》）

四月

翁承赞，本年迁右拾遗，黄滔以诗寄贺。《黄御史公集》卷三有《寄翁文尧拾遗》一诗云：“龙头凤尾前年梦，今日须怜应若神。”注云：“滔卯年冬在宛陵，梦文尧作状头及第。又申四月十二夜在清源，梦到殿前东道自西厉声唱：翁某，拜右省拾遗。”[按，申年即庚申年，亦即光化三年]

尚颜《颜上人集》本年孟夏前已结集，陆肱为之序。时尚颜仍居荆州。《全唐文》卷八二九载陆肱《颜上人集序》云：“（景福）后数载，余罢自合江，沿洟流而下。至荆之日，方遂疑阙，阅其篇章，睹其仪相，然后知旧之盛名不虚得也，向之送别者，自故太傅相国韦政公而下，凡四十三首，余亦别为一卷，陆相公为序……光化三年孟夏序。”序又云：“颜公姓薛氏，字茂圣。少工为五言诗，天赋其才，迥超名辈。……余继忝清华荐兼史任，宜以师之名字书于文苑传中。缉编未遑，漏略是惧。今且掇师之序于诗集之前。其五言七字诗凡四百篇，以为儒释之光。”又李诇亦有《颜上人集序》、《同上》，中云：“释门高德颜公尚为诗不入声相，得失哀乐怨欢，直以清寂景构成数百篇。其音清以和，其气刚以达。妙出无象，虚涵不为。冷然若悬，未扣而响。信其功之妙也，不可得而称矣；信其旨之深也，不可举而言矣。……雅颂郁郁而南，人见其化夷俗矣，不知其所以化者何也。……诇常搜文猎儒，乘邱索穴，睹师之作，异而序之，不足举师之美，为后人宗旨也。”又尚颜有《自纪》其诗自道其嗜诗之情状：“诸机忘尽未忘诗，似向诗中有所依。远境等闲支枕觅，空山容易杖藜归。清猿一一居林叫，白鸟双双避钓飞。欲画净名居士像，焚香愿见陆探微。”（见《全唐诗》卷八四八）

六月

宰相王抟为崔胤所诬，贬崖州司户，寻赐死蓝田驿。（见《旧唐书・昭宗本纪》）王抟与崔胤争风始末，《资治通鉴》卷二六二本年六月条载：“司空、门下侍郎、同平章事王抟，明达有度量，时称良相。上素疾宦官枢密使宋道弼、景务修专横，崔胤日与上谋去宦官，宦官知之。由是南、北司益相憎嫉，各结藩镇为援以相倾夺。抟恐其致乱，从容言于上曰……胤闻之，谮抟于上曰：‘王抟奸邪，已为道弼辈外应。’上疑之。及胤罢相［按，胤去年罢相］，意抟排己，愈恨之。及出镇广州，遗朱全忠书，具道抟语，令全忠表论之。全忠上言：……上虽察其情，迫于全忠，不得已，胤至湖南复召还（复相）。……戊辰，贬抟溪州刺史；己巳，又贬崖州司户；道弼长流驩州，务修长流爱州；是日，皆赐自尽。抟死于蓝田驿。……于是胤专制朝政，势震中外，宦官皆侧目，不胜其愤。”

丁卯，以崔胤为尚书左仆射兼门下侍郎、同中书门下平章事、诸道盐铁转运等使。（见《新唐书・宰相表下》）崔胤以宰相身份判度支，表请韩偓为度支副使。（见《新唐书・韩偓传》）［按，初崔胤、韩偓之间犹亲密于其他朝臣。先是，崔胤与韩偓先后入河中幕府；后同在朝中供职，崔胤主张严厉打击宦官势力，韩偓与之同；崔胤判度支，韩偓亦乐为其副。度支使掌管国家的财政收支，权任极重，与盐铁使、判户部或户部使合称“三司”。唐末，藩镇割据，截留赋税，兼之连年攻战四起，朝廷财政拮据，昭宗任用亲信崔胤、以忠直自任的韩偓来维持岌岌可危的财政状况，自有其良苦用心。然韩偓激烈反对为打击宦官而利用勾结强藩势力诸如朱全忠、李茂贞之流，以此二人分道扬镳，韩偓亦因此而得罪朱全忠，贬濮州司马，后再未归朝］

钱珝，为王抟所激赏，并举荐为知制诰，进中书舍人。王抟得罪，钱珝贬抚州司马。（见《新唐书》本传，《唐诗纪事》卷六六所载同）钱珝《舟中录序》亦云：“庚申岁夏六月以舍人获遣，佐抚州。驰署道病。”

韩偓本年五十九岁，已在翰林学士任。［按，《唐摭言》卷六、《唐才子传》、《资治通鉴》均以为韩偓之授翰林在天复初］岑仲勉先生《补僖昭哀三朝翰林学士记》以为，《文苑英华》卷三八四收钱珝撰《授司勋郎中兼侍御史（使）知杂事赐绯鱼韩偓本官充翰林学士》制（见《全唐文》卷八三二），该文至迟撰于本年六月钱珝贬抚州司马之前，则韩偓翰林学士之授必当早于本年六月。韩偓擢升翰林学士，步入政治核心圈。［按，翰林学士专掌内命诏敕，得时时亲近皇帝，与闻密命，时人目为“内相”］韩偓《雨后月中玉堂闲坐》乃初入翰林作，诗曰：“银台直北金銮外，暑雨初晴皓月中。唯对松篁听刻漏［按，一作“漏刻”］，更无尘土翳虚空。绿香熨齿冰盘果，清冷侵肌水殿风。夜久忽闻铃索动，玉堂西畔响丁东。”下有小注：“禁署严密，非本院人，虽有公事，不敢遽人。至于内夫人宣事，亦先引铃，每有文书，即内臣立于门外，铃声动，本院小判官出受。受讫，授院使，院使授学士。”（见《全唐诗》卷六八〇）蒙昭宗召对，君臣甚欢，作《六月十七日召对，自辰及申，方归本院》：“清署帘开散异香，恩深咫尺对龙章。花应洞里寻常发，日向壶中特地长。坐久忽疑槎犯斗，归来兼恐海生桑。如今冷笑东方朔，唯用诙谐侍汉皇。”据陈垣《二十史朔闰表》，光化三年六月，丁巳为朔日，丁卯为十一日，戊辰为十二日，己巳为十三日。韩偓之充任翰林学士当在光化三年六月十一日至十三日之间，六月十七日即蒙召对，故形之于诗。同期还有《朝退书怀》一诗："鹤帔星冠羽客装，寝楼西畔坐书堂。山禽养久知人唤，窗竹芟多漏月光。粉壁不题新拙恶，小屏唯录古篇章。孜孜莫患劳心力，富国安民理道长。"（见《全唐诗》卷六八二）韩偓集名《韩翰林集》，诗写翰林学士事者尤多，其《与吴子华侍郎同年玉堂同直，怀恩叙恳，因成长句四韵，兼呈诸同年》、《中秋禁直》、《侍宴》、《恩赐樱桃分寄朝士》等均是。

约本年夏，郑谷有《池上》、《乖慵》诗以抒发萧散闲放之情。其《池上》："池榭惬幽独，狂吟学解嘲。露荷香自在，风竹冷相敲。丧志嫌孤宦，忘机爱淡交。仙山如有分，必拟访三茅。"又《乖慵》："乖慵居竹里，凉冷卧池东。一霎芰荷雨，几回帘幕风。远僧来叩寂，小吏笑书空。……自得无端趣，琴棋舫子中。"（见《郑谷诗集编年校注》）

七月

王建攻并东川，受封为琅琊郡王。（见《旧唐书·昭宗本纪》、《资治通鉴》卷二六二）

二日，韦庄所撰《又玄集》成集，庄为作集序。

此序云："谢玄晖文集盈编，止诵澄江之句；曹子建诗名冠古，惟吟清夜之篇。是知美稼千箱，两岐爰少；繁弦九变，大濩殊稀。入华林而珠树非多，阅众籁而紫萧惟一。所以撷芳林下，拾翠岩边。沙之汰之，始辨辟寒之宝；载雕载琢，方成瑚琏之珍。故知颔下采珠，难求十斛；管中窥豹，但取一斑。自国朝大手名人，以至今之作者，或百篇之内，时记一章，或全集之中，惟征数首。但掇其清词丽句，录在西斋，莫穷其巨派洪澜，任归东海。总其记得者，才子一百五十人，诵得者，名诗三百首。长乐暇日，陋巷穷时，聊撼膝以书绅，匪攒心而就简……昔姚合撰《极玄集》一卷，传于当代，已尽精微。今更采其玄者，勒成《又玄集》三卷。……光华三年七月二日，前左补阙韦庄述。"（见《全唐文》卷八八九，参《唐人选唐唐诗》卷首）

贯休有诗怀卢延让。其《怀卢延让》："冥搜忍饥冻，嗟尔不能休。几叹不得力，到头还白头。……又是蝉声也，如今何处游。"按此诗题下小注云："时延让新及第。"（见《全唐诗》卷八三四）

九月

乙巳，徐彦若检校太尉、同平章事、清海军节度使。（见《新表》）彦若乃薛王知柔之旧，重用刘隐，表隐节度副使，委以军政。明年，彦若卒，军中推隐为留后。（见《新五代史·南汉世家》）

钱珝于贬谪途中编其诗文为《舟中录》二十卷，至此成集，并自为集序。珝此行吟咏不缀，成《江行无题一百首》，作于九月者尤多。其《舟中录序》云："庚申岁夏六月以舍人获遣，佐抚州。驰署道病。……秋八月，自襄阳浮而下，舟行无事，因解束书，视所为辞稿，翦翦冗碎，可存者得五百四十篇，丞相表奏百篇，区别编联为二十卷。……所编联不敢以集称，理诸舟中，遂曰《舟中录》。是年九月，钱珝自序于河阳之南。”（见《全唐文》卷八三六）珝《江行无题一百首》乃六月贬抚州司马后于秋中沿江前行所咏，其中多数乃作于本月。如“佳节虽逢菊，浮生正似萍。故山何处望，荒岸小长亭”。又“古来多思客，摇落恨江潭。今日秋风至，萧疏过沔南”。又“九日自佳节”、“乘舟维夏口”、“晚泊武昌岸”、“楼空人不归”、“咫尺愁风雨，匡庐不可登”、“幽怀念烟水……今日滕王阁”、“浔阳江畔菊，应似古来秋”等。其《江行无题一百首》亦涉及战乱后乡村之萧条败落，如“翳日多乔木，维舟取束薪。静听江叟语，尽是厌兵人”。又“柳拂斜阳路，篱边数户村。可能还有意，不掩向江门”。又“月下江流静，村荒人语稀。鹭鸳虽有伴，仍共影双飞”。又“兵火有余烬，贫村才数家。无人争晓渡，残月下寒沙”。钱珝贬抚州司马后，其行踪未详。卒年无考。钱珝著述，王尧臣等《崇文总目》卷五“别集类”录《舟中录》二卷，《新唐书》卷六〇《艺文志四》“别集类”录《舟中录》二十卷。元脱脱等《宋史》卷二〇八《艺文志七》又记《钱珝制集》十卷、《舟中录》二十卷。《舟中录》原应为二十卷。此集今佚。《全唐诗》卷七一二编其诗一卷，《全唐文》卷八三一至八三六录其文六卷。又钱珝诗多有混入钱起集者，前人考述已详。（见周祖譔、吴在庆文）《新唐书·艺文志四》著录其《舟中录》二十卷。

罗隐本年六十八岁，秋有诗寄苏州刺史曹珪。其《秋日有寄姑苏曹使君》诗：“多病无因棹小舟，阖闾城下谒名侯。……须知谢奕依前醉，间阻清谈又一秋。”（见《罗隐集·甲乙集》卷一）按罗隐去年秋有《姑苏城南湖陪曹使君游》诗（详去年秋条）。

十月

罗隐在镇海军节度判官任，时撰《镇海军使院记》。其《镇海军使院记》中云：“庚申年，始辟大厅之西南隅，以为宾从晏息之所。……是年冬十月，始命观察判官罗隐为记。”《吴越备使·罗隐传》载：“隐累官钱塘县令，寻授镇海军掌书记、节度判官。”又《唐摭言》卷十载：“罗隐光化中犹佐两浙幕。同院沈嵩（按即崧）得新榜封示隐，隐批一绝于纸尾曰：‘黄土原边狡兔肥，矢如流电马如飞。灞陵老将无功业，犹忆当时夜猎归。’”

十一月

左右军中尉刘季述、王仲先废昭宗，幽于东内问安宫，请皇太子裕监国，后又奉之即帝位。崔胤等告难于朱全忠，全忠自定州还大梁。据《旧唐书·昭宗本纪》本年十一月。又《资治通鉴》卷二六二光化三年载此事云：“十一月，上猎苑中，因置酒，夜，醉归，手杀黄门、侍女数人。明旦，日加辰巳，宫门不开。（刘）季述……乃帅禁兵千人破门而入，访问，具得其状。……庚寅，季述召百官，陈兵殿庭，作（崔）胤等连名状，请太子监国，以示之，使署名；胤及百官不得已皆署之。上在乞巧楼，季述、（王）仲先伏甲士千人于门外，与宣武进奏官程岩等十余人入请对。季述、仲先甫登殿，将士大呼，突入宣化门，至思政殿前，逢宫人，辄杀之。上见兵人，惊堕床下，起，将走，季述、仲先掖之令坐。……季述等乃出百官状白上……（何）后即取传国宝以授季述，宦官扶上与后同辇，嫔御侍从才十余人，适少阳院。季述以银楇画地数上曰：'某时某事，汝不从我言，其罪一也。'如此数十不止。乃手锁其门，镕铁锢之，上动静辄白季述，穴墙以通饮食。……时大寒，嫔御公主无衣裳，号哭闻于外。季述等矫诏令太子监国，迎太子入宫。"甲午，刘季述等即奉太子即皇帝位。

黄滔仍在福州，撰祭文悼友人林用谦。其《祭林先辈（用谦）文》中云："维光化三年岁次庚申十一月日，敬祭于林君执友之灵。……呜呼林君，得以言矣！君负相如之词赋，慕郄氏之科名。一纪秦城，千门祢刺。虽众口大馨其风藻，人罕如焉。而三百累困于莺乔，数何奇也。……果契至公，克升上第。既已东堂得意，南国言旋，……将冀盛清风于吾道，岂期叹逝水于人生。"（见《全唐文》卷八二六）

十二月

护驾都将孙德昭等以兵攻刘季述、王仲先，杀仲先。昭宗与皇后方得脱险。（参《旧唐书·昭宗本纪》、《资治通鉴》卷二六二）

清海军节度使薛王知柔薨。（见《资治通鉴》本年十二月条）

韦庄为左补阙，上奏请追赐李贺、皇甫松、陆龟蒙、罗隐等文士进士及第。并作《陆龟蒙诔》。宋洪迈《容斋三笔》卷七《唐昭宗恤儒士》条载："光化三年十二月，左补阙韦庄奏：'词人才子，时有遗贤，不沾一命于圣明，没作千年之恨骨。据臣所知，则有李贺、皇甫松、李群玉、陆龟蒙、赵光速、温庭皓、刘得仁、陆逵、傅锡、乎曾、贾岛、刘稚珪、罗邺、方干，俱无显过，皆有奇才。丽句清词，徧在词人之口；衔冤抱恨，竟为冥路之尘。但恐愤气未销，上冲穹昊，伏乞宣赐中书门下，追赠进士及第，各赠补阙、拾遗。见存明代，惟罗隐一人，亦乞特赐科名，录升三级。便以特敕，显示恩优，俾使已升冤人，皆沾圣泽，后来学者，更励文风。'敕：'中书门下详酌处分。'"另，《唐摭言》所引卷十《韦庄奏请追赠不及第人近代者》条尚有孟郊、李甘、顾邵孙、沈珮、顾蒙。［按，孟郊、李甘、李群玉皆已及第，韦庄云未及第，误］《全唐文》卷八八九有韦庄《乞追赐李贺皇甫松等进士及第奏》。又《鉴戒录》云："唐末宰臣张文蔚、中书舍人封舜卿等奏：'前有名儒屈者十有五人，请赐孤魂及第。'"

又《全唐文》卷八二〇又载有吴融《代王大夫请追赐方干及第疏》，内容相似，今录以资参考："……俱无显过，皆有奇才，丽句清词，遍在人口，衔冤抱恨，竟为冥路之尘，但恐愤气未销，上冲穹昊。伏乞宣赐中书门下，追赠进士及第，各赠补阙、拾遗。见存明代，惟罗隐一人，亦乞特赐科名，录升三级，便以特敕，显示恩优。俾使已升冤人，皆沾圣泽，后来学者，更励文风。"又《北梦琐言》卷八《陆龟蒙追赠》条载："光化三年，赠右补阙。"《全唐文》卷一有韦庄《陆龟蒙诔》。

泉州刺史王审邽加左仆射，黄滔有诗贺之。（见《全唐诗》卷七〇五）黄滔《贺清源仆射新命》诗："虽言嵩岳秀崔嵬，少降连枝命世才。南史两荣惟百揆，东闽双拜有三台（小注：《南史》，袁宪兄弟同为仆射，当时荣之。殊未若今清源与府城，并拜仆射，兼带台席之尊）二天在顶家家咏，丹凤衔书岁岁来。虚说古贤龙虎盛，谁攀荆树上金台。”［按，清源仆射为王审邽］《十国春秋》卷九十《闽太祖世家》，王审邽本年三月加同中书门下平章事、检校右仆射。又据同书卷九四，王审邽乾宁元年任泉州刺史，光化三年，加左仆射。

刘山甫约本年后撰成《金溪闲谈》十二卷。吴任臣《十国春秋》卷九五：“刘山甫，彭城人。太祖入闽，署山甫威武军节度使判官……山甫故中朝旧族，有才藻，著《金溪闲谈》十二卷。”［按，《金溪闲谈》所记及最迟年份为光化中，则此书盖成于本年之后时，或在唐亡之后。（参《唐五代志怪传奇叙录》）］

公元 901 年（唐昭宗光化四年　唐昭宗天复元年　辛酉）

正月

甲申朔，昭宗反正，刘季述被乱棒打死。《资治通鉴》卷二六二光化三年十二月条载：宰相崔胤与左神策指挥使孙德昭谋诛杀王仲先、刘季述等。反正后，昭宗御制新曲以赞众功臣。《南部新书》卷辛：“光化四年正月，宴于保宁殿，上自制曲，名曰《赞成功》。时盐州雄毅军使孙德昭等杀刘季述，帝反正，乃制曲以褒之。仍作《樊哙排君难》戏以乐焉。”

昭宗反正后仍惊悸，思及宦官为恶，欲尽诛之，韩偓谏止。《新唐书》卷一八三传云：“偓尝与胤定策诛刘季述，昭宗反正，为功臣。帝疾宦人骄横，欲尽去之。偓曰：‘陛下诛季述时，余皆赦不问，今又诛之，谁不惧死？含垢隐忍，须后可也。天子威柄，今散在方面，若上下同心，摄领权纲，犹冀天下可治。宦人忠厚可任者，假以恩幸，使自剪其党，蔑有不济。今食度支者乃八千人，公私牵属不减二万，虽诛六七巨魁，未见有益，适固其逆心耳。’帝前膝曰：‘此一事终始属卿。’”《旧唐书》卷一七七、《新唐书》卷二二三《崔胤传》、《新唐书》卷二〇八《刘季述传》所记略同。惟《资治通鉴》卷二六二记于本年六月，似不确。然所记甚详，今录此互参：“上之返正也，中书舍人令狐涣、给事中韩偓皆预其谋，故擢为翰林学士，数召对，访以机密。……时上悉以军国事委崔胤，每奏事，上与之从容，或至然烛。宦官畏之侧目……胤志欲尽除之，韩偓屡谏曰：‘事禁太甚，此辈亦不可全无，恐其党迫切，更生他变。’胤不从。丁卯，上独召偓，问曰：‘敕使中为恶者如林，何以处之？’对曰：‘东内之变，敕使谁非同恶！处之当在正旦，今已失其时矣。’上曰：‘当是时，卿何不为崔胤言之？’对曰：‘臣见陛下诏书云：自刘季述等四家之外，其余一无所问。夫人主所重，莫大于信，既下此诏，则守之宜坚；若复戮一人，则人人惧死矣。然后来所去者已为不少，此其所以汹汹不安也。陛下不若择其无良者数人，明示其罪，置之于法，然后抚谕其余曰：吾恐尔曹谓吾心有所贮，自今可无疑矣。乃择其忠厚者使为之长。其徒有善则奖之，有罪则惩之，咸自安矣。今此曹在公私者以万数，岂可尽诛邪！夫帝王之道，当以重厚镇之，公正御之，至于琐细机巧，此机生则彼机应矣，终不能成大功，所谓理丝而棼之者也。况今朝廷之权，散在四方；苟能先收此权，则事无不可为者

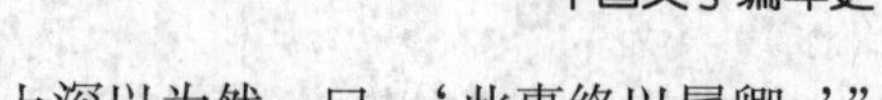

矣。'上深以为然，曰：'此事终以属卿。'"

又，韩偓于外镇强藩留兵京城事，亦犯颜谏阻。时李茂贞自凤翔来朝，后返镇，崔胤以宦官典兵，终为肘腋之患，欲以外兵制之，讽茂贞留兵三千于京师，充宿卫，以茂贞假子继筠将之。韩偓以为不可，与崔胤直言相争，胤推托曰："兵自不肯去，非留之也。"韩偓责曰："始者何为召之邪?"胤无以应。偓仍犯颜谏诤，曰："留此兵则家国两危，不留则家国两安。"盖偓以为宦官在朝中兴风作浪，犹可对付，若宦官援外镇以自重，且与外镇留京兵马共同作乱，则其局面便不可收拾。然胤竟不从。(见《资治通鉴》卷二六二)后，李继筠果有勾结宦官韩全诲劫昭宗至凤翔之乱，崔胤此举实乃预埋祸根。

昭宗反正，吴融在翰林，以草诏简备精当，进户部侍郎。其《授孙德昭安南都护充清江军节度使制》，即此时所撰。(见《全唐文》卷八二〇)《唐摭言》卷一三《敏捷》条云："昭宗天复元年正旦，东内反正，既御楼，内翰维吴子华先至，上命于前跪草十余诏，简备精当，曾不顷刻，上大加赏激。"《新唐书》卷二〇三传亦云："昭宗反正，御南阙，群臣称贺，融最先至。于时左右叹骇。帝有指授，叠十许稿，融跪作诏，少选而成，语当意详，帝咨赏良厚，进户部侍郎。"《宣和书谱》卷一〇、《唐才子传》卷九等所载略同。《北梦琐言》卷四、卷五称"吴融侍郎"，韩偓《与吴子华侍郎同年玉堂同直怀恩叙恳因成长句四韵兼呈诸同年》、《无题诗序》，释贯休《晚春寄吴融于兢二侍郎》等作称融为"侍郎"者，皆指户部侍郎云。

二月

制以朱全忠检校太师、守中书令，进封梁王。(见《旧唐书·昭宗本纪》、《资治通鉴》卷二六二)

礼部侍郎杜德祥知贡举，归佾、陈光问、曹松、王希羽、欧阳持、刘象、柯崇、郑希颜、沈颜等二十六人登进士第。试《天得一以清赋》、《武德殿退朝望九衢春色》诗。[按，《文苑英华》卷一八九"退朝"作"朝退"](见《永乐大典》引《瑞阳志》)后，昭宗以新及第进士中陈光问、刘象、曹松等均老于名场而特赐授官。《唐摭言》卷八《放老》："天复元年，杜德祥榜，放曹松、王希羽、刘象、柯崇、郑希颜等及第。时上新平内难，闻放新进士，喜甚，诏选中有孤平屈人，宜令以名闻，特敕授官。故德祥以松等塞诏各受正。制略曰：'念尔登科之际，当予反正之年，宜降异恩，各膺宠命。'松，舒州人也，学贾司仓为诗，此外无他能，时号松启事为送羊脚状。希羽，歙州人也，辞艺优博。松、希羽甲子皆七十余。象，京兆人。崇、希颜，闽中人。皆以诗卷及第，亦皆年逾耳顺矣。时谓五老榜。"《容斋三笔》卷七《唐昭宗恤录儒士》条所记请人年岁等尤详，云："天复元年赦文，又令中书门下选择新及第进士中有久在名场，才沾科级，年齿已高者，不拘常例，各授一官。于是礼部侍郎杜德祥奏：拣到新及第进士陈光问年六十九，曹松年五十四，王希羽年七十三，刘象年七十，柯崇年六十四，郑希颜年五十九。诏光问、松、希羽可秘书省正字，象、崇、希颜可太子校书。案《登科记》，是年进士二十六人，光问第四，松第八，希羽第十二，崇、象、希颜居末级。昭宗当斯时，离乱极矣，尚能眷眷于寒儒，其可书也。”

归佾，以第一名中进士科状元。《玉芝堂谈荟》“佾”作“修”，苏州人。

陈光问，以第四名登进士第。（见《容斋三笔》所引《登科记》）

曹松（847？—？）年五十四［按，一说曹松生831年，本年七十岁，存此待考］以第八名登进士第。（见《容斋三笔》所引《登科记》）《永乐大典》引《安庆府图经》：“曹松字梦征，舒州人。光化四年登第。”《文苑英华》卷一八九《省试十》载曹松《武德殿朝退望九衢春色》诗，为本年应试所作。诗曰：“玉殿朝初退，天街一看（《类诗》作“一望”）春。南山初过雨，北阙净无尘。夹道夭桃蒲，连沟御柳新。苏舒同舜泽，煦妪并尧仁。佳气浮轩盖，和风袭搢绅。自兹怜万（《类诗》作“知万”）物，同入发生辰。”《唐诗纪事》卷五十六载：“天复初杜德祥主文，放松及王希羽、刘象、柯崇、郑希颜等及第。……松，字梦征，舒州人也。学贾司仓为诗，此外无他能。时号松启事为送羊脚状。……松《及第敕下宴中献坐主杜侍郎》诗云：‘得召丘墙泪却频，若无公道也无因。门前送敕朱衣吏，席上衔杯碧落人。半夜笙歌教泥月，平明桃杏放烧春。南山虽有归溪路，争那酬恩未杀身。’……松有诗云‘凭君莫话封侯事，一将功成万骨枯’，可谓谙世故矣。”齐己《赠曹松先辈》诗云：“今岁赴春闱，达如夫子稀。山中把卷去，榜下注官归。楚月吟前落，江禽酒外飞。”（见《全唐诗》卷八三九）松未及第时，齐己又有《寄曹松》：“旧制新题削复刊，工夫过甚琢琅玕。药中求见黄芽易，诗里思闻白雪难。……夜来月苦怀高论，数树霜边独傍栏。”（见《全唐诗》卷八四四）松曾于咸通四五年（863—864）间游湖南观察使李璋幕；此后又曾游广州。乾符二三年（875—876）间，复依建州刺史李频。广明元年（880）避乱入洪州西山，为处士。从广明元年至本年及第前，松之行迹无考，或一直隐于洪州。及第后曾归洪州，有《钟陵寒食日与同年裴、颜、李先辈、郑校书郊外闲游》一诗。后不久即卒，卒年不可考。（见《郡斋读书志》卷四中）《新唐书·艺文志四》：“《曹松诗》三卷。”《郡斋读书志》卷四中、《直斋书录解题》卷一九，均著录曹松诗卷。《全唐诗》卷七一六—七一七编其诗二卷。

王希羽（828—？）年七十三，本年进士及第。《唐摭言》：“希羽，歙州人也，词艺优博。”《容斋三笔》引《登科记》谓希羽以第十二人登科。（参宋罗愿《新安志》卷六）希羽及第后南依田頵幕。

欧阳持生卒年不详，本年进士及第。《永乐大典》引《瑞阳志》载《登科记》云：“欧阳持字化基，高安人。天复元年归佾榜进士。”

刘象（831—？）年七十，本年进士及第。《唐摭言》：“象，京兆人……皆以诗卷及第。”《唐诗纪事》卷七一《沈彬》条载：“沈彬字子文，高安人也。天才狂逸，好神仙之事。少孤，西游，以三举为约。常梦著锦衣贴月而飞，识者言：虽有虚名，不入月矣。洪州解，至长安初举，纳省卷《梦仙谣》云：‘玉殿大开从客入，金桃烂熟没人偷。凤惊宝扇频翻翅，龙误金鞭忽转头。’第二举《忆仙谣》云：‘白榆风台九天秋，王母朝遇宴玉楼。日月渐畏双凤睡，桑田欲变六鳌愁。云翻箫管相随去，星触旌幢各自流。诗酒近来狂不得，骑龙却忆上清游。’第三举纳省卷《赠刘象》为首云：‘曾应大中天子举，四朝风月鬓萧疏。不随世祖重携剑，却为文皇再读书。十载战尘销旧业，满城风雨壤贫居。一枝何事于君惜，仙桂年年幸有余。'刘象孤寒，三十举无成。主司览彬诗，其年特放象及第。"又《唐诗纪事》卷六一刘象条谓："象，京兆人，天复元年与曹松辈同登第，号'五花榜'。象咏《仙掌》诗，时号'刘仙掌'。诗云：'万古亭亭倚碧霄，不成奇刻不成招。何如掬取天池水，洒向人间救旱苗。'"象及第后，昭宗以其年迈特赐授官。贯休有《与刘象正字》诗："独居三岛上，花竹映柴关。道广群仙惜，名成万事闲。……惟有逍遥子，时时自往还。"（见《全唐诗》卷八三三）［按，《容斋三笔》卷七谓刘象及第后所除官为太子校书，然贯休此诗称"正字"，未知孰是，今两存之］或刘象后来复由太子校书迁任秘书省正字也。象共历宣、懿、僖、昭四朝，早年应大中举，《鉴戒录》卷九《改名达》条谓象曾于广明二年"随驾在蜀"，应进士举，至本年方及第授官。此后事亦无考。《全唐诗》卷七一五收象诗十首。

柯崇（837—?）年六十四，本年进士及第。（见《容斋三笔》卷七）

郑希颜（842—?）年五十九，本年进士及第。（见《容斋三笔》卷七）《唐摭言》卷八载："崇、希颜皆闽人。"《容斋三笔》所引《登科记》："象、崇、希颜居末级。"

沈颜，生卒年不详，本年进士及第。《十国春秋》卷一一："沈颜，湖州德清人。天复初举进士第，授校书郎。"《郡斋读书志》卷四中云："右伪吴沈颜……天复初进士，为校书郎。"并谓"颜字可铸，传师之后"。曹松有《钟陵寒食日与同年裴、颜、李先辈、郑校书，郊外闲游》诗，校书疑印希颜。陶敏以为此"郑校书"印郑希颜，考见《全唐诗人名考证》。

博学宏词科：李琪年约二十八，本年应博学宏词科，居第四等，授武功县尉。《旧五代史》卷五八称："李琪，字台秀。五代祖憕，天宝末，礼部尚书、东都留守。安禄山陷东都，遇害。累赠太尉，谥曰忠懿。憕孙寀，元和朝位至给事中。寀子敬方，文宗朝谏议大夫。敬方子縠，广明中为晋王王铎都统判官，以收复功为谏议大夫。琪即縠之子也。年十三，词赋诗颂，大为王铎所知……昭宗时，李谿父子以文学知名。琪年十八，袖赋一轴谒谿，谿览之惊异，倒履迎门……琪由是益知名，举进士第。天复初，应博学宏词，居第四等，授武功县尉，辟转运巡官，迁左拾遗、殿中侍御史。"

知贡举：礼部侍郎杜德祥。《唐语林》："杜牧之二子，曰晦辞，终淮南节度判官。其弟德祥，昭宗时为礼侍郎，知贡举，亦有名声。"孟按：《金华子杂编》卷上：载杜牧之子"德祥，昭宗朝为礼部侍郎，知贡举，甚有声望"。

沈彬，年三十七，第三举下第，有《赠刘象》诗，叹其久困名场，象因得词怜之而及第。（见《唐诗纪事》卷七一、宋阮阅《诗话总龟》前集卷二三所引《雅言杂载》）宋陶乐《五代史补》卷四云："（彬）应进士不第，遂游长沙。会武穆方罢，彬献颂德诗云：'金翅动身摩日月，银河转浪洗乾坤。'武穆览而壮之，欲辟之在幕府，以其有足疾，遂止。彬由是往来衡湘间，自称进士。"［按，"武穆"指楚武穆王马殷］马殷于光化二年（899）平湖南，三年攻取岭南桂管五州，遂成霸业。（详参《资治通鉴》卷二六一、二六二）彬三举下第后献诗武穆，当在本年。

朱全忠引兵攻河中，河中节度使王河以城降，朱全忠又至洛阳，自此遂有河中、晋、绛诸州。（见《旧唐书·昭宗本纪》、《资治通鉴》卷二六二及胡三省注）

三月

贯休本年七十岁，时有寄吴融、于竞诗。休《晚春寄吴融于竞二侍郎》诗云：“花合宜细雨，室冷是深山。惟有霜台客，依依是往还。”（见《全唐诗》卷八三一）

韦庄本年六十六岁。春，应王建辟入蜀为掌书记，颇得王建信用，自此即仕蜀，未再北返。韦庄弟韦蔼《浣花集序》：“辛酉春，应聘为西蜀奏记。”（参《唐诗纪事》卷六十八韦庄条）《新五代史·前蜀世家》谓：“蜀恃险而富，当唐之末，人士多欲依建以避乱，建虽起盗贼，而为人多智诈，善待士。”故韦庄入蜀后即得王建倚重，五代花间词人之多在蜀，亦与此不无关系。《唐诗纪事》卷六八韦庄条又记（庄）为王建管记时，一县宰乘时扰民，庄为建草牒云：‘正当凋瘵之秋，好安凋瘵，勿使疮痍之后，复作疮痍。’时以为口实。”

韩偓仍为翰林学士，在翰林院以《无题》、《倒押前韵》等诗与王溥、吴融、令狐涣、刘崇誉、王涣等台阁重臣、禁署学士叠相唱和。韩偓丙寅年（906）年为《无题》诗所加之序，追忆本年与诸人唱酬旧事云：“余辛酉年戏作《无题》十四韵，故奉常王公相国首于继和，故内翰吴侍郎融、令狐舍人涣、阁下刘舍人崇誉、吏部王员外涣相次属和。余因作第二首，却寄诸公。二内翰及小天亦再和。余复作第三首，二内翰亦三和。王公一首，刘紫微一首，王小天二首，二学士各三首。余又倒押前韵成第四首。二学士笑谓余曰：‘谨竖降旗，何朱研如是也。’遂绝笔。是岁十月末，余在内直。一旦兵起，随驾西狩，文稿咸弃，更无孑遗。”按此序据文中所记乃作于丙寅（906）九月，而诗则成于本年。请人所唱和，仅韩偓、吴融诗尚存，而提诗已不完整，皆咏歌妓之什。韩偓《无题》之二中云：“小槛移灯灺，空房锁隙尘。……妆好方长叹，欢余却浅学。绣屏金作屋，丝幅玉为轮。致意通绵竹，精诚托锦鳞。歌凝眉际恨，酒发脸边春。……防闲襟并敛，忍拓泪休匀。宿饮愁索梦，春寒瘦著人。手持双菱意，的的为东邻。”第三首中云：“碧瓦偏光日，红帘不受尘。柳昏连绿野，花烂烁清晨。书密偷着数，情通破体新。……渺援三岛浪，平远一楼春。坠髦还名寿，修蛾本姓秦。罹寻闻犬洞，搓人饮牛津。……羞涩佯牵伴，娇饶欲泥人。偷儿难捉溺，慎莫共比邻。”又有《倒押前韵》诗，均为本年春所作。吴融酬和之作见《全唐诗》卷六八五，有《和韩致光侍郎无题三首十四韵》，其二中云：“舞转轻轻雪，歌集漠漠尘。漫游多卜夜，情起不知晨。玉署和妆景，金莲逐步新。凤签追北里，鹤驭访南真。有恨都无语，非愁亦有顺。……逢迎大堤晚，离别洞庭春。似玉曾夸赵，如云不让秦。锦收花上露，珠引月中津。……獭髓求鱼客，统销托海人。寸肠谁与达，洞府四无邻。”又《倒次元韵》亦乃酬和韩偓诗之作。又吴融尚有《什人三十韵》又有《卿席十韵》诗，亦均咏歌妓之作，盖亦此时前后所赋。韩偓、吴融等皆文士，立朝正色不阿，但彼等亦有追逐歌妓、揣摩声色之一面，可见当时翰林学士之风流习尚。

郑良士弃官归隐泉州白岩故墅，与地方大员及名士更相唱和，春有《游九鲤湖》之作。其诗中云：“九溪瀑影飞花外，万树春声细雨中。……我来不乞邯郸梦，取醉聊乘郑国风。”（见《全唐诗》卷七二六）宋赵与泌、黄岩孙《仙溪志》卷一〇云：“（良士）景福二年，献诗五百篇，授国子四门博士，累迁康、恩二州刺史，兼御史中丞。

天复元年，弃官归隐于白岩故墅（原注：今拱桥西），与泉州刺史王延彬、秘书陈乘、正字徐夤辈更相唱和。"《十国春秋》卷九五本传所载略同。宋王象之《舆地纪胜》卷一三五记："白岩山，在仙游县南十里。"

四月

甲戌，［按，《新唐书》作"丙子"］昭宗御长乐门大赦天下，改元天复。制曰："汉征极谏，晁董陈理乱之端；晋策能言，诜元贡阙遗之政。乃登道广，请举公平，诚在得人，以匡不逮。应天下诸色人中，有贤良方正、能直言极谏，博通坟典、达于教化，军谋弘远、政术详明者，文武常参官及诸道节度、观察等使，具姓名闻荐。至十一月到京，朕当亲论策试，择其可否施行。"（见《旧唐书》本纪、《唐大诏令集》）

李茂贞自凤翔来朝，交结中尉韩全诲，而宰相崔胤则与朱全忠善，各有挟天子以令诸侯之意。《旧唐书·昭宗本纪》本年四月载昭宗下诏改元天复后，"李茂贞自镇来朝……时中尉韩全诲及北门司与李茂贞相善，宰相崔胤与朱全忠相善，四人各为表里。全忠欲迁都洛阳，茂贞欲迎驾凤翔，各有挟天子以令诸侯之意"。

八月

四日癸未，杜光庭有《洞天福地岳渎名山记序》。曰："天复辛酉八月四日癸未，华顶羽人杜光庭于成都玉局编录。"（见《全唐文》卷九三二）

韩偓在翰林学士任，屡为昭宗对问，颇受信重，其间曾为宰相陆扆辩解。《资治通鉴》卷二六二本年八月载："上问韩偓曰：'闻陆扆不乐吾返正，正旦易服，乘小马出启夏门，有诸？'对曰：'返正之谋，独臣与崔风辈数人知之，扆不知也。一旦忽闻宫中有变，人情能不惊骇！易服逃避，何妨有之！陛下责其为宰相无死难之志则可也，至于不乐返正，恐出谗人之口，愿陛下察之！'上乃止。"［按，据此可知昭宗对韩偓之信任，同书此后屡记昭宗之召问事，皆可证韩偓之被倚重］

九月

吴仁璧以坚辞为钱镠所用，为镠投杀江中。仁璧有诗一卷。其事诸书所载略异。《十国春秋》卷八八本传云："唐大顺中登进士第，已而入浙。家贫，常佯狂乞于市。武肃王闻其名，待之客礼，叩以天象，仁璧辞非所知，欲辟幕府，又以诗固辞。及秦国太夫人薨，具礼币请为墓铭，仁璧坚不肯属草，武肃王大怒，投仁璧于江中死……仁璧有女年十八，能诗……未几，王并沉之东小江。"而《诗话总龟》前集卷四七所引《雅言杂载》则记仁璧坚辞钱镠之辟后，"武肃复遣人请撰《罗城记》，仁璧坚不从。武肃怒，沉于江，吴人惜之"。今从前说。［按，《十国春秋》卷八三《吴越世家》一，秦国太夫人水丘氏，以本年九月薨］吴仁璧诗，《新唐书》卷六〇《艺文志四》录为一卷。《十国春秋》传亦称"有诗一卷行世"。《全唐诗》卷六九〇存其诗十一首。

贯休年七十，仍在江陵，有《送梦上人归京》、《上荆南府主三让德政碑》诗。休

《送梦上人归京》诗，中云："伊余龙钟归海涯，千山万水情自恰。梦公别我还上国，江边惨执行迟迟。向我道云中觅伴未得伴，又示我数首新诗尽是诗。只恐不如此，若如此如此，即须天子知。萧萧金吹荆门口，槐菊斗黄落叶走。"又《上荆南府主三让德政碑》中云："明明赫赫中兴主，动纳诸隍冠前古。四海英雄尽敌兵，皆如吃吃（一作能吃）天金柱。万姓多论政与德，请树丰碑似山岳。一从寇灭二十年，碗城雕镌赐重叠。荆州化风何卓异，寡欲无为合天地。虽立负碑与众殊，字字皆是吾皇意。"（均见《全唐诗》卷八二八）

十月

戊戌，朱全忠引兵赴河中，京师闻之大恐，豪民皆亡窜山谷。时昭宗已为韩全诲等宦官及其党羽所控制，与韩偓等重臣已难通消息，形同拘囚。《资治通鉴》卷二六二本年十月记朱全忠发兵赴长安，宦者韩全诲闻之，令李继筠、李彦弼等勒兵欲劫昭宗赴凤翔。十月"戊戌，上遣赵国夫人出语韩偓：'朝来彦弼辈无礼极甚，欲召卿对，其势未可。'且言：'上与皇后但涕泣相向。'自是，学士不复得对矣"。（参《旧唐书·昭宗本纪》、《新唐书·韩偓传》）

三日，王涣（859—901）卒于赴任途中，年四十三。时清海军节度徐彦若辟涣为节度掌书记。唐卢光济所撰《唐故清海军节度掌书记太原王府君墓志铭》云："爰属我齐公以中外迭处，倚注斯在，遂颁龙节，往镇番禺。君既认旧僚，愿荣介从，不以沧溟为远，不以扶养为难，捧记室之辟书，被金章之华宠，因授考功郎中，兼御史中丞之职。时则画鹢方泛，慈颜正欢，撰良辰入宾署者信宿是期矣。无何，前数日以膏肓受疾，疠毒寖深，曾未浃辰，奄至歕谢。时乃天复辛酉十月之三日，去府城之一舍地曰金利镇也，享年四十有三。"［按，《志》文所谓"齐公"即徐彦若］《旧唐书·昭宗本纪》载，光化三年九月，"制……徐彦若可检校太尉、同平章事，充清海军节度、岭南东道管内观察处置供军粮料等使"。《新唐书》卷六三《宰相表》下同。涣受徐彦若恩情至多，及彦若出镇岭南，涣不远万里，追随左右，固其宜也。《志》又谓涣"有《燕南笔稿》一十卷，奉王公也。有《西府笔稿》三卷，遵郑公也。有《从知笔稿》五卷，乃褒梁与南海途路之次及大明、东馆申职业也。自私试与呈试，共著词赋约三十首，凡寓怀触兴，月榭春台，兼名友追随，词人唱和，所赋歌什约三百篇。又庆贺之词，吊祭之作，曰笺、曰启、曰诔、曰铭，复约二百首。应其下笔，靡不称工，但属世故多艰，斯文几坠，有藏于家而未播于人者，有有其题而亡其词者，有人之讽诵者，有士人之传写者，苟能诠次，亦类一家，所惜乎编辑未分，而首尾亡序，不成具集，以遗后生，乃吁可恨也。"集今不传。《全唐诗》卷六九〇录诗十四首。［按，《唐才子传》卷一〇《王涣》条又称："后以礼部侍郎致仕，年九十，见《睢阳五老图》。"此王涣为另一宋初人，详宋王辟之《渑水燕谈录》卷四、葛立方《韵语阳秋》卷一九，《唐才子传》未察两王涣之别，致误］

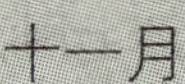

十一月

唐昭宗为宦官韩全诲及其党羽李继诲所劫出幸凤翔。重臣亲王皆扈从不及。朱全忠至长安，宰相崔胤率文武百官迎之，以胤矫诏引全忠故也。

韩偓闻昭宗被韩全诲等劫迁，夜追及鄠，伴驾至凤翔；以功拜兵部侍郎、翰林学士承旨。有《辛酉岁冬十一月随驾幸岐下作》。（见《全唐诗》卷六八〇）《新唐书·韩偓传》："及（崔）胤召朱全忠讨全诲，对兵将至，偓劝胤督茂贞还卫卒，又劝表暴内臣罪，因诛全诲等；若茂贞不如诏，即许全忠入朝。未及用，而全诲等已劫帝西幸。偓夜追及鄠，见帝恸哭。至凤翔，迁兵部侍郎，进承旨。"

吴融扈驾不及，客居阌乡。《新唐书·吴融传》记"凤翔劫迁，融不克从，去客阌乡"。

王贞白弃官，归隐家乡永丰著书。《唐才子传·王贞白传》记贞白"后值天王狩于岐，乃退居著书，不复干禄，当时大获芳誉"。（参《嘉靖永丰县志》卷四）贞白有《灵溪集》。

朱全忠引兵西入关中，屯于凤翔，并北攻邠州，声言奉昭宗还宫。李茂贞拒朱全忠军，并遣使征兵于西川王建。

十二月

车驾在凤翔。崔胤与朱全忠谋攻凤翔，屯兵三元砦。（见《资治通鉴》卷二六二）

朗州节度使雷满病卒，其子彦威代。《资治通鉴》卷二六二，昭宗天复元年十二月，"武贞（按即朗州）节度使雷满薨，子彦威自称留后"。

卢延让以雷满卒，离朗州，入蜀依王建。《郡斋读书志》卷四中、《唐诗纪事》卷六五及《唐才子传》卷一〇等，均谓延让去年及第后先事朗陵雷满，"满败，归王建"。

本年

清海军节度使徐彦若卒。临薨，手表奏节度副使刘隐为两使留后，昭宗未之许，命宰相崔远为节度使。远行及江陵，闻岭表多盗，惧隐违诏，迟留不进。会远复入相，乃诏以隐为留后，然久未即真。及梁祖为元帅，隐遣使持重赂以求保荐，梁祖即表其事，遂降旄节。梁开平初，恩宠殊厚，检校太尉、兼侍中，封大彭郡王。梁祖郊祀，礼毕，加检校太师、兼中书令，又命兼领安南都护，充清海、静海两军节度使，进封南海王。后隐弟刘龑建南汉政权。（见《旧五代史·僭伪列传第二》）

黄滔本年约六十二岁，为闽王审知所辟，以监察御史里行充威武军节度推官。旋出使钱塘，与罗隐游处，二人话及已辞世之陈黯，隐云愿为黯文集作序；滔亦为黯集作序。二《序》今俱存。又，滔有《寄罗隐郎中》一诗。《十国春秋》本传云："天复元年，受太祖辟，以监察御史里行充威武军节度推官，旋使钱塘，与罗隐相得甚欢。"又《莆阳黄御史集》所附《年考》记黄滔"天复辛酉，为闽藩礼置宾幕，荐授御史里行"。又同书所附《莆阳志》亦记黄滔"光化中除四门博士，寻迁监察御史里行充威武

军节度推官。王审知据有全闽，而终其身为节将者，滔规正有力焉”。又黄滔《颖川陈先生集序》亦云：“天复元年辛酉，稻叨闽相之辟，旋使钱塘，与罗郎中隐退。隐曰：‘咸通初，与先生定交于蒲津秋试之场，赋则《五老化为流星》，诗则《汉武横汾》。先生之作也，为试官严郎中都之吟讽，秋场五十人之降仰。今遗稿可丛，愿为之序。’”（见《全唐文》卷八二四）滔《寄罗隐郎中》诗云：“休向中兴雪至冤，钱塘江上看涛翻。……录酒千杯肠已烂，新诗数首骨犹存。瑶赡若使知人事，仙桂应遭台却根。”（见《全唐诗》卷七〇五，《黄御史公集》卷三）

赵光逢自本年起，以世乱退居洛阳六七年。《旧唐书》卷一七八传云：“刘季述废立之后，宰相崔胤与黄门争权，衣冠道丧。光逢移疾，退居洛阳，闭门却扫六七年。”

杜荀鹤年五十五，还九华未久，本年已在田頵幕，奉命使汴。《旧五代史》卷二四本传云：“（荀鹤）既擢第，复还旧山。时田頵在宣州，甚重之。頵将起兵，乃阴令以笺问至太祖（按即朱全忠），遇之颇厚。”同书卷一七《田頵传》云：“唐天祐（岑仲勉谓“天祐”乃“天复”之误。详《郎官石柱题名新考订·补僖昭哀三朝翰林学士记》，甚是。頵反叛被杀，事在天复二年）初，杨行密雄据江淮，时頵为宣州节度使，延寿为寿州刺史……时延寿方守寿春，直頵之事，密遣人告于頵曰：‘公有所欲为者，愿为公执鞭。’頵闻之，颇会其志。乃召进士杜荀鹤具述其意，复语曰：‘昌本朝，奉盟主，在斯一举矣。’即遣荀鹤具述密仪，自间道至大梁。太祖大悦，遽屯兵于宿州以会其变。”

公元902年（唐昭宗天复二年　壬戌）

正月

车驾在凤翔。汴军大败李克用于蒲县西北，进逼太原。天子遣使和解之。（见《旧唐书·昭宗本纪》、《资治通鉴》卷二六三）

郑谷或随百官为朱全忠所逼迁于华州，未得扈从昭宗于凤翔行在。时作《壬戌西幸后》一诗。《资治通鉴》卷二六二天复元年十二月载：“（朱）全忠令崔胤帅百官及京城居民悉迁于华州。”谷有《壬戌西幸后》一诗云：“武德门前颢气新，雪融鸳瓦土膏春。夜来梦到宣麻处，草没龙墀不见人。”（见《全唐诗》卷六七七）

三月

朝廷封杨行密为东面行营都统、中书令、吴王。（见《旧唐书·昭宗本纪》、《资治通鉴》卷二六三）

贯休年七十一岁，时居荆州，有诗寄张侍郎。休能书，擅水墨画，然亦以此得罪节度使成汭。因被黜黔州。贯休有《晚春寄张侍郎》诗，中云：“遐想涪陵岸，山花半已残。人心何以遣，天步正艰难。”按“天步”，句下注：“时昭宗在岐下。”（见《全唐诗》卷八三一）［按，昭宗天复元年十一月被劫往凤翔（即岐下），至天复三年正月方返长安］《北梦琐言》卷二〇载：“沙门贯休，钟离人也。风骚之外，精于笔札，举止真率，诚高人也。然不晓时事，往往诋讦朝贤，亦不知己之是耶非耶。荆州成中令

问其笔法非耶，休公曰：‘此事须登坛而授，非草草而言。’成令衔之，乃遽于黔中，因病以《鹤》诗寄意，曰：‘见说气清邪不入，不知尔病自何来?’以诗见意也。”按诸书多记贯休擅书画之事。《宣和画谱》卷三云：“又善书，时人或比之怀素，而书不甚传。”郭若虚《图画见闻志》卷二云：“兼善书，谓之‘姜体’，以其俗姓姜也。”《宋高僧传·贯休传》谓：“休能草圣。……休书迹，好事者传号曰‘姜体’是也。”《宣和书谱》卷十九谓其“作字尤奇崛，至草书益胜，崭峻之状，可以想见其人。喜书《千文》，世多传其本。虽不可以比迹智永，要自不凡”。黄休复《益州名画录》卷下云：“（休）善草书图画，时人比诸怀素。”《宋高僧传》本传又记：“休善小笔，得六法。长于水墨，形似之状可观。受众安桥强氏药肆请，出罗汉一堂，云：‘每画一尊，必祈梦得应真貌，方成之。’与常体不同。”《宣和画谱》亦称“虽曰能画，而画亦不多。间为本教像，惟罗汉最著”。然《宋高僧传》卷三〇所记贯休受黜于荆帅成汭事之缘由，略有不同，谓“（贯休）后思登南岳，比谒荆帅成汭，初甚礼焉，于龙兴寺安置。时内翰吴融谪官相遇，往来论道论诗。融为休作集序，则乾宁三年也。寻被诬谮于荆帅，黜休于功安，郁邑中题砚子曰：‘入匣身自安。’”两书所记，殊有不同。[按，《新唐书》卷四一《地理志》五，黔州黔中郡，治彭水县；江陵府江陵郡，所属有公安县（《宋高僧传》本传误为“功安”）] 则贯休是时居荆州，后不久即被黜居黔中，休亦多有诗咏之。（详后）

韩偓随昭宗在凤翔，时昭宗与宰相、翰林学士等朝官宴，偓有《侍宴》诗。诗云：“蜂黄蝶粉两依依，押宴临春日正迟。密旨不教江令醉，丽华（一作贵妃）微笑认皇慈。”（见《全唐诗》卷六八〇）[按，《资治通鉴》卷二六三天复二年三月载：“庚戌，上与李茂贞及宰相、学士、中尉、枢密宴，酒酣，茂贞及韩全诲亡去。上问韦贻范：‘朕何以巡幸至此?’对曰：‘臣在外不知。’固问，不对。……（上）怒目视之，微言曰：‘此贼兼须杖之二十。’顾谓韩偓曰：‘此辈亦称宰相!’”偓诗所咏，或即此次之侍宴]

司空图，六十六岁。由擅山至淅上，继《一鸣集》之后，复编所著诗文为《绝麟集》，并撰《绝麟集述》。其《绝麟集述》云：“驾在石门年秋八月，愚自关畿窜斯上，所著歌诗累年 [按，疑为千之误] 首，题于屋壁，且入前集。壬戌春，复自擅山至此，目败痁作，火土二曜，叶力攻凌可知矣。冒没已多，幸无大愧，固非赍恨而有作也，尚虑道魁释酋见之慊然于我者。盖自此集杂言，实病于负气。亦犹小星将坠，则芒焰骤作，且有声曳其后而可骇者。撑霆裂月，挟之而共肆其愤，固不能自戢耳。……知非子述。”（见《全唐文》卷八〇九）[按，知非子乃司空图自号]

李克用闻朱全忠兵入关中，遣将李嗣昭、周德威南下攻慈、隰州，欲分其兵势。两强藩互有攻守。二月，朱全忠还军河中，遣兄子友宁及晋州刺史氏叔琮击之，大败其兵。三月，汴军围太原，急攻城，不利，军回关西。（见《旧唐书·昭宗本纪》、《资治通鉴》卷二六三）《资治通鉴》云：“自是克用不敢与全忠争者累年。”

四月

崔胤自华州诣河中，泣诉于朱全忠，言恐李茂贞劫天子幸蜀，宜以时奉迎，势不可缓。（见《旧唐书·昭宗本纪》、《资治通鉴》卷二六三）

韩偓，六十岁。随驾在凤翔行在，仍在翰林承旨学士任，昭宗以樱桃分寄朝官，偓感而赋诗纪之。（参岑仲勉《补文宗至哀帝七朝翰林承旨学士记》）韩偓《恩赐樱桃分寄朝士》诗，题下注："在岐下。"诗中云："未许莺偷出汉宫，上林初进半金笼。……俱有乱离终日恨，贵将滋味片时同。"（见《全唐诗》卷六八〇）偓《岐下闻子规》（见《全唐诗》卷六八四），盖亦同时之作。

五月

朱全忠将朱友宁总大军屯于兴平，李茂贞之岐军出战，汴军大败岐军于武功南之汉谷。朱全忠乃自率汴军五万西征。（见《旧唐书·昭宗本纪》、《资治通鉴》卷二六三）

钱镠进爵越王。（见《旧唐书·昭宗本纪》、《资治通鉴》卷二六三）

六月

汴军围凤翔，至年终未解。（见《旧唐书·昭宗本纪》、《资治通鉴》卷二六三）

七月

十日，黄滔撰就去岁即已与罗隐拟议之陈黯文集序。滔请罗隐为陈黯文集作后序之文，盖此时前后作。《莆阳黄御史集》卷八录《颍川陈先生集序》末云："是天复二年秋七月也。"《全唐文》卷八二四录此《序》，末署：天复二年"秋七月十日"。《序》云："先生讳黯，字希孺。……与同郡（指泉州）王肱萧枢，同邑林颢，漳浦赫连韬，福州陈蒇陈发、詹雄同时而名价相上既还，不及求增，谨以所得之文赋诗笺檄，分为五卷，收泪搦管，为之前序，将寓正郎为之后序。正郎负宇内之雄名，用释泉台之永恨。"［按，"正郎"即指罗隐，时为司勋郎中充镇海军节度判官］滔又有《与罗隐郎中书》，曰："故表丈遗文，盛叙古人之重存殁。爰捧诸金，感涕之诚，实到肌骨。……而滔以内外之戚，始终所详，敢以小才为之前叙。诚以麟经下笔，诸生不合措辞；而马史抽毫，汉代还陈别录。伏惟慈造，必践前言，西望祷祈，可以鉴料。"（见《全唐文》卷八二三）

八月

罗隐本年七十岁，约此时应黄滔之嘱，为陈黯文集撰后序。《罗隐集·杂著》有《陈先生文集后序》，序中述及天复元年与黄滔相遇及本年黄滔寄文请为陈黯集作后序，后云："大唐设进士科三百年矣，得之者或非常之人，失之者或非常之人。若陈希孺之才美，则非常之人失者矣。夫德行莫若敦于亲戚，文章莫若大于流传，今已备于江夏之笔矣。”

韩偓于七八月间坚拒为宰相韦贻范起复草麻，以此为宦官所怨怒。《新唐书·韩偓传》载：“宰相韦贻范母丧，诏还位，偓当草制，上言：‘贻范处丧未数月，遽使视事，伤孝子心。今中书事，一相可办。陛下诚惜贻范才，俟变缞而召可也，何必使出峨冠庙堂，恪泣血枢侧，毁瘠则废务，勤恪则忘哀，此非人情可处也。’学士使马从皓逼偓求草，偓曰：‘腕可断，麻不可草！’从皓曰：‘君求死邪？’偓曰：‘吾职内署，可默默乎？’明日，百官至而麻不出，宦侍合噪。（李）茂贞入见帝曰：‘命宰相而学士不草麻，非反邪？艴然出。姚洎闻曰：‘使我当直，亦继以死。’既而帝畏茂贞，卒诏贻范还相，洎代草麻。自是宦党怒偓甚。”［按，以上事参《资治通鉴》卷二六三本年七月条］《资治通鉴》云：八月间，“韦贻范之为相也，多受人赂，许以官；既而以母丧罢去，日为债家所噪。亲吏刘延美，所负尤多，故汲汲于起复，日遣人诣两中尉、枢密及李茂贞求之。”

九月

韩偓在凤翔行在。约此时于秋雨连绵之夜，颇兴思家之情，有诗咏之。《秋霖夜忆家》诗：“垂老何时见弟兄，背灯愁（一作悲）泣到天明。不知短发能多少，一滴秋霖白一茎。”［按，此诗题下注：“随驾在凤翔府。”（见《全唐诗》卷六八〇）］

贯休此时已离荆南在黔州，有诗寄张侍郎。未几，复离黔入蜀。其《秋末寄张侍郎》诗云：“静坐（一作处）黔城北，离仁半岁强。……多病如何好，无心去始长。寂寥还得句，溪上寄三张。”（见《全唐诗》卷八三〇）［按，休确曾为荆帅成汭所黜居黔州，详见本年三月“贯休”条，参《唐才子传校笺·贯休笺》］

十月

贯休约此时前后游云顶山，览物兴感，赋诗言情。旋即赴蜀，《三峡闻猿》诗盖即途中所咏。休《游云顶山晚望》诗：“云顶聊一望，山灵草木奇。黔南在何处，堪笑复堪悲。菊歇香未歇，露繁蝉不饥。明朝又西去，锦水与峨眉。”见《全唐诗》卷八三〇）贯休又有《三峡闻猿》：“历历数声猿，寥寥渡白烟。应栖多月树，况是下霜天。万里客危坐，千山境悄然。更深仍不住，使我欲移船。”（见《全唐诗》卷八三二）又《五代史补》卷一《僧贯休入蜀》条云：“尝游荆南，成汭为荆南节度，生日有献歌诗颂德者，仅百余人，而贯休在焉。汭不能亲览，命幕吏郑准定其高下。准害其能，辄以贯休为第三。贯休怒曰：‘藻鉴如此，其可久乎！’遂入蜀。”所记贯休离荆南幕之原因与《北梦琐言》、《宋高僧传·贯休传》所说得罪于成汭及被谗不同，且未及贯休被黜黔州事，或未必可信，今姑录以备考。

十一月

朱全忠军围攻凤翔，时大雪城中食尽，以至卖人肉以充食。《资治通鉴》卷二六三本年十一月记朱全忠所率汴军攻凤翔："汴军每夜鸣鼓角，城中地如动。攻城者斥城上人云'劫天子贼'，乘城者斥城下人云'夺天子贼'。是冬，大雪，城中食尽，冻馁死者不可胜计；或卧未死已为人所剐。市中卖人肉，斤直钱百，犬肉直五百。（李）茂贞储偫亦竭，以犬彘供御膳。上鬻御衣及小皇子衣于市以充用……"

昭宗被监禁，难与朝臣相见。《资治通鉴》本年十一月条记："甲辰，上使赵国夫人诇学士院二使皆不在，亟召韩偓、姚洎，窃见之于土门外，执手相泣。洎请上速还，恐为他人所见；上遽去。"

韩偓以昭宗被幽系，五内如焚，且凤翔行在无以维持，君臣即将落入围城强藩朱全忠之手，遂赋《冬至夜作》。诗云："中宵忽见动葭灰，料得南枝有早梅。四野便应枯草绿，九重先觉冻云开。阴冰莫向河源塞，阳气今从地底回。不道惨舒无定分，却忧蚊响又成雷。"按此诗题下小注云："天复二年壬戌，随驾在凤翔府。"（见《全唐诗》卷六八〇）

本年

吴融客居阌乡，有《壬戌岁阌乡卜居》一诗。融未及扈从昭宗乃去岁十一月事，本年仍客阌乡。《新唐书》卷二〇三本传云："凤翔劫迁，融不克从，去客阌乡。"[按，《旧唐书》卷三八《地理志》一，阌乡在河南道虢州，融《壬戌岁阌乡卜居》诗云："六载抽毫侍禁闱，可堪多病决然归。五隆年少如相问，阿对泉头一布衣。"]

贯休以受黜荆帅成汭，本年入蜀依王建，并赋诗献蜀主，赞蜀地之安定。昙域《禅月集序》云："旋闻大蜀开基创业，奄有坤维，叹曰：'不有君子，宁能国乎?'遂达天国，进上先皇帝诗，其略曰：'一瓶一钵垂垂老，万水千山得得来。'高祖礼待，膝之前席，过秦主待道安之礼，逾赵王迎图澄之仪。特修禅宇，恳请住持。寻赐师号曰'禅月大师'，曲加存恤，优异殊常。"（见《全唐文》卷九二二）《鉴戒录》卷五《禅月吟》云："上人天复中自楚游蜀，有上王蜀太祖陈情诗云：'一瓶一钵垂垂老，万水千山得得来。'太祖曰：'寡人高筑金台，以师名士；广修宝刹，用接高僧。千山万水之言，何以当此。'于是恩赐甚厚。上人遂居蜀焉。"《宋高僧传》本传、《唐诗纪事》卷七五亦载此事。据上所载，可见王建颇为礼遇士人高僧。唐末五代蜀中即因此之故，士人颇有往依者。诸典籍所载贯休献蜀主王建之诗，《全唐诗》卷八三五题作《陈情献蜀皇帝》，诗云："河北江东（一作河南）处处灾，惟闻全蜀勿（一作少）尘埃。一瓶一钵垂垂老，千水千山得得来。奈菀（一作秦苑）幽栖多胜景，巴故陈贡愧非才。自惭林毅龙钟者，亦得亲登郭隗台。"[按，贯休入蜀时王建尚未称帝，《全唐诗》之诗题当为后人所加]

韦庄追慕杜甫潦倒终生流落他乡却不忘忠君、忧念黎元之襟抱和诗章，于成都浣花溪寻得杜甫草堂旧址，结茅为室，并以"浣花"名其诗集。韦蔼《浣花集序》称，庄入蜀之明年，"浣花溪寻得杜工部旧址，虽芜没已久，而柱砥犹存，因命芟夷结茅为一室。盖欲思其人而成其处，非敢广其基构耳"。

黄滔年六十三，仍在闽为威武军节度推官，乃闽之文章耆宿，位崇文健，应闽王

审知之请，撰《灵山塑北方毗沙门天王碑》；于秦国太夫人之薨，为撰祭文。滔《祭钱塘秦国太夫人》一文，云："维天复二年岁次壬戌，敬祭于故秦国太夫人之灵。"（见《黄御史公集》卷六）据《莆阳黄御史集》所附《年考》记黄滔壬戌年（即本年）撰《灵山塑北方毗沙门天王碑》，中云："列藩之业有地，有地之职有民。有民之道，兴礼乐敦忠孝以行事，然后谋谋者也。筑城池居其一，城既筑，进道德以居之，树神祇以尸之，为一方之巨防。……我相府琅琊王王公之有闽越也，具列藩之业，修有地之职，行有民之道……乃尸及神祇。于是于开元寺之灵山，塑北方毗沙门天王一铺。……讫，命小从事滔，刊贞石而碑之。"（见《全唐文》卷八二五）

徐夤，本年离开汴梁，归闽中，王审知辟掌书记。旋为王审知所辟。时与黄滔、杨沂、王淡等人诗赋唱和，有《题福州天王阁》诗。《五代史补》卷二云徐夤登第后客汴梁两年，遂归闽中。《十国春秋》本传则云，客汴梁后，"已而走归家里，太祖辟掌书记"。宋徐师仁《钓矶文集序》引《九国志》本传（今本《九国志》无此文）云："归宁于闽中，属江淮盗起，退居延寿溪。王审知闻之，辟居幕下。"《新五代史》卷六八《王审知传》云："审知虽起盗贼，而为人俭约，好礼下士。王淡，唐相溥之子；杨沂，唐相涉从弟；徐夤，唐时知名进士，皆依审知仕宦。"徐夤又有《题福州天王阁》诗（见《全唐诗》卷七〇九），未详作年，以夤本年在王审知幕，约天祐元年（904）年离去，姑附于此。

黄滔、徐夤、杨沂（一作杨沂丰）、王淡等皆依王审知，众人遂多有唱和之乐。《十国春秋》卷九五《杨沂丰传》称："杨沂丰（原注：欧阳《五代史》作杨沂），唐宰相涉从弟也。遭乱，依太祖，与徐夤、王淡同居幕府，以风雅唱和，闽士多宗之。"宋陶岳《五代史补》卷二《黄滔命徐夤代笔》条云："黄滔在闽中，为王审知推官。一旦馈鱼至，时滔方与夤对话，遂请为代谢笺。夤援笔而成，其略曰：'衔诸断索，才从羊续悬来；列在雕盘，便到冯驩食处。'时人大称之。"

成州同谷山逸人有《咏五子之歌》，以讥讽昭宗、何皇后之失政。韩偓《从猎三首》亦为本年随何皇后败游时所作。《鉴戒录》卷二《逸士谏》："天复中，昭宗播岐时，梁太祖与秦王茂贞羽檄交驰，欲迎车驾。何皇后（东川人）恃其深宠，不顾阽危，酷好政游，放弃于两舍之外，践踏苗稼，百里飞埃。有成州同谷山逸人，戴一巨笠，跨一青牛，……因称同谷子，不显姓名。直诣行朝，上书两卷，论十代兴亡之事，叙四方理乱之源。帝览其书，数日减膳。……同谷子惟吟太康失政之诗，又说褒姒惑君之事。……同谷子《咏五子之歌》诗曰：'邦惟固本自安宁，临下常须驭朽惊。何事十旬游不返，祸胎从此构殷兵。'又曰：'酒色声禽号四荒，那堪峻宇又雕墙。静思今古为君者，未或因兹不灭亡。'又曰：'惟彼陶唐有冀方，少年都不解思量。如今算得当时事，首为盘游乱纪纲。'又曰：'明明我祖万邦君，典则贻将示子孙。惆怅太虚荒坠后，覆宗绝祀灭其门。'又曰：'仇雠万姓遂无依，颜厚何曾解扭泥。五子既歌邦已失，一场前事悔难追。'"按昭宗本年在岐下，上述事即在本年。又《全唐诗》卷六八〇韩偓有《从猎三首》，其一云："猎犬诸斜路，宫嫔识画旗。马前双兔起一作走，宣尔（一作示）羽林儿。"其二云："小楼狭靴（一作鞭）鞘，鞍轻妓细腰。有时齐走马，也学唱交交。"

韩熙载（902—970）生。熙载，五代文学家。字叔言。潍州北海（今山东潍坊）人，祖籍南阳（今属河南），郡望昌黎（今属河北）。少隐嵩山。后唐同光四年（926）进士及第。同年，因其父为明宗所杀，遂南奔归吴。释褐校书郎。出为滁、和、常三州从事。南唐烈主征为秘书郎，掌东宫文翰。元宗即位，擢虞部员外郎、史馆修撰。加太常博士，权知制诰。保大四年（946）为宋齐丘等所嫉，贬和州司马参军。数年，移宣州节度推官。召为虞部员外郎，迁郎中。拜中书舍人。擢户部侍郎，充铸钱使。后主即位，改吏部侍郎，兼修国史。乾德二年（964），拜兵部尚书、勤政殿学士。以广蓄妓妾，五年（967），贬右庶子分司南都。后尽去诸妓，复为兵部尚书。迁中书侍郎，充光政殿学士承旨。开宝三年（970）卒。博学多才，能书善画，通音律。文章长于碑碣，时人求之者颇多。《郡斋读书志》卷四著录《韩熙载集》五卷，《宋史·艺文志四》著录《格言》五卷、《格言后述》三卷，《补五代史艺文志》著录《拟议集》十五卷、《定居集》三卷，并佚。《全唐诗》存诗五首，《全唐诗补编》补一首；《全唐文》存文六篇，《唐文拾遗》补二篇。事迹见宋徐铉《唐故中书侍郎光政殿学士承旨昌黎韩公墓志铭》、马令及陆游《南唐书》本传。参《新五代史·南唐世家》。

公元903年（唐昭宗天复三年　癸亥）

正月

正月甲子，车驾出凤翔，幸朱全忠军。己巳，入京师。自此昭宗性命被玩弄于强藩朱全忠股掌之中。沦为朱全忠谋划篡逆登基之傀儡。《旧唐书·昭宗本纪》载：天复二年十二月，拱卫凤翔行在之“邠、宁、鄜、坊等州皆陷于汴军。茂贞惧，谋诛内官以解。三年春……赐全忠玉带，仍令全忠处分蒋玄晖侍帝左右。丁巳，蒋玄晖与中使同押送中尉韩全诲、张弘彦已下二十人首级，告谕四镇兵士回銮之期。……甲子巳时，车驾出凤翔，幸朱全忠军。……己巳，入京师。……辛未，宴朱全忠于内殿，内弟子奏乐。是日，制内官第五可范已下七百人，并赐死于内侍省，其诸道监军及小使，仰本道节度使处斩讫奏，从全忠、崔胤所奏也。帝悲惜之，自为奠文祭之。”（参《资治通鉴》卷二六三）

贯休初入蜀，见故人郑中丞，有诗赠之。休谒见韦庄事亦在此时前后。休《到蜀与郑中丞相遇》诗：“深隐犹为未死灰。远寻知己遇三台。……剑阁霞黏残雪在，锦江香甚百花开。谩期王谢来相访，不是支公出世才。”（见《全唐诗》卷八三五）《北梦琐言》卷二十《休公真率》条记“休公初至蜀，先谒韦书记庄”。

罗衮时在左拾遗任，上疏请褒赠前朝蒙屈遭贬而死之刘蕡。《新唐书》卷一七八《刘蕡传》云：“及昭宗诛韩全诲等，左拾遗罗衮上言：‘蕡当太和时，宦官始炽，因直言策请夺爵士，复扫除之役，遂罹谴逐，身死异土，六十余年，正人义夫切齿饮泣……今天地反正，枉魄愤赀，有望于陛下。’帝感悟，赠蕡左谏议大夫，访子孙授以官云。”（参《新唐书·刘蕡传》）《请褒赠刘蕡疏》中云：“窃见故秘书郎责授柳州司户臣刘蕡，当大和年，对直言策。是时宦官方炽，朝政已侵，人谁敢言。黄独能指抑堕雨回天之势，欲使当门夺官卿爵士之权，将令拥彗，遂遭退黜，实负冤欺，其后竟陷侵诬，终罹遣逐。沉沦绝世，六十余年。……向使蕡策得用，荣才得施，则杜渐防萌，寻消逆节，岂殷忧多难。……特乞宣付中书门下，显加褒赠。”（见《文苑英华》卷六九八、《全唐文》卷八二八）

二月

朱全忠归大梁，昭宗临轩泣别，以御制《杨柳枝》五首赐之。昭宗天子之尊尽丧全忠威势之下，厚赏全忠重官望爵及御制诗以赐之，均系违心之举。于全忠要挟、摆布，昭宗已无丝毫抵抗、回旋余地。（见《旧唐书·昭宗本纪》）

韩偓忠心为国为君，昭宗颇倚重信赖，因得罪崔胤、朱全忠，被贬濮州司马。韩偓有《金銮密记》亦约成于此时。

据《旧唐书·昭宗本纪》，本年正月丙午（四日），上令户部侍郎韩偓及赵国夫人宠颜宣谕于朱全忠军；己巳（二十七日），车驾入京师；而复据韩偓《出官经硖石县》诗注，本月壬午（十一日），韩偓已被贬为濮州司马。韩偓《出官经硖石县》诗，题下小注云：“天复三年二月二十二日。”诗云：“谪宦过东畿，所抵州名濮（小注：是月十一日贬濮州司马）。故里欲清明，临风堪恸哭。……逆旅讶簪裾（小注：南路以久无儒服经过，皆相聚悲喜），野老悲陵谷。”（见《全唐诗》卷六八〇）《资治通鉴》卷二六四本年二月载：“初，翰林学士承旨韩偓之登进士第也，御史大夫赵崇知贡举。上返自凤翔，欲用偓为相，偓荐崇及兵部侍郎王赞自代；上欲从之，崔胤恶其分己权，使朱全忠入争之。全忠见上曰：‘赵崇轻薄之魁，王赞无才用，韩偓何得妄荐为相！’上见全忠怒甚，不得已，癸未，贬偓濮州司马。上密与偓泣别，偓曰：‘是人非复前来之比，臣得远贬及死乃幸耳，不忍见篡弑之辱！’”胤此时倚仗朱全忠，并承朱之旨意，奏请立昭宗之幼子辉王李祚为诸道兵马元帅，以朱全忠为副元帅，并进爵梁王。约于贬谪濮州时，韩偓撰有《金銮密记》一书。《新唐书·艺文志二》著录此书为五卷，《郡斋读书志》卷二则记“《金銮密记》一卷，右韩偓撰。偓天复元年为翰林学士，从昭宗西幸。朱温围岐三年，偓因密记其谋议及所见闻，事止于贬濮州司马。予尝谓偓有君子之道四焉：唐之末，南北分朋而忘其君，偓崔胤门生，独能弃家从上，一也。其时搢绅无不交通内外以躐取爵位，偓独能力辞相位，二也。不肯草韦贻范起复麻，三也。不肯致拜于朱温，四也。诗曰：‘风雨如晦，鸡鸣不已。’偓之谓也。”《直斋书录解题》卷五：“《金銮密记》三卷，唐翰林学士承旨京兆韩偓致尧撰，具述在翰苑时事，危疑艰险甚矣。”[按，《金銮密记》今存已不全，见《说郛》（宛委山堂本）卷四十九]

薛贻矩等随昭宗从幸凤翔之三十余朝官，为崔胤贬逐。《旧唐书·崔胤传》载：“昭宗初幸凤翔，令卢光启、韦贻范、苏检等作相，及还京，胤皆贬斥之。又贬陆扆为沂主簿，王溥太子宾客，学士薛贻矩夔州司户，韩偓濮州司户……应从幸群官贬逐者三十余人。”据《资治通鉴》卷二六四本年二月记：“（崔）胤恃（朱）全忠之势，专权自恣，……朝臣从上幸凤翔者，凡贬逐三十余人。”[按，薛贻矩以兵部侍郎、翰林学士承旨贬峡州，非夔州，《旧唐书》盖误。（参《旧五代史·薛贻矩传》]

吴融此时已自阌乡复召入翰林为学士，迁承旨。时翰林学士承旨薛贻矩贬峡州，融赋诗送之。《新唐书·吴融传》："凤翔劫迁，融不克从，去客阌乡。俄召还翰林，迁承旨，卒官。"吴融《送薛学士任峡州二首》其一云："负谴虽安不敢安，叠猿声里独之官。"其二云："片帆飞入峡云深，带雨兼风动楚吟。何似玉堂裁诏罢，月斜铉鹊漏沉沉。"（见《全唐诗》卷六八五）

稍后花落之晚春，薛贻矩于贬谪途中遇贯休，休亦有诗相赠。贯休《送薛侍郎贬峡州司马》诗云："得罪唯惊恩未酬，夷陵山水称闲游。……花落扁舟香冉冉，草侵公署雨脩脩。因人好寄新诗好，不独江东有沃洲。"（见《全唐诗》卷八三七）裴枢因朱全忠保荐，再登相位，监修国史。《旧唐书·昭宗本纪》本年二月条载："二月……以新除广州节度使裴枢为门下侍郎，吏部尚书、平章事、监修国史。"《旧唐书》卷一一三《裴遵庆传》所附《裴枢传》记："初，枢自歙州罢郡归朝，路经大梁，时朱全忠兵威已振，枢以兄事之，全忠由是重之。及枢传诏，全忠皆禀朝旨，献奉相继，昭宗甚悦，乃迁兵部侍郎。时崔胤专政，亦倚全忠，二人因是相结，改枢吏部侍郎。未几，换户部侍郎、同平章事。其年冬，昭宗幸华州，崔胤贬官，枢亦为工部尚书。天子自岐下还宫，以枢检校右仆射、同平章事，出为广南节度使。制出，朱全忠保荐之，言枢有经世才，不可弃之岭表，寻复拜门下侍郎，监修国史，累兼吏部尚书，判度支。崔胤诛，以全忠素厚，相位如故。"

罗衮因宰相、监修国史裴枢所荐，为史馆修撰。尝上疏请置官购书，以充实国家图书，利于修史。罗衮《谢史馆裴相公启》中云："以衮家殊弁冕，业继诗书……词科人仕，寻周一纪之星［按，衮大顺二年（891）擢第］，谏署升朝，亦改四年之火。"又有《谢监修相公启》，中谓："伏蒙相公特赐奏授前件充职……伏以相公……两掖之内，以谠辞为先；三馆之中，以信史为急。必铨名实，乃授清华。"时值末纪，唐廷载籍图书散失严重，罗衮以史馆修撰上书朝廷，其《请置官买书疏》中云："臣伏念秘阁四部、三馆图书，乱离以来，散失都尽。一为坠阙，二十余年。陛下追踪往圣，劳神故实，岁下明诏，旁求四海，或遣使搜访，或购以官爵，亦已久矣。然而一编一简，未闻奏御，加以时玩武事，不急文化，若非别降圣喜，无因可致。臣今伏请陛下出内库财，于都下置官买书。不限经史之集、列圣实录、古今传记、公私著述，凡可取者，一皆市之。部帙俱全，则价有差等。至于零落杂小，每卷不过百钱，率不费千缗，可获万卷。傥或稍优其直，则远近趋利之人，必当舍难得之货，载天下之书，聚于京师矣。不惟充足书林，以备宣索，今三朝实录未修，无所依约，便期因此遂有所得，斯又朝廷至切之务也。"

四月

王建攻秦、陇；且遣判官韦庄入贡，修好于朱全忠。韦庄时年六十八。

《旧唐书·昭宗本纪》天复三年"四月辛未朔，西川王建以兵攻秦陇，乘（李）茂贞之弱也，仍遣判官韦庄入京，修好于（朱）全忠。"《十国春秋·韦庄传》："天复间，高祖遣（韦）庄入贡，亦修好于梁王（朱）全忠，谈言微中，颇得全忠心，随使

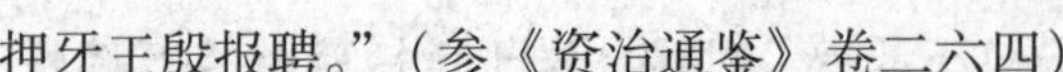

押牙王殷报聘。”（参《资治通鉴》卷二六四）

六月

九日，韦霭将其兄韦庄诗编成《浣花集》十卷，并为作集序。《浣花集》卷首附韦霭序云：“余家之兄庄，自庚子乱离前，凡著歌诗文章数十通。属兵火迭兴，简编俱坠，唯余口诵者，所存无几。尔后流离漂泛，寓目缘情，子期怀旧之辞，王粲伤时之制，或离群轸虑，或反袂兴悲，四悲九愁之文，一咏一觞之作。迄于癸亥岁，又缀仅千余首。庚申夏，自中谏□□□□辛酉春，应聘为西蜀奏记。明年，浣花溪寻得杜工部旧址，虽芜没已久，而柱砥犹存。因命芟夷，结茅为一室。盖欲思其人而成其处，非敢广其基构耳。霭便因闲日，录兄之稿草中，或默记于吟咏者，次为□□□，目之曰《浣花集》，亦杜陵所居之义也。余今之所制，则俟为别录，用继于右。时癸亥年六月九日霭集。”［按，今所存之《浣花集》与韦霭辑本原貌盖已大异，霭《序》所云千余首诗，今则仅存二百四十余首，合《浣花集补遗》自他书掇拾散佚者，合计不过三百余首］另，集中几无韦庄入蜀后之诗作。翻检《韦庄集》及相关古籍，仅觅得韦庄蜀中诗三首，未知作年，暂系于此。其一为《云彩笺歌》：“浣花溪上如花客，绿暗红藏人不识。留得溪头瑟瑟波，泼成纸上猩猩色。手把金刀擘彩云，有时剪破秋天碧。……我有歌诗一千首，磨砻山岳罗星斗。开卷长疑雷电惊，挥毫只怕龙蛇走。班班布在时人口，满轴松花都未有。人间无处买烟霞，须知得自神仙手。也知价重连城璧，一纸万金犹不惜。薛涛昨夜梦中来，殷勤劝向君边觅。”［按，诗中谓“我有歌诗一千首”，与韦霭序所说合，可知此诗盖为本年前后在蜀作］其二为《伤灼灼》，《全唐诗》此诗下注：“灼灼，蜀之丽人也。近闻贫且老，殂落于成都酒市中，因以四韵吊之。”诗云：“尝闻灼灼丽于花，云髻盘时未破瓜。桃脸曼长横绿水，玉肌香腻透红纱。……流落锦江无处问，断魂飞作碧天霞。”（见《浣花集补遗》，收向迪琮校订《韦庄集》，人民文学出版社 1958 年版）又贯休《禅月集》（四部丛刊本）卷十九《韦相公庄寄禅月大师》（“新春新霁好晴和”）亦为韦庄作，乃在蜀时与贯休唱和者（参见傅璇琮《点校本〈五代诗话〉序》）。

本年夏吴融仍在朝为翰林学士承旨，《禁直偶书》或即作于此时。其诗云：“玉皇新复五城居，仙馆词臣在碧虚。锦砌渐看翻芍药，锁窗还咏隔蟾蜍。……争奈沧洲频人梦，白波无际落红蕖。”（见《全唐诗》卷六八六）按首句盖指昭宗自凤翔返京，第二句自指在翰林院。所咏景色似在夏日，故系于此。

七月

司空图年六十七，已返中条山王官谷，修葺已颓毁之濯缨亭，改名为休休亭。又自号耐辱居士。作《耐辱居士歌》、《休休亭记》并《休休亭》诗，其思想、人格又一大变。司空图《休休亭记》云：“休，休也，美也。既休而且美在焉。司空氏王官谷休休亭本濯缨也。濯缨为陕军所焚，愚窜避逾纪。天复癸亥岁，蒲稔人安，既归葺于坏垣之中，构不盈丈，然遽更其名者非以为奇，盖量其材，一宜休也；揣其分，二宜休也；

且耄而聩，三宜休也。而又少而惰，长而率，老而迂，是三者皆非救时之用，又宜休也。……既而昼寝，遇二僧，其名皆上方刻石者也。其一曰阛顽，谓吾曰：‘……且汝虽退，亦未尝为匪人之所嫉，宜以耐辱自警，庶保其终始，与靖节醉吟第其品级于千载之下，复何求哉！’因为耐辱居士歌题于亭之东北楹……天复癸亥秋七月二十七日耐辱居士司空图记。”（见《全唐文》卷八〇七）其《耐辱居士歌》即此时所咏：“咄，诺，休休休，莫莫莫，伎俩虽多性灵恶，赖是长教闲处著。休休休，莫莫莫，一局棋，一炉药，天意时情可料度。白日偏催快活人，黄金难买堪骑鹤。若曰尔何能，答言耐辱莫。”（见《全唐诗》卷六三四）

八月

贯休在西蜀，约此时或稍后有诗纪王建入大慈寺听讲经事。贯休《蜀王入大慈寺听讲》诗题下注：“天复三年作。”（见《全唐诗》卷八三五）［按，《资治通鉴》卷二六四本年八月记“庚辰，加西川节度使西平王王建守司徒，进爵蜀王”］休诗称王建为蜀王，当为此时后作。诗中赞颂王建治蜀功绩云：“谢太傅须同八凯，姚梁公可并三台。登楼喜色禾将熟，望国诚明首不回。驾驭英雄如赤子，雌黄贤哲贡琼玦。六条消息心常苦，一剑晶荧敌尽摧。木铎声中天降福，景星光里地无灾。百千民拥听经座，始见重天社稷才。”此诗可见其时蜀中释家依附王建政权情状。

宣州节度使田颙将叛杨行密，欲拥兵自雄，遣杜荀鹤奉使大梁，通其意于朱全忠。（见《资治通鉴》卷二六四）《旧五代史·杜荀鹤传》记“时田颙在宣州，甚重之。颙将起兵，乃阴令以笺问至，太祖遇颇厚”。同书《田颙传》记田颙阴叛杨行密，“乃召进士杜荀鹤具述其意，复语曰：‘昌本朝，奉盟主，在斯一举矣。’即遣荀鹤具述密议，自间道至大梁。”

九月

荆帅成汭败死。（见《旧唐书·昭宗本纪》）《旧唐书·昭宗本纪》载：天复三年“九月……荆南节度使成汭以舟师赴援鄂州，澧郎雷彦恭承虚袭陷江陵。汭军士闻之溃归，汭愤怒投水而死。”

郑准，及第后居成汭幕近十年，本年九月前为汭所杀。《五代史补》卷一云：“后因汭生辰，淮南杨行密遣使致礼币之外，仍贶《初学记》一部。准愤然以为不可，谓汭曰：‘夫《初学记》，盖训童之书尔。今敌国交聘，以此书为贶，得非相轻之甚耶！宜书责让。’汭不纳，准自叹曰：‘若然，见轻敌国，是彰幕府之无人也。参佐无状，安可久。’遽请解职。汭怒其去，潜使人于途中杀之。”［按，郑准自乾宁元年（894）登第后即南依成汭，详乾宁元年谱］郑准有《渚宫集》。《新唐书·艺文志》、《崇文总目》卷一一、《通志·艺文略》八皆录为一卷。《宋史》卷二〇八《艺文志七》录为四卷。又《通志》同卷著录《郑准四六》一卷。集今皆佚。《全唐诗》卷六九四存诗五首，《全唐文》卷八四一录其文一篇。

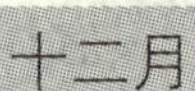

十二月

丙申，朱全忠指使汴州扈驾指挥使朱友谅杀崔胤、张濬、郑元规等唐室重臣，逼迁之谋开始实施。《旧唐书·昭宗本纪》天复三年十二月条载："丙申，制守司徒、侍中……上柱国、魏国公、食邑四千五百户崔胤责授太子宾客，守刑部尚书、兼京兆尹、六军诸卫副使郑元规责授循州司户。是日，汴州扈驾指挥使朱友谅杀胤及元规、皇城使王建勋、飞龙使陈班、阁门使王建袭、客省使王建乂、前左仆射上柱国河间郡公张濬。全忠将逼车驾幸洛阳，惧胤、濬立异也。"

张濬（？—903）为朱全忠差党羽暗杀于宅第。《旧唐书》卷一七九《张濬传》载："朱全忠将图篡代，惧濬构乱四方，不欲显诛，密讽张全义令图之。乃令牙将杨麟率健卒五十人，有如劫盗，围其墅而杀之，天复三年十二月晦夜也。"与《旧唐书·昭宗本纪》所载稍异而其实一也。濬亦擅文学。字禹川。宿州符离（今属安徽）人，郡望瀛州河间（今属河北）。排行三十四。张仲素孙。初应进士试，不得志，遂隐居学纵横术以干时。乾符中，枢密使杨复恭荐为太常博士。累转度支员外郎。中和元年（881）拜兵部郎中，进谏议大夫，署天下行营都统判官。光启三年（887）自兵部侍郎、诸道租庸使，拜同平章事。大顺二年（891）罢为鄂岳观察使，贬连州刺史。乾宁二年（895）为兵部尚书、天下租庸使。授尚书右仆射。拜尚书左仆射致仕。本年十二月被暗杀。濬性倜傥，涉猎文史，好大言。有《张濬表状》一卷，著录于《新唐书·艺文志四》，已佚。《全唐诗补编》存诗二首，《唐文拾遗》存文一篇。事迹见新、旧《唐书》本传。

宣州节度使田頵与淮南杨行密交战，败死。此前其幕客杨夔曾著《溺赋》以讽谏之，頵不顾，遂败。路振《九国志·田頵传》载："（田）頵善抚将卒，通商惠民。复疏财，爱乐文士，时游其门者杨夔、康耕、夏侯淑、殷文圭、杜荀鹤、王希羽。晚年杨夔知頵以兵赋自恃，将谋为变，夔著《溺赋》以讽之，頵终不顾，以致于败。"据《资治通鉴》卷二六四，本年八月四日頵与杨行密交恶，"十二月，乙亥，田頵死士数百出战，台濛阳退以示弱。頵兵逾濠而斗，濛急击之；頵不胜，还走城，桥陷坠马，斩之。"［按，台濛为杨行密将］胡注："景福元年（892），田頵镇宣州，至是而亡。"《九国志》卷一《台濛传》载："天复三年，田頵叛于宣州……冬十月，頵出州外求战，登桥马坠，为外军所杀。"所载田頵败死在十月，与《资治通鉴》异，今不取。

杨夔久为田頵幕僚，观田頵欲拥兵谋变，著《溺赋》以诫，然不为所用。頵败死，夔往依歙州刺史陶雅。（见《九国志》卷三《田頵传》、《十国春秋》卷一一）夔所著《溺赋》末云："元微子乃曰：始吾观涉水而溺，则恍然而内惕。今复闻不波而沉，则瞿然如大敌。且酒不可甘，甘之则沉，吾命酒曰甘波。色不可爱，爱之则溺，吾命色曰爱河。……士患不达之名，不立之身，苟达苟立，在守其真。何必竞升沉之路，争轻重之钩，狼子野心，暱之害人，吾命权曰狼津。噫！生于世，不溺于四水者，吾谓夫颜闵之伦。"

田頵败死后，康耕不知所终。軿著有《剧谈录》三卷，今仍传世。《郡斋读书志》卷三下"小说类"载录此书，且言"书载唐世故事"。《唐文拾遗》卷二三录《剧谈录序》。(详乾宁二年四月康骈条)《全唐诗》卷八九〇“词二”录其词一首。

殷文圭，田頵败死后，复事杨行密父子，为掌书记。据《九国志》卷三、《新唐书》卷一八九《田頵传》载，当日游其门者，亦有殷文圭。文圭乾宁五年(898)以朱全忠表荐及第后，即由汴宋路驰归。其游田頵幕当在此以后。《十国春秋》卷一一传称：“頵死，事太祖父子，掌书记，以文章著名。”

王希羽，七十五岁。田頵败死后不知所终。希羽天复元年避乱弃官归江南，往依田頵幕。本年田頵败死。王希羽则不知所终。(见《九国志》卷三《田頵传》、《十国春秋》卷一一)王希羽著述，《宋史》卷二〇八《艺文志七》“别集类”录《王希羽诗》一卷，今不传。《全唐诗》卷七一五仅录存其诗一首。

杜荀鹤先在宣州田頵幕，八月为頵遣出使大梁。及田頵败，遂依朱全忠，献《时世行》等诗。得全忠表荐，为翰林学士、主客员外郎。《旧五代史》卷二四传云：“及田頵遇祸，太祖以其才表之，寻授翰林学士、主客员外郎。”荀鹤献诗朱全忠事，诸书多有记载。《北梦琐言》卷六云：“唐杜荀鹤尝游梁，献太祖诗三十章，皆易晓也，因厚遇之。洎受禅，拜翰林学士，五日而卒。”又《鉴戒录》卷九《削古风》载：“梁朝杜舍人荀鹤为诗愁苦，悉干教化，每于吟讽，得其至理。如《赠僧》云：‘安禅不必须山水，灭得心头火自凉。’又‘利门名路两何凭，百岁风前短焰灯。只恐为僧心不了，为僧心了总输僧。’南宗睹之，传为心印。杜在梁朝，献朱太祖《时世行》十首，欲令太祖省徭役，薄赋敛。是时方当征伐，不洽上意，遂不见遇。旅寄寺中，敬相公翔谓杜曰：‘希先辈稍削古风，即可进身，不然者，虚老矣。’杜遂课颂德诗三十章，以悦太祖。议者以杜虽有玉堂之拜，顿移教化之词，壮志清名，中道而废。”又张齐贤《洛阳搢绅旧闻记》卷一《梁太祖优待文士》条载杜荀鹤谒朱全忠，数月方得一见。后得见，全忠掷骰子，意有所卜而不惬旨，遂“取骰子在手，大呼曰：‘杜荀鹤!’掷之，六只俱赤，乃连声命屈秀才。……梁祖顾陛下谓左右曰：‘似有雨点下。’令视之，实雨也。然仰首视之，天无片云，雨点甚大……(梁祖)谓杜曰：‘秀才曾见无云雨否?’荀鹤答言未曾见。梁祖笑曰：‘此所谓无云而雨，谓之天泣，不知是何祥也。’又大笑，命左右将纸笔来，请杜秀才题一篇《无云雨》诗。杜不敢辞……立成一绝，献之。……杜绝句云：‘同是乾坤事不同，雨丝飞洒日轮中。若教阴朗都相似，争表梁王造化功。’由是大获见知。”

本年

冯翊子《桂苑丛谈》约成书于本年之后。其书为志怪杂事集。《四库全书总目》卷一四二谓：“案《新唐书·艺文志》载《桂苑丛谈》一卷，注曰：‘冯翊子子休撰。’不著姓名。晁公武引李淑《邯郸书目》云：‘姓严。疑冯翊子其号，而子休其字也。’陈继儒刻入秘笈，乃题为‘唐子休冯翊著’，颠倒其文，误之甚矣。其书前十条载咸通以后鬼神怪异及琐细之事，后为史遗十八条。……其甘露亭一条，称吴王收复浙右之岁者，当为昭宗天复二年，时始封杨行密为吴王，故子休以此称之。然则是书作者，其江南人欤?”

陶谷(903—970)**生**。谷,唐彦谦孙,后晋时避石敬瑭讳改姓陶。字秀实,小名铁牛,邠州新平(今陕西彬县)人。《南部新书》卷癸:"陶谷,小名铁牛,李涛常有书与之曰:'每至河源,即思令德。'唐彦谦之孙也,以石晋讳,改姓焉。"《宋史》卷二六九《陶谷传》云:"陶谷字秀实,邠州新平人。本姓唐,避晋祖讳改焉。历北齐、隋、唐为名族。祖彦谦,历慈、绛、澧三州刺史,有诗名,自号鹿门先生。父涣,领夷州刺史,唐季之乱,为邠州刺史杨崇本所害。时谷尚幼,随母柳氏育崇本家。"十余岁,以能文授单州军事判官。累迁监察御史。后晋开运元年(944)由虞部员外郎、知制诰改仓部郎中、知制诰。责授太常少卿。拜中书舍人。后汉时官给事中。后周显德元年(954)以户部侍郎充翰林学士。奉诏撰《为君难为臣不易论》、《平边策》,主张出兵平定江、淮。迁兵部侍郎,充翰林学士承旨。改吏部侍郎充职。入宋,官至户部尚书。开宝三年(970)卒。博学,善隶书,工诗文。有《陶谷集》十卷,著录于《宋史·艺文志七》,已佚。又有《清异录》二卷,《直斋书录解题》以为系假托其名。《全唐文》存文八篇,《唐文拾遗》补二篇;《全唐诗补编》存诗一首、断句七句、词一首。另《全宋文》存文二十三篇。事迹见《宋史》本传。参《旧五代史》之《晋少帝本纪》、《周世宗本纪》。

徐铉(916—991)**生**。铉,字鼎臣。世为会稽(今浙江绍兴)人,父延休为吴江都少尹,遂家广陵(今江苏扬州)。(见《十国春秋》)初仕吴为校书郎,后仕南唐。中主时,累迁中书舍人。后主时,历官礼部、兵部侍郎,翰林学士,吏部尚书。入宋为太子率更令、给事中、散骑常侍。淳化二年(991)贬静难军行军司马,是年卒。《徐公文集》附李昉《大宋故静难军节度行军司马检校工部尚书东海徐公墓志铭》云:"公字鼎臣,其先会稽人,自言生于扬州。"又云:"以淳化二年秋九月检校工部尚书,出为静难军节度行军司马。明年八月二十六日辰时,起方冠带,遵命笔砚,……书讫而终,年七十六。"铉博学多才,参与《太平广记》等书编写。工诗善文,冠绝一时。与其弟锴齐名,号"二徐",又与韩熙载并称"韩徐"。纪昀称其诗"流易有余,而深警不足"。(《四库全书总目》卷一五二)有《骑省集》三十卷,今存。又著有《稽神录》六卷,为神怪传奇集,鲁迅评曰:"其文平实简率,既失六朝志怪之古质,复无唐人传奇之缠绵。"(《中国小说史略》第十一篇)集已散佚,但大部分条文保存于《太平广记》中。另与汤悦合撰《江南录》十卷,已佚。事迹见宋李昉《东海徐公墓志铭》、马令《南唐书》卷二三、《宋史》卷四、《书小史》卷一〇、《宣和书谱》卷二及《十国春秋》卷二八等。胡克顺有《徐公行状》。

冯延巳(903—960)**生**。五代词人。巳,一作嗣。字正中。广陵(治今江苏扬州)人。南唐烈祖李昇开国,授秘书郎,为李璟吴王元帅府掌书记。李璟即位,拜谏议大夫、翰林学士,迁户部侍郎、翰林学士承旨,进中书侍郎。保大四年(946),同平章事、集贤殿大学士。明年三月,以伐福州兵败,上表自咎,并遭弹劾,罢为太子少傅。六年(948)正月,出为昭武军节度使,镇抚州,封境绥远,声猷茂达。十年(952)三月召为左仆射,与右仆射孙晟并相而不相能。李璟悉以庶政委之。力救萧俨,为人所称。后以湖湘之地尽失,自劾罢相,旋复。卒以周师大入,尽失江北之地,罢为太子少傅。终太子太傅。或谓其自结党羽,排间异己,专蔽嫉妒,奸佞险诈,乃朋党攻伐之辞，未可轻信。延巳能书，工诗，虽贵且老不废，尤喜作乐府词，有《阳春集》一卷，去其误收者，尚存百余阕。存词之多，居唐五代词人之首。冯词也以写女人相思居多。但与花间词人侧重于描绘妇女外貌、服饰者不同，而能着意探索、抒写人物心灵奥秘，时或暗寓自己的怀抱和对时世的感触。词里往往或隐或现地渗透着词人俯仰身世，有感于韶华消逝、盛筵易散，而产生的抑郁惝恍、惘然自失而又无由解脱的烦恼和忧伤。这正是那个忧愁风雨的时代和词人处境孤危的折光投影。词风清新流丽，委婉情深。长于以景托情，即兴抒情。其代表作《鹊踏枝》（“六曲阑干”、“庭院深深”、“谁道闲情”、“几日行云”）四首，情致缠绵，蔼然动人。《谒金门》（“风乍起”），抒情写意曲折层深，内涵迷离，归趣难求。王国维《人间词话》曾以“和泪试严妆”，喻其词品；谓“深美闳约”四字“唯冯正中足以当之”，又说“冯正中词虽不失五代风格，而堂庑特大，开北宋一代风气”。另外，如《长命女》（“春日宴”）风格清新，与民歌相近。刘熙载《艺概·词曲概》谓：“冯延巳词，晏同叔得其俊，欧阳永叔得其深。”就对北宋词坛影响论，冯延巳可与温庭筠、韦庄鼎足而立。况周颐《历代词人考略》卷四更谓《阳春》一集，为临川、珠玉所宗，愈瑰丽，愈醇朴。南宋名家，沾丐膏馥，辄臻上乘。《全唐诗》存诗一首，《全唐诗补编》补三首一句；《全唐文》、《唐文拾遗》存文二篇。事迹见马令及陆游《南唐书》本传、夏承焘《唐宋词人年谱·冯正中年谱》。

公元904年（唐昭宗天复四年　唐哀宗天祐元年　甲子）

正月

己酉，朱全忠上表迫昭宗迁都洛阳，长安居民迁往。丁巳，车驾发京师。后途次华州，癸亥，抵陕州。《旧唐书·昭宗本纪》天祐元年正月己酉载：“朱全忠率师屯河中，遣牙将寇彦卿奉表请车驾迁都洛阳。全忠令长安居人按籍迁居，彻屋木，自渭浮河而下，连甍号哭，月余不息。秦人大骂于路曰：‘国贼崔胤，召朱温倾覆社稷，俾我及此，天乎！天乎！丁巳，车驾发京师。癸亥，次陕州。”《资治通鉴》卷二六四亦记此事而稍详：“己酉，全忠引兵屯河中。丁巳，上御延喜楼。朱全忠遣牙将寇彦卿奉表，称邠、岐兵逼畿甸，请上迁都洛阳；及下楼，裴枢已将全忠移书，促百官东行。戊午，驱徙士民，号哭满路，骂曰：‘贼臣崔胤召朱温来倾覆社稷，使我曹流离至此！’老幼襁属，月余不绝。壬戌，车驾发长安，全忠以其将张廷范为御营使，毁长安宫室百司及民间庐舍，取其材，浮渭沿河而下，长安自此遂丘墟矣。”“甲子，车驾至华州，民夹道呼万岁，上泣谓曰：‘勿呼万岁，朕不复为汝主矣！’馆于兴德宫，谓侍臣曰：‘鄙语云：纥干山头冻杀雀，何不飞去生处乐。朕今漂泊，不知竟落何所！’因泣下沾襟，左右莫能仰视。”又《北梦琐言》卷十五亦记昭宗被劫迁东洛，“既入华州，百姓呼万岁，帝泣谓百姓曰：‘百姓勿唱万岁，朕弗能与尔等为主也。’沿路有《思帝乡》之词，乃曰：‘纥干山头冻杀雀，何不飞去生处乐？况我此行悠悠，未知落在何所？’言讫，泫然流涕。”［按，据《旧唐书·昭宗本纪》、《资治通鉴》、崔胤本传载，昭宗出长安前，朱全忠已密遣兵围宰相崔胤第，杀之］

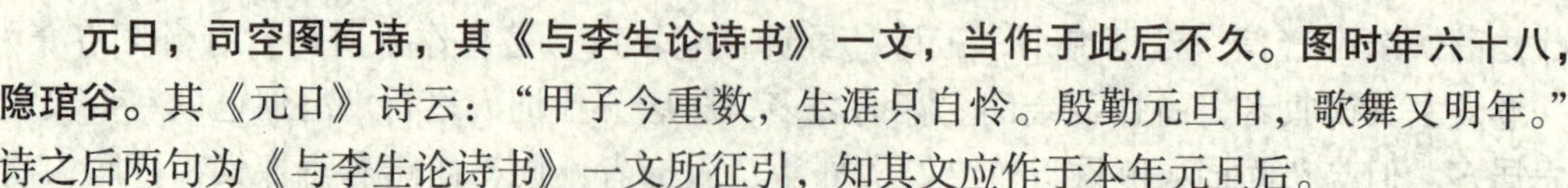

元日，司空图有诗，其《与李生论诗书》一文，当作于此后不久。图时年六十八，隐瑄谷。其《元日》诗云："甲子今重数，生涯只自怜。殷勤元旦日，歌舞又明年。"诗之后两句为《与李生论诗书》一文所征引，知其文应作于本年元旦后。

新正，王建登福感寺塔，贯休陪侍，赋诗三首颂之。贯休时年七十二，其《蜀王登福感寺塔三首》其一云："天资忠孝佐金轮，香火空王有宿因。此世喜登金骨塔，前生应是育王身。封疆岁暮笙歌台，襦袴正初锦绣新。释子沾恩无以报，只擎章句贡平津。"其三云："喜欢烝庶皆相逐，惆怅銮舆尚未回。金铎撼风天乐近，仙花含露瑞烟开。"（见《全唐诗》卷八三五）［按，"銮舆"句即指是时昭宗被劫迁事］

郑谷闻全忠迫昭宗迁都洛阳，寄诗司勋员外郎张茂枢，抒其忧患时局之胸臆。谷《寄司勋张员外学士》诗：平昔偏知我，司勋张外郎。昨来闻俶扰，忧甚欲颠狂。烟暝搔愁鬓，春明赖酒乡……"（见《全唐诗》卷八四八）［按，张员外即张茂枢，此时为司勋员外郎，本年七月迁礼部郎中］诗云："闻俶扰"，"忧欲狂"，即担心昭宗性命安危之谓。

二月

尚书左丞杨涉知贡举。李旭、董全祯、许昼、卢程、刘岳、王澥、陈用拙、陈咏、姚颉、赵颀、刘明济、窦专、李慎微（李谨微）等二十六人登进士第。

李旭，生卒年不详，本年进士及第。《永乐大典》引《宜春志》："李旭登天复四年进士第。"《唐诗纪事》卷七一李旭条载："旭《及第后呈朝中知己》云：'凌晨晓鼓奏嘉音，雷拥龙吟出陆沉。金榜高悬当玉阙，锦衣即著到家林。真珠每被尘泥陷，病鹤多遭蝼蚁侵。今日始知天有意，还教雪得一生心。'"

董全祯，生卒年不详，本年进士及第。四库本《江西通志》卷四十九《选举·唐》："天复五年进士：李旭，袁州人。董全祯，德兴人，殿中御史。"［按，"天复五年"，误］《明一统志》卷五十《饶州府·人物·唐》："董全祯，德兴人，天祐中为御史兼八寨将首。"《万姓统谱》卷六十八同。《江西通志》卷一〇九《祠庙·饶州府·祠》："董端公祠，在德兴县八都。唐季黄巢之乱，御史董全祯与贼战死，乡人祀之，苏轼题额。忠贤祠，在德兴之长丰里，祀董全祯，董鼎。"同书卷一一〇《邱墓·饶州府·唐》："御史董全祯墓在德兴县八都。"

许昼，生卒年不详，本年进士及第。《唐摭言》："许昼者，睢阳人也。薄攻五字诗。天复四年，大驾东幸，驻跸甘棠，昼于此际及第。梁太祖长子号大卿郎君者，常与昼属和。昼以卿为奥主，随驾至洛下，携同年数人醉于梁祖私第。因折牡丹十许朵，主吏前白云：'凡此花开落，皆籍其数申令公，秀才奈何恣意攀折?'昼谩骂久之。主吏衔之，潜遣一介驰报梁祖，梁祖闻之，颇睚眦，独命械昼而献。于时大卿窃知，间道先遣使至，昼遂亡命河北，莫知其止。"

卢程，生卒年不详，本年进士及第。《旧五代史》："卢程，天复末登进士第。"《北梦琐言》："卢程擢进士第，为庄皇帝河东判官。"

刘岳，生卒年不详，本年进士及第。《新五代史》本传："岳字昭辅，洛阳人。唐民部尚书政会之八代孙，崇龟、崇望其诸父也……敏于文词……举进士。”［按，岳为刘符之孙，珪之子］《旧五代史》本传：“岳少孤，亦进士擢第。”《邵氏闻见录》卷十六：“（刘）崇珪子岳，天复四年登进士第，事后唐明宗为吏部侍郎，赠司徒。”

王澥，生卒年不详，本年进士及第。宋《尹洙集》：“陕郡开元寺建初院有进士登科、题名二记在焉。其一题云：天复四年，左丞杨涉下进士二十六人。实唐昭宗迁洛改元天祐岁，驻跸于陕，杨涉丞相所放进士榜第十四人王公讳澥之嗣子工部追书也。其一题云：咸平元年，翰林学士杨砺下进士五十一人。第九人刘公，刘公大父太常卿岳，前天复榜中第十一人。”

陈用拙，生卒年不详，本年进士及第。《十国春秋》：“陈用拙本名拙，连州人，用拙其字也。少习礼乐，工诗歌，长遂以字显。唐天祐元年擢进士，授著作郎。”明黄佐《嘉靖广东通志》：“陈拙，字用拙，以字显，连州人。唐天祐元年擢进士第。”又见《粤诗搜逸》卷一。

陈咏，生卒年不详，本年进士及第。《北梦琐言》卷七：“唐前朝进士陈咏，眉州青神人。有诗名，善弈棋。昭宗劫迁，驻跸陕郊，是岁策名归蜀，韦书记庄以诗贺之。”

姚颋，生卒年不详，本年进士及第。《新五代史》本传：“颋字百真，京兆长安人。司空图以女妻之。举进士。”《旧五代史》本传：“颋唐末随计入洛，出游嵩山，有白衣丈夫拜于路侧，请为童仆，颋辞不纳。乃曰：‘鬼神享于德，君子孚于信。余则鬼也，将以托贤者之德，通化工之信，幸无辞焉。昔余掌事阴府，承命摄人之魂气，名氏同而其人非，且富有寿算，复而归之，则筋骸已败，由是获谴，使不得为阳生。公中夏之相辅也，今为谒中天之祠，若以某姓名求之，神必许诺。’颋为虔祷而还。白衣迎于山下曰：‘余免其苦矣。’拜谢而退。次年，擢进士第。”［按，《旧唐书》本纪：“天祐元年六月，前进士姚颋为校书郎，前进士赵颀、刘明济、窦专并秘书省校书郎、正字。”］

赵颀，生卒年不详，本年进士及第。

刘明济，生卒年不详，本年进士及第。

窦专，生卒年不详，本年进士及第。

李慎微（李谨微），生卒年不详，本年进士及第。天一阁［嘉靖］《德庆州志》卷十五《人物传·唐》：“李谨微，晋康人，天祐年间进士，授番禺尹。之任夜，泊三洲，遇渔父示以高尚云林之语，遂隐不仕。”日本藏［万历］《粤大记》卷二十五：“李谨微，德庆人。天祐年进士，授番禺令。”《广东通志》卷三一天祐进士著录“李瑾微”，即《新唐书·宰相世系表》所载“璋子慎微”。《全唐诗补编·续拾》卷三十五据《会稽掇英总集》录“李慎微”诗一首，小传据《新唐书》卷七二《宰相世系表》、同治《广东通志》卷二九六言慎微“天祐元年进士”。［按，“慎微”、“谨微”实即一人，盖宋人避孝宗讳而改“慎”为“谨”，如洪迈《万首唐人绝句》即改“李慎言”为“李谨言”。

唐休复明经科登第。四部丛刊本《欧阳文忠公文集》卷二十五《右班殿直赠右羽林军将军唐君（拱）墓表》：“府君讳拱，字某，（原注：“一无某字。”）其先晋原人，

后徙为钱塘人。曾祖讳休复，唐天复中皋明经，为建威（原注："一作武"。）军节度推官。"［按，天复凡四年，元年为光化五年四月改，二年、三年停贡举，故系于本年］

知贡举：尚书左丞杨涉。《唐摭言》："天祐元年，杨涉行在陕州放榜，后大拜。"

韩偓在湖南，隐岳麓西畔，曾过青草湖边，遇春雪，有《访同年虞部李郎中》、《赠渔者》、《春阴独酌寄同年虞部李郎中》、《小隐》、《雪中重湖信笔偶题》等诗。（均见《全唐诗》卷六八〇）前三诗诗题下均有小注："在湖南。"其《访同年虞部李郎中》又注："天复四年二月"，诗云："策蹇相寻犯雪泥，厨烟未动日平西。……地炉贳酒或狂醉，更觉襟怀得丧齐。"《赠渔者》中云："我亦好闲求老伴，莫嫌迁客且论交。"《春阴独酌寄同年虞部李郎中》云："春阴漠漠土脉润，春寒微微风意（一作气）和。……诗道揣量疑可进，宦情刓缺转无多。酒酣狂兴依然在，其奈千茎鬓雪何。"偓《小隐》诗自云寓居岳麓西畔："借得茅斋岳麓西，拟将身世老锄犁。清晨向市烟含郭，寒夜归村月照溪。炉为窗明僧偶坐，松因雪折鸟惊啼。灵椿朝菌由来事，却笑庄生始欲齐。"其《雪中过重湖信笔偶题》叙及早春风雪途中之沉重心情，诗中喟叹："道方时险拟如何，谪去甘心隐薜萝。青草湖将天暗合，白头浪与雪相和。旗亭腊酎逾年熟，水国春寒（一作帆）向晚多。处困不忙仍不怨，醉来唯是欲傞傞。"［按，青草湖在湖南巴陵县南七十九里（据《元和郡县图志》卷二七），时当因事沿湘江外游所经］

三月

孟春，罗隐在镇江遇故人李侍郎，感慨赋诗。时罗隐年七十二，仍任职于钱镠两浙幕。罗隐《京口见李侍郎》诗："怪怪江柳欲矜春，铁瓮城边见故人。屈指不堪言甲子，披风常记是庚申。别来且喜身俱健，乱后休悲业尽贫。……"（见《罗隐集·甲乙集》卷三）

四月

朱全忠奏洛阳宫室已成，请车驾早发。（见《资治通鉴》卷二六三）

癸巳，帝遣晋国夫人可证传诏谕全忠，言中宫诞蓐未安，取十月入洛阳宫。全忠意上迟留俟变，怒甚。谓牙将寇彦卿曰："亟往陕州，到日便促官家发来！"（见《旧唐书·昭宗本纪》）

唐封王审知为琅琊王。《十国春秋》卷九〇《闽太祖世家》："天祐元年四月，唐遣右拾遗翁承赞加（王）审知检校太保，封琅琊王，食邑四千户，食实封一百户。"宋路振《九国志》卷一〇《闽太祖》云："天祐元年四月，封琅琊郡王。"五代钱昱《忠懿王庙碑文》云："天祐元年夏四月，封琅琊郡王，食实封一百户。"（载《全唐文》卷八四一）［按，天祐元年册封王审知事，两《唐书》及《资治通鉴》均未载，惟见以上诸书］

翁承赞奉使福州，册封王审知为琅琊王。有《访建阳马驿僧亚齐》、《天祐元年以右拾遗使册闽王而作》、《甲子岁衔命到家至榕城册封次日闽王降旌旗于新丰市堤饯

别》、《奉使封王次宜春驿》等诗。（均见《全唐诗》卷七〇三）《唐诗纪事》卷六三翁承赞条载："萧萧风雨建阳溪，溪畔维舟见亚齐。一轴新诗剑潭北，十年旧识华山西。今魂惜向江村老，空性元知世路迷。应笑乘轺青琐客，此时无暇听猿啼。右（上）承赞诗。承赞，字文尧，闽人。唐末为谏议大夫使福州，至剑浦见旧识曾亚齐赠此章。"

黄滔年约六十五，仍在闽为威武军节度推官。时右拾遗翁承赞奉使至闽，二人相得甚欢。承赞北还时，滔作《送翁拾遗》以赠。诗云："还家俄（一作还）赴阙，别思肯凄凄。山坐轺车看，诗持谏笔题。……拜舞吾君后，青云更有梯。"（见《全唐诗》卷七〇四）

闰四月

丁酉，车驾发陕州，昭宗被迫迁往洛阳。途中，随从供奉小儿二百人，皆被朱全忠坑杀。自此，帝前后侍卫执掌皆易为汴人，昭宗已无任何行动自由。《旧唐书·昭宗本纪》本年闰四月载："丁酉，车驾发陕州。壬寅，次谷水行宫。时崔胤所募六军兵士，胤死后亡散并尽，从上东迁者，唯诸王、小黄门十数，打毬供奉内园小儿共二百余人。全忠在陕，仍虑此辈为变，欲尽去之，以汴卒为侍卫。至谷水顿，全忠令医官许昭远告内园等谋变，因会设幄，酒食次并坑之，乃以谋逆闻。由是帝左右前后侍卫职掌，皆汴人也。（参《资治通鉴》卷二六四）

乙巳，昭宗御光正门大赦天下，改天复四年为天祐元年。制曰："思拯艰难，实资材干，尚虑非常之士，犹怀自进之嫌。苟或失人，焉能致理！倘有怀才换德、隐遁山林，武艺绝伦、湮沉卑贱者，仰所在长吏察访奏荐。如得才实，当待以不次之位。"（见《旧唐书》本纪、《册府元龟》）

赵光逢退居洛阳六七年后，复起，官至太常卿。《旧唐书》传云："昭宗迁洛，起为吏部侍郎，复为左丞，历太常卿。"

卢汝弼时官祠部郎中、知制诰。随昭宗迁洛，旋遁归晋阳。《旧五代史》卷六〇传云："昭宗自秦迁洛，时为祠部郎中、知制诰。时梁祖凌弱唐室，殄灭衣冠，惧祸渡河，由上党归于晋阳。"《新五代史》本传所载同。

李琪，约三十一岁。避乱荆楚间，自号"华原李长官"。《北梦琐言》卷六载："梁相国琪，唐末以文章策名，仕至御史。昭宗播迁，衣冠荡析，因与弘农杨玢藏迹于荆楚间。杨既溯蜀，琪相盘桓于夷道之清江，自晦其迹，号'华原李长官'。其堂兄光符宰宜都，尝厌薄之。琪相寂寞，每临流跋石，摘树叶而试草制词，吁嗟怏怅，而投于水中。梁祖受禅，征入拜翰林学士。寻登廊庙，尔后宜都之子彬，羁旅渚宫，因省相国，乃数厥父之所短而遣之矣。"

五月

韩偓自长沙抵醴陵，道旁睹紫薇花而怀念翰林旧事，遂赋诗。其《家书后批二十八字》约此时之作。偓《甲子岁夏五月自长沙抵醴陵贵就深僻以便疏慵由道林之南步步胜绝去绿口分东入南小江山水益秀村篱之次忽见紫薇花因思玉堂及西掖厅前皆植是

花遂赋诗四韵聊寄知心》诗云："职在内庭宫阙下，厅前皆种紫薇花。眼明忽傍渔家见，魂断方惊魏阙赊。"（见《全唐诗》卷六八二）又《家书后批二十八字》诗，题下注："在醴陵，时闻家在登州。"

郑谷以时局混乱，决意退隐故园宜春。曾虚中亦有《献郑都官》诗，劝其弃官退隐，概作于此时前后。（参傅义《郑谷年谱》）虚中《献郑都官》诗云："早晚辞班列，归寻旧隐峰。代移家集在，身老诏书重。……何当答群望，高蹑傅岩踪。"（见《全唐诗》卷八四八）

七月

冯涓在王建西川节度判官任，上《谏代李茂贞》谏止王建兴兵；又借献《生日颂》谏止厚敛，均被采纳。《资治通鉴》本年"西川诸将劝王建乘李茂贞之衰，攻取凤翔。建以问节度判官冯涓，涓曰：'兵者凶器，残民耗财，不可穷也。……不若与之和亲，结为婚姻，无事则务农训兵，保固疆场。有事则觇其机事，观衅而动，可以万全。'……乃与茂贞修好。"又载："王建赋敛重，人莫敢言。冯涓因建生日献颂，先美功德，后言生民之苦。建愧谢曰：'如君忠谏，功业何忧？赐之金帛。自是赋敛稍损。"

八月

朱全忠令朱友恭、氏叔琮、蒋玄晖等弑昭宗于洛阳。帝殂，享年三十八岁。本月，全忠令昭宗第九子辉王祚为帝，更名柷，史称哀帝。年方十三岁。《资治通鉴》卷二六五天祐元年八月记："壬寅，帝在椒殿，（蒋）玄晖选龙武牙官史太等百人夜叩宫门，言军前有急奏，欲面见帝。……帝方醉，遽起，单衣绕柱走，史太追而弑之。（李）渐荣以身蔽帝，太亦杀之。又欲杀何后，后求哀于玄晖，乃释之。……癸卯……立辉王祚为皇太子，更名柷，监军国事。又矫皇后令，太子于柩前即位。……丙午，昭宣帝即位，时年十三。"《资治通鉴》载"时李茂贞、杨崇本、李克用、刘仁恭、王建、杨行密、赵匡凝移檄往来，皆以兴复为辞"，朱全忠"恐变生于中，欲立幼君，易谋禅代"，故谋杀昭宗。

徐夤在闽，有《寄卢端公同年仁炯时迁都洛阳新立幼主》诗，抒发昭宗迁都洛阳、被杀及新立幼主之悲慨。诗云："上阳宫阙翠华归，百辟伤心序汉仪。昆岳有炎琼玉碎，洛川无竹凤凰饥。……惆怅宸居远于日，长吁空摘鬓边丝。"（见《全唐诗》卷七〇九）

九月

郑谷已在归隐宜春途中，舟行夏口，有《舟行》、《重阳夜旅怀》等作。其《舟行》诗云："九派迢迢九月残，舟人相语且相宽。……蓼水白波喧夏日，柿园红叶忆长安。季鹰可是思鲈脍，引退知时自古难。"谷又有《重阳夜旅怀》："强插黄花三两枝，还图一醉浸愁眉。半床斜月醉醒后，惆怅多于未醉时。"（均见《全唐诗》卷六七六）

十二月

韩偓冬中在醴陵，有咏梅花诗三首以寓意。其《梅花》云："梅花不肯傍春光，自向深冬著（一作有）艳阳。……风虽强暴翻添思，雪欲侵凌更助香。应笑暂时桃李树，盗天和气作年劳。"又《湖南梅花一冬再发偶题于花援》："湘浦梅花两度开，直应天意别载培。玉为通体依稀见，香号返魂容易回。寒气与君霜里退，阳和为尔腊前来。夭桃莫倚东风势，雕鼎何曾用不材。"又《早玩雪梅有怀亲属》："北陆候才变，南枝花已开。……冻白雪为伴，寒香风是媒。何因逢越使，肠断谪仙才。"［按，后一首约作于十一月前后冬中］

本年

唐封刘隐为清海军节度使，南汉政权之根基已定。《十国春秋》卷五八："天祐元年……全忠乃奏隐为清海军节度使。……二年，唐加隐同平章事。"《九国志》卷九记南汉政权始末云："唐天祐元年，烈祖（即刘隐）为广州节度使，至后主（刘鋹）大宝十四年国灭，凡六十七年。断自高祖（刘龑）乾亨元年为始，凡四主，实五十五年。"

陈用拙奉使广州，为刘隐留于幕。《十国春秋》卷六二《陈用拙传》："陈用拙，本名拙，连州人，用拙其字也。少习礼乐，工诗歌，长遂以字显。唐天祐元年擢进士第，授著作郎。心恶梁王全忠所为，假使节南归，加烈宗（隐）清海节度、同平章事，烈宗（隐）留用之。"（参《十国春秋》卷五八《南汉世家》）

王延彬，王审知从子，泉州刺史王审邽子。本年审邽卒，承继父位刺泉州。审邽、延彬父子皆好延揽文士。《十国春秋》卷九四《王审邽传》云："审邽，字次都，太祖仲兄也。乾宁元年，权泉州刺史，三年实授……中原乱，公卿多来依闽，审邽遣子延彬作招贤院礼之，赈以财……卒，谥武肃王。葬于晋江皇积山，徐夤撰墓碑文。"《五国故事》卷下云："延彬，主［按，当作邽］之子，忠懿王犹子也。圭死袭其父，封于泉州。"《十国春秋·王延彬传》载："天祐初，太祖承制加平卢节度使，权知泉州军州事，二年实授。"徐夤、陈乘、倪曙、陈洪等皆在其幕十余载。

徐夤约本年离开王审知幕，往泉州依王延彬，与延彬、陈乘、郑良士等诗酒唱酬。并为王延彬父王审邽撰墓碑文。徐师仁《徐公钓矶文集序》引《九国志》本传云："王审知闻之，辟居幕下，而礼待简略，内不能平。一旦拂衣去，曰：'丈尺之水，前陂后堰，安能容万斛之舟乎！'寻归隐，慨然有长往之志。王延彬刺泉州，每同游赏，及陈乘、倪曙等赋诗酣酒为乐。凡十余年，求还所居。"夤《自咏十韵》亦曰："温陵十载佐双旌。"（见《全唐诗》卷七一一）温陵即泉州之别称。（见《方舆胜览》卷一二）《闽书》卷二〇五谓徐夤"归则卜居延寿溪上，泉州刺史延彬招致之，如布衣交"。夤本年延彬游处，延彬父审邽卒，夤为撰墓碑文。《十国春秋》卷九四《王审邽传云》："（审邽）卒……葬于晋江皇积山，徐夤撰墓碑文。碑文有'皇者天皇，积者勋积'之语，人以为献谈。"

陈乘，自秘书郎退乡里，与王延彬及幕客唱和。《闽书》卷二〇五谓："陈乘，仕秘书郎，退居里中，与王延彬、郑良士、徐夤辈以诗唱和。”

倪曙，本年后依王延彬。《十国春秋》卷六二本传云，倪曙于光启元年及第后即归隐乡里，“会闽王从子延彬刺泉州，雅好宾客，曙与徐夤、陈郯（当为淡）等赋诗饮酒为乐。未几，西游岭表”。

魏博节度使罗绍威本年受封为邺王。绍威喜延揽文士。《旧唐书》卷一八一本传云：“天复末，累加至检校太傅、兼侍中、长沙王。天祐初，授检校太尉、守侍中，进封邺王。”诸载籍多谓绍威好文学。《新唐书·罗绍威传》：绍威“伏膺儒术，招纳文人，聚书至万卷。每花朝月夕，与宾佐赋咏，甚有情致”。罗绍威之好文，热心延揽文士，在唐末割据混乱之局势下殊为难得。《唐诗纪事》卷六一罗绍威条即记其事云：“唐末，……（罗绍威）喜为诗，江东罗隐有诗名，绍威厚礼之，与通属籍。目己所为诗号《偷江东集》。如楼前淡淡云头日，帘外萧萧雨脚风，无愧隐矣。”又记“罗隐赠绍威诗云：寒门虽得在诸宗，栖北巢南恨不同。马上固惭销髀肉，幄中犹羡愈头风。蹉跎岁月心仍切，迢递江山梦未通。深荷吾人有知己，好将刀笔当英雄。”［按，是诗即罗隐于梁开平元二年间所作之《魏博罗令公附卷有回》（《罗隐集·甲乙集》卷六］

罗衮有文答魏博节度使罗绍威，盛赞绍威之好文。其《答魏博罗太尉启》中云：“太尉二十二叔学擅鸿儒，词摛丽藻。临戎按节，全忘掌武之尊……但记为文之客。”（见《全唐文》卷八二八）

郑谷本年归隐宜春，其《雪中偶题》盖此时前后作。诗云：“乱飘僧舍茶烟湿，密洒高楼酒力微。江上晚来堪画处，渔人披得一蓑归。”［按，此诗为郑谷名作］谷亦曾有《余尝有雪景一绝为人所讽吟段赞善小笔精微忽为图画以诗谢之》诗言及，中云：“赞善贤相后，家藏名画多。留心于绘素，得意在烟波。……爱余风雪句，幽绝写渔蓑。”宋郭若虚《图画见闻志》卷五《雪诗图》引《雪中偶题》，又云：“时人多传诵之。段赞善善画，因采其诗意图写之。”

虚中本年曾作《献郑都官》诗劝郑谷归隐，此后行踪难以确考，有《流类手鉴》。其与马希振往还事约在本年前后。《郡阁雅谈》、《诗话总龟》前集卷十引载：“僧虚中，宜春人，游潇湘山，与齐己、颜栖赡为诗友，住湘江西宗成寺。潭州马氏子希振侍中，好事，每出，即延纳于书阁中，好烧柴火，烟昏彩翠，去后复饰。《题马侍中池亭》云：‘嘉鱼在深处，幽鸟立多时。’”《十国春秋·虚中传》：“与王子希振情好甚笃。……尝题希振池亭，多佳句，诗云：嘉鱼在深处，幽鸟立多时，希振大加称赏。”《郡斋读书志》卷四中著录虚中《碧云诗》一卷，《直斋书录题解》卷二二又记其《流类手鉴》一卷。［按，此书《全唐文》未收，见于宋《吟窗杂录》卷一三，其序云：“夫诗道幽远，理入玄微，凡俗罔知，以为浅近。为诗之人，心合造化，言含万象，且天地日月，草木烟云，皆随我用，合我晦明，此则诗人之言，应乎物象，岂可易哉！”可见其论诗之旨。唯作年不可考，今姑系于此］

黄损，字益之，连州人。郑谷南归，黄损与之游，且与齐己等共定近体诗格。《诗话总龟》前集卷一〇引《雅言系述》云：“黄损，连山人。”（参《五代史补》卷二、《十国春秋》卷六二）《诗人玉屑》卷二《进退格》条引《湘素杂记》云：“郑谷与僧齐己、黄损等，共定近体诗格云：凡诗用韵有数格，一曰葫芦、一曰辘轳、一曰进退。

葫芦韵者，先二后四；辘轳韵者，双出双入；进退韵者，一进一退，失此则缪矣。”

僧齐己来宜春与郑谷切磋诗艺，拜谷为一字师。宋潘若冲《郡阁雅谈》（《诗话总龟》卷十一《苦吟》门引）记：“僧齐己往袁州谒郑谷，献诗曰：‘高名喧省闼，雅颂出吾唐。叠巘供秋望，飞云到夕阳。自封修药院，别下着僧床。几许朝中事，久离鸳鹭行。’谷览之云：‘请改一字，方得相见。’经数日再谒，称已改得诗，云：‘别扫着僧床。’谷嘉赏，结为诗友。”又《五代史补》卷三《僧齐己》条所记类似而有异，云：“郑谷在袁州，齐己因携所为诗往谒焉。有《早梅》诗曰：‘前村深雪里，昨夜数枝开。’谷笑谓曰：‘数枝非早，不若一枝则佳。’齐己矍然，不觉兼三衣叩地膜拜。自是士林以谷为齐己一字之师。”又齐己集中尚有与郑谷有关及在宜春之诗作，或即作于此时前后。如《题郑郎中谷仰山居》（《全唐诗》卷八四四）中云：“王维爱甚难抛画，支遁怜多不惜钱。巨石尽含金玉气，乱峰深锁栋梁烟。”《次韵酬郑谷郎中》（《全唐诗》卷八三九）中云：“林下高眠起，相招得句时。开门流水入，静话鸳鸯知。”《和郑谷郎中幽栖之什》（《全唐诗》卷八四〇），《寄郑谷郎中》（同上），云：“诗心何以传，所证自同禅。觅句如探虎，逢知似得仙。神清太古在，字好雅风全。曾沐星郎许，终惭是斐然。”《寄孙辟呈郑谷郎中》（《全唐诗》卷八四一）中云：“衡岳去都忘，清吟恋省郎。淹留才半月，酬唱颇盈箱。”又有《永夜感怀寄郑谷郎中》（《全唐诗》卷八三八》）中云：“展转复展转，所思安可论。……生来苦章句，早遇至公言。”又《寄郑谷郎中》（《全唐诗》卷八四五）中云：“南岸郡钟凉度枕，西斋竹露冷沾莎。还应笑我降心外，惹得诗魔助佛魔。”

孙鲂约本年或之后从郑谷学诗于宜春，颇有郑体。

马令《南唐书·孙鲂传》：“孙鲂字伯鱼，性聪敏好学。唐末都官员外郎郑谷避乱归江淮，鲂从之游。故其所吟诗，颇有郑体。”《江南野史》卷七：“孙鲂，世为南昌人，家贫好学。（及）长，会唐末丧乱，都官郎郑谷亦避乱归宜春，鲂往师之，颇为诱掖，后有能诗（之）名。”

郑遨（854—939）举进士不第，弃家入少室山学道，其确年难考，事在昭宗朝，今暂系于此。遨与李道殷、罗隐之友善，时人呼为三高士。《旧五代史》卷九三《郑遨传》云：“郑云叟，本名遨，云叟其字也，以唐明宗庙讳，故世传其字焉。本南燕人[按，《新五代史》本传作滑州白马人]也。少好学，耿介不屈。唐昭宗朝，尝应进士举，不第，因欲携妻子隐于林壑，其妻非之，不肯行。云叟乃薄游诸郡，获数百缗以赡其家，辞诀而去。寻入少室山，著《拟峰诗》三十六章，以导其趣，人多传之。后妻以书达意，劝其还家，云叟未尝一览，悉投于火，其绝累如此。俄……因居于华阴。与李道殷、罗隐之友善，时人目为‘三高士’。道殷有钓鱼之术，钓而不饵，又能化易金石，无所不至；云叟恒目睹其事，信而不求。”《唐诗纪事》卷七一谓“云叟僖宗时应举不利，遂隐华山”，与新、旧《五代史》传所载不同，实误。[按，两《五代史》传均谓郑遨享年七十五岁，卒后晋天福四年（939）]

李昊字穹佐，关中人。本年十三岁，遭乱，流寓兴平。《十国春秋》卷五二本传云：“李昊字穹佐，自言唐相绅之后……昊生于关中，幼遇唐末之乱，随父避地奉天。值昭宗迁洛，岐军攻破奉天，父及弟妹皆被害。昊时年十三，独得免，遂流寓兴平十

余年。”

王定保，南游湖湘，无北归还家意。妻吴氏千里来寻，见而诮之。后夫妇离居，然均守志终生。沈彬有诗咏此事寄定保。《诗话总龟》前集卷二六引《郡阁雅谈》云：“王定保，唐光化三年李渥侍郎下及第。吴子华侍郎銮为婿。子华即世，定保南游湖湘，无北归意。吴假缁服，自长安来，明日访其良人，白于马武穆王，令引见定保于定林寺。吴隔帘诮之曰：‘先侍郎重先辈以名行，俾妾侍箕帚。侍郎殁，虑先辈以妾改适，是以不远千里来明侍郎之志。’定保不胜惭赧，致书武穆乞为婿。吴确乎不拔，定保为盟毕世不婚矣。吴归吴中外家。沈彬有诗赠定保云：‘仙桂曾攀第一枝，薄游湘水阻佳期。皋桥已失齐眉愿，萧寺行逢落发师。废苑露寒兰寂寞，丹山雪断凤参差。闻公已有平生约，谢绝女萝依兔丝。’定保后为马不礼，奔五羊依刘氏，官至卿。”

延寿（904－975）生。延寿俗姓王，字冲玄，号抱一子。《宋高僧传》卷二八本传：“释延寿，姓王，本钱塘人也。……以开宝八年乙亥终于住寺。春秋七十二。”润州丹阳（今属江苏）人，迁居余杭（今浙江杭州）。《景德传灯录》卷二六本传：“杭州慧日永明寺智觉禅师延寿，余杭人也。姓王氏……以开宝八年乙亥十二月示疾，二十六日……软跌而亡……寿七十二。”又《咸淳临安志》卷七〇本传：“延寿，杭人，号抱一子。”早年为余杭库吏、华亭镇将。佞佛。年二十八，出家于杭州龙册寺，从令参学禅。后至天台山嗣德韶禅师，习诵《法华经》。宋建隆元年（960）应忠懿王俶之请，住杭州灵隐新寺。后住杭州永明寺，赐号智觉禅师。太平兴国元年（976）卒。颇好做诗。撰有《感通赋》一卷、《宗镜录》一百卷，著录于《宋史·艺文志四》；另有《万善同归集》三卷、《唯心诀》一卷。后三书并收入《大正藏》。《全唐诗补编》存诗八十八首、断句八句；《全唐文》存文三篇，《全宋文》补三篇。事迹见《宋高僧传》卷二八、《佛祖统纪》卷二七、《十国春秋》卷八九。

冯贽，唐末五代小说家。延州金城（今陕西延安西南）人。生卒年不详。唐末事科举三十年，无所成。本年退归故里，取家中所藏典籍近三十万帙，撮其膏髓，于天祐四年初成《云仙杂记》。后数年，始得终篇。天成元年（926）作书序。该书一名《云仙散录》，《直斋书录解题》等作一卷，《四库全书》作十卷，今传。事迹见其《云仙杂记序》。

杜荀鹤（846—904）卒，年五十八，有《唐风集》传世。《唐诗纪事》卷六五云：“梁祖表授翰林学士、主客员外郎、知制诰。恃势侮易缙绅，众怒欲杀之而未及。天祐初卒。”《旧五代史》亦载：“既而恃太祖之势，凡缙绅间已所不悦者曰屈指怒数，亦谋尽杀之。苞蓄未及泄，丁重疾，旬日而卒。”荀鹤字彦之，号九华山人。池州石埭（今安徽石台）人。排行十五。刻苦为诗，早有诗名。大顺元年进士及第，为宣州田颙幕吏。天复初奉使大梁，未几卒。荀鹤乃唐末著名诗人，其诗多反映唐末民生疾苦及乱世景象，触及社会弊病。如《送人宰德清》诗，中云：“乱世人多事，耕桑或失时。不闻宽赋敛，因此转流离。”（见《全唐诗》卷六九二）《再经胡城县》：“去岁曾经此县城，县民无口不冤声。今来县宰加朱绂，便是生灵血染成。”《蚕妇》：“粉色全无饥色加，岂知人世有荣华。年年道我蚕辛苦，底事浑身着苎麻。”《伤硖石县病叟》：“无子无孙一病翁，将何筋力事耕农。官家不管蓬蒿地，须勒（一作索）王租出此中。”（三诗均见《全唐诗》卷六九三）此类诗可与唐末皮日休、聂夷中、曹邺诸人诗相比肩。荀鹤诗亦以浅俗流畅、以口语成诗独步晚唐。如《秋宿临江驿》：“南来北去二三年，年去年来两鬓斑。举世尽从愁里老，谁人肯向死前闲。”《重阳日有作》：“是个少年皆老去，争知荒冢不荣来。大家拍手高声唱，日未沉山且莫回。”（均见《全唐诗》卷六九二）《赠僧》中云：“只恐为僧僧不了，为僧得了总输僧。”《溪兴》：“山雨溪风卷钓丝，瓦瓯篷底独斟时。醉来睡着无人唤，流下前溪也不知。”《钓叟》：“田不曾耕地不锄，谁人闲散得如渠。渠将底物为香饵，一度抬竿一个鱼。”《溪岸秋思》：“桑柘穷头三四家，挂罾垂钓是生涯。秋风忽起溪浪白，零落岸边芦荻花。”（以上均见《全唐诗》卷六九三）诸诗浅俗谐趣，对宋代杨万里诗不无影响。荀鹤亦擅书法，《宣和书谱》卷十九称其“尤工草字而无末俗之气……观荀鹤之书，虽未能跨越前古，笔力遒健，犹有晋唐之遗风。”荀鹤集有三卷本《唐风集》，见《直斋书录解题》卷十九，而《郡斋读书志》卷四中则记为十卷。今传宋蜀刻本《杜荀鹤文集》三卷。《全唐诗》卷六九一至六九三编其诗为三卷。

公元 905 年（唐哀宗天祐二年　乙丑）

正月

杨行密陷鄂州。

朱全忠攻寿州不克，返大梁。

司空图本年六十九岁，人日赋诗抒怀。其《乙丑人日》诗末云：“今朝人日逢人喜，不料偷生作老人。”（见《全唐诗》卷六三三）

二月

社日，朱全忠命枢密使蒋玄晖宴昭宗诸子德王裕等九人于九曲池。（见《旧唐书·哀帝本纪》、《资治通鉴》卷二六五）

礼部侍郎张文蔚知贡举。归系、杨凝式、刘赞、窦梦征、崔庸、卢导、杨在尧、张鸿等二十三人登进士第。

归系，生卒年不详，本年以第一名中进士科状元。《玉芝堂谈荟》云：“苏州人，佾之弟。”

杨凝式（873—?）年三十三，本年以第三名登进士第。《永乐大典》引《苏州府志》：“侍郎张文蔚知举，归系第一人及第，杨凝式第三人及第。”《旧五代史·杨凝式传》：“唐昭宗朝进士第。”［按，言昭宗，误］《游宦纪闻》载《杨凝式传》：“唐咸通十四年癸巳，凝式是年生，故题识多自称癸巳人。唐天祐四年丁卯，是年夏，朱全忠篡唐。凝式谏其父唐相涉官辞押宝使。涉惧事泄，凝式自此遂阳狂，时年三十。《五代史补》言时年方弱冠，误也。”［按，自咸通十四年至本年为三十三岁，《游宦纪闻》亦误］凝式字景度，华阴人，唐相涉之子。事迹见《旧五代史》卷一二八、《新五代史》卷三四。宋张世南《游宦纪闻》卷一〇载其《年谱》、《家谱》并《传》。

刘赞（刘瓒），本年三十余，与杨凝式、窦楚征同榜登进士第，为罗绍威判官。

《旧五代史》卷六八本传云："刘赞，魏州人也。幼有文性。父玭，为令录，诲以诗书，夏日令服青襦单衫。玭每肉食，别置疏食以饭赞，谓之曰：'肉食，君之禄也。尔欲肉食，当苦心文艺，自可致之，吾禄不可分也。'繇是赞及冠有文辞，年三十余登进士第。魏州节度使罗绍威署巡官。"（参《新五代史》卷二八）[按，《北梦琐言》称刘赞父为宰相刘瞻，恐不足信]

窦梦征（？—931），与刘赞、杨凝式本年同榜登进士第。《旧唐书·刘赞传》云："（赞）与学士窦梦征同年登第，邻居友善。"《旧五代史》本传："梦征，同州人。少苦心为文，登进士第。"征，一作证，误。同州（治今陕西大荔）人，一作棣州（治今山东惠民东南）人。及第后，历校书郎。后梁时，自拾遗召为翰林学士。贞明二年（916）以谏阻加两浙钱镠为兵马元帅，触时忌，贬蓬莱尉。不久，复召为翰林学士。后唐同光元年（923），贬沂州司马。量移宿州。天成初，迁中书舍人，复为翰林学士。长兴元年（930），迁工部侍郎。明年卒。有文名，尤长笺启。撰《东堂集》十卷，《宋史·艺文志七》作三卷，已佚。《全唐文》存文一篇。事迹见《旧五代史》本传。

崔庸，生卒年不详，本年进士及第。《唐诗纪事》："庸登天祐二年进士第。"又云："庸，吴郡进士。"

卢导（865—941），年四十六，进士及第。《旧五代史》本传："卢导字熙化，其先范阳人也。……少而儒雅，美词翰，善谈论。唐天祐初登进士第，释褐除校书郎。"《新五代史》本传亦载："唐末举进士，为监察御史。"

杨在尧，生卒年不详，本年进士及第。《福建通志》卷三三《选举志》一《唐科目》："天祐二年乙丑归系榜：仙游县杨在尧。"同书卷五一《文苑传》：'唐杨在尧，其先华阴人。入闽居仙游之梁山，登天祐二年进士，终右补阙。"宋赵与泌等《仙溪志》卷二《进士题名》："天祐二年归系榜：杨在尧。"卷四有其传。《仙溪志》卷四《唐及五代人物》："杨在尧，其先自华阴入闽，居仙游。登唐天祐二年进士第，终右补阙，有文集。"（《闽书》卷一一三、[乾隆]《晋江县志》卷八、[乾隆]《泉州府志》卷三十三）

张鸿，生卒年不详，本年进士及第。[康熙]《连州志》卷二《选举》："天祐乙丑：张鸿。"《粤诗搜逸》卷一，[乾隆]《广东通志》卷三十一、[同治]《广东通志》卷六十六所记同上。然日本藏[万历]《粤大记》卷二十五、明代黄佐《广州人物传》卷三均作"唐天祐末年进士"。

知贡举：礼部侍郎张文蔚。《唐摭言》："天祐二年，张文蔚，东洛放榜后大拜。"《旧唐书》本纪："天祐二年三月，以吏部侍郎张文蔚为中书侍郎、同中书门下平章事。"《新唐书》作"礼部侍郎"，今从之。

黄滔年六十六，仍在闽为威武军节度推官。撰《莆山灵岩寺碑铭并序》。其《序》中云："释波东流，涌为花宫。花宫之构，咸宅灵秀。……灵岩寺乃莆山之灵秀焉。……今仆射琅琊王公牧民之外，雅隆净土，论及灵胜，以为东山神泉之比（小注：神泉寺在府城之东山，其泉亦自僧感而涌也），缮经五千卷，于兹华创藏而藏焉，即天祐二年春二月也。"据此，可知王审知《即琅琊王公》之崇佛释，于佛经之缮写、传播颇为有力。文中尚记闽中文士多有寓居此地读书，而后以文驰名者："初侍御史济南林公

藻，与其季水部员外郎蕴，贞元中谷兹而业文，欧阳四门舍泉山而诣焉（小注：四门家晋江泉山，在郡城之北，其集有与王式书云莆阳读书，即兹寺也）。其后皆中殊科。御史省试《珠还合浦赋》，有神授之名。水部应贤良方正科，擅比于之誉。欧阳垂四门之号，与韩文公齐名，得非山水之灵秀乎?"

三月

三月，独孤损、裴枢、崔远，并罢政事。以吏部侍郎杨涉同平章事。（见《旧唐书》本纪）

加清海军节度使刘隐同平章事。（见《资治通鉴》）

吴融约此时前有诗寄户部侍郎杨注，《春晚书怀》诗疑为去年或本年季春所作。其卒在今明两年间，有《吴融诗集》四卷。融《寄杨侍郎》诗中云："奇文已刻金书券，秘语看镌玉检封。何事春来待归隐，探知溪畔有风松。"［按，此杨侍郎疑为杨注。据《旧唐书·昭宗本纪》，杨注于天祐元年六月以通议大夫、中书舍人、赐紫金鱼袋充翰林学士。而同书《哀帝本纪》天祐二年三月载："翰林学士、户部侍郎杨注是宰臣杨涉亲弟……可守本官，罢内职。"］（见《全唐诗》卷六八六）又吴融尚有《春晚书怀》："落尽红芳春意阑，绿芜空锁辟疆园。嫦娥断影霜轮冷，帝子无踪泪竹繁。未达东邻（一作"林"）还绝想，不劳南浦更销魂。晚来虽共残莺约，争奈风凄又雨昏。"（见《全唐诗》卷六八六）诗或昭宗被弑后所赋。二诗乃所能考知之吴融最晚诗作。《新唐书》本传记吴融自阌乡召还，"迁承旨，卒官"。又韩偓《无题》诗序乃"丙寅年九月"作，时已称"故内翰吴侍郎融"，则融乃卒于天祐三年（丙寅，906）九月前，其确时不可考，当在此后至明年间。刘克庄《后村诗话·新集》四称"吴子华诗，五言合作绝少，七言佳者不减致光（即韩偓）"。清纪昀《四库全书总目》一五一"唐英歌诗三卷"下称："以文章工拙论之，则融诗音节谐雅，犹有中唐遗风，较（韩）偓为稍胜焉。在天祐诸诗人中，闲远不及司空图，沈挚不及罗隐，繁富不及皮日休，奇辟不及周朴。然其余作者，实罕与雁行。"按皮日休、周朴均卒于僖宗朝，不及天祐年间。清贺裳云："吴子华近体诗，虽品格不高，思路颇细，兼有情致。如'帘外暖丝兼絮堕，槛前轻浪带鸥来'，'半岩云粉千竿竹，满寺风雷百尺泉'，'围棋已访生云石，把钓先寻急雨滩'，皆佳句也。至作兵歌，大多可笑。"（《载酒园诗话·又编》）《新唐书·艺文志四》著录《吴融诗集》四卷，又制诰一卷。《直斋书录解题》卷十九记其《唐英集》三卷，今所存作《唐英歌诗》，亦三卷。《全唐诗》编其诗为四卷（卷六八四—六八七）。又《唐摭言》卷十。《海叙不遇》云："子华才力浩大，八面受敌，以八韵著称，游刃颇攻骚雅。"即谓其工于律赋。《全唐文》卷八二〇载吴融文四篇，中有《沃焦山赋》二篇。

四月

罗隐本年七十三岁，仍在钱镠幕，有《钱塘府亭》诗。诗中云："新恩别启馆娃宫，还拜吴王向此中。"［按，此吴王指钱镠］据《资治通鉴》卷二六四天祐元年四月，钱镠于其时封吴王。《新五代史》卷六七《钱镠传》亦记“天祐元年，封（钱）镠吴王。镠建功臣堂，立碑纪功，列宾佐将校名氏于碑阴者五百人”。则镠建功臣堂在天祐元年四月后。本诗云：“九牧土田周制在，两藩茅社汉仪同。”即指建功臣堂之谓。

韩偓本年六十四岁，春仍寓居醴陵，有《翠碧鸟》等诗以抒贬谪途中忧时念乱之情。《翠碧鸟》诗题下注：“以上并在醴陵作。”《即目》之一云：“废城沃土肥春草，野渡空船荡夕阳。……宦途弃掷须甘分，回避红尘是所长。”《净兴寺杜鹃一枝繁艳无比》中云：“蜀魄未归长滴血，只应偏滴此丛多。”《花时与钱尊师同醉因成二十字》一首云：“桥下浅深水，竹间红白花。酒仙同避世，何用厌长沙。”（以上均见《全唐诗》卷六八〇）

郑谷本年五十八岁，时退隐于宜春，仍居化成岩。有寄赠杨夔诗，《鹤》、《鹭鸶》等抒发退隐闲逸情怀之作。《寄赠杨夔处士》中云：“吴江胜景遨游遍，百氏群书读贯来。国步未安风雅薄，可能高尚掞天才。”《宜春再访芳公言公幽斋写怀叙事因赋长言》中云：“顷为弟子曾同社，今忝星郎更契缘。顾渚一瓯春有味，中林话旧亦潸然。”又《鹤》：“一自王乔放自由，俗人行处懒回头。……应嫌白鹭无仙骨，长伴渔翁宿苇洲。”《鹭鸶》：“闲立春塘烟澹澹，静眠寒苇雨飕飕。渔翁归后汀沙晚，飞下滩头更自由。”（参傅义《郑谷年谱》）

黄滔在闽中，撰佛教碑记两篇。其《大唐福州报恩定光多宝塔碑记》一文曰：“天祐二年乙丑夏四月朔，我公宿诚于州……大陈法会，以藏经缁。”同卷载《灵山塑北方毗沙门天王碑》云：“自乾宁四年至天祐二年壬戌，凡六年，礼乐兴，忠孝敦，乃谋及城池。”其《大唐福州报恩定光多宝塔碑记》，尚叙述有该寺藏经情况云：“其经也，帙十卷于一函，凡五百四十有一函，总五千四十有八卷，皆极剡藤之精，书工之妙，全轴锦带以为之饰……天祐二年乙丑夏四月朔，我公宿诚于州，柬烹于肆，及胁降之辰，大陈法令以藏其经。缁徒累千，士庶越万。若缁若士，一而行之，正身翔手，右捧左授，自州之所起于我公，传至于藏，观者如堵墙，佛声入霄汉……塔之讫功，顾小从事某有礼官甲科之忝……命为之记，用旌厥德于无穷。”（见《莆阳黄御史集》卷五）《莆阳黄御史集》所附《年考》亦记黄滔乙丑（905年）有《多宝塔碑》。

五月

陆扆、赵崇等诸大臣皆遭贬斥，朝中搢绅之士为之一空。《资治通鉴》卷二六五本年五月记：“柳璨恃朱全忠之势，恣为威福……因疏其素所不快者于全忠……李振亦言于朱全忠曰：‘朝廷所以不理，良由衣冠浮薄之徒紊乱纲纪；且王欲图大事，此曹皆朝廷之难制者也，不若尽去之。’全忠以为然。遂贬独孤损、裴枢、崔远、陆扆、王溥、赵崇、王赞诸大臣……自余或门胄高华，或科第自进，居三省台阁，以名检自处，声迹稍著者，皆指为浮薄，贬逐无虚日，搢绅为之一空。”

六月

朱全忠用柳璨、李振之言，聚裴枢、独孤损、崔远、陆扆、王溥、赵崇、王赞等

唐室老臣及朝士贬官者三十余人于白马驿，一夕尽杀之，投尸于河，史称“白马之祸”。司空致仕裴贽贬青州司户，寻赐死。陆扆善书，有集七卷。《资治通鉴》卷二六五天祐二年六月载：“戊子朔，敕裴枢、独孤损、崔远、陆扆、王溥、赵崇、王赞等并所在赐自尽。时（朱）全忠聚枢等及朝士贬官者三十余人于白马驿，一夕尽杀之，投尸于河。初，李振屡举进士，竟不中第，故深疾搢绅之士，言于全忠曰：‘此辈常自谓清流，宜投之黄河，使为浊流！’全忠笑而从之。振每自汴至洛，朝廷必有窜逐者，时人谓之鸱枭。见朝士皆颐指气使，旁若无人。”又据《新唐书·陆扆传》：“贬扆濮州司户参军，杀之白马驿，年五十九。”《宣和书谱》卷四记陆扆“亦善作真字，尝有赠𧃁光草书歌，笔迹不减古人，翰墨耀映，真可尚也。”《新唐书·艺文志四》著录《陆扆集》七卷。

裴贽甥敬治亦遭牵累被贬出。《旧唐书》本纪载：六月癸巳，敕：“卫尉少卿敬治是裴贽之甥。常累于舅，或以明经挠文柄，或以私事窃化权。贽已左迁，尔又何逭？可贬徐州萧县尉。”

七月

司空图应人之请撰《泽州灵泉院记》，文中赞颂释教诱劝人心之功绩。其《泽州灵泉院记》，文中记禅宿洪密长老创灵泉院，“凡制经楼斋堂共一百余间，又塑罗汉洁刻之相，以渐化服。而后日集方丈，敷演上乘。自江汉北渡，以至魏晋之交，其俗坚悍难诱，今则悉为佛人矣。且善教童孺者，虽指摘其书，而必以言反覆晓谕，当自释然。……禅乃诱劝之宗，先驯其性而后入者耳。故其道至隐，其功至博，不可废也”。文末署“天祐二年岁次乙丑月望日记”。（见《全唐文》卷八〇七）

韩偓自醴陵至吉州，有《赠孙仁本尊师》、《赠易卜崔江处士》。（见《全唐诗》卷六八一），据二诗题下小注知均作于袁州。［按，袁州乃在醴陵至吉州之间］

八月

乙未，敕：“伪称官阶人泉州晋江县应乡贡明经陈文巨招状罪款，付河南府决杀。”（见《旧唐书·哀帝本纪》）

壬寅，敕：“前大中大夫、兵部侍郎、赐紫金鱼袋司空图，俊造登科，朱紫升籍。既养高以傲代，类移山而钓名，志乐漱流，心轻食禄。匪夷匪惠，难举公正之朝；载省载思，当徇幽栖之志。宜放还中条山。”（见《旧唐书·哀帝本纪》）此事本末诸史记载颇详。《资治通鉴》本年八月条记：“初，礼部员外郎知制诰司空图弃官居虞乡王官谷，昭宗屡征之，不起。柳璨以诏书征之，图惧，诣洛阳入见，佯为衰野，坠笏失仪。璨乃复下诏，略曰：‘既养高以傲代，类移山以钓名。’又曰：‘匪夷匪惠，难居公正之朝。可放还山。’”《旧唐书·司空图传》记“昭宗迁洛，鼎欲归梁，柳璨希贼旨，陷害旧族，诏图入朝。图惧见诛，力疾至洛阳。谒见之日，堕笏失仪，旨趣极野。璨知不可屈，诏曰：‘司空图俊造登科，朱紫升籍，既养高以傲代，类移山以钓名。心惟乐于漱流，仕非专于禄食。匪夷匪惠，难居公正之朝；载省载思，当徇栖衡之志。可放

还山。'”

司空图被召至洛阳，惧见害，佯堕笏板失朝仪，被放归中条山王官谷，朝士多感喟，纷纷赋诗送别，众诗辑为一集，司空图撰《寿星集述》作该集之序。其序云：“国史司马先生辞归，朝中赠诗号为《白云集》。余天祐乙丑岁八月五日过僧阁，云昨夜嘉祥西阁望老人星见，为时明。十四日朝参，其日大河南府奏老人星见。因以寿星目群公之作云云。”文中又谓：“若某者，孤立多虞，衰年谢病，因耕岩而自给，非欲贩山；知在木而无堪，便当为社。莫敢张皇丘壑，拟议巢由。……但已伸拜阙，况毕悬车。……今也龙门回望，鹤盖交驰，落日琴尊，前朝图画。想家山之醉石，认客处之渔舟。白首归心，黄花缘路。来时不下，漂零海上之鸥；去兮自怜，放旷人间之世。斯乃仅能忘怨，庶可息机，敢慕高风，猥烦众作。诗家此会，谁邀清夜之游；仙装不回，别有《白云》之集。徒攀逸唱，益愧馁才。”（见《全唐文》卷八〇九）据上所述，知司空图放还旧山时，朝中文士曾夜集赋诗以送之。诗作辑为集，名《寿星集》，图遂有此文纪之。

九月

朱全忠遣将杨师厚攻忠义节度使赵匡凝于襄州，败之，匡凝弃城，沿汉江东下奔广陵，投杨行密。朱全忠遂占有唐、邓、复、郢、随、均、房七州及襄阳。（见《资治通鉴》卷二六五、《旧唐书·哀帝本纪》）

十日，太子太师致仕卢渥卒。司空图为撰神道碑。图《故太子太师致仕卢公神道碑》记“今年（按即天祐二年）秋八月，愚诏追洛，拜公床下。明日继谒，蒙手授以诗，且有‘释氏多言宿分深’之句。瞪视不言，若属意于纪述。”又记“大驾移幸，公自华至洛。天祐二年九月十日寝疾，薨于长寿佛寺，享年八十六”。是知上述三文乃本年所作。（见《全唐文》卷八〇九）然，两《唐书》无卢渥传。《唐诗纪事》卷五十九谓：“渥字子章，轩冕之盛，近代无比，伯仲四人，咸居显列。”

韩偓已在江西吉州萧滩镇，时得知召还复官，有诗三首纪之，并以述怀，偓未还朝。《新唐书》本传：“天祐二年，复召为学士，还故官。偓不敢入朝，携其族南依王审知而卒。”偓《乙丑岁九月在萧滩镇驻泊两月忽得商马（一本无二字）杨迢员外书贺余复除戎曹依旧承旨还缄后因书四十字》：“旅寓在江郊，秋风正寂寥。紫泥虚宠奖，白发已渔樵。事往凄凉在，时危志气销。若为将朽质，犹拟杖于朝。”又有《病中初闻复官二首》，其一云：“烧玉漫劳曾历试，铄金宁为欠周防。也知恩泽招馋口，还痛神祇误直肠。闻道复官翻涕泗，属车何在水茫茫。”其二云：“又挂朝衣一自惊，始知天意重推诚。……宦途峨险终难测，稳泊渔舟隐姓名。”（见《全唐诗》卷六八〇）[按，《太平寰宇记》卷一〇六清江县下记“本吉州萧滩镇”]

卢汝弼以惧柳璨迫害，离朝客居上党，时有《闻雁》诗之作。《旧唐书·卢汝弼传》记“汝弼登进士第，累迁至祠部员外郎、知制诰，从昭宗迁洛。属柳璨党附贼臣，诬陷士族，汝弼惧，移疾退居，客游上党。”（参《旧唐书·柳璨传》及《资治通鉴》卷二六五）《全唐诗》卷六八八卢汝弼有《闻雁》诗，中云：“秋风萧瑟静埃氛，边雁迎风响咽群……何处最添羁客恨，竹窗残月酒醒闻。”

郑谷仍居江西宜春，约本年秋，有《失鹭鸶》、《郊野戏题》之作。谷《失鹭鸶》诗中云：“月昏风急宿何处，秋岸萧萧黄苇枝。”《郊野戏题》诗中云：“竹巷溪桥天气凉，荷开稻熟村酒香。”

十月

制梁王朱全忠可充诸道兵马元帅，别开府幕。

甲午，起居郎苏楷与起居郎罗衮、起居舍人卢鼎连署驳议，贬损昭宗，非其谥号，以投合朱全忠。罗衮、苏楷、卢鼎以此为世所鄙。《旧五代史》卷六〇《苏循传》所附苏楷事迹，详载楷驳昭宗谥号之文，注曰：“案《旧唐书》云，苏楷目不知书，仅能执笔，其文罗衮作也。”《旧唐书·哀帝本纪》本年十月载：“甲午，起居郎苏楷驳昭宗谥号曰：‘帝王御宇，由理乱以审污隆……’楷，礼部尚书循之子，凡劣无艺。……至是，(朱)全忠弑逆君上，柳璨隐害朝臣，乃与起居郎罗衮、起居舍人卢鼎连署驳议。楷目不知书，手仅能执笔，其文罗衮作也。时政出贼臣，哀帝不能制。”《资治通鉴》卷二六五亦载此事，谓苏楷“素无才行”。“甲午，楷帅同列上言：‘谥号美恶，臣子不得而私。先帝谥号多溢美，乞更详议。’”胡注亦引《旧唐书·哀帝本纪》，谓文乃罗衮作。

十一月

韦庄本年七十岁，在蜀为王建掌书记。时为王建作教，答梁使司马卿，以严词报之。《蜀梼杌》：“昭宗遇弑，梁祖即位，遣使宣谕。兴元节度使王宗绾驰驿白(王)建。建谋兴复。(韦)庄以兵者大事，不可仓卒而行，乃为建答宗绾教，其略曰：‘吾家受主上恩有年矣，衣襟之上，宏翰如新，墨诏之中，泪痕犹在，犬马犹能报主，而况人之臣子乎。……闻上至洛水，臣僚及宫妃千余人，皆为汴州所害。及至洛，果遭弑逆。自闻此诏，五内糜溃。今两川锐旅，誓雪国耻，不知来使何以宣谕。’示此告敕，令自决进退。梁使遂还。”［按，此事《十国春秋·前蜀本纪》载：“天复五年(即天祐二年)十一月，唐遣告哀使司马卿来宣昭宗之丧，至是始入蜀境，掌书记韦庄为王谋使武定节度使王宗绾谕之云云。”］《资治通鉴》卷二六五本年十一月载：“昭宗之丧，朝廷遣告哀使司马卿宣谕王建，至是始入蜀境。西川掌书记韦庄为建谋，使武定节度使王宗绾谕卿曰：‘蜀之将士，世受唐恩，去岁闻乘舆东迁，凡上二十表，皆不报。寻有亡卒自汴来，闻先帝已罹朱全忠弑逆。蜀之将士方日夕枕戈，思为先帝报仇。不知今兹使来以何事宣谕？舍人宜自图进退。’卿乃还。”

庚辰，吴王杨行密病卒，年五十四，以其子杨偓为淮南节度使、弘农郡王。(见《资治通鉴》卷二五六)

殷文圭为杨吴文章巨公，行密卒，为作《墓志》。

《十国春秋》本传称文圭事杨行密父子，“以文章著名，太祖墓志铭盖其手出也”。《资治通鉴》卷二六五载，昭宣帝天祐二年十一月，“庚辰，吴武忠王杨行密薨”。

[按,《考异》曰:"《十国纪年注》、《吴录》、《唐烈祖实录》及吴史官王振撰《杨本纪》皆云'天祐二年十一月庚辰,行密卒'。……沈颜《行密神道碑》、殷文圭《行密墓志》、游恭《渥墓志》皆云'天祐三年丙寅,二月十三日丙申卒'。薛居正《五代史·行密传》亦云'天祐三年卒'。行密之亡,嗣君幼弱,不由朝命承袭,或始死未敢发丧,赴以明年二月,疑沈颜等从而书之。"今从《资治通鉴》]

沈颜本年前已归杨吴。行密卒,颜为撰《神道碑》。《十国春秋》卷十一传云:"属乱离,奔湖南马氏,未几来归,为淮南巡官……尝撰太祖《神道碑》,时人推为钜手。"

孙鲂至迟于杨行密卒之前归杨吴,有《题金山寺》等诗。《江南野史》载孙鲂师从归隐宜春之郑谷学诗后,复接记鲂"与沈彬及桑门齐已虚中之徒为唱和俦侣。属吴王行密据有江淮,遂归,射策授州郡从事"。又马令《南唐书》本传云:"金山寺题咏,众因称道唐张裕有'僧归夜船月,龙出晓堂云'之句,欲和,众皆搁笔。(孙)鲂复吟云:'山载波心寺,鱼龙是四邻。楼台悬倒影,钟磬隔嚣尘。过橹妨僧定,惊涛溅佛身。谁言题咏处,流响更无人。'时人号为绝唱。"[按,此诗作年难确考,金山寺在润州,当与其《甘露寺》、《甘露寺紫薇花》诗均同在淮南幕时所咏。(见《全唐诗》卷七四三、卷八八六)]

十二月

蒋玄辉、柳璨、张廷范三人被诛。(见《旧唐书·哀帝本纪》、《资治通鉴》卷二六五)

敦煌郡金光明寺张龟写韦庄《秦妇吟》诗。巴黎国民图书馆藏有敦煌郡金光明寺张龟所抄写韦庄《秦妇吟》诗,题"天复五年乙丑岁十二月十五日,敦煌郡金光明寺学仕张龟写"。[按,天复五年即本年]

郑谷约本年冬借薛能诗集诵读,有诗纪之并抒发感想;又有诗评殷璠《河岳英灵集》。郑谷《借薛尚书集》诗云:"江天冬暖似花时,上国音尘杳未知。正被虫声喧老耳,今君又借薛能诗。"又《续前集二首》,之一云:"殷璠鉴裁英灵集,颇觉同才得契深。何事后来高仲武,品题间气未公心。"之二云:"风骚如线不胜悲,国步多艰即此时。爱日满阶看古集,只应陶集是吾师。"(见《郑谷诗集编年校注》)

公元906年(唐哀宗天祐三年　丙寅)

正月

正月辛巳,国子监奏:"得监生郭应图等六十人状称'伏睹今年六月五日敕文,应国学每年与诸道等,明经一例解送两人者。应图等早辞耕稼,夙慕《诗》、《书》,自抛乡邑之中,便忝国庠之内。栖迟守学,轗轲于时,未谐升进之期,却抱减退之患。苟或诸道解送,监府同条,实谓首尾难分,本支无异。伏请闻奏,俾遂渥恩'者。"又河南府奏:"当府取解明经举人周定言等二十七人,各据取解,差司录参军崔蕴考试,并已及格。伏缘明经举人,先准敕诸州府解送不得过二人者。今当府除去留外,见在二十七人考试并已及格，若只送二人，必恐互有争论，难以指挥者。”敕曰：“取士之科，明经极重，每年人数，已有旧规。去夏虽举条流，盖虑所司逾滥，今者国子监既有闻奏，河南府亦具陈论，不念远人，何以诱进？只在乎升降之际，切务公平；又何必解送之时，便为沙汰？将免遗才之叹，须闻汲善之门，特改旧条，俾循往例。国子监、河南府所试明经，并依准常年例解送。礼部所放人数，亦许酌量施行。但不得苟徇嘱求，遂致侥幸。兼下诸道准此。”（见《旧唐书》本纪）

罗绍威与汴将马嗣勋合力攻灭魏博牙军。初，天承嗣镇魏博，选募六州骁勇之士五千人为牙军，厚其给赐以自卫，为腹心。自是父子相继，亲党胶固，岁久益骄横，小不如意，辄族旧帅而易之。自史宪诚以来皆立于其手。罗绍威心虽恶之，力不能制。至此，牙军凡八千家，婴孺无遗，皆被杀。（见《旧唐书·哀帝本纪》、《资治通鉴》卷二六五）

韩偓年六十五，在江西抚州，有《和王舍人抚州饮席赠韦司空》诗奉和王涤。（见《全唐诗》卷六八二）涤，字用霖，瑯琊人，景福中擢第，累官中书舍人，后终于闽。（见《全唐诗》卷七二六）

二月

吏部侍郎薛廷珪知礼部贡举。裴说、裴诣、陈光义、翁袭明、李愚等二十五人擢进士第。

二月癸卯，礼部奏：“伏以朝廷，累年多事，道途艰辛，在远举人，并阻随计。逐年所司放榜，人数不常，量其少多，临事增减。今者干戈稍弭，水陆渐通，举人等皆负笈担簦，裂裳裹足，来求试艺，竞切观光。虽人数不广于近年，而贡籍颇甚其屈誉，至于俊造，亦有其人。臣今欲于去年数外，更放三数人，伫开劝诱之门，以赞文明之运。已选今月二十一日放榜，伏候进止者。”敕曰：“朝廷取士之科，每岁择才之重，必资艺实，以副勤求。或来自远途，或久稽乡荐。今年就试，多有屈人，所司奏论，是宜俞允。苟叶无私之道，俾开振滞之门。切在精详，伫观公当。其礼部所放进士，于旧年人数外，宜令更添两人。”（见《旧唐书》本纪、《册府元龟》、《唐会要》。）

壬戌［按，“壬戌”上下字当有一讹］，朱全忠奏：“河中判官刘崇子匡图，今年进士登第，遽列高科，恐涉群议，请礼部落下。”（见《旧唐书》本纪）

裴说，生卒年不详，本年进士及第。《唐才子传》：“裴说，天祐三年礼部侍郎薛廷珪下状元及第。”《唐诗纪事》：“唐举子先投所业于公卿之门，谓之行卷。说只行五言十九首，至来年秋赋，复行旧卷。人有讥之者，说曰：‘只此十九首苦吟，尚未有人见知，何假别行卷哉！’识者以为知言。说天复六年登甲科，其诗以苦吟难得为工，且拘格律，尝有诗曰：‘苦吟僧入定，得句将成功。’又《赠僧贯休》云：‘总无方是法，难得始为诗。’又云：‘是事精皆易，惟诗会却难。’遭乱故，宦不达，多游江湖间。有《石首县诗》云：‘因携一家住，赢得半年吟。’‘深闺乍冷鉴开箧，玉筋微微湿红颊。一阵霜风杀柳条，浓烟半夜成黄叶。垂垂白练明如雪，独下闲阶转凄切。只知抱杵捣秋砧，不觉高楼已无月。［按，“楼”字原空缺，据《全唐诗》卷七二〇补］时闻寒雁

声相唤。纱窗只有灯相伴。几度□□□□裁，［按，《全唐诗》卷七二〇作“几展齐纨又懒裁”］离肠恐逐金刀断。细想仪形执牙尺，回刀剪破澄江色。愁捻银针信手缝，惆怅无人试宽窄。时时举袖匀红泪，红笺谩有千行字。书中不尽心中事，一半勤殷寄边使。’［按，《全唐诗》‘一半’作‘一片’］此说《闻砧诗》也。说终礼部员外郎。说与诣［按，《佚存丛书》本《唐才子传》卷十‘诣’作‘谐’，云‘弟谐亦以诗名世’］俱有诗名，诣唐天祐三年登第，终于桂岭，假官宰字而已。”［按，《郡斋读书志》卷中：裴说“天祐三年进士”］《直斋书录解题》卷十九：裴说“天祐三年进士状头”。

裴谐（裴诣），原作“裴诣”，［按，当为裴谐，详上条］《诗话总龟》卷十三引《郡阁雅谈》：“裴说、裴谐俱有诗名。说官至补阙，谐终于桂岭假官宰。”又《佚存丛书》本《唐才子传》卷十“诣”作“谐”。又《十国春秋》卷七十五《翁宏传》亦云：“裴谐者，唐人裴说之弟，武穆王时隐于桂岭，亦工于歌咏。”《全唐诗》卷七〇五、《全五代诗》卷六十四俱收裴谐诗。

陈光义（陈光乂），生卒年不详，本年进士及第。《仙溪志》卷二载陈光乂本年及第。（参《莆阳志》）

翁袭明，生卒年不详，本年进士及第。《永乐大典》引《莆阳志》：“天祐三年，陈光义、翁袭明登进士第。”

李愚（？—935），本年进士及第。《新五代史》本传：“愚字子晦，渤海无棣人也（今山东庆云北）。刘季述幽昭宗于东内，愚以书说韩建，建不能用，乃去之。洛阳举进士。”《旧五代史》本传：“愚初以艰贫，求为假官，沧州卢彦威署安陵簿。丁忧服阕，随计之长安。属关辅乱离，频年罢举，客于蒲华之间。天复初，归洛阳，卫公德裕孙道古在平泉旧墅，愚往依焉。子弟亲采梠负薪以给朝夕，未尝干人。故少师薛廷珪掌贡籍之岁，登进士第，又登宏词科。”愚初为安陵主簿。本年（906）进士及第。后梁开平三年（909）登宏词科。授河南府参军。末帝时，擢左拾遗、崇政院直学士，累迁司勋员外郎。罢为邓州观察判官。后唐庄宗即位，拜主客郎中、翰林学士。长兴二年（931）由太常卿拜中书侍郎、平章事、集贤殿大学士。次年，转门下侍郎、平章事，监修国史。与诸儒撰成《创业功臣传》三十卷（已佚）。清泰元年（934），罢为左仆射。卒于位。好学，工古文，尚气格，有韩、柳之体制。《仲尼遇》、《颜回寿》、《夷齐非饿论》（并佚）等篇，北人望风称之。有《白沙集》十卷、《五书》一卷，著录于《宋史·艺文志七》，并佚。《全唐文》存文三篇，《全唐诗补编》存诗一首。事迹见新、旧《五代史》本传。

何瓒，生卒年不详，本年进士及第。《新五代史》：“瓒，闽人也。唐末举进士及第。”《册府元龟》卷七二九“幕府部·辟署四”：“何瓒，闽人也。天祐三年登进士第。”又见卷七六六“总录部·攀附二”。

崔彦撝，（864—？）本年进士及第。《东国通鉴》：“后晋出帝开运元年，高句丽惠宗义恭王元年冬十二月，翰林院令、平章事崔彦撝卒。彦撝，新罗人，禀性宽厚，自少能文。年十八，入唐登科。四十二，还国，拜执事侍郎、瑞书院学士。及新罗归附，太祖命为太子师，委以文翰之任。宫院额号，皆所撰定，一时贵游皆师事之。及卒，年七十七，谥文英。”《三国史记·薛聪传》附《崔彦㧑传》：“崔彦㧑年十八入唐游学，礼部侍郎薛廷珪下及第，四十二还国。”（参“乌光赞”条考）

乌光赞，生卒年不详，本年进士及第。《高丽史·崔彦㧑传》：“崔彦㧑初名慎之，庆州人。性宽厚，自少能文。新罗末，年十八游学入唐，礼部侍郎薛廷珪下及第。时渤海宰相乌炤度子光赞同年及第，炤度朝唐，见其子名在彦㧑下，表请曰：‘臣昔年入朝登第，名在李同之上，今臣子光赞宜升彦㧑之上。以彦㧑才学优赡，不许。年四十二始还新罗。”《渤海国志长编》卷三《世纪第一·□王玮瓒》：“十三年，遣国相乌炤度朝贡于唐，其子光赞同来应宾贡试，进士及第。是年王薨，史失其谥。”又同上卷十《诸臣列传第二·乌炤度传》：“乌炤度于王玄锡之世入唐应宾贡试，与新罗宾贡李同同榜进士及第，名在其上，仕至国相。迨王玮瑎十三年，其子光赞亦入唐应宾贡试，礼部侍郎薛廷珪知贡举，光赞与新罗宾贡崔彦㧑同榜进士及第，而名在其下。值炤度奉使朝唐，表请曰：‘臣昔年入朝登第，名在李同之上，今臣子光赞宜升彦㧑之上，昭宣帝不许。”［按，《渤海国志年表》：王玮瑎十三年丙寅，即唐昭宣帝天祐三年（906）］

冯群玉，生卒年不详，本年登明于吏事科。《舆地纪胜》卷一五五《潼川府路·遂宁府·人物》：“冯涓，其先信都人。连中进士、宏词科。昭宗时为眉州刺史。子群玉，天祐中应明于吏事科，为山阳令。江淮乱，弃官西归，遂为遂宁人。”［按，“明于吏事科”当为制科］

知贡举：吏部侍郎薛廷珪（？—925）。《旧唐书·文苑传》：“薛廷珪，光化中复为中书舍人，迁刑部、吏部二侍郎，权知礼部贡举。”廷珪，薛逢子。廷，一作延。蒲州河东（治今山西永济）人。中和中，在成都进士及第。大顺初，累迁司勋员外郎、知制诰。乾宁中，为中书舍人。改左散骑常侍，称疾致仕，客游蜀中。光化中，复为中书舍人。迁刑部、吏部二侍郎。权知天祐三年（906）贡举，擢裴说、李愚等。拜尚书左丞。后梁开平元年（907）官御史司宪。贞明三年（917）以礼部尚书权知贡举，擢和凝等。后唐同光二年（924），以太子太师致仕，次年卒，能文。有《凤阁书词》十卷，著录于《新唐书·艺文志四》；又有《克家志》五卷，收本人及其父辞赋。《诗薮·杂编》卷二著录《薛廷珪集》一卷。三书已佚。《全唐文》存文二卷。事迹见新、旧《唐书》及《旧五代史》本传，参《旧五代史》之《梁书》、《唐书》本纪，《登科记考》卷二四、二五。

韩偓，六十四岁，在抚州有《丙寅二月二十二日抚州如归馆雨中有怀（一作简）诸朝客》。诗云：“凄凄恻恻又微嚬，欲话羁愁忆故人。……萍蓬已恨为逋客，江岭那知见（一作“犹喜天涯寄”）侍臣。未必交情系贫富，柴门自古少车尘。”（见《全唐诗》卷六八〇）

三月

以朱全忠为盐铁、度支、户部三司都制置使，三司之名始于此。全忠辞不受。

韩偓于本月底由抚州赴南城舟中，见蔷薇，赋《三月二十七日自抚州往南城县舟行见拂水蔷薇因有是作》：“江中春雨波浪肥，石上野花枝叶瘦。枝低波高如有情，浪

去枝留如力斗。……且将浊酒伴清吟，酒逸吟狂轻宇宙。”（见《全唐诗》卷六八〇）

郑谷本年五十九岁，居宜春仰山。约本年春有《黯然》诗悲国势垂危，朝臣纷遭贬杀。《黯然》诗云：“缙绅奔避复沦亡，消息春来到水乡。屈指故人能几许，月明花好更悲凉。”据见《郑谷诗集编年校注》。

黄滔本年约六十七岁，仍在闽为威武军节度推官。本年夏，王涤、崔道融题诗于天王寺，滔亦有奉和之作。《全唐诗》卷七〇六黄滔有《和王舍人崔补阙题天王寺》诗。［按，天王寺即指黄滔《灵山塑北方毗沙门天王碑》（《莆阳黄御史集》）一文中之灵山毗沙门天王寺，在闽］王舍人为王涤，韩偓本年初在抚州曾与之唱和，此时当俱已入闽。崔补阙为崔道融，明年初与王涤均在福州参加无遮大会，并约于明年暮春卒（详明年条）。此诗中云：“岳僧来坐夏，秦客会题诗。……紫薇今日句，黄绢昔年碑。……极浦征帆小，平芜落日返。风篁清却暑，烟草绿无时。信士三公作，灵踪四绝推。良游如不宿，明月拟何之。”据上所引述，诗乃本年夏所奉和。王涤，崔融之题诗今已佚。七月，朱全忠乘魏州军乱，命诸将攻讨，平贝、博、澶、相、卫州及魏之诸县，引兵南还。至是，魏军衰败。罗绍威悔之曰：“合六州四十三县铁，不能为此错也。”

九月

司空图本年七十岁，仍隐居于中条山琯谷。重阳节时有《白菊》诗三首、《修史亭三首》、《修史亭二首》等诗。《修史亭三首》之二云：“甘心七十且酣歌，自算平生幸已多。”知此诗乃本年作。《司空表圣诗集》于此诗后又有《修史亭二首》、《证因亭》等诗，诗意与前三首差似，或为稍后作。《旧唐书》本传云：“图既脱柳璨之祸还山，乃预为寿藏终制。故人来者，引之圹中，赋诗对酌。人或难色，图规之曰：‘达人大观，幽显一致，非止暂游此中。公何不广哉！’……王重荣父子兄弟尤重之，伏腊馈遗，不绝于途。”《全唐诗》卷六三四司空图有《白菊》三首，其三云：“登高可羡少年场，白菊堆边鬓似霜。益算更希沾上药，今朝第七十重阳。”“第七十重阳”，当指其年七十。其二又自抒感受云：“自古诗人少显荣，逃名何用更题名。诗中有虑犹须戒，莫向诗中著不平。”

韩偓在福州，时友人授其散落诗稿，中有已残缺旧作《无题》诗，偓因追补前作，并作诗序以明之，编入集中。又《秋深闲兴》、《故都》、《有瞩》等诗亦皆作于此时。《全唐诗》卷六八三韩偓有《无题》诗，据诗序，此诗乃辛酉年（即天复元年）与王溥、吴融、令狐涣、刘崇誉、王涣等人唱和之作，凡四首。后兵乱，“文稿咸弃，更无孑遗。丙寅年九月，在福建寓止，有前东都度支院苏玮端公，挈余沦落诗稿见授。中得《无题》一首，因追味旧作，缺忘甚多，唯第二、第四首仿佛可记，其第三首才得数句而已。今亦依次编之，以俟他时偶获全本。余五人所和，不复忆省矣。”又《全唐诗》卷六八〇韩偓有《荔枝三首》，题下注：“丙寅年秋，到福州。自此后并福州作。”则此三首当本年此时之秋中抵福州后作。又此诗后录有以下三诗，皆排于丁卯年（天祐四年）作《感事三十四韵》（《全唐诗》卷六八一）之前，均约此时或稍前秋中所赋：《有瞩》：“晚凉闲步向江亭，默默看书旋旋行。……谁将覆辙询长策，愿把棼丝属老成。安石本怀经济意，何妨一起为苍生。”又《秋深闲兴》中云：“此心兼笑野云忙，甘得贫闲味甚长。……把钓覆棋兼举白，不离名教可颠狂。”又《故都》：“故都遥想草萋萋，上帝深疑亦自迷。寒雁已侵池御宿，宫鸦犹恋女墙啼。天涯烈士空垂涕，地下强魂必噬脐。掩鼻计成终不觉，冯驩无路斅鸣鸡。”

十月

王建始立行台于蜀。

韦庄本年七十一岁，时王建立行台，庄为蜀安抚副使。《十国春秋》本传云：“高祖立行台于蜀，承制封拜，以庄为安抚副使。”又据夏《谱》考，庄于本年前，曾为唐室以起居郎征，王建表留之。吴任臣《十国春秋·韦庄传》记：“高祖立行台于蜀，承制封拜，以庄为安抚副使。”又《资治通鉴》卷二六五本年载：“冬，十月，丙戌，王建始立行台于蜀。”则韦庄之为蜀安抚副使盖在此时。

司空图隐居琯谷，时赋诗饮酒，与闾里耆老相乐。其咏修史亭诗约亦作于本年冬。《全唐诗》卷六三四司空图有《修史亭三首》，其二云：“甘心七十且酣歌，自算平生幸已多。不似香山白居士，晚将心地著禅魔。”其三云：“乌纱巾上是青天，检束酬知四十年。谁料平生臂鹰手，挑灯自送佛前钱。”下注：“图为王文公凝所知，后分司，又为卢携所知。”［按，据“甘心七十”句，知诗乃作于本年年七十时］而所谓“酬知四十年”，又指其咸通七年（866）为王凝所知，至本年亦恰四十年整。本诗其一又有“地炉生火自温存”句，当为冬日所作。又同书同卷另有《修史亭二首》，其二有“篱落轻寒整顿新，雪晴步屧会诸邻”句，亦作于冬日，唯不知咏于何年，今亦并记于此。又两《唐书》本传均记其晚年生活情景，《旧唐书·司空图传》云：“图既脱柳璨之祸还山，乃预为寿藏终制。故人来者，引之圹中，赋诗对酌，人或难色，图规之曰：‘达人大观，幽显一致，非止暂游此中。公何不广哉！图布衣鸠杖，出则以女家人鸾台自随。岁时村社雩祭祠祷，鼓舞会集，图必造之，与野老同席，曾无傲色。”

颜荛约本年谪官湖外，曾自草墓志。其卒当在此后。《北梦琐言》卷六记：“颜给事荛，谪官没于湖外。尝自草墓志……其志词云：‘寓于东吴……其余面交，皆如携手过市，见利即解携而去，莫我知也。复有吏部尚书薛公贻矩。兵部侍郎于公兢，中书舍人郑公撰三君子者。余今日已前不变，不知异日见余骨肉孤幼，复如何哉！”［按，据严耕望《唐仆尚丞郎表》卷四，薛贻矩任吏部尚书，于兢任兵部侍郎约在本年，则颜荛约此时尚谪官湖外，有自草墓志之作。其卒在本年之后］颜荛，两《唐书》无传，生平事迹所知不多。《全唐诗》卷七二七录其诗一首，又句二。

齐己本年四十三岁，有寄潘归仁诗。齐己诗有议及李白、李贺、贾岛者，亦可见其作诗旨趣。《白莲集》卷七《荆渚感怀寄僧达禅弟三首》之二云：“十五年前会虎溪，白莲齐后便来西。”虎溪在庐山东林寺旁，有齐己诗可证。《白莲集》卷四《忆在匡庐日》云：“忆在匡庐日，秋风八月时。松声虎溪寺，塔影雁门旧。”同集卷七《寄怀东林寺匡白监事》亦云：“南岳别来无后约，东林归住有前缘……雁塔影分疏桧月，虎溪声合几峰泉。”齐己归荆渚，事在龙德元年（921），由此上推十五年，知本年已在东林。齐己于唐末乱离之际曾长期寓居东林寺，孙光宪《白莲集序》称，《白莲集》之名，盖由“久栖东林，不忘胜事”而得。又齐己离开东林寺之时间，应在此后一两年间，戊辰年（908）其行迹已在湖南（详下表）。《白莲集》中，吟咏东林寺之诗作颇多。如《送东林寺睦公往吴》、《东林作寄金陵知己》、《东林十八贤贞堂》、《东林寄修睦上人》、《题东林白莲》、《东林雨后望香炉峰》等。《全唐诗》卷八三八齐己有《丙寅岁寄潘归仁》诗，中云：“九土尽荒墟，干戈杀害余。更须忧去国，未可守贫居。”［按，本年为丙寅岁］诗中可见其对时政之关切，但潘归仁其人不详。又齐己诗集中多有读唐人诗集者，然未知作年，今附述于此。《读贾岛集》（《全唐诗》卷八四三）云：“遗篇三百首，首首是遗冤。知到千年外，更逢何者论。离秦空得罪，入蜀但听猿。还似长沙祖，唯余赋鹏言。”《读李贺歌集》（《全唐诗》卷八四七）云：“赤水无精华，荆山亦枯槁。玄珠与虹玉，璨璨李贺抱。清晨醉起临春台，吴绫蜀锦胸襟开。狂多两手掀蓬莱，珊瑚掇尽空土堆。”又《读李白集》（同上）：“竭云涛，刳巨鳌，搜括造化空牢牢。冥心入海海神怖，骊龙不敢为珠主。人间物象不供取，饱饮游神向悬圃。锵金铿玉千余篇，脍吞炙嚼人口传。须知一一丈夫气，不是绮罗儿女言。”又有《还人卷》（同上）：“李白李贺遗机杼，散在人间不知处。闻君收在芙蓉江，日斗鲛人织秋浦。金梭剖剖文离离，吴姬越女羞上机。鸳鸯浴烟鸾凤飞，澄江晓映余霞辉。仙人手持玉刀尺，寸寸酬君珠与璧。裁作霞裳何处披，紫皇殿里深难觅。”又齐己尚作有乐府诗多首，均未能系年，其中多有反映现实，意在讥刺之作，今亦略述于此。《猛虎行》（《全唐诗》卷八四七，下引其诗同）：“磨尔牙，错尔爪。狐莫威，兔莫狡。饥来吞噬取肠饱，横行不怕日月明，皇天多尔为生狞。前村半夜闻吼声，何人按剑灯荧荧。”《西山叟》云：“西山中，多狼虎，去岁伤儿复伤妇。官家不问孤老身，还在前山山下住。”《耕里》云：“春风吹蓑衣，暮雨滴箬笠。夫妇耕且劳，儿孙饥对泣。田园高且瘦，赋税重复急。官仓鼠雀群，共待新租人。”其他如《苦热行》、《苦寒行》、《君子行》等诗，亦颇堪诵读。

韩偓本年在福州避乱。冬曾登南神光寺塔院，有诗咏之。时流寓异乡，兄弟离散，有诗寄其兄以抒思念之情。又作有《宝剑》、《再思》等诗寄寓其嫉奸恶、思报国之情怀。《全唐诗》卷六八〇有韩偓以下诸诗，诗均排列于“丙寅年秋，到福州，自此后并福州作（《荔枝三首》题下小注）之后，卷六八一“丁卯后”作之《感事三十四韵》诗之前，故诸诗当皆作于本年。诗有《登南神光寺塔院》（一本题作《登南台僧寺》）：“无奈离肠日九回，强抒离抱立高台。中华地向城边尽，外国云从岛上来。四序有花长见雨，一冬无雪却闻雷……”《寄上兄长》：“两地支离路八千，襟怀凄怆鬓苍然。乱来未必长团会（一作聚），其奈而今更长年。”又《宝剑》：“困极还应有日通，难将粪壤掩神踪。斗间紫气分明后，擘地成川看化龙。”《再思》：“暴殄犹来是片时，无人向此略迟疑。流金铄石玉长润，败柳凋花松不知。但保行藏天是证，莫矜纤巧鬼难欺。近来更得穷经力，好事临行亦再思。”他如《两贤》、《梦仙》、《赠吴颠尊师》、《送人弃官入道》等诗亦皆本年之作。

罗隐七十四岁。由秘书省著作郎转司勋郎中，充镇海节度判官。沈崧《罗给事墓志》云：“天祐三年，转司勋郎中，充镇海节度判官。”依《墓志》所记，罗隐此前官

阶为秘书省著作郎，实为镇海军节度掌记。《吴越备史》卷一本传谓："隐累官镇海军掌书记、节度判官、盐铁发运副使，授著作佐郎、司勋郎中，历谏议大夫、给事中，赐金紫。"［按，此传"累官"云云，盖指隐实历官次，而"授"字以下，乃中朝所授官阶。若不作此分别，则罗隐官司勋郎中似在为节度判官、盐铁发运副使之后。隐之仕历当以《墓志》所记为是］

王毂唐末为尚书郎中，致仕。卒年无考。《唐诗纪事》卷七〇云："（毂）唐末为尚书郎中，致仕。"《新唐书·艺文志》则称"郎官致仕"。《唐才子传》卷一〇又谓："历国子博士，后以郎官致仕。"今从《纪事》。毂之著述，《新唐书》卷六〇《艺文志四》"别集类"著录《王毂诗集》三卷，《直斋书录解题》卷一九"诗集类上"录为一卷，《宋史》卷二〇八《艺文志七》"别集类"录为三卷。集今不存。《全唐诗》卷六九四收录其诗十八首。

王朴（906或915—959），五代散文家。字文伯。郓州东平（今属山东）人。后汉乾祐三年（950）进士及第。授校书郎。后周初，辟澶州节度使幕掌书记，佐郭荣。拜右拾遗，充开封府推官。郭荣即位为世宗，授比部郎中。献《平边策》，迁左谏议大夫，知开封府事。显德四年（957）累迁至枢密使。卒年五十四，一作四十五。好学善属文，多才智，阴阳律历，无不精通。撰有《乐赋》一卷、《周显德钦天历》十五卷等，著录于《宋史·艺文志》别集类、历算类，并散佚。《全唐文》存文四篇。事迹见新、旧《五代史》本传。

丘光庭，唐代散文家。湖州（今属浙江）人。生卒年不详。僖宗至哀帝时人。进士及第。官至太学博士。后归隐湖州。天祐三年（906）、四年（907）间，刺史高澧曾请为校书。与殷文圭友善，博学能文。撰有《丘光庭集》三卷，著录于《新唐书·艺文志四》；《古今姓名相同录》一卷，著录于《郡斋读书志后志二》；《规书》一卷、《兼明书》十二卷、《海潮论》一卷，著录于《宋史·艺文志七》。今仅存《兼明书》五卷、《海潮论》一卷。《全唐文》存文三题十二篇，《全唐诗》存诗七首。事迹见唐殷文圭《题胡（湖）州太学丘光庭博士幽居》诗《郡斋读书志后志二》。

薛廷珪（？—925）唐末五代文学家。廷，一作延。蒲州河东（治今山西永济）人。薛逢子。中和中，在成都进士及第。大顺初，累迁司勋员外郎、知制诰。乾宁中，为中书舍人。改左散骑常侍，称疾致仕，客游蜀中。光化中，复为中书舍人。迁刑部、吏部二侍郎。权知天祐三年（906）贡举，擢裴说、李愚等。拜尚书左丞。后梁开平元年（907）官御史司宪。贞明三年（917）以礼部尚书权知贡举，擢和凝等。后唐同光二年（924），以太子太师致仕。明年卒。能文。有《凤阁书词》十卷，著录于《新唐书·艺文志四》；又有《克家志》五卷，收本人及其父辞赋。《诗薮·杂编》卷二著录《薛廷珪集》一卷。三书已佚。《全唐文》存文二卷。事迹见新、旧《唐书》及《旧五代史》本传，参《旧五代史》之《梁书》、《唐书》本纪，《登科记考》卷二四、二五。

第三章

后梁太祖开平元年至后周世宗显德六年（公元907—公元959年）共53年

·引　言·

苏轼《书诸集讹谬》：唐末五代，文章衰尽，诗有贯休，书有亚栖，村俗之气，大率相似。如苏子美家收张长史书云："隔帘歌已俊，对坐貌弥精。"语既凡恶，而字无法，真亚栖之流。近见曾子固编《太白集》，自谓颇获遗亡，而有《赠怀素草书歌》及《笑矣乎》数首，皆贯休以下词格。二人皆号有识知者，故深可怪。如白乐天赠徐凝、退之赠贾岛之类，皆世俗无知者所托，尤不足多怪。

蔡启《蔡宽夫诗话》：唐末五代，流俗以诗自名者，多好妄立格法，取前人诗句为例，议论锋出，甚有"师子跳掷"、"毒龙顾尾"等，览之每使人拊掌不已。大抵皆宗贾岛辈，谓之贾岛格，而于李、杜特不少假借。李白"女娲弄黄土，抟作愚下人。散在六合间，濛濛若埃尘"，目曰"调笑格"，以为谈笑之资。杜子美"冉冉谷中寺，娟娟林外峰。栏干更上处，结缔坐来重"，且为"病格"，以为言语突兀，声势蹇涩。此岂韩退之所谓"蚍蜉撼大树，可笑不自量"者邪?

吴千干《优古堂诗话》：荆公诗云："一水护田将绿绕，两山排闼送青来"，盖本五代沈彬诗"地限一水巡城转，天约群山附郭来"。彬又本唐许浑"山形朝阙去，河势抱关来"之句。

《南唐书》：（夏宝松）与诗人刘洞俱显名当世。百胜军节度使陈德诚以诗美之曰："建水旧传刘夜坐，螺川新有夏江城。"

严有翼《艺苑雌黄》：（江）为工诗，如"天形围泽国，秋气露人家"之句，极脍炙人口。少游江南，有诗曰："吟登萧寺旃檀阁，醉倚王家玳瑁筵。"后主见之，曰："此人大是富贵家。"而刘夜坐、夏江城等并就传句法，后以谗死。

计有功《唐诗纪事》：（孙）鲂，南昌人。唐末，郑谷避乱归宜春。鲂往依之，颇为诱掖。后有能诗声，终于南唐。

《南唐书》：金山寺题咏，众因称道唐张祜有"僧归夜船月，龙出晓堂云"之句，欲和，众皆阁笔。（孙）鲂复吟云："山载江心寺，鱼龙是四邻。楼台悬倒影，钟磬隔嚣尘。过橹妨僧定，惊涛溅佛身。谁言题咏处，流响更无人?"时人号为绝唱。

辛文房《唐才子传》：（孙鲂）《金山寺》诗云："天多剩得月，地少不生尘。"当时谓骚情风韵，不减张祜云。

杨慎《升庵诗话》:《凌歊台》诗曰:“宋祖凌歊乐未回，三千歌舞宿层台。”用修曰:“此宋祖乃刘裕也。《南史》称宋祖清简寡欲，俭于布素，嫔御至少。尝得姚兴从女有宠，颇废事，谢晦微谏，即时遣出。安得有‘三千歌舞’之事。审如是，则石勒之节宫，炀帝之江都矣。”此论最当。又曰:“唐诗至许浑，浅陋极矣，乃晚唐之最下者。孙光宪曰:‘许浑诗，李远赋，不如不作。’当时已有公论。”愚意“浅”则有之，“陋”亦未然。诗诚不能超出晚唐，晚唐不及许者更自无限。即如孙光宪，亦仅能作《浣溪沙》、《菩萨蛮》小词，有何格律可称。用修尝称晚唐律诗，李义山而下，惟杜牧之为最。又称韦庄诗多佳。韦读许诗曰:“江南才子许浑诗，字字清新句句奇。十斛真珠量不尽，惠休空作碧云词。”杜牧又有寄浑之作曰:“江南仲蔚多情调，怅望春阴几首诗。”其为名流推许又如此，将何所折衷。余以许诗如名花香草，虽不堪为栋梁，政自宜于觞咏，安得以一诗失核而尽弃之。

胡应麟《诗薮》:和凝，字成绩，生平撰述共分为六种，《香奁集》其一也，今独此传。其句多浮艳，如“仙树有花难问种，御香闻气不知名”、“鬓鬟香颈云遮藕，粉著兰胸雪压梅”、“静中楼阁春深雨，远处帘栊夜半灯”，皆见《瀛奎律髓》。方氏以为韩渥，叶少蕴以为韩熙载。大概晚唐五代，调率相似。第渥当乱离际，以忠鲠几杀身，其诗气骨有足取者，与《香奁》殊不类，谓凝及熙载则意颇近之。《诗话总龟》又载凝“桃花脸薄难成醉，柳叶眉长易揽愁”之句，可证云。

今五代诗集传者，仅建勋一家而已。集中佳句颇多，虽晚唐卑下格，然模写情事殊工。(同上)

李日华《紫桃轩杂缀》:江为诗“竹影横斜水清浅，桂香浮动月黄昏”，林君复只改二字为“疏影”、“暗香”以咏梅，遂成千古绝调。诗字点化之妙，如丹头在手，瓦砾皆金。

胡震亨《唐音癸签》:五代十国诗家最著者，多有唐遗士。韦正己（庄）体近雅正，惜出之太易，义乏闳深。杜彦之（荀鹤）俚浅，以衰调写衰代，事情亦自真切。黄文江（滔）力孱韵清，娓娓如与人对语。罗昭谏（隐）酣情饱墨，出之几不可了，未少佳篇，奈为浮渲所掩，然论笔材，自在伪国诸吟流上。余即不乏片藻，付之自郐。

许学夷《诗源辩体》:李建勋五言律，如“杉松新夏后，雨雹夜禅中”、“池映春篁老，檐垂夏果香”、“晚果经秋赤，寒蔬近社青”、“地炉僧坐暖，山枿火声肥”，七言律如“人归远岫疏钟后，雪打高杉古屋前”、“云暗半空藏万仞，雪迷双瀑在中峰”，伍乔七言律，如……“梦回月夜虫吟壁，病起茅斋药满瓢”、“古琴带月音声正，山果经霜气味全”，及《诗薮》所载刘昭禹“神清峰顶立，衣冷瀑边吟”，卞震“雨壁长秋菌，风枝落病蝉”，曹崧“鹿眠荒圃寒芜白，鸦噪残阳败叶飞”，廖凝“风清竹阁留僧话，雨湿莎庭放吏衙”等句，皆清新峭拔，另为一种。究其所自，乃贾岛、张、王之余。至宋刘后村，益加工美矣。今后生所尚，实不出此，顾乃高自夸大；意谓千古绝调，薄初、盛而不为，不知乃古人久弃之唾余也。

张泌无全集，仅《才调集》及《鼓吹》、《品汇》所录二十余篇而已。其七言古一篇，乃诗余之调也。七言律……亦晚唐俊调。(同上)

蜀王孟昶花蕊夫人有七言绝《宫词》一百首，其词本于王建。大约以全集观，王语不雅驯，而花蕊时近浅稚。（同上）

贺裳《载酒园诗话》：李建勋诗格最弱，然情致迷离，故亦能动人。如《残牡丹》诗……气骨安在？却有倚门人流目送盼之致，虽庄士雅人所卑，亦为轻俊佻达者喜。又如《闲出书怀》曰："断酒只携僧共去，看山从听马行迟。"《春雪》曰："全移暖律何方去？似误新莺昨日来。"《梅花寄所亲》曰："云鬓自沾飘处粉，玉鞭谁指出墙枝。"《春水》曰："青岸渐平濡柳带，旧溪应暖负莼丝。"语皆纤冶，能眩人目。

南唐又有张泌，其诗如乌衣、马粪诸郎，虽非干理之才，却无伧父容貌词气，定其诗格，当韦相、李司徒季孟间。（同上）

李中《碧云集》，孟宾于历举其佳句于序，今读之殊多平平。余更喜其"竹风醒晚醉，窗月伴秋吟"、"虚阁静眠听远浪，扁舟闲上泛斜阳"、"步月怕伤三径藓，取琴因拂一床尘"、"江近好听菱芡雨，径香偏爱蕙兰风"、"公署静眠思水石，古屏闲展看潇湘"，虽轻浅，尚有闲澹之致。（同上）

吴任臣《十国春秋》：刘洞，庐陵人。少游庐山，学诗于陈贶，精思不懈，或至浃日不盥。居庐山二十年，长于五字唐律，自号"五言金城"，得贾岛遗法。

后主嗣位，尤属意诗人。或以（刘）洞言者，洞遂献诗百篇，卷以《石城篇》为首……后主读之，感怆不怡者久之，因弃去，洞亦不复见省。（同上）

潘德舆《养一斋诗话》：（张泌）《洞庭阻风》云："青草浪高三月渡，绿杨花扑一溪烟。"岂似咏洞庭者？气局之琐可知。

佖（泌）有《寄人》一绝，云："别梦依依到谢家……"比之司空表圣"故国春归未有涯，小栏高槛别人家。五更惆怅回孤枕，犹自残灯照落花"，风流略似。（同上）

南唐张泌《春晚谣》云："雨微微，烟霏霏……"《春江雨》云："雨冥冥，风泠泠……"二诗字字精润可爱，然大可阑入《花间》、《草堂》词选中矣。固不解李、杜大境界，即义山、牧之辈豪爽之气亦无之也。（同上）

胡以梅《唐诗贯珠笺释序》：夫唐以诗论士，无不寄身于翰墨，耳濡目染，父师之传，子弟之授，皆抉其奥而探其微，积二百八十余年，如菽粟醯酱，人人含咀厌饫。即五代入宋，距唐方五十五载，少者未老，壮者未殁，皆李氏之遗民。其渐染家学，悉是唐音。犹夫两汉易世，培养气节之士，为三国隽杰，殊辙同轨。故唐末才人，位虽不达，憔悴浪迹，而佳制尤多。

王士禛《五代诗话》：江南冯延巳曰：凡人为文，皆事奇语，不尔则不足观。惟徐（铉）公率意而成，自造精极，诗冶衍遒丽，具元和风律，而无澳涩纤阿之习。

世传其（按指花蕊夫人）宫词百首，清斯艳丽，足夺王建、张籍之席。盖外间摹写，自多泛设，终是看人富贵语，固不若内家本色，天然流丽也。（同上）

牛运震《五代诗语序》：五代之乱极矣，政纪解散，才士凌夷，干戈纷攘，文艺阙如，即诗歌间有之，亦多比于浮靡噍杀，噭然亡国之音者皆是也，乌睹所谓风雅者乎？然夷考其时，若韦庄、陈陶、罗隐、和凝、杨凝式、王贞白、杜荀鹤、韩熙载、徐仲雅，以及黄滔、廖图、齐己、贯休诸人，或清丽可喜，或怪峭自异，其为诗之源流本末，及夫唱酬往复异同高下之辙致，盖亦有足采者。居今之世，论古之为，虽闰位余分，诗篇失次，要亦文人韵士得失之林也。岂唯盛时，如自开平以讫显德，上下六七十年，推挹逸韵流风，犹足以踵晚唐，启初宋。论者或以为鄙浅不足道，如此是观列国之风而废曹、桧也。

邱仰文《五代诗话序》：五季自开平逮显德，不五十年，五易国而八姓，电光泡影，天地闭，贤人隐，叶少蕴谓之空国无人。然而板荡流离，琐尾兴悲，何尝不与“二雅”、“三颂”并归删辑。于稽其世，唐末诗人如罗隐、韦庄、韩偓辈，往往流落江南、吴越、荆楚诸国，触事怆怀，固不乏激昂清越之音，其雕琢禽鱼，流连花草，则亦时有赋物能工者焉。盖李唐之殿，赵宋先路，风流依依未泯也。

郑方坤《五代诗话例言》：诗盛于唐，而纵横变化于宋。五代虽云中熄，源流正变，正自一脉相承。历观前志，殷文圭、杜荀鹤等作，犹唐音也；徐铉、陶穀、郑文宝诸人，则宋调矣。……时世推迁，体格因之互异，上下百年间风雅盛衰之故，略可睹矣。

十国文物，首推南唐、西蜀。闽则韩、黄、翁、徐诸君子连茵接轸，美秀而文，所谓永嘉之末，犹闻正始之音者也。楚风不竞，而天策十八学士炳炳琅琅，亦拔戟自成一队。吴越似稍亚，然有罗江东一人，便大为浙水吴山生色。孙光宪之于荆南也，亦然。谁谓贤者之无益于人国哉！韩致光为玉谿之别子，韦端己乃香山之替人，罗昭谏感事伤时，激昂排奡，以追配杜紫薇庶几无愧。三公竞爽，可称华岳三峰，佳话流传，并秀句之脍炙人口者，正难枚举。（同上）

黄滔之于闽，欧阳炯、牛峤之于蜀，陈陶之于南唐，皆籍甚一时，为诗人之眉目，琐事卮言，散见于稗官野乘者，不一而足。（同上）

宫闺之作，首推花蕊夫人。缁流则禅月称奇，而己公其羽翼也；仙客则纯阳最著，而图南其骖乘也。（同上）

钟秀《观我生斋诗话》：唐末如李建勋、杜荀鹤、吴融、韩偓、罗隐诸诗，皆与梁、后唐相及者，今皆列唐诗中。他如王仁裕、孙光宪、皮光邺、韩熙载、和凝诗，多散见于小说中。惟徐铉《骑省集》独传，皆晚唐一派也。

由云龙《定庵诗话》：唐人重诗，至五代风气犹然。杜荀鹤以诗见重于朱温；罗隐以诗见赏于王建；贯休以“一剑霜寒十四州”之句，得重于钱武肃；牛希济以“非干将相扶持拙”之诗，被拔于唐明宗；卢延逊之诗，为忠懿王所爱慕；韩垂金山寺之诗，为钟山公李建勋所眷念不忘。甚至朱长文以《咏热》诗，为满城所传诵，宋太祖闻之，因而兴讨蜀之师；石文德以“月沉湘浦冷，花谢汉宫秋”之句，卒回文昭王之意；王宪宗欲害韩隐辞，得其《白盐山滟滪堆》之诗，因而中止；罗绍威以魏博节度使之贵重，因重罗昭谏之诗，与之联宗籍，自名其集曰《偷江东集》（罗隐有《江东集》十卷），其一时之趋向风习可想。然如李建勋、罗绍威辈，本素能诗，无足奇异，如朱温、王建等，枭雄驵侩，亦知崇重风雅，斯足为五季多矣。

丁仪《诗学渊源》：（和）凝宫词百首，不减王建，风华绮丽，后人殆难为继矣。

（李中）为诗略似元、白，辞旨蕴藉，文采内映，五代之际，得此殊不易矣。（同上）

沈辰垣《历代诗余》引《蓉城集》：（欧阳炯）曾为赵崇祚叙《花间集》。每言：

“愁苦之音易好，欢愉之语难工。”其词大抵婉约轻和，不欲强作愁思者也。

刘永济《唐人绝句精华》：五代诗人所作乐府，每与词曲不分。（孙）光宪有《采莲曲》“菡萏香连十顷陂”，即诗、词并收。

公元907年（后梁太祖开平元年　丁卯）

后梁

二月

唐大臣共奏请昭宣帝逊位；诏宰相帅百官诣元帅府劝进，朝臣、藩镇上笺劝进者相继。

崔詹、陈淑、杨元同、梁震等二十人，登进士第。时朱温尚未登基，仍为唐时。

崔詹以第一名中进士科状元。（见《玉芝堂谈荟》）王权撰《唐故中书舍人清河崔公（詹）墓志铭并序》云：“公讳詹，字顺之，其先清河东武城人也。……天祐四年，故相国于公主文，精求名实。公登其选，首冠群英。”

陈淑，生卒年不详，本年进士登第。《永乐大典》引《莆阳志》：“天祐四年，陈淑登进士第。”

杨元同，生卒年不详，本年进士登第。《玉堂闲话》：“唐天祐年，河中进士杨元同老于名场，是岁颇亦彷徨，未涯兆眹，宜祈吉梦，以卜前途。是夕梦龙飞天，乃六足。及见榜，乃名第六。”

梁震，生卒年不详，本年进士登第。徐松《登科记考·附考·进士科》考云：“进士，唐末登第，见《资治通鉴》。《鉴戒录》：‘梁震，蜀川人，比名霭。僖宗在蜀，方修举业。时刘象随驾在蜀，震以所业贽于刘，刘曰：‘据郎君少年，才思清秀，傥随乡试，成器非遥。若不改名，无白显达。何以？缘霭字雨下从谒，雨下谒人，因甚得见！此后请改为震，震字雨下从辰，辰者龙也。龙遇水雨，变化烧尾之事不亦宜乎？’震后果得上第。宋代叶寘《爱日斋丛抄》引《大定录》云：‘（梁）震，开平元年侍郎于竞下及第。’《大定录》即《天下大定录》，宋初王举（一作吴感）著。‘于競’即于兢。”《三楚新录》卷三：“时诸侯争霸，急于用人，进士梁震登第后薄游江陵，季兴请为掌书记。”又《明一统志》卷六十二《荆州府·人物·流寓》：“梁震，蜀依政人，唐末进士，寓江陵。高季兴欲署判官，震耻之，终身不受辟。署止称‘前进士’，自号‘荆台处士’。”

知贡举：礼部侍郎于兢。《旧五代史》卷四《太祖纪第四》：“（开平二年）四月，以吏部侍郎于兢为中书侍郎、平章事。”又《五代会要》卷二十四：“乾化二年五月，以门下侍郎平章事于兢，判建昌宫事。”宋郭若虚《图画见闻志》卷二亦称：“梁相国于兢，善画牡丹。”

三月

唐昭宣帝降御札，禅位于梁，唐亡。朱全忠奉昭宣帝为济阴王，迁之于曹州。后梁建国后，封马殷为楚王。朱晃下制夺李克用官爵。是时，惟河东、凤翔、淮南称“天祐”，西川称“天复”年号，余皆禀梁正朔。蜀王与弘农王移檄诸道，云欲与岐王、晋王会兵兴复唐室，卒无应者。李茂贞开岐王府，置百官。

四月

甲子，皇帝即位。戊辰，大赦，改元。（见《新五代史》本纪）《旧五代史》本纪云：“帝初受禅，求理尤切，委宰臣搜访贤良。或有在下位抱负器业、久不得伸者，特加擢用。有明政理得失之道、规救时病者，可陈章疏。当亲鉴择利害施行，然后赏以爵秩。有晦迹邱园、不求闻达者，令彼长吏备礼邀致，冀无遗逸之恨。”

朱温迫使唐昭宣帝李柷禅位，称帝，国号梁，改元开平，并自改名为晃。以汴为开封府，命曰东都；以故东都（即洛阳）为西都；废故西京，以京兆府为大安府，置佑国军于大安府。是时河东、凤翔、淮南仍称“天祐”，西川王建称“天复”，皆为唐昭宗年号，其余皆奉梁正朔，称臣奉贡。

司空图年七十一，仍隐居中条山琯谷。朱温篡唐，召为礼部尚书，不起。《旧唐书·卓行》载：“朱全忠已篡，召为礼部尚书，（图）不起。”司空图，《旧唐书》卷一九〇、《新唐书》卷一九四有传。《新唐书》本传云：“司空图字表圣，河中虞乡人。……图本居中条山琯谷，有先人田，遂隐不出。作亭观素室，悉图唐兴节士文人，名亭曰休休。……因自目为耐辱居士。……朱全忠已篡，召为礼部尚书，不起。”《司空表圣文集》卷三《与极浦书》自称“知非子狂笔”。图入五代前事迹，详见前晚唐文学编年。

五月

梁封钱镠为吴越王，以刘隐为大彭王；以高季昌为荆南节度使。（见《资治通鉴》卷二六六）胡三省注云：“天复四年（904），梁王劫唐昭宗迁洛，改元曰天祐。河东、西川谓劫天子迁都者梁也，天祐非唐号，不可称，乃称天复五年。是岁梁灭唐，河东称天祐四年，西川仍称天复。”

六月

静海军节度使（承）裕卒。

七月

敕："近年举人，当秋荐之时不亲试者，号为拔解。今后宜止绝。"（《旧五代史·选举志》、《五代会要》）

本年

赵光逢以唐尚书左丞为押金宝副使，赴大梁参加受禅仪式。《资治通鉴》卷二六六载，三月"甲辰，唐昭宣帝降御札禅位于梁。以摄中书令张文蔚为册使，礼部尚书苏循副之；摄侍中杨涉为押传国宝使，翰林学士张策副之；御史大夫薛贻矩为押金宝使，尚书左丞赵光逢副之；帅百官备法驾诣大梁"。

罗衮，唐亡事梁。（见《唐摭言》卷一〇《海叙不遇》条）《新唐书·艺文志》录《罗衮集》二卷，云："字子制，天祐起居郎。"《北梦琐言》卷五："唐罗员外衮，成都临邛人。应进士举，文学优赡，操尚甚高。唐大顺中策名，不归故乡。时属丧乱，朝廷多故，契阔兵难，备历饥寒。蜀先主致书于翰林令狐学士、吴侍郎，选书记一员，欲以桂阳应聘，外郎谓知己曰：'誓拥马通行，服弊布衣，以俟外朝，无复西归，为鲁国东家丘也。'"（参《新唐书》卷一七八《刘蔡传》）昭宗诛韩全诲在天复三年正月。（参见《资治通鉴》卷二六三，《旧唐书》卷一〇）

可止四十八岁，居幽州。可止，俗姓马，范阳大房山高丘人。年十二出家，十五岁往真定学经论，《宋高僧传》卷七有传。李洞另有《赠人内供奉僧》（见《全唐诗》卷七二三）。

卢汝弼为李克用河东节度副使。汝弼，字子谐，一作子请，蒲州（今山西永济）人，郡望范阳（今河北深州）。祖卢纶。唐景福中登进士第，累迁至祠部员外郎、知制诰，惧祸移疾去官，客居潞州。天祐三年（906）至太原，李克用署为节度副使。

归仁居洛阳灵泉寺。归仁，姓氏、年里不详。《景德传灯录》卷二〇有传，列为抚州疏山匡仁法嗣，称"洛京长水灵泉归仁禅师"，唐末至梁初在世。

荆浩于梁时隐居太行洪谷，卒年不详。浩，字浩然，自号洪谷子，沁水（今属山西）人。唐末避乱，遂隐居不仕。博通经史，善诗文，尤工丹青，长于山水。著有《笔法记》、《画山水赋》，今存。

翁承赞唐亡事梁。仍守本官，为户部员外郎。

郑云叟四十二岁，隐居华山。后梁权臣李振劝其出仕，不诺。云叟，本名遨，后避后唐明宗祖讳而以字行。滑州白马（今河南滑县）人。唐僖宗、昭宗时应进士试，两举不第。见天下将乱，遂入少室山为道士，著《拟峰诗》三十六章，人多传之。寻移居华山，与李道殷、罗隐之友善，时人目为三高士。

陈沆赴汴应进士举。沆，莆田（今属福建）人。唐末居庐山，齐己曾有诗赠之。《登科记考》卷二五引《永乐大典》收《莆阳志》，称沆为开平二年进士。则沆应为莆田人。其于下年登第，则是年当已赴汴应举。又齐己《白莲集》卷五有《贻庐岳陈沆秀才》，云："为儒老双鬓，勤苦竟何如。四海方磨剑，空山自读书。石围泉眼碧，秋落洞门虚。莫虑搜贤辟，征君日此居。"

杨凝式三十五岁。劝阻其父杨涉为押传国宝使。（见《资治通鉴》卷二六六，《宦游纪闻》卷一〇）凝式，《旧五代史》卷一二八《新五代史》卷三四有传。

裴说及第后事迹不详，当仕梁。卒年无考。《诗话总龟》前集卷一三引《郡阁雅谈》云："说官至补阙。"陈师道《后山诗话》又称："礼部员外郎裴说《寄边衣》云云。"《直斋书录解题》卷一九亦云："说后为礼部员外郎。"裴说集，《崇文总目》卷一二集部"别集类"录为两卷；《郡斋》卷四中、《直斋》卷一九、《宋史》卷二〇八《艺文志七》皆录为一卷。《直斋》云："世传其《寄边衣》古诗，甚丽，此集无之，仅有短律而已，非全集也。"是知说集至南宋时已散佚不全。《全唐诗》卷七二〇编其诗为一卷，《全唐诗外编·补逸》卷一四补一首，《续补遗》卷一三增一联。

王毂约于梁初集《临沂子观光集》三卷，撰《前代忠臣临危不变图》一卷。毂字虚中，自号临沂子，宜春（今属江西）人。久困场屋，乾宁五年（898）登进士第。历国子博士。《新唐书·艺文志》录《王毂诗集》三卷，《直斋书录解题》卷一九录为一卷，云："乾宁五年进士。"

李琪约三十四岁。后梁以左补阙征入，拜翰林学士。《北梦琐言》卷六云："梁祖受禅，征入，拜翰林学士。"［按，李琪与兄李珽，才藻齐名，俱为梁祖所知。昭宗迁洛之际，二人皆客荆楚。至是时，珽事梁祖为崇政学士，琪为翰林学士］详参《旧五代史》卷五八《李琪传》。

罗绍威三十一岁，为魏博节度使，检校太尉，邺王。正月，劝朱温篡唐自立。四月，朱温即帝位，加守太傅、兼中书令。绍威，字端己，魏州贵乡（今河北大名）人。父罗弘信，魏博节度使。绍威于唐文德初授左散骑常侍，充魏博节度副使。光化元年（898）亲父位，天祐元年（904）授检校太尉。守侍中，进封邺王。三年，与朱温合力，尽诛魏博牙军。

陈康图，约由唐入梁，生卒、籍贯未详。曾编《拟重集》十卷，《诗纂》三卷，今不存。《崇文总目》总集类录《拟玄集》十卷，《诗纂》三卷，陈康图编。《通志》总集类录《拟玄集》十卷、《诗纂》三卷，称"梁陈康图集"。二集今不存。

钟安礼约为唐末及梁时人，其生卒、籍贯未详。曾编《资吟集》五卷，今不存。《崇文总目》总集类录："《资吟集》五卷，钟安礼编。"其集今不存。

王仁裕二十八岁，居秦州，以文辞知名秦陇间。仁裕字德辇，天水（今属甘肃）人。少不知书，以狗马弹射为乐。年二十五始就学，而为人隽秀，以文辞知名秦陇间。（见《旧五代史》卷一二八、《新五代史》卷五七、《十国春秋》卷四四有传。《全宋文》卷四六李昉《王仁裕神道碑》）

冯道，字可道，瀛州景城人，二十六岁。已事刘守光。冯道传，见《旧五代史》卷一二六、《新五代史》卷五四。

李存勖二十三岁，随李克用兵太原。存勖，小字亚子，沙陀部人，本姓朱耶氏。为晋王李克用之长子。习《春秋》，善骑射，洞晓音律，尤好歌舞俳优之戏。

刘昫二十岁，居涿州。昫，字擢远，涿州归义（今河北雄县）人。以好学善文知名燕蓟之间。（见《旧五代史》卷八九、《新五代史》卷五五）《旧五代史》本传："唐天祐中，契丹陷其郡，昫被俘至新州，逃而获免。后居上国大宁山，与吕梦奇、张麟结庵共处，以吟诵自娱。”

刘赞唐亡事梁。《旧五代史》卷六八本传：“魏州节度使罗绍威署巡官，罢归京师，依开封尹刘郇。久之，租庸使赵岩表为巡官，累迁至金部员外郎，职如故。”

路德延唐亡事梁，为河中节度掌记。《唐诗纪事》卷六三载：“天祐中，授拾遗。会河中节度使朱友谦领镇，辟掌书记，友谦甚礼之。然德延浮薄，动多忤物，友谦懈礼。德延乃作《孩儿诗》五十韵以刺友谦。友谦闻而大怒，乃因醉沉之黄河。”

吴

杨渥时为淮南节度使、弘农郡王，为杨行密长子（行密卒于唐天祐二年）。梁建国，改元开平，渥仍称天祐，奉唐年号。六月，命所属鄂州刺史刘存、岳州刺史陈知新以舟师伐楚，为楚王马殷所败，岳州入于楚。渥又心忌左、右指挥使张颢、徐温，欲诛杀二人，而已又无能，耽于饮酒作乐，其军政均为张、徐所制。（见《新五代史》卷六一，《吴世家》，《资治通鉴》卷二六六）

王贞白隐居永丰，以道学自任。卒年无考。《嘉靖永丰县志》卷四载：“唐王贞白，字有道……遭时不淑，隐居教授，以道学自任。其论有典则，动止合准绳，士风因之丕变，四方学者多宗旧之。”五代末南唐诗人孟宾于《碧云集序》云：“乱后江南郑都官、王贞白用情创意，不共辙，不同途。”［按，王贞白于天复元年（901）归隐永丰，其后未再出仕］史载其隐居教授，以道学自任，当可信。卒年无考。《唐诗纪事》卷六七云：“贞白寄郑谷曰：‘五百首新诗，缄封寄去时。只凭夫子鉴，不要俗人知。火鼠重烧布，冰蚕乍吐丝。直须天上手，裁作领巾披。’”绎其诗意，当作于二人归隐之后。清王士贞、郑方坤《五代诗话》卷二《王贞白》条载：“建帅陈诲之子德诚，罢管昭江水军，入掌禁卫，颇患拘束。方宴客，贞白在坐食蟹，德诚请咏之。贞白云：‘蝉眼龟形脚似蛛，未曾正面向人趋。如今钉在盘筵上，得似江湖乱走无。’众客皆笑。”［按，陈德诚，《十国春秋》卷二四《陈诲传》有附传，为南唐中主、后主时名将］《五代诗话》此文不知所据，未能辨真伪。贞白卒年虽难确考，颇疑其未及南唐。王贞白著述，《新唐书》卷六〇《艺文志四》载《王贞白诗》一卷。南宋《郡斋读书志》卷五下录其《灵溪集》七卷，且云：“手编所为诗三百篇，命为《灵溪集》云。庆元中洪文敏公迈为之序。”《直斋书录解题》卷一九所载同，且云：“其集有自序，永丰人有藏之者，洪景庐得而刻之。”元脱脱等《宋史》卷二〇八《艺文志七》录《王贞白诗》七卷，辛文房《唐才子传·王贞白》亦云：“手编所为诗三百篇及赋文等，为《灵溪集》七卷，传于世。”今存《王贞白诗》一卷；《全唐诗》卷七〇一编其诗一卷，卷八五《全唐文补遗》补十二首；《全唐诗外编·补遗》卷一四增补十二首，《续补遗》补一首一联。

李咸用于梁初居庐山，与修睦过往唱酬。其《披沙集》卷六有《依韵修睦上人山居十首》，《和修睦上人听猿》等。

齐己约四十四岁，居长沙道林寺，与尚颜过往酬和。

修睦居庐山为僧正。（见《宋高僧传》卷三〇，《梁庐山双溪院国道者传》，《庐山

记》卷二）

宋齐丘仕吴。齐丘天祐三年（906）前曾为钟传荐为乡贡进士。天祐三年九月钟氏败，齐丘随众东下。（见马令《南唐书》卷二〇，陆游《南唐书》卷四，《十国春秋》卷二〇）

黄损游宜春，谒郑谷，谷颇称赏其诗。冬，与谷及齐己共定《今体诗格》。《十国春秋》本传云："黄损字益之，连州人。少负大志，栖隐静福山，罕与俗接。为学以该通擅长，尤工诗赋，遇佳山水，留题殆遍。自谓所学未广，乃担囊游洞庭诸名胜，结交天下士，意豁如也。"《南汉书》本传："隐州之静福山，筑室颜曰'天衡'。……宜春郑谷为湖海宗匠，一见辄举其诗谓曰：'君殆夺真宰所有也。'"（见《十国春秋》卷六二，《南汉书》卷一〇有传）

沈颜继续仕吴。《十国春秋》传称，沈颜仕吴，初任淮南巡官，"累迁礼仪使、兵部郎中、知制诰、翰林学士"。

杨夔依歙州刺史陶雅。《全唐文》卷八六七载杨夔《歙州重筑罗城记》云："明年（天祐五年，908）四月辛丑，宣、歙、睦雨，周一甲子，平地水丈余，四日而后止……郡帅太尉浔阳公周视其坏，色沮神戚……秋八月，乃颁役于五邑……阕乡杨夔……敢撰重筑新城记以献。时岁在降娄周正之月十一日记。"陶雅传，见《九国志》卷一，雅刺歙时间自昭宗景福二年（893）至天祐五年（908），先后共十五年。杨夔往依陶雅，应在天复三年田頵败死之后。本年仍居陶雅幕。

汪台符歙州人，时居歙州乡里。《十国春秋》卷一〇传云："汪台符，歙州人。少好学，博贯经籍，善为文章，不逐浮末，有匡王定霸之才。天复初，为陶雅幕客，已而见天下苦兵战，遂居乡里，执耒力田。"

游恭仕吴，为馆驿巡官。《十国春秋》卷一一传云："游恭，建安人。登唐进士第。博学能文辞，有名于世。初为鄂州杜洪掌书记，洪死来归，署馆驿巡官。"（据《旧五代史》卷一七《杜洪传》）

吴　越

钱镠为镇海军节度使、吴王。五月，梁立国，封钱镠为吴越王，年五十六。（见《资治通鉴》卷二六六，《旧五代史》卷一三三，《新五代史》卷六七，《十国春秋》卷七七）

罗隐七十五岁。本年劝钱镠讨梁，不果。梁祖以谏议大夫征，不起。（见《资治通鉴》卷二六六载，《旧五代史》卷二四，《郡斋读书志》卷四中）

孙郃，愤于朱梁篡唐，作《春秋无贤人论》，脱冠裳，归隐于明州奉化山。著书纪年悉用甲子，以示不臣于梁。卒年不详。郃，字希韩，明州奉化（今属浙江）人。乾宁四年（897）登进士第。曾为校书郎，历河南府文学。《十国春秋》卷八八有传。郃之著述，宋人书目已有著录。《全唐诗》卷六九四小传云："《文集》四十卷、《小集》三卷。今存诗三首。"《全唐文》卷八二〇录其文四篇。《郡斋读书志》卷四《十国春秋》又卷三《梁四明山无作传》："时奉化乐安孙郃退居啸傲，不交缁伍，惟接作，交谈终日。”孙郃有《送无作上人游云门法华寺序》（见《全唐文》卷八二〇）郃又有《方玄英先生传》（同上）。王赞《玄英先生诗集序》：“今年遇乐安孙郃于荆，早与生善，出示所作《玄英先生传》，且日与其甥杨弇洎门僧居远收掇其遗诗，得三百七十余篇，析为十卷。欲予为之序。……直嘉郃能怀人之遇，成人之不泯，而又爱我之厚，故集诗之废兴，题于干集之首。”

契此于唐末至梁初游历明州一带。契此，姓氏不详，明州奉化（今属浙江）人。时号长汀子、布袋师、布袋和尚。（见《景德传灯录》卷二七，《宋高僧传》卷二一）

皮光邺三十一岁，为吴越钱氏浙西节度推官。光业，字文通，襄阳竟陵（今湖北天门）人。皮日休之子，生于苏州。十岁能文，及长，谒钱镠，辟置幕府，累署浙西节度推官。（见《吴越备史》卷三，《十国春秋》卷八六）

文益二十三岁，是年前后在明州育王寺希觉门下学律，善文，希觉赞之为释门游、夏。文益，俗姓鲁，余杭（今属浙江）人。七岁出家，二十岁于越州开元寿受戒。（见《宋高僧传》卷一三，《景德传灯录》卷二四，《十国春秋》卷三三）

楚

梁建国，马殷时为潭州刺史、武安军节度使，遣使修贡，朱温授殷为侍中兼中书令，封楚王。（见《新五代史》卷六六《楚世家》）

苏拯仕容管，五代初尚在世，卒年未详。拯，武功（今属陕西）人，唐光化（898—900）中应进士试，约天复中（901—903）登第。有《苏拯诗集》一卷。宋苏舜钦《苏学士集》卷一四《先公墓志铭》。铭云：“武弃武功，世遂名其籍。隋唐之际多伟人，六叶之内，四至大丞相，袭封邰、许。文宪公之曾孙传素，广明乱，以其率逊蜀。生三子：捡、拯、振。孟还相唐。仲以策擢，官至容管经略使。唐命革，刘岩奄有南海，独完国不与岩，容民至于今们之。”（参《新唐书》卷一八二《卢光启传》，《唐摭言》卷一一）

尚颜约于唐末至梁初，居长沙岳麓山，与齐己过往唱酬。尚颜，俗姓薛，字茂圣，约生于唐元和末。《全唐文》卷八二九颜荛《颜上人集序》：“颜公姓薛氏，字茂圣。”齐己《白莲集》卷九有《寄尚颜公》、《闻尚颜上人创居有寄》、《闻尚颜下世》、《酬尚颜》，卷七《酬尚颜上人》。

沈彬四十四岁，隐云阳山，与虚中、齐己辈以诗唱答，颇负声名。（见《江南野史》卷六六，马令《南唐书》卷一五，陆游《南唐书》卷七）

栖蟾居衡山，与沈彬、虚中、齐己、尚颜等唱和为诗友。齐己《白莲集》卷六有《寄怀西蟾师父弟》、《闻西蟾从弟卜岩居岳西有寄》，西蟾当即栖蟾之讹。栖赡有《居南岳怀沈彬》。（《全唐诗》卷八四八）

欧阳彬居湖南，屡谒马殷，而掌客吏不为通，有诗抒愤，落魄街市。唐末至是年间，与齐己过往。（《十国春秋》卷五三，《蜀梼杌》卷下，《五代史补》）

李涛十岁，随父避地湖南，依马殷。涛，字信臣，小字社公，京兆万年（今陕西西安）人。唐宗室。（见《宋史》卷二六二，《石林诗话》）

刘昭禹，字休明，桂阳人，一曰婺州人。生卒年不详。起家湖南县令，事马殷父子。本年在楚。《诗话总龟》前集卷一〇引《郡阁雅谈》云："刘昭禹，字休明，婺州人。少师林宽，为诗刻苦，不惮风雪……尝与人论诗曰：'五言如四十个贤人，乱着一字，屠沽辈也。觅句者若掘得玉匣，有底有盖，但精求，必得其实。'在湖南，累为宰。"（参《十国春秋》卷七三）

裴谐隐于桂岭，未仕楚。其后行迹不详。谐与兄说同登唐天祐三年进士第，其后行迹不详。《十国春秋》卷七五《翁宏传》云："同邑有裴谐者，唐人裴说之弟，武穆王时隐于桂岭，亦工于歌咏。《湘江吟》云：'风回山火断，潮落岸头高。'亦佳句也。"《全唐诗》卷七一五仅存诗一首。

闽

王审知于唐时为威武军（治福州）节度使，唐亡，奉梁正朔，朱温加授审知为中书令，封闽王，升福州为大都督府。（见《新五代史》卷六八《闽世家》）

义存八十六岁，居福州雪峰山，为王审知所尊崇。义存，俗姓曾，泉州南安（今属福建）人。嗣德山宣鉴，咸通中于福州之西雪峰山建院而居，世称雪峰和尚。后宗时赐号真觉大师。四方禅侣从其学者，常年有一千余人。（见《祖堂集》卷七、《宋高僧传》卷一二、《景德传灯录》卷一六、《十国春秋》卷九九）《黄御史集》卷五《福州雪峰山故真觉大师碑铭》："大师法号义存，长庆二年壬寅生于泉州南安县曾氏。……今闽王誓人养民之外，雅隆其道，凡斋僧构刹，以之龟焉。为之增宇，设像铸钟，以严其山，优施以充其众。时则迎而馆之于府之东西甲第，每将严油幢，聆法轮，未尝不移时。"

黄滔六十八岁，仕闽为威武军节度推官。正月，参与王审知无遮大会，奉命作《丈六金身碑》，称赞中朝文士盛集闽中，阐扬儒佛殊途同归之理。本年前后，与崔道融、王涤等游赏唱和。本年或稍后，编闽人诗为《泉山秀句集》三十卷。（参《十国春秋》本传）

崔道融唐末累官右补阙。因与黄滔善，遂入闽依王审知，本年初病卒。黄滔《祭崔补阙道融》："数百篇有唐之诗，数千字中兴之书，国风骚雅，王佐谋讦。"《祭崔补阙》一文称："洎博陵崔君之生也，迥禀高奇，兼之文学。近则继李飞之蜕随贡，远则同毛义之志奉亲。东浮谢公旧州，式避戈戟……五辟三顾，悬榻开樽，不辞小国之权，盖切高堂之养既而大君之思梦说，四辅之急荐雄，系三诏而就门，参七人而列职。仲舒谒帝，必演《春秋》；吕望投竿，定为师傅。奈何龙蛇起陆，乌兔无光。莫扶刘氏之宗祧，空泣袁安之涕泗。瓯中越绝养素守。蒙贤主之结嘉姻，时议之期良辅。岂意皇天不佑，白日无凭，消渴之函茂林，少微之入瑶桂……虽人生之有定期，实士德之为不幸。呜呼！闽中二月，烟光秀绝……五离择日，九泉卜居。"（参《十国春秋》卷九五，黄滔《六丈金身碑》）道融著述，《新唐书》卷六〇《艺文志四》、《崇文总目》卷五均著录《申唐诗》三卷。陈振孙《直斋书录解题》卷一九录《东浮集》九卷，注云："唐荆南崔道融撰，自称'东瓯散人'。乾宁乙卯，永嘉山斋编成，盖避地于此。

今缺第十卷。”又录《唐诗》三卷［按，《唐诗》当为《申唐诗》之误］注云：“崔道融撰，皆四言诗，述唐中世以前事实。事为一篇，篇各有小序。凡六十九篇。”尤袤《遂初堂书目》“别集类”仅录《东浮集》，未列卷数。《宋史》卷二〇八《艺文志七》载《崔道融集》九卷、《申唐诗》三卷，知其集元时尚存。道融集今皆散佚，《全唐诗》卷七一四仅存诗一首。

韩偓六十五岁。正月十八日乙未，王审知于开元寺设二十万人斋，号“无遮会”。是日，中朝官与偓同座者，有右散骑常侍李询，中书舍人王涤，右补阙崔道融，司农卿王标，吏部郎中夏侯淑，司勋员外郎王拯，刑部员外郎王承休，弘文馆直学士杨赞图、王倜，集贤殿校理归傅懿等。（见《新唐书》卷一八三、《十国春秋》卷九五）

徐夤仕闽，居泉州王延彬幕。孙师仁《钓矶文集序》引《九国志》传亦云：“王延彬刺泉州，每同游赏，及陈郯、倪曙等赋诗酣酒为乐，凡十余年。”

郑良士五十二岁。隐白岩别墅，尚未仕闽。（据《仙溪志》，《十国春秋》卷九五）

刘山甫仕闽，居王审知幕。《十国春秋》卷九五传云：“常撰《徐夤墓志铭》，情文兼至，为世所称。”

王延彬十七岁，任泉州刺史，与徐富、郑良士、倪曙、陈乘、慧棱、道博、省澄、文超等文咏唱和，谈诗说佛。延彬，光州固始（河南沈丘）人。闽王审知从子，唐天祐初，继其父审邽任镇泉州。陈乘、慧棱、道博、省澄各有诗作。《十国春秋》卷九四有传。《五国故事》卷下：“延彬，圭之子，忠较之犹子也。圭死，袭其父封于泉州。”圭为审邽之讹，《新唐书》卷一九〇《王审邽传》：“审邽字次都，为泉州刺史，检校司徒。喜儒术，通《书》、《春秋》。善吏治，流民还者假牛犁，兴完庐舍。中原乱，公卿多来依之，振赋以财。如杨承休、郑璘、韩偓、归傅懿、杨赞图、郑散等赖以免祸。审邽遣子延彬作招贤院以礼之。”

陈金凤十五岁，居闽。金凤，福唐（今福建福清）人。《十国春秋》卷九四有传，云：“后陈氏，福唐人也。《金凤外传》云：‘福清福唐人。’父侯伦，少年美丰姿，唐末事福建观察使陈岩，以色见嬖，得出入卧内，与岩妾陆氏通，有娠。未几，岩卒，妻弟范晖自称留后。陆托于晖，生一女，是夕梦凤入怀，因小字金凤，冒姓陈，即惠宗后也，太祖入闽，攻杀晖，金凤流落民间，族人陈匡胜收养之。开平三年，……时金凤年十七。”

杨沂丰本年继续仕闽，居王审知幕。沂丰与唐末宰相杨涉同为杨收之后。《旧唐书》卷一七七《杨收传》载，收乃同州冯翊人；宋张世南《游宦纪闻》卷一〇录杨氏《家谱》，称“唐修行杨氏，系出越公房，本出中山相结次子继，生洛州刺史晖，晖生河间太守恩，恩生越恭公钧，出居冯翊。至藏器徙浔阳。唐相杨收……”杨沂丰似未曾离开福州。其后被王曦杀害。本年应居审知幕。《十国春秋》卷九〇《闽世家》一，及王审知立国，“宾至如归，唐衣冠卿士跋涉来奔，若李询、韩偓、王标、夏侯淑、王淡（郯）、杨承休、王涤、崔道融、王拯、杨赞图、王倜、杨沂丰、归傅懿诸人，未易屈指。”（同上卷九五）所言极是。五代十国时期，南方各诸侯政权多重视文化建设，不仅文人数量较中原为多，文学创作之风亦远盛于北中国。此种局面的形成，与南方各国君主的倡导和推动密切相关。而王审知于闽中文化之建设，建树良多。

南汉

清海军节度使刘隐于梁开平元年，加检校太尉、兼侍中。时中朝士人多避乱依之。《新五代史》卷六五《南汉世家》：“隐父子起封州，遭世多故，数有功于岭南，遂有南海。是时，天下已乱，中朝士人以岭外最远，可以避地，多游焉。唐世名臣谪死南方者往往有子孙，或当时仕宦遭乱不得还者，皆客岭表。王定保、倪曙、刘濬、李衡、周杰、杨洞潜、赵光裔之徒，隐皆招礼之。定保容管巡官，曙唐太学博士，濬崇望之子，以避乱往；衡德裕之孙，唐右补阙，以奉使往。皆辟置幕府，待以宾客。杰善星历，唐司农少卿，因避乱往，隐数问以灾变，杰耻以星术事人，常称疾不起，隐亦客之。洞潜初为邕管巡官，秩满客南海，隐常师事之。后以为节度副使，及龑僭号，为陈吉凶礼法。为国制度，略有次序，皆用此数人焉。”

四月

陈用拙在刘隐幕，劝隐奉天祐年号，隐不能用而义之，时朱温篡唐，改元开平。擢为掌书记，摄观察判官。（见《十国春秋》卷六二，《南汉纪》卷一所载同）用拙，本名拙，以字行，连州（今广东连县）人。天祐元年（904）登进士第，授著作郎。二年奉使岭南，遂留居刘隐幕府。《十国春秋》本传又云：“未几，梁王全忠篡位，改元开平，用拙力劝仍奉天祐年号，烈宗多其义而不能用。遂掌书记，摄观察判官。”（见《十国春秋》卷六二、《南汉书》卷一〇《陈用拙传》）

五月

刘隐受梁封为大彭王。（见《资治通鉴》）

本年

王定保三十七岁，在刘隐幕。《十国春秋》卷六二传云，定保于光化三年登第，后“南游湖湘，不为马氏所礼。已而为唐容管巡官，遭乱不得还，烈宗（隐）招礼之，辟为幕属。”

倪曙仕刘隐，居其幕。《十国春秋》卷六二传称，曙依王延彬，“未几，西游岭表，烈宗（隐）招礼之，辟置幕中”。[按，倪曙从王延彬游，在天祐元年；黄滔本年所作《丈六金身碑》遍述闽中名士而不及曙，其西游岭表，依刘隐幕，当在滔撰《碑》之前]

前蜀

九月，王建称帝，国号大蜀。王建于本年九月在成都即皇帝位，国号大蜀。多用

唐名臣世族。《资治通鉴》云："蜀主虽目不知书，好与书生谈论，粗晓其理。是时唐衣冠之族多避乱在蜀，蜀主礼而用之，使修举故事，故其典章文物有唐之遗风。"（见《资治通鉴》卷二六六，《新五代史》卷六三）

冯涓为王建西川节度判官。九月，王建会将佐议称帝，涓独献议请以蜀王称制，建不从。前蜀开国，授翰林学士，涓杜门不出。涓，字信之，婺州东阳（今属浙江）人，郡望信都（今河北冀县），冯宿孙。唐大中四年登进士第，十一年（857）登宏词科，历官祠部郎中。授眉州刺史，以阻兵未之任，羁旅成都。景福时，为王建辟为西川节度判官。（见《十国春秋》卷四〇）

贯休七十五岁。王建为修龙华禅院，赐号"禅月大师"。昙域《禅月集序》云："特修禅宇，恳请住持。寻赐号曰'禅月大师'，曲加存恤，优异殊常。"（参《宋高僧传》卷三〇，《十国春秋》卷四七）

杜光庭五十八岁，住成都玉局观，居蜀依王建。光庭，字宾圣，一作宾至，号东流子，一作登赢子，又号华顶羽人，京兆杜陵（今陕西西安）人，寓居处则给云（今属浙江）。唐咸通间，应九经举不第，遂入天台山为道士。中和间，住长安太清宫。僖宗自蜀归京，召见赐紫，赐号广成先生。光启二年（886），从僖宗奔兴元。寻入蜀依王建。（可不要，前已有）

韦庄七十二岁，劝王建称帝。建开国，为左散骑常侍，判中书门下事，定开国制度。（见《十国春秋》卷四〇，《蜀梼杌》卷上）

卢延让事蜀王建。九月，王建开国，授延让水部员外郎。后累迁给事中。《郡斋读书志》卷四中云，延让仕于蜀，"及（建）僭号，授水部员外郎"。《唐诗纪事》卷六五所载同。卢延让，《十国春秋》卷四四有传。《郡斋读书志》卷四中："伪蜀卢延让子善也，范阳人。唐光化元年进士。朗陵雷满辟。满败，归建。及建号，授水部员外郎，累迁给事中。"

张蠙于本年前入蜀依王建，及开国，拜膳部员外郎。

张道古王建开国，召为武部郎中。不久，复贬茂州。《十国春秋》卷四二传云：乾宁四年（897）道古被贬之后，"未几，以左补阙征。陈、田之乱，西南路塞，复惧为高祖所憾，乃变姓名，卖卜导江青城市中。韦庄习其名，荐为节度判官……高祖开国，召为武部郎中。至玉垒关，谓所亲曰：'吾唐室谏臣，终不能拳跻与鸡犬同食，虽召，必再贬。死之日，当葬我于关东不毛之地，题曰：'唐左补阙张道古墓'，入朝，果不为时所容，复贬茂州。"

毛文锡仕蜀王建。九月，王建开国，文锡授中书舍人、翰林学士。文锡，字平圭，高阳（今属河北）人。父龟范，唐太仆卿。文锡十四岁登进士第，唐时已入仕，任职不详。《直斋书录解题》卷五载毛文锡《前蜀纪事》二卷，注云："起广明庚子，尽天福甲子，凡二十五年。[按，"天福"当系"天复"之讹，甲子乃天复四年，去广明元年为二十五年] 文锡，唐太仆卿龟范之子，十四登进士第。入蜀，仕建。

李珣字德润，梓州人。生卒年未详，时已在蜀。宋黄休复《茅亭客话》卷二《李四郎》条云："李四郎名玹，其先波斯国人，随僖宗入蜀，授率府。兄珣，有诗名，预宾贡。"五代何光远《鉴戒录》卷四《斥乱常》条则云："宾贡李珣，字德润，本蜀中士生波斯也。少小苦心，屡称宾贡，所吟佳句，往往动人。尹校书鹗者，锦城烟月之士，与李生常为友善。”

顾夐仕蜀王建。夐，字里不详。《北梦琐言》：“伪蜀先主起自利、间，号亲骑军，皆拳勇之士。……时顾（下阙五字）亦尝典郡，多杂谈德，曾造武举，助曰：大顺……斯亦麦铁杖、韩擒虎之流也。”《十国春秋》本传：“尤善诙谐，常于前蜀时见隶武秩者多拳勇之夫，戏造《武举谍》以讥之，人以为滑稽云。”

张泌约于此前已入蜀事王建。泌，字子澄。唐末曾因应进士试而久滞长安，后登进士第，又曾游历湘桂一带。《花间集》卷四、五收张泌词，称为“张舍人泌”。《才调集》卷四收泌诗十八首，此集收唐一代诗，五代初尚存者，仅韦庄、郑谷、罗隐、钱诩、韩偓、贯休等数人，无后唐以后人诗，泌当为唐末五代间人。元伊世珍《揶级记》卷下云：“张泌，江南人，字子澄，仕南唐为内史舍人。初与邻女浣衣相善，经年不复睹，精神凝一，夜必梦之。尝有诗寄云：‘别梦依依到谢家，小阑回合曲廊斜。多情只有春庭月，犹为离人照落花。’浣衣计无所出，流泪而已。”出《虚楼续本事诗》。后《全唐诗》等皆因之。

花蕊夫人与其姊并侍蜀王建。花蕊夫人，姓徐，成都（今属四川）人。父耕，唐大顺中为眉州刺史，后仕王建。花蕊夫人有藻思，能诗。世传花蕊夫人《宫词》一卷，最早为北宋王安国于崇文发现，自宋以来，皆传为后蜀主孟和之妃所作。《鉴戒录》卷五“徐后事”条：“前蜀徐公耕，二女美而奇艳。初太祖搜求国色，亦不知徐公有女焉。徐写其女真以惑太祖，太祖遂纳之，各有子焉。长曰翊圣太妃，生彭王，次曰顺圣太后，生后主。”《蜀梼杌》卷上：“徐氏父名耕，成都人。生二女，皆有国色。耕教为诗，有藻思。耕家甚贫，有相者谓之曰……及建入城，闻有姿色，纳于后房，姊生彭王，妹生衍。”

魏承班随父居蜀，事王建。承班，许州（今河南许昌）人。父弘夫，中和间入王建帐下，建收为养子，改名王宗拥。屡立军功，前蜀时官至中书令，封齐王。（见《十国春秋》卷三九）

可朋约于前蜀王建时与卢延让为诗友。《类说》卷二七引《外史诗机》，有《玉垒集》条：“诗僧可朋……自号醉集。”《唐诗纪事》卷七四：“可朋，丹棱人。少与卢延让为风雅之友。……好饮酒，贫无以偿酒债，以诗碉之。可朋自号醉凳。”

孙光宪，字孟文，贵平人。生年不详。唐末为陵州判官，本年在蜀。孙光宪传，见《宋史》卷四八三、《十国春秋》卷一〇二。《郡斋读书志》卷四中、《直斋书录解题》卷一一、《全唐文》卷九〇〇及《十国春秋》传所载皆同。光宪于后唐灭前蜀之际避地荆南，本年尚在蜀中。《花间集》称之为“少监”，当为其仕前蜀时官职。

王衍九岁，为郑王。衍，原名宗衍，字化源，许州舞阳（今属河南）人。前蜀先主王建第十一子，八岁封郑王。母小徐妃，即花蕊夫人。（见《旧五代史》卷一三六、《新五代史》卷六三、《十国春秋》卷三七）

陈象（？—907）唐代散文家。袁州新喻（今江西新余）人。生年不详。少为县吏，后发愤为文。中和三年（883）后，为江西观察使从事。累迁行军司马、摄御史大夫。天祐三年（907）为淮南节度使所杀。工文，有西汉风骨。著《贯子》十篇。作品今佚。事迹见《唐摭言》卷一〇。

公元908年（后梁太祖开平二年　前蜀高祖武成元年　戊辰）

后　梁

正月

晋王李克用卒，李存勖嗣立，于太原即晋王位，时二十四岁。癸酉，诸道贡举一百五十七人，见于崇元门。（见《旧五代史·梁纪》）

二月

梁朱晃鸩杀济阴王于曹州，追谥曰唐哀皇帝。梁将李思安攻晋潞州，久不下。

司空图（837—908）仍隐居中条山琯谷，闻梁杀唐哀帝，不食而卒，年七十二。有《一鸣集》三十卷，已散佚。今存《司空表圣文集》十卷，《司空表圣诗集》五卷。《旧唐书》卷一九〇下《文苑传》下《司空图传》云："唐祚亡之明年，闻辉王遇弑于济阴，不怿而疾，数日卒，年七十二。"《新唐书》卷一九四《卓行·司空图传》所记略同。图，文学家、诗论家。字表圣，自号耐辱居士、知非子。河中虞乡（今山西永济）人。咸通七年（866），以文谒河中防御使王凝，为凝所赏识。十年（869），凝知贡举，拔图登进士第。十二年（871），凝因主贡举时不受权幸之请托而被排挤出刺商州。图以知遇之恩，前往从之。乾符元年（874）凝入为兵部侍郎、领盐铁转运使，二年（875）以秘书监分司东都，四年（877）春迁宣歙池观察使，图均在凝幕。约五年（878）四五月间，图被任命为殿中侍御史，因其时凝方率众拒黄巢军之围攻，图不忍遽离去，遂因"赴阙迟留"被劾奏，左迁光禄寺主簿分司东都。是年八月，凝病死于宣城，图始离宣赴洛。六年（879）十二月，由于卢携的赏识，召拜礼部员外郎，寻迁郎中。广明元年（880）十二月，黄巢入长安，僖宗奔蜀，图不克从，乃逃归中条山琯谷。光启元年（885），僖宗自蜀还，次凤翔，召图知制诰，寻拜中书舍人。二年（886）正月，僖宗至宝鸡，图又不及从，再次回到琯谷。昭宗即位，召拜图为中书舍人。不久，因疾辞归，居华阴。景福初，拜谏议大夫，不赴；旋拜户部侍郎，赴阙数日即辞归。昭宗在华州时，曾征拜兵部侍郎，又辞以疾。天祐元年（904），朱温迫昭帝迁洛阳，右相柳璨召图入洛，图惧见害，至洛佯装堕笏失仪，得以放还琯谷。四年（907），朱温篡唐，召图为礼部尚书，不起。翌年二月，闻哀帝被弑，图乃绝食，卒于琯谷。光启三年（887）图于琯谷时，曾自编其诗文为《一鸣集》（见《宋史·艺文志七》），未知卷数。其嗣子荷，亦曾编图诗文集。宋人谓《一鸣集》三十卷，殆即荷所编。此三十卷本已佚。今传《司空表圣文集》十卷，《司空表圣诗集》五卷，为后人掇拾重辑者；另有《诗品》一卷，学者怀疑非图所作，然证据不足。图早年积极入仕，而后又趋向归隐。就其忠君而言，乃乱世中信守儒家准则之典型；而就其避世一点而言，则又为释、老思想之忠诚信奉者。图诗意境，于宁静淡雅中时带孤寂情思，《赠日东鉴禅师》、《携仙箓九首》、《塞上》最为代表。图之议论文字颇有可观，而短文亦时有精彩者，如《说燕》、《段章传》等。图之最主要成就，在其诗论之独创。论诗之专篇有《与李生论诗书》、《与王驾评诗书》、《与极浦书》、《题柳柳州集后序》、《诗赋赞》、《擢英集述》、《白菊》三首之二（“自古诗人少显荣”）、《力疾山下吴村看杏花十九首》之十五、十六（“亦知王大是昌龄”、“潘郎欲说是诗家”）、《偶诗五首》之二（“芙蓉骚客空留怨”）等，均涉诗歌思想。而其论诗之代表作，则为《诗品》。提出“味外之旨”、“韵外之致”、“象外之象”、“景外之景”说。为我国诗论史上最早指出意境之多层次特征者，开后来文品、词品、赋品之风。事迹见新、旧《唐书》本传，《唐才子传校笺》卷八。罗联添有《司空图年谱》。图之著述，《新唐书》卷六〇《艺文志四》著录《一鸣集》三十卷，《郡斋读书志》卷四中所录同，且云：“集自为序，以濯缨亭一鸣窗名其集，子荷，别为集后记。”《直斋书录解题》卷一六著录《一鸣集》三十卷（原作一卷，据《文献通考》改），卷一九又录《司空表圣集》十卷，注云：“别有全集，此集皆诗也。其子永州刺史荷为后记。”《佚存丛书·宋景文公集·题司空表圣诗卷末》云：“唐亡，表圣死，无子，家书湮散。”《旧唐书》传亦称：“图无子，以其甥荷为嗣，荷官至永州刺史。”又世传司空图有《二十四诗品》。

梁仍举进士试，礼部侍郎卢文亮知贡举，一说中书舍人封舜卿知贡举。崔邈、陈沆、郑希闵、廖澄、刘斥、韦洵美、谢谌等十八人登第。

崔邈，以第一名中进士科状元。（见《玉芝堂谈荟》）

陈沆，生卒年不详，本年进士及第。（见《永乐大典》引《莆阳志》）沆，五代诗人，庐山（今江西九江境内）人，一说籍贯不详。南唐时居庐山。《诗话总龟》前集卷一三引《雅言杂载》云：“庐阜人陈沆，立性僻静［按，卞书“静”作“野”］，不接俗士。黄损、熊皎、虚中师事之。”齐己有《贻庐岳陈沆秀才》称其“为儒老双鬓，勤苦竟何如。四海方磨剑，空山自读书”。曾因庐岳道士躁于成仙，作绝句以讽之。《全唐诗》存诗一首、断句六句。事迹见《五代诗话》卷三、《登科记考》卷二五。

郑希闵，生卒年不详，本年进士及第。《永乐大典》引《莆阳志》：“开平二年，陈沆、郑希闵同第进士。”

廖澄，生卒年不详，本年进士及第。《十国春秋》：“廖澄，顺昌人。少负忠义，举梁开平二年进士。”《闽书》卷一〇三：“五代梁进士：开平二年，廖澄。”

韦洵美，生卒年不详，本年进士及第。《侍儿小名录》引《灯下闲笑》：“韦洵美先辈，开平岁及第，受郸都从事辟焉，乃挈所宠素娥行。罗绍威闻其妹丽，才达临河，令女侍赍二百匹及生饩而露意焉。洵美无所容足，遂令妆束更衣，修缄献之。素娥姓崔氏，亦大梁良家子，善谐谑笔札，和泪作诗曰：‘妾闭闲房君路歧，妾心君恨两依依。魂神傥遇巫娥伴，犹逐朝云暮雨归。’洵美乃不受辟，夜渡河，宿一寺，长吁而寝，曰：‘何处人能报不平！’寺有行者排闼而揖曰：‘先辈蓄何不平事？’洵美具语之。欻然出门而去，至三更，忽掷一皮囊入门，乃贮素娥而至。侵晓问寺僧，言在寺打钟，勤苦三十余年，已不知所之。洵美即遁迹他所。”洵美事迹仅此而已。

谢谌，生卒年不详，本年进士及第。《闽书》卷八十一《英旧志·泉州府·晋江县·五代进士》：“后梁开平二年戊辰：谢谌。”四库本《福建通志》卷三十三《选举一

·五代科目》："梁开平二年戊辰崔邈榜：晋江县谢谌。"又［乾隆］《泉州府志》卷三十三、［乾隆］《晋江县志》卷八皆同上。

任赞，生卒年不详，本年进士及第。（见《旧五代史·卢损传》）

刘昌素，生卒年不详，本年进士及第。（见《旧五代史·卢损传》）

高总，生卒年不详，本年进士及第。（见《旧五代史·卢损传》）

卢损，生卒年不详，本年进士及第。《旧五代史·卢损传》："损少学为文，梁开平初举进士，性颇刚介，以高情远致自许。与任赞、刘昌素、薛钧、高总同年擢第，所在相诟，时人谓之'相骂榜'。"［按，此言薛钧与卢损等同年，误。详下年考］

知贡举一说礼部侍郎卢文亮。《唐故罗林军□银青光禄大夫行尚书兵部侍郎知制诰上柱国范阳县开国口食邑三百户卢公（文亮）权厝记并序》："公讳文亮，字子澄，范阳涿人也。……一举擢进士上第，□□□宏词殊科。……时以货籍之重，论者佥其才可，乃拜春官。振滞□才，颇叶于公议。然有唐三百年，无卢氏主文闱者，公始辟之矣。俄转右辖。一入禁苑，十有五年，扬历三署，华显十资。所谓稽古之人也。洎右辖归南官，兼判二铨，加驭贵之阶，开上等而食邑。复为五兵侍郎，佐丞相□史笔，仍总选部东铨事。同光初，王师收复中原，六合混一。是时内制缺官，复诏入掌诰。密勿之地，平窥霄汉。无何，杯影疑蛇，床阒斗蚁，竟为二竖之所用。同光二年正月十六日，薨于福善里私第，享寿五十有二。"文亮为春官主文之后，入"禁苑"为官凡一十五载。以其卒年同光二年（924）正月前推十五年，为梁太祖开平二年（908）。（见《资治通鉴》卷二六六，又见《登科记考》卷二五）

一说中书舍人封舜卿知贡举。徐松《登科记考》卷二五本年知贡举著录"中书舍人封舜卿"。疑封舜卿下年（开平三年）知贡举，详下年考。

三月

梁太祖自发兵至泽州以督之，后虑关中空虚，又退屯晋州。

四月

本月至下月，梁、晋大战于上党、潞州。晋王李存勖自率兵救潞州。

五月

晋王李存勖大败梁兵于上党。梁兵大溃，委弃资粮。器械山积。师还，下令举贤才，宽租赋，恤孤寡，境内大治。《旧五代史》卷二七：帝遂班师于晋阳……乃下令于国中，禁贼盗，恤孤寡，征隐逸，止贪暴，峻堤防，宽狱讼，期月之间，其俗丕变。帝每出，于路遇饥寒者，必驻马而临问之。由是人情大悦，王霸之业，自兹而基矣。"（参《资治通鉴》卷二六六本年五月条）

六月

梁帝杀金吾上将军王师范于洛阳。

七月

癸巳，以禅代已来，思求贤哲，乃下令搜访牢笼之，期以好爵，待以优荣，各随其材，咸使登用。宜令所在长吏，切加搜访，每得其人，则疏姓名以闻。如在下位不能自振者，有司荐导之。如任使后显立功劳，别加迁陟。（《旧五代史·梁纪》）

本年

罗绍威三十二岁，仍为魏博节度使、兼中书令、邺王。慕罗隐文章诗赋，称己所为诗集为《偷江东》。并密表荐隐于梁祖，梁祖遂授隐给事中。《太平广记》卷二〇〇引《罗昭（当为绍之讹）威传》："江南有罗隐者，为两浙钱镠幕客，有文学。昭威特遣使币交聘，申南阮之敬。隐悉以所著文章诗赋，酬寄昭威。昭大倾慕之，乃目其所为诗曰'罗江东'。"《北梦琐言》卷一七所记略同。（参罗隐《甲乙集》卷七《寄酬邺王罗令公五首》）《旧五代史》卷二四《罗隐传》："魏博节度使罗绍威密表推荐，乃授给事中。"《五代史补》卷一"罗隐东归"条记："初，隐罢上中书之日，费窘，因抵魏谒邺王罗绍威。将入其境，先贻书叙其家世，邺王为侄。幕府僚吏见其书，皆怒曰：'罗隐一布衣尔，而侄视大王，其可乎？'绍威素重士，且曰：'罗隐名振天下，王公大夫多为所薄。今惠然肯顾，其何以胜。得在侄行，为幸多矣，敢不致恭。诸公慎勿言。'于是拥旆郊迎，一见即拜，隐亦不让。及将行，绍威赠以百万，他物称是。仍致书于镠，谓叔父。镠首用之。"

罗衮本年前后奉使两浙，与罗隐作诗往还，后不知所归。其著述，《新唐书》卷六〇《艺文志四》著录《罗衮集》二卷。《全唐诗》卷七三四存罗衮诗三首，《全唐文》卷八二八录其文十八篇，小传云："仕梁，终礼部员外郎。"

卢汝弼本年起事晋王李存勖。《旧五代史》卷六〇传云："初，武皇平王行瑜，天子许承制授将吏官秩……及庄宗嗣晋王位，承制置吏，又得汝弼，有若符契，由是除补之命，皆出汝弼之手。既而畿内官吏，考课议拟，奔走盈门，颇以贿赂闻，士论少之。"

吴

五月

戊寅，吴张颢、徐温弑吴王杨渥，渥时年二十三岁。武义初，改谥为景王，庙号烈祖。颢欲自立，温患之，用客严可求之计以争。颢气沮，遂奉杨渥弟杨隆演为淮南留后、东面诸道行营都统。

丁亥，徐温遣壮士斩张颢，并暴其弑君之罪。隆演以温为左、右牙都指挥使，总

军权洵。温立法度，禁强暴，举大纲，军民安之。自此，徐温治吴，江淮渐得复苏。

七月

梁授杨隆演淮南节度使、东面诸道行营都统、弘农王。（见《资治通鉴》卷二六六）

齐己约四十五岁，作《寄王振拾遗》、《寓言》、《戊辰岁湘中寄郑谷郎中》、《寄孙辟呈郑谷郎中》、《戊辰岁江南感怀》，感伤唐亡乱离。（见《白莲集》卷一、卷四）

黄损约自是年起居庐山。《五代史补》卷二“黄损不调”条：“先是，损尝学于庐山，与桑维翰、宋齐丘相遇，每论天下之务，皆出损下，损亦自负。”

熊皦本年或稍后居庐山，师从陈沆。《诗话总龟》引《雅言杂载》云：“庐阜人陈沆……黄损、熊皦、虚中师事之。”《郡斋读书志》卷四中：“陈沆赏皦《早梅》诗云：‘一夜开欲尽，百花犹未知。’曰：‘太妃容德，于是乎在。’”《太平广记》卷三五七引《玉堂闲话》：“补阙熊皎云，庐山有上霄峰者，去平地七百仞，上有古迹，云夏禹治水之时，泊船之所，凿石为窍，以系缆焉。磨崖为碑，皆科斗文字，隐隐可见。则知大禹之功，与天地不朽矣。”

游恭，本年杨渥被杀，恭为撰墓志。《十国春秋》卷一一传云：“恭常奉命撰烈祖墓志，词极体要，时辈称之。”

杨夔本年八月仍居歙州，有《歙州重筑罗城记》一文。此后行迹无考。有集，今佚。夔之著述，《新唐书》卷六〇《艺文志四》录《杨夔集》五卷，《冗书》十卷，《冗馀集》一卷。《崇文总目》卷一一、《通志》卷七〇《艺文略》八所录皆同。《宋史》卷二〇八《艺文志七》录《杨夔集》五卷、《赋》一卷、《冗书》十卷、《冗馀集》十卷。《诗话总龟》前集卷二七引《古今诗话》云：“高士杨夔尝著《冗书》三卷，驰名于士大夫间。”吴任臣《十国春秋》卷一一本传又云：“夔有《纪梁公对》、《原晋乱说》，当世争传其文。”夔集今佚。《全唐诗》卷七六三存夔诗十二首，《全唐文》卷八六六、八六七录存其文二十二篇。

陈陶年三十一，本年游成都，王建礼遇之，作《西川座上听金五云唱歌》一诗。（见《全唐诗》卷七四五）与释贯休游处，休有《赠钟陵陈处士》一诗。（见《禅月集》卷一一）

吴　越

是岁，吴越钱镠改元天宝，私行于境内。

四月

钱镠作《镇东军墙隍神庙记》。（见《全唐文》卷一三〇）

八月

钱镠遣臣奉表于梁，陈取淮南之策。（见《资治通鉴》卷二六七）

九月

吴发兵围苏州，吴越则攻常州之东洲，互有胜败。（见《资治通鉴》卷二六七）

本年

罗隐年七十六，仍为镇海节度判官。与罗绍威交好寄酬。以绍威荐，梁授隐给事中，隐不赴任。与罗衮赠答往还。（见沈崧《罗给事墓志》、《旧五代史·罗隐传》，参《唐诗纪事》卷六九）《唐摭言》卷一〇载："罗隐，梁开平中累征夕郎不起，罗衮以小天件大秋姚公使两浙，衮以诗赠隐曰：'平日时风好涕流，《谗书》虽盛一名休……何当世祖从人望，早以公台命卓侯。'隐答曰：'昆仑山色九般流，饮即神仙憩却休……遥望北辰当上国，羡君归棹五诸侯。'"［按，官吏部侍郎，是谓"小天"］"大秋"乃吏部尚书之别称，"夕郎"则谓给事郎。（见《容斋四笔》卷十五《官称别名》条云）

楚

七月

湖南判官高郁请听民自采茶卖于北客。收其征以赡军，楚王殷从之。湖南由是富赡。

九月

楚王殷与清海节度使刘隐十余战，取昭、贺、梧、蒙、龚、富六州，湖南遂富安。

本年

齐己四十四岁，漫游湖南，有《戊辰岁湘中寄郑谷郎中》、《寄王振拾遗》（原注：戊辰岁）**及《戊辰岁江南感怀》等诗。**

闽

五月

二日，义存（822—908）卒。《真觉大师碑铭》："戊辰年……夏五月二日……灭度，俗寿八十有七，僧腊五十有九。……闽王涕之，子降左金吾卫将军检校尚书延禀

始陈祭，是设斋焉。”（见《黄御史集》卷五）《宋高僧传》卷一二本传：“存之行化四十余年，四方之僧争趋法席者不可胜算矣，冬夏不减一千五百。”其门人势力遍及闽浙一带，开云门、法眼二派。义存，俗姓曾。泉州南安（今属福建）人。年十二游莆田玉涧寺，留为童侍。十七落发。大中中，北游吴楚、梁宋等地，受戒于幽州。咸通六年（865）归福州芙蓉山。十一年（870）建院于雪峰山。世号雪峰和尚。僖宗时赐号真觉大师。大顺二年（891）东至四明。后归闽。开平二年（908）卒。其论禅之语，编为《雪峰义存禅师语录》二卷，收《续藏经》。《全唐诗补编·续拾》卷四七录其诗偈四十三首。事迹见《宋高僧传》卷一二。

神晏，为义存传人。义存卒，王审知尊为兴圣国师，年四十六岁。《景德传灯录》卷一八：“雪峰归寂，闽帅于府城之左二十里开鼓山，创禅宫，请扬宗致。”《十国春秋》卷九九本传：“太祖刁其名，创鼓山禅院以居之，倾资给施，时询法要，加号兴圣国师。”

黄滔仍仕闽为节度推官，义存卒，滔为作《福州雪峰山故真觉大师碑铭》，年六十九。（见《黄御史集》卷五）

韩偓移居汀州沙县。（参岑仲勉《唐人行第录·唐集质疑·韩偓南依记》）

蜀

正月

壬午，正月，前蜀改元武成，不再用唐年号。

丁丑，蜀以韦庄为门下侍郎、同平章事。韦庄时年七十三。（见《资治通鉴》卷二六六，参《蜀梼杌》卷上，《十国春秋》卷三六，《前蜀纪》二）

二月

太师王宗佶被罢相，怨望，谋作乱，王建怒，朝见时命卫士扑杀之。

八日，王建生日。贯休作《寿春节进》诗以献，杜光庭作《寿春节进章真人像表》以颂其生辰。（见《禅月集》卷一六，《广成集》卷一，参《十国春秋》卷三六）

六月

蜀立遂王宗懿（后改名元膺）**为太子。**（见《资治通鉴》卷二六六开平二年六月条）杜光庭年五十九，仍居成都玉局观，蜀主命之为太子元膺之师父。《十国春秋》卷四七本传：“光庭博学，善属文，高祖常命为太子元膺之师。”卷三八《遂王元膺传》：“高祖以元膺年少任大，命道士广成先生杜光庭为之师父。”

张道古（？—908）被害于灌州。（见《十国春秋》卷四二、卷三六，《蜀梼杌》卷上）道古，散文家。字子美，一名睍。青州临淄（今山东淄博）人，一说沧州蒲台（今山东滨州东南）人。中和三年（883）后，为成德节度使王镕幕从事。景福二年

（893）进士及第。授著作郎，迁右拾遗。因上《五危二乱表》极言时事，贬施州司户参军。召为左补阙，不赴。王建辟为剑南西川安抚判官。天祐四年（907）王建称帝，召为武部郎中。贬茂州，本年遇害。博学通《易》，善古文。《新唐书·艺文志三》著录《兵论》一卷，又曾撰《易题》数卷，并佚。《全唐诗》卷六九四存诗二首。事迹见《鉴戒录》卷四、《北梦琐言》卷五、《太平广记》卷二〇三引《耳目记》。

贯休年七十六，闻张道古卒，作《悼张道古》。诗云："清河逝水太匆匆，东观无人失至公。天上君恩三载隔，鉴中鸾影一时空。坟生苦雾苍茫外，门掩寒云寂寞中。惆怅斯人又如此，一声蛮笛满江风。"（见《全唐诗》卷八三七）

郑遨四十三岁，闻张道古卒，作《哭张道古》诗吊之。（见《全唐诗》卷八五五）

十月

王建立花蕊夫人为德妃。《资治通鉴》卷二六七：开平二年，"冬十月，蜀主立后宫张氏为贵妃，徐氏为贤妃，其妹为德妃。张氏，郪人，宗懿之母也。二徐，耕之女也。"

本年

欧阳彬自湖南入蜀。夏秋后作《九州歌》，欲因歌女瑞卿以感动马殷，殷不问。彬遂佯为驾船什夫，随图纲入蜀，献《独鲤朝天赋》，王建大悦，把居清要。彬之《九州歌》、《独鲤朝天赋》今皆不传。（见《五代史补》卷三"欧阳彬入蜀"条，参《十国春秋》卷五三本传）

荆　南

九月

荆南节度使高季昌遣兵屯汉口，绝楚朝贡之路。楚王马启遣将与之战于江陵沙头市，季昌惧而请和。（见《资治通鉴》卷二六七）

十月

梁震过江陵，荆南节度使高季昌欲辟于幕府，梁以不仕为辞，仅允为其宾客。《资治通鉴》卷二六七：开平二年十月，"依政进士梁震，唐末登第，至是归蜀，过江陵，高季昌爱其才识，欲奏为判官。震耻之，欲去，恐及祸，乃曰：'震素不慕荣宦，明公不以震为愚，必欲使之参谋议，但以白衣侍樽温可也，何必在幕府！季昌许之。震终身止称前进士，不受高氏辟署。季昌甚重之，以为谋主，呼曰先辈。"（参《鉴戒录》卷九，《十国春秋》本传）震，本名霭。邛州依政（今四川邛崃东南）人。生卒年不详。唐中和间，开始应举于蜀，以所作谒刘象，经刘提议，改名震。后进士及第。本年（908），拒仕荆南，仅允为其宾客。季兴卒，复佐其子。晚年退居监利，自号荆台隐士。能文。有《梁震集》一卷，见《诗薮·杂编》卷二；又有《梁震表状》一卷，著录于《宋史·艺文志七》，并佚。《全唐诗》存诗一首。事迹见《北梦琐言》卷七，《鉴戒录》卷九，《三楚新录》卷三，《十国春秋》本传。

公元909年（后梁太祖开平三年　前蜀高祖武成二年　己巳）

后　梁

正月

梁建西都于洛阳。迁都洛阳。

二月

是年，敕条流礼部贡院，每年放明经及第不得过二十人。（见《册府元龟》）

礼部侍郎封舜卿知贡举。郑致雍（郑雍）等十九人进士及第。

郑致雍（郑雍）以第一名中进士科状元。《旧五代史·封舜卿传》、《册府元龟》卷九三九、《广卓异记》卷十三俱作“郑致雍”。《玉堂闲话》、《登科记考》卷二十五作“郑雍”，原列开平二年（908）进士科下第四人。误，今移正至本年。《南部新书》卷七：“郑致雍未第，求婚于白州崔相远，初许而崔有祸，女则填宫。至开平中，女托疾出本家。致雍复续旧好，亲迎之，礼亦无所阙。寻崔氏卒，杖经期周，莫不合礼，士林以此多之。场中翘首，一举状头，脱白授校书郎，入翰林，与丘门同勅，不数年卒。”《玉堂闲话》所载略同。《旧五代史·封舜卿传》载“舜卿仕梁为礼部侍郎，知贡举。开平三年，奉使幽州，以门生郑致雍从行。复命之日，又与致雍同受命，入翰林为学士”。又《翰苑群书》卷八载苏易简《续翰林志》上：“梁开平中，以前进士郑致雍为学士。”

佘渥、李愚同登博学宏词科。（见《册府元龟》）愚，字子晦。本年登宏词科。授河南府参军。末帝时，擢左拾遗、崇政院直学士。累迁司勋员外郎。好学，工古文。有《白沙集》十卷、《五书》一卷。

知贡举为礼部侍郎封舜卿。《登科记考》本年知贡举者原阙考，开平二年（908）知贡举下，署“中书舍人封舜卿”。今不取。宋乐史《广卓异记》卷十三《座主与门生同在翰林》云：“封舜卿，郑致雍。右按《五代史》，礼部侍郎封舜卿，梁开平三年知贡举，放郑致雍状元及第，后舜卿与致雍同受命入翰林为学士。致雍有俊才，舜卿才思拙涩。及试五题，不胜困弊，因托致雍秉笔。当时议者以为座主辱门生。”《旧五代史·封舜卿传》所记略同。（参《旧五代史·梁纪》）

四月

梁封王审知为闽王，刘隐为南平王。

翁承赞以户部员外郎为册闽王副使。一路赋诗，结为《昼锦集》。至闽，与黄滔等唱和。闽王赐其旧居号文秀亭、光贤阁、昼锦堂。（见《十国春秋》卷九五本传，《五代会要》卷一一《封建》门，《旧五代史·梁本纪》，《九国志》卷一〇）黄滔有《翁文尧员外拥册礼之归，一路有诗名〈昼锦集〉，先将寄示，因书五十六字》、《奉和翁文尧员外文秀光贤昼锦三首》等诗。（见《黄御史文集》卷三）承赞两次使闽，前次为右拾遗，此次为户部员外郎。有《文明殿受册封闽王》、《蒙闽王改赐乡里》、《御命归乡蒙赐锦衣》、《奉使封闽王归京洛》、《奉使封王次宜春驿》、《辞闽王归朝寄倪先辈》等诗作。（均见《全唐诗》卷七〇三）

敕赐刘斤（一作"斥"）**同进士及第，仍编入是年榜内第八人。**（见《五代会要》卷二十二《进士》）

五月

敕："礼部所放进士薛钧，是左司侍郎薛延珪男。方持省辖，固合避嫌，其薛钧宜令所司落下。"（见《册府元龟》卷六五一《贡举部·谬滥》、《五代会要》卷二十二）

六月

梁忠武节度使兼侍中刘知俊，惧为梁太祖猜忌，遂以所治同州依附于岐王李茂贞。梁发兵讨之，克长安，刘知俊入岐，为中书令。（见《资治通鉴》卷二六七）

七月

梁封刘守光为燕王。

罗衮仕后梁为礼部员外郎，奉使吴越，与罗隐唱和。又曾与黄滔、罗绍威过往酬和。

九月

辛亥，赵光逢由太常卿转中书侍郎、同平章事。（见《资治通鉴》卷二六七开平三年九月条，两《五代史·梁本纪》）

十一月

己酉，搜访贤良。《册府元龟》载三年制曰："自开创以来，凡有赦书、德音、节文，内皆委诸道搜访贤良。尚虑所在长吏，未切荐扬。其有卓荦不羁，沈潜用晦，负王霸之业，蕴经济之谋，究古今刑政之源，达礼乐质文之奥，机筹可以制变，经术可以辨疑，一事轶群，一才拔俗，并令招聘，旋具奏闻。然后试其所长，待以不次。所贵牢笼俊杰，采摭英翘。"（参《新书五代史·梁纪》）

邺王罗绍威得风痹疾，梁以其子周翰为魏博节度副使。（见《通鉴考异》、《北梦琐

言》卷一四）

本年

张衮奉诏与太常卿李燕、御史萧顷等删定律令格式。衮，五代诗人。生卒年、籍贯不详。开平元年（907）官中书舍人。本年奉诏定律令。贞明中，为御史司宪，预修《太祖实录》三十卷（已佚）。《全唐诗》存诗六首。事迹见《旧五代史》之《梁书·太祖纪》、《刑法志》、《五代会要》卷九。

吴

三月

吴徐温兼升州刺史，留广陵；以徐知诰为升州防遏兼楼船副使，往治之。（见《资治通鉴》卷二六七，两《五代史·梁本纪》《十国春秋·吴本纪》）

四月

吴军围苏州，败于吴越。（见《资治通鉴》卷二六七，两《五代史·梁本纪》《十国春秋·吴本纪》）

吴自本年起，置举试，以骆知祥掌之。胡三省注："丧乱以来，选举之法废，杨氏复能置之，故书。"（见《资治通鉴》卷二六七本年四月条）

八月

虔州刺史卢光稠以州附于淮南，于是江西之地尽入于杨氏。（见《资治通鉴》卷二六七）

本年

郑谷（851—909）本年卒于宜春仰山草堂，年六十二。齐己有诗哭之。谷诗于唐末五代至宋初间甚为流行。谷字守愚，袁州宜春（今属江西）人。郑史子。幼聪颖，能赋咏，得马戴、曹邺等奖勉。咸通十一年（870）应京兆府解试，为主试李频录取。但次年省试落第。后久困举场，与薛能、李频酬和。复与许棠、张乔等交游，称"咸通十哲"。广明元年（880）起，避乱入蜀六年多。光启三年（887）进士及第。景福二年（893）授鄠县尉。乾宁元年（894）迁右拾遗。三年（896）进右补阙。以昭宗奔华州，往从之，居云台道舍，自编其诗三百首为《云台编》三卷。光化三年（900）转都官郎中。约天复三年（903）退居宜春仰山。齐己往访之，因谷为改诗一字，尊为"一字师"。开平三年（909）卒，世称郑都官。谷论诗推崇陶潜、李白，哀叹"风骚如线"，赞许殷璠《河岳英灵集》，不满高仲武《中兴间气集》，其《读故许昌薛尚书诗集》称赏薛能诗："篇篇高且真，真为国风陈。淡薄虽师古，纵横得意新。"谷《云台编序》云："著述近千余首，自可者无几。……编成三百首，分为上、中、下三卷，目为《云台编》，所不能自负初心，非敢矜于作者。"宋祖无择《都官郑谷墓志铭》："当时正人，咸称其善，尤工五七言诗，为薛能、李频所知，有《云台编》与《外集》凡四百篇行焉。士大夫暨委巷间，教儿童咸以公诗，与六甲相先后，盖取其辞意清婉明白，不俚不野故然。"欧阳修《六一诗话》："其诗极有意思，亦多佳句，但其格不甚高。以其易晓，人家多以教小儿。"清贺裳《载酒园诗话又编》赞郑谷诗："独绝句是一名家，不在浣花、丁卯之下。"《淮上与友人别》、《席上贻歌者》、《海棠》为唐诗名篇。《鹧鸪》尤著，谷以此称"郑鹧鸪"。《新唐书·艺文志四》著录《云台编》三卷、《宜阳集》三卷。《郡斋读书志》卷四录《云台编》三卷、《宜阳外集》一卷。《宋史·艺文志八》著录《国风正诀》一卷。《宜阳集》或《宜阳外集》，当即祖无择所称《外集》，今不存。《云台编》今存，但收有乾宁年诗，似已非原貌。今传《郑守愚文集》（一作《云台编》）三卷。《全唐诗》卷六七四至六七七编诗四卷，《全唐诗补编·续拾遗》卷三六补三首六句；《唐文拾遗》卷三三存文一篇。傅义有《郑谷诗集编年校注》，黄明等有《郑谷诗集笺注》。事迹见《唐才子传校笺》卷九。赵昌平有《郑谷年谱》，王达津有《郑谷生平系诗》。

齐己仍居长沙道林寺，年约四十六。有诗数首哭郑谷。齐己于郑谷之卒，作《哭郑谷郎中》、《乱中闻郑谷吴廷保下世》、《伤郑谷郎中》。（见《白莲集》卷六、卷一、卷二）齐己《白莲集》中，寄怀郑谷之作颇多，有《和郑谷郎中看棋》、《戊辰岁湘中寄郑谷郎中》、《永夜感怀寄郑谷郎中》（卷一）、《寄郑谷郎中》、《禅庭芦竹十二韵呈郑谷郎中》、《次韵酬郑谷郎中》（卷二）、《寄郑谷郎中》（卷三）、《寄孙辟呈郑谷郎中》（卷四）、《寄西山郑谷神》（卷五）、《赴郑谷郎中招游龙兴观读题诗板谒七真仪像因有十八韵》（卷六）、《寄郑谷郎中》、《江上望远山寄郑谷郎中》（卷八）、《寄郑谷郎中》（卷十）。多作于郑谷归隐宜春之后，可见齐己与郑谷唱和时间之长，交游情义之厚。

齐己有《寄钱塘罗给事》诗寄罗隐。（见《白莲集》卷一）

吴 越

十二月

十三日，罗隐（833—909）卒于杭州，年七十七岁。罗隐本年自镇海节度判官、给事中迁盐铁发运使。春，寝疾。六月，罗衮自梁奉使吴越，与隐唱和。冬十二月十三日，隐卒。（见沈崧《罗给事墓志》，参《吴越备史》本传）罗隐本名横，字昭谏，自号江东生。杭州新城（今浙江富阳西南）人。排行十五。咸通、乾符中，应进士试，公卿恶其恃才傲物，语多讥刺，故十举不中第，遂改名隐。《鉴戒录》卷八："罗隐以讽刺颇深，连年不第。"又云："罗隐秀才傲眼于人，体物讽刺。"咸通十一年（870）为衡阳主簿。同年辞归。乾符元年（874）游大梁等处。三年（876），丁父忧。服除，

再至长安。广明中，遇乱归乡里。中和中，寓居池州。曾与顾云等至扬州，谒淮南节度使高骈，见其酷好神仙之术，题诗而去。光启三年（887）至杭州，谒刺史钱镠，以《夏口诗》得钱赏识，表为钱塘令。迁著作郎。景福二年（893），钱镠为镇海军节度使，罗应聘为掌书记。光化三年（900）为观察判官。天祐三年（906）转司勋郎中，充镇海军节度判官。后梁开平元年（907），梁高祖欲以谏议大夫征召之，隐不行，反说钱镠举兵讨梁，为史家所称许。次年，授吴越国给事中。吴越天宝二年（909），迁盐铁发运副使。是年卒。世称罗给事。精书法，工诗能文。《宣和书谱》卷一一："罗隐……虽不以书显名，作行书，尤唐人典型。观其《罗城记稿》诸帖，略无季世衰弱之习，盖自胸中所养，不为世俗浅陋所移尔。今御府所藏行书四：《外罗城记稿》、《三十一郎帖》、《喜慰帖》、《华阴樵寄帖》。《郡斋读书志》卷一八称其"作诗著文以讽刺为主"。《北梦琐言》卷五："唐进士章鲁封与罗隐齐名，皆浙中人，频举不第，声采甚著。"卷六："陆龟蒙与颜荛、皮日休、罗隐、吴融为益友。"又云："唐罗给事隐、顾博士云俱受知于相国令狐公。"《旧五代史》卷二四本传："诗名于天下，尤长于咏史，然多所讥讽，以故不中第，大为宰相郑畋、李蔚所知。"诗与罗邺、罗虬合称"三罗"。《唐摭言》卷一〇："罗虬词藻富赡，与宗人隐、邺齐名，咸通、乾符中，时号三罗。"又云："邺尤长七言诗，时宗人隐，亦以律韵著称，然隐才雄而粗疏，邺才清而绵致。"有《曲江春感》、《长安秋夜》、《偶题》、《感弄猴人赐朱绂》、《蜂》等。尤长于咏史，《筹笔驿》、《华清宫》、《西施》、《登夏州城楼》等最为代表。明胡震亨《唐音癸签》卷八谓："罗昭谏隐酣情饱墨，出之几不可了，未少佳篇，奈为浮渲所掩。然论笔材，自在伪国诸吟流上。"文章以杂文小品成就最高。代表作《谗书》五卷，如《英雄之言》、《说天鸡》、《汉武山呼》、《越妇言》、《秋虫赋》等，议古刺今，立意警切。鲁迅《小品文的危机》赞曰："几乎全都是抗争和愤激之谈。"清李慈铭《越缦堂读书记》卷八"文学"谓罗隐"文亦崭然有气骨，如其诗与人也"。罗隐著述颇富，唐末五代作家除孙光宪外，鲜有其匹。《崇文总目》卷五录其《湘南应用集》三卷、《谗书》五卷、《罗隐集》二十卷、《吴越掌记集》三卷、《甲乙集》十卷、《罗隐赋》一卷、《罗隐启事》一卷、《淮海寓言》七卷、《吴越应用集》三卷、《江东后集》十卷、《两同书》二卷、《谗本》三卷，凡十二种，六十八卷。《郡斋读书志》卷四中录《甲乙集》十卷、《谗书》五卷。《直斋书录解题》卷一六著录《甲乙集》十卷、《后集》五卷、《湘南集》三卷，且曰："隐又有《淮海寓言》、《谗书》等，求之未获。"同书卷一九又录《罗江东集》十卷，卷一〇录祝融子《两同书》二卷，案云："《崇文总目》以为罗隐撰。"《宋史》卷二〇八《艺文志七》则著录罗隐《湘南应用集》三卷、《淮海寓言》七卷、《甲乙集》三卷、《外集诗》一卷、《启事》一卷、《谗本》三卷、《谗书》五卷、《罗隐后集》二十卷、《汝江集》三卷、《歌诗》十四卷、《吴越掌记集》三卷，凡十一种，六十三卷。宋元书目中所载罗隐著述多遭毁散，今存《甲乙集》十卷，清人辑有《罗昭谏集》八卷。《全唐诗》卷六五五至六六五，编录罗隐诗十一卷，《全唐文》卷八九四至八九七存其文四卷。今人雍文华校辑有《罗隐集》。

本年

钱镠五十八岁，仍为吴越王。四月，巡苏州、越州。五月，巡明州。闰八月，梁授镠守太尉。罗隐卒前，镠有《题罗隐壁》、《题罗昭谏新建小楼二绝》。（见《吴越备史》卷一《吴越史事编年》）《吴越备史》卷一云：“隐寝疾，王亲临抚问，因题其壁云：‘黄河信有澄清日，后代应难从此才。’隐起而续末句云：‘门外旌旗屯虎豹，壁间章句动风雷。’隐由是以红纱罩覆其上，其后果无文嗣。”《全唐诗补编·续补遗》卷一二收镠《题罗隐壁》，卷四五另收镠《题罗昭谏新建小楼二绝》。

闽

正月

十二日，韩偓拟离沙县往抚、信，被闽相追回。时年六十八岁。作《己巳年正月十二日自沙县抵邵武军，将谋抚、信之行，到才一夕，为闽相急脚相召，却请，赴沙县郊外泊船，偶成一篇》。偓另有《余寓汀州沙县病中闻前郑左丞璘随外镇举荐赴洛，兼云继有急征，旋见脂辖，因作七言四韵戏以赠之，或冀其感悟也》（原注：己巳年）《又一绝请为申达京洛亲交知余病发》、《梦中作》、《寒食日沙县雨中看蔷薇》（原注：己巳）等诗。（均见《全唐诗》卷六八一）宋李纲《梁溪集》卷一一《读韩偓诗并记有感》：“尝道沙阳，寓居天王院者岁余，与老僧蕴明相善，以诗赠之。至后唐时，邑令章僚为之记，叙偓始末甚详，且述唐末乱离之事，颇与唐史合。予来沙阳闻之，窃愿一观，而其碑因寺中废，为有力者取去，秘不示人。久之，始得见其副本。感而赋之，且录偓诗卷中。”韩偓作《偶访明公大德赠长句四韵》，《全唐诗》卷六八二录为《访明公大德》。

四月

梁封王审知为闽王。（见《资治通鉴》卷二六七）

黄滔以闽节度推官与梁册闽王副使翁承赞唱和。滔年七十。《黄御史文集》卷二有《东山之游未遂，渐逼行期，作四十字，奉寄翁文尧员外》、《喜翁文尧员外病起》，卷三有《送翁员外承赞》、《翁文尧员外捧金紫还乡之命……酬和以质奖私》、《奉和翁文尧员外经过七书堂见寄之什》、《奉酬翁文尧员外驻南台见寄之什》、《翁文尧员外拥册礼之归一路有诗名书锦集先将寄示因书五十六字》、《奉和翁文尧十九员外中谢日蒙恩赐金紫之什》、《奉和翁文尧员外文秀光贤书锦三首》、《奉酬翁文尧员外神泉之游见寄嘉什》，卷四有《奉和文尧对庭前千叶石榴》、《奉和翁文尧戏寄》等作。

九月

淮南遣使者修好于闽，王审知斩之，并上表于梁，遂与淮南绝交。（见《资治通鉴》卷二六七）

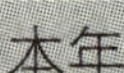

本年

徐夤与幕主王延彬唱和，作《尚书荣拜恩命，夤疾中辄课恶诗二首，以申攀赞》。（见《钓矶文集》卷九）时王延彬转右仆射，封琅琊郡开国男，年十九。（见《十国春秋》卷九四本传）

神晏与王延彬诗偈唱和。《古尊宿语录》卷三七："十八郎殿下送彩球上于方丈顶挂便请偈：'众彩裁成已，工多妙最殊。收归方丈里，长玩一明珠。'十八郎又送偈上国师兼请和，师乃答之：'建化开遮假立名，无名之说亦难停。其中荐得非关识，朗月当空不自明。北京秀长称为泽，南派传宗祖讳能。黄卷暂诠呼作性，教外须参有别行。'附十八郎殿下原偈：'无形无本亦无名，日用驱驱不暂停。对面向人多不识，纵横自在转分明。权时来寄君家宅，万种千般是事能。认取当来自本性，一时抛弃事皆行。'"

陈金凤年十七，闽太祖王审知召为才人。《十国春秋》卷九四本传："开平三年，太祖选良家女充后宫，时金凤年十七，性度窈窕，善歌舞，太祖召为才人，其宠幸与黄夫人比。尝筑水晶宫于西湖旁，列亭榭十余里。金凤时扈从，由子城复道中出游，然不及荡。"

前　蜀

十月

蜀司天监胡秀林献《永昌历》，行之。（见《资治通鉴》）

本年

牛峤为蜀秘书监，有诗评蜀僧道攻讦。《鉴戒录》卷六载：蜀武成中，僧光业与道士杨德辉互相作诗攻讦，"牛秘书监峤评之曰：'玄门清净等空门，虔奉天尊与世尊。金口说经十二部，玉皇留教五千言。鳌头宫殿波涛阔，鹫岭香花梦想存。莫向人间争胜负，须知三教本同源。'"

韦庄为蜀吏部侍郎、同平章事。（见《蜀梼杌》卷上）

公元910年（后梁太祖开平四年　前蜀高祖武成三年　庚午）

后　梁

正月

二十三日，葬罗隐于钱塘。归仁作《悼罗隐》。《罗氏宗谱》引沈崧《罗给事墓志》："以开平三年……冬十二月十三日殁于西阙舍，享年七十七岁。以开平四年正月二十三日，归灵于杭州钱塘定山乡居山里，殡于徐村之穴，礼也。”归仁《悼罗隐》诗云：“一著《谗书》未快心，几抒胸臆纵狂吟。管中窥豹我犹在，海上钓鳌君也沉。岁月尽能消愤懑，寰区那更有知音。长安冠盖皆涂地，仍喜先生葬碧岑。”（见《全唐诗》卷八二五）归仁时居洛阳灵泉寺，生平事迹不详。《全唐诗》卷八二五收其诗六首。

五月

癸丑，罗绍威（877—910）病卒，年三十四。诏以其子周翰为天雄留后。《旧五代史》卷五《梁太祖纪第五》本年五月载：“魏博节度使、守太师、兼中书令、邺王罗绍威薨，帝哀恸曰：‘天不使我一海内，何夺忠臣之速也！’诏赠尚书令。”《旧五代史》本传称：“绍威在镇凡十七年，年三十四薨。”《唐诗纪事》卷六一载：“（绍威）喜为诗，江东罗隐有诗名，绍威厚礼之，与通属籍。目己所为诗号《偷江东集》。如‘楼前淡淡云头日，帘外萧萧雨脚风’，无愧隐矣。绍威形貌魁伟，有英杰气，好招延文学士，开馆，聚书万卷。每歌酒宴会，与宾佐赋诗，颇有情致。”《旧唐书》及两《五代史》本传所载略同。《北梦琐言》卷一七云：“邺王罗绍威喜文学，好儒士，每命幕客作四方书檄，小不称旨，坏裂抵弃，自襞笺起草，下笔成文。又癖于七言诗。江东有罗隐，为钱镠客，绍威申南阮之敬，隐以所著文章诗赋酬寄，绍威大倾慕之，乃目其所为诗集曰《偷江东》。今邺中人士，多有讽诵。”（参《太平广记》卷二〇〇引《罗绍威传》，《旧唐书》卷一八一本传）《旧唐书》本传谓《偷江东集》诗集凡五卷。《宋史·艺文志七》著录《政余诗集》一卷，《诗薮·杂编》卷二作《政余集》五卷，《唐音癸签》卷三〇作一卷，另著录《偷江东集》五卷。其集并佚。《全唐诗》卷七三四存诗二首，断句二句。卷八七三收其判语一则。《全唐诗补编·续拾》卷四一补题一则。其中《白菊》一作罗隐诗。事迹见新、旧《唐书》及新、旧《五代史》本传。

九月

甲午，朝廷诏令搜访贤良。诏曰：“朕闻历代帝王，首推尧、舜；为人父母，孰比禹、汤？睿谋高出于古先，圣德普闻于天下，尚或卑躬待士，屈己求贤。俯仰星云，虑一民之遗逸；网罗岩穴，恐片善之韬藏。延爵禄以征求，设丹青而访召，使其为政，乐在进贤。盖繇国有万机，朝称百揆，非才不治，得士则昌。自朕光宅中区，迄今三载，宵分辍寐，日旰忘餐，思共力于庙谋，庶永清于王道。而乃朝廷之内，或未尽于昌言；军旅之间，亦罕闻于奇策。眷言方岳，下及山林，岂无英奇，副我延伫！诸道都督、观察、防御使等，或勋高翊世，或才号知人，必于涂巷之贤，备察刍荛之士。诏到，可精搜郡邑，博访贤良，喻之以千载一时，约之以高官美秩。谅无求备，惟在得人。如有卓荦不羁，沈潜自负，通霸王之上略，达文武之大纲，究古今刑政之源，识礼乐质文之变，朕则待之不次，委以非常。用佐经纶，岂劳阶级。如或一言拔俗，一事出群，亦当舍短从长，随才授任。大小方圆之器，宁限九流；温良恭俭之人，难诬十室。勉思荐举，勿至因循。俟尔发扬，慰予翘渴。仍从别敕处分。”（见《旧五代史·梁纪》，参《新五代史·梁纪》）

十二月

兵部尚书、知贡举姚洎上奏，举子应试甚少，请州府广为荐送。奏曰："近代设词科，选胄子，盖所以纲维名教，崇树邦本者也。曩时进士，不下千人，岭徼海隅，偃风向化。近岁观光之士，人数不多。加以在位臣僚，罕有子弟，就其寡少，复避嫌疑，实恐因循，渐为废坠。今在朝公卿亲属、将相子孙，有文行可取者，请许所在州府荐送，以广毓才之义。"从之。（见《册府元龟》，参《旧五代史·选举志》）

本年

进士十五人，诸科一人。然史籍未载进士姓名，亦未有知举者及应试时间。（见《登科记考》卷二五）

翁承赞使闽回京，爵位骤显。《十国春秋》本传载，承赞使闽之后，"寻守右谏议大夫、福建盐铁副使，就加左散骑常侍、御史大夫。承赞既依太祖，太祖待之殊厚，遂以为相。"《八闽通志》卷七二亦载："除门下侍郎、同中书门下事，未拜。"

楚

八月

十五日，齐己作《庚午岁十五夜对月》等诗。（见《白莲集》卷一〇）

九月

九日，齐己作《庚午岁九日》。诗云："门底秋苔嫩似蓝，此中消息兴何堪。乱离偷过九月九，头尾算来三月三。云影半晴开梦泽，菊花微暖傍江潭。故人今日在不在，胡雁背风飞向南。"（见《白莲集》卷九）

吴

本年

秋，宋齐丘归庐陵，以诗文投刺史姚克赡。时齐丘年二十四。《江南野史》卷四载："时先主刺升州，其亲友姚洞天出守庐陵，齐丘因刺谒之，与语终日，延于门下。旦夕为之燕，因访时务。未几，洞天解郡，遂命载归广陵，未至而洞天疾病而死，因遗书荐之于先主。"《江表志》卷三载："宋齐丘为儒日，修启投姚洞天，略云：'城上之呜呜晓角，吹人愁肠；树头之飒飒秋风，结成离绪。'又云：'其如千恳万端，无奈饥寒两字。'"（参《五代史补》卷二，《十国春秋》卷二〇）

吴 越

本年

钱镠五十九岁，仍为吴越王。三月，巡湖州。八月，筑捍海塘，有诗。十月，巡衣锦军，制还乡歌。是岁，广杭州城，大修台馆，筑子城，钱塘富庶由是盛于东南。《吴越备史》卷一：开平四年，“三月，王巡吴兴。……八月，始筑捍海塘。……初定其基，而江涛昼夜冲激沙岸……王命强弩五百以射涛头。又亲筑胥山祠，仍为题诗一章，函钥置于海门，其略曰：‘为报龙神并水府，钱塘借取筑钱城。’既而湖头遂趋西陵。王乃命运巨石……城基始定。……冬十月戊寅，王亲巡衣锦军，制《还乡歌》。歌曰：‘三节还乡兮挂锦衣，碧天朗朗兮爱日晖。功臣道上兮列旌旗，父老远来兮相追随。家山乡眷兮会时稀，今朝设宴兮就散飞。斗牛无孛兮民无欺，吴越一王兮驷马归。’其辞壮气，实《大风》之俦也。”《枫窗小牍》：“武肃还临安，与父老饮，有三节还乡之歌，父老多不解。王乃高揭吴音以歌曰：‘你辈见侬底欢喜，别是一般滋味子。常在我侬心子里。’”《全唐诗补编·续补遗》卷一二收镠《筑塘》全诗云：“天分浙水应东溟，日夜波涛不暂停。千尺巨堤冲欲裂，万人力御势须平。吴都地窄兵师广，罗刹名高海众狞。为报龙神并水府，钱塘且借作钱城。”（参《十国春秋》卷七八本纪）

闽

本年

韩偓年六十九，自沙县抵尤溪，再转至泉州桃林场，居于其地。其间诗作颇多。途中，韩偓作《自沙县抵龙（注：一作尤）溪县，值泉州军过后，村落皆空，因有一绝》，题下注：“此后庚午作。”（参岑仲勉《读全唐诗札记》）偓另有《此翁》、《失鹤》、《多情》、《腾腾》、《桃林场客舍之前有池半亩，木槿栉比，淤水遮山，因命仆夫运斤梳沐，豁然清朗，复睹太虚，因作五言八韵》、《中秋寄杨学士》等诗（均见《全唐诗》卷六八一、卷六八二、卷六八三）及《手简帖》一文。（参岑仲勉《唐人行第录·唐集质疑·韩偓南依记》）于韩偓南依事，《新唐书》一九〇王审邽传云：“中原乱，公卿多来依之，振赋以财，如杨承休、杨赞图、郑璘、韩偓、归传懿、郑戬等，赖以免祸。审邽遣子延彬作招贤院以礼之。偓……之泉……诗题《桃林场客舍……》，岂‘桃林场客舍’即‘招贤院’之客舍欤?”（见岑仲勉《唐人行第录·唐集质疑·韩偓南依记》）

本年或稍后，翁承赞以梁右谏议大夫出任外职于福建。承赞遂依王审知，审知待之甚厚。翁劝审知建四门学，从之。《十国春秋》卷九五本传载，承赞开平三年奉使归朝后，“寻守右谏议大夫，福建盐铁副使，就加左散骑常侍、御史大夫。承赞既依太祖，太祖待之殊厚。……承赞劝太祖建四门学，以教闽士之秀者。”（参《新五代史》

卷六八《王审知传》）

前 蜀

七月

戊子朔，韦庄（836？—910）卒于成都花林坊，葬白沙之阳，谥文靖。《资治通鉴》卷二六七后梁开平四年载："秋七月，戊子朔，蜀门下侍郎兼吏部尚书、同平章事韦庄卒。"《十国春秋》卷四〇本传云："武成三年，卒于花林坊，葬白沙之阳……谥曰文靖。"（参《蜀梼杌》卷上）庄字端己。京兆杜陵（今陕西西安东南）人。宰相韦待价之后、韦应物四世孙。孤贫力学。幼能诗，才敏过人。工诗善词，以艳语见长。又精行书。《宣和书谱》卷一一称庄"性疏旷，不以小节自拘"。《唐诗纪事》卷六八亦云"疏旷不拘小节"。广明元年（880）在长安应进士试，适逢黄巢攻陷长安，庄作长诗《秦妇吟》，人称"秦妇吟秀才"。为避乱求仕，辗转河南、河东、吴越、江西、荆湖等地。乾宁元年（894），年近花甲才进士及第，为校书郎。四年（897），奉诏随谏议大夫李洵入蜀，宣谕西川节度使王建罢兵。还，自右补阙改左补阙。光化三年（900），奏请追赐李贺、贾岛等进士及第。取唐人丽句，辑为《又玄集》三卷，选录才子一百五十人名诗三百首。韦庄前此多忧时伤乱、感旧怀乡之诗歌。天复元年（901），王建辟为掌书记。召为起居舍人，建留之，遂终身仕蜀。王建称帝，庄多所擘划，深受倚重，历左散骑常侍，判中书门下事，制定开国制度。官终吏部侍郎、平章事。在蜀，卜居成都浣花溪畔杜甫草堂旧址，因名其诗集曰《浣花集》。晚年寓居蜀中时所作多为词，词风疏淡清丽。天复三年（903），庄弟蔼曾编其诗近千首为《浣花集》。韦庄著述颇多，然《新唐书·艺文志》不载，或以其仕蜀故也。《崇文总目》、《蜀梼杌》、《通志·艺文略》八均著录《浣花集》二十卷，《宋史·艺文志七》录十卷，《郡斋读书志》卷四中仅录为五卷，《直斋书录解题》卷一九只录为一卷，今本《浣花集》标为十卷，为后人重编之本。《四库全书总目》卷一五一录韦庄《浣花集》十卷，《全唐文补遗》一卷，识曰："《文献通考》载庄集五卷，此本十卷，乃毛晋汲古阁所刻，为庄弟蔼所编，前有蔼《序》。疑后人析五为十，故第十卷仅诗六首也。末为《全唐文补遗》一卷，则毛晋所增。"《崇文总目》卷二、《补五代史·艺文志》、《宋史·艺文志三》、《十国春秋》卷四〇本传均著录韦庄《蜀程记》、《峡程记》各一卷，均佚。《崇文总目》卷五又录韦庄《谏疏集》三卷、《幽居杂编》一卷，《补五代史·艺文志》著录《笺表》一卷、《谏草》二卷，《宋史·艺文志七》录韦庄《谏疏笺表》四卷、《谏草》一卷，《通志》录《韦文靖笺集》一卷，今皆不传。《崇文总目》卷五又录《又元（玄）集》一卷，《宋史·艺文志八》著录韦庄《又玄集》三卷、《采玄集》一卷。今仅存庄弟韦蔼所辑《浣花集》及《又玄集》，余皆亡佚。韦庄《乞采笺歌》云："我有歌诗一千首。"然今传《浣花集》仅存诗二百四十六首，《全唐诗》补遗七十首，合计不足四百首。《全唐诗·附词》从《花间集》、《尊前集》和《草堂诗余》等集辑录五十四首。王国维辑有《浣花词》，收入《唐五代二十一家词辑》。现有《韦庄集》二十卷、《浣花集》五卷、《又玄集》五卷。《全唐诗》卷六九五至七〇〇编韦庄诗六卷，《全唐诗补编·补全唐诗》据敦煌石室写本补《秦妇吟》一首，《全唐诗补编·续拾》卷五二补二首，《全唐诗逸》卷一四补一首。其《秦妇吟》一诗20世纪初发现于敦煌石窟，陈寅恪《寒柳堂集》有《韦庄〈秦妇吟〉校笺》。《全唐诗》卷八九二又录存庄词五十四首，其中四十八首出《花间集》，五首出《尊前集》，一首出《草堂诗余》。《全唐文》卷八八九存韦庄文三篇。事迹见《十国春秋》本传、《韦庄词校注》所附夏承焘《韦庄年谱》。

本年

贯休年七十九，仍居蜀龙华禅院。韦庄本年七月卒前，贯休屡与唱和。贯休《禅月集》卷一二有《和韦相公见示闲卧》，卷一三有《和韦相公话婺州陈事》，卷一九有《酬韦相公见寄》，并附韦庄《寄禅月大师》。诸诗皆称相公，知自开平元年韦庄入相至本年间，二人过往唱酬频繁。

周庠本年拜中书侍郎、同平章事。其后仕宦难以系年。庠，一作详。又名博雅，系避后蜀孟知祥讳改。许州（治今河南许昌）人。生卒年不详。光启中，为龙州司仓参军。后投靠王建，为其取两川出谋划策。授西川观察判官。昭宗、哀帝时，为渝州刺史。诏加西川节度判官，迁嘉州刺史。王建建前蜀，诏拜成都尹。迁御史中丞。武成三年（910），拜中书侍郎、同平章事。后主即位，以切谏不听，求致仕。进司徒、同平章事。出为永平节度使、云南安抚使。卒年六十六。能诗，有《寄禅月大师》给贯休，贯休有《酬周相公见赠》相和。《全唐诗》存诗一首。事迹见《九国志》卷六、《十国春秋》卷四〇。

皇甫枚本年流寓汾晋间。后不知所终。枚，一作牧。字遵美，小说家。邠州三水（今陕西旬邑）人，郡望安定（治今甘肃径川北）。生卒年不详。白敏中外孙。会昌至咸通中家于长安，与僧道交往甚密。咸通十四年（873）为汝州鲁山令。光启二、三年（886、887）间诏赴凤翔行在。后梁开平四年（910）流寓汾晋间。后不知所终。长于小说。撰有《三水小牍》，《直斋书录解题》作三卷，《宋史·艺文志五》作二卷。又有《玉匣记》，见《太平广记》，有疑为《三水小牍》之一篇。《三水小牍》记晚唐异闻逸事，部分有神怪色彩，叙写生动，文辞华美，为晚唐有特色之传奇小说集，今存辑本二卷。事迹见《三水小牍》、《直斋书录解题》卷一一。

公元911年（后梁太祖乾化元年　前蜀高祖永平元年　辛未）

后　梁

正月

梁军与晋军战于河北柏乡，梁军大败，死二万余人，所弃粮食、器械不可胜计。（见《资治通鉴》卷二六七）

二月

兵部尚书姚洎知贡举，进士及第二十人。诸科十人。（见《登科记考》卷二五）

孟宾，本年进士及第。徐铉《骑省集》卷二十三《广陵刘生赋序》："楚人孟宾于为予言，其叔父工为词赋，应举入洛，贽文于学士李公琪，公为之改定数处。时中书舍人姚公洎知贡举，谓人曰：'孟生赋，李五为改了，不烦更看也。'遂擢上第。"

四月

李琪以翰林学士奉敕撰《吴越王钱公（镠）生祠堂碑》，时琪年四十一。（《全唐文》卷八四七收琪《梁……吴越王钱公生祠堂碑》，参《十国春秋》卷七八《钱镠世家》）

五月

甲申朔，大赦，改元。（见《新五代史·梁纪》）

本年

王仁裕年三十二，约于本年前后为秦州节度判官。有诗题秦州麦积山天堂石壁。《太平广记》卷三九七引《玉堂闲话》："麦积山者……自此室之上，更有一龛，谓之天堂。空中倚一独梯，攀缘而上。至此，则万中无一人敢登者。……王仁裕时独能登之。仍题诗于天堂西壁上曰：'蹑尽悬空万仞梯，等闲身共白云齐。檐前下视群山小，堂上平分落日低。绝顶路危人少到，古岩松健鹤频栖。天边为要留名姓，拂石殷勤手自题。'时前唐末辛未年，登此留题。"辛未年为梁乾化元年（911），秦州时为凤翔李茂贞所有，故仍称唐。（参李昉《王仁裕神道碑》，及《新五代史》卷五七本传）

李涛年十四，梁太祖诏马殷遣其父子归京师。（见《宋史》卷二六二本传）

吴

二月

宋齐丘往谒李昪，昪待以国士之礼，齐丘作《陪游凤凰台献诗》，昪令立石刻其诗以嘉之。《十国春秋》卷二〇本传："烈祖为升州刺史，延揽四方宾客，托《凤凰台诗》见志，烈祖奇其才，以国士遇之。"《西溪丛语》卷上："绍兴壬子夏，随侍先公应副都督驻军建康，寓保宁寺，登凤凰台，有小碑在亭立，云：'五言三十韵诗一首，题凤台山亭子，陈献司空。乡贡进士宋齐丘上。……后题云：前朝天祐八年二月二十一日题，后唐升元三年二月八日奉敕勒石。"（参《宝刻丛编》卷一五引《复斋碑录》）《全唐诗》卷七三八录此诗，题为《陪游凤凰台献诗》，诗中有云："……一日贤太守，与我观橐钥。往往独自语，天帝相唯诺。风云偶不来，寰宇销一略。我欲烹长鲸，四海为鼎镬。我欲取大鹏，天地为矰缴。安得生羽翰，雄飞上寥廓。”

吴越

四月

梁加吴越王钱镠守尚书令，遣刑部侍郎李光嗣如杭州建镠生祠于衣锦军，并敕翰林学士李琪为碑文。《吴越备史》卷一：乾化元年，“四月，制命王守尚书令，兼淮南、宣歙等道四面行营都统……敕遣刑部侍郎李光嗣建王生祠于衣锦军，敕翰林学士李琪为碑文。”《全唐文》卷八四七收李琪《梁……吴越王钱公（镠）生祠碑》。

楚

十二月

廖匡图尚年少，随父廖爽自韶州奔楚，授江南观察判官。廖匡图，又作廖图，字赞禹，虔州虔化（今江西赣州）人。（见《唐才子传》卷一〇、《新五代史》卷六六、《十国春秋》卷七三、阮阅《诗话总龟》前集卷四引张靓《雅言杂载》）《十国春秋》其传称：“父爽，事镇南军留后卢延昌为将，延昌表于梁，授爽韶州刺史［按，此事《资治通鉴》卷二六七载于开平四年十二月］武穆王时为广南所攻，举族来奔，部曲随至者数千人。王以其豪而众多，将拒不内。或谏曰：‘廖者，料也。马得料必肥，是国家强霸之兆，何拒焉？’王遂遇以恩礼，表爽为永州刺史。匡图固年少，善文辞，授江南观察判官。”同书卷六七《楚世家》亦载，乾化元年十一月，“清海节度使刘岩攻梁韶州，陷之，刺史廖爽来奔，王表爽为永州刺史”。宋柳开《河东先生集》卷一一《五峰集序》云：“廖氏世善诗。爽于梁朝，当马氏有湖湘，得衡、永州刺史。子男十人，图善七言诗，凝善五言诗，立语皆奇拔。”（参《资治通鉴》卷二六七，《十国春秋》卷七三《廖匡图传》）

本年

廖匡图作《和人赠沈彬》，时沈彬年约四十九，仍隐居衡州云阳山。（见《全唐诗》卷七四〇）

廖凝，字熙绩，匡图之弟。生卒年不详。十岁有《咏棋》诗，为人所称善。本年随父奔楚，隐衡岳不仕。《十国春秋》卷二九有传，谓“字熙绩，衡山人，少隐居南岳”。宋陶岳《五代史补》卷四《廖氏世胄》条载：“廖氏，虔州赣县人。有子三人：伯曰图，仲曰偃，季曰凝。图、凝皆有诗名，偃骁勇绝伦。由是豪横，遂为乡里所惮。江南命功臣钟章为虔州刺史，于是图与凝等议曰：‘观章所为，但欲灭吾族矣。若恋土不去，祸且及矣。’……遂奔湖南……武穆喜，遂善待。仍制下，以凝为永州刺史，图为行军司马，偃为天策府列校，仍赐庄宅于衡山，自称逸人。”按廖氏三子入楚后之行迹，匡图与廖偃皆入仕，匡图后预天策府十八学士之选。廖凝，既有诗名，又不预十八学士之选，疑《五代史补》所谓“自称逸人”者即廖凝，非廖偃。凝未曾仕楚。（《十国春秋》卷二九《廖凝传》）《诗话总龟》前集卷一三引《郡阁雅谈》:“廖凝字熙绩，十岁《咏棋》诗云:‘满汀鸥不散，一局黑全输。’识者见之曰:‘必垂名于后。’”

闽

本年

黄滔年七十二，仍仕闽为节度推官。王审知闻静海节度使兼中书令南平襄王刘隐于三月丁亥卒，嘱滔为祭文。（参《资治通鉴》卷二六八乾化元年三月条，及《九国志》卷九）黄滔为王审知作《祭南汉南平王文》。黄滔所作祭文见《黄御史文集》卷六。题下注：“代闽王。”黄滔诗文有年可考者，此为最后一篇，其卒于915年或之后。《黄御史集》卷末附《莆阳志》：“王审知据有全闽，而终其身为节将者，滔规正有力焉。……时闽中所为碑碣，皆其文也。今浮图荒陇，旧刻犹存。”《八闽通志》卷七二：“论者谓莆郡文章家，以滔为初祖。”

韩偓年七十，自泉州桃林场移居南安县，有《深院》等诗。《全唐诗》卷六八一有《深院》，汲古阁本《韩内翰别集》此诗题下有注云：“辛未年在南安县作。”（详参岑仲勉《韩偓南依记》）

南　汉

三月

丁亥，静海节度使、南汉王刘隐病卒。（见《资治通鉴》卷二六八，及《九国志》）

五月

刘隐病笃时，遣陈用拙撰表请其弟刘岩权知留后。本月即以刘岩为节度使。

陈用拙原为岭南节度掌书记，岩立，授为供军巡官。《十国春秋》卷六二本传：“比烈宗病革，用拙撰表请高祖权知留后，益信任之。”（参《南汉书》卷一〇本传）

前　蜀

本年

岐王李茂贞遣刘知俊伐蜀，蜀王王建使王宗侃等与之战于兴州青泥岭，大败。九月，王建自临利州，使王宗弼与刘知俊战于斜谷，破之。（见《资治通鉴》卷二六八）

冯涓为秘书监，上疏谏用兵。《宋高僧传》卷二二《周伪蜀净众寺僧缄传》：“释僧缄者……秘书监冯涓同年也。”《十国春秋》卷四〇本传：“永平初，高祖屡兴兵旅，涓上疏曰：‘古之用兵，非以逞威暴而肆杀戮，盖以安民为先，丰财为本。汤武无忿怒之师，高光有鱼水之士，故能应天顺人，吊民伐罪。今自土士德云衰，朱梁逞虐，雍都洛邑，尽是荆榛，江南山东，各有割据。斗力则人各有力，用兵则人各有兵。陛下欲以一方之强，举万全之策，臣恐陛下之忧，不在于秦雍，而在于肘腋之下也。”

贯休年八十岁，近年有献王建寿春节诗九首，未知作年，暂系于此。贯休有《大蜀皇帝寿春节进尧铭舜颂二首》、《寿春节进祝圣七首》。（见贯休《禅月集》卷五、卷一八）

牛峤为蜀给事中，约卒于本年后数年间。峤字松卿，一字延峰。陇西狄道（治今甘肃临洮）人。唐宰相牛僧孺之孙。生卒年无考。乾符进士。历官拾遗、补阙、尚书郎。王建镇蜀，辟为判官。称帝后，拜给事中，因称牛给事。峤博学有文，以词著名。《花间集》录其词十三调三十二首。近人王国维辑有《牛给事词》，收入《唐五代二十一家词辑》。峤词多咏闺情别怨，莹艳缛丽，近似飞卿。《定西蕃》缘题作赋，抒写戍边士卒的苦寒与乡愁，境界开阔，声情凄切，是《花间集》中难见的佳篇。《西溪子》谱写琵琶女的幽怨，通篇白描，不事藻饰，声情如见，别具风采，为宋张先《菩萨蛮》“弹到断肠时，春山眉黛低”所本。咏物词不滞于物而以比兴见长，对后世咏物词也有一定影响。

《唐诗纪事》卷七一谓峤：“王建镇西川，辟判官。及僭位，为给事中。”《郡斋读书志》卷四中、《唐才子传》卷九、《十国春秋》卷四四传等，均承《纪事》，且增益云：“及开国，拜给事中，卒。”［按，峤之卒年无考，约卒于前蜀开国后不久］《牛峤集》，《郡斋》卷四中著录《牛峤歌诗》三卷，注云：“集本三十卷，自序云：‘窃慕李长吉所为歌诗，辄效之。’”据此则峤集原有三十卷，至南宋时仅存歌诗三卷。清顾榱三《补五代史艺文志》则记《牛峤集》三十卷，《歌诗》三卷，非实见也。《歌诗》三卷，原在三十卷集内，顾氏据前代书目所记而补，然未详察，致误。至李调元《全五代诗》牛峤小传，谓峤有集三十三卷，殊谬。《全唐诗》卷六六七存峤诗六首，卷八九二复录词二十七首，共三十三首。另王国维《唐五代二十一家词》辑《牛给事词》一卷，皆录自《花间集》。

范质（911—964）。五代文学家。字大素。大名宗城（今河北威县）人。后唐长兴四年（933）进士及第。开运元年（944），充翰林学士。加比部郎中、知制诰。后汉时，官至户部侍郎。后周广顺二年（952），由枢密副使、兵部侍郎拜中书侍郎、同平章事。入宋，为宰相。罢为太子太傅。乾德二年（964）卒。撰有《五代通录》六十五卷、《魏公家传》三卷、《晋朝陷蕃记》一卷、《桑维翰传》三卷及《范质集》三十卷，著录于《宋史·艺文志》，并佚。《全唐诗补编》存诗二首、断句六句，《全唐文》存文二篇。

智晖（873—956）**本年归圭峰旧居。**智晖，俗姓高，五代诗僧。咸秦（今陕西咸阳一带）人。工书画，精于吟咏，得风骚之体，撰歌颁千余首。作品多佚。《全唐诗补编》录诗偈一首。事迹见《宋高僧传》卷二八、《景德传灯录》卷二〇。

公元912年（后梁太祖乾化二年　前蜀高祖永平二年　壬申）

后　梁

三月

梁与晋战于河北枣强，先胜后败，梁太祖朱温自下博县退还洛阳，发病。（见《资治通鉴》卷二六八）

六月

朱晃死，赵光逢为撰谥册文。《五代会要》卷一载："梁太祖朱晃。乾化二年六月五日，为其子郢王友圭所弑，崩于大内之寝殿，年六十一……哀册文，中书侍郎、平章事杜晓撰；谥册文，门下侍郎、平章事赵光逢撰；谥议太常卿李燕撰。"

本年

进士十一人登第。（见《登科记考》卷二五，无登第者姓名）

知贡举尚书左仆射杨涉。《册府元龟》："乾化元年十二月，以尚书左仆射杨涉知擅部贡举，非常例也。"

李琪四十二岁，为户部侍郎。翰林学士承旨。梁祖时专掌文翰，名播海内。

《旧五代史》卷五八本传："累迁户部侍郎、翰林承旨。梁祖西抗邠、岐，北攻泽、潞，出师燕、赵，经略四方，暂无宁岁，而琪以学士居帐中，专掌文翰，下笔称旨，宠遇逾伦。是时，琪之名播于海内。"

路德延本年八月前被朱友谦所杀。详开平元年年谱之考订。《全唐诗》卷七一九存其诗三首。

吴

本年

宋齐丘二十六岁。五月，齐丘为升州刺史李昇辟为推官，与诸同僚说昇行善政。《资治通鉴》卷二六八载云：梁乾化二年五月，"徐知诰以功迁升州刺史。时诸州长吏多武夫，专以军旅为务，不恤民事；知诰在升州，独选用廉吏，修明政教，招延四方士大夫，倾家赀无所爱。洪州进士宋齐丘，好纵横之术……知诰奇之，辟为推官，与判官王令谋、参军王翃主谋议。"《江南野史》卷四："因说先主广延儒素，务农训兵，黜陟奸否，进用公廉，修举废坠，制御奸雄。凡数年间，府廪盈积，城隍完竣，士卒骁勇。"

宋齐丘（887—959），五代文学家。初字超回，后字子嵩。庐陵（今江西吉安）

人，一说豫章（今江西南昌）人。吴天祐九年（912），依昇州刺史李昪，为推官。累迁右谏议大夫。大和三年（931）拜右仆射，兼中书侍郎、同平章事。南唐昇元元年（937）为左丞相。六年（942），出为镇南军节度使。保大元年（943）复召为相。罢为浙西节度使。乞归九华山，赐号九华山人。五年（947），复出为镇南军节度使。交泰元年（958），坐累放还。次年赐死，一说自缢而死。能诗文，马令谓其"为文有天才而寡学，不经师友议论。词尚诡诞，多违戾先王之旨"。《陪游凤凰台献诗》为李昪所欣赏。撰有《化书》六卷、《理训》十卷、《玉管照神局》二卷、《祀玄集》三卷，分别著录于《宋史·艺文志》杂家类、五行类、别集类，并佚。《全唐诗》存诗三首、断句二句、酒令二句，《全唐诗补编》补一首、断句三句；《全唐文》存文四篇，《唐文拾遗》补二篇。事迹见马令及陆游《南唐书》本传，参《新五代史·南唐世家》。

吴越

本年

钱镠六十二岁，仍为吴越王。七月，梁尊镠为尚父。《吴越备史》卷一：乾化二年，"秋七月，遣刑部尚书李皎尊王为尚父。"（参《资治通鉴》卷二六八）

楚

本年

齐己约四十九岁，仍居长沙道林寺，有诗自述。天复三年至本年间，有诗寄贯休。《白莲集》卷九《吟兴自述》："前习都由未尽空，生知雅学妙难穷。一千首出悲哀外，五十年销雪月中。兴去不妨归静虑，情来何止发真风。曾无一字干声利，岂愧操心负至公。"诗中"五十年"，乃为概数。《白莲集》卷四《寄贯休》："子美曾吟处，吾师复去吟。……锦水流春阔，峨眉叠雪深。"贯休于天复三年秋入蜀，本年十二月卒蜀中，参开平元年（907）及本年贯休条。

闽

本年

韩偓七十一岁，仍居南安县，有《江岸闲步》、《闺恨》等诗。（详岑仲勉《韩偓南依记》）《全唐诗》卷六八一《江岸闲步》，题下注："此后壬申年作，在南安县。"又卷六八三《闺恨》，汲古阁本《香奁集》此诗题下有注云："壬申年在南安县作。"

徐夤仍居王延彬泉州幕，与延彬唱和。夤《钓矶文集》卷九《贺清源太保王延彬二首》其一云："蕊珠宫里谪神仙，八载温陵万户闲。"

前　蜀

二月一日，蜀主王建幸龙华院，召贯休，令口诵近诗，休因作《公子行》以讽，建称善。《宋高僧传》卷三〇休本传云：“至梁乾化二年，终于所居，春秋八十一。蜀主惨怛，一皆官葬，塔号‘白莲’。于成都北门外升迁为浮图，乃伪蜀乾德中，即梁乾化三年癸酉岁也。”《十国春秋》卷四七本传则云：“高祖常命诵近所撰诗，时贵戚满坐，贯休欲讽之，乃举《公子行》云：‘锦衣鲜花手擎鹘，闲气行貌多轻忽。艰难稼穑总不知，五帝三皇为何物。’高祖称善，贵幸多有怨者。寿春节，贯休进《尧铭》、《舜颂》二章，高祖复加奖赏。永平二年卒，年八十一。明年，为浮图于成都北门外葬焉。”同书卷三六记，永平二年“二月□□朔，帝幸龙华禅院，召僧贯休坐，赐茶药彩缎。”《蜀梼杌》卷上亦云，永平二年，“二月朔，（帝）游龙华禅院，召僧贯休坐，赐茶药彩缎，乃令口诵近诗。时诸王贵戚皆赐坐，贯休欲讽，因作《公子行》云云。”《十国春秋》盖本此。昙域《禅月集序》所述与此略同，不赘。贯休著述，《十国春秋》传谓有《宝月集》一卷、《西岳集》四十卷，不知所据。宋元公私书目所载者惟《禅月集》。《崇文总目》卷五录为三卷，《直斋书录解题》卷一九录为十卷，《郡斋读书志》卷四中及《通志》卷七〇《艺文略》八均著录三十卷。今传《四部丛刊》本《禅月集》共二十五卷。此集前有吴融所撰之《西岳集序》，后有昙域《禅月集序》。依昙《序》所记，此集原有一千首，今仅存七百二十首之数。《全唐诗》卷八二六至八三七编其诗十二卷，《全唐诗补遗》补二首，《续补遗》补八首，《续拾》补七首六句。《全唐文》卷九二一存其文四篇。

本年

毛文锡仍仕前蜀为中书舍人、翰林学士，与贯休过往唱酬。贯休《禅月集》卷一八有《和毛学士舍人早春》，休卒于本年十二月。文锡原诗已不存。

昙域仍居成都龙华禅院，师从贯休。本年或稍前，贯休嘱域为其诗集作序。昙域《禅月集后序》（贯休《禅月集》卷末附）云：“有唐翰林学士、兵部侍郎吴融，请为序。先师常谓一二门人曰：‘吴公文藻赡逸，学海渊深。或以挹让周旋异待矣，或以文害辞，或以辞害志，或以诞饰饶借，则殊不解我意也。子可于余所著之末，聊重叙之。’”休卒于本年末，则预嘱撰序事，当在本年或稍前。

牛希济约四十岁，仍居遂州为卑职，有《重修龙兴寺碑》。《宝刻类编》卷七录《重修龙兴寺碑》，云：“牛希济撰，永平二年立，遂宁。”碑文今不传。永平为王建年号，二年即梁乾化二年（912），知其年希济在遂州。［按，遂州遂宁郡，唐时属剑南东川节度，在古巴郡之南界，故称巴南］则希济所谓旅居巴南十年，应即在遂州。《北梦琐言》云：“以时辈所排，十年不调。”知其在遂州亦有职守，只是地位较低。

欧阳炯十七岁，本年或稍前作《应梦罗汉歌》赠贯休。欧阳炯，《花间集》、《尊前集》，景焕《野人闲话》、《益州名画录》、《锦里耆旧传》、《唐诗纪事》、《续资治通鉴长编》等均作炯，《宋会要辑稿·职官》四六、《翰苑群书》卷一〇《学士年表》及《宋史》卷四七九本传又作迥。吴任臣《十国春秋》以炯、迥为二人，分别立传，显误。《宋史》传云："欧阳迥，益州华阳人。父珏，通泉令。迥少事王衍，为中书舍人。"据此传所记，炯卒于宋开宝四年（971），享年七十六岁。逆推之，知其生于唐昭宗乾宁三年（896），本年为十七岁。

《太平广记》卷二一四引《野人闲话》："唐沙门贯休……王氏建国时，来居蜀中龙华之精舍，因纵笔，用水墨画罗汉一十六身，并一佛二大士，巨石萦云，枯松带蔓，其诸古貌，与他人画不同。或曰：'梦中所睹，觉后图之，谓之应梦罗汉。'……蜀主曾宣入内，叹其笔迹狂逸，供养经月，却令分付院中。翰林学士欧阳炯亦曾观之，赠以歌。"歌中有云："休公休公，始自江南来入秦，于今到蜀无交亲。"知作歌时贯休尚在世，故此歌约作于是年或稍前。

公元913年（后梁太祖乾化三年　前蜀高祖永平三年　癸酉）

后　梁

二月

郢王朱友珪即帝位，荒淫无道，内外愤怒。朱温第三子均王朱友贞与左龙虎统军、侍卫亲军都指挥使袁象先谋，引兵突入洛阳宫中，杀朱友珪。朱友贞即帝位于大梁（汴州），复称乾化三年。

十一月

李存勖本年三十二岁，仍为晋王。是月，亲征幽州，灭燕；有诗纪行。《旧五代史》卷二八：天拓十年十一月，"己亥朔，帝下令亲征幽州。……癸亥，帝入燕城，诸将毕贺。"十二月，"庚辰，帝发幽州。"《全唐诗补编·续拾》卷四一收存勖《题幽州盘山七言》、《题幽州石经山》，当作于是时。

和凝十七岁，少聪敏好学，神采秀发。是年举明经至京，感梦而改应进士举。好为曲子词，布于汴、洛。《新五代史》卷五五本传称："和凝字成绩，郓州须昌人也。其九世祖逢尧为唐监察御史，其后世遂不复宦学。凝父矩，性嗜酒，不拘小节，然独好礼文士，每倾赀以交之，以故凝得与之游。而凝幼聪敏，形神秀发。"《旧五代史》所云与此略同，曰："少好学，书一览者咸达其大义。年十七举明经，至京师，忽梦人以五色笔一束与之，谓曰：'子有如此才，何不举进士？'自是才思敏赡。"（参《旧五代史》卷一二七）[按，凝卒于后周显德二年（955），卒年五十八岁。逆推之，则本年为十七岁]《北梦琐言》卷六："晋相和凝，少年时好为曲子词，布于汴、洛。"

可止五十四岁，仍居幽州。冬，晋灭燕，执刘仁恭父子。（见《资治通鉴》卷二六八、二六九）可止避乱定州，节度使王处直请于开元寺安置。有诗。《宋高僧传》卷七本传："时庄宗遣兵出飞狐以围之……未几燕陷，刘氏父子俘归晋阳。止避乱中山，节度使王处直素钦名誉，请于开元寺安置，逐月供俸。……在定州日，中山与太原互相疑贰，诸侯兼并，王令方欲继好息民，因命僧斋于庆云寺。会有献白鹊者，王曰：'燕人诗客试为咏题。'止即席而成，后句云：'不知谁会喃喃语，必向王前报太平。'王欣然。"

本年

王易简、程大雅等十五人登进士第。礼部侍郎萧顷知贡举。

王易简，《宋史》本传："易简字国宝，京兆万年人。曾祖肋，祖逮，父贯。易简少好学工诗，梁乾化中邵王友诲镇陕，易简举进士，诣府拔解，友诲赠钱二十万，明年遂擢第。"《唐诗纪事》："易简，唐末进士，梁乾化中及第。名居榜尾，不看榜却归华山。寻就山释褐，授华州幕职。后召入，拜左拾遗，又辞官归隐。留诗一绝曰：'汩没朝班愧不才，谁能低折向尘埃。青山得去且归去，官职有来还自来。'"［按，乾化四年停贡举，姑附此年］

程大雅，陈补："《浯田程氏宗谱》卷二载七十三世：'大雅字审己。按《祁谱》云：'少爱文学，通《春秋》、《诗》、《礼》、《易》，淮南杨太傅荐之梁朝，游太学有俊誉，乾元三年侍郎萧颂下擢进士第。'后仕南唐。末云：'后归本朝，除太子洗马。'知犹宋时旧文。'乾元'为'乾化'之误，'萧颂'为'萧顷'之误。《旧五代史》卷五八《萧顷传》云："顷入梁，历给谏、御史中丞、礼部侍郎、知贡举，咸有能名。自吏部侍郎拜中书门下平章事，与李琪同辅梁室，事多矛盾。"同书卷九《末帝本纪》载贞明四年四月顷自吏侍拜相。《增修诗话总龟》卷四四引《郡阁雅谈》云王易简为'萧希甫下及第'，亦萧顷之讹。徐松《登科记考》录本年为郑珏知贡举，误，详参后贞明二年（916）赵都条下考。"

知贡举者礼部侍郎萧顷。原作"礼部侍郎郑珏"，徐氏考云："《旧五代史·郑珏传》：'珏入梁为补阙、起居郎，召入翰林。累迁礼部侍郎充职。'《资治通鉴》：'贞明二年十月丁酉，以礼部侍郎郑珏为中书侍郎、同平章事。'《侯鲭录》：'唐末五代，权臣执政，公然交赂，科第差除，各有等差。故当时语云：及第不必读书，做官何须事业。'"［按，参上程大雅条考，知本年贡举者当为萧顷］

皮光邺，《吴越备史》："光邺字文通，世为襄阳人。父日休，为苏州军事判官、太常博士。光邺生于姑苏，十岁能属文。及长，以其所业谒武肃，累署浙西节度推官，赐绯。命入贡京师，梁后主特赐进士及第。"［按，赐及第，盖非登第也。事在贞明前，当附是年］邓名世《古今姓氏书辨证》云："皮日休，苏州刺史，生光邺。光邺生元帅府判官文灿。"

吴

三月

吴行营招讨使李涛帅众攻吴越于临安县，四月，大败于千秋岭，李涛被俘。

九月

吴越王钱镠遣将攻吴于常州，大败于无锡。（见《资治通鉴》卷二六八）

本年

李咸用仍居庐山。本年或稍后，有诗赞赏修睦诗歌。卒年不详。有《披沙集》三卷。《披沙集》卷二《读修睦上人歌篇》："李白亡，李贺死，贯休之后，唯修睦而已矣。"杨万里《唐李推官〈披沙集〉序》："晚识李兼孟达于金陵，出唐人诗一编，乃其八世祖推官公《披沙集》也。……征人凄苦之情，孤愁幼眇之声，骚客婉约之灵，风物荣悴之英，所谓周礼尽在鲁矣。读之使人发融冶之欢于荒寒无聊之中，动惨戚之感于笑谈方怿之初。国风之遗音，江左之异曲，其果弦绝而不可煎胶欤！"《直斋书录解题》卷一九录咸用《披沙集》六卷。今存。《全唐诗》编其诗为三卷（卷六四四—六四六）。

吴越

本年

皮光邺三十七岁。本年奉使后梁，梁末帝特赐其进士及第。徐松《登科记考》卷二五据《吴越备史》本传，列光邺为本年赐及第。

闽

本年

韩偓七十二岁，仍居泉州南安县，有《驿步》等诗。《全唐诗》卷八六一《驿步》，题下注："癸酉年在南安县。"详岑仲勉《韩偓南依记》。

蜀

六月

丙子，蜀主授杜光庭为金紫光禄大夫、左谏议大夫，封蔡国公，进号"广成先生"，频与议政事。《资治通鉴》卷二六八记：乾化三年六月，"丙子，蜀主以道士杜光庭为金紫光禄大夫、左谏议大夫，封蔡国公，进号广成先生。光庭博学善属文，蜀主重之，频与议政事。……蜀太子元膺，豭喙齙齿，目视不正，而警敏知书，善骑射，性狷急猜忍。蜀主命杜光庭选纯静有德者使侍东宫，光庭荐儒者许寂、徐简夫，太子未尝与之交言，日与乐工群小嬉戏无度，僚属莫敢谏。"

毛文锡仕前蜀为翰林学士承旨。七月，为太子元膺所怒而遭贬逐，又被拘捕，囚诸东宫。太子旋败死，文锡复旧位。《资治通鉴》卷二六八载："秋，七月，蜀主将以七夕出游。丙午，太子召诸王大臣宴饮，集王宗翰、内枢密使潘峭、翰林学士承旨高阳毛文锡不至，太子怒……入白蜀主曰：'潘峭、毛文锡离间兄弟。'蜀主怒，命贬逐峭、文锡。""太子初不为备，闻道袭召兵，乃以天武甲士自卫，捕潘峭、毛文锡至，挞之几死，囚诸东宫。"太子旋被杀。《资治通鉴》不载文锡乱后复官事，但谓与其同贬之潘峭在乱平次日即复为枢密使，而文锡次年又有升迁。据此可推知文锡与峭同时复官，仍为翰林学士承旨。

本年

蒋贻恭于本年前后入蜀。《鉴戒录》卷四"蜀门讽"："蒋贻恭，本江淮人。无媚世之谄，有咏人之才，全蜀士流，莫不畏惮。初见则言词清楚，不称是非；后来则唇吻张皇，便分丑美。……贻恭住名山日，陈情上府主高太保（知柔）诗曰：'名山主簿实堪愁，难咬他家大骨头……'"《北梦琐言》卷一〇："又有蒋贻恭者，好嘲咏，频以痛遭檟楚，竟不能改。"

伊用昌，唐末五代诗人。用，一作梦。生卒年、籍贯不详。唐末不仕，被羽褐为道士。性狂逸，时呼为伊风子。多游江南庐陵、宜春等郡。吴天祐十年（913），曾至抚州南城县。

公元914年（后梁太祖乾化四年　前蜀高祖永平四年　吴天祐十一年　吴越天宝七年　甲戌）

后　梁

本年

暂停贡举。（见《登科记考》卷二五）

梁末帝爱赵光逢之才，起光逢为司空、同中书门下平章事。《旧五代史》卷五八、《新五代史》卷三五本传所载皆同。

冯道三十三岁，本年或去年入太原，张承业辟为巡官。《旧五代史》卷一二六本传云："守光败，（道）遁归太原，监军使张承业辟为本院巡官。承业重其文章履行，甚见待遇。"

吴

本年

沈彬约五十二岁，本年前后自湖湘返江西高安乡里，出入玉染、阁皂二山。《江南野史》卷六载彬游湖湘，隐云阳山十余年后，“归乡里，访名山洞府与学神仙人，慕乔、松虚无之道，往来多之玉染、阁皂二山，入游息焉。”彬游湖湘始于光化末，下推至本年十五年，其归乡当在本年前后。

闽

本年

韩偓七十三岁，仍居泉州南安县，妻裴氏卒，有文祭之。详《唐才子传校笺·韩偓》（周祖谍、吴在庆文）之考证。韩偓著述，《新唐书》卷五八《艺文志二》录《金銮密记》五卷，同书卷六〇《艺文志四》复记《韩偓诗》一卷、《香奁集》一卷；《崇文总目》卷二则记《金銮密记》一卷，卷五又记《韩偓诗》一卷；《直斋书录解题》卷五录《金銮密记》三卷，卷一九又录《香奁集》二卷、《入内廷后诗集》一卷、《别集》三卷；《郡斋读书志》卷二上录《金銮密记》一卷，卷四中又录《韩偓诗》二卷、《香奁集》一卷。《宋史》卷二〇三《艺文志二》载偓《金銮密记》一卷，同书卷七又录《香奁小集》一卷，又《别集》三卷。据此，可知偓集及卷数于流传中已有变化。又，《香奁集》是否系韩偓作品，迄今仍为疑案。沈括云此集乃和凝所作，凝后贵，遂嫁名于偓（《梦溪笔谈》卷一六）。南宋张侃《张氏拙轩集》卷五称：“南唐冯延巳亦用此（指《香奁集》）名所制词，又名《阳春》。”后世学者或以《香奁集》为韩偓作品（如施蛰存《读韩偓词札记》等），或以为非。《全唐诗》卷六八〇至六八三录存韩偓诗四卷，计三百三十六首。其文仅存十余篇，见录于《全唐文》卷八二九。

宋刘克庄《后村先生大全集》卷一三二《跋韩致光帖》：“致光自癸亥去国，至甲戌悼亡，十有二年，流落久矣，而乃心唐室，终始不衰。其自书《裴郡君祭文》，首书‘甲戌岁’，衔书‘前翰林学士承旨银青光禄大夫行尚书户部侍郎知制诰昌黎县开国男食邑三百户某’，是岁朱氏篡唐已八年，为乾化四年矣，犹书唐故官，而不用梁年号，贤于杨凤子辈远矣。”

前 蜀

正月

蜀主命太子判六军，开崇勋府，置僚属，后更名天策府。

本年

卢延让任工部侍郎。卒年无考。《鉴戒录》卷五《容易格》条："王蜀卢侍郎吟诗，多着寻常容易言语，时辈称之为高格……卷中有'栗爆烧毡破，猫跳触鼎翻'。后太祖冬夜与潘枢密峭在内殿平章边事，旋令官人于火炉中煨栗子，俄有数栗爆出，烧损绣褥子。时太祖多疑，常于炉中烧金鼎子，命徐妃二姊妹亲侍茶汤而已。是夜，宫猫相戏，误触鼎翻。太祖良久曰：'栗爆烧毡破，猫跳触鼎翻。忆得卢延让卷有此一联，乃知先辈裁诗，信无虚境。'来日，遂有六行之拜。自给事中拜工部。"《十国春秋·前蜀纪》，永平四年秋八月，"戊子，以内枢密使潘峭为武泰军节度使、同平章事。"卢延让又曾任翰林学士。（见《北梦琐言》卷七"卢诗三遇"条）延让事迹至此无考，卒年不详。延让诗集，《崇文总目》卷一二"别集类"、《郡斋读书志》卷四中"别集类"、《宋史》卷二〇八《艺文志七》"别集类"等，均录为一卷，然今不见传。《全唐诗》卷七一五存其诗十首。《唐摭言》卷六："先是，延让师薛许下为诗，词意入僻，时人多笑之。吴翰林融为侍御史，出官峡中，延让时薄游荆渚，贫无卷轴，未遑贽谒。会融表弟滕籍者，偶得延让百篇，融览，大奇之，曰：'此无他，贵不寻常耳。'于是称之于府主成汭。时故相张公职大租于是邦，常以延让为笑端，及融言之，咸为改观。由是大获举粮。"《北梦琐言》卷七："卢延让《哭边将》诗曰：'自是卤砂发，非干炮石伤。牒多身上职，盎大背边疮。'人谓此是'打脊诗'也。世传逸诗云：'窗下有时留客宿，室中无事伴僧眠。'号曰'自落便宜诗'。"又云："卷中有句云：'狐冲官道过，狗触店门开。'租庸张浚亲见此事，每称赏之。又有'饿猫临鼠穴，馋犬舐鱼砧'之句，为成中令汭见赏。又有'栗爆烧毡破，猫跳触鼎翻'句，为王先主建所赏。尝谓人曰：'平生投谒公卿，不意得力于猫儿狗子也。'人闻而笑之。"《诗话总龟》前集卷八引《杨文公谈苑》："卢延逊（当为让）诗浅近，人多笑之，惟吴融独重之，且云'后必垂名'。延逊诗至今传之，亦有绝好者。《宿东林》云：'两三条电欲为雨，六七个星犹在天。'《旅舍言怀》云：'名纸毛生五门下，家僮骨立六街中。'《赠元上人》云：'高僧解语牙无水，老鹤能飞骨有风。'《蜀路》云：'云间闻铎骡驮去，雪里残骸虎曳来。'《怀江上》云：'饿猫临鼠穴，馋犬舐鱼砧。'《寄人》云：'吟成一个字，捻断数茎髭。'又'树上谘诹批颊鸟，窗间壁驳叩头虫。'余在翰林，常召对，上举延逊诗，云：'臂鹰健卒悬毡帽，骑马佳人卷画衫。'虽浅近，亦自成一体。"据《宋史》卷三〇五《杨亿传》："（真宗）景德三年，（亿）召为翰林学士。"则"上"指宋真宗。《郡斋读书志》卷四中："延让师薛能诗，不尚奇巧，人多诮其浅俗。"

王衍十六岁，为蜀太子，好经史诗赋，喜延揽文士。《蜀梼杌》卷上："（永平）四年二月，太子衍判内外六军事。诏以东宫为崇贤府，凡文学道德之士得延纳访问。"又云："（衍）开崇贤府，置僚属，颇好经史诗赋。"

杨夔尚居歙州，年已老迈。夔，散文家、诗人。自号弘农子。虢州阌乡（今河南灵宝西北）人。一说池州（今属安徽）人，无据。生卒年不详。家贫，好学，读书著文之余，兼事渔猎。举进士不第，遂优游江左。乾符以来，寓居湖州。光启三年（887）后，游长安，上书宰相言政事，无所获。景福、乾宁中，复居湖州。光化、天福间，佐宁国节度使田頵幕，为上宾。知田不足以抗强敌，作《溺赋》戒之。田不纳而为杨行密所灭。夔后以处士而终。通《春秋》，工古文。政论如《复宫阙后上执政书》，小品如《蓄狸说》、《较贫》、《纪梁公对》等，直陈其事，或以古况今，以物见人，揭露政治黑暗、藩镇横行、官吏贪酷、民不聊生的社会现实，见解深刻，措词激切，议论有力，叙写生动。亦能诗，长于近体。《送日东僧游天台》较佳。《新唐书·艺文志四》著录《杨夔集》五卷、《冗书》十卷、《冗余集》一卷（《宋史》作十卷），《宋史·艺文志七》又著录《杨夔赋》一卷，并散佚。《全唐文》存文二卷，《文苑英华》尚存《冰赋》一篇，《全唐诗》存诗十二首。事迹见所作诗文及《新唐书·田頵传》、《唐才子传校笺》卷一〇。

赵弘（914—974）生。弘，五代诗人。弘，一作宏，系避讳改。一名文度，降宋后改。蓟州渔阳（今天津蓟县）人。后晋天福元年（936）进士及第。累佐戎幕。后汉初，为河东节度使掌书记，佐刘崇。刘崇即北汉帝位，弘累官翰林承旨、兵部尚书。天会四年（960）授中书侍郎，同平章事，转门下侍郎兼枢密使。七年（963），贬汾州刺史。徙岚州。宋开宝二年（969）降宋，为安国军节度使。改华州知州，移擢州。七年（974）卒。能诗，人多讽诵。有《观光集》，作品不传。事迹见《宋史》、《十国春秋》本传。

窦仪（914—966）生。仪，五代文学家。字可象。蓟州渔阳（今天津蓟县）人。后晋天福三年（938）进士及第。累佐使幕。后汉初，召为右补阙、礼部员外郎。后周广顺中，由仓部员外郎、知制诰为翰林学士。显德二年（955）由给事中加礼部侍郎，充翰林学士，知贡举，奏废童子、明经二科。四年（957），拜端明殿学士。六年（959），为兵部侍郎。入宋，建隆元年（960）迁工部尚书。四年（963），知贡举，乾德四年（966）卒。能属文。有《端搜集》四十五卷，著录于《宋史·艺文志七》，已佚。《全唐文》存文一篇，《全唐诗补编》存诗一首。事迹见《宋史》本传。参《旧五代史·周书》本纪。

公元915年（后梁末帝贞明元年　前蜀高祖永平五年　吴天祐十二年　吴越天宝八年　乙亥）

后　梁

三月

天雄节度使兼中书令、邺王杨师厚卒。梁欲减弱魏博军势，以天雄所属六州分两军，以平卢节度使贺德伦为天雄节度使，另设昭德军于相州，割澶、卫二州隶之。（见《资治通鉴》卷二六九）

丁卯，以右仆射兼门下侍郎、同平章事赵光逢为太子太保，致仕。（见《资治通鉴》卷二六九）

四月

天雄军节度使贺德伦，降于晋。（见《资治通鉴》卷二六九）

五月

晋王李存勖率军南下，与梁军战于魏城。梁、晋之战重开。（见《资治通鉴》卷二六九）

六月

晋王李存勖攻取德州。（见《资治通鉴》卷二六九，《新五代史》卷三《梁末帝本纪》）

十月

后梁朱友贞重用赵岩及德妃兄弟汉鼎、汉杰，梁之政事日益窳败。

十一月

乙丑，改元，以乾化五年为贞明元年。（见《新五代史》卷三《梁末帝本纪》，《资治通鉴》卷二六九）

本年

张昭二十二岁，始依晋兴唐尹张宪。《宋史》卷二六三云："张昭字潜夫，本名昭远，避汉祖讳，止称昭。自言汉常山王耳之后，世居濮州范县……昭始七岁，能诵古乐府、咏史诗百余篇。未冠，遍读《九经》，尽通其义……处乱世，躬耕负米以养亲。后唐庄宗入魏，河朔游士，多自效军门，昭因至魏，携文数十轴谒兴唐尹张宪。宪家富文籍，每与昭燕语，讲论经史要事，恨相见之晚，即署府推官。"

吴

四月

吴徐温以其子知训为淮南行军副使、内外马步诸军副使。（见《十国春秋》卷二《吴世家》）

八月

吴徐温留其子知训居广陵，而自己移镇润州，仍遥控吴国大政。（见《十国春秋》

卷二《吴世家》)

十一月

吴浚东塘杨林江，“水中出火”。(见《十国春秋》卷二《吴世家》)

本年

齐己约五十二岁，始移居庐山东林寺，作《将之匡庐过浔阳》等诗。(见《白莲集》卷七)齐己此后居留庐山约六年。孙光宪《白莲集序》云：“题曰《白莲集》，盖以久栖东林，不忘胜事。”［按，齐己《渚宫莫问诗》一十五首之十三云：“莫问多山兴，晴楼独凭时。六年沧海寺，一别白莲池。”(见《白莲集》卷五)诗中之沧海寺、白莲池即指庐山东林寺］齐己晚年居荆渚时，颇多怀念庐山之作，未知确切作年，姑系于此。其《怀匡阜》云：“昨夜分明梦归去，薜萝幽径绕禅房。”(见《白莲集》卷八)《寄怀钟陵旧游因寄知己》云：“终拖老病重寻去，得到匡庐死便休。”

修睦仍为庐山僧正，与寓居庐山之齐己屡过往唱酬。

吴　越

八月

十八日，钱镠修《钱氏大宗谱》成，镠自为序。时镠六十四岁，仍为吴越王。(见《武肃王集》)

十一月

钱镠置都水营使以主水事，疏浚太湖、鉴湖，立鉴湖水利法。此后吴越百年间，岁多丰稔。《十国春秋》卷七八本纪：天宝八年，“是时，置都水营使以主水事，募卒为都，号曰‘撩浅军’，亦谓之‘撩清’；命于太湖旁置‘撩清卒’四部，凡七八千人，常为田事，治河筑堤，一路径下吴淞江，一路自急水港下淀山湖入海，居民旱则运水种田，涝则引水出田。又开东府南湖，立法甚备”。《吴郡志·水利》：“是以钱氏百年间，岁多丰稔，唯长兴中一遭水耳。”

楚

本年

居遁八十一岁，仍居潭州龙牙山妙济禅院。约于本年为马殷所奏请，诏赐紫袈裟，且赐号证空。《宋高僧传》卷一三本传：“天策府楚王马氏素藉芳音，奉之若孝悌之门禀昆长矣。……爰奏举，诏赐紫袈裟并师号证空焉，则梁贞明初也。方岳之下，号为禅窟，窥其室得其门者亦相继矣。”

闽

本年

徐夤于本年或稍后离王延彬泉州幕，归隐莆田延寿溪，未几卒。徐师仁《钓矶文集序》引《九国志·徐夤传》：“凡十余年，求还所居……竟卒于延寿之别墅。”［按，夤始居王延彬幕，在天祐元年（904），至此已十一年］刘克庄《后村大全集》卷一一一《跋徐氏二诰》：“（夤）晚年有‘归来延寿溪头坐，终日无人问一声’之句。”《舆地纪胜》卷一三五：“延寿溪，在莆田县北十里。”徐夤《钓矶文集》卷一《伤进士谢庭皓》，题下自注云：“大顺中以词赋著名，与夤不相上下，时号锦绣堆。”徐夤赋名颇著，远达渤海。《钓矶文集》卷八有诗题曰：《渤海宾贡高元固先辈闽中相访，云本国人写得夤〈斩蛇剑〉〈御沟水〉〈人生几何赋〉，家皆以金书列为屏障，因而有赠》。

郑良士六十岁，应王审知辟命，任馆驿巡官。后改建州判官，迁威武军节度掌书记，转左散骑常侍兼御史大夫。良士沉厚寡言，王审知称其长者。详《十国春秋》卷九五本传。《仙溪志》卷一〇：“乾化五年，始赴闽王审知辟命，初署馆驿巡官，寻转建州判官。公性沉厚寡言，审知知其长者，迁威武军节度掌书记，寻转左散骑常侍兼御史大夫。”

王延彬二十五岁，仍任泉州刺史，加检校太傅。《十国春秋》卷九四本传：“（乾化）五年，加检校太傅。”

黄滔（840—915后）本年或稍后卒。滔字文江，泉州莆田（今属福建）人，本为闽州侯官（今福建闽侯）人。黄璞从弟。咸通十三年（872）初举进士，乾宁二年（895）始及第。光化中授四门博士。天复元年（901）迁监察御史，充威武军节度推官，对节度使王审知颇有规正。时中原动乱，韩偓、崔道融等避地于闽，悉主于滔。与罗隐、林宽、徐夤等友善。工诗能文。诗崇李杜、元白，不满咸通、乾符之际衰靡之风。多书事言怀、题赠寄送、酬和咏物之作。《书事》等少数作品较多现实内容。文推元结、韩愈，批评当时“尚辞而鲜质”之倾向。律赋和小品较有名，为晚唐名家。《馆娃宫赋》、《明皇回驾经马嵬赋》、《噫二篇》、《吴楚二医》等为论者所称道。宋洪迈《黄御史集序》、《集卷首附》：“其文赡蔚有典则，策扶教化。其诗清淳丰润，若与人对语，和气郁郁，有贞元、长庆风概。祭陈、林先辈诸文，悲怆激越，交情之深，不以昼夜死生乱离契阔为间断。马嵬、馆娃、景阳、水殿诸赋，雄新依永，使人读之废卷太息，如身生是时，目摄其故。为文若是，其亦可贵。”有《黄滔集》十五卷，编《泉山秀句集》三十卷，见《新唐书·艺文志四》，并散佚。其后裔辑旧藏稿本为《东家编略》十卷，《宋史·艺文志七》作《编略》十卷。传世有《唐黄御史公集》八卷、《莆阳黄御史集》十卷等。《全唐文》编文四卷；《全唐诗》编诗三卷，《全唐诗补编》补一首。事迹见宋洪迈《唐黄御史公集序》。

前　蜀

正月

蜀主王建受蛮俘，大赦。自是南诏不复犯边。［按，上年冬，南诏攻黎州，蜀遣将击之，败之于大渡河，俘斩数万级］（见《资治通鉴》卷二六九）

十一月

蜀出兵征岐，攻取成、秦、凤等州。《资治通鉴》卷二六九载，本年十一月，“秦州节度史李继崇遣其子彦秀奉牌印迎降”，秦州遂入于蜀。（《十国春秋》卷三六《前蜀纪》之二所载同）

王仁裕三十六岁，入蜀，历佐蜀藩镇。李昉《王仁裕神道碑》：“寻属王氏僭窃，奄有两川，陇右封疆，遂成睽隔。公因兹入蜀，连佐大藩。”《新五代史》卷五七本传云：“王仁裕字德辇，天水人也。少不知书，以狗马弹射为乐，年二十五始就学，而为人隽秀，以文辞知名秦、陇间。秦帅辟为秦州节度判官。秦州入于蜀，仁裕因事蜀为中书舍人、翰林学士。”（参见《旧五代史》卷一二八《十国春秋》卷四四）［按，《新五代史》本传载，王仁裕“显德三年（956）卒，年七十七”，故本年应为三十六岁］

十二月

蜀又颁大赦，改明年纪元为通正。（见《资治通鉴》卷二六九）

孙光宪约二十岁，十二月游凤州，与山人强绅过往。《太平广记》卷八〇“强绅”条引《北梦琐言》云：“唐凤州东谷有山人强绅，妙于三戒，尤精云气。属王氏初并秦、凤，张黄于通衢，强公指而谓孙光宪曰……”同期，还曾游历蜀地，并居成都十余年，与蜀中文士广泛交往。其《北梦琐言》逸文卷二载：“孙光宪在蜀时，曾到资州。”《北梦琐言》逸文卷三云：“愚始游成都，止于逆旅。”其所作《浣溪沙》（《全唐诗》卷八九七）词云：“十五年来锦岸游，未曾何处不风流，好花长与万金酬。　满眼利名浑信运，一生狂荡恐难休，且陪烟月醉红楼。”

南　汉

本年

南汉刘岩上表于梁，求封南越王。梁不许，南汉即与梁绝贡。《资治通鉴》卷二六九本年纪：“是岁，清海、建武节度使兼中书令刘岩，以吴越王镠为国王而己独为南平王，表求封南越王及加都统，帝不许。岩谓僚属曰：‘今中国纷纷，孰为天子！安能梯航万里，远事伪庭乎！’自是贡使遂绝。”

公元916年（后梁末帝贞明二年　前蜀高祖通正元年　吴天祐十三年　吴越天宝九年　契丹神册元年　丙子）

后　梁

八月

丁酉，赵光逢复起为司空兼门下侍郎、同平章事。《资治通鉴》卷二六九："八月，丁酉，以太子太保致仕赵光逢为司空兼门下侍郎、同平章事。"《旧五代史》卷八《梁末帝本纪》上所载与《资治通鉴》合，又多"弘文馆大学士、延资库使，充诸道盐铁转运使"等职。

窦梦徵（？—931），长于笺启，以谏阻加两浙钱镠为兵马元帅，（在七月）触时忌，贬蓬莱尉。不久，复召为翰林学士。事迹见《旧五代史》本传。

十一月

十二日，建《赠太尉葛从周神道碑》（见《全唐文》卷八三八）［按，《旧五代史》卷一六引《旧五代史考异》云："碑以贞明二年十一月十二日建。"碑文乃薛廷圭撰］廷圭，其先河东人。唐僖宗中和中进士，昭宗时官礼部侍郎。入梁，仕至礼部尚书。（见《旧唐书》卷一九〇下、《新唐书》卷二〇三及《旧五代史》卷六八）

本年

冯道三十五岁，张承业荐之于晋王，为太原掌书记。《旧五代史》本传云："承业寻荐为霸府从事，俄署太原掌书记。时庄宗并有河北，文翰甚繁，一以委之。"

程逊、聂屿、赵都等十二人登进士第。礼部侍郎郑珏知贡举。［按，《登科记考》卷二五中云贞明元年进士登第者十三人，却均未录其姓名及知贡举者，甚有疑。参下"赵都"条］

程逊（？—938?）本年进士及第。逊字浮休，寿州寿春（今属安徽）人。《浯田程氏宗谱》卷二："逊字浮休，弱冠善属文。……梁贞明二年郑珏下擢进士第。卢文纪持宪纲，奏为监察御史，孔勍帅河阳，请为记室参军，寻征拜膳部员外郎知制诰，迁中书舍人，召入翰林充学士，自兵部侍郎丞（当作'承旨'）授太常卿。"另有史载，逊于后唐天成二年（927）授比部员外郎、知制诰。迁中书舍人，召入翰林充学士。清泰元年（934）为学士承旨。后晋天福二年（937）授太常卿，充吴越国王加恩使。归途没于海。［按，《旧五代史》卷九六《程逊传》前半缺，仅存'召入翰林'以下文字；《册府元龟》卷九五一仅载出使溺死事。有《程逊集》十卷，著录于《宋史·艺文志七》，已佚］《全唐诗补编》存诗二句。事迹见《旧五代史》本传。（参《旧五代史》之《唐明宗本纪》、《唐末帝本纪》、《晋高祖纪》，《浯田程氏宗谱》卷二）

聂屿，生卒年不详，与同乡赵都均于知贡举郑珏下及第。（见《册府元龟》卷六五

一）《旧五代史》本传："屿，邺中人。少为僧，渐学吟咏。"［按，徐松《登科记考》卷二十五原列聂屿乾化三年（913）进士科，误。详见下赵都条］

赵都，生卒年不详，本年进士及第。《册府元龟》卷六五一："乾化中，翰林学士郑珏连知贡举，邺中人屿与乡人赵都俱随乡荐。都纳贿于珏，人报翌日登第。屿闻不捷，诟来人以吓之。珏惧，亦俾成名。"［按，《册府元龟》云聂屿、赵都，皆"乾化中翰林学士郑珏连知贡举（原误作'学'）"时及第，误。徐松《登科记考》因据以列二人乾化三年进士，亦误。乾化凡四年，其主考官元年姚洎，二年杨涉，三年萧顷，四年停质举，无一年为郑珏知举，更无"连知"之事。查《资治通鉴》卷二六九，贞明二年十月下《考异》引《唐余录》云："贞明二年十月丁酉，礼部侍郎郑珏为中书侍郎平章事。"参前程逊条，则本年知贡举为郑珏。《册府元龟》"乾化中"云云，当为"贞明中"之误。若此，则郑珏连知贞明元年、二年贡举，亦误］

吴

冯延巳十四岁，随父在歙州。陆游《南唐书》卷一一本传："'父令頵……尝为歙州盐铁判官。刺史滑言病笃，或言已死，人情颇汹汹。延巳年十四，入问疾，出以言命谢将吏，外赖以安。"后，延巳宦途颇显，南唐烈祖李昪开国，授秘书郎，为李璟吴王元帅府掌书记。李璟即位，拜谏议大夫、翰林学士，迁户部侍郎、翰林学士承旨，进中书侍郎。拜同平章事、集贤殿大学士，召为左仆射等。事迹见马令及陆游《南唐书》本传、夏承焘《唐宋词人年谱·冯正中年谱》。

李璟（916—961）生。璟即南唐中主，南唐先主李昪长子。［按，南唐三主之姓氏籍里，史籍所载不一。其姓氏有唐室宗裔、李氏而非唐室宗裔、潘氏、非潘氏亦非李氏等诸说。其籍里有徐州、海州、湖州等诸说，详参诸葛计《南唐先主李昪年谱》］璟，初名景通，改名瑶，后又改名璟，臣周后因避郭威高祖名讳去玉作景。马令《南唐书》称："嗣主，讳璟，字伯玉，初名景通，烈祖元子也。"李璟陵玉哀册残文云："维保大元年，岁次癸卯……子嗣皇帝瑶，伏以高祖开基，文皇定业，演之海泽，薰以声教。"（见《科学通报》二卷五期（1951）曾昭燏、张彬《南京牛首山南唐二陵发掘记》）《资治通鉴》卷二八一：天福二年（937），"十一月，乙卯，唐吴王景通更名璟"。陆游《南唐书》称显德五年（958）五月，"改名景，以避周信祖讳。"璟少喜栖隐，尝筑馆于庐山，意将终焉。二十八岁继位，国势甚隆。显德二年（955）以后国衰，五年改称南唐国主。在位十九年，史称中主或嗣主，庙号元宗。建隆二年（961）卒，年四十六。璟秉性儒懦，政治上无多作为，但多才艺，喜与文士韩熙载、冯延巳、李建勋、徐铉等讲论文学。作品多散佚，后人辑录书、表、小札等十七篇，七律二首和断句三联。词仅存四首，宋人编入《南唐二主词》，《直斋书录解题》著录。（参《旧五代史》卷一三四、《新五代史》卷六二、《十国春秋》卷一六、马令《南唐书》卷二《嗣主书》、陆游《南唐书》卷二及夏承泰《唐宋词人年谱·南唐二主年谱》）

徐铉（916—991）生。铉，字鼎臣。世为会稽（今浙江绍兴）人，父延休为吴江都少尹，遂家广陵（今江苏扬州）。（见《十国春秋》）铉初仕吴为校书郎，后仕南唐。

中主时，累迁中书舍人。后主时，历官礼部、兵部侍郎，翰林学士，吏部尚书。入宋为太子率更令、给事中、散骑常侍。淳化二年（991）贬静难军行军司马，是年卒。《徐公文集》附李昉《大宋故静难军节度行军司马检校工部尚书东海徐公墓志铭》云："公字鼎臣，其先会稽人，自言生于扬州。"又云："以淳化二年秋九月检校工部尚书，出为静难军节度行军司马。明年八月二十六日晨时，起方冠带，遵命笔砚……书讫而终，年七十六。"铉博学多才，参与《太平广记》等书编写。工诗善文，冠绝一时。与其弟锴齐名，号"二徐"，又与韩熙载并称"韩徐"。纪昀称其诗"流易有余，而深警不足"（见《四库全书总目》卷一五二）。有《骑省集》三十卷，今存。又著有《稽神录》六卷，为神怪传奇集，鲁迅评曰："其文平实简率，既失六朝志怪之古质，复无唐人传奇之缠绵。"（《中国小说史略》第十一篇）集已散佚，但大部分条文保存于《太平广记》中。另与汤悦合撰《江南录》十卷，已佚。事迹见宋李昉《东海徐公墓志铭》、马令《南唐书》卷二三、《宋史》卷四、《书小史》卷一〇、《宣和书谱》卷二及《十国春秋》卷二八等。胡克顺有《徐公行状》。

灵护，生卒年、籍贯不详。本年或之后，曾为扬州禅智寺高僧从审作碑铭。有《筠源集》十卷，著录于《宋史·艺文志七》。作品已佚。事迹见《宋高僧传·从审传》。

吴　越

正月

钱镠子传珍赴梁尚寿春公主。时钱镠六十五岁，仍为吴越王。《吴越备史》卷一：贞明二年正月，"王命（杜）建徽护送传珍进京尚寿春公主。"

五月

皮光邺奉钱镠命入贡于梁。时光业年四十，仍为浙西节度推官。光业路出闽、楚、荆南，入贡，梁帝大喜，赐光业进士及第，仍赐秘书郎，授右补阙、内供奉，赐金紫。《资治通鉴》卷二六九载：本年"五月，吴越王镠遣浙西安抚判官皮光邺自建、汀、虔、郴、潭、岳、荆南道入贡。光业，日休之子也。"（参《吴越备史》及《十国春秋》卷八六本传、《十国春秋》卷七八《吴越世家》二，诸书所载与《资治通鉴》同。）［按，徐松《登科记考》卷二五列光业于乾化三年进士，云："赐及第，盖非登第也。事在贞明前，当附是年。"盖误］《吴越备史》卷三："武肃王命入贡京师，梁后主特赐进士及第，

七月

梁加钱镠为诸道兵马元帅。《吴越备史》卷一：贞明二年"秋七月，敕授王为诸道兵马元帅。"

十二月

钱镠为子传珦娶妇于闽，自是闽、越通好。《资治通鉴》卷二六九：贞明二年十二月，“吴越牙内先锋都指挥使钱传珦逆妇于闽，自是闽与吴越通好。”

闽

杨徽之（916—1000）生。徽之，字仲猷，建州浦城（今属福建）人。《苏文魏公（颂）文集》卷五一《文庄杨公墓志铭》：“公讳徽之，字仲猷。……光翼，唐上元中为信州刺史，以刘展乱江左，遣其子建安令宣挈族人归于闽，因家浦城，遂占数建安焉。”《宋史》本传：“杨徽之字仲猷，建州浦城人。祖郜，仕闽为义军校。家世尚武，父澄独折节为儒，终浦城令。”南唐昇元四年（940）或稍后，杨徽之游学庐山白鹿洞，与江为、孟贯同学友善，并从处士陈贶学诗。入宋，与李昉、扈蒙、吕蒙正、徐铉、宋白等二十多人奉敕编纂《文苑英华》。徽之卒于宋咸平三年（1000），年八十。

南　汉

王定保四十六岁，仍居南汉刘龑幕，完成《唐摭言》十五卷。《唐摭言》卷一五：“（赵）光逢膺大用，居重地十余岁，七表乞骸，守司空致仕。居二年，复征拜上相。”《资治通鉴》卷二六九云，光逢再拜相在本年八月。刘毓崧《唐摭言跋》据此条，及书中不避刘隐、刘龑兄弟讳，推断此书撰成于本年九月至下年七月刘龑建国前。

前　蜀

三月

七日，杜光庭撰成《毛仙翁传》。光庭时六十七岁，仍为蜀左谏议大夫。其《毛仙翁传》有云：“通正元年丙子三月七日辛酉杜光庭记。”（见《全唐文》卷九四五）

八月

毛文锡由礼部尚书、内枢密使加文思殿大学士。《新五代史》卷六三《前蜀世家》：“通正元年……八月，起文思殿，以清资五品正员官购群书以实之，以内枢密使毛文锡为文思殿大学士。”

十月

蜀将王宗绾等出大散关，大破岐兵，攻取宝鸡、陇州。（见《资治通鉴》卷二六九）

十一月

杜光庭授户部侍郎。《蜀梼杌》卷上：通正元年十一月，“以广成先生杜光庭为户部侍郎。”（参《十国春秋》卷三六《前蜀纪》）《广成集》卷一有《谢恩除户部侍郎兼加阶爵表》。

十二月

大赦，改明年为天汉元年，国号大汉。（见《资治通鉴》卷二六九）

本年

顾夐以小臣当直王建内庭，会秃鹙鸟翔于摩诃池上，作诗刺之，祸几不测。《鉴戒录》卷六《怪鸟应》条云：“又通政年，有大秃鹙鸟飐于摩诃池上。顾太尉（夐）时为小臣直于内庭，遂潜吟二十八字咏之。近臣与顾有隙者上闻，诏顾责之，将行黜辱。顾亦善对，上遂舍之。至光天元年帝崩，乃秃鹙之征也。诗曰：‘昔日曾看瑞应图，万般祥异不如无。摩诃池上分明见，子细看来是那胡。’”《十国春秋》卷五六本传亦转引此事。后夐任茂州刺史，又曾讥刺骄贵僭越之勋贵子弟。《北梦琐言》卷一二：“蜀朝东川节度许存太师，有功勋臣也。其子承杰……骄贵僭越，少有伦比。……流辈以为话端，皆推茂刺顾夐为首。许公他日有会，乃谓顾曰：‘阁下何太谈谤?’顾乃分疏，因指同席数人为证。顾无以对，逡巡乃曰：‘三哥不用草草，碧暖座为众所知。至于鱼袋上铸蓬莱山，非我唱扬。’席上愈笑，方知鱼袋更僭也。”夐后复仕后蜀，累官至太尉，因称顾太尉。性诙谐，善小词。《花间集》录其词十六调五十五首。王国维辑有《顾太尉词》，收入《唐五代二十一家词辑》。夐词题材与调名多不合。其词多作艳语，雍容华贵，工致丽密，近于温庭筠。况周颐推为“五代艳词之上驷”（《餐樱庑词话》）。《醉公子》、《诉衷情》（“永夜抛人”）等为一时艳称。《全唐诗》存诗一首。事迹见《十国春秋》本传。

牛希济四十五岁。牛峤兄子。本年前后为前蜀王建所知，召对，除起居郎。《北梦琐言逸文》卷一云：“蜀御史中丞牛希济，文学繁赡，超于时辈。自云早年未出学院，以词科可以俯拾。或梦一人介金曰：‘郎君分无科名，四十五已上，方有官禄。’觉而异之。旋遇丧乱，流寓于蜀，依季父也（原注：……即给事中峤也）。仍以气直嗜酒，为季父所责。旅寄巴南，旋聆开国，不预劝进，又以时辈所排，十年不调。为先主所知，召对，除起居郎，累加至宪长。”

庾传昌（？—916）卒。传昌，义成（治今河南滑县）人。仕前蜀，始为永和府判官。后官至中书舍人、翰林学士。通正元年（916）卒。文才敏捷，然伤于冗杂。《宋史·艺文志七》著录有别集《金行启运集》二十卷，另有《玉堂集》二十卷、《青宫载笔记》二十卷。作品已佚。事迹见《十国春秋》本传。（参《北梦琐言》卷七）

窦梦徵（？—931）以谏阻加两浙钱镠为兵马元帅，触时忌，贬蓬莱尉。不久，复召为翰林学士。徵，一作证，误。同州（治今陕西大荔）人，一作棣州（治今山东惠民东南）人。少苦心为文。唐天祐二年（905）进士及第。历校书郎。后梁时，自拾遗召为翰林学士。后唐同光元年（923），贬沂州司马。量移宿州。天成初，迁中书舍人，复为翰林学士。长兴元年（930），迁工部侍郎。次年卒。有文名，尤长于笺启。撰《东堂集》十卷，《宋史·艺文志七》作三卷，已佚。《全唐文》存文一篇。事迹见《旧五代史》本传。

公元917年（后梁末帝贞明三年　前蜀高祖天汉元年　南汉高祖乾亨元年　丁丑）

后　梁

十二月

张宗奭为西都留守。《旧五代史》卷八《梁末帝本纪》：贞明三年十二月，"以天下兵马副元帅、太尉、兼中书令、河南尹、魏王张宗奭为西都留守。"

杨凝式得张宗奭嘉赏奏请，以本官充西都留守巡官。《旧五代史·杨凝式传》："梁开平中，为殿中侍御史，礼部员外郎。三川守齐王张宗奭见而嘉之，请以本官充留守巡官。"[按，三川即洛阳，战国时秦置三川郡，治所在洛阳] 凝式此后深念宗奭之德。《游宦纪闻》引《杨凝式传》："少从张全义辟，故作诗纪全义之德云：'洛阳风景实堪哀，昔日曾为瓦子堆。不是我公重葺理，至今犹自一堆灰。'"[按，张宗奭梁时改名张全义。见《旧五代史》卷六三本传]

义成军节度使贺瑰，知和凝之名，辟置幕府。《旧五代史》卷二三《贺瑰传》：贞明三年，"十二月，瑰以功授滑州宣义军节度使"。《旧五代史》卷一二七《和凝传》："（凝）登进士第。……滑帅贺瑰知其名，辟置幕下。"

陶谷十五岁，能文。《宋史》卷二六九本传："十余岁，能属文。"授单州军事判官。累迁监察御史。

本年

薛廷珪以礼部尚书知贡举。《唐诗纪事》："贞明三年，薛廷珪以《宫漏出花迟》为诗题。"和凝、崔棁、张铸等十五人登进士第。（见徐松《登科记考》卷二五）

和凝（898—955）本年进士及第。凝，字成绩。郓州须昌（今山东东平）人。《旧五代史》本传："凝幼而聪明，姿状秀拔，神采射人。少好学，书一览者咸达其大义。年十七，举明经至京师，忽梦人以五色笔一束与之，谓曰：'子有如此才，何不举进士？'自是才思敏赡，十九登进士第。"《登科记考》云：以（凝）周显德二年卒、年五十八推之，贞明二年为十九岁。然是年进士十二人，凝不得云十三人及第，盖登三年之榜也。[按，《东都事略》、《邵氏闻见录》、《西谿丛语》、《渑水燕谈》皆言和凝第十三人及第。《旧五代史》本传作第五人，误] 凝本年及第后，宦途通显，历仕五代。在梁，义成军节度使贺瓌辟为从事；仕唐，历礼部员外郎，改主客员外郎、知制

诰、翰林学士，转主客郎中充职兼权知贡举，迁中书舍人、工部员外郎，皆充学士；仕晋，拜端明殿学士、兼判度支，为翰林学士承旨，后拜中书侍郎同中书门下平章事、加右仆射，罢相，旋转左仆射；在汉，授太子太保，迁太子太傅，封鲁国公；入周，为侍郎，终太子太傅。凝好延揽后进。平生为文，长于短歌艳曲，号为"曲子相公"。《花间集》、《尊前集》存其词二十七首。王国维辑有《红叶稿词》，收入《唐五代二十一家词辑》。另有《演纶》、《游艺》、《孝悌》、《疑狱》、《香奁》、《籝金》等集。有集百余卷，尝自镂模印，分赠于人，其集已亡佚。凝擅写艳情，致宋沈括疑韩偓《香奁集》亦和凝所作，凝贵后，乃嫁名于韩偓。此说不确。《全唐诗》存诗一卷；《全唐文》和《唐文拾遗》存文六篇。事迹见新、旧《五代史》本传。

崔棁（875—942）本年进士及第。《旧五代史》本传："棁字子文，博陵安平人。曾祖元受，举进士，直史馆。祖铢，安、濮二州刺史。父涿，刑部郎中。棁少好学，梁贞明三年举进士甲科，为开封尹王瓒从事。"棁于后唐明宗时授监察御史。长兴二年（931）为都官郎中、知制诰。应顺元年（934）由翰林学士、中书舍人迁工部侍郎。后晋天福二年（937）由户部侍郎迁兵部侍郎，充翰林学士承旨。权知次年贡举。拜尚书左丞迁太常卿。七年（942），为太子宾客分司西都，是年卒。好学，颇涉经史，工文辞。平生所作文章、碑诔、制诏甚多，多不传。《全唐文》存文七篇，《全唐诗》存乐章一组共七首。事迹见新、旧《五代史》本传。（参《旧五代史》之后唐、后晋本纪）

张铸，生卒年不详，本年及第。《宋史》本传："铸字司化，河南洛阳人。曾祖居卿，祖裼，父文蔚。铸梁贞明三年举进士，补福昌尉。"

薛廷珪（？—925），唐末五代文学家。廷，一作延。蒲州河东（治今山西永济）人。薛逢子。中和中，在成都进士及第。大顺初，累迁司勋员外郎、知制诰。乾宁中，为中书舍人。改左散骑常侍，称疾致仕，客游蜀中。光化中，复为中书舍人。迁刑部、吏部二侍郎。权知天祐三年（906）贡举，擢裴说、李愚等。拜尚书左丞。后梁开平元年（907）官御史司宪。贞明三年（917）以礼部尚书权知贡举，擢和凝等。后唐同光二年（924），以太子太师致仕。次年卒。能文。有《凤阁书词》十卷，著录于《新唐书·艺文志四》；又有《克家志》五卷，收本人及其父辞赋。《诗薮·杂编》卷二著录《薛廷珪集》一卷。三书已佚。《全唐文》存文二卷。事迹见新、旧《唐书》及《旧五代史》本传。（参《旧五代史》之《梁书》、《唐书》本纪，《登科记考》卷二四、二五）

吴

五月

宋齐丘三十一岁，仍为李昪升州推官。徐温徙李昪镇润州，昪初不欲往，以宋齐丘劝而徙之。《资治通鉴》卷二六九贞明三年条记："吴升州刺史徐知诰治城市府舍甚盛。五月，徐温行部至升州，爱其繁富。润州司马陈彦谦劝温徙镇海军治所于升州，温从之，徙知诰为润州团练使。知诰求宣州，温不许，知诰不乐。宋齐丘密言于知诰曰：‘三郎骄纵，败在朝夕。润州去广陵隔一水耳，此天授也。’知诰悦，即之官。三郎，谓温长子知训也。”（参《五代史补》卷三、《钓矶立谈》）

七月

殷文圭撰《后唐张崇修庐州外罗城记》，时文圭仍为淮南节度掌书记。（见《全唐文》卷八六八）《罗城记》云：“天祐十四载岁丁丑，七月戊申朔二十六日癸酉建立，淮南节度掌书记殷文圭文。”

本年

齐己撰《凌云峰永昌禅院记》。其文曰：“……隐之既难，乃居其额，则天祐五年前使陇西公所给，用旌其名。……予历于二林，达于幽致，耳饫天籁，神融山光，忘归之心，邈矣尘外。因询其始，乃见诸末。遂命笔砚，不请而记之，曰光化己未岁，迄于天祐丁丑年，一十八载矣。”（见《全唐文》卷九二一）［按，天祐丁丑岁即本年］另，《庐山记》卷三：“《永昌院》院记……天祐五年戊辰岁僧齐己撰。”乃误以文中所述题院名年为撰院记年。

吴　越

三月

契此（？—917）卒于明州岳林寺。契此，号长汀子，世称布袋和尚，善吟诗偈。《景德传灯录》卷二七本传：“梁贞明三年丙子三月，师将示灭，于岳林寺东廊下端坐盘石而说偈曰：‘弥勒真弥勒，分身千百亿。时时示时人，时人自不识。’偈毕，安然而化。其后他州有人见师亦负布袋而行。于是四众竞图其像。今岳林寺大殿东堂全身见存。”（参《五灯会元》卷二、元昙噩《明州定应大师布袋和尚传》，所载与此同）［按，《宋高僧传》卷二一本传谓天复中卒，恐未确］或云契此明州奉化（今属浙江）人，身体肥胖，蹙额皤腹，言语无常，寝卧随处。常以杖荷布袋入市廛，见物则乞，得即入口，分少许入袋。卧于雪中，而身上无雪。江浙间人以契此为弥勒佛显化，宋以后佛寺中所供大肚弥勒，相传即为其造像。《全唐诗补编·续拾》卷四五收其诗偈二十四首。事迹见《宋高僧传》卷二一、《景德传灯录》卷二七。

十月

梁加吴越王钱镠天下兵马元帅，镠六十六岁。《资治通鉴》卷二七〇：贞明三年，“冬十月己亥，加吴越王镠天下兵马元帅。”

南　汉

八月

刘龑即皇帝位，国号大越，改元乾亨。（见《资治通鉴》卷二七〇）龑即位，追尊安仁文皇帝，谦圣武皇帝，隐襄皇帝，立三庙。置百官，以杨洞潜为兵部侍郎，李衡为礼部侍郎，倪曙为工部侍郎，赵光胤为兵部侍郎，皆平章事。光胤以唐甲族，耻事伪国，常怏怏思归。龑乃习为光胤手书，遣使间道至洛阳，召其二子损、益并其家属皆至。光胤惊喜，为尽心焉。（见《新五代史》卷六五《刘龑传》）

王定保四十七岁，奉使荆南之行结束，及还，始知建国事，以语讥刺国主刘龑。《新五代史》卷六五《刘龑传》："龑初欲僭号，惮王定保不从，遣定保使荆南。及还，惧其非已，使倪曙劳之，告以建国，定保曰：'建国当有制度，吾入南门，青海军额犹在，四方其不取笑乎。'龑笑回：'吾备定保久矣，而不思此，宜其讥也。'"［按，龑为刘岩即位后自造所为名，取《易·乾》中"飞龙在天"之义］

倪曙，以南汉建国，自郎中迁工部侍郎兼翰林学士，又改尚书左丞。（见《十国春秋》卷六二）至迟于八月倪曙迁侍郎前，齐己在吴国赋《寄倪曙郎中》诗以寄之。诗云："海内擅名君作赋，林间外学我为诗。近闻南国升南省，应笑无机老病师。"（见《白莲集》卷七）

本年

陈用拙，以南汉立国，授吏部郎中、知制诰。久之，卒。用拙，名拙，以字行。连州（今属广东）人。唐天祐元年（904）进士及第。授著作郎。恶梁王朱全忠所为，假奉使之机，留岭南。后梁开平初，为清海军节度掌书记，摄观察判官。乾亨元年（917），擢南汉吏部郎中、知制诰。卒年不详。用拙工诗，有诗集八卷传世。尤精音律，著《大唐正声琴籍》十卷，中载琴家论操名及古帝王名士善琴者。又以古调缺徵音，补《大唐正声新徵琴谱》十卷。（见《十国春秋》卷六二《陈用拙传》）用拙作品今皆不传。《新唐书》卷五七《艺文志一》"乐类"载"陈拙《大唐正声新址琴谱》十卷"。［按，"址"当为"徵"之误］《补五代史艺文志》著录《陈周拙诗集》八卷，当系陈用拙之误。《全唐诗补编·续拾》卷五〇录其诗断句四。事迹见《十国春秋》本传。

张瀛仕南汉，官至曹郎。其生卒年、仕历之确年，史无记载，今姑系于此。瀛，张碧之子。善歌诗。《诗话总龟》前集卷一一引《雅言系述》云："张瀛，碧之子也。事广南刘氏，官至曹郎。尝为歌赠琴棋僧，同列见之曰：'非其父不生其子。'"（又，《竹庄诗话》二三亦引此条。《十国春秋》卷六三《张瀛传》同）元辛文房谓："瀛为诗尚气而不怒号，语新意卓，人所不思者，辄能道之，绰绰然见乃父风也。"并谓有诗集，元时尚传于世。但其诗集宋元公私书目均未著录，亦未见传于后世。《全唐诗》卷四六九存诗一首。事迹见《唐才子传校笺》卷一〇。

倪曙，唐末五代辞赋家。曙，一作署、晓。字孟曦。福州侯官（今福建闽侯）人。生卒年不详。乾符四年（877）应京兆府试，试官公乘亿取入等第。然省试落第。广明元年（880）避乱归乡。中和五年（885）进士及第。官太学博士。天祐中，依泉州刺史王延彬，与徐夤、陈郯等赋诗饮酒为乐。未几，游岭南，清海军节度使刘隐辟为从事。后仕南汉，乾亨元年（917），拜工部侍郎，改尚书左丞。五年（921），拜同平章事。不久，以病卒。有赋名，属词清妙。《宋史·艺文志七》著录《获稿集》三卷、《倪曙赋》一卷。作品已佚。事迹见《十国春秋》本传。（参《唐摭言》卷二，《登科记考》卷二三）

前　蜀

二月

八日寿春节，为王建诞日，杜光庭进《寿春节进章真人像表》。时光庭六十八岁，仍为蜀户部侍郎。《广成集》卷一有《寿春节进章真人像表》，题下注云："天汉元年二月八日。"

六月

导江令黄璟奏天大雷雨，江神忽成巨堰。群臣入贺，杜光庭亦有《贺笺》。光庭时官户部尚书，其所作《贺笺》见《十国春秋》卷三六引。

八月

司徒、判枢密院事毛文锡，受人之谮，贬茂州司马，籍没其家。未几卒。《资治通鉴》卷二七〇记：贞明三年七月，"蜀飞龙使唐文扆居中用事，张格附之，与司徒、判枢密院事毛文锡争权。文锡将以女适左仆射兼中书侍郎、同平章事庾传素之子，会亲族于枢密院用乐，不先表闻，蜀主闻乐声，怪之，文扆从而谮之。八月，庚寅，贬文锡茂州司马，其子司封员外郎询流维州，籍没其家，贬文锡弟翰林学士文晏为荣经尉。"（参《十国春秋》卷三六《前蜀纪》）《直斋书录解题》卷五云文锡"随衍入洛而卒"。但从其本年贬黜至前蜀灭亡八年间，未见活动记载看，疑其贬茂州司马后未久即卒。《全唐诗》卷八九三收文锡词三十二首，其中三十一首出《花间集》，一首出《尊前集》。近人王国维辑为《毛司徒词》一卷。

本年

牛希济约四十五岁，为蜀主王建所知，召对授官。《太平广记》卷一五八引《北梦琐言》："旅寄巴南，旋聆开国……十年不调。为先主所知，召对，除起居郎。"

杜光庭（850—933），唐末五代诗人、小说家。字宾圣（一作宾至），号东（一作登）瀛子、华顶羽人。京兆杜陵（今陕西西安东南）人，寓居处州缙云（今属浙江）。

懿宗咸通间，应九经举不第，遂入天台山为道士。僖宗中和间，住长安太清宫。光启初，僖宗召见，赐号广成先生。后入蜀依王建，住成都玉局观。天汉元年（917）拜户部侍郎，封蔡国公。王衍即位后，从其受道箓，封为传真天师、崇真馆大学士。后解官，居青城山白云溪，以著述为务。卒于长兴四年（933）。光庭工诗善文。诗多题咏“仙迹”，说道味较浓，但亦有一定想象色彩。有《广成集》一百卷，今存十七卷。《全唐诗》存诗一卷，内十一首为郑遨诗误入。另《诗律武库》、《诗渊》及其所编各书中，尚有诗一百五十首，但其中部分可能仅经其修订。另著有《录异记》八卷，为神仙传奇集。明沈士龙《题〈录异记〉》云：“大都捃拾他说，间入神仙玄怪之事用相证实。”清周中孚《郑堂读书记》云：“虽荒诞之言，然实小说之类，与道家无涉。”又其所著《神仙感遇传》中有《虬须客》一条，人多谓是《虬髯客传》的节录。另有《道德真经广圣义》、《道门科范大全集》、《墉城集仙录》、《仙传拾遗》等二十余种著作，皆存。事迹见《十国春秋》本传。

闽

本年

徐夤（？—917?）卒贞明中，未知确年，姑系于此。刘山甫为撰墓志铭，情文兼至，为世所称。（见《十国春秋·刘山甫传》）王延彬有诗哭吊。《诗话总龟》前集卷四三引《诗史》：“徐夤，兴化军莆田人，以秘书省正字归老乡里。即死，节度使王延宾（按当为彬之讹）以诗哭之曰：‘延寿溪头哭逝波，古今人事半销磨。昔徐正字今何在，所谓人生能几何。’延寿溪，夤所居也。”夤以诗、辞赋名家。夤，一作寅。字昭梦，莆田（今属福建）人。昭宗乾宁元年（894）中进士，任秘书省正字。约光化三年（900）弃官客游汴梁朱全忠幕。约天复二年（902）归闽，王审知辟居幕府，与黄滔、杨沂丰等文咏唱和。天祐元年（904）去职，泉州刺史王延彬招为幕客。与延彬、陈乘、郑良士等诗酒唱和。后梁贞明初归隐莆田延寿溪，卒于贞明中。夤工诗，长于咏物。尤善辞赋，时号“锦绣堆”。其赋曾雕版印卖，并为渤海国人抄写回国，家家以金书列为屏障。宋洪迈《容斋四笔》卷七云：“晚唐士人作律赋，多以古事为题，寓悲伤之旨，如吴融、徐夤诸人是也。”有《徐夤赋》五卷，《探龙集》五卷，元人编为《钓矶文集》十卷，今存。又有《雅道机要》一卷，亦存。事迹见宋徐师仁及元徐玩《钓矶文集序》、《阅书》卷二〇五、《十国春秋·徐寅传》。徐师仁《钓矶文集序》云：“按《崇文总目》正字赋五卷，《探龙集》一卷，题曰伪唐徐夤撰，正字实未尝仕伪唐也。”但今本《崇文总目》卷五仅录夤《探龙集》一卷，《赋》一卷，亦无题伪唐字。《直斋书录解题》卷二二则录《雅道机要》二卷，云：“前卷不知何人，后卷称徐夤撰。”徐师仁《序》又云：“师仁家故有赋五卷、《探龙集》五卷，正字自序其后，又于蔡君谟家得《雅道机要》一卷，又访于族人及好事者，得五言诗并绝句，合二百五十余首，以类相从，为八卷，并藏焉。”序后署建炎三年（1129），即其编成时日。《后村大全集》卷九六《跋徐先辈集》云：“友人徐君端衡出其十一世祖正字公夤文集，又纂辑公遗事及年谱以示。余按刘山甫志墓，诗赋外有著书二十卷，《春陵集》十卷。南渡初，公族孙著作佐郎师仁作集序，有《雅道机要》一卷，得于蔡君谟者，今皆不传。所传者律赋及《探龙集》各五卷、诗八卷而已。”元徐玩《钓矶文集序》：“予尝观旧谱载十二代著作佐郎赐紫金鱼袋师仁公所著文集序云：……即有其序，时必有集，今皆亡失，故常郁郁不乐，凡对族人，唯以不得其文为忧。至延祐丁酉岁［按，延祐为元仁宗年号，无丁酉，此或传抄之误］叔父司训公于洛，如金桥林必载家，得诗二百六十余首；复于己亥岁［按，元祐亦无己亥］族叔道真公遗赋四十篇，不胜欣慰，合而定之，后则屡求未能再见。……今则据其所得诗赋，暂编成卷，装潢类诸谱碟。”则徐玩重辑之《钓矶文集》，仅装演类诸谱碟，未曾刊行。后以抄本传世，《四部丛刊》三编即据钱氏也是园钞本影印，其中赋五卷、诗五卷。《雅道机要》一卷亦传世。《全唐诗》（卷七〇八—七一一）编其诗为四卷。《全唐文》卷八三〇收其赋二十八篇，《唐文拾遗》卷四五补赋二十一篇，其中《均田赋》述后周显德中均田事，当系误收。

公元918年（后梁末帝贞明四年　吴天祐十五年　前蜀高祖光天元年　吴越天宝十一年　南汉高祖乾亨二年　契丹神册三年　戊寅）

后　梁

正月

晋兵侵掠至郓、濮二州，威胁大梁。梁臣敬翔上疏云：“国家连年丧师，疆土日蹙。”

四月

己巳，赵光逢致仕。《旧五代史》卷八《梁末帝本纪》：贞明四年四月，“以开府仪同三司、守司空兼门下侍郎、同平章事赵光逢为司徒致仕。”

杨凝式已充集贤殿直学士，改考功员外郎。《旧五代史》卷一二八本传：“梁相赵光裔素重其才，奏为集贤殿直学士，改考功员外郎。”［按，赵光裔未仕梁，任梁相者为其兄光逢，见《旧唐书》卷一七八《赵光裔传》、《旧五代史》卷五八《赵光逢传》。则凝式以赵光逢荐为集贤殿直学士，当在本年四月前］

六月

晋王李存勖又自魏州至杨刘，渡黄河，梁匡国节度使谢彦章拒之，大败，死伤不可胜记，彦章仅以身免。

八月

晋军击败后梁将谢彦章。（见《资治通鉴》卷二七〇、《梁末帝本纪》中）

十二月

梁杀名将谢彦章，梁、晋大战于胡柳陂，晋将周德威战死。晋军苦战，转败为胜，后梁京城开封危甚。晋兵趋汴州，与梁军战，梁兵死亡近三万人，晋军亦受挫，两军所丧士卒各三分之二，皆不能振。（见《资治通鉴》卷二七〇）

和凝随贺瑰战于胡柳陂，以善射救瑰，瑰女妻之。凝时二十一岁，本年初为贺瑰辟为滑州节度从事。《旧五代史》卷一二七本传："凝善射。时瑰与唐庄宗相拒于河上，战胡柳陂，瑰军败而北，唯凝随之。瑰顾曰：'子勿相随，当自努力。'凝泣而对曰：'丈夫受人知，有难不报，非素志也，但恨未有死所。'旋有一骑士来逐瑰，凝叱之，不止，遂引弓以射，应弦而毙，瑰获免。既而谓诸子曰：'昨非和公，无以至此。和公文武全才而有志气，后必享重位，尔宜谨事之。'遂以女妻之，由是声望益隆。"（《新五代史·和凝传》）

本年

陈逖等十二人登进士第。（见《登科记考》卷二五）**知贡举者姓名未详。**

陈逖以第一名中进士科状元。（见《玉芝堂谈荟》）《太平广记》引《稽神录》："泉州文宣王扇庭中有皂荚树，每州人将登第则生一荚。梁贞明中，忽然生一荚有半，其年州人陈逖进士及第，黄仁颖学究及第。仁颖耻之，复登进士举。至同光中，旧生半荚之所复生全荚，其年仁颖及第。"

吴

六月

大将朱瑾杀淮南行军副使徐知训，润州徐知诰用宋齐丘策，引兵渡江入广陵定乱。（见《十国春秋》卷二《吴世家》，《资治通鉴》二七〇）

七月

徐温入朝于广陵，戊戌，以徐知诰为淮南节度行军副使、内外马步都军副使、通判府事，兼江州团练使。（见《十国春秋》卷二《吴世家》，《资治通鉴》二七〇）

徐知诰，本年三十一岁，始辅吴政。《资治通鉴》卷二七〇本年七月载："自此便留广陵辅吴政，军国大事，总决于温，其余庶政，悉由己出。"知诰或云字正伦，小字彭奴，自少年起即为徐温养子，易姓徐氏，更名知诰。后为南唐先主，又更名李昪。其原名、姓氏、家世及籍里等均无从确考。徐知诰辅吴凡二十年，"宽刑法，推恩信，起迎宾亭以待四方之士，引宋齐丘、骆知祥、王令谋等为谋客"，勤俭宽简，深得人心。江淮文化赖以发展，其成就跃居诸国之首。（见《旧五代史》卷一三四、《新五代史》卷六二、马令《南唐书》、陆游《南唐书》及《十国春秋》卷一五）今人诸葛计有《南唐先主李昇年谱》（江苏古籍出版社，1987 年版）。

宋齐丘三十二岁，润州军入广陵，辅吴革弊政，李昇多用齐丘之策。《江南野史》卷四："未几，温嫡子知训为朱瑾所杀。齐丘乃勉先主帅兵渡江以平其乱，冀卫社稷，潜立大勋，代秉其政，若握重兵，制御群下，可成洪业。既至，遂果代之。时吴主既弱，政出多门，君臣纲纪弛而不振。乃修复政理，动据礼法，务葺民庶，罢其不经，总以要务，宽省征赋，农有定制，官无虚禄，辑睦公族，抚存将校，优给卒伍，爵赏有功，刑辟中度，斥捕攘寇，上下咸乂，皆齐丘之谋焉。又说以虚怀待士，博访艺能，遂立延宾亭，招纳贤豪，以敦著时望。复创一池，中立亭宇。每与先主登临，乃绝人迹，以议国家，或至夜艾。池亭今犹在焉。先主欲致之重位，然为温所忌，遂署为府中从事。"《资治通鉴》卷二七〇：贞明四年六月，"徐知诰在润州闻难，用宋齐丘策，即日引兵济江。（朱）瑾已死，因抚定军府。时徐温诸子皆弱，温乃以知诰代知训执吴政。……先是，吴有丁口钱，又计亩输钱，钱重物轻，民甚苦之。齐丘说知诰，以为'钱非耕所得，今使民输钱，是教民弃本逐末也。请蠲丁口钱，自余税悉输谷帛，䌷绢匹直千钱者当税三千。'或曰：'如此，县官岁失钱亿万计。'齐丘曰：'安有民富而国家贫者邪？'知诰从之。由是江淮间旷土尽辟，桑柘满野，国以富强。知诰欲进用齐丘而徐温恶之，以为殿直、军判官。知诰每夜引齐丘于水亭屏语，常至夜分，或居高堂，悉去屏障，独置大炉，相向坐，不言，以铁箸画灰为字，随以匙灭去之，故其所谋，人莫得而知也。"

吴　越

三月

钱镠始开元帅府，置官属。时镠六十七岁，仍为吴越王。（见《资治通鉴》卷二七〇）

十一月

吴越始自海道出登、莱，抵大梁入贡。（见《吴越备史》卷一）

闽

八月

翁承赞为王审知夫人任氏撰墓志。承赞时为闽盐铁副使、右谏议大夫。（见今《文史》二十八辑所载官桂铨、官大樑对 1981 年福州市郊出土王审知夫人任氏墓志考证文章）

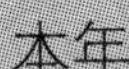

本年

刘山甫约卒于本年前后，姑系于此。山甫，唐末五代小说名家。彭城（今江苏徐州）人。生卒年不详。约于唐昭宗大顺元年（890）随父仕岭南，时尚年少。乾宁二年（895）侍从北归，经湖南青草湖，题诗天王庙。约自光化初起仕闽王审知，任威武军节度判官、检校殿中侍御史。后梁末帝贞明中徐夤卒，山甫为撰墓志。《十国春秋》卷九五本传："撰徐夤墓志铭，情文兼至，为世所称。官终威武军殿中侍御史。"卒闽中。山甫还撰有传奇集《金溪闲谈》，记叙奇闻异事，其中颇有情节生动、语言清丽可诵者。《北梦琐言》卷七："闽从事刘山甫，乃中朝旧族也。著《金溪闲谈》十二卷，具载其事。愚尝略得披览，而其本偶亡，绝无人收得。海隅迢递，莫可搜访。今之所集，云闻于刘山甫，即其事也，十不记其三四，惜哉。"此书久散佚，《北梦琐言》及《太平广记》存序文片断及十五条佚文。《全唐诗》卷七六三存诗一首。事迹见《北梦琐言》卷七、九，《十国春秋》本传。

前　蜀

二月

王建欲废太子衍而立信王宗杰。宗杰暴卒，建深疑之。《资治通鉴》卷二七〇：贞明四年，"蜀太子衍好酒色，乐游戏。蜀主尝自夹城过，闻太子与诸王斗鸡击球喧呼之声，叹曰：'吾百战以立基业，此辈能守之乎！'由是恶张格，而徐贤妃为之内主，竟不能去也。信王宗杰有才略，屡陈时政，蜀主贤之，有废立意。二月，宗杰暴卒，蜀主深疑之。"

六月

壬寅，前蜀开国之主王建卒。建在位十二年，享年七十二。（见《蜀梼杌》、《资治通鉴》及《十国春秋·前蜀纪》）《全唐诗》卷一录其诗一首。

癸卯，王衍即皇帝位。衍为蜀太子时即好酒色，乐游戏。即蜀主位后愈好声色，奢纵无度。不亲政事，内外迁除皆出于王宗弼。宗弼纳贿多私，上下訾怨。宋光嗣通敏善希合，蜀主宠任之，蜀由是遂衰。（见《资治通鉴》卷二七〇、《旧五代史》卷一三六及《新五代史》卷六三《王衍传》、《十国春秋》卷三七《前蜀纪》三）

花蕊夫人自蜀主王建贵妃，册封蜀后主王衍顺圣太后。先是，蜀主王建见太子衍好游戏，有废立意，以花蕊夫人为之内主，竟不能去。六月，建卒，衍即位，夫人封顺圣太后，其姊淑妃为翊圣太妃。见《蜀梼杌》卷上）

杜光庭有表贺王衍嗣位。时光庭年六十九，仍为蜀户部侍郎。《广成集》卷三有《贺嗣位表》，云："今日皇嗣宝位，光御洪图。……克绍宗祧，光升宝座。"

本年

蒋贻恭于本年或稍前作诗讽权臣，为王建所赏，特授名山主簿。又以善莅事，赐银绯。《十国春秋》卷四二本传："高祖末年，臣僚多尚权势，侈傲无节，诏（贻）恭因作诗讽之。高祖见诗大喜，曰：'敢言之士也。'特授名山令，又善莅事，赐银绯。"《鉴戒录》卷四"蜀门讽"条记云："贻恭住名山日，陈情上府主高太保（知柔）诗曰：'名山主簿实堪愁，难咬他家大骨头。米纳功南钱纳府，只看江面水东流。'"

张泌约于前蜀王建时官终中书舍人。泌，生卒年、籍贯不详。《花间集》列于牛峤、毛文锡之间，称舍人，盖活动于唐末、梁初，约仕终于前蜀王建时。[按，南唐有张泌，非是一人]《才调集》卷四收泌诗十八首，《全唐诗》卷七四二据以收入，另补《赠韩道士》、《送容州中丞赴镇》二首，皆误，前诗为戴叔伦作，见《才调集》卷四，后诗为杜牧作，见《樊川文集》卷二。《全唐诗补编·续补遗》卷一一补其断句二。《花间集》卷四、五收其词二十七阕，《尊前集》仅录《江城子》一阕。《全唐诗》卷八九八收二十七阕。王国维辑有《张舍人词》，收入《唐五代二十一家词辑》。其词佳者蕴藉有韵致，风格介乎温、韦之间，而与韦为近。大多缘题作赋，泛咏女人、相思。《浣溪沙》（"马上凝情"）咏叹旅愁，以"忆旧游"领起全词，实处皆化空灵、构思精巧，饶有诗情画意，开北宋疏宕一派。《临江仙》（"烟收湘渚"），极缥缈之思，不落凡俗。《蝴蝶儿》展现少女心灵感应，物我关合，真切传神。唐宋词人用此调者仅此一首。

欧阳炯仍仕前蜀，本年前有《应天寺壁天王歌》，与景朴画、僧梦龟草书并称"应天三绝"。《太平广记》卷二一四引《野人闲话》："唐僖宗皇帝翠华西幸之年，有会稽山处士孙位随驾止蜀。位有道术，兼攻书画，皆妙得笔精。曾于应天寺门左壁上画天王一座，部从鬼神，奇怪斯存。笔势狂纵，莫之与京，三十余年无有敌者。景焕其先亦专书画，尝与翰林欧阳学士炯乃忘形之交。一日联骑同游兹寺，偶画右壁天王以对之。渤海在旁观其逸势，复书歌行一篇以纪之。续有草书僧梦龟后至，又请书之于廊壁上。故书画歌行，一日而就。倾城人看，阗咽寺中。成都之人，故号为应天三绝。歌行今亦录附曰：'……谁知未满三十载，或有异人来间生。匡山处士名称朴，头骨高奇连五岳。曾持象简累为官，又有蛇珠常在握。昔年长老遇奇踪，今日门师识景公。兴来便请泥高壁，乱抢笔头如疾风。……'"[按，僖宗幸蜀在为广明元年（880）至中和五年（885），下推三十年为开平四年（910）至贞明元年（915），上引文云"三十余年"，歌行云"未满三十载"，则事当在前蜀王建时。《图画见闻志》卷六谓孟蜀时事，不确。《全唐诗》卷七六一录此诗题为《题景焕画应天寺壁天王歌》，但据上引文及歌行，画者则应为景焕之父景朴，《全唐诗》误]

南　汉

十一月

刘龑祀南郊，大赦，改国号为汉。（见《资治通鉴》卷二七〇）

本年

修睦卒。（？—918），唐末五代诗僧。俗姓赵。籍贯不详。广明元年（880）后居庐山，与栖隐、贯休等为诗道之游。光化中为庐山僧正。后应征辟赴吴国。天祐十五年（918）死于朱瑾之难。能诗，多近体，写僧居情致、景物。《秋日闲居》较佳。友人李咸用谓"贯休之后，惟修睦而已矣"（《读修睦上人歌篇》）。《直斋书录解题》卷一九著录《东林集》一卷，已佚。《全唐诗》存诗二十七首（含"补遗"），《全唐诗补编》补四首。事迹见《唐才子传》。

公元919年（后梁末帝贞明五年　前蜀后主乾德元年　南汉高祖乾亨三年　吴高祖武义元年　己卯）

后　梁

七月

冯道三十八岁，仍为河东节度巡官。七月，迁掌书记。《旧五代史》卷一二六本传："俄署太原掌书记，时庄宗并有河北，文翰甚繁，一以委之。"《资治通鉴》卷二七〇：贞明五年七月，"晋王归晋阳，以巡官冯道为掌书记。"同书卷二七五天成二年条胡三省注引《通鉴考异》，谓"道事晋王克用为河东掌书记"，误，时李克用已卒，道所事为存勖。

本年

进士登第者十三人，知贡举、诸进士姓名均阙载。（见《登科记考》卷二五）

诸科一人：尹拙。《宋史·儒林传》："尹拙，颍州汝阴人。梁贞明五年，举三史，调补下邑主簿。"

吴

四月

戊戌，吴建国。徐温奉杨隆演即国王位，建元武义，建宗庙社稷。置百官，以徐温为大丞相。宫殿文物皆用天子礼。《资治通鉴》卷二七〇载："三月，吴徐温帅将吏藩镇请吴王称帝，吴王不许。夏四月，戊戌朔，即吴国王位。"本月，吴与吴越水军大战于狼山江面，吴军败。

殷文圭以吴建国，自淮南节度掌书记授翰林学士。《资治通鉴》卷二七〇本年四月条载："（杨隆演）即吴国王位……掌书记殷文圭为翰林学士"。（参《新五代史》卷六一《杨隆演世家》）本年稍后李德诚之镇临川，文圭为草麻。（见宋李颀《古今诗话》，《唐诗纪事》卷六八）此后事迹不详。马令《南唐书》卷二三《汤悦传》称"父殷文圭，唐末有才名”。[按，殷崇义后改名汤悦]《通志》称文圭为“伪吴人”。《十国春秋》卷二八《殷崇义传》云：“父文圭，为吴翰林学士。”[按，《直斋书录解题》卷一九谓其“后仕南唐”，《唐诗纪事》卷六八谓“文圭事杨行密，终左千牛卫将军”，皆误。(见《唐才子传校笺·殷文圭》)]文圭卒于南唐灭吴前。文圭之著述，《崇文总目》卷五录《从军稿》二十卷、《汤文圭登龙集》十卷、《冥搜集》二十卷、《汤文圭笔耕》一卷；另录有《镂冰集》三卷，未署作者。《直斋书录解题》卷一九诗集类上仅录《殷文圭集》一卷。《通志》卷七〇《艺文略》八“别集类”录其《登龙集》十卷、《冥搜集》二十卷；“四六类”录《殷文圭四六》三卷；又“军书类”录其《从军稿》二十卷；又“表章类”录其《笔耕》二十卷。《宋史》卷二〇八《艺文志七》“别集类”录《殷文圭冥搜集》二十卷，又《登龙集》十五卷、商文圭（宋人避讳改）《从军稿》二十卷、《镂冰录》二十卷、《笔耕词》二十卷。今存《殷文圭诗集》一卷。《全唐诗》卷七〇七编其诗一卷，计二十七首。《全唐诗补编·续补遗》卷一补三首，《全唐诗补编·续拾》卷四三补断句三。《全唐文》卷八六八收其文一篇。

沈颜与殷文圭同授翰林学士。《新五代史》卷六一《杨隆演世家》载，天祐十六年（贞明五年），“夏四月……殷文圭、沈颜为翰林学士”。（参本年殷文圭条）充翰林学士前，沈颜曾为淮南巡官，累迁礼仪使、兵部郎中、知制诰。（据《十国春秋》卷一一本传）

本年

游恭以吴建国，迁知制诰，不久卒。《十国春秋》卷一一传云：“武义改元，迁知制诰。无何卒。”恭，建州建安（今福建建瓯）人。唐末进士及第。有名于时。光启二年（886）至天祐二年（905）中，为武昌军节度掌书记。后归吴，为馆驿巡官。迁驾部员外郎、知制诰。（见马令《南唐书》卷一〇《游简言传》，《十国春秋》本传）恭之著述，《十国春秋》本传称有《小东里集》三卷，《广东里集》四卷。《宋史·艺文志七》著录《东里集》三卷、《广东里集》二十卷、《短兵集》三卷。作品均佚。

王毂以吴国建，为右补阙。《永乐大典》卷六八五一引《清源志》云：“唐亡，（毂）奔淮南。吴国建，为右补阙。”[按，毂奔淮南，约在梁初。参 907 年条]

李昪（888—943），有文学。以吴国建，官左仆射，参知政事。昪，即后之南唐烈祖。字正伦。徐州（今属江苏）人，一说海州（治今江苏连云港西南）人。少孤，流寓濠、泗间。后为徐温义子，冒姓徐，名知诰。仕吴，武义元年（919）累官至左仆射，参知政事。拜太尉、中书令。大和三年（931）出镇金陵。五年（933），封齐王。天祚三年（937）即帝位，建齐国，改元升元。次年（938），复姓李，名昪，改国号为唐，史称南唐。保大元年（943）卒，庙号烈祖。《全唐文》存文七篇，《唐文拾遗》补五篇；《全唐诗》存诗一首。事迹见新、旧《五代史》本传等。

宋齐丘三十三岁，仍为行军判官。齐丘之文天才谲异，李昪赏之。昪于府署内立延宾亭，令齐丘为之记。其文今佚。《十国春秋》卷一五《南唐烈祖纪》：“武义元年，（昪）拜左仆射、参知政事。国人谓之政事仆射。知诰于府署内立亭，号曰延宾，以待

多士，命齐丘为之记，由是豪杰翕然归之。”

齐己居庐山，曾暂游江南，寻复归山。修睦时任庐山僧正，齐己作《别东林后回寄修睦》：“南朝在天末，此去重经过。”后又有《己卯岁值冻阻归有作》。（均见《白莲集》卷二）

吴 越

三月

吴越王钱镠发兵大举攻吴。《资治通鉴》卷二七〇：贞明五年三月，“诏吴越王镠大举讨淮南。镠以节度副大使传瓘为诸军都指挥使，帅战舰五百艘，自东洲击吴。”

四月

大败吴军于狼山江面。详《资治通鉴》卷二七〇至二七一、《十国春秋》卷二《吴世家》二。

六月

吴人败吴越兵于沙山。

七月

吴再败吴越军于常州、无锡。

八月

吴与吴越和解。自是两国息兵二十余年。《资治通鉴》卷二七〇贞明五年八月条载：“吴徐温遣使以吴王书归无锡之俘于吴越，吴越王亦遣使请和于吴。自是吴国休兵息民，三十余州民乐业者二十余年”。《吴越备史》卷二：“自是休兵，民乐业二十余年。”

十一月

丁亥，钱镠正德夫人吴氏卒。（见《吴越备史》）镠颇通吟咏，赠吴氏春归乡里之语，时人入于歌谣。明田汝成《委巷丛谈》：“吴越王妃每岁归临安，王以书遗妃云：‘陌上花开，可缓缓归矣。’吴人用其语为歌，含思宛转，听之凄然。苏子瞻为之易其词，盖《清平调》也。调云：‘陌上花开蝴蝶飞，江山犹是昔人非。遗民几度垂垂老，游女长歌缓缓归。’‘陌上山花无数开，路旁争看翠軿来。若为留得堂堂去，且更从教缓缓回。’‘生前富贵草头露，身后风流陌上花。已作迟迟君去鲁，犹歌缓缓妾回家。’”

本年

延寿十六岁，闻镇帅钱元瓘礼尚文学之士，献《齐天赋》，为众人所称赏。《十国春秋》卷八九本传："年十六，时文穆王镇余杭，延寿献《齐天赋》，众咸欲官之。"

赞宁（919—1002?）生。赞宁，俗姓高，德清（今属浙江）人。王禹偁《小畜集》卷二〇《右街僧录通惠大师文集序》云："大师世姓高氏，法名赞宁，其先渤海人，隋末徙居吴兴郡之德清县。祖埍，考审，皆隐德不仕。母周氏，以唐天祐十六年岁在己卯，某月某日生大师于金鹅山别墅，时梁贞明七年也。"［按，天祐十六年为贞明五年，非七年，"七"当为"五"之形讹。赞宁卒年，各书记载不一］《西湖高僧事略》谓至道二年卒；《释氏稽古略》作咸平二年卒，年八十二；《释门正统》卷八谓咸平四年卒，年八十三；《释氏疑年录》卷六取后者。赞宁著有《宋高僧传》。一作《大宋高僧传》。所载皎然、贯休、齐己均晚唐五代诗僧，亦记文人与僧人之交游。大有裨益于唐诗研究。《佛祖历代通载》卷二六、《十国春秋》卷八九有传。

前　蜀

三月

花蕊夫人仍为蜀顺圣太后，日与太妃随蜀主王衍游宴于贵臣之家，以及近郡名山，所费不可胜纪。与太妃公然卖官。《资治通鉴》卷二七〇：贞明五年三月，"太后、太妃各出教令卖刺史、令、录等官，每一官阙，数人争纳赂，赂多者得之。"胡三省注："史言蜀朝政浊乱。"

王衍二十一岁，仍为蜀主，纵奢无度。《资治通鉴》卷二七〇：贞明五年三月，"蜀主奢纵无度，日与太后、太妃游宴于贵臣之家，及游近郡名山，饮酒赋诗，所费不可胜纪。仗内教坊使严旭强取士民女子内宫中，或得厚赂而免之，以是累迁至蓬州刺史。"

本年

孟昶（919—965）生。昶，即后蜀后主。原名仁赞。字保元。邢州龙岗（今河北邢台）人。后蜀高祖第三子。初为两川节度使行军司马。后蜀开国，为东川节度使、同中书门下平章事。明德元年（934）即后蜀皇帝位。以将相大臣多骄纵，遂执其甚者杀之，始亲政事。在位务为奢侈以自娱，然亦注意通下情，与民休息，蜀中尚得安定。广政二十八年（965）降宋，封秦国公，是年卒。《阳春白雪》存《洞仙歌》词一首，《全唐诗》存诗一首（一说该诗仅首二句为昶作），《全唐文》存文五篇。事迹见新、旧《五代史》本传。

唐求，一作唐球。蜀州青城之味江山人。生卒年无考。隐居不仕。今姑系于此。宋黄休复《茅亭客话》卷三《味江山人》条称："唐末蜀州青城县味江山人唐求。"《唐诗纪事》卷五〇云："球（求）居蜀之味江山。"考《元丰九域志》卷七，蜀州青城县有味江镇。《新唐书》卷四二《地理志五》载，剑南道蜀州唐安郡，所属有青城

县。《唐才子传》卷一〇称求为“成都人”；明杨慎《升庵诗话》卷八《唐求送人至邛州》条又谓求乃“嘉州味江人”，皆误。

《茅亭客话》卷三云：“唐末，蜀州青城县味江山人唐求，至性纯悫，笃好雅道，放旷疏逸，几乎方外之士也。每入市，骑一青牛，至暮，醺酣而归。非其类，不与之交。或吟或咏，有所得，则将稿捻为丸，内于大瓢中。二十余年，莫知其数，亦不复吟咏。其赠送寄别之诗布于人口。暮年，因卧病，索瓢致于江中，说：‘斯文苟不沉没于水，后之人得者方知我苦心耳。’漂至新渠江口，有识者云：‘唐山人诗瓢也。’探得之，已遭漂润损坏，十得其二三，凡三十余篇，行于世。”《唐诗纪事》亦转引此事。

《诗话总龟》前集卷一四引《北梦琐言》云：“唐求、刘郇伯有诗名。唐求《临池洗砚》诗云：‘恰似有龙深处卧，被人惊起黑云生。’又：‘渐寒沙上路，欲暝水边村。’《早行》云：‘沙上鸟犹睡，渡头人已行。’诗思不出二百里间……二子亦可凌厉名场，而死丘樊，所谓蜀人无志怀土，正此也。”求之著述，《直斋书录解题》卷一九录诗一卷，《全唐诗》卷七二四编其诗一卷，共三十五首。

公元920年（后梁末帝贞明六年　前蜀后主乾德二年　南汉高祖乾亨四年　吴高祖武义二年　庚辰）

后梁

三月

许鼎、李京等十二人登进士第。（见《登科记考》卷二五，但未载知贡举者姓名）

许鼎，《唐诗纪事》卷七十一：“鼎，唐末诗人。至梁贞明六年始登第。”

李京，《唐诗纪事》卷七十一：“唐末诗人，至梁贞明六年登第。”

李琪撰《梁太祖实录》三十卷。迁御史中丞、尚书左丞。是年四月拜相，颇通贿赂，后为人所告，罢为太子少保。《旧五代史》卷五八本传：“贞明、龙德中，历兵、礼、吏部侍郎，受命与冯锡嘉、张充、郄殷象同撰《梁太祖实录》三十卷，迁御史中丞，累擢尚书左丞、中书门下平章事。”《资治通鉴》卷二七一：贞明六年四月，“以尚书左丞李琪为中书侍郎、同平章事。琪……性疏俊，挟赵岩、张汉杰之势，颇通贿赂。”琪后为人所告，梁帝欲流之远方，“赵、张左右之，止罢为太子少保”。据此，则其历兵、礼、吏侍郎、御史中丞及撰《梁太祖实录》事在乾化三年至贞明中。《宋史·艺文志》录：“五代《梁太祖实录》三十卷，张衮、郄象撰。’’未署琪名，张名亦异。郄象当因避宋讳省殷字。

吴

五月

吴宣王渭（920—943）卒，年二十四。

六月

杨行密第四子杨溥即吴王位。见《资治通鉴》卷二七一。

徐锴（920—974）生。徐锴，字楚金，铉弟，原籍会稽（今浙江绍兴），其父移居广陵，遂为广陵（今江苏扬州）人。马令《南唐书》卷一四、陆游《南唐书》卷五、《十国春秋》卷二八有传。马令《南唐书》本传："徐锴，字楚金，与兄铉同有大名于江左。"《十国春秋》卷二十八："徐锴字楚金，铉之弟也，生四岁而孤，母方教铉就学未暇及锴，锴自能知书，稍长文辞与铉齐名，升元中议者，以文人浮薄多用经义法律取士，锴耻之，杜门不求仕进。……开宝七年七月卒，年五十五，赠礼部侍郎，谥曰文。著《说文解字系传》四十卷、《说文通释》四十卷、《方舆记》一百三十卷、又古今国典赋苑《岁时广记》及他文章凡若干卷。"《四库全书总目提要》卷四十一经部四十一小学类二："《说文解字篆韵谱》五卷（两江总督采进本）南唐徐锴撰。其书取许慎《说文解字》，以四声部分，编次成书。凡小篆皆有音训，其无音训者，皆慎书所附之重文。注'史'字者籀书，注'古'字者古文也。所注颇为简略。盖六书之义已具于《说文系传》中，此特取便检阅，故不更复赘耳。据李焘《说文五音韵谱序》，此书篆字皆其兄铉所书。铉集载有此书《序》二篇。后篇称：'《韵谱》既成，广求余本，孜考雠校，颇有刊正。今承诏校定《说文》，更与诸儒精加研核。又得李舟所著《切韵》，殊有补益。其间有《说文》不载而见于序例、注义者，必知脱漏，并从编录。疑者则以李氏《切韵》为正。'是此书铉又更定，不仅出锴一手。其以序例、注义中字添入，亦铉所为也。前《序》称'命锴取叔重所记，以《切韵》次之，声韵区分，开卷可睹'云云，考后《序》称又得李舟《切韵》，则所谓《切韵》次之者当即陆法言书，即《唐韵》、《广韵》所因也。然锴所编部分，与《广韵》稍异，又上平声内《痕部》并入《魂部》，下平声内《一先》、《二仙》后别出《三宣》一部。然《魂部》之下注《痕部》附字，而《宣部》则不著别分。似乎《切韵》原有此部，殆不可晓。或此书部分，铉亦以李舟《切韵》定之，非陆法言之《切韵》，故分合不同欤？是书传本甚少，此为明巡抚李显所刻。""《说文系传》四十卷（兵部侍郎纪昀家藏本）南唐徐锴撰。锴字楚金，广陵人。官至右内史舍人。宋兵下江南，卒于围城之中。事迹见《南唐书》本传。是书凡八篇。首《通释》三十卷，以许慎《说文解字》十五篇，篇析为二。凡锴所发明及征引经传者，悉加'臣锴曰'及'臣锴案'字以别之。继以《部叙》二卷，《通论》三卷，《祛妄》、《类聚》、《错综》、《疑义》、《系述》各一卷。《祛妄》斥李阳冰臆说。《疑义》举《说文》偏旁所有而阙其字及篆体笔画相承小异者。《部叙》拟《易序卦》传，以明《说文》五百四十部先后之次。《类聚》则举字之相比为义者，如一、二、三、四之类。《错综》则旁推六书之旨，通诸人事，以尽其意。终以《系述》，则犹《史记》之《自叙》也。锴尝别作《说文篆韵谱》五卷，宋孝宗时李焘因之作《说文解字五音谱》。焘《自序》有曰：'《韵谱》当与《系传》并行。今《韵谱》或刻诸学官，而《系传》迄莫光显。余搜访岁久，仅得其七八阙卷。误字无所是正，每用太息。'则《系传》在宋时已残阙不完矣。今相传仅有抄本，钱曾《读书敏求记》至诧为'惊人秘笈'，然脱误特甚。卷末有熙宁中苏颂记云：'旧阙二十五、三十共二卷，俟别求补写。’此本卷三十不阙，或续得之以补入。卷二十五则直录其兄铉所校之本，而去其新附之字。殆后人求其原书不获，因摘铉书以足之。犹之《魏书》佚《天文志》，以张太素书补之也。其余各部阙文，亦多取铉书窜入。考铉书用孙愐《唐韵》，而锴书则朝散大夫行秘书省校书郎朱翱别为反切。铉书称‘某某切’，而锴书称‘反’。今书内音切与铉书无异者，其训释亦必无异。其移掇之迹，显然可见。至《示部》窜入铉新附之‘祧、祆、祚’三字，尤凿凿可证者。错编篇末，其文亦似未完。无可采补，则竟阙之矣。此书成于铉书之前，故铉书多引其说，然亦时有同异。如铉本‘福，祐也’，此作‘备也’。铉本莱耕多草，此作‘耕名’。铉本‘迎前颔也’，此作‘前顿也’。铉本‘鹨，大雏也’，此从《尔雅》作‘天龠也”。又铉本‘禜’字下引《礼记》、‘禂’字下引《诗》之类，此作‘臣锴按《礼记》曰’，‘臣锴按《诗》曰’。则锴所引，而铉本淆入许氏者甚多。又如‘□’字下云‘阙’，此作‘家本无注。臣锴案，疑许慎子许冲所言也’。是铉直删去‘家本无注’四字，改用一‘阙’字矣。其凭臆删改，非赖此书之存，何以证之哉？此书本出苏颂所传篆文，为监察王圣美，翰林祇候刘允恭所书。卷末题‘子容’者，即颂字也。乾道癸巳，尤袤得于叶梦得家，写以与李焘。详见袤《跋》。书中有称‘臣次立案’者，张次立也。次立官至殿中丞，尝与写《嘉祐二字石经》，陶宗仪《书史会要》载其始末云。”［按，是书在徐铉校《说文》之前，而列其后者，铉校许慎之原本，以慎为主，而铉附之。此书锴所论著，以锴为主，故不得而先慎也］

楚

尚颜（920—?）卒，年已百岁左右，齐己有诗悼之。齐己《白莲集》卷六《闻尚颜下世》：“岳僧传的信，闻在麓山亡。群有为诗客，谁来吊影堂。梦休寻灞浐，迹已绝潇湘。远忆同吟石，新秋桧柏凉。”诗云“岳僧传的信”、“远忆同吟石”，则尚颜卒时齐己已不在湘中。［按，齐己于贞明元年离湖湘往居庐山，龙德元年（921）离庐山往居江陵至终年，故尚颜卒时齐己或在庐山，或在荆渚，从尚颜于唐末、梁初已九十余岁年龄看，应以居庐山时为是，据此颜约卒于贞明中，卒时已百岁左右］颜《全唐诗》八百四十八有《言兴》诗，知颜诗学贾岛，有诗千首。《全唐文》卷八二九收颜荛、李诇《颜上人集序》各一篇。颜文云：“少工为五言诗，天赋其才，迥超名辈。荛同年文人故许州节度使尚书薛公，字大拙，以文人不言其名，擅诗名于天下，无所与让，唯于颜公许待优异。每吟其警句，常曰：“吾不喜颜为僧，嘉有诗僧为吾枝派，以增薛氏之荣耳。”性端静寡合，而价誉自彰。名公钜人，争识其面。余景福间为尚书郎，故相国陆希声为给事中。一日谓余曰：“颜公自荆门惠然访我，兴尽而去。无以赠其行，请于知交赋送别。”余亦勉为应命，而莫之披睹也。后数载，余罢自合江，沿泆流而下，至荆之日，方遂疑阙。阅其篇章，睹其仪相，然后知师之盛名不虚得也。向之送别者，自故太傅相国韦政公而下，凡四十三首。余亦别为一卷，陆相公为序。余继忝清华荐兼史任，宜以师之名字书于文苑传中。辑编未遑，漏略是惧。今且掇师之序于诗集之前，其五言七字诗，凡四百篇，以为儒释之光。余与师周旋殆将十稔，始仰师为诗家之杰，今与师为方外之期，契分知心言之无愧。若师本教之行，自为其徒所宗，则非愚儒之所敢知也。光化三年孟夏序。”知颜诗曾于光化三年（900）编辑成集，凡四百篇。《直斋书录解题》卷一九录《尚颜供奉集》一卷，《宋史·艺文志》另录其《荆门集》五卷，今并不传。《全唐诗》卷八四八收其诗三十四首，断句二。

闽

十二月

王延彬（？—920）卒，年三十，赠节度使兼侍中，葬云台山，闽人称“云台侍中”。贞明六年十二月，“初，闽王审知承制加其从子泉州刺史延彬领平卢节度使，延彬治泉州十七年，吏民安之。会得白鹿及紫芝，僧浩源以为王者之符，延彬由是骄纵，密遣使浮海入贡，求为泉州节度使。事觉，审知诛浩源及其党，黜延彬归私第。”（《资治通鉴》卷二七一）《十国春秋》卷九四本传于黜归后续云：“卒，赠云州节度使兼侍中，葬云台山，闽人亦谓之‘云台侍中’。”《五国故事》卷下：“延彬有诗云：‘两衙前后讼堂清，软锦披袍拥鼻行。雨后绿苔侵履迹，春深红杏锁莺声。因携久酝松醪酒，自煮新抽竹笋羹。也解为诗也为政，侬家何似谢宣城。’人多诵之。”《十国春秋》本传：“延彬，天祐初，太祖承制加平卢节度使，权知泉州军州事，二年实授。……延彬多艺，工诗歌，颇通佛理，而性豪华，巾栉冠履必日一易，解衣后辄以龙脑数器复之。先是，延彬生泉州佛舍，始生时，有白雀巢于堂中。凡三十年，迄延彬殁，遽失所在，人咸异之”。《全唐诗》卷七六三收其诗二首，《全唐诗补编·续拾》卷四七补一首，断句二，又同卷收王十八郎诗一首，疑即延彬。

公元 921 年（后梁末帝龙德元年　前蜀后主乾德三年　南汉高祖乾亨五年　吴睿帝顺义元年　辛巳）

后　梁

五月

丙辰朔，改贞明七年为龙德元年。（见《资治通鉴》卷二七一）

七月

卢汝弼（？—921）卒。有诗传世，书法亦为人所称。《旧五代史》卷二九：天祐十八年七月，“河东节度副使卢汝弼卒。”《宣和书谱》卷六：“（汝弼）文彩秀丽，一时士大夫称之。复留意书翰，作正书，取法有归。”《唐才子传》卷九：“卢弼（按当为卢汝弼）气象稍严，不迁狐惑如《边庭四时怨》等作，赏音大播，信不偶然。区区凉德，徒曰贵介，不暇录尚多云。”《边庭四时怨》，《全唐诗》题为《和李秀才边庭四

时怨》，凡四首。《全唐诗》卷六八八收其诗八首。

符蒙为张文礼任为镇、冀、深、赵都督府参军，不受。蒙，字适之，赵州昭庆（今河北隆尧）人。父习，历领唐节镇。蒙少好学，性刚鲠。符蒙，附见《旧五代史》卷五九、《新五代史》卷二六《符习传》。《资治通鉴》卷二七一：龙德元年七月，“（张）文礼忌赵故将，多所诛灭。符习将赵兵万人从晋王在德胜，文礼请召归，以他将代之，且以习子蒙为都督府参军，遣人赍钱帛劳行营将士以悦之。习见晋王，泣涕请留。……八月，庚申，晋王以习为成德留后。……文礼闻之，惊惧而卒。”胡三省注云：“文礼盖自置镇、冀、深、赵都督府，故有参佐。”《旧五代史·符习传》：“符习，赵州昭庆县人。……子蒙嗣。”《全唐诗》卷七九五符蒙小传云：“字适之。”其或有据。《新五代史》本传：“少好学，性刚鲠。”

本年

停贡举。（见《登科记考》卷二五）

前蜀

昙域仍居成都龙华禅院，本年后，屡与荆南齐己寄赠唱和。《全唐诗》卷八四九昙域《怀齐己》：“鬓髯秋景两苍苍，静对茅斋一炷香。病后身心俱澹泊，老来朋友半凋伤。峨眉山色侵云直，巫峡滩声入夜长。犹喜深交有支遁，时时音信到松房。”“峨眉山色”自指居处，“巫峡滩声”指齐己所居，盖齐己其时居荆南。齐己《白莲集》卷六有《寄西川惠光大师昙域》，云：“禅月有名子，相知面未曾。”卷四有《和昙域上人寄赠之什》，云：“百病煎衰朽，栖迟战国中。”卷九有《谢西川昙域大师玉箸篆书》。诸诗亦当作于齐己晚年寄居荆南时，荆南与西川邻近，故二人常诗书寄酬而无缘晤面。齐己于本年秋后始居荆南，昙域与之寄酬，在是年后。

五月

宣华苑成，蜀顺圣太后花蕊夫人与王衍及诸妃嫔游乐其中，常为长夜之饮，各撰《宫词》，歌之取乐。

十月

韩昭为吏部侍郎，受赂行私，所授美官，皆为太后、太妃、国舅之亲。昭美风姿，太妃宠之。传世《花蕊夫人宫词》一卷，多写宣华苑之景致乐事，当前蜀花蕊夫人作，南宋胡仔《苕溪渔隐丛话后集》卷四十则云：“王平甫云，熙宁间奉诏定蜀楚秦氏三家所献书，得一敝纸所书花蕊夫人诗共三十二首，乃夫人亲笔。花蕊又别有逸诗六十六首，乃近世好事者旋加搜索续之，篇次无论，语意与前诗相类者极少。”浦江清《花蕊夫人宫词考证》，认为其所咏均为宣华苑事，并非赝品。因为自北宋熙宁以来，一般均以《宫词》作者属诸孟昶之妃，如果有好事者续写，则其所咏自当摭拾孟蜀宫廷之逸闻，不可能再言宣苑之旧事。故此六十六首诗，必为花蕊夫人原作。（收《浦江清文录》）。《蜀梼杌》卷上：龙德三年，“十月，以韩昭为吏部侍郎，判三铨。昭受赂徇私，选人诣鼓院诉之。又嘲曰：嘉眉邛蜀侍郎骨肉导江青城侍郎亲情果阆二州侍郎自留巴蓬集壁，侍郎不惜。衍召而问之，昭曰：‘此皆太后、太妃、国舅之亲，非臣之亲。’衍默然。昭字德华，长安人……太妃爱其美风姿，而有辟阳之宠”。

王衍仍为蜀主，年二十三岁。正月，还成都，废其后高氏，益荒淫无度。五月，宣华苑成，衍常于其中为长夜之饮，自作《宫词》。八月，受道箓。九月，诏置制举五科。《资治通鉴》卷二七一：龙德元年正月，“蜀主还成都。初，蜀主之为太子，高祖为聘兵部尚书高知言女为妃，无宠。及韦妃入宫，尤见疏薄，至是遣还家，知言惊仆，不食而卒。韦妃者，徐耕之孙也，有殊色，蜀主适徐氏，见而悦之，太后因纳于后宫，蜀主不欲娶于母族，托云韦昭度之孙。初为婕妤，累加元妃。蜀主常列锦步障，击球其中，往往远适而外人不知。爇诸香，昼夜不绝，久而厌之，更爇皂荚以乱其气。结缯为山及宫殿楼观于其上，或为风雨所败，则更以新者易之。或乐饮缯山，涉旬不下。山前穿渠通禁中，或乘船夜归，令宫女秉蜡炬千余居前船，却立照之，水面如昼。或酣饮禁中，鼓吹沸腾，以至达旦，以是为常。”《蜀梼杌》卷上：“（乾德）三年……五月，宣华苑成，延袤十里，有重光、太清、延昌、会真之殿，清和、迎仙之宫，降真、蓬莱、丹霞之亭。土木之功，穷极奢巧。衍数于其中为长夜之饮，嫔御杂坐，舄履交错。尝召嘉王宗寿赴宴。宗寿因持杯谏衍，宜以社稷为念，少节宴饮。其言慷慨激切流涕，衍有愧色。佞臣潘在迎、顾敻、韩昭等奏曰：‘嘉王从来酒悲，不足怪也。’乃相与谐谑戏笑。 衍命宫人李玉箫歌衍所撰《宫词》，送宗寿酒，宗寿惧祸，乃尽饮之。在迎曰：‘嘉王闻玉箫歌即饮，请以玉箫赐之。’衍曰：‘王必不纳。’衍《宫词》曰：‘辉辉赤赤浮五云，宣华池上月华新。月华如水浸宫殿，有酒不醉真痴人。’……八月，衍受道箓于苑中。……九月，诏置贤良方正、博通经史、明达吏理、识洞兵机、沉滞邱园五科，令黄衣选人、白衣举人，投策就试，吏部考较。”《十国春秋》卷三七：“乾德三年春正月甲寅，帝还成都，废其后高氏。帝荒淫无度，创为流星辇，凡二十轮以牵骏马。”《资治通鉴》卷二七二系宗寿事于同光元年重阳。

吴

二月

改元顺义。见《资治通鉴》卷二七一。

齐己仍居庐山东林寺，约五十八岁。秋，离庐山归湖湘，将游蜀，途经荆州，为高季兴遮留，命为僧正，居龙兴寺。《白莲集》卷八《东林寄别修睦上人》：“行心乞得见秋风，双履难留更住踪。……此别不知为后约，年华相似逼衰容。”不为后约，当为远行之别。卷二《思游峨眉寄林下诸友》：“刚有峨眉念，秋来锡欲飞。会抛湘寺去，便逐蜀帆归。”此亦写秋景，而已在湘中。卷九《自湘中将入蜀留别诸友》。卷一《过荆门》：“路出荆门远，行行日欲西。草枯蛮冢乱，山断汉江低。”亦写秋景。卷五《渚宫莫问诗一十五首》序：“予以辛巳岁，蒙主人命居龙安寺。”卷七《荆渚感怀寄僧达禅弟三首》，其二云：“十五年前会虎溪，白莲斋后便来西。”虎溪在庐山。孙光宪《白莲集序》（《白莲集》卷首附）：“晚岁将之岷峨，假途渚宫，太师南平王筑净室以居之，舍净财以供之。”《宋高僧传》卷三〇本传：“于时高季昌禀梁帝之命，攻逐雷满出渚宫，已便为荆州留后，寻正受节度。洎乎均帝失御，河东庄宗自魏府入洛，高氏遂割据一方，搜聚四远名节之士，得齐之义丰、南岳之己，以为筑金之始验也。龙德元年辛巳中，礼己于龙兴寺净院安置，给其月俸，命作僧正，非所好也。”高季昌即高季兴本名，《五代史补》卷三“僧齐己”条谓留齐己者为高从诲，误，从诲迟自天成四年（929）季兴卒后始为荆南节度、南平王。综上诸条，可知齐己于是秋离庐山，先归湘中，寻欲入蜀，途经荆南，为高季兴遮留，舍于龙兴寺（一作龙安寺），命为僧正。《白莲集》卷六有《送孙逸人归庐山》，卷二有《送孙凤秀才赴举》。[按，《新五代史》卷三三《孙晟传》：“初名凤，又名忌，密州人也。好学，有文辞，尤长于诗。少为道士，居庐山简寂宫。常画唐诗人贾岛像置于屋壁，晨夕事之。简寂宫道士恶晟，以为妖，以杖驱出之。乃儒服北之赵、魏，谒唐庄宗于镇州。”] 据《资治通鉴》卷二七一，后梁龙德元年十一月，晋王李存勖自将兵攻镇州；二年九月，拔镇州。孙晟谒晋王，应在龙德二年，其北上赵、魏，约在龙德元年，其居庐山简寂宫为道士，约在后梁贞明中，正与齐己居庐山时间合。上引二诗即作于其时。《白莲集》卷二有《题东林白莲》、《东林作寄金陵知己》、《登大林寺观白太傅题版》、《与张先辈话别》，后诗云：“及第还全蜀，游方归二林。”卷三有《寻阳道中作》、《东林雨后望香炉峰》；卷六有《宿简寂观》；卷七有《题东林十八贤真堂》；卷九有《酬庐山张处士》；诸诗应皆贞明元年（915）至本年间作于庐山。另《庐山记》卷二录：“《法华寺资圣院碑》，僧齐己书。”今不存。《白莲集》卷八有《荆门寄题禅月大师影堂》。贯休卒乾化二年（912），其影堂立于乾化三年，参乾化二年贯休条。齐己与贯休友情甚笃，此诗似当至荆州未久后作。

公元922年（后梁末帝龙德二年　前蜀后主乾德四年　南汉高祖乾亨六年　吴睿帝顺义二年　壬午）

后　梁

本年

黄损、赵莹、颜衎登进士第，进士十四人。见《登科记考》卷二五，唯未载知贡举者姓名。

黄损。《十国春秋》：“黄损字益之，连州人。登龙德二年进士第。”不久南归，谒湖南马殷，献十策，其言多指斥权要，为众所疾。《诗话总龟》前集卷一〇引《雅言杂

载》："唐黄损，龙德二年登进士第。"《五代史补》卷二："洎登第，归，会王潮南称霸，损因献十策，求入幕府，其言多指斥权要，由是众疾之。"《十国春秋》卷六二本传亦记此事，而易王潮为刘岩。[按，二书皆误。据《资治通鉴》卷二九〇，连州在后梁、后唐时属湖南，至后周广顺元年始归南汉。则损所谒应为湖南马殷]

赵莹。《旧五代史》卷八十九本传："莹字玄辉，华阴人。曾祖溥，祖孺，父居晦。莹风仪美秀，性复纯谨。梁龙德中，始解褐为康延孝从事。……未几，莹卒于幽州，时年六十七。莹初被疾，遣人祈告于契丹主，愿归骨于南朝，使羁魂幸复乡里，契丹主闵而许之。及卒，遣其子易从、家人数辈护丧而还，仍遣大将送至京师。周太祖感叹久之，诏赠太傅，仍赐其子绢五百匹，以备丧事，令归葬于华阴故里。"

颜衎，《宋史》卷二百七十本传："颜衎，字祖德，兖州曲阜人，自言兖国公四十五世孙。少苦学，治《左氏春秋》。梁龙德中擢第，解褐授北海主簿。……时王峻持权，衎与陈观俱为峻所引用。会峻败，观左迁，衎罢职，守兵部侍郎。显德初，上表求解官，授工部尚书，致仕还乡里，台阁缙绅祖饯都门外，冠盖相望，时人荣之。建隆三年春，卒于家，年七十四。"

明经科：麻希梦。《宋太宗实录》卷四十四：端拱元年闰五月乙未"以前青州录事参军麻希梦为工部员外郎致仕。希梦北海人也，梁龙德二年擢明经第，累居宰字之任。素有吏干，凡所践塵，皆有能名。以老退居临淄，有美田敷百顷，积资巨万，年九十五齿发不衰。上闻其眉寿，召致阙下，对于便殿，面赐金紫，因有是命。放归别墅，逾年而卒。"知麻希梦卒于宋端拱二年（989），享年九十六。则其擢明经及第时为二十九岁。

诸科二人。

王溥（922—982）生。溥字齐物，并州祁（今属山西）人。其父王祚，历仕后晋、后汉、后周、北宋四朝，晚年以左领军卫上将军致仕。王溥自幼好学，手不释卷。乾祐元年（948 年）户部侍郎王仁裕知贡举，取进士 23 人，以王溥为榜首。王溥及第后即颇受重用，超授秘书郎。后被天雄军节度使、邺都留守、枢密使郭威辟为从事，每为郭威出谋划策，甚被信任。广顺元年（951 年），郭威灭后汉称帝，改国号为周（史称后周），授王溥为左谏议大夫、枢密直学士。次年三月迁中书舍人、翰林学士，加户部侍郎，改端明殿学士。显德元年（954 年）正月，郭威病重，临终前大赦天下、大封群臣，特拜王溥为中书侍郎、同中书门下平章事，此时王溥及第尚不足六年。至世宗柴荣朝，屡出良策，亦倍受宠眷。入宋之初，仍为宰辅，且自右仆射、平章事、监修国史、参知枢密院事加司空。乾德二年（964 年）再三求退，罢相，加太子太保。五年（967 年）晋太子太傅，开宝二年（969 年）迁太子太师。谢恩时，太祖对群臣说："王溥十年为相，三迁一品，福履之盛，近世未见其比。"太宗即位，封祁国公。太平兴国七年（982 年）八月卒，享年六十一岁。辍朝二日，赠侍中、谥文献。《宋史》卷二四九有传。傅璇琮、张忱石、许逸民编撰《唐五代人物传资料综合索引》：唐五代王溥有三：一王溥，太原大房系，遵业十一世孙，字德润，聪子；二王溥，佾子，琅邪系，宏直五世孙；三王溥，字齐物，并州祁人，谥文献。（中华书局，1982 年版，98 页）王溥最大的成就是《唐会要》和《五代会要》的编写，他完成了中国历史上

第一部会要体史书的编撰。会要体史书是断代典章制度史，《四库全书》入“政书”之列。唐代（苏冕）撰《会要》四十卷，行于时。大中七年，崔铉“以馆中学士崔缘、薛逢等撰《续会要》四十卷，献之”。（刘煦等《旧唐书·崔铉传》）苏冕《会要》记自唐初至德宗九朝事，《续会要》则记自德宗至宣宗。王溥即以此二书之八十卷续宣宗后至唐末一百卷。“建隆二年正月奏御，诏藏史馆”［王溥撰《唐会要·唐会要提要》（武英殿聚珍版）］《唐会要》全书共分五百一十四个子目，“于唐代沿革损益之制，极其详核。官号内有识量、忠谏、举贤、委任、崇奖诸条，亦颇载事迹。其细琐典故，不能概以定目者，则别为杂录，附于各条之后。又间载苏冕驳议，义例该备，有裨考证。”（同上）是研究唐史的珍贵史料。《五代会要》三十卷，是根据五代实录写成的五代五十年法制典章史，是《唐会要》成书后的续作。五代战乱频仍，史料缺乏，诸史所存的典章制度的记载更觉简略。《新五代史》只有“司天”、“职方”二考，不少重要制度议论均语焉不详，甚至删除不载。五代的典章制度赖王溥收集旧闻才得以保存。可补五代史之缺，更可纠缪。是研究五代史的极重要的资料。此外王溥还有《周世宗实录》四十卷，《文集》二十卷。《四库全书总目提要》卷八十一：“溥因检寻旧史，条分件系，类辑成编。于建隆二年与《唐会要》并进，诏藏史馆。后欧阳修作《五代史》，仅列《司天》、《职方》二考，其他均未之及。如晋段容、刘昫等之议庙制，周王朴之议乐，皆事关钜典，亦略而不详。又如经籍镂版，自长兴。千古官书，肇端于是，崇文善政，岂宜削而不书？乃一概刊除，尤为漏略。赖溥是编，得以收放失之旧闻，厥功甚伟。至于《租税类》中载周世宗读《长庆集》，见元微之所上《均田表》，因令制素成图，颁赐诸道。而欧史乃云世宗见元微之《均田图》，是直以图为元微之作，乖舛尤甚。微溥是编，亦无由订欧史之谬也。盖欧史务谈褒贬，为《春秋》之遗法；是编务核典章，为《周官》之旧例。各明一义，相辅而行，读《五代史》者又何可无此一书哉？”

楚

徐仲雅（922—?）**生**。《十国春秋》卷七三有传，云：“徐仲雅，字东野，其先秦中人，徙居长沙。有隽才，长于诗文。起家昭顺观察判官。文昭王开天策府，以僚佐拓跋恒等十八人为学士，仲雅年十八，与其列焉。”［按，楚王马希范于天福四年（939）开天策府，设学士，仲雅其年十八岁，上推生于本年］后周世宗显德三年（956），被流放邵州，后不知所终，有集百余卷。《诗话总龟》前集卷三八引《雅言杂载》：“湖南徐仲雅与李弘皋、刘昭禹齐名。所业百余卷并行于世。《耕夫谣》一首云：‘张绪逞风流，王衍事轻薄。出门逢耕夫，颜色必不乐。肥肤如玉洁，力拗丝不折。半日无耕夫，此辈总饿杀。’”《玉壶清话》卷七：“文莹至长沙，首访故国马氏天策府诸学士所著文章，擅其名者，惟徐东野、李弘皋尔。遂得东野诗，浮脆轻艳，皆铅华妩媚，侑一时尊俎尔。其句不过‘牡丹宿醉，兰蕙春悲。霞宫日城，翦红铺翠’而已。独《贻汪居士》一篇，庶乎可采，曰：‘门在松阴里，山僧几度过。药灵圆不大，棋妙子无多。薄雾笼寒径，残风恋绿萝。金乌兼玉兔，年岁奈君何。’”《补五代史艺文志》

录《徐仲雅集》一〇〇卷，今不存。《全唐诗》卷七六二存其诗六首，断句二四；《全唐诗补编·续补遗》卷一四补一首，《全唐诗补编·续拾》卷四九补断句二，诗序一首。

前蜀

二月

试制科，蒲禹卿对策切直，擢为右补阙。《蜀梼杌》卷上："（乾德）四年二月，文明殿试制科。白衣蒲禹卿对策，其略曰：'今朝廷所行者，皆一朝一夕之事，公卿所陈者，非乃子乃孙之谋。暂偷目前之安，不为身后之虑。衣朱紫者，皆盗跖之辈；在郡县者，皆虎狼之人。奸谀满朝，贪淫如市。以斯求治，是谓倒行。'执政皆切齿，欲诛之。衍以其言有益，擢为右补阙。"

杜光庭约于本年或稍后解官隐青城山白云溪。《十国春秋》卷四七本传载光庭于拜传真天师、崇真馆大学士后，"未几解官，隐青城山，号登瀛子，或作东瀛。建飧和阁，奉行上清紫虚吞日月气法"。《蜀梼杌》卷上："隐青城山白云溪。"后条出《清异录》卷一"飧和阁"条，云："蜀天师杜光庭所庐，作飧和阁行如上事。"光庭拜天师、大学士在上年，其解官归隐青城约在本年或稍后。

荆南

齐己仍居荆州龙兴寺，有《渚宫莫问诗一十五首》，述放逸之志。《白莲集》卷五《渚宫莫问诗一十五首》，序云："予以辛巳岁，蒙主人命居龙安寺。察其疏鄙，免以趋奉，爰降手翰，曰：'盖知心在常礼也。'予不觉欣然而作，顾谓形影曰："尔本青山一衲，白石孤禅，今王侯构室安之，给俸食之，使之乐然，万事都外，游息自得，则云泉猿鸟，不必为狎，其放纵若是，夫何系乎？自是龙门墙仞，历稔不复睹，况他家哉！因创莫问之题，凡一十五篇，皆以莫问为首焉。"其一云："莫问疏人事，王侯已任伊。不妨随野性，还似在山时。静入无声乐，狂抛正律诗。自为仍自爱，敢望至公知。"其三云："莫问依刘迹，金台又度秋。威仪非上客，谈笑愧诸侯。礼许无拘检，诗推异辈流。东林未归得，摇落楚江头。"据序之"历稔不复睹"及其三之"金台又度秋"，推知此组诗当作于居荆渚后之第二年。

吴

沈颜（？—922）卒，有作品传世。《十国春秋》卷十一传云："沈颜字可铸，湖州德清人，唐翰林学士传师之孙也。天复初举进士第，授校书郎，属乱离，奔湖南马氏。未几来归，为淮南巡官，累迁礼仪使兵部郎中知制诰，翰林学士，常撰《太祖神道碑》，时人推为巨手。顺义中卒。颜少有词藻，琴弈皆臻神境，时人为之语曰'下水

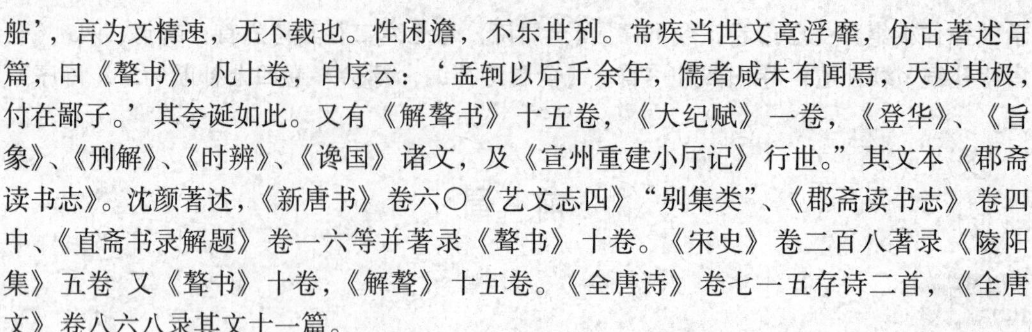

船’，言为文精速，无不载也。性闲澹，不乐世利。常疾当世文章浮靡，仿古著述百篇，曰《聱书》，凡十卷，自序云：‘孟轲以后千余年，儒者咸未有闻焉，天厌其极，付在鄙子。’其夸诞如此。又有《解聱书》十五卷，《大纪赋》一卷，《登华》、《旨象》、《刑解》、《时辨》、《谗国》诸文，及《宣州重建小厅记》行世。”其文本《郡斋读书志》。沈颜著述，《新唐书》卷六〇《艺文志四》“别集类”、《郡斋读书志》卷四中、《直斋书录解题》卷一六等并著录《聱书》十卷。《宋史》卷二百八著录《陵阳集》五卷 又《聱书》十卷，《解聱》十五卷。《全唐诗》卷七一五存诗二首，《全唐文》卷八六八录其文十一篇。

公元923年（后唐庄宗同光元年　前蜀后主乾德五年　南汉高祖乾亨七年　吴睿帝顺义三年　癸未）

后　唐

四月

晋王即皇帝位，大赦，改元。制曰：“内外文武官及诸色人任封事，兼有贤良方正，抱器怀能，或利害可陈，无所隐讳，直言极谏，将一一行之。亦委诸道长吏，具姓名申奏。其贡举之道，诱导为先，切要便行，贵申奖士。委中书门下速商量闻奏。或所在有艺行颇高，为乡闾所推者，并仰准例举选，所司量才任使。”（《册府元龟》）

十月

己卯，灭梁。存勖灭梁后，志气骄满，御下无法，尤宠任伶人。存勖称帝及灭梁等史事，详见《旧五代史》卷二九、《资治通鉴》卷二七二。《全唐诗补编·续拾》卷四一收其《皇帝癸未年膺运灭梁再兴□迎太后七言诗》，《全唐文》卷一〇四收其《亲至怀州奉迎太后敕》，云：“今已剪除元凶，宅居中土……朕今亲至怀州奉迎。”二诗文当作于本年十二月迁都洛阳后。《资治通鉴》卷二七二：同光元年十月，“帝遣使以灭梁告吴、蜀，二国皆惧。徐温尤严可求曰：‘公前沮吾计，今将奈何？’可求笑曰：‘闻唐主始得中原，志气骄满，御下无法，不出数年，将有内变。’”

“帝幼善音律，故伶人多有宠，常侍左右。帝或时自傅粉墨，与优人共戏于庭，以悦刘夫人，优名谓之‘李天下’。……诸伶出入宫掖，侮弄缙绅，群臣愤嫉，莫敢出气。亦反有相附托以希恩泽者，四方藩镇争以货赂结之。其尤蠹政害人者，景进为之首。”又详见《新五代史》卷三七《伶官传》。

十一月

己丑，大赦。诏曰：“侧席求贤，将臻至理；悬旌进善，式赞鸿猷。应名德有称，才艺可取，或隐朝市，遁迹林泉，竝委逐处长吏遍加搜扬，津致赴阙，朕当量才任使。

兼伪庭僭逆已来，凡有冤抑沈滞之人，竝宜特與申雪，仍加迁陟。”（宋王钦若等撰《册府元龟》卷六十八）

十二月

迁都洛阳。

九月

居遁（835—923）卒，年八十九。所作歌行偈颂，广行子世。其门徒编为一集，齐己为作序。今存九十七首，除阐释禅理外，亦咏及僧人日常生活。《祖堂集》卷八、《宋高僧传》卷一三、《景德传灯录》卷一七有传。《景德传灯录》卷一七本传：“湖南龙牙山居遁禅师抚州南城人也。姓郭氏。年十四于吉州满田寺出家，后往嵩岳受戒，乃杖锡游诸禅会，因参翠微和尚。问曰：学人自到和尚法席一个余月。每日和尚上堂不蒙一法示诲。意在于何。翠微曰：‘嫌什么?’有僧举前语问洞山，洞山云：‘阇梨争怪得老僧。’法眼别云：‘祖师来也。’东禅齐云：‘此三人尊宿语还有亲疎也无。若有阿那个亲。若无亲疎眼在什么处?’又谒德山问曰：‘远闻德山一句佛法。及乎到来未曾见和尚说一句佛法。’德山曰：‘嫌什么?’师不肯乃造洞山如前问之，洞山曰：‘争怪得老僧。’师复举德山头落语，因自省过，遂止于洞山随众参请。一日问：‘如何是祖师意。’洞山曰：‘待洞水逆流。’即向汝道，师从此始悟厥旨。复抠衣八稔，受湖南马氏请，住龙牙山妙济禅苑。号‘证空大师’。有徒五百余众法无虚席，上堂示众曰：‘夫参学人须透过祖佛始得。’新丰和尚云：‘祖教佛教似生怨家，始有学分，若透祖佛不得即被祖佛谩去。’时有僧问：‘祖佛还有谩人之心也无?’师曰：‘汝道江湖还有碍人之心也无。’又曰：‘江湖虽无碍人之心，为时人过不得，江湖成碍人去，不得道江湖不碍人。祖佛虽无谩人之心，为时人透不得。祖佛成谩人去，不得道祖佛不谩人。若透得祖佛过，此人过却祖佛也，始是体得祖佛意，方与向上古人同。如未透得，但学佛学祖，则万劫无有得期。’又问。如何得不被祖佛谩去。师曰：‘则须自悟去。’师在翠微时问如何是祖师意？翠微曰：‘与我将禅板来。’师遂过禅板。翠微接得便打。师曰：‘打即任打要。且无祖师意。’……师梁龙德三年癸未八月示有微疾。九月十三日夜半大星陨于方丈前。诘旦端坐而逝。寿八十有九。”《祖堂集》卷八本传：“凡歌行偈颂，并广行于世。”《全唐诗补编·续拾》卷四八录其偈颂九十七首，并录齐己所作序云：“禅门所传偈颂，自二十八祖止于六祖，已降则亡，厥后诸方老宿亦多为之，盖以吟畅玄旨也。非格外之学，莫将以名句拟议矣。洎咸通初，有新丰、白崖二大师所作，多流散于禅林，虽体同于诗，厥旨非诗也。迷者见之，而为抚掌乎？近有升龙牙之门者，编集师集，乞余序之。龙牙之嗣新丰也，凡托象寄妙，必含大意，犹夫骊颔蚌胎，炬耀波底，试捧玩味，但觉神虑澄荡，如游寥廓，皆不若文字之状矣。且曰鲁仲尼与温伯雪子，扬眉瞬目，何妨言语哉。乃为之序云耳。”

闽

韩偓（842—923）卒，年八十二。郑诚之为哀词。有《金銮秘记》五卷，已佚。又有《韩偓诗》、《香奁集》各一卷，今存。《唐才子传》卷九："偓，字致尧，京兆人。龙纪元年礼部侍郎赵崇下擢第。天复中，王溥荐为翰林学士，迁中书舍人。从昭宗幸凤翔，进兵部侍郎、翰林承旨。尝与崔胤定策诛刘季述。昭宗反正，论为功臣。帝疾宦人骄横，欲去之。偓画策称旨，帝前膝曰：'此一事终始以属卿。'偓因荐座主御史大夫赵崇，时称能让。李彦弼倨甚，因谮偓漏禁省语，帝怒曰：'卿有官属，日夕议事，奈何不欲我见韩学士耶。'帝励精政事，偓处可机密，卒与上意合。欲相者三四，让不敢当。偓喜侵侮有位，朱全忠亦恶之，乃构祸贬濮州司马。帝流涕曰：'我左右无人矣！'天祐二年，复召为学士，偓不敢入朝，挈其族南依王审知而卒。偓自号'玉山樵人'。工诗，有集一卷。又作《香奁集》一卷，词多恻艳新巧，又作《金銮密记》五卷，今并传。"《梦溪笔谈》卷十七："唐韩偓为诗极清丽，有手写诗百余篇，在其四世孙奕处。偓天复中避地泉州之南安县，子孙遂家焉。庆历中，予过南安见奕，出其手集，字极淳劲可爱。后数年，奕诣阙献之。以忠臣之后，得司士参军，终于殿中丞。又余在京师见偓《送翟光上人》诗，亦墨迹也，与此无异。"沈括《梦溪笔谈》卷十六云："和鲁公凝有艳词一编，名《香奁集》。凝后贵，乃嫁其名为韩偓，今世传韩偓《香奁集》，乃凝所为也。凝生平著述，分为《演纶》、《游艺》、《孝悌》、《疑狱》、《香奁》、《籝金》六集。自为《游艺集》序云：'予有《香奁》、《籝金》二集，不行于世。'凝在政府，避议论，讳其名；又欲后人知，故于《游艺集》序实之，此凝之意也。予在秀州，其曾孙和惇家藏诸书，皆鲁公旧物，末有印记甚完。"沈德潜《唐诗别裁集》选韩偓诗三首。《新唐书·艺文志》杂史类录偓《金銮秘记》五卷，别集类录《韩偓诗》一卷，《香奁集》一卷。《直斋书录解题》卷一九诗集类录《香奁集二卷》、《入内廷后诗集》一卷，《别集》三卷；卷五杂史类录《金銮秘记》三卷。《金銮秘记》已散佚，《通鉴考异》、《唐人说荟》等尚存若干条。其集传世本系统有二，其一为大体编年者，见《唐音统签·戊签》收韩集四卷，《香奁集》二卷；汲古阁本《香奁集》一卷，《韩内翰别集》一卷；武强贺氏刻《韩内翰别集》三卷，《香奁集》三卷，补遗一卷。其二为分体不编年者，见《四部丛刊》影旧抄本《玉山樵人集》一卷，《香奁集》一卷。

前　蜀

十二月

昙域编纂、雕印其先师贯休诗文千首为《禅月集》三十卷，并撰后序。卒年未详。有《龙华集》十卷，《补说文解字》三十卷，今皆不存。昙域《禅月集后序》（贯休《禅月集》卷末附）："暇日或勋贤见访，或朝客相寻，或有念先师所制一篇两篇，或记三句五句，或未闲深旨，或不晓根源，众请昙域编集前后所制歌诗文赞，曰：‘有见问，不暇枝梧。’遂检稿草及暗记忆者，约一千首。乃雕刻版部，题号《禅月集》。昙域虽承师训，艺学无闻。曾奉告言，辄直序事。时大蜀乾德五年癸未岁十二月十五日序。”［按，此为雕板刻印文集之始，见《四库全书总目》之《禅月集》提要。域卒年未详］《宋高僧传》卷三〇贯休传附传：“重集许慎《说文》，见行于蜀。有诗集，亚师之体也。”《秘目》卷一录“僧昙域《补说文解字》三十卷”，《宋史·艺文志》录此书同，另录其《龙华集》三十卷。今并不传。《全唐诗》八四九存诗三首。《全唐文》卷九二二存其文二篇。

荆　南

齐己仍居荆州龙兴寺，为居遁《偈颂》作序，年六十岁。《全唐诗补编·续拾》卷四八录居遁《偈颂》，并附序，云：“序为南岳齐己撰。”居遁卒于本年，参楚居遁条；序亦约当作于是年。

梁震仍居荆南为高氏宾客。十月，唐庄宗灭梁，高季兴欲入朝，震谏止之，不从。季兴入朝，果险遭不测，十二月，返江陵，谢震。龙德元年（921）至后晋天福二年间，与齐己过往酬唱。《资治通鉴》卷二七二：同光元年十月，“荆南节度使高季昌闻帝灭梁，避唐庙讳，更名季兴，欲自入朝，梁震曰：‘唐有吞天下之志，严兵守险，犹恐不自保，况数千里入朝乎。且公朱氏旧将，安知彼不以仇敌相遇乎。’季兴不从。”十二月，“高季兴在洛阳，帝左右伶官求货无厌，季兴忿之。帝欲留季兴，郭崇韬谏曰：‘陛下新得天下，诸侯不过遣子弟将佐入贡，惟高季兴身自入朝，当褒赏以劝来者，乃羁留不遣，弃信亏义，沮四海之心，非计也。’乃遣之。季兴倍道而去，至许州，谓左右曰：‘此行有二失：来朝一失，纵我去一失。’过襄州，节度使孔勃留宴，中夜，斩关而去。丁酉，至江陵，握梁震手曰：‘不用君言，几不免虎口。’”《五代史补》卷四“梁震裨赞”条亦详载此事。齐己《白莲集》卷九有《荆渚病中回思匡庐遂成三百字寄梁先辈》。《五代史补》卷四“梁震裨赞”条：“末年尤好篇咏，与僧齐己友善，贻之诗曰：‘陈琳笔砚甘前席，角里烟霞忆共眠。’盖以写其高尚之趣也。”［按，此联诗见《白莲集》卷九《寄梁先辈》，全诗云：“慈恩塔下曲江边，别后多应梦到仙。时去与谁论此事，乱来何处觅同年。陈琳笔砚甘前席，角里烟霞待共眠。爱惜麻衣好颜色，未教朱紫污天然。”］齐己以龙德元年至江陵，约卒是冬至下年春间。

公元924年（后唐庄宗同光二年　前蜀后主乾德六年　南汉高祖乾亨八年　吴睿帝顺义四年　甲申）

后　唐

唐国政紊乱。“郭崇韬初至汴、洛，颇受藩镇馈遗，所亲或谏之，崇韬曰：‘吾位兼将相，禄赐巨万，岂藉外财！但以伪梁之季，贿赂成风，今河南藩镇，皆梁之旧臣，主上之仇雠也，若拒，其意能无惧乎！吾特为国家藏之私室耳。’及将祀南郊，崇韬首献劳军钱十万缗。先是，宦官劝帝分天下财赋为内外府，州县上供者入外府，充经费，方镇贡献者入内府，充宴游及给赐左右。于是外府常虚竭无余 而内府山积。及有司办郊祀，乏劳军钱，崇韬言于上曰：‘臣已倾家所有以所助大礼，愿陛下亦出内府之财以赐有司。’上默然久之，曰：‘吾晋阳自有储积，可令租庸辇取以相助。’于是取李崇韬私第金帛数十万以益之，军士皆不满望，始怨恨，有离心矣。”见《资治通鉴》卷二七三本年二月记，《资治通鉴》并云：“是时皇太后诰、皇后教，与制敕交行于落镇，奉之为一。”胡三省注二：“妇言与王言并行，自古乱政未有如同光之甚者也。”

本年崔光表、张砺、窦贞固等十四人登进士第。户部侍郎赵颀知贡举。见《登科记考》卷二五。

崔光表，宋韩魏公《安阳集》、《故尚书工部侍郎致仕赠工部尚书崔立行状》：“曾祖光表，清河大房休之后十二世孙也。后唐同光初举进士第一，终右补阙，直史馆。”[按，进士第一，当是状元] 同光元年停质举，则光表为二年状元矣。《旧五代史》：“崔周度，父光表，举进士甲科。”

张砺，《旧五代史》卷九十八（晋书）本传：“砺字萝臣，磁州滏阳人也。祖庆，父宝，世为农。砺幼嗜学，有文藻，唐同光初擢进士第。寻拜左拾遗，直史荫。会郭崇韬伐蜀，奏请砺掌军书。”

窦贞固，徐松考云：“《宋史》卷二百六十二本传：‘贞固字体仁，同州白水人。父专。贞固同光中举进士，补万全主簿。’”

明经科：

马缟，《旧五代史》卷七十一（唐书）本传：“马缟少嗜儒学，以明经及第，登拔萃之科。《新五代史》本传亦云：“少举明经，又举宏词。”《弘治保定郡志》卷十一：“同光二年明经诸科八十八人。举明经、宏辞二科，马缟，唐人。”

诸科二人：

郭忠恕，同光二年，童子登科，见《册府元龟》。《五代史补》卷五：“郭忠恕，七岁童子及第，富有文学，尤工篆隶。尝有人于龙山得鸟迹篆，忠恕一见，辄诵如宿习。乾祐中，湘阴公镇徐州，辟为推官。周祖之入京师也，少主崩于北岗，周主命宰相冯道迎湘阴公，将立之。至宋州，高祖已为三军推戴，忠恕知事变，乃正色责道曰：‘令公累朝大臣，诚信著于天下，四方谈士无贤不肖，皆以为长者，今一旦返作脱空汉，前功业并弃，令公之心安乎？’道无言对。忠恕因劝湘阴公杀道以奔河东，公犹豫未决，遂及于祸。忠恕窜迹久之，晚年尤好轻忽，卒以此败，坐除名配流焉。”王禹偁《五哀诗》故园子博士郭公忠恕诗云：“在昔举神童，广场推杰出。《尚书》诵在口，《何论》落自笔。总角取科名，弱冠纡樱绂。”

知贡举：户部侍郎赵颀。《旧五代史·唐纪》：“三月，户部侍郎、知贡举赵颀卒，以中书舍人裴皞权知贡举。九月戊申，以中书舍人、权知贡举裴为礼部侍郎。”[按，颀卒于三月，是在放榜后也]

李中（924？—975？）生。字有中，九江（今属江西）人，郡望陇西。有《碧云集》。《碧云集》是现存五代仕宦作家别集中较为完整的一个本子。李中少年时即随父由洛阳南迁至九江之滋城，寓居多年。李升篡吴之后，李中曾入庐山国学苦读。后晋天福八年（943）李昪病卒，李中为作《挽歌》，而此时其家已由谧城再迁至南唐首都金陵。李中在南唐初依陈太师（疑即陈觉）达十年之久，后周显德初年从军淮西。周师尽占江北以后，李中羁留淮西，为下蔡县宰。显德六年上表请归，回到南唐，其爱弟正放此时夭亡于金陵家中。南归之后；他四处请托才得重仕，先后任职于吉水、晋陵、新喻、安福、淦阳等县，宋灭南唐前夕仍在淦阳任上。其后行迹无考，或未仕宋，或仕宋官不达。南唐诗人孟宾于为《碧云集》作序云："乱后江南郑都官、王贞白，用情创意，不共辙，不同途，俱不及矣。今观淦阳宰陇西李中，字有中，缘情入妙，丽则可知。出示全编，备多奇句，乃为言曰：'且名随榜上者众，艺逐云高者稀。今之人只俦方干，贾岛长江向须第一者哉。'公理淦民，饮淦水，清白著矣，歌咏兴焉。……以公五七言兼六言三百篇，目曰《碧云集》。癸酉年八月五日序。"据此，李中乃陇西人。然元辛文房《唐才子传》卷十又称："中字有中，九江人也。"李中诗十分注重对句的锤炼，尤其是五七言律诗的领联。孟宾于在《碧云集序》中用"备多奇句"来概括李中诗的艺术特点，为了使其说信而有征，《序》文中列举所谓"举叹之词"、"比兴之言"凡二十八联。其末云："乃为言曰：且名随榜上者众，艺逐云高者稀。今之人只侍方干处士，贾岛长江向须第一者哉。"显然，孟宾于是将李中视为贾岛、方干的同路了。南宋晁公武《郡斋读书志》卷四谨从此说，元辛文房《唐才子传》卷十云："孟宾于赏其工吟，绝似方干、贾岛之徒，时复过之。"李中虽非晚唐人，然其于五七言律诗中特别注重领联的作法，明显与晚唐人，尤其是与晚唐五代的苦吟诗人一脉相承，绝似方干、贾岛，多"惊人泣鬼之语"（《唐才子传》）。清吴乔《围炉诗话》评曰："李中诗虽浅，而有闲淡之致。"《郡斋读书志》卷四中录此集为二卷。今传，为三卷，合共三一〇篇，与孟序所述略合。《全唐诗》卷七四七至七五〇编其诗为四卷，《全唐诗·蟠根集》又辑补二十五首。

前　蜀

王衍仍为蜀主。三月，宴怡神亭。四月，唐遣李严使蜀，严返，奏衍荒淫失政，建议伐蜀。《资治通鉴》卷二七三：同光二年，"三月己亥朔，蜀主宴近臣于怡神亭，酒酣，君臣及宫人皆脱冠露髻，喧哗自恣。"四月，"帝遣客省使李严使于蜀。严盛称帝威德，有混一天下之志。且言朱氏篡窃，诸侯曾无勤王之举。王宗俦以其语侵蜀，请斩之，蜀主不从。宣徽北院使宋光葆上言：'晋王有凭陵我国家之志，宜选将练兵，屯戍边鄙，积糗粮，治战舰以待之。'蜀主乃以光葆为梓州观察使，充武德节度留后。……戊申，蜀主遣李严还。初，帝因严入蜀，令以马市宫中珍玩，而蜀法禁锦绮珍奇不得入中国，其粗恶者乃听入中国，谓之'入草物'。严还，以闻，帝怒曰：'王衍宁免为入草之人乎！'严因言于帝曰：'衍童騃荒纵，不亲政务，斥远故老，昵比小人。其用事之臣王宗弼、宋光嗣等，谄谀专恣，黩货无厌，贤愚易位，刑赏紊乱，君臣上下专以奢淫相尚。以臣观之，大兵一临，瓦解土崩，可翘足而待也。'帝深以为然。"十二月，"初，唐僖、昭之世，宦官虽盛，未尝有建节者。蜀安重霸劝王承休求秦州节度使，承休言于蜀主曰：‘秦州多美妇人，请为陛下采择以献。’蜀主许之，庚午，以承休为天雄节度使，封鲁国公。以龙武军为承休牙兵。”胡三省注云：“史言蜀政之乱有唐末之所无者。”

公元925年（后唐庄宗同光三年　前蜀后主咸康元年　南汉高祖白龙元年　吴睿帝顺义五年　乙酉）

后　唐

本年，王徹、桑维翰、符蒙、成僚四人登进士第。礼部侍郎裴皞知贡举。（见《登科记考》卷二五）

王徹为本年状元。《宋史·王佑传》：“大名莘人。父徹，举后唐进士，至左拾遗。”即宋王旦之祖，亦见旦传。《玉芝堂谈荟》作“澈”，又谓是王旦曾祖，皆误。四部丛刊本《欧阳文忠公文集》卷二十一《尚书度支郎中天章阁待制王公（质）神道碑铭并序》：“公讳质，字子野，其先大名莘人。自唐同光初，公之皇曾祖鲁公举进士第一，显名当时，官至右拾遗，历（原注。一有仕字。）晋、汉、周。”则徹为是年状元。《宋太宗实录》卷四十二：“（王）佑字景叔，魏郡人也。父徹，唐同光初与桑维翰同年登进士第，授晋昌军节度推官，拜右拾遗。佑少孤，笃志词学，性倜傥而俊急，遇事辄发，中无所隐。洎维翰入相，佑以父同年门生裁书自陈。维翰奇之，礼待甚厚。自是文价日重。”又宋祝穆撰《古今事文类聚》前集卷二十九《仕进部》“待年家子”条：“五代王佑父徹，同光与桑维翰同年登第。”

桑维翰，《旧五代史》卷八十九（《晋书》）本传：“维翰字国侨，洛阳人也。父珙。维翰性明慧，善词赋，唐同光中登进士第。”《春渚纪闻》：“桑维翰试进士，有因嫌其姓黜之。或劝勿试，维翰持铁砚示人曰：‘铁砚穿，乃改业。’著《日出扶桑赋》以见志。”《洛阳搢绅旧闻记》：“桑魏公父珙为河南府客时，桑魏公将应举。父乘间告齐王张全义曰：‘某男粗有文性，今被同人相牵欲取解，俟王旨。’齐王曰：‘有男应举好，可令秀才将卷轴来。’魏公之父趋下再拜。既归，令子侵早投书檄，献文字数轴。王请见魏公，父教之趣阶，王曰：‘不可。既应举，便是贡士，可归客司。’谓魏公父曰：‘他道路不同，莫管他。’终以客礼见。王一见奇之，礼遇颇厚。是年，王力言于当时儒臣，由是擢上第。”《旧五代史·陈保极传》：“初，桑维翰登第之岁，保极时在秦王幕下。因戏谓同辈曰：‘近知今岁有三个半人及第。’盖其年收四人，保极以维翰短陋，故谓之半人也。”

符蒙，初为状元，复试为第三。《直斋书录解题》卷一九录《符蒙集》一卷，云：“题符侍郎，同光三年进士也。同年四人，蒙初为状头，复试为第四。”《登科记考》卷二五同光三年则据《册府元龟》、《五代会要》等，考蒙初为是年状元，复试为第三，兹从之。

成僚。皆见上明经科。

胡昌翼。《弘治徽州府志》卷六：“婺源人，以明经登后唐同光乙酉进士第。”嘉靖

《新安名族志》上卷《胡姓·婺源·考水》载："在邑北三十里，其先出陇西李唐宗室之后。朱温篡位，诸王播迁，曰昌翼者逃于婺源，就考水胡氏以居，遂从其姓。同光乙酉以明经登第,义不仕。子孙世以经学传,乡人习称为明经胡氏。"是知为明经擢第。又《江南通志》卷四十一《舆地志·祠墓》:"明经墓在婺源县考川,祀唐胡昌翼。"

知贡举：礼部侍郎裴皞。孟按：宋孙逢吉撰《职官分纪》卷十《礼部侍郎》"不迎送门生"条："五代后唐同光初，裴皞拜礼部侍郎，前后三知贡举。晋高祖时宰相桑维翰亦成名于裴皞榜下。"又，宋祝穆撰《古今事文类聚前集》卷二十八《仕进部》"受门生谒"条引《郡阁雅谈》："桑维翰亦裴皞之门生。"

李昉（925—996）生。昉，字明远，深州饶阳人。历仕后晋、后汉、后周、北宋，宋太宗时曾两度拜相，是典型的循吏。李昉一生中做的最有价值的贡献，就是主持编纂了享誉古今的北宋四大部类书《太平御览》、《太平广记》、《文苑英华》与《册府元龟》中的前三部，在中国文化史上占有十分重要的地位，而官修《宋史》为李昉作传时对此事只字不提。李昉主编《太平广记》，除了在中国文化史上具有前述创新意义外，在类书编纂学上尚有以下特色：1. 门目清楚。该书按题材分为92大类，附以150多个细目。编引的每一个故事，均标出小题，并摘抄原书中的一段或数段，还注明所摘书名，这样极便于读者查核。对每个大类，又视内容的多少，以定卷数之多寡。如"神仙"类共有55卷，"山类"、"石类"各一卷。这种编纂方法，使读者开卷之初，就对其内容多寡有一个整体认识。鲁迅先生在《中国小说史略》中，曾评价其"不特稗说之渊海，且为文心之统计矣。"2. 注意故事的完整性。前代有些类书，亦多少涉及野史小说内容，但多有断章摘句的弊病。李昉在主编《太平广记》时，则力求故事的完整性，"卷帙轻者，往往全部收入"。比如，卷3为"神仙"类之三，整卷只录"汉武帝"一则，几近万字，编者把《汉武故事》中关于汉武帝好神仙之事征引殆尽，使读者对此一目了然。最具有代表性的是卷484至卷492所编"杂传记"类，共收录《长恨传》、《莺莺传》等14种唐代传奇，多数长达数千言，皆全文编录。3. 征引广博。据近代学者邓嗣禹《〈太平广记〉篇目及引书引得》统计，该书共征引书籍475种。这些书籍，集先秦至宋初野史小说之大成，真可谓"古来轶闻、琐事、僻复、遗文咸在焉"。因而，《太平广记》被四库馆臣誉为"小说家之渊海"。其中所存留的野史小说，其单行本今天半数以上都已散佚，就是残留的也有不少残阙和错讹之处，现在就只能依据《太平广记》来作辑佚和校勘了。鲁迅先生殚精竭虑"钩沉"中国古代小说时，就颇得力于这部大书。这些野史小说资料，在中国文学史、宗教思想史、社会风俗史诸学科研究中也具有十分重要的价值。这为保存唐代传奇这朵文学奇葩原貌，以及促进宋元评话、杂剧和明清小说、戏剧的发展，贡献匪浅。《宋史》卷二六五传云：李昉，字明远，深州饶阳人。父超，晋工部郎中、集贤殿直学士。从大父右资善大夫沼无子，以昉为后，荫补斋郎，选授太子校书。汉乾祐举进士，为秘书郎。宰相冯道引之，与吕端同直弘文馆，改右拾遗、集贤殿修撰。周显德二年，宰相李谷征淮南，昉为记室。世宗览军中章奏，爱其辞理明白，已知为昉所作，及见《相国寺文英院集》，乃昉与扈蒙、崔颂、刘衮、窦俨、赵逢及昉弟载所题，益善昉诗而称赏之曰："吾久知有此人矣。"师还，擢为主客员外郎、知制诰、集贤殿直学士。四年，加史馆修撰、判馆事。是年冬，世宗南征，从至高邮，会陶谷出使，内署书诏填委，乃命为屯田郎中、翰林学士。六年春，丁内艰。恭帝嗣位，赐金紫，宋初加中书舍人。建隆三年，罢为给事中。四年，平湖湘，受诏祀南岳，就命知衡州，逾年代归。陶谷诬奏昉为所亲求京畿令，上怒，召吏部尚书张昭面质其事。昭老儒，气直，免冠上前，抗声云："翊罔上。"上疑之不释，出昉为彰武军行军司马，居延州为生业以老。三岁当内徙，昉不愿。宰相荐其可大用，开宝二年，召还，复拜中书舍人。未几，直学士院。三年，知贡举。五年，复知贡举。秋，预宴大明殿，上见昉坐卢多逊下，因问宰相，对曰："多逊学士，昉直殿尔。"即令真拜学士，令居多逊上。昉之知贡举也，其乡人武济川预选，既而奏对失次，昉坐左迁太常少卿，俄判国子监。明年五月，复拜中书舍人、翰林学士。冬，判吏部铨。时赵普为多逊所构，数以其短闻于上，上询于昉，对曰："臣职司书诏，普之所为，非臣所知。"普寻出镇，多逊遂参知政事。……明年，昉年七十，以特进、司空致事，朝会宴飨，令缀宰相班，岁时赐予，益加厚焉。至道元年正月望，上观灯乾元楼，召昉赐坐于侧，酌御樽酒饮之，自取果饵以赐。上观京师繁盛，指前朝坊巷省署以谕近臣，令拓为通衢长廊，因论："晋、汉君臣昏暗猜贰，枉陷善良，时人不聊生，虽欲营缮，其暇及乎?"昉谓："晋、汉之事，臣所备经，何可与圣朝同日而语。若今日四海清晏，民物阜康，皆陛下恭勤所致也。"上曰："勤政忧民，帝王常事。朕不以繁华为乐，盖以民安为乐尔。"因顾侍臣曰："李昉事朕，两入中书，未尝有伤人害物之事，宜其今日所享如此，可谓善人君子矣。"二年，陪祀南郊，礼毕入贺因拜舞仆地，台吏掖之以出，卧疾数日薨，年七十二。赠司徒，谥文正。据本传及《宋史》卷四，昉卒至道二年（996），年七十二，上推生于本年。昉诗学白居易，内容多为唱和酬答，造语浅俗。《青箱杂记》云："昉诗务浅切，效白乐天体。晚年与参政李公至为唱和友，而李公诗格亦相类，今世传《二李唱和集》是也。"有文集五十卷，已佚，今《二李唱和集》传世。

九月

薛廷圭（？—925）卒。《旧五代史》卷六八传云："同光三年九月卒。赠右仆射。所著《风阁词书》十卷、《客家志》五卷，并行于世。初，廷圭父逢，著《凿混沌》、《真珠帘》等赋，大为时人所称。廷圭既壮，亦著赋数十篇，同为一集，故目曰《客家志》。"同书卷三三《庄宗本纪》亦载，本年九月，"太子少师致仕薛廷圭卒，赠右仆射"。廷圭著述，《新唐书》卷六〇《艺文志四》"别集类"著录《风阁词书》十卷。《全唐文》卷八三七、八三八存其文六十四篇。

闽

十二月

闽王王审知卒，子延翰继立，自称威武留后。（见《资治通鉴》卷二七四）据《文史》卷二十八官桂铨、官大梁文，1981 年福州市郊出土王审知墓志，翁承赞撰。

墓志署“门吏福建盐铁发运副使太中大夫守右谏议大夫上柱国赐紫金鱼袋翁承赞撰”。

颜仁郁本年前仕闽为泉州归德场长。仁郁，字文杰，生卒年不详。有诗百篇，邑人传唱，号“颜长官诗”。《十国春秋》卷九六本传：“颜仁郁，泉州人。仕太祖为归德场长。时土荒民散，仁郁抚之。一年襁负至，二年田莱辟，阅三岁而民同足。有诗百篇，宛转回曲，历尽人情，邑人途歌巷唱之，号‘颜长官诗’。”太祖当指王审知，卒同光三年十二月。又同书卷一一二《十国地理表》下，归德场属泉州，后唐长兴三年（928）改为归德县，后改称德化县。则颜仁郁任归德场长在本年前。《全唐诗》卷七六三存其诗二首，小传云：“字文杰”，其或有据。

前　蜀

王衍仍为蜀主。三月，宴怡神亭。九月，与太后、太妃等游青城山、阳平化、三学山，赋诗作词。唐发兵伐蜀。衍以私王承休妻，将东游秦州，蒲禹卿上表切谏，不听。十月，衍发成都，一路与群臣赋诗唱和。十一月，还成都。王宗弼劫衍及太后等降唐。唐军入成都，衍与百官出降。《鉴戒录》卷七“亡国音”条：“王后主咸康年，昼作鬼神，夜为狼虎，潜入诸宫内，惊动嫔妃，老小奔走，往往致卒。或狂游玉垒，书王一夫于介楼。或醉幸青城，溺内家于灌口，数举行脂粉，频作戎装。又内臣严凝月等，竞唱《后庭花》、《思越人》，及搜求名公艳丽绝句，为《柳枝词》，君臣同座，悉去朝衣，以昼连宵，弦管喉舌相应，酒酣则嫔御执卮，后妃填辞，合手相招，醉眼相盼，以至履舄交错，狼藉杯盘。是时淫风大行，遂亡其国。”《蜀梼杌》卷上：“咸康元年，十月，衍还成都。是月，庄宗遣兴庆宫使魏王继岌、枢密使郭崇韬来伐，中外皇骇。衍有所私秦州节度使王承休妻严氏，至是自统精兵入秦州，以巡边为名，左右切谏皆不听。补阙蒲禹卿上疏，衍不纳。”《太平广记》卷二四一引《王氏闻见录》：“至十月三日，发离成都。四日到汉州，风州王承捷飞驿骑到秦云：‘东朝差兴圣令公，统军十余万，取九月到凤州。’少主犹谓臣下设计，要沮其东行。曰：‘朕恰要亲看相杀，又何患乎？’不顾而进。上梓潼山，少主有诗云：‘乔岩簇冷烟，幽径上寒天。下瞰峨嵋岭，上窥华岳巅。驱驰非取乐，按幸为忧边。此去将登陟，歌楼路几千？’宣令从官继和，中书舍人王仁裕和曰：‘采仗拂寒烟，鸣驺在半天。黄云生马足，白日下松巅。盛德安疲俗，仁风扇极边。前程问成纪，此去尚三千。’成都尹韩昭、翰林学士李浩弼、徐光浦并继和。”至剑州西，有虎攫人，衍命从臣各赋诗，王仁裕与翰林学士李浩弼等皆有诗。“至剑门少主乃题曰：‘缓辔逾双剑，行行蹑石棱。作千寻壁垒，为万祀依凭。道德虽无取，江山粗可矜。回看城阙路，云叠树层层。’后侍臣继，成都尹韩昭和曰：‘闭关防外寇，孰敢振威棱。险固疑天设，山河自古凭。三川奚所赖，双剑最甚矜。鸟道微通处，烟霞锁百层。’王仁裕和曰：‘孟阳曾有语，刊在白云棱。李杜常挨托，孙刘亦恃凭。庸才安可守，上德始堪矜。暗指长天路，浓峦蔽几层。’又命制《秦中父老望幸赋》一首进之。今亡其本。过白卫岭，大尹韩昭进诗曰：‘吾王巡狩为安边，此去秦亭尚数千。夜照路歧山店火，晓通消息戍瓶烟。为云巫峡虽神女，跨风秦楼是谪仙。八骏似龙人似虎，何愁飞过大漫天。’少主和曰：‘先朝神武力开边，画断封疆四五千。前望陇山屯剑戟，后凭巫峡锁烽烟。轩皇尚自亲平寇，嬴政徒劳爱学仙。想到隗宫寻胜处，正应莺语暮春天。’王仁裕和曰：‘龙旆飘摇指极边，到时犹更二三千。登高晓蹋峻岩石，冒冷朝充断续烟。自学汉皇开土宇，不同周穆好神仙。秦民莫遣无恩及，大散关东别有天。’”《蜀梼杌》：“十一月，衍至成都，宫人及百官迎谒于七里亭，衍入妓妾中，作回纥队以趋城中。”

冯涓仕蜀至御史大夫，卒于乾化中至本年前。涓性滑稽，诗多讥讽，尤长于章奏。著有《南冠集》、《梁川集》、《龙吟集》、《长乐集》等。《太平广记》卷二五七引《王氏见闻录》：“及伪蜀开国，（涓）终不肯居宰辅。”《宋高僧传》卷二二《周伪蜀净众寺僧缄传》：“释僧缄者，俗名缄也，姓王氏，京兆人。少而察慧，辞气绝群。大中十一年，杜审权下对策成事，秘书监冯涓即同年也。……后唐同光三年入蜀，寻访冯涓，已死矣。”《鉴戒录》又云：“前蜀冯大夫涓，恃其学富，所为轻薄，然于清苦直谏，比讽箴规，章奏悉干教化。所著文章，迥超群品，诸儒称之为大手笔矣。太祖问击枪之戏创自谁人。大夫对曰：‘丘八所置。’上为大契。又与相座王司空锴等小酌，巡故字令。锴举一字三呼，两物相似。锴令曰：‘乐乐乐，冷淘似博饨。’涓曰：‘巳巳巳，驴粪似马屎。’合座大哈，涓独不笑，但仰视长啸而已。凡所举措讥诮，多如此焉。太祖为蜀王时，方构大业，莫不赋舆增益，转运烦苛，百姓困穷，无敢言者。因太祖生辰，大夫独献一歌，先纪王功，后陈生聚。太祖曰：‘如卿忠说，寡人王业何忧。’遂赐黄金十斤，以旌礼谏。于是徭役稍减矣。……又著《檄龙文》、《大虫榜》、《险竿歌》，无非比讽，为世所称。”《十国春秋》卷四〇本传：“涓性滑稽，语多讥诮。生平尤工于章奏。”

李珣，字德润，其先为波斯国人，随僖宗入蜀，后居梓州，遂为梓州（今四川三台）人。珣于唐末曾屡为宾贡进士，未第。著有《南海药谱》、《琼瑶集》等，有诗词传世。《十国春秋》卷四四有传，云：“李珣，字德润，梓州人，昭仪李舜弦之兄也。珣以小词为后主所赏。”《花间集》卷一〇录珣词，称“李秀才”，知曾为进士。《鉴戒录》卷四“斥乱常”条：“宾贡李珣字德润，本蜀中土生波斯也。少小苦心，屡称宾贡。所吟诗句，往往动人。尹校书鹗者，锦城烟月之士，与李生常为善友。遽因戏语嘲之，李生文章扫地而尽。”《茅亭客话》卷二“李四郎”条亦云：“李四郎，名玹，字廷仪，其先波斯国人，随僖宗入蜀，授率府率。兄珣，有诗名，预宾贡焉。”“宾贡”为宾贡进士之简称，指异域人而在中国应进士者。前蜀曾于乾德四年（922）二月开制举五科，后主亲试，见《蜀梼杌》卷上。按后主于后宫妃嫔极为纵容，珣妹为昭仪，若珣应举，当能擢取。后蜀于广政十三年（950）始置贡举，与珣生活年代不相符。则珣为宾贡，应为唐末时事。《花间集》称其“秀才”，知未登第。综上各条，可推知珣之祖先本波斯人，其父于僖宗时入蜀，居梓州，遂为梓州人。珣于唐末曾屡为宾贡进士而未登第。前蜀时久居成都，以小词为后主所赏，并与尹鹗为友。卒年未详。《碧鸡漫志》卷五：“李珣《琼瑶集》有《凤台》一曲，注云‘俗谓之《喝驮子》’，不载宫调。”又云：“（《长命女》曲）伪蜀李珣《琼瑶集》亦有之。”知此集为词别集。同书又云珣有《后庭花》、《何满子》、《倒排甘州》诸曲，当皆见《琼瑶集》，今均不存。《十国春秋》本传亦云：“所著有《琼瑶集》若干卷。”今不存。《全唐诗》卷七六〇收

其诗三首，卷八九六收其词五十四首，其中《渔歌子》三首已见于诗；此五十四首词中，三十七首出《花间集》，十七首出《尊前集》（后书另录有一首与前书重见者）。《全唐诗补编·续拾》卷五二补断句一。

公元 926 年（后唐明宗天成元年　南汉高祖白龙二年　吴睿帝顺义六年　吴越武肃王宝正元年　契丹天显元年　丙戌）

后　唐

三月

唐庄宗遣宦者杀王衍（899—926）及宗族于秦州驿，衍终年二十八岁。衍酷好靡丽之辞，尝集艳体诗二百篇，号曰《烟花集》。《蜀梼杌》卷上系衍被杀事于是年四月。兹从《资治通鉴》。《诗话总龟》前集卷二五引《北梦琐言》云：“蜀王衍俘系人秦，至剑阁，阅山水之美，诗云：‘不缘朝阙去，好此结茅庐。’时人笑之。”《十国春秋》卷三七本纪：“为人方颐大口，垂手过膝，顾目见耳。颇知学问，童年即能属文，甚有才思，尤酷好靡丽之辞，尝集艳体诗二百篇，号曰《烟花集》。又有《坤仪令》一卷。凡有所著，蜀人皆传诵焉。”《全唐诗》卷八收其诗五首，断句二，卷八八九录词二首，其中一首与诗重出。《全唐诗补编·续拾》卷五二重录一首，补断句二。《全唐文》卷一二九收其文三篇。

四月

李舜弦（？—926?）被杀，先世为波斯人，其父祖随唐僖宗入蜀，后居梓州（今四川三台）。前蜀词人李珣之妹。品貌端庄，善辞藻。前蜀后主王衍纳为昭仪。后主咸康元年（她）随驾游青城山，写有纪游诗《随驾游青城》等。王衍降唐军之后，与徐氏太后、太妃均被杀于秦川驿；舜弦或亦于咸康二年（926）同时被杀。事见《新五代史》、《十国春秋》等。《全唐诗》存诗三首。

李存勖（881—926）卒，年四十六。庙号庄宗。李嗣源即帝位，是为明宗。据《旧五代史》卷三四、《资治通鉴》卷二七四，同光四年二月，魏博军乱，人据邺都；三月，命李嗣源讨邺，部下作乱，李嗣源人据汴州；四月，郭从谦作乱，存勖中流矢死。《五代史补》卷二“庄宗能训练兵士”条：“初，庄宗为公子时，雅好音律，又能自撰曲子词。其后凡用军，前后队伍皆以所撰词授之，使揭声而唱，谓之御制。至于人阵，不论胜负，马头才转，则众歌齐作，故凡所斗战，人忘其死。斯亦用军之一奇也。”《新五代史》卷三七《伶官传》：“庄宗既好俳优，又知音能度曲，至今汾晋之俗，往往能歌其声，谓之御制者皆是也。”敦煌《云谣集》所载《内家娇》之二“两眼如刀”，原题《御制临钟商内家娇》，饶宗颐、张锡厚皆考为李存勖作，参张锡厚《敦煌本唐集研究》（台北，新文丰，1995 年，页 345—348）《全唐诗》卷八八九存其词四首，《全唐诗补编·续拾》卷四一收其诗五首。《全唐文》卷一〇三于其名下收文三卷，《唐文拾遗》卷九补十余篇，多为其臣下所代作。

牛希济（873？—926？）卒，年五十四。希济，安定鹑觚（今甘肃灵台）人。著有《理源》二卷，并有词作。《十国春秋》卷四四有传。《太平广记》卷一五八引《北梦琐言》："蜀御史中丞牛希济，文学繁赡，超于时辈。自云早年未出学院，以词科可以俯拾。或梦一人介金曰：'郎君分无科名，四十五已上，方有官禄。'觉而异之。旋遇丧乱，流寓于蜀，依季父也。大阮即给事中峤也。仍以气直嗜酒，为季父所责，旋寄巴南。旋聆开国，不预劝进，又以时辈所排，十年不调。为先主所知，召对，除起居郎，累加至宪长。是知向者之梦，何其神也。"《鉴戒录》卷七"雪废主"条："天成初，明宗临朝，宣亡蜀旧宰臣王锴、张格、庾传素、许寂、御史中丞牛希济等，各赐一韵，试《蜀主降臣唐》诗，限五十六字成。王锴等皆讽蜀主僭号，荒淫失国。独牛希济得川字，所赋诗意，但述数尽，不谤君亲。明宗览诗曰：'如牛希济才思敏捷，不伤两国，迥存忠孝者，罕矣。'当日有雍州亚事之拜。至今京洛，无不称之。""雍州亚事"，《十国春秋》卷四四本传作"雍州节度副使"。其后希济事迹无考，约不久卒。《新唐书·艺文志》儒家类录其《理源》二卷。此书今虽不存，然《文苑英华》收其论为政之文甚多，当即出此书。《全唐文》卷八四五、八四六编为二卷。其中《文章论》、《表章论》诸文，表述其文学见解。《宋史·艺文志》另录其《治书》十卷，附录于《理源》之后。《花间集》卷五收其词十一阕，《词林万选》卷四收《生查子》三阕，其中"裙拖安石榴"一阕为宋韩玉作，详《全宋词》2059页附考。另二阕亦颇可疑。《全唐诗》卷七六〇存其诗一首，卷八九三存其词十二首。《十国春秋》卷四四本传有云："希济素以诗辞擅名，所撰《临江仙》二阕有云：'月斜江上，征棹动晨钟。'又云：'风流皆道胜人间。须知狂客，拚死为红颜。'特为词家之隽。"

本年春，王归朴、韩熙载、张纬等八人登进士第。礼部侍郎裴皞知贡举。见《登科记考》卷二五。

王归朴，状元。简州人。

韩熙载，《十国春秋》："韩熙载，同光中擢进士第。"徐铉《韩熙载墓志》："熙载字叔言，其先南阳人。曾祖均，太仆卿。祖殷，侍御史。考光嗣，秘书少监、淄青观察支使，故又为齐人。公始弱冠，游于洛阳，声名蔼然，一举擢第。熙载奔吴，上行止状云："熙载本贯齐州，隐居嵩岳。虽叨科第，且晦姓名。"其末题云"顺义六年七月，进士韩熙载状。"《唐音戊签·余》二十："韩熙载，字叔言，北海人，后唐同光中登进士第。"七月，南奔投吴，以《江北行止》上李昪，慷慨述志，未为昪所重。释褐校书郎，出为滁州从事。历和、常二州从事。时史虚白亦与熙载同奔吴，以北定中原说昪，但不为所用，遂谢病南游，隐庐山落星湾。《钦定续通志》卷五百九十五载"韩熙载，字叔言，潍州北海人。举后唐同光中进士。父光嗣，为平卢军节度副使。同光末，青州军乱。遂其帅符习推光嗣为留后，明宗诛光嗣。熙载奔吴及昪，僭号为秘书郎，令事其子景于东宫，景嗣位迁虞部员外郎史馆修撰，言事切直，景深嘉纳之，又改吉凶仪礼不如式者十数事，为宋齐丘冯延已所忌，昪将葬，景以熙载知礼令兼太常博士。"《郡斋读书志》卷四中称熙载"后唐同光中进士"，陆游《南唐书》卷一二本

传同。《登科记考》卷二四列其为同光四年进士。[按，熙载本年七月南奔时尚未有官职，则以本年春登第为是]

张文伏，光绪《仙居志》卷二三：“张文伏，字德昭，号曲江，西门人。天成元年进士。授淮東安抚奏议。”又见《三台诗录》卷一及民国《台州府志》卷二十二引万历《仙居志》。

马胤孙（马裔孙）。徐氏考云：“《广卓异记》：‘裴皞放马胤孙及第后，未逾九年，胤孙自翰林学士、礼部侍郎知贡举，放进士十三人。”[按，清泰三年进士十三人。胤孙以清泰二年知举三年，自清泰二年逆数至天成二年为九年，故曰未逾九年也]

诸科二人。

杜光庭隐青城山，撰《石笋记》。《宝刻类编》卷八：“《石笋记》，杜光庭撰，同光四年立，成都。”文今不传。

七月

杨凝式迁给事中，充史馆修撰、判馆事。《旧五代史》卷三七：天成元年七月，“以比部郎中、知制诰杨凝式为给事中，充史馆修撰、判馆事。”

赵崇祚随父入蜀。崇祚，字弘基，开封人。父庭隐，初仕梁、唐，随孟知祥入蜀，官至中书令，封宋王。《花间集》卷首附欧阳炯《叙》云：“今卫尉少卿字弘基……因集近来诗客曲子词五百首，分为十卷。”明正德复宋晁谦之刊《花间集》卷一署赵崇祚。《九国志》卷七《赵庭隐传》：“庭隐，开封人。世为卿家。……子崇韬、崇祚。”传并详述庭隐仕梁、唐、蜀事。《宋史》卷四七九《赵崇韬传》：“赵崇韬，并州太原人。父庭隐，随知祥入蜀。……累迁至太师、中书令、宋王。”兹从《九国志》作开封人，太原疑为郡望。据《资治通鉴》卷二七四，孟知祥于同光三年拜西川节度使，天成元年正月至成都。崇祚当于本年随父入蜀。

闽

翁承赞仍为闽盐铁副使、右谏议大夫。三月，撰王审知墓志。卒年未详。有集一卷，孙劭为作序。《新唐书·艺文志四》：“《翁承赞诗》一卷。”《崇文总目》卷五、《直斋书录解题》卷一九所录同。《莆阳比事》卷三：“翁承赞《谏议诗》前后集，孙劭为序。”《唐才子传》卷十称：“翁承赞，工诗，体貌甚伟，且诙谐。名动公侯，唐人应试每在八月。谚曰：‘槐花黄，举子忙。’承赞咏槐花云：‘雨中妆点望中黄，勾引蝉声送夕阳。忆得当年随计吏，马蹄终日为君忙。’甚为当时传诵。[按，新唐书艺文志注云：承赞字文尧，乾宁进士]《唐诗纪事》云闽人。”《唐才子传》卷一〇称：“有诗，以兵火散失，尚存百二十余篇，为一卷，秘书郎孙郃为序云。”孙郃当为孙劭之讹。集今不存。《全唐诗》卷七〇三编其诗为一卷，共三十七首，断句二，卷八八五补一首，《全唐诗补编·续拾》卷四七补六首。

荆　南

齐己夏秋后，与孙光宪过往唱酬。《白莲集》卷七有《谢孙郎中寄示》、《中秋久怆怀寄荆幕孙郎中》、《寄荆幕孙郎中》。诗中孙郎中当为孙光宪，本年四月自蜀至江陵，入荆幕为从事，检校郎中。另卷一〇有《谢荆幕孙郎中见示乐府歌集二十八字》，云："长吉才狂太白颠，二公文阵势横前。谁言后代无高手，夺得秦王鞭鬼鞭。"此称郎中，似亦应作于本年或稍后。

公元927年（后唐明宗天成二年　南汉高祖白龙三年　吴睿帝顺义七年　吴越武肃王宝正二年　契丹天显二年　丁亥）

二月

后唐兴兵讨伐荆南。

五月

后唐以威武留后王延钧为本道节度使、守中书令、琅琊王。荆南高季兴请附于吴，徐温不许。

六月

后唐封楚王殷为楚国王；后唐军败荆南军于峡中，复取夔、忠、万三州。

八月

楚王殷始建国，立宫殿，置百官，皆如天子。

十月

吴大丞相徐温卒。

十一月

吴杨溥即皇帝位，大赦，改元乾贞，加徐知诰都督中外诸军事。参《旧五代史》卷三八、《资治通鉴》卷二七五、二七六。

后 唐

本年

黄仁颖、王蟾、卢士衡、马胤孙、李涛等二十三人登进士第。礼部侍郎裴皞知贡举。十二月敕："新及第进士有闻喜宴、关宴，今后逐年赐钱四十万。"见《登科记考》卷二五。

黄仁颖，状元，见《玉芝堂谈荟》卷二。

卢士衡，《书录解题》："后唐卢士衡，天成二年进士。"士衡，生卒年里俱不详，疑为江南人，曾游天台、钟陵，余无考。有集一卷。《直斋书录解题》卷一九录《卢士衡集》一卷，云："后唐卢士衡撰，天成二年进士。"《登科记考》卷二五即据此列士衡为本年进士第。士衡有《寄天台道友》云："曾隔晓窗闻法鼓，几同寒榻听疏钟。别来知子长餐柏，吟处将谁对倚松。"又有《钟陵铁柱》，知其曾游天台、钟陵等地，疑本为江南人，后北上赴举。集今不传。《全唐诗》卷七三七存其诗七首，卷八八六补二首；《全唐诗补编·补逸》卷一四补一首。

李涛（898—961），《宋史》卷二六二："涛字信臣，京兆万年人，唐敬宗子郇王玮十一世孙。祖镇，临濮令。父元，将作监。朱梁革命，元以宗室惧祸，携涛避地湖南，依马殷，署涛衡阳令。涛从父兄郁仕粱为阁门使，上言涛父子旅湖湘，诏殷遣归京师，补河阳令。后唐天成初，举进士甲科。自晋州从事拜监察御史，迁右补阙。宋王从厚镇郎，以涛为魏博观察判官。岁余，入为起居舍人。"李涛三十岁登进士第，为晋州从事。后拜监察御史，迁右补阙。又据《宋史》传，李涛卒于北宋建隆二年(961)，享年六十四。逆推之，知其本年为三十岁。

诸科九人。

知贡举：礼部侍郎裴皞。《旧五代史·唐纪》："天成二年四月，礼部侍郎裴皞转户部侍郎。"盖放榜后改官也。《旧五代史·裴皞传》："皞累知贡举，称得士。宰相马胤孙、桑维翰，皆其所取进士也。后胤孙知贡举，引新进士谒皞，皞喜为诗曰：'宦途最重是文衡，天遣愚夫受盛名。三主礼闱年八十，门生门下见门生。'当时荣之。"

杜光庭隐青城山撰《太清观取钟并修观记》。《宝刻类编》卷七："《太清观取钟并修观记》，杜光庭撰，天成二年，成都。"［按，文今不传］

赵光逢（？—927）卒。《旧五代史》卷五八传云："赵光逢，字延吉。曾祖植，岭南节度使。祖存约，兴元府推官。父隐，右仆射。光逢与弟光裔，皆以文学德行知名。(《旧唐书》：光裔，光启三年进士擢第，累迁司勋郎中、弘文馆学士，改膳部郎中、知制诰。季述废立之后，旅游江表以避患，岭南刘隐深礼之，奏为副使，因家岭外。)光逢幼嗜坟典，动守规检，议者目之为'玉界尺'。……天成初，迁太保致仕，封齐国公，卒于洛阳。"同书卷三八《唐明宗本纪》四记天成二年三月"乙卯，开府仪同三司、司徒致仕赵光逢可太保致仕，仍封齐国公"。《新五代史》卷三五本传则称"唐天成中，即其家拜太保，封齐国公，卒，赠太傅。"光逢著述，今多数已佚，《全唐诗》卷七三四仅存诗八首，皆为郊祀、庆和之作。

吴

李建勋，字致尧，广陵人，吴赵王李德诚第四子。徐温之婿。起家为金陵巡官。生年无考。本年已佐徐知询幕。李建勋传，见马令《南唐书》卷一〇、陆游《南唐书》卷六、《十国春秋》卷二一。马令《南唐书》卷九《李德诚传》云："李德诚，广陵人也……有子二十人，建勋为相而建封为将。"同书卷一〇《李建勋传》云："李建勋，字致尧，南平王德诚之子。"它书所载略同。据《新唐书》卷四一《地理志》五，淮南道扬州广陵郡，州治江都县。宋陈彭年《江南别录》载："李德诚为润州，秉烛夜出，扬州遥见，谓有变，立命亲兵千余人渡江。比明德诚盥漱，兵已入城，除德诚为江州。德诚惶怖即路，幕帏皆不及取。至江州，惧祸未已，令子继勋［按，当为建勋之讹］来谒。义祖［按，即徐温］见之，叹曰：'有子如此，非为恶人也。'以女妻继勋，移德诚于信州。"宋释文莹《玉壶清话》卷一〇《南唐遗事》云："钟山相李建勋……徐温以女妻之，奁橐之外，复赐田沐邑，岁入巨万。"马（书）传云："起家为金陵巡官。徐温卒，知询代镇，而建勋仍佐幕府。及知询被征，僚属皆受遣，独建勋自全。"

陈贶约自本年起隐居庐山，力学苦思，有诗名。贶（一作况），闽人。陈贶，马令《南唐书》卷一五、陆游《南唐书》卷七、《十国春秋》卷二九有传。《江南野史》卷六："处士陈贶者，闽中人。少孤好学，出游庐山，刻苦修进，诗书至数千卷，有诗名，闻于四方。慵于取仕，隐于山麓，岁时伏腊，庆吊人事，都未暂往。"马令《南唐书》卷一五本传："陈贶，南闽人。性沉澹，志操古朴，而不苟仕进。一卧庐山三十年，学者多师事焉。"陆游《南唐书》卷七本传："隐于庐山四十年……苦思于诗，得句未成章，已播远近。"

楚

六月

丙申，楚王马殷受唐封，为楚国王。

八月

楚立宫殿，置百官，皆如天子；翰林学士称为文苑学士，知制诰称为知辞制。见《资治通鉴》卷二七五、二七六。

拓跋恒，生卒年无考。《十国春秋》卷七三传云："拓跋恒，本姓元，避景庄王偏讳，改今姓。少以才学见称，武穆王时以学士兼仆射。"

公元928年（后唐明宗天成三年　南汉高祖大有元年　吴睿帝乾贞二年　吴

越武肃王宝正三年　契丹天显三年　戊子）

三月

荆南与楚水战于刘郎洑，荆南大败。楚军与南汉大战于封州；楚军大败。南汉主改元大有。

四月

吴将王彦璋率军攻楚之岳州，大败。后唐义武军节度使兼中书令王都叛于易州，且以重贿求救于契丹。

五月

契丹秃馁率骑兵入定州，为后唐将王晏球所败。

七月

后唐封威武节度使王延钧为闽王。

十二月

荆南节度使高季兴卒，吴主以高从诲为荆南节度使兼侍中。闽王延钧度民二万为僧，由是闽中多僧。参《旧五代史》卷三九、《资治通鉴》卷二七六。

后　唐

本年

郭晙、陈保极等十五人登进士第。兵部侍郎赵凤知贡举。见《登科记考》卷二五。

郭晙，状元，见《玉芝堂谈荟》。《玉堂闲话》："郭晙虑举时，梦见一老僧屐于卧榻上嗽跚而行。既寤，甚恶之。占者曰：'老僧，上座也。著屐于卧榻上行，屐，高也，君既巍峩矣。'及见榜，乃状元也。"

陈保极，《淳熙三山志》："保极字天甥，闽县人，郭晙榜进士。终礼部、仓部员外郎，赐金紫。"《旧五代史》本传："保极好学，善属文，后唐天成中擢进士第。秦王从荣闻其名，辟为从事。"《三山志》又云："唐自神龙迄后唐天成三百有三年，福州擢进士者三十六人。"

诸科四人。

知贡举：兵部侍郎赵凤。《旧五代史·赵凤传》："朱守殷以汴州叛，驰驿赐任圜自尽。既而厥哭谓安重诲曰：'任圜，义士也，肯造逆谋以仇君父乎？如此滥刑，何以安国。’重诲笑而不责。是年，权知贡举。”［按，杀任圜在二年十月，其年知举，即知三年之举也。又按，《旧五代史·唐纪》：“天成二年二月，赵凤以户部侍郎改兵部侍郎。四年，以兵部侍郎改门下侍郎。”则知举时正为兵部侍郎］

五月

李琪为太子少傅。《旧五代史》卷三九：天成三年五月，“以右仆射李琪为太子少傅”。

刘赞天成中知制诰，为中书舍人。《旧五代史》卷六八传云：“天成中，历知制诰、中书舍人……改御史中丞、刑部侍郎。”《新五代史》卷二八传略云：“明宗时，累迁中书舍人、御史中丞、刑部侍郎。守官以法，权豪不可干以私。”

张昭本年改官安义军节度掌书记。旋以何瓒荐，拜左补阙、史馆修撰。后迁都官员外郎。《宋史》卷二六三传云：“天成三年，改官安义军节度掌书记。时以武皇、庄宗实录未修，诏正国军节度卢质、西川节度副使何瓒、秘书监韩彦辉缵录事迹。瓒上言：‘昭有史材，尝私撰《同光实录》十二卷，又闻其欲撰《三祖志》，并藏昭宗朝赐武皇制诏九十馀篇，请以昭所选送史馆。’拜昭为左补阙、史馆修撰，委之撰录。昭以懿祖、献祖、太祖并不践帝位，仍补为《纪年录》二十卷，又撰《庄宗实录》三十卷上之。优诏褒美，迁都官员外郎。”

吴

修睦尚居庐山为僧正，有诗。卒年不详。有《东林集》。《庐山记》卷二：“宝严（禅院）旧曰双溪……吴乾贞二年，僧常真始基焉。常真，荆南人，姓田氏，人谓之田道者。……二林僧修睦，号楚湘，东西二林监寺，谭论大德。官命废省庵舍，睦谓之曰：‘今撤子所宇，则何归乎？’田曰：‘本是林下人，却归林下去。’睦异其言，因加敬待，赠之诗曰：‘入门空寂寂，真个出家儿。有行鬼不识，无心人谓痴。古岩寒柏对，流水落花随。欲别一何懒，相逢所恨迟。’”《直斋书录解题》卷一九录其《东林集》一卷。今不传。《全唐诗》卷八四九、卷八八八收其诗二十七首，《全唐诗补编·补逸》卷一八补一首，《全唐诗补编·续拾》卷四三补三首，断句一。

吴越

钱弘倧（928—971）生。弘倧，后避宋讳改名倧，字隆道，一字万金，钱元瓘第七子，杭州临安人。《旧五代史》卷一三三、《十国春秋》卷八〇有传。《十国春秋》本传云：“忠逊王名弘倧，字隆道。文穆王第七子，孝献世子同母弟也。诞生之夕，文穆王梦人以黄金一篋献者，因字之曰万金。”

闽

七月

唐以威武节度使王延钧为闽王。

十二月

闽王延钧度民二万为僧，由是闽中多僧。见《资治通鉴》卷二七六。

公元 929 年（后唐明宗天成四年　南汉高祖大有二年　吴睿帝大和元年　吴越武肃王宝正四年　契丹天显四年　己丑）

后　唐

本年

进士登第者十三人。中书舍人卢詹知贡举。见《登科记考》卷二五，唯未载登第者姓名。

诸科二人：赵美，原作"赵匡赞"。徐氏考云："《旧五代史·唐纪》：'四年正月，幽州节度使赵德钧奏：臣孙赞年五岁，默念《论语》、《孝经》，举童子，汴州取解就试。'"詔曰："都尉之子，太尉之孙，能念儒书，备彰家训，不劳就试，特與成名。宜赐别勅及第，附今年春榜。"《宋史》卷二百五十四赵赞传："赞字元辅，本名美，后改焉，幽州蓟人。初德钧，父延寿。赞七岁诵书二十七卷，应神童举。明宗诏赐童子及第，仍附长典三年礼部春榜。"

知贡举：中书舍人卢詹。《旧五代史》本传："詹迁中书舍人。天成中，拜礼部侍郎，知贡举。"

可止仍居定州开元寺。《宋高僧传》卷七本传："天成三年戊子，王师问罪，定州陷焉。招讨使王晏休得瀛王冯道书，令寻止。既见，以车马送至洛京，河南尹秦王从荣优礼待之，奏署大师，号文智焉。于长寿净土院住持。"

九月

冯道诵聂夷中诗以谏明宗。《资治通鉴》卷二七六天成四年，"九月，上与冯道从容语及年谷屡登，四方无事。道曰：'臣常记昔在先皇幕府，奉使中山，历井陉之险，臣忧马蹶，执辔甚谨，幸而无失；逮至平路，放辔自逸，俄至颠陨。凡为天下者亦犹是也。'上深以为然。上又问道：'今岁虽丰，百姓赡足否？'道曰：'农家岁凶则死于流殍，岁丰则伤于谷贱，丰凶皆病者，惟农家为然。臣记进士聂夷中诗云：二月卖新丝，五月粜新谷。医得眼下疮，剜却心头肉。语虽鄙俚，曲尽田家之情状。农于四人中最为勤苦，人主不可不知也。'上悦，命左右录其诗，常讽诵之。"

何仲举，营遭人，生卒年不详。本年入洛，居秦王从荣幕。何仲举传，见《五代史补》卷二、《十国春秋》卷七三。《五代史补》卷二何仲举及第条略云："何仲举，营道人。美姿容。年十三，俊迈绝伦。时家贫，输税不及限，李皋为营道令，怒之，乃荷项系狱，将梗楚焉。或有言于皋曰：'此子虽卯，能为诗，往往间立成，希明府一察之。'皋闻，遽召而问曰：'知汝有文，且速敏。今日之事，若能文不加点，为一篇以自述，吾当贷汝。'仲举援笔而成，曰：'似玉来投狱，抛家去就枷。可怜两片木，夹却一枝花。'皋大惊，自为脱枷，延上厅，与之抗礼。自是仲举始锐意就学，天成中人洛，时秦王为河南尹，尤重土。仲举与张杭、江文蔚俱游其门。"检《旧五代史》卷五一《秦王从荣传》，从荣"天成初，授邺都留守、天雄军节度使。三年，移北京留守，充河东节度使。四年，人为河南尹。"据此。何仲举入洛应在本年以后。又据《新五代史》卷六《唐明宗本纪》，从荣受封为秦王，是在长兴元年；同书卷一五《秦王从荣传》云："长兴元年，拜河南尹，兼判六军诸衙事。"今从旧史。又［按，《五代史补》所云李皋，即李宏皋，传见《十国春秋》卷七四；张杭，《旧五代史》卷一三传作"张沆"，《十国春秋·何仲举传》作"张抗"，误］

江文蔚本年与何仲举、张杭等同游秦王从荣幕。江文蔚传，见马令《南唐书》卷一三、陆游《南唐书》卷一〇及《十国春秋》卷二五。《五代史补》卷二"何仲举及第"条："天成中人洛，时秦王为河南尹，尤重士，仲举与张杭、江文蔚俱游其门。"徐铉《徐公文集》卷一五《唐故左谏议大夫翰林学士江君墓志铭》云："公讳文蔚，字君章，其先济阳考城人也……春秋五十有二，保大十年八月二日卒于京师官舍。"保大十年即后周广顺二年（952）。逆推之，知文蔚本年为二十九岁。

吴 越

钱俶（929—988）生。俶，初名弘椒，字文德，钱镠孙，钱元瓘第九子。《旧五代史》卷一三三、《新五代史》卷六七、《十国春秋》卷八一有传。《吴越备史》卷四："今大元帅、吴越国王名俶，字文德，文穆王第九子也。母吴越国恭懿夫人吴氏。以天成四年岁己丑（929）八月二十五日生于功臣堂。天福四年十二月，承制授内衙诸军指挥使、检校司空。忠献王累授王特进检校太尉。开运四年春三月庚寅，出镇丹丘（原注：即台州也）……乾祐元年春正月辛亥朔，汉帝南郊，大赦改元。是月乙卯，王即位于天龙堂。"《十国春秋》世家："忠懿王名俶，字文德，初名弘俶。"《新五代史》卷六七："俶字文德。佐卒，弟倧以次立。初，元瓘质于宣州，以胡进思、戴恽等自随，元瓘立，用进思等为大将。佐既年少，进思以旧将自待，甚见尊礼，及倧立，颇卑侮之，进思不能平。倧大阅兵于碧波亭，方第赏，进思前谏以赏太厚，倧怒掷笔水中曰：'以物与军士，吾岂私之，何见咎也！'进思大惧。岁除，画工献《钟馗击鬼图》，倧以诗题图上，进思见之大悟，知倧将杀己。是夕拥卫兵废倧，囚于义和院，迎俶立之，迁倧于东府。俶历汉、周，袭封吴越国王，赐玉册、金印。"

荆 南

僧怀濬本年有诗寄高从诲。怀濬，《宋高僧传》卷二二有传，系据《北梦琐言》编录。《北梦琐言》逸文卷一载："秭归郡草圣僧怀濬者，不知何处人。唐乾宁初到彼，知来藏往，皆有神验。爱草书，或经、或释、或老，至于歌诗鄙琐之言，靡不集其笔端。与之语，即阿唯而已，里人以神圣待之。刺史于公以其惑众，系而诘之。乃以诗代通状曰：'家在闽川西复西，其中岁岁有莺啼。如今不在莺啼处，莺在旧时啼处啼。'又诘之，复有诗曰：'家住闽川东复东，其中岁岁有花红。而今不在花红处，花在旧时红处红。'郡牧异而释之。详其诗意，似在海中，得非杯渡之流乎。……王师伐荆州，师寄南平王诗云：'马头渐入扬州路，亲眷应须洗眼看。'是岁输诚淮海，获解重围。其他不可殚记。或一日，题庭前芭蕉叶上云：'今日还债，幸州县无更勘穷。'来日为人所害，尸首宛然，刺史高公为荼毗之。"［按，唐军伐荆南在天成三年九月，四年六月罢；荆南背唐附吴在天成三四年间，见《资治通鉴》卷二七六］怀濬寄诗南平王事，当在本年，时高从诲已即位。据上引"家在闽川"二诗，濬似当为闽人。其卒约在本年后未久。《全唐诗》卷八二五收其诗二首，《全唐诗补编·续拾》卷五〇断句二。

公元 930 年（后唐明宗长兴元年　南汉高祖大有三年　吴睿帝大和二年　吴越武肃王宝正五年　契丹天显五年　庚寅）

正月

后唐大赦，改元长兴。

八月

后唐东川节度使董璋叛乱。

十月

后唐以马希声为武安节度使兼侍中。

十一月

楚王马殷卒，终年七十九岁。马希声袭位，去建国之制，复藩镇之旧。参《资治通鉴》卷二七七。

后 唐

本年登进士第者有李飞、樊吉、李谷、夏侯珙、吴洄、王德柔等十五人，重试落

第者有卢价、孙澄、王谷、杨仁远、师均、杨文龟、李象、高策、郑朴九人。（见《册府元龟》）

明经科落下五人：刘莹、李斐、李铣，李道全、宋延美。（见《册府元龟》）

知贡举：左散骑常侍张文宝。《旧五代史·唐纪》：“天成四年十一月，张文宝为右散骑常侍。长兴二年闰五月，改兵部侍郎。”［按，本传作“左散骑常侍、知贡举”，今从之］《旧五代史·李怿传》：“时常侍张文宝知贡举，中书奏落进士数人。仍请诏翰林学士院作一诗、一赋，下礼部属举人格样。学士窦梦徵、张砺辈撰格诗、格赋各一，送中书宰相未以为允。梦徵等请怿为之，怿笑而答曰：‘李怿识字有数，顷岁因人偶得及第，敢舆后生髦俊为之标格？假令今却称进士，就春官求试，落第必矣。格赋、格诗，不敢应诏。君子多其识大体。’”

十月

李琪（871—930）卒，年六十岁。著有《金门集》、《应用集》、《玉堂遗范》、《皇王大政论》、《春秋王伯世纪》等。《旧五代史》卷五八、《新五代史》卷五四有传。《新五代史》卷五四李琪传云：“琪，字台秀，河西敦煌人也。其兄珽，唐末举进士及第，为监察御史。……琪少举进士、博学宏辞，累迁殿中侍御史，与其兄珽皆以文章知名。唐亡，事梁太祖为翰林学士。”敦煌当为郡望。参《唐才子传校笺》卷七。《旧五代史》卷四一：长兴元年十月，“以太子少傅李琪卒，废朝”。《旧五代史》卷五八本传：“李琪，字台秀。五代祖憕，天宝末，礼部尚书、东部留守。安禄山陷东都，遇害，累赠太尉，谥曰忠懿。憕孙寀，元和朝，位至给事中。寀子敬方，文宗朝，谏议大夫。敬方子縠，广明中，为晋公王铎都统判官，以收复功为谏议大夫。……昭宗时，李谿父子以文学知名。琪年十八，袖赋一轴谒谿。谿览赋惊异，倒屣迎门，出琪《调哑钟》、《捧日》等赋，谓琪曰：‘余尝患近年文士辞赋，皆数句之后，未见赋题，吾子入句见题，偶属典丽，吁！可畏也。’琪由是益知名，举进士第。天复初，应博学弘词，居第四等，授武功县尉，辟转运巡官，迁左拾遣、殿中侍御史。自琪为谏官宪职，凡时政有所不便，必封章论列，文章秀丽，览之者忘倦。……琪虽博学多才，拙于遵养时晦，知时不可为，然犹多歧取进，动而见排，由己不能镇静也。以太子太傅致仕。长兴中，卒于福善里第，时年六十。子贞，官至邑宰。琪以在内署时所为制诏，编为十卷，目曰《金门集》，大行于世。”《太平广记》卷一七五引《李琪集序》云：“琪生而敏异，十岁通六籍，遂博览文史，如寤宿习。十三，词赋诗颂，大为时贤亲赏。”《旧五代史》本传：“昭宗时……举进士第。天复初，应博学宏词，居第四等，授武功县尉，辟转运巡官，迁左拾遗、殿中侍御史。自琪为谏官宪职，凡时政有所不便，必封章论列，文章秀丽，览之者忘倦。”《崇文总目》录其《金门集》十卷、《应用》三卷、《玉堂遗范》三十卷。《宋史·艺文志》另录其《皇王大政论》十卷。《补五代史艺文志》补录其《春秋王伯世纪》十卷。今皆不传。《全唐诗》卷七一五收其诗二首，断句二。《全唐诗补编·续补遗》卷一〇补一首。《全唐文》卷八四七收其文九篇，《唐文拾遗》卷四六补一篇。

吴

常梦锡本年自后唐奔吴。陆游《南唐书》卷七本传云："后唐长兴初，从俨入朝，以梦锡从。及镇汴，为左右所谮，遂来奔。烈祖辅吴，召置门下，荐为大理司直。"［按，《资治通鉴》卷二七七载：本年二月"乙卯，上祀圆丘，大赦，改元。凤翔节度使兼中书令李从严入朝陪祀。三月，壬申，制徙从严为宣武节度使"］梦锡南奔，当在此以后。

十月

李璟拜兵部尚书、参知政事。《玉壶清话》卷一〇："璟天姿高迈，始出阁，即就庐山瀑布前构书斋，为他日闲适之计。及迫于绍袭，遂舍为开先精舍。"《资治通鉴》卷二七七：长兴元年十月，"徐知诰以其长子大将军景通为兵部尚书、参知政事。"景通即李璟。又从上引文中可知，是年冯延巳已与李璟游处。

乐史（930—1007）生。乐史生年史书缺载，《东都事略》卷一一五有传。《宋史》卷三〇六附见《乐黄目传》。《宋史》云："乐黄目，字公礼，抚州宜黄人。世仕江左李氏。父史，字子正。齐王景达镇临川，召掌奏笺，授秘书郎。入朝，为平原主簿。太平兴国五年，与颜明远、刘昌言、张观并以见任官举进士。太宗惜科第不与，但授诸道掌书记。史得佐武成军，既而复赐及第。上书言事，擢为著作佐郎、知陵州，献《金明池赋》，召为三馆编修。雍熙三年，献所著《贡举事》二十卷，《登科记》三十卷，《题解》二十卷，《唐登科文选》五十卷，《孝弟录》二十卷，《续卓异记》三卷。太宗嘉其勤，迁著作郎、直史馆。转太常博士、知舒州，迁水部员外郎。淳化四年春，与司封员外郎、直昭文馆李蕤同使两浙巡抚，加都官、知黄州。又献《广孝传》五十卷，《总仙记》一百四十一卷。诏秘阁写本进内。史好著述，然博而寡要，以五帝、三王，皆云仙去，论者嗤其诡诞。咸平初，迁职方，复献《广孝新书》五十卷，《上清文苑》四十卷。出知商州。史前后临民，颇以贿闻。俄以老疾为言，听解职，分司西京。五年，郊祀毕，奉留守司表入贺，因得召对。上见其矍铄不衰，又知笃学，尽取所著书藏秘府，复授旧职，与黄目同在文馆，人以为荣。出掌西京磨勘司，黄目为京西转运。改判留司御史台。车驾幸洛，召对，赐金紫。史久在洛，因卜居，有亭榭竹树之胜，优游自得。未几卒，年七十八。"又云："黄目……丁内艰，时真宗将幸洛，以供亿务繁，起令莅职。史寻卒，上复诏权夺。"按，《宋史》卷七，真宗于景德四年（1007）二月幸洛，三月返京。则史卒于其年，年七十八，上推生于本年。乐史的籍贯，宋元人多记为抚州宜黄（参见曾巩：《隆平集》卷一四、《宋史》本传、《续资治通鉴长编》卷一）明弘治《抚州府志》卷四八、嘉靖《江西通志》卷八〇、清陈焯《宋元诗会·乐史小传》却认为是崇仁。今据《宋史·地理志》："宜黄，望。开宝三年，升宜黄场为县。"即在宋代开宝三年（970）宜黄已正式建县制，此前隶于崇仁县。弘治《抚州府志》所系或是乐史出生时之政区，或为一时不察而误书，其后嘉靖志与陈悼书相继照抄。嘉靖志之误，清康熙年间白演重修时已据史改正，事见雍正《江西通志》卷八〇。又《东都事略》卷一一五作“抚州宜春人”。今按《宋史·地理志》：宜春属袁州，与抚州之宜黄同为江南西路，且距离甚近，王偁显是误将宜黄作宜春。故今从《隆平集》所说，乐史籍贯为宜黄。《十国春秋》卷一一一《地理表》，抚州所属有崇仁县宜黄场。《元丰九域志》卷六，抚州所属有崇仁、宜黄等县，并云：“开宝三年以宜黄场升为县。”乐史生时尚无宜黄县，故应为崇仁县宜黄场人。乐史因撰《太平寰宇记》闻名，《太平寰宇记》是乐史所有著述中部头最大、价值最高、要求功力最深，也是最为人称道和重视的一部书，成书不久便被作为参考书广泛引用。《太平寰宇记》成书于《元和郡县图志》之后，宋代诸地理总志之前，就其资料的原始性和丰富性而言，在研究唐末宋初的政区沿革、经济活动、文化风俗等方面具有不可替代的作用。然而，由于史上乏载，《太平寰宇记》成书具体时段因史上无载，致使后人聚讼不一。大致有以下几说：1. 太平兴国中成书说。此一说最早见于晁公武《郡斋读书志》卷八：“太平兴国中，尽平诸国，天下一统。史采取自古山经地志，考正谬误，纂成此书，上之于朝。”后钱大昕《十驾斋养新录》卷一四谈及《太平寰宇记》时亦主此说。但均未言其依据，疑从书名及乐史所进表上得来，然从今存本《太平寰宇记》内容看，尚载有一些太平兴国后的事情，则晁、钱此种说法显不足信，故今人已无主此说者。2. 雍熙四年（987）成书说。李志庭先生认为《太平寰宇记》的撰写年代“当在太平兴国四年（979）至雍熙四年之间”。（谭其骧主编：《中国历代地理学家评传》第二卷之《乐史》篇，山东教育出版社 1990 年版）其根据一是乐史《进书表》中自称“职居馆殿”及明言宋朝“荡闽越而缚并汾”之后；二是以为《太平寰宇记》中叙述沿革最晚的年代为卷六八河北道宁边军，设于雍熙四年。靳生禾先生亦主此说，其结论仅“据从《太平寰宇记》内容分析”而来。（靳生禾：《中国历史地理文献概论》之《太平寰宇记》专题，山西人民出版社 1987 年版）3. 雍熙末至端拱初成书说。主此说者为王文楚先生，主要依据是乐史《进书表》所署官职及认为大宁监建置时期为书中年代最末一个，并从政区上考察，认为“仍沿袭太平兴国之制。至于至道（995—997）以后政区更改，一概未载。可证所载政区主要是太平兴国后期的制度”。（王文楚：《〈太平寰宇记〉成书年代及版本问题》，《复旦学报》1996 年第 2 期；《宋本太平寰宇记》前言，中华书局 2000 年版）《太平寰宇记》成书之后，长期未见载有坊刻情况。现存有南宋刻残本 33 卷，王文楚先生以之与《舆地纪胜》相对照，认为宋版本应早在嘉定前就已印行。是后又长期不见有版刻情况。《太平寰宇记》私家较早收录者，见晁公武《郡斋读书志》及陈振孙《直斋书录解题》。历南宋至明代，杨士琦《文渊阁书目》卷一八著录有 50 册、30 册两种本子，不详为刻本亦或抄本，但未云有残缺情况。其后，钮石溪《会稽钮氏世学楼珍藏书目》、赵琦美《脉望馆书目》及赵用贤《赵定宇书目》、陈第《世善楼书目》、董其昌《玄赏斋书目》等诸家书目都收有此书，且均未言明有损佚情况。这些情况表明至明代中期，本书还比较常见，或尚未残散。经兵变之余，到了清初，明代尚存的本子大多化为灰烬，劫遗者也均已残损严重。

楚

十一月

楚王马殷（852—930）卒，年七十九。子希声袭位，去建国之制，复藩镇之旧，为武威节度使兼侍中。（见《资治通鉴》卷二七七）

闽

郑良士（856—930）卒，终年七十五岁，王伦为作墓志铭有《白岩集》。此条详周祖谓、贾晋华《唐才子传校笺·郑良士》一文之考述。郑良士著述，《新唐书》卷六〇《艺文志四》录《白岩集》十卷；《崇文总目》卷一二录有《白岩四六》五卷，虽未署名，参诸他书所载，知亦为郑良士撰；《通志》卷七〇《艺文略》八“诗集类”录《白岩集》十卷，“四六类”录《白岩四六》五卷，亦未署撰者。《宋史》卷二〇八《艺文志七》“别集类”录郑良士《白岩集》五卷、《诗集》十卷、《四六集》一卷。《十国春秋》传则云：“有《白岩文集》、《诗集》十卷，《中垒集》若干卷。”诸集今皆不存。《全唐诗》卷七二六仅存诗三首，其中《题兴化高田院桥亭》一诗尚属伪作，考见《唐才子传校笺·郑良士》。

公元931（后唐明宗长兴二年　南汉高祖大有四年　吴睿帝大和三年　吴越武肃王宝正六年　契丹天显六年　辛卯）

后　唐

本年，何仲举、艾颖、师均登进士第。太常卿李愚知贡举。（见《登科记考》卷二五）是年试《铸鼎象物赋》。（见《玉壶清话》）

何仲举，《十国春秋》卷七三本传：“何仲举，营道人也。美姿容，俊迈绝伦……天成中入洛，会秦王从荣为河南尹，倾身下士，仲举与张抗、江文蔚同游其门，逾年遂登进士第。赐所居乡曰进贤，里曰化龙。”［按，仲举于天成四年（929）夏秋后北上，见其年条］《登科记考》卷二五即据《十国春秋》等考列仲举为长兴二年进士第。《诗话总龟》前集卷三六引《青琐集》：“王仲举，营道人。母尝梦挟仲举入月。仲举修进士业，长兴化［按，化字疑衍］二年赴举，谒秦王，登第后有诗谢秦王曰：‘三千里外抛渔艇，二十人前折桂枝。’太平兴国中，仲举有子曰嗣全亦中进士第，乃挟两子入月之祥。”《全唐诗补编·续拾》卷四九据《五代史补》卷二“何仲举及第”条，考“王仲举”为“何仲举”之误。

艾颖，宋释文莹撰《玉壶清话》卷二：“艾侍郎颖，少年赴举。逆旅中遇一村儒，状极茸阘，顾谓艾曰：‘君此行登第必矣。’艾曰：‘贱子家于郓，无师友，加之汶上少典籍，今学疎寡聊，观场屋尔，安敢俯拾耶！’儒者曰：‘吾有书一卷以授君，宜少俟于此，诘日奉纳。’翌日果持至，乃《左传》第十卷也。谓艾曰：‘此卷书不独取富贵，后四十年亦有人因此书登科甲。然龄禄俱不及君，记之。’艾颇为异，时亦讽诵，果会李愚知举，试《铸鼎象物赋》，事在卷中，一挥而就。愚爱之，擢甲科。后四十年当祥符五年，御前放进士亦试此题，徐奭为状元。”［按，长兴二年至祥符五年，凡八十二年，言四十年，误］

师均。《宋史》卷二百九十六师颃传：“父均，后唐长兴二年进士。”［按，师均即前年落下者］

知贡举：太常卿李愚。《旧五代史》本传：“任圜为宰相，雅相钦重，屡言于安重诲，请引为同列。局孔循用事，援引崔协以塞其请。俄以本职权知贡举，改兵部侍郎，充翰林承旨。”

李涛为唐右补阙。六月后，为魏博观察判官。《宋史》卷二六二本传：“迁右补阙。宋王从厚镇邺，以涛为魏博观察判官。”《旧五代史》卷四五《唐闵帝（李从厚）传》：“长兴元年，改授镇州节度使，寻封宋王。二年加检校太尉、兼侍中，移镇邺都。”卷四二《明宗本纪》：长兴二年六月，“以镇州节度使、宋王从厚为兴唐尹［按，同光元年改魏州为兴唐府］”

高辇撰集《丹台集》三卷，从荣为序。辇以此集寄荆州齐己，己亦屡有诗寄酬，以元稹、白居易相比。齐己《白莲集》卷七有《谢秦府推官寄〈丹台集〉》，云：“秦王手笔序丹台，不惜褒扬最上才。风阙几传为匠硕，龙门曾用振风雷。钱郎未竭精华去，元白终存作者来。两轴蚌胎骊颔耀，枉临禅室伴寒灰。”同卷又有《寄酬秦府高推官辇》。［按，李从荣于上年八月封秦王，至长兴四年败死，高辇亦被诛，见《资治通鉴》卷二七六、二七八］齐己二诗，约作于本年前后。《诗薮》杂编卷二记辇有《丹台集》三卷。

荆南

齐己与孙光宪唱酬，有诗数首。本年或稍后，乾昼自彭泽来访，齐己亦有诗酬和。

楚

肖颇与沈彬、廖凝等人以诗唱答。《旧五代史》卷一三三引《五代史补》云，后唐天成中，何仲举及第，“先是，湖南尤多诗人，其最显者有沈彬、廖凝、刘昭禹、尚颜、齐己、虚中之徒”。是知尚颜于梁、唐之际曾往游湖南。

公元932年（后唐明宗长兴三年　南汉高祖大有五年　吴睿帝大和四年　吴越武肃王宝正七年　契丹天显七年　壬辰）

二月

后唐赐高从诲勃海王。

三月

吴越武肃王钱镠卒，终年八十一岁。子传瓘袭位，更名元瓘；去宝正年号，改用后唐年号。

五月

东川兵变，后唐东川节度使董璋被杀，梓州降孟知祥。

六月

二闽王延钧谋称帝，遂绝后唐职贡。

七月

楚马希声卒，其弟马希范继位。

八月

吴徐知诰广金陵城周围二十里。

十一月

吴以诸道都统徐知诰为大丞相、太师，加领德胜节度使；知诰辞丞相、太师。参《资治通鉴》卷二七八。

后　唐

唐以契丹屡侵北边，十一月丁亥，以石敬瑭为北京留守、河东节度使。见《资治通鉴》卷二七八。

二月

冯道与李愚同奏请刻印《九经》。《资治通鉴》卷二七七本年二月："辛未，初令国子监校定《九经》，雕印卖之。"《登科记考》卷二五引《册府元龟》载四月敕，有云："近以遍注石经，雕刻印板，委国学每经差专知业博士儒徒五六人勘读并注。"徐松按语谓宋王明清《挥麈余话》言其家有后唐印本五经，为太学博士李锷所书，后题长兴二年，并云"或二年已刊五经，此年更刊九经也"。《旧五代史》卷四三：长兴三年二月，"中书奏：'请依石经文字刻《九经》印板。'从之。"卷一二六冯道本传："时以诸经舛缪，与同列李愚委学官田敏等，取西京郑覃所刊石经，雕为印板，流布天下，后进赖之。"

本年

江文蔚、张沆、吴承范、殷鹏、范禹偁等登进士第。见《登科记考》卷二五。又《登科记考》未载知贡举者姓名。

江文蔚，《十国春秋》："江文蔚，字君章，建安人。后唐长兴中举进士，为河南府馆驿巡官。《偶隽》：'江文蔚，长兴三年卢华榜下进士八人，与张沆（杭）、吴承范、殷鹏、范禹偁为学士。'"马令《南唐书》卷一三本传："长兴中举进士，为河南府巡官。"［按，徐铉《江文蔚墓志》云："文蔚之先，济阳考城人。"志言文蔚卒于保大十年，年五十二。以是推之，得第时年三十二］陆游《南唐书》卷一〇本传："江文蔚，字君章，建安人。博学，工属文，后唐明宗时擢第，为河南府馆驿巡官，坐秦王重荣事夺官。"

张沆，《十园春秋·何仲举传》作"张抗"，当即《旧五代史》之张沆也。《旧五代史》："张沆字太元，徐州人。父严。沆少力学，攻词赋，登进士第。秦王署为河南府巡官。"

吴承范，《旧五代史》本传："承范字表微，魏州人。少好学，善属文。唐闵帝之镇邺都也，闻其才名，署为宾职。承范恳求随计，闵帝许之。长兴三年春，擢进士第。"

殷鹏（汤鹏），《旧五代史》八十九本传："字大举，大名人也。以隽秀为乡曲所称，弱冠擢进士第。唐闵帝之镇魏州，闻其名，辟为从事。及即位，命为右拾遗，历左补阙、考功员外郎，充史馆修撰，迁刑部郎中。鹏姿颜若妇人，而性巧媚。天福中，擢拜中书舍人，与冯玉同职。玉本非代言之才，所得词目，多托鹏为之。玉尝以'姑息'字问于人，人则以'辜负'字教之，玉乃然之，当时以为笑端。鹏之才比玉虽优、其纤佞过之。后玉出郡，借第以处之，分禄食之。及玉为枢密使，擢为本院学士，每有庶僚秉鞹谒玉，故事，宰臣以履见之，鹏多在玉所，见客亦然。有丞郎王易简退而有言，鹏衔之。及契丹入汴，有人获玉与鹏有签记字，皆朝廷上列有不得志欲左授者，则易简是其首焉。玉既北行，鹏亦寻以病卒。"宋刘应李辑《新编事文类聚翰墨全书》后丙集卷二；《氏族门》："汤鹏，后唐长兴中卢华榜下登第。同榜五人为翰林学士：张沆（原作"说"）、汤鹏、吴承范、江文蔚、范禹偁也。""汤鹏"，本当作"殷鹏"，盖宋人避太祖庙讳改。

张谔（范禹偁），原作"范禹偁"，徐松考云："《十国春秋》：'范禹偁，九陇人。父虔，为衙吏。禹偁少落拓，虔死，随母改适张氏，因冒姓名曰张谔。有道士谓曰子骨法异常，苟屈首受害，他日必大贵。由是从师苦学，天成中登第，始复本姓名。’上州刺史启曰：‘昔年上第，误标张禄之名；今日故园，复作范雎之裔。’”［按，此期登第时应作“张谔”］

诸科八十一人：程赞明。原作“程□，徐松考云：“宋欧阳修撰《程元白墓志》：‘后唐长兴三年，公之皇考以神童举，官至太子赞善大夫。’即宋程琳之祖父。”

知贡举：考功员外郎卢华。按徐氏原列卢华为本年进士科状元。［按，本年进士江文蔚下引《偶隽》曰：“江文蔚，长兴三年卢华榜下进士八人，与张沆、吴承范、殷鹏、范禹为学士。”徐松盖据此而定］宋乐史《广卓异记》卷十三“同年五人为翰林学士”条：“张沆、吴承范、汤鹏（按即殷鹏）、江文蔚、范禹偁。”《五代史》，长兴二年，考功员外郎卢华下进士八人内，张、吴、汤尽为翰林学士，江归伪唐为翰林学士，范入伪蜀，亦入翰林为学士。明言卢华长兴二年为考功员外郎知贡举。

吴

沈彬应李昪辟，授秘书郎，辅昪子璟。时往金陵，与李建勋、孙鲂聚为诗会。《江南野史》卷六：“先主移镇金陵，旁罗隐逸，名儒宿老，命郡县起之。彬赴辟命，知其欲取杨氏，因献《观画山水图》诗：‘须知手笔安排定，不怕山河整顿难。’先主夙闻其名，览之而喜，遂授秘书郎，人赞世子。”马令《南唐书》卷一五本传谓：“授校书郎，入辅吴世子琏于东宫。”［按，《江南野史》及马令《南唐书》等皆载彬后来称中主李璟为“主人郎君”，则其所辅为李璟而非杨琏］《资治通鉴》卷二七七：长兴二年十一月，徐知诰出镇江陵，留其子景通于江都辅政；长兴三年二月，“吴徐知诰作礼贤院于府舍，聚图书，延士大夫”。彬赴辟当在是时。

孙晟本年入徐知诰所建之礼贤院。《资治通鉴》卷二七七本年二月载：“吴徐知诰作礼贤院于府舍，聚图书，延士大夫，与孙晟及海陵陈觉谈议时事。”

吴 越

钱镠（852—932）卒，年八十一岁。唐谥为武肃。能文工书，尤喜吟咏。有《武肃王集》。《旧五代史》卷一三三、《新五代史》卷六七、《十国春秋》卷七七有传。《旧五代史》卷一三三本传：“镠在杭州垂四十年，穷奢极贵。……学书，好吟咏。江东有罗隐者，有诗名，闻于海内，依镠为参佐。镠尝与隐唱和，隐好讥讽，尝戏为诗，言镠微时骑牛操梃之事，镠亦怡然不怒。其通恕也如此。镠虽季年荒恣，然自唐朝，于梁室，庄宗中兴以来，每来扬帆越海，贡奉无阙，故中朝亦以此善之。……镠初事董昌，时年甫壮室，性尚刚烈，时有儒士谒于主帅，已进刺矣，见镠稍怠，镠怒，投之罗刹江。……及为帅时，有人献诗云：‘一条江水槛前流。’镠不悦，以为讥己，寻害之。迨于晚岁，方爱人下士，留心理道，数十年间，时甚归美。镠尤恃崇盛，分两浙为数镇，其节制署而后奏。左右前后皆儿孙甥侄，轩陛服饰，比于王者，两浙里俗咸曰‘海龙王’。”《宣和书谱》卷五：“吴越国钱镠杭州临安人，倜傥有大度，意气雄杰。……喜作正书……所书复刚劲结密，似非出用武手，殆未易以学者规矩一律拟议耳。……今御府所藏正书一：‘贡枣帖’。”有《武肃王集》。《全唐诗》卷八收其诗二首，断句六。《全唐诗补编·补逸》卷一补残诗一首，《全唐诗补编·续补遗》卷一二补十六首，《全唐诗补编·续拾》卷四六补一首。《全唐文》卷一三〇收其文十五篇，《唐文拾遗》卷一一补六篇，间有臣僚代拟之作。

公元933年（后唐明宗长兴四年　南汉高祖大有六年　吴睿帝大和五年　闽惠宗龙启元年　契丹天显八年　癸巳）

后　唐

正月

秦王李从荣加守尚书令，兼侍中。

八月

明宗从从荣之请，又以为天下兵马大元帅。秦王权势日盛，每入朝，从数百骑，张弓挟矢，驰骋衢路。

十一月

明宗疾作，加剧，从荣乃帅兵谋入宫。明宗召大臣议之，乃命马军都指挥使朱洪实以五百骑讨之，从荣败归，被杀。其僚属亦被议罪。戊戌，明宗病卒，年六十七。

十二月

明宗第五子宋王从厚即帝位。（见《资治通鉴》卷二七八）

本年

范质、李浣、申文炳、李瀚、刘照古等二十四人登进士第。主客郎中和凝知贡举。（见《登科记考》卷二五）

范质，《宋史》卷二四九：“范质，字文素，大名宗城人。父遇。质长兴四年举进士。”《容斋四笔》：“和凝以唐长兴四年知贡举，取范质为第十三人。盖凝在梁贞明中及此级，故以处质云。”《渑水燕谈》：“范质初举进士，时和凝知贡举。凝常以宰辅自期，登第之日，第十三人。及览质文，尤加赏叹，即以第十三名处之。场屋间谓之传衣钵，若禅宗之相付授也。后质果继凝登相位。”《玉堂闲话》引范质云：“质于癸巳年应举考试，毕场，自以孤平初举，不敢决望成名。然忧合如醉。昼寝于逆旅。忽有所梦寐，未吪间，有九经蒋之才相访，即惊起而坐，具告以梦：梦被人以朱笔于头上乱点，已牵一胡孙如驴许大。蒋即以梦占之，曰：‘君将来必捷，兼是第三人矣。’因问其说，即曰：‘乱点头者，再三得也。朱者，事分明也。胡孙大者为猿，算法，圆三径一，故知三数也。’及放榜，即第十三人也。”

李浣（？—962），字日新，京兆万年（今陕西西安）人。兄涛。浣少聪敏，慕四杰为文章。李浣，《宋史》卷二六二本传、《资治通鉴》等皆称其名浣，《五代史补》卷三、《玉壶清话》卷二等称为瀚，新、旧《五代史》则均两见，实为一人。据本传，浣乃涛弟，京兆万年人。《宋史》本传：“幼聪敏，慕王、杨、卢、骆为文章。”《玉壶清话》卷二：“李浣及第于和凝相榜下。”《登科记考》卷二四据此列浣本年进士第。《宋史·艺文志》录其《丁年集》一〇卷，今不传。《全唐诗》卷七三七、八八一收诗二首，卷七七〇收诗一首。《全唐文》卷九五五收文一篇，卷八六一收文一篇。

李瀚，李涛弟。生卒年不详。宋释文莹《玉壶清话》：“李瀚及第于和凝相榜下，后与座主同任学士。会凝作相，瀚为承旨，适当批韶，次日于玉堂辄开和相旧阁，悉取图书器玩，留一诗于榻，携之尽去，云：‘座主登庸归凤阁，门生批诏立鳌头。玉堂旧阁多珍玩，可作西斋润笔不?”《诗话总龟》前集卷三《狂放门》引《古今诗话》所述略同。徐松《登科记考》卷二五据此列李瀚为本年进士。《全唐诗》卷七三七亦录存此诗，然李瀚小传又谓：“李瀚，后唐天成中擢进士第，仕晋，为翰林学士。《丁年集》若干卷。今存诗一首。”谓“天成中”及第，误。《全唐文》卷八六一存其文三篇。

申文炳，《旧五代史》本傅：“文炳字国华，洛阳人。长兴中进士擢第。”

刘熙古，《宋史》本传：“熙古字义淳，宋州宁陵人，唐左仆射仁轨十一世孙。祖宝进，熙古避祖讳，不举进士。后唐长兴中，以三传举。时翰林学士和凝掌贡举，熙古献《春秋极论》二篇、《演论》三篇，凝甚加赏，召与进士试擢第。

张谊。《宋史·张去华傅》：“张去华字信臣，开封襄邑人。父谊，字希买。好学，不事产业。既孤，诸父使督耕陇上，他日往视之，见阅书于树下，怒其不亲穑事，诟辱之。谊谓其兄曰：‘若不就学于外，素志无成矣。’遂潜诣洛阳龙门书院，与宗人沆、鸾、湜结友，故名闻都下。长兴中，和凝掌贡举，谊举进士，调补耀州团练推官。晋天福初，代还。会凝由内署拜端明殿学士，署门不接宾客，谊闻之，即日致书于凝，以为‘切近之职，实当顾问，四方利害，所宜询访，若不接宾客，聋瞽耳目，坐亏职业，虽为自安计，其可得乎?’凝大奇之，他日，荐于宰相桑维翰曰：‘凝门生中有张谊者，性介直，颇涉辞艺，可备谏职。’未几，超拜左拾遗。谊以晋室新造，典礼未完，数上章请复有唐故事。又言契丹有援立之助，所宜敦信谨备，不可自逸，以启衅端。改右补阙，充集贤殿修撰，历礼部员外郎、侍御史。改仓部、知制诰，加礼部郎中。”

诸科一人。

知贡举：主客郎中和凝，擢范质、李浣等登第，时议得人。迁中书舍人充职。《旧五代史》卷一二七本传：“转主客郎中充职，兼权知贡举。贡院旧例，放榜之日，设棘于门及闭院门，以防下第不逞者。凝令彻棘启门，是日寂无喧者，所收多才名之士，时议以为得人。明宗益加器重，迁中书舍人……皆充学士。”和凝．于本年知贡举，见前引《登科记考》卷二五。《旧五代史》本传：“召入翰林，充学士，转主客郎中充职，兼权知贡举。贡院旧例，放榜之日，设棘于门及闭院门，以防下第不逞者。凝令撤棘启门，是日寂无喧者。所收多才名之士，时议以为得人。”《玉壶清话》卷六：“范鲁公质举进士，和凝相主文，爱其私试，因以登第。凝旧在第十三人，谓公曰：‘君之辞业合在甲选，暂屈为第十三人，传老夫衣钵可乎?’鲁公荣谢之。”

杜光庭（850—933）卒，年八十四。光庭著作甚丰，收入《正统道藏》者已达二十余种。其中《道门科范大全集》八十七卷、《太上黄箓斋仪》五十八卷等，为道教仪轨科范之集大成者，历来为道门所重视。另有神仙传说、神怪异闻著作多种，近于小说之笔。其中《墉城集仙录》十卷，记历代女仙故事，今存六卷，后四卷不存，《太平广记》引有逸文。《仙传拾遗》四十卷，记唐以前神仙传说故事，已逸，《太平广记》、《续事始》、《分门古今类事》、《吴郡志》等书引有逸文。《王氏神仙传》一卷，为取媚前蜀王建而作，亦逸，《类说》、《三洞群仙录》等书引有逸文。《录异记》八卷，记各种怪异故事，今存。《神仙感遇传》五卷，记神仙遇合、变化故事，亦存。另著名传奇《虬髯客传》因曾收入《神仙感遇传》而署其所撰者，实误。《崇文总目》录《杜光庭集》三十卷，《通志》同。《宋史·艺文志》录其《广成集》一〇〇卷。今存《广成集》十七卷。《全唐诗》卷八五四编其诗为一卷，其中十一首为郑遨诗误入。《全唐诗补编·续补遗》卷一三补一首，断句二。《全唐诗补编·续拾》卷五一补一五〇首，其中一部分录自其整理之道教典籍，不一定为其所撰。《全唐文》编其文为十六卷（卷九二九至九四四），《唐文拾遗》卷五〇补四篇。《四库全书总目提要》卷一百五子部十五：《杜天师了证歌》一卷（浙江巡抚采进本）旧本题唐杜光庭撰。光庭，字圣宾，晚自号东瀛子。括苍人。应百篇举不第，入天台山为道士。僖宗幸蜀，召见。赐紫衣，充麟德殿文章应制。王建据蜀，赐号广成先生，除谏议大夫，进户部侍郎，后归老于青城山。此书题曰天师，据陶岳《五代史补》，亦王建时所称也。考光庭所著多神怪之谈，不闻以医显，此书殆出伪托，其词亦不类唐末五代人。钱曾《读书敏求记》以为真出光庭，殊失鉴别。其注称宋人高氏伍氏所作，而不题其名。后附《持脉备要论》三十篇，亦不知谁作，多引王叔和《脉诀》，而不知叔和有《脉经》，则北宋以后人矣。《四库全书总目提要》卷一百四十四子部五十四小说家类存目二《录异记》八卷（两江总督采进本）蜀杜光庭撰。光庭有《了证歌》，已著录。此书《宋志》作十卷，与今本异白雰《道藏目录》收于洞元部记传类恭字号中。然光庭虽道士，而此书所述实无与于道家。卷首沈士龙题辞谓光庭以方术事蜀孟昶，故成此书以取悦。考陶岳《五代史补》，光庭以唐僖宗幸蜀时入道，其后历事王建、王衍，未入后蜀。即以此书而论，其记蜀丁卯年会昌庙城壕侧龟著金书玉字大吉字，则王建天复七年也。又称蜀皇帝乾德元年己卯七月十五日庚辰降诞广圣节，王彦徽得白龟以进，则王衍元年也。凡此皆为前蜀王氏诞陈符瑞，以云悦昶。失考甚矣。其言皆荒诞不足信。《冶城客论》曰：广成先生杜光庭撰《仙传录异》等书，率多自作，故人有无稽之言谓之杜撰。然则光庭之妄，前人已言之矣。《四库全书总目提要》卷一百四十七子部五十七道家类存目“《道教灵验记》十五卷（两淮盐政采进本）蜀杜光庭撰。光庭有《了证歌》，已著录。其书历述奉道之显应，以自神其教。凡宫观灵验三卷，尊像灵验二卷，天师灵验一卷，真人王母等神灵验一卷，经法符录灵验三卷，钟磬法物灵验一卷，斋醮拜章灵

验二卷。以光庭自序及宋徽宗序考之，尚阙五卷。张君房《云笈七签》亦载此书，仅六卷一百十八条，又节删之本，更非其旧矣。陶岳《五代史补》载，光庭，长安人，僖宗时应九经举不第，尝从道士潘尊师游。会僖宗求可领蜀中道教者，潘荐光庭。遂奉诏披戴，赐号广成先生。而《青城山志》载元符中彭崇一序，则云光庭字宾圣，京兆杜陵人，与郑云更应百篇举不第，入天台为道士。扈僖宗入蜀，留居青城以卒。其说小异，未详孰是，然其为由儒入道则同。故所述皆娴于文字，较他道家之书词采可观。惜其纯为神怪之说，不足据为典要耳。旧本题曰唐人。考朱子《通鉴纲目》书王建以道士杜光庭为谏议大夫，而光庭《广成集》中又有谢户部侍郎表，则非惟入蜀，且仕蜀矣。故今改题焉。"《四库全书总目提要》卷一百四十七子部五十七道家类存目"《神仙感遇传》五卷（两淮盐政采进本）蜀杜光庭撰。记古来遇仙之事。《云笈七签》所载凡四十四条，此本凡七十五条。然第五卷末尚有阙文，不知凡佚几条也。""《墉城集仙录》六卷（两淮盐政采进本）蜀杜光庭撰。记古今女仙凡三十七人。云墉城者，以女仙统于王母，而王母居金墉城也。张君房《云笈七签》所载，与此本互异。然此本前数卷皆袭《汉武内传》、陶宏景《真诰》之文，真伪盖不可知。疑君房所录为原本，而此本为后人杂摭他书砌合成编。然均一荒唐悠谬之谈，真伪亦无足深辩耳。""《洞天福地岳渎名山记》一卷（两淮马裕家藏本）蜀杜光庭撰。首仙山，次五岳，次十大洞天，附以青城山，次五镇海渎，次三十六精庐，次三十六洞天，次七十二福地，次灵化二十四，皆神仙幻妄之言。故虽纪山川，不隶之地理类焉。"卷一百五十一集部四《四库全书总目提要》别集类四载《广成集》十二卷（浙江汪汝栗家藏本）蜀杜光庭撰。光庭有《了证歌》，已著录。《宋史·艺文志》载光庭《广成集》一百卷，又《壶中集》三卷。《通志·艺文略》载《光庭集》三十卷。今此本十二卷，仅表及斋醮文二体。《十国春秋》所载《序毛仙翁略》文一篇，又《泸州刘真人碑记》、《青城县重修冲妙观碑记》、《宫广外尊师碑记》、《三学山功德碑文》诸目，皆不载集中。盖残阙之馀，已非完本也。考《资治通鉴》载蜀主以光庭为谏议大夫，而集有《谢除户部侍郎表》，史并不言其为此官。又《资治通鉴》载王宗绾取宝鸡、岐，保胜节度使李继岌降，复姓名为桑弘志。而集中《贺收复陇州表》称："节度使桑简以手下兵士归降。"是弘志又名简，而史不之及。又有《贺太阳当亏不亏表》，称"今月一日丁未巳时，太阳合亏于轸十一度"。今以史志核之，蜀高祖永平元年正月丁亥朔、后主乾德三年六月乙卯朔、五年十月辛未朔，皆当日食，而独无丁未日。蜀用胡秀林永昌历，或其法与中国不同。是可以备参考。又其在唐末时为王建所作醮词，有称川主相公者，有称司徒者，有称蜀王者，有称太师者。考之于史，建以西川节度同平章事守司徒，封蜀王，一一皆合。而独失载其太师之号。又有称汉州尚书王宗夔、镇江侍中王宗黯者，二人皆王建养子。《十国春秋》具详其官，而独不纪其尝为汉州刺史、镇江军节度使。又有《越国夫人为都统宗侃还愿词》，称"俯迫孤城，遽淹旬月，俄开壁垒，大破凶狂，成扫荡之功，副圣明之奖"云云。而史记王宗侃为北路行军都统伐岐，青泥镇之战，侃兵大败，为蜀主所责，无功而还。与所言全不相合。光庭骈偶之文，词颇赡丽，而多涉其教中荒诞之说，不能悉轨于正。独五季文字阙略，集中所存，足与正史互证者尚多。故具录之，以为稽考同异之助焉。

王仁裕撰《开元天宝遗事》四卷，并有诗题杜光寺。《郡斋读书志》卷二下录《开元天宝遗事》四卷，云："右汉王仁裕撰。……蜀亡，仁裕至镐京，采摭民言，得开元天宝遗事一百五十九条。"［按，天成元年（926）蜀亡后，仁裕随王衍及蜀百官赴洛，曾在长安羁留数月，但其时王衍一族被诛，唐内部亦正混战，蜀诸降官前途莫卜，又在监禁之中，不可能有闲致作此书。而下年二月潞王叛，仁裕随王思同复卷入混战。故采摭民言及编撰成书，当在上年至本年间］《全唐诗补编·续拾》卷四二录仁裕《长兴中题杜光寺》，亦当上年至本年间作于长安。

高越本年或以后几年间入卢文进幕。高越传，见马令《南唐书》卷一三、陆游《南唐书》卷九及《十国春秋》卷二八。陆（书）传称："高越，字冲远，幽州人。精词赋，有名燕、赵间。卢文进镇上党，具礼币致之。初以客从。"《唐诗纪事》卷七一（高越）条、马令《南唐书》本传及《南唐近事》均称高越为"燕人"，是乃泛称。考《旧五代史》卷四四《唐明宗本纪》十，长兴四年三月，"以左卫上将军卢文进为潞州节度使"。上党属潞州。

陈抟，生年不详。本年前举进士不第，遂不求仕进，隐武当山，凡二十余年。陈抟传，见《宋史》卷四五七《隐逸传》，云："陈抟，字图南，亳州真源人。始四五岁，戏涡水岸侧，有青衣媪乳之，自是聪悟日益。及长，读经史百家之言，一见成诵，悉无遗忘，颇以诗名。后唐长兴中，举进士不第，遂不求禄仕，以山水为乐。自言尝遇孙君仿、獐皮处士二人者，高尚之人也，语抟曰：'武当山九室岩可以隐居。'抟往栖焉。因服气辟谷历二十余年，但日饮酒数杯。移居华山云台观，又止少华石室。每寝处，多百余日不起。周世宗好黄白术，有以抟名闻者，显德三年，命华州送至阙下。留止禁中月余，从容问其术，抟对曰：'陛下为四海之主，当以致治为念，奈何留意黄白之事乎？'世宗不之责，命为谏议大夫，固辞不受。既知其无他术，放还所止，诏本州长吏岁时存问。五年，成州刺史朱宪陛辞赴任，世宗令赍帛五十匹、茶三十斤赐抟。……抟好读《易》，手不释卷。常自号扶摇子，著《指玄篇》八十一章，言导养及还丹之事。宰相王溥亦著八十一章以笺其指。抟又有《三峰寓言》及《高阳集》、《钓潭集》，诗六百余首。"《资治通鉴》卷二九三亦称"真源陈抟"。宋王《东都事略》卷一一八《隐逸传》、朱熹《五朝名臣言行录》卷一〇《希夷先生》条所载同。杨亿《杨文公谈苑》亦云："陈抟，谯郡真源人，与老聃同乡里。"宋陶岳《五代史补》卷五《周世宗诏陈抟》条则云："陈抟，陕西人。"此当因陈抟曾隐于华山而误记也。抟之籍贯又有普州崇龛一说。明曹学《蜀中广记》卷七八引宋李宗谔、王曾《普州图经》所记云："陈抟，字图南，崇龛人。方四岁，戏涡水测，有青妪抱怀中乳之，聪悟日益。及长，辞父母去学道。或居亳，为亳人；或居洛，为洛人；或居华山，为华山人。"后南宋王象之《舆地纪胜》卷一五八、祝穆《方舆胜览》卷六三，皆载陈抟居普州崇龛之遗迹。今从《宋史》本传。南宋朱熹《五朝名臣言行录》卷一〇《杨文公谈苑》云："陈抟长兴末举进士不第，去隐武当山九室岩，辟谷炼气，二十余年。"宋魏泰《东轩笔录》卷一亦云："陈抟，字图南，有经世之才。生唐末，厌五代之乱，入武当山，学神仙导养之术，能辟谷，或一睡三年，后隐于华山。"今［按，唐末五代，道教之传统"外丹道"道士，因误导世人饵食仙丹而频频致死人命，南唐开国之主李昇即其显例］是故，以炼气辟谷为修炼方法的“内丹道”便试图寻找另一途径，以发展其教。此时，北方有陈抟，南方亦有谭峭（《十国春秋》卷三四）、谭紫霄（陆游《南唐书》卷一七）等。《四库全书总目提要》载《河图直数》二卷，旧本题宋陈抟撰。

公元 934 年（后唐闵帝应顺元年　后唐末帝清泰元年　南汉高祖大有七年　吴睿帝大和六年　闽惠宗龙启二年　后蜀后主明德元年　契丹天显九年　甲午）

正月

后唐闵帝大赦，改元应顺。以荆南节度使高从诲为南乎王，武安、武平节度使马希范为楚王，册封吴越钱元瓘为吴越王。

闰月

孟知祥即皇帝位于成都，国号蜀。史称后蜀。

三月

后唐潞王李从珂自凤翔发动兵变，连下长安、洛阳。

四月

太后下令，废少帝为鄂王，令潞王即皇帝位，是为末帝；本月，后唐改元清泰。唐闵帝逃至卫州，被杀。后蜀大赦，改元明德。

七月

孟知祥卒，终年六十一岁；其子孟昶即位。

十月

后蜀孟昶杀不法大将李仁罕等。详参《资治通鉴》卷二七九、《吴越备史》卷二、《旧五代史》卷四《闵帝本纪》。

后　唐

本年，进士登第者十七人。中书舍人卢导知贡举。（《登科记考》卷二五）《新五代史》载，“卢导，字熙化，范阳人也。唐末举进士，为监察御史。唐亡事梁，累迁左司郎中侍御史知杂事，以病免。唐明宗时召拜右谏议大夫迁中书舍人。”《旧五代史》本传：“导长兴末为中书舍人，权知贡举。明年春，潞王自凤翔拥大军赴阙，唐闵帝奔于卫州。”

正月

可止（860—934）卒，七十五岁。可止学识渊博，长于近体诗。晚年居洛阳时，与符蒙、孙偓等唱和频繁。著有《三山集》、《顿渐教义抄》。《宋高僧传》卷七《后唐洛京长寿寺可止传》："释可止。姓马氏范阳大房山高丘人也。年甫十二迥有出俗之心，依悯忠寺法贞律师。年十五为息慈，辞师往真定习学经论。……应顺元年甲午正月二十二日，忽微疾作，召弟子助吾往生念弥陀佛，奄然而化。俗年七十五，僧腊五十六。闰正月二日，荼毗收遗骨，至清泰二年四月八日建塔于龙门山广化寺之东南隅。止风神峭拔，戒节孤高。百家子史，经目无遗。该博之外，尤所长者，近体声律诗也。有《赠樊川长老》诗，流传人口。在定州日中山与太原互相疑贰诸侯兼并，王令方欲继好息民，因命僧斋于庆云寺。会有献白鹊者。王曰：'燕人诗客试为咏题。'止即席而成。后句云：'不知谁会喃喃语，必向王前报太平。'王欣然。诗人李洞者，风骨僻异，慕贾阆仙之模式，景福中在河池相遇，赠止三篇。时宰相孙公偓、赵公凤、马公裔孙、窦学士梦征、符侍郎蒙、李侍郎详，皆唱予和汝，埙篪韵谐。止顷在长安，讲罢游终南山逍遥园。是姚秦什法师译经之地，年代寖深鞠为茂草，且曰：'吾为释子忍不兴乎？'奏昭宗乞重修，帝允仍旧赐草堂寺额。后请樊川净休禅伯，聚徒谈玄矣。及在洛也讲外长诵金刚经不知纪极。昔多居终南山、崆峒山，故有《三山集》，诗三百五十篇，盛行于时。"又云："止著《顿渐教义钞》一卷，见行于代。"今皆不存。《全唐诗》卷八百二十五载："可止，姓马氏，范阳房山人。长近体律诗，乾宁中赐紫后，唐明宗令住持洛京长寿寺，署号文智大师。有《三山集》今存诗九首。"

高越本年随卢文进至安州，为掌书记，文进以女妻之。陆游《南唐书》卷九传云："及文进徙安州，越又从之，遂为其掌书记。文进仲女有才色，能属文，号'女学士'，因以妻越。"然郑文宝《南唐近事》及《唐诗纪事》卷七一又谓欲以女妻越者，鄂帅李公也。《近事》云："鄂帅李公贤之，待以殊礼，将妻以爱女。越窃喻其意，因题《鹰》一绝书于屋壁曰：'雪爪星眸众鸟归，摩天专待振毛衣。虞人莫谩张罗网，未肯平原浅草飞。'"马令《南唐书》传则谓越所妻者乃卢文进之爱女，《鹰》诗实为张宣作，"文进南奔，越与之具来，初投鄂帅张宜，久不见知，越咏《鹰》诗诮之曰：'晴空不碍摩天翅，未肯平原浅草飞。'遂至广陵。"马《书》所载是。考《旧五代史》卷四六《唐末帝本纪》上，清泰元年九月"甲寅，以前潞州节度使、检校太尉、同平章事卢文进为安州节度使"。

吴

匡白任吴庐山僧正，居东林寺。八月，奉德化王杨沏之命，撰《德化王子东林寺重置白氏文集记》。匡白，年里不详。

张洎（934—997）生。马令《南唐书》卷二三、《宋史》卷二六七、《十国春秋》卷三〇有传。《宋史》本传："张洎，滁州全椒人。曾祖旼，澄城尉。祖蕴泗上，转运巡官，父煦，滁州司法掾。洎少有俊才，博通坟典，江南举进士，解褐上元尉。李景

长子弘冀卒，有司谥武宣，洎议以为世子之礼，但当问安视膳，不宜以武为称，旋命改谥，擢监察御史。洎自以论事称旨，遂肆弹击无所忌，大臣游简言等嫉之。会景迁国豫章，留煜居守，即荐洎为煜记室不得从。未几，景卒。煜嗣。擢工部员外郎、试知制诰，满岁为礼部员外郎、知制诰迁中书舍人、清辉殿学士，参预机密，恩宠第一。洎旧字师黯，改字偕仁，清辉殿在后苑中，煜宠洎，不欲离左右，授职内殿，中外之务一以谘之。每兄弟宴饮，作妓乐，洎独得预为建大第宫城东北隅，及赐书万余卷，煜尝至其第，召见妻子，赐予甚厚。洎尤好建议，每上言未即行，必称疾，煜手札慰谕之，始复视事。及王师围城，逾年城危甚，洎劝煜勿降，每引符命云：'元象无变，金汤之固，未易取也。北军旦夕当自引退，苟一旦不虞，即臣当先死。'既而城陷，洎携妻子及橐装自便门入……宋至道三年（997）卒。""洎有文集五十卷行于世。"

后　蜀

闰正月

己巳，孟知祥即皇帝位于成都。

四月

辛巳，改元明德。

七月

甲子，孟知祥卒；子仁赞更名昶，即皇帝位。（见《资治通鉴》卷二七八、二七九）欧阳彬已归蜀事孟知祥。知祥卒，复事孟昶。《十国春秋》卷五三本传："王氏亡，复归高祖。"［按，孟知祥是年正月称帝，七月卒］

孟昶本年七月即帝位，史称后蜀后主。时年十六岁。孟昶传，见《旧五代史》卷一三六、《新五代史》卷六四。其事迹详《锦里耆旧传》、《蜀梼杌》及《十国春秋》卷四九《后蜀纪》二。《旧五代史》卷一三六载："昶，知祥之第三子也。母李氏，本庄宗之嫔，御以赐知祥。唐天祐十六年，岁在己卯，十一月十四日生昶于太原。及知祥镇蜀，昶与其母从知祥妻琼华长公主同入于蜀。知祥僭号，伪册为皇太子。知祥卒，遂袭其伪位，时年十六，尚称明德元年。及伪明德四年冬，伪诏改明年为广政元年，是岁，即晋天福三年也。伪广政十三年，伪上尊号为睿文英武仁圣明孝皇帝。《皇朝宋朝事》实云：'昶初名仁赞'。《挥尘余话》云：'昶字保元。'乾德三年春，王师平蜀，诏昶举族赴阙，赐甲第于京师，迨其臣下赐赉甚厚，寻册封楚王。是岁秋，卒于东京。时年四十七，事具皇家日历，自知祥同光二年丙戌岁入蜀，父子相继，凡四十年而亡。"

公元935年（后唐末帝清泰二年　南汉高祖大有八年　吴睿帝天祚元年　闽康宗永和元年　后蜀后主明德二年　契丹天显十年　乙未）

正月

闽大赦，改元永和。

九月

吴大赦，改元天祚。

十月

闽皇城使李仿杀王延钧，王继鹏继位，更名昶。吴加中书令徐知诰尚父、太师、大丞相、大元帅，进封齐王。荆南梁震请退，高从诲悉以政事委孙广宪。

十一月

闽主杀皇城使李仿。参《旧五代史》卷四七、《资治通鉴》卷二七九。

后　唐

本年

熊皦、薛居正、刘载等十四人登进士第。礼部尚书王权知贡举。（见《登科记考》卷二五）

熊皦，九华山人，生卒年及仕历均不详。本年进士及第。《直斋书录解题》卷一九载《屠龙集》一卷，注云："五代晋九华熊皦撰。后唐清泰二年进士。集中多下第诗，盖老于场屋者。"［按，《屠龙集》，《崇文总目》卷五、《郡斋读书志》卷四中、《宋史》卷二〇八《艺文志七》及《通志》卷七〇《艺文略》八"别集"五等均作五卷］此集今佚。《全唐诗》卷七三七收熊皦诗二首，继收熊皎诗四首。"皦"与"皎"同，实为一人。

薛居正，本年进士及第。薛居正传，见《宋史》卷二六四，云："薛居正字子平，开封浚仪人。父仁谦，周太子宾客。居正少好学，有大志。清泰初，举进士不第，为《遣愁文》以自解，寓意倜傥，识者以为有公辅之量。逾年，登第。"曾巩《隆平集》："薛居正，清泰中登进士第。"据此传载，薛居正卒于太平兴国六年（981）六月，享年七十。逆推之，知本年为二十四岁。

刘载，《宋史》本传："载字德舆，涿州范阳人，唐庐龙节度济直六世孙。父昭。"《宋太宗实录》："刘载，后唐清泰中举进士及第，解褐秘书省校书郎。"

诸科一人。知贡举：礼部尚书王权。《旧五代史》本传："权为尚书左丞、礼部尚书，判铨。清泰中，权知贡举。改户部尚书。”

刘赞病卒。《新五代史》卷二八传：“刘赞，魏州人也。父玭为县令，赞始就学，衣以青布衫襦，每食则玭自肉食，而别以蔬食食赞于床下，谓之曰：‘肉食，君之禄也，尔欲之，则勤学问以干禄；吾肉非尔之食也。’由是赞益力学，举进士，为罗绍威判官，去为租庸使赵岩巡官，又为孔谦盐铁判官。明宗时，累迁中书舍人、御史中丞、刑部侍郎。守官以法，权豪不可干以私。是时，秦王从荣握兵而骄，多过失，言事者请置师傅以辅道之。大臣畏王，不敢决其事，因请王得自择，秦王即请赞，乃拜赞秘书监，为秦王傅。赞泣曰：‘祸将至矣！’秦王所请王府元帅官属十余人，类多浮薄倾险之徒，日献谀谄以骄王，独赞从容讽谏，率以正道。秦王尝命宾客作文于坐中，赞自以师傅，耻与群小比伍，虽操笔勉强，有不悦之色。秦王恶之，后戒左右赞来不得通，赞亦不往，月一至府而已，退则杜门不交人事。已而秦王果败死，唐大臣议王属官当坐者，冯道曰：‘元帅判官任赞与秦王非素好，而在职不逾月，詹事王居敏及刘赞皆以正直为王所恶，河南府判官司徒诩病告家居久，皆宜不与其谋。而谘议参军高辇与王最厚，辇法当死，其余可次第原减。’朱弘昭曰：‘诸公不知其意尔，使秦王得入光政门，当待赞等如何？吾徒复有家族邪！且法有首从，今秦王夫妇男女皆死，而赞等止其一身幸矣！’道等难之。而冯赟亦争不可，赞等乃免死。于是论高辇死，而任赞等十七人皆长流。初，赞闻秦王败，即白衣驾驴以俟，人有告赞夺官而已，赞曰：‘岂有天子冢嗣见杀，而宾僚夺官者乎，不死幸矣！’已而赞长流岚州百姓。清泰二年，诏归田里，行至石会关，病卒。”《旧五代史》卷六八传所载亦同。赞之著述，宋元公私书目均未见著录，或未成集。《全唐诗》卷七二七录诗仅一首，复有疑辞。《全唐文》卷八四九存其文两篇。张昭本年加判史馆兼点阅三馆书籍，校正添补，预修《明宗实录》三十卷以献。《宋史》卷二六三本传。

荆　南

十月

梁震本年请退，自称荆台隐士，卒年无考。《十国春秋》本传云：“一日，王语震曰：‘吾自念平生奉养已过，今欲捐一切玩好，以经史自娱，省刑薄赋，境内以安，是吾愿也。’震知王克胜厥任，因曰：‘先王待我如布衣交，以嗣王屑我，今幸不坠先业。吾老矣，不复事人矣！’固请退居监利。王为之筑室于土洲上。震披鹤氅，逍遥若仙，自称荆台隐士……遂以是终其天年。所著文集一卷行世。”《资治通鉴》卷二七九记此事于本年十月，“荆南节度使高从诲小性明达，亲礼贤士，委任梁震，以兄事之；震常谓从诲为郎君。”又记：“梁震曰：‘先王待我如布衣交，以嗣王属我。今嗣王能自立，不坠其业，吾老矣，不复事人矣。’遂固请退居。从诲不能留，乃为之筑室于土洲。震披鹤氅，自称荆台隐士，每诣府，跨黄牛至听事。从诲时过其家，四时赐与甚厚。”《全唐诗》卷七六二梁震小传亦云：“自号荆台隐士。集一卷，今存诗一首。”《十国春秋》卷一〇二本传："固请退居监利。王为之筑室于土洲上。（原注：《江陵志余》名梁家台。）震披鹤氅，逍遥若仙，自称荆台隐士。（原注：《尧山堂外纪》曰：震晚年称荆台隐士，题院中壁云：桑田一变赋归来，爵禄焉能浼我哉。黄犊依然花竹外，清风万古凛荆台。）每诣府，辄跨黄牛至听事以为常，王亦数过其家，斗酒相劳，欢叙平生，四时赐予甚厚。"关于震退隐之原因，《三楚新录》卷三云："洎季兴卒，从诲立。震独不悦，谓所亲曰：'先王平生与吾相见，兄弟之不若也。今日之下，安能屈节北面复事其子耶？'于是求解职，退处于郊外。……从诲以其先王旧人，不忍以过杀之。"《五代史补》卷四"梁震裨赞"条："洎季兴卒，子从诲继立。震以从诲生于富贵，恐相知不深，遂辞居于龙山别业，自号处士。"

公元936年（后晋高祖天福元年　南汉高祖大有九年　吴睿帝天祚二年　闽康宗通文元年　后蜀后主明德三年　契丹天显十一年　丙申）

正月

闽主昶改元通文。

五月

河东石敬瑭反。

七月

石敬瑭向契丹主耶律德光称臣、称儿，请求出兵。

十一月

耶律德光立石敬瑭为"大晋皇帝"，史称后晋。石敬瑭割幽、蓟、瀛、莫、涿、檀、顺、新、妫、儒、武、云、应、寰、朔、蔚十六州与契丹，岁纳帛三十万匹。石敬瑭改长兴七年为天福元年。后唐末帝李从珂在洛阳自焚死，后唐亡。石敬瑭入洛阳。参《旧五代史》卷四八《唐末帝本纪》下、卷七五《晋高祖纪》二、《资治通鉴》卷二八〇。

后　晋

唐帝李从珂疑河东节度使石敬瑭有谋反意，朝中大臣亦有同识。五月，下诏改石敬瑭为天命节度使，另以他将为河东节度使。敬瑭不受诏，反，唐遣将北攻晋阳（太原）。敬瑭求救于契丹，称臣，并以父礼事之，且允以割地。契丹举兵南下，于晋阳大败唐兵。

十一月

石敬瑭于太原即皇帝位，国号晋，改元天福，并引兵南攻洛阳。

闰十一月

辛巳，唐帝李从珂自焚死，年五十一。见《资治通鉴》卷二八〇。《资治通鉴》并记云："（七月）石敬瑭遣间使求救于契丹，令桑维翰草表称臣于契丹主，且请以父礼事之，约事捷之日，割卢龙一道及雁门关以北诸州与之。刘知远谏曰：'称臣可矣，以父事之太过。厚以金帛赂之，自足致其兵，不必许以土田，恐异日大为中国之患，悔之无及。'敬瑭不从。"又，石敬瑭于十一月即帝位，即割幽、蓟等十六州与契丹，并许岁输帛三十万匹。

本年

高頔、赵宏、卫融等十三人登进士第。礼部侍郎马胤孙知贡举。

高頔，《宋史·文苑传》云："高頔，字子奇，开封雍邱人。后唐清泰中举进士，同辈给之曰：'何不从裴仆射求知乎？'时裴皞以左仆射致仕，后进无至其门者。頔性纯朴，信其言，以文贽于皞。明年，礼部侍郎马胤孙知贡举，乃皞门下生也，皞以頔语之，遂擢乙科。"

赵宏，《十国春秋》载："赵宏，苏州渔阳人。父玉，常客沧州，依节度判官吕兖。刘守光破沧州，收兖亲属尽戮之。兖子琦，年十四，玉负之以逃……当是时，燕赵义士以玉能存吕氏之孤，翕然称之。明宗时，琦官职方员外郎，知杂。清泰中，琦为给事中、端明殿学士，玉已卒矣。宏人洛，举进士，琦荐于主司马胤孙，擢甲科。""赵宏即赵文度，见《宋史》卷四八二。徐《登科记考》据《十国春秋》作赵宏，避乾隆讳改。"《渑水燕谈录·歌咏》："赵文度，青州人。清泰三年进士第六人及第。"

卫融，《十国春秋》："卫融字明远，青州博兴人，晋天福初第进士，调南乐主薄。"见《登科记考》卷二六程峻。《浯田程氏宗谱》卷二载七十二世："峻，后唐清泰三年侍郎马胤孙下擢进士第，终于殿中侍御史、淮海行军支使。"

知贡举：礼部侍郎马胤孙（马裔孙）。《新五代史·唐纪》："清泰三年三月丙午，翰林学士、礼部侍郎马胤孙为中书侍郎、同中书门下平章事。是知举时为礼部侍郎矣。"《旧五代史》本传："胤孙初为河中从事，赴阙，宿于逻店。其地有上逻神祠，夜梦神见召，待以优礼，手授二笔，其笔一大一小，觉而异焉。及为翰林学士，胤孙以为契鸿笔之兆。旋知贡举，私自谓曰：'此二笔之应也。'洎入中书上事，堂吏奉二笔，熟视，大小如昔时梦中所授者。"《增修诗话总龟》前集卷十八《纪实门》引《郡阁雅谈》："裴皞官至礼部尚书，放三榜，四人拜相：桑维翰、窦正固、张砺、马裔孙。清泰二年，马裔孙知贡举，才放榜，谢恩，引诸生诣座主宅谒拜，裴公以诗示云：宦途最重是文衡，天与愚夫著盛名。三主礼闱年八十，门生门下见门生。未开宴，裔孙登庸。"元陶宗仪撰《说郛》卷十七下所载相同。

宋白（936—1012）**生，字太素，一作素臣，大名（今属河北）人。**年十三即善属文。宋太祖建隆二年（961），擢进士甲科，乾德（963—968）初，解褐为著作郎。开宝（968—976）中连知蒲城、卫南二县。太宗即位擢为左拾遗，权知兖州，预修《太祖实录》，俄直史馆，判吏部南曹，寻拜中书舍人，赐金紫。太宗太平兴国五年（980），知贡举，历史馆修撰、集贤殿直学士，为翰林学士，与李昉主持修纂《太平御览》、《文苑英华》。真宗景德二年（1005），拜刑部尚书、集贤殿学士、判院事，以兵部尚书致仕，卒赠左仆射。白学问宏博、属文敏赡，然辞意放荡，少法度，好读书，聚书数万卷，尝条类故事千馀门，号《建章集》。唐人编集遗落者，白多方补葺。对后进之士富于才华者，多予以奖掖，在宋初文坛影响很大。诗多酬赠题咏应制奉和之作，其《宫词》百首尤有名于时。所著《广平集》已佚。《宋史》卷四三九有传。

王周，魏州人。生卒年不详。本年稍后，以战功授贝州节度使。王周传，见《旧五代史》卷一〇六、《新五代史》卷四八。《旧五代史》传云："王周，魏州人。少勇健，从军事唐庄宗、明宗，稍迁裨校，以战功累历郡守。晋天福初，范延光叛于魏州，周从杨光远攻降之，安重荣以镇州叛，从杜重威讨平之，以功授贝州节度使。岁余，移镇泾州。先是，前帅张彦泽在任苛虐，部民逃者五千余户，及下车，革前弊二十余事，逃民归复，赐诏褒美。后历邓、陕二镇。阳城之役，周时为定州节度使，大军往来，供馈无阙，未几，迁镇州节度使。周禀性宽惠，人庶便之。开运末，杜重威降于契丹，引契丹主临城谕之。周泣曰：'受国重恩，不能死战，而以兵降，何面南行见人主与士大夫乎？'乃痛饮欲引决，家人止之。事不获已，乃见契丹主，授邓州节度使、检校太师。高祖定天下，移镇徐州，加同平章事。乾祐元年二月，以疾于镇，辍视朝二日，赠中书令。周性宽恕，不忤物情。初刺信都，州城西桥败，覆民租车，周曰：'桥梁不饬，刺史之过也。'乃还其所沈粟，出私财以修之，民庶悦焉。"

吴

李璟父李昪在金陵始建大元帅府，置百官，冯延巳与弟延鲁同事李昪于元帅府，冯延巳三十四岁。陆游《南唐书》卷一一《冯延鲁传》："延鲁字叔文，一名谧，少负才名。烈祖时，与兄延巳俱事元帅府。"考《资治通鉴》卷二八〇，徐知诰本年正月始建大元帅府，置百官，以金陵为西都。见夏承焘《唐宋词人年谱·冯正中年谱》考述。李璟本名景通，改名瑶，后名璟，字伯玉。徐知诰长子。仍居金陵为副都统。三月，为太尉、副元帅。《资治通鉴》卷二八〇：清泰三年三月，"吴徐知诰以其子副都统景通为太尉、副元帅，都统判官宋齐丘、行军司马徐玠为元帅府左、右司马"。冯延巳一名"延嗣"，字正中。广陵人。本年三十四岁，与弟冯延鲁俱事徐知诰于元帅府。

十二月

高越随卢文进奔吴。马令《南唐书》卷一三传云："晋高祖即位，文进南奔，越与之俱来。"新、旧《五代史》及《五代春秋》等均记此事于天福二年正月，今从《资治通鉴》。

孙鲂本年前曾与沈彬、李建勋三人结为诗社唱和。《江南野史》卷七传载："与沈彬尝游于李建勋，为诗社。彬为人口辩，每好较人诗句。时鲂有《夜坐》句美于时辈，建勋因试之，先匿鲂于斋中，候彬至，乃问鲂之为诗何如。彬答曰：'人言鲂非有《国风》、《雅》、《颂》之体，实得田舍翁火炉头之作，何足称哉。'鲂闻之大怒，突然而出，乃让彬曰：'君何诽谤之甚，而比之田舍翁言！无乃太过乎！'彬答曰：'子《夜坐》句云：划多灰渐冷，坐久席成痕。此非田舍翁炉上作而何?'阖座大笑，善彬能近取譬也。"［按，沈彬于唐末及后梁时漫游湖湘、江西，至吴大和四年（932）始赴金陵应辟，南唐禅代（937）前已致仕归江西，故其与孙鲂、李建勋结为诗社，只能在此四、五年间］

闽

三月

闽改元通文。（见《资治通鉴》卷二八〇）

谭峭（？—975）为闽康宗所尊事，赐号洞玄大师、贞一先生。峭，字景升，泉州（今属福建）人。世称紫霄真人，故诸书或称谭紫霄。谭峭著有《化书》六卷，此书为宋齐丘所夺，故旧署宋齐丘撰，书中述黄老道德之说，谓万物源于虚，"虚化神，神化气，气化形"，复归于虚；并认为社会之病在于统治者夺民之食，提出"能均其食者，天下可以治"，构想无亲无疏、无爱无恶之太和社会。明王世贞《弇州山人续稿》卷一五一跋此书云："是书也，吾以为齐丘必窜人其自著十之一二，而后掩为己有，如《五常》一章忽云：'运帝王之筹策，代天地之权衡，则仲尼其人是也。'彼盖所以名齐丘意也。若景升必不推仲尼，亦不必附于儒者。"此可备一说。《全唐诗》卷八六一存其诗一首，断句二。《四库提要辨证》卷一四："《化书》六卷，南唐谭峭。旧本题曰齐丘子，称南唐宋齐丘撰。然宋碧虚子陈景元跋称旧传陈抟言谭峭景升在终南著《化书》，因游三茅，历建康，见齐丘有道骨，因以授之，齐丘遂夺为己有而序之，则此书为峭所撰，称齐丘子者非也。峭为唐国子司业洙之子，师嵩山道士，得辟谷养气之术，见沈汾《续仙传》中。又道家称峭为紫霄真人，而《五代史·闽世家》称王昶好巫，拜谭紫霄为正一先生，其事与峭同时，不知即一人否？方外之事，行踪靡定，亦无从而究诘矣。宋陈舜俞《庐山记》卷三云：'栖隐观古名栖隐洞，保大中，道士谭紫霄来自闽中，赐号金门羽客，始立观于此。谭之在闽中，号洞玄天师、贞一先生。贞一即正一，与《五代史》合。陆游《南唐书》卷十七云：谭紫霄，泉州人，幼为道士，自言得道陵天心正法，劾鬼魅、治疾病多效，闽王王昶尊事之，号金门羽客、正一先生；闽亡，遁居庐山栖隐洞，学者百余人；后主闻其名，召见，赐官阶，辞不受，俄无疾卒，年百余岁。'《十国春秋》卷九九《谭紫霄传》亦云：'康宗奉为师，封正一先生；闽亡，寓庐山栖隐洞。南唐后主闻其名，召至建康，赐金门羽客，阶以金紫，比蜀之杜光庭，皆让不受。'是紫霄实尝自闽中游建康，与陈景元跋所谓历建康见齐丘者合，然则《五代史》之谭紫霄，盖即著此书之紫霄真人谭峭也。陆游及吴任臣作《紫霄传》，均不知其名峭，盖犹考之未审矣。”

公元937年（后晋高祖天福二年　南唐先主升元元年　闽康宗通文二年　后蜀后祖明德四年　契丹天显十二年　丁酉）

正月

契丹以幽州为南京。吴徐知诰始建太庙、社稷，改金陵为江宁府，置丞相、内枢密使，百官皆如吴朝之制。

四月

吴越王钱元瓘复建国，如同光故事。

五月

吴徐知诰遣使以美女、珍玩结好于契丹，契丹主亦遣使报之。

六月

吴诸道都统徐景迁卒。

八月

吴主下诏，禅位于齐。

十月

吴杨溥逊位，徐知诰受禅，改元升元，国号唐。

十一月

后晋诏加吴越王钱元瓘天下兵马副元帅，进封吴越国王。详参《资治通鉴》卷二八一、马令、陆游《南唐书》。

后　晋

晋国初建，藩镇未服，又历兵火，民间困穷，契丹又征求无厌。晋主石敬瑭从枢密使桑维翰议，安定政局，务农桑，通商贾，数年之间，中原稍安。《资治通鉴》卷二八一本年正月记：“戊寅，以李崧为中书侍郎、同平章事，充枢密使，桑维翰兼枢密使。时晋新得天下，藩镇多未服从；或虽服从，反仄不安。兵火之余，府库殚竭，民间困穷，而契丹征求无厌。维翰劝帝推诚弃怨以抚藩镇，卑辞厚礼以奉契丹，训卒缮兵以修武备，务农桑以实仓廪，通商贾以丰货财。数年之间，中国稍安。"《资治通鉴》卷二八一。

本年，崔颀等十九人登进士第。中书舍人王延知贡举。

崔颀，《旧五代史》卷一百三十一王延传："王延，字世美，郑州长丰人也。少为儒，善词赋，会乡曲离乱，不获从乡荐，因客于浮阳，随沧帅戴思远入梁。尝以所为赋谒梁相李琪，琪览之，欣然曰：'此道近难其人，王生升我堂矣。'繇是人士称之。寻荐为即墨县令，历徐、宋、郓、青四镇从事。长兴初，乡人冯道、赵凤在相位，擢拜左补阙。逾年，以水部员外知制诰迁中书舍人，赐金紫。清泰末，以本官权知贡举。时有举子崔颀者，故相协之子也。协素与吏部尚书卢文纪不睦，及延将入贡院，文纪谓延曰：'舍人以谨重闻于时，所以去冬老夫在相位时，与诸相首以长者闻奏，用掌文衡。然贡闱取士，颇多面目。说者云："越人善泅，生子方晬，乳母浮之水上。或骇然止之，乳母曰，'其父善泅，子必无溺。今若以名下取士 ，即此类也。'舍人当求实才,以副公望。"延退而谓人曰：'卢公之言，盖为崔颀也。纵与其父不悦，致意何至此耶?'来春，以颀登甲科。其年，改御史中丞，岁满，转尚书右丞。奉使两浙，吴人深重之。复命，授吏部侍郎，改尚书左丞，拜太常卿，历工、礼、刑三尚书。周初，以疾求分司西洛，授太子少保。既而连月请告，为留台所纠，改少傅致仕。广顺二年冬卒，时年七十有三。"见《登科记考》卷二六。[按，《登科记考》仅列崔颀一人姓名]

上书拜官一人：张休。宋王钦若等撰《册府元龟》卷九十七："天福二年六月，勅进策官、前摄郑州防御巡官、前乡贡明经张休，以廉科擢第，义府游心。既坚拾芥之勤，果契然薪之志，而能救斯时病，来贡封章。览其所陈，甚为济要，旌诸忧国，示以宠章。王畿式解于褐衣，县簿仍超于常品，可将仕郎、守河南府伊阳县主簿。"

知贡举：中书舍人王延。《旧五代史》卷一百三十一本传："延字世美，郑州长丰人也。知举年，改御史中丞。"《旧五代史·晋纪》："五月戊寅，以中书舍人、权知贡举王延为御史中丞。"

南　唐

徐知诰本年十月受吴禅，奉吴主为让皇，即帝位于金陵，国号大齐，改元升元。《玉壶清话》卷九云："丁酉十月，受吴禅，奉吴主为让皇，改元升元。"两《南唐书》及《新五代史》卷六二所载皆同，即受禅于本年十月，国号大齐。惟《资治通鉴》卷二八一载："冬十月，甲申，齐王诰即皇帝位于金陵，大赦，改元升元，国号唐。"[按，诸书皆谓复姓李在明年四月，定国号为唐，当在复姓李之后，《资治通鉴》误]

沈彬致仕返归高安乡里。屡与李建勋、李中唱酬，时年七十五岁。陆游《南唐书》卷七本传："俄恳求还山，以吏部郎中致仕。"诸书皆谓彬应辟授官后未久即致仕，马令《南唐书》且明言在南唐禅代前。《江南野史》卷六："未几以老乞骸骨归，乃授吏曹郎致仕，年将八十，修养不怠。"马令《南唐书》卷一五本传："未几，乞罢，以尚

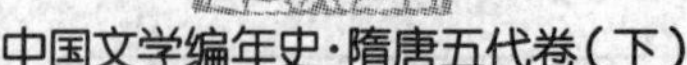

书郎致仕。禅代之后，绝不求仕，高安士人多为给其粟帛。”《全唐诗》卷七三九李建勋有《和致仕沈郎中》，李中《碧云集》卷上有《寄赠致仕沈彬郎中》等诗。此可证陆游《南唐书》所称彬仍以吏部郎中致仕。李中有唱酬诗《寄赠致仕沈彬郎中》、《送致仕沈彬郎中游茅山》、《赠致仕沈彬郎中》。《唐才子传》卷十“李中，字有中，九江人也。唐末，尝第进士，为新涂、淦阳、吉水三县令，仕终水部郎中。孟宾于赏其工吟，绝似方干、贾岛，时复过之。如‘暖风医病草，甘雨洗荒村’，又‘千里梦随残月断，一声蝉送早秋来’，又‘残阳影里水东注，芳草烟中人独行’，又‘闲寻野寺听秋水，寄睡僧窗到夕阳’，又‘香入肌肤花洞酒，冷浸魂梦石床云’，又‘西园雨过好花尽，南陌人稀芳草深’等句，惊人泣鬼之语也。有《碧云集》，今传。”

孙鲂（？—937）卒。有集三卷。马令《南唐书》卷一三、《十国春秋》卷三一有传。《江南野史》卷七云：“孙鲂，世南昌人。家贫好学，长会唐末丧乱，都官郎郑谷亦避乱归宜春，鲂往师之，颇为诱掖。后有能诗名。尝与沈彬及桑门齐己、虚中之徒为唱和俦侣。属吴王行密据有江淮，遂归，射策授口郡从事。”《唐诗纪事》卷七一：“鲂，南昌人。曰：‘何讥谤之甚？’彬曰：‘画多灰渐冷，坐久席成痕。此非田舍翁炉上，谁有此况？’一座大笑。及金山寺诗云：‘天多剩得月，地少不生尘。’当时谓骚情风韵不减张祜。鲂父，画工也。王彻为中书舍人，草诰词云：‘李陵桥上，不吟取次之诗；顾颉笔头，岂画寻常之物。’鲂终身恨之。”马令《南唐书》卷一三本传：“金山寺题咏，众因称道唐张祜有‘僧归夜船月，龙出晓堂云’之句，欲和，众皆搁笔。鲂复吟云：‘山载江心寺，鱼龙是四邻。楼台悬倒影，钟磬隔嚣尘。过橹妨僧定，惊涛溅佛身。谁言题咏处，流响更无人。’时人号为绝唱。”《唐诗纪事》亦云：“润州金山寺，张祜、孙鲂留诗为第一篇。”《唐才子传》卷七：“孙鲂，唐末处士也。与沈彬、李建勋同时唱和亦多，鲂有《夜坐》诗，为世称玩。建勋尤器待之，日与谈燕，尝匿鲂于斋幕中，待沈彬来乃问曰：‘鲂夜坐诗如何？’彬曰：‘田舍翁火炉头之语，何足道哉！’鲂从幕中出诮彬。”《崇文总目》 卷五录鲂集三卷，今不传。《全唐诗》卷七四三存其诗七首，断句十，卷八八六补二十八首，《全唐诗补编·续拾》卷四三又补一首。

李煜（937—978）生。煜，字重光，初名从嘉，号钟隐，又称钟山隐士、钟峰隐居、钟峰隐者、钟峰白莲居士、莲峰居士。南唐中主璟第六子。李煜，《旧五代史》卷一三四、《新五代史》卷六二。马令《南唐书》卷五、陆游《南唐书》卷三、《十国春秋》卷一七有传或本纪。沈雄称“在词中不失为南面王”（《古今词话》）。《梦溪笔谈·补笔谈》卷下：“江南府库中书画至多。至多其印记有建业文房之印，内合同印集贤殿书院，印以墨印之，谓之金图书言，惟此印以黄金为之，诸书画中时有李后主题跋，然未尝题书画人姓名，唯钟隐画皆后主亲手，题钟隐笔三字：后主善画，尤工翎毛。或云，凡言钟隐笔者皆后主自画。后主尝自号钟山隐士，故晦其名谓之钟隐，非姓钟人也。今世传钟画，但无后主亲题者皆非也。”《宣和画谱》卷一七：“江南伪主李煜，字重光，政事之暇，寓意于丹肖，颇到妙处：自称钟峰隐居，又略其言曰钟隐，后人遂与钟隐画混淆称之。”米芾《画史》：“锦［按，当为钟］峰白莲居士，又称钟峰隐居，又称钟峰隐者，皆李重光自题号，意是钟山隐居耳。”

吴越

道恷（868—937）卒，年七十岁。居龙册寺，为吴越王钱元瓘所尊礼。八月，僧汇征为撰塔铭。吴越禅学自道恷而兴，又善诗。《宋高僧传》卷一三本传："次文穆王钱氏创龙册寺，请思居之。吴越禅学自此而兴。以天福丁酉岁八月示灭，春秋七十。荼毗于大慈山坞，收拾舍利。起塔于龙姥山前。故僧主汇征撰塔铭。今舍利院，弟子主之，香火相缀焉。"（明吴之鲸撰《武林梵志》卷十同）文穆王钱氏谓钱元理。《全唐诗补编·续拾》卷四五收道恷诗偈九首。

钱俨（937—1003）生。俨，本名弘信，后避宋讳去弘字，淳化初又改名俨，字诚允，杭州临安（今属浙江）人。俨博涉经史，文辞敏速，人以为可与罗隐相颉颃，钱俶时吴越国词翰多出其手。归宋后，与朝廷文士游，歌咏不绝。晚年颇以整理故国文献为己任。著有《吴越备史》十五卷，《备史遗事》五卷，《忠懿王勋业志》三卷，《贵溪叟自叙传》一卷，及文集前集五十卷，后集二十四卷。《宋史》卷四八〇《十国春秋》卷八三有传。《宋史》卷四八〇本传："入朝，以俨为随州观察使。……换金州。……未几，出判和州，在职十七年。咸平六年卒，年六十七，赠昭化军节度。俨嗜学，博涉经史。少梦人遗以大砚，自是乐为文辞，颇敏速富赡，当时国中词翰多出其手。归京师，与朝廷文士游，歌咏不绝。淳化初，尝献《皇猷录》，咸平又献《光圣录》，并有诏嘉答。所著有前集五十卷，后集二十四卷，《吴越备史》十五卷，《备史遗事》五卷，《忠懿王勋业志》三卷，又作《贵溪叟自叙传》一卷。"

后蜀

十二月

戊申，蜀大赦，改明年曰广政元年。（见《资治通鉴》卷二八一）

赵崇祚仍为蜀大理少卿，助林罕编成《林氏字源编小说》。崇祚与林罕讨论字源及编书事。林罕，《十国春秋》卷四三有传，云："字仲緘，西江人也。……尤善六书之学，常注《说文》二十篇，目曰《林氏小说》，刻石蜀中。"前蜀咸康元年（925），曾代顾在况撰《十在文》，讽刺后主君臣。《全唐文》卷八八九存其文二篇，《唐文拾遗》卷四七补足一篇。

公元938年（后晋高祖天福三年　南汉高祖大有十一年　闽康宗通文三年　后蜀后主广政元年　南唐先主升元二年　辽会同元年　戊戌）

八月

契丹遣使诣南唐，宋齐丘劝唐主厚贿之，俟至淮北，潜使人杀之，欲以间晋。

十一月

后晋以闽王昶为闽国王，又以威武节度使王继恭为临海郡王。闽主闻之，辞册命及使者。南唐杀吴让皇杨溥于润州牙城。参《资治通鉴》卷二八一。

后 晋

本年

孔英、贾玭、窦仪等二十人登进士第，户部侍郎崔棁知贡举。

孔英，《册府元龟》卷六五一："晋高祖天福三年，崔棁权知贡举。时有进士孔英者，行丑而才薄，宰相桑维翰素知其为人，深恶之。及棁将锁院，礼辞于维翰，维翰性语简止，谓棁曰：'孔英来也?'盖虑棁误放英，故言其姓名以扼之也。棁性纯直，不复禀覆。因默记之。时英又自称是宣尼之后，每凌轹于方场，棁不得已，遂放英登第。榜出，人皆喧笑。维翰闻之，举手自抑其口者四，盖悔言也。"见《登科记考》卷二六。

贾玭，字仲宝，沧州南皮人。本年进士及第。《宋史》卷二六五《贾黄中传》云："贾黄中，字娲民，沧州南皮人，唐相耽四世孙。父玭字仲宝，晋天福三年进士，释褐。"玭之事迹仅此而已。李调元《全五代诗》卷一一收玭《寄赠宜义大师》一诗。

窦仪，字可象，苏州渔阳人。二十五岁。本年进士及第。窦仪传，见《宋史》卷二六三，称："窦仪字可象，蓟州渔人。曾祖逊，玉田令。祖思恭，妫州司马。父禹钧，与兄禹锡皆以词学名……仪十五能属文，晋天福中举进士。侍卫军帅景延广领夔州节度，表为记室。延广后历滑、陕、孟、郓四镇，仪并为从事。"《乐善录》："窦禹钧，年三十未获嗣。夜梦祖父谓曰：'汝年过无子，又寿不永，当早修阴德。'禹钧惟诺。家仆盗用敷百千钱，惧事发，遂逋，写券系女臂曰：'卖此女以偿欠。'公悯而嫁之，仆感泣，归诉前罪，公置不问。由是图公像，日焚香以祝公年。又常入佛寺，得遗银二百两、金三十两。黎明复入院，以伺失者。果一人涕泣而至，公问其故，曰：'为父犯大辟，遍告诸亲，贷得此物，用赎父罪。昨暮失去，不复赎矣。'公验实还之，更有所赠。又内外姻娅有丧不能举，有女不能嫁者，公一切周旋。岁之所入，除伏腊供给外，皆以周急。家尚俭，建书院四十间，藏书万卷，延文行师儒有志于学者，听其自至。是以由公门而贵者，前后接武。公历官至左谏议大夫致仕，义风家法，实一时标准。生五子，并登第。"宋杨伯岩《六帖补》卷六"窦氏五龙"条："右谏议大夫窦禹钧有子五人：仪、俨、侃、偁、僖，俱以进士及第。洎禹均悬车，仪、俨已华显，故人冯道赠诗云：'燕山窦十郎，教子有义方。灵椿伊株老，丹桂五枝芳。'仪终礼部尚书，俨终翰林学士，侃终起居郎，偁终谏议大夫，僖终右补阙，俱有令名，时号窦氏五龙。"又宋章定撰《名贤氏族言行类稿》卷四十八："宝仪字可象，蓟州渔阳人也。父禹钧，在周为谏议大夫，五子曰俨、仪、侃、偁、僖，皆相继登科，时人谓之窦氏五龙。"徐松《登科记考》卷二六列窦仪为本年进士。又据《宋史》传，窦仪卒于北宋乾德四年（966）冬，享年五十二岁。由此逆推，知其本年第进士时为二十五岁。窦

仪后事晋、汉、周三朝，周亡入宋，事详《宋史》传，不赘。

知贡举：户部侍郎崔棁。《旧五代史》本传："天福初，以户部侍郎为学士承旨，命权知二年贡举。"《旧史·晋纪》："天福三年五月戊寅，以翰林学士、户部侍郎、知制诰崔棁为兵部侍郎。"

南唐

潘佑（938—973）生。潘佑，幽州人。祖贵，事刘仁恭为将，刘守光杀之，父处常脱身南奔，事烈祖为散骑常侍。佑生而气宇孤峻，闭门苦学不营资产，文章议论见推流辈，中书舍人陈乔、户部侍郎韩熙载交荐于元宗，起家秘书省正字，后主在东宫开崇文馆以招贤，佑预其选，及嗣位，除虞部员外郎、史馆修撰，未几，后主命博士陈致雍议纳后礼，又使徐铉与佑参议其间，佑援据精博立论以沮之，文采斐然，后主奇其议，颇见施用，由是恩宠日隆，改知制诰。（《十国春秋》卷二七） 马令《南唐书》卷一九、陆游《南唐书》卷一三、《十国春秋》卷二七有传。《郡斋读书志》卷四中则称其金陵人。

吴越

沈崧（863—938）卒，年七十六岁。《十国春秋》卷八六有传。《吴越备史》卷二戊戌年（晋天福三年）"二月乙亥，吴越国丞相沈崧卒，赠谥文献。崧字吉甫，闽人也。……乾宁二年刑部尚书崔凝主礼闱，凡二十五人登进士第。逾滥尤众，昭宗御武德殿，命翰林学士陆扆，秘书监冯渥亲覆试，凡落十人，是日崧再以章奏捷。寻归宁，途由淮甸，淮帅辟之不就，遂归武肃。历镇海军掌书记，授浙西营田副使，奏授秘书监，检校兵部尚书、右仆射。凡书檄表奏，多崧所出。……文穆王袭位，置择能院以选士，俾崧主之。国建，拜崧丞相。终年七十六岁。"此后附其传云："文穆王袭位，置择能院以选士，俾崧主之。国建，拜崧丞相，终年七十六岁。"沈崧著述，《十国春秋》卷八六本传云"天福三年二月卒。年七十六，谥曰文献。有集二十卷"，今佚。《秘书省续修四库阙书目》录其《铸金集》一卷，诗集六卷。今皆不传。《罗氏宗谱》收其《罗给事（隐）墓志铭》一篇。《全唐文》失收。

楚

虚中居长沙道林寺，自龙德元年（921）至本年前，屡与齐己诗篇寄酬。在湖南又与廖匡图、刘昭禹、李宏皋、徐仲雅等更唱迭和。卒年不详。有集一卷及论诗著作《流类手鉴》一卷。《唐诗纪事》卷七五云："虚中，宜春人也。游潇湘山水，与齐已、尚颜、栖蟾为诗友，住湘西栗成寺。潭州马氏子希振侍中好事，每出，迎纳于诗阁。虚中好烧火，烟昏彩翠，去后又复粉饰。"《诗话总龟》前集卷四引《雅言杂载》："（廖匡图）与刘（昭）禹、李宏皋、徐仲雅、蔡昆、韦鼎、释虚中、齐己，俱以文藻知名，更唱迭和。”廖匡图诸人皆湖南文士。《郡斋读书志》卷四中录“虚中《碧云诗》一卷”，今不存。《直斋书录解题》卷二二著录《流类手鉴》一卷。《碧云诗》今不见传。《全唐诗》卷八四八收其诗十四首，断句十二；《全唐诗补编·续拾》卷四九补一首，断句六。另《直斋书录解题》卷二二录其《流类手鉴》一卷，今亦散佚，《吟窗杂录》存“物象流类”及“举诗类例”二条，《诗学指南》据以转录。

荆 南

孙光宪为诗僧齐己遗集《白莲集》作序。序见《白莲集》卷首，题衔为“荆南节度副使朝议郎检校秘书少监试御侍中丞赐紫金鱼袋孙光宪撰”，此即光宪当日之官守全称。末署“天福三年戊戌三月一日序”。《序》云：“鄙以旅宦荆台，最承款狎。较风人之情致，赜大夫之旨归；周旋十年，互见阃域。”可见二人交游之厚。《白莲集》中与孙光宪酬答之作共存十首，即：《和孙支使惠示院中庭竹之什》（卷三）、《夏满日偶作寄孙支使》（卷四）、《因览支使孙中丞看可准大师诗序有寄》、《孙支使来借诗集因有谢》（卷六）、《题画鹭鸶兼简孙郎中》、《寄荆幕孙郎中》、《谢孙郎中寄示》（卷七）、《贺孙支使郎中迁居》（卷八）、《中秋夕枪怀寄荆幕孙郎中》（卷九）、《谢荆幕孙郎中见示乐府歌集二十八字》（卷一〇）。

齐己（864？—938）本年前已卒去，居荆渚期间，又曾与贯微、神晏、昙域、延栖等寄赠酬和。有《白莲集》十卷，《风骚旨格》一卷传世。《唐才子传》卷九：“齐己，长沙人。姓胡氏，早失怙恃。七岁颖悟，为大沩山寺司牧，往往抒思，取竹枝画牛背为小诗。耆夙异之，遂共推挽入戒。风度日改，声价益隆。游江海名山，登岳阳，望洞庭，时秋高水落，君山如黛，唯湘川一条而已。欲吟杳不可得，徘徊久之。来长安数载，遍览终南、条、华之胜。归过豫章，时陈陶近仙去，已留题有云：‘夜过修竹寺，醉打老僧门。’至宜春，投诗郑都官云：‘自封修药院，别下著僧床。’谷曰：‘善则善矣，一字未安。’经数日，来曰：‘别扫如何。’谷嘉赏，结为诗友。曹松、方干皆己良契。性放逸，不滞土木形骸，颇任琴樽之好。尝撰《玄机分别要览》一卷，摭古人诗联，以类分次，仍别讽、赋、比、兴、雅、颂。又撰《诗格》一卷。又与郑谷、黄损等共定用韵为葫芦、辘轳、进退等格，并其诗《白莲集》十卷，今传。”《五灯会元》卷二十：《东山齐己禅师》，“庆元府东山全庵齐己禅师，邛州谢氏子。上堂，举修山主偈曰：‘是柱不见柱，非柱不见柱。是非已去了，是非里荐取。’召大众曰：‘荐得是，移华兼蝶至。荐得非，担泉带月归。是也好，郑州梨胜青州枣。非也好，象山路入蓬莱岛。是亦没交涉，踏著秤锤硬似铁。非亦没交涉，金刚宝剑当头截。阿呵呵！会也么？知事少时烦恼少，识人多处是非多。’”《五代史补》卷三“其后居于长沙道林寺。时湖南幕府中能诗者，有如徐东野、廖凝、刘昭禹之徒，莫不声名藉甚，而徐东野尤好轻忽，虽王公不避也，每见齐己，必悚然，不敢以众人待之。尝谓同列曰：‘我辈所作皆拘于一途，非所谓通方之土。若齐己才高思远，无所不通，殆难及矣。’论者以徐东野为知言。东野亦常赠之曰：‘我唐有僧号齐己，未出家时宰相器。爰见梦中逢五丁，毁形自学无生理。骨瘦神清风一襟，松老霜天鹤病深。一言悟得生死海，芙蓉吐出琉璃心。闷见唐风雅容缺，敲破冰天飞白雪。清塞清江却有灵，遗魂泣对荒郊月。格何古，天工未生谁知主，混沌凿开鸡子黄，散作纯风如胆苦。意何新，织女星机挑白云，真宰夜来调暖律，声声吹出嫩青春。调何雅，涧底孤松秋雨洒，嫦娥月里学步虚，桂风吹落玉山下。语何奇，血泼乾坤龙战时，祖龙跨海日方出，一鞭风雨万山飞。己公己公道如此，浩浩寰中如独自。一簟松风冷如冰，长伴巢由伸脚睡。'其为名士推重如此。"《唐音癸签》卷八云："齐己诗清润平淡，亦复高远冷峭。一经都官点化，白莲一集，驾出云台之上，可谓智过其师。"《宣和书谱》卷一一称齐己："笔迹洒落得行字法，望之非寻常释子所书也。"知其又善行书。《白莲集序》云："议者以唐末诗僧，惟贯休禅师骨气混成，境意倬异，殆难俦敌。至于皎然、灵一，将与禅者并驱于风骚之途，不近不远也。江之南，汉之北，缁儒业缘情者，靡不希其声彩。自非雅道昭著，安得享兹大名。……师趣尚孤洁，词韵清润，平淡而意远，冷峭而（下阙十三字）郑谷郎中与师（下阙六字）敲门谁访（下阙二字）客即（下阙一字）师。应是逢新雪，高吟得好诗。格清无俗字，思苦有苍髭。讽味都忘倦，抛琴复舍棋。其为诗家之流之称许也如此。……因得编就八百一十篇，勒成一十卷，题曰《白莲集》。"沈德潜《唐诗别裁集》选齐己诗四首。《崇文总目》卷五录《白莲集》十卷，《白莲外编》十卷，《诗格》一卷，并云齐己撰。《崇文总目》卷五、《直斋书录解题》卷一九所记卷数同。《直斋书录解题》卷一九仅录《白莲集》十卷，卷二二录其《风骚旨格》一卷。后者今亦存，论诗有六义、十体、十势、二十式、四十门、六断、三格，类似皎然《诗式》、《诗评》。后人有疑其非齐己作者。今有《四部丛刊》本《白莲集》十卷传世。《全唐诗》卷八三八至八四七录齐己诗十卷。《全唐诗补编·续拾》卷五〇补三首，断句四，重录六首二句。《全唐文》卷九二一录存其文二篇。此外，《直斋书录解题》卷二二载齐己《风骚旨格》一卷；《宋史》卷二〇九《艺文志八》录齐己《玄机分明要览》一卷，又《诗格》一卷；《通志》卷七〇《艺文略》八"别集诗类"录《白莲集》十卷，又《外编》十卷。《风骚旨格》一卷，现附《白莲集》后。

公元939年（后晋高祖天福四年　南汉高祖大有十二年　闽景宗永隆元年　后蜀后主广政二年　南唐先主升元三年　辽会同二年　己亥）

二月

南唐烈祖改国号曰"大唐"，复姓李氏，更名昪；诏国事委齐王璟决，惟军旅以闻。

七月

闽禁军将领连重遇发动政变，杀闽王昶；王延羲自称威武节度使、闽国王，更名曦，改元永隆。

十一月

楚王马希范始开天策府，置护军都尉、领军司马等官；并置十八学士。详《资治通鉴》卷二八二、马、陆两《南唐书》及《十国春秋·闽本纪》三。

后　晋

十一月

郑云叟（866—939）卒，年七十四岁。云叟工诗，曾作《咏酒诗》千二百言，《拟峰集》二十卷，《续酒谱》十卷。《五代会要》卷一二："晋天福四年三月，遣中书使赵处玭，以版诏征少华山隐士郑云叟、玉笥山道士罗隐之为拾遗，不至。四月，以云叟为右谏议大夫，隐之赐号希夷先生。云叟称疾不起，赐号逍遥先生，仍给致仕官俸禄。"《旧五代史》卷九三本传："高祖即位，闻其名，遣使赍书致礼，征为右谏议大夫。云叟称疾不起，上表陈谢。高祖览表嘉之，赐近臣传观，寻赐号逍遥先生，以谏议大夫致仕。月给俸禄。云叟好酒，尝为《咏酒诗》千二百言，海内好名者书于缣缃，以为赠贶。复有越千里之外，使画工潜写其形容列为屏障者焉。其为时望所重也如此。天福末，以寿终，时年七十四。"郑遨著述，《旧五代史》卷九三传云"有文集二十卷行于世"，今不传。《郡斋读书志》卷三上录《续酒谱》十卷，注云："唐郑遨云叟撰，辑古今酒事以续王绩之书。"《全唐文》卷八五〇存其文一篇，《全唐诗》卷八五五录其诗十七首，多系从《鉴戒录》卷五《高尚士》条及《唐诗纪事》卷七一《郑云叟》条辑出者。

许鼎本年撰《唐通和先生祖君墓志铭》，其后行迹无考。《全唐文》卷八四二录存此文，略云："己亥年秋九月……八日，奄然委化，寿九十有五。"许鼎事迹至此无考。《全唐诗》卷七三四录诗二首。

本年贡举暂停。《旧五代史》卷七七《晋高祖记》天福三年六月："诏员举宜权停一年，以员阙少而选人多，常调有淹滞故也。"由此亦可见当时吏治之情况。

楚

十一月

楚王马希范开天策府，仿唐太宗天策府文学馆，以廖匡图等十八人为学士。匡图与虚中、刘昭禹、李宏皋、徐仲雅、蔡昆、韦鼎等更唱迭和。匡图后任道州刺史，后数年卒。其诗曾编为《五峰集》，朱遵度、柳开先后为序。《资治通鉴》卷二八二载，本年十一月，"楚王希范始开天策府，置护军都尉、领军司马等官，以诸弟及将校为之。又以幕僚拓跋恒、李宏皋、廖匡图、徐仲雅等十八人为学士。"《五代史补》卷三"马希范奢侈"条亦云："马希范，武穆之嫡子，性奢侈，嗣位未几，乞依故事，置天策府僚属。于是择从事有才行者，有若都统判官李铎、静江府节度判官潘圮、武安节度判官拓拔坦（恒）、都统掌书记李宏皋、镇南节度判官李庄、昭顺军节度判官徐收、澧州观察判官彭继英、江南观察判官廖图、昭顺军观察判官徐仲雅、静江府掌书记邓懿文、武平军节度掌书记李松年、镇南军节度掌书记卫旷、昭霸军观察支使彭继勋、武平军节度推官萧铢、桂管观察推官何仲举、武安军节度巡官孟玄晖、容管节度推官刘昭禹等十八人，并为学士。”《诗话总龟》前集卷四《称赏门》引《雅言杂录》云：“廖匡图……文学博赡，为时辈人所服。湖南马氏辟幕下，奏天策府学士，与刘昭禹、李宏皋、徐仲雅、蔡昆、韦鼎、释虚中、齐己俱以文藻知名，更唱迭和，今有集行于世。《赠泉陵上人》云：‘暂把苦藤倚壁根，禅堂初创楚江濆……每来共忆曾游处，万壑泉声绝顶闻。’又和人赠沈彬诗云：‘冥鸿迹在烟霞上，燕雀休夸大厦巢。名利最为浮世重，古今能有几人抛？逼真但使心无着，混俗何妨手强抄。深喜卜居连岳邑，水边松下得论文。’僧齐己寓渚宫，与图相去千里，而每有书往来。临终有绝句寄图兄弟云：‘僧外闲吟乐最清，年登八十丧南荆。风骚作者为商榷，道去碧云争几程？”宋柳开《河东先生集》卷一一《五峰集序》云：“廖氏世善诗。爽于梁朝，当马氏有湖湘，得衡、永州刺史。子男十人，图善七言诗，凝善五言诗，立语皆奇拔。”《十国春秋》卷七三传云：“文昭王时选为天策府学士，与徐仲雅、李宏皋等同在十八人之列。居数年，卒于官，有集一卷。”廖匡图集：《崇文总目》卷一二，别集类及《宋史》卷二〇八《艺文志七》均录为二卷，《直斋书录解题》卷一九“诗集类”录为一卷。又《新唐书》卷六〇《艺文志四》“总集类”录匡图《廖氏家集》一卷，《崇文总目》卷一一“总集类”、《通志》卷七〇《艺文略》八，诗总集类从之，集今皆不传。《全唐诗》卷七四〇仅存其诗四首。

李宏皋荐何仲举，选为天策府学士，久之，出为全州刺史，又改衡州，以寿终。未详卒年。其诗为时所推，誉为“诗家之高逸”。何仲举传，见《五代史补》卷二、《十国春秋》卷七三。《五代史补》卷二《何仲举及第》条云：“何仲举，营道人，美姿容。年十三，俊迈绝伦。时家贫，输税不及限。李宏皋为营道令，怒之，乃荷项系狱，将槚楚焉。或有言于皋曰：‘此子虽非，能为诗，往往间立成，希明府一察之。’皋闻，遽召而问曰：‘知汝有文且速敏。今日之事，若能文不加点，为一篇以自述，吾当贷汝。’仲举援笔而成，曰：‘似玉来投狱，抛家去就枷。可怜两片木，夹却一枝花。’皋大惊，自为脱枷，延上厅，与之抗礼。自是仲举始锐意就学。天成中，入洛，时秦王为河南尹，尤重士。仲举与张杭、江文蔚俱游其门。……及归，遇文昭马氏［按，马希范谥文昭］承制，依唐太宗故事，于天策府置十八学士，以皋为学士之首，且执政柄。而仲举自以出于皋之门下，虽策名中朝，事皋未尝暂懈。皋感悦，遂加引用，未几与之同列。”又云：“先是，湖南尤多诗人，其最显者有沈彬、廖凝、刘昭禹、尚颜、齐己、虚中之徒。而仲举在诸公间，尤为轻浅。惟李宏皋独推许之，往往对众吟《秋日晚望》诗曰：‘树迎高鸟归深野，云傍斜阳过远山。’以足扣地，叹曰：‘何仲举乃诗家之高逸者也……’故仲举感皋之见知，卒能自奋，至于名节，亦终始无玷。论者以皋有知人之鉴。”《十国春秋》卷七三传云：“同与十八人之数。久之，出为全州刺史，已又改衡州，以寿终。”何仲举事迹至此无考，卒年不详。其著述不传，《全唐

诗》卷七六二仅存诗一首，断句四；《全唐诗补编·续拾》 卷四九补断句二。其《秋日晚望》无全篇，仅《五代史补》所载二句。

刘昭禹本年预天策府十八学士之选，后终严州刺史，卒年无考。《十国春秋》卷七三传云："历官容管节度推官、天策府学士，终严州刺史。有诗三百篇，为集一卷行世。昭禹少师林宽为诗，刻苦不惮风雨。平居论诗曰：'五言如四十贤人，不乱著一字屠沽辈也。'又云：'索句如获玉匣，精求必得其实。'尝有诗云：'句向夜深得，心从天外归。'又有《送休上人之衡岳》、《经费冠卿旧居》二章，甚称于时。"刘昭禹诗集，《崇文总目》卷五、《直斋书录解题》卷一九及《宋史》卷二〇八《艺文志七》均载录一卷。集今不存。《全唐诗》卷七六二存诗九首。

闽

闰七月

闽主王昶屡以猜怒诛杀宗族。以其叔父左仆射、同平章事延羲为道士，置武夷山中，又幽于私第。部将作乱，兵围宫中，王昶出逃，被缢杀。延曦即位，为闽国王，更名曦，改元永隆。（见《资治通鉴》卷二八二）

神晏（863—939）卒，年七十七岁。有语录集《法堂玄要广集》存世。《古尊宿语录》卷三七："寿七十七，腊五十八。……五代晋天福中示寂。"同卷附《瓯闽鼓山先兴圣国师和尚法堂玄要广集序》："今以了宗大师，昔推入室，今契传衣，凡于枢要之言，并蕴胸襟之内，写瓶传器，分灯散明。虑有抛遗，再从编录，总一十六会，偈颂次之。……自量浅识之徒，获睹未闻之教，承命聊述端由。时乾德三年……绍文序。"《古尊宿语录》卷三七将此集全部录入。《全唐诗补编·续拾》卷四七收其诗偈三首。

公元940年（后晋高祖天福五年　南唐先主升元四年　南汉高祖大有十三年　闽景宗永隆二年　后蜀后主广政三年　辽会同三年　庚子）

二月

闽王曦、建州刺史王延政相攻，王延政求救于吴越。

四月

吴越兵至建州，王延政不纳，闽王与延政合攻吴越军，败之。

五月

后晋安州节度使李金全叛附于南唐，李升遣鄂州屯营使李承裕、段处恭领兵逆之。

六月

后晋兵大败唐军于安州，斩李、段二将。

七月

闽王曦度民为僧，凡一万一千人。李金全至金陵，唐主薄之。

十一月

后晋封王曦为闽国王。参《资治通鉴》卷二八二。

后　晋

本年，仍暂停贡举。《登科记考》卷二六：“四月，礼部侍郎张允奏曰：‘明君侧席，虽切旁求贡士观光，岂宜滥进。窃窥前代，未设诸科，始以明经，俾升高第。自有九经、五经之后及三传士一礼已来，孝廉之科，遂因循面不废，缙绅之士，亦缄默而无言。以至相承，未能改作。每岁明经一科，少至五百已上，多及一千有余，举人如是繁多，试官岂能精当？况此等多不究义，惟攻帖书，文理既不甚通，名第岂可妄与？且常年登科者不少，相次赴选者甚多。州县之间，必无遗阙；辇毂之下，须有稽留。怨嗟自此而兴，谤诺因兹而起。但今广场大启，诸科并存，明经者悉包于九经、五经之中，无出于三传、三礼之内。若无厘革，恐未便宜。其明经一科，伏请停废。’又奏：‘国家悬科待士，贵务搜扬，责实求才，须除讹滥。童子每当就试，止在念书，背经则虽似精详，对卷则不能读诵。及名成贡院，身返故乡，但刻日以取官，更无心而习业。隘斸徭役，虚占官名。其童宁一科，亦请停废。’敕：‘明经、童子、宏词、拔萃、明算、道举、百篇等科，并停。’”

裴皞（856—940）卒，年八十五岁。《旧五代史》卷七九载，本年四月。“壬寅，右仆射致仕裴皞卒，赠太子太保。”同书卷九二传云：“皞累知贡举，称得士。宰相马裔孙、桑维翰皆其所取进士也。后裔孙知贡举，率新进士谒皞，皞喜，为诗曰：‘词场最重是持衡，天遣愚夫受盛名。三主礼闱年八十，门生门下见门生。’当世荣之。桑维翰尝私见皞，皞不为迎送，人问之，皞曰：‘我见桑公于中书，庶僚也；今见我于私第，门生也。’闻者以为允。卒年八十五。赠太子太保。”宋欧阳修《新五代史》卷五十七：裴皞，字司东，河东人也。裴氏自晋、魏以来，世为名族，居燕者号“东眷”，居凉者号“西眷”，居河东者号“中眷”。皞出于名家，而容止端秀，性刚急，直而无隐。少好学，唐光化中举进士，拜校书郎、拾遗、补阙。事梁为翰林学士、中书舍人。事后唐为礼部侍郎。皞喜论议，每陈朝廷阙失，多斥权臣。改太子宾客，以老拜兵部尚书致仕。晋高祖起为工部尚书，复以老告，拜右仆射致仕。卒，年八十五，赠太子太保。裴皞著述，宋元公私书目均未见载录，或未结集。《全唐诗》卷七一五仅录其诗一首，《全唐文》卷八五一存文一篇。

南　唐

李昪始建“庐山国学”。《十国春秋》卷一五《南唐纪》一载：“是时建学馆于白鹿洞，置田供给诸生，以李善道为洞主，掌其教，号曰‘庐山国学’。”

陈贶隐庐山三十年，有诗名，学子多从贶学诗，著名的有江为、刘洞等。见马令《南唐书》卷一五、陆游《南唐书》卷七、《十国春秋》卷二九。马《书》传云：“陈贶，南闽人。性沉澹，志操古朴，而不苟于仕进。一卧庐山三十年，学者多师事焉。元宗以币致之，布裘鹿鞾，进止闲肆。因献《景阳台怀古》诗云：‘景阳六朝地，运极自依依。一会皆同是，到头谁论非。酒浓沉远虑，花好失前机。见此犹宜戒，正当家国肥。’元宗称善，欲授以官，贶固不受，嗰粟帛，遣还旧隐，卒，年七十。”陆《书》传所载略同，仅谓隐庐山四十年，卒年七十余，与此稍异。今［按，陈贶之徒刘洞，当贶卒后二十年方赴金陵，时后主才即位。由此推知，贶之卒年应在本年前］其卒年七十，则当生于唐懿宗咸通十一年（870）左右。《全唐诗》卷七四一仅存其《景阳台怀古》一诗。同书卷七九五辑录散句十句。

江为，马令《南唐书》卷一四、陆游《南唐书》卷一五、《十国春秋》卷九七有传。《江南野史》卷八：“江为者，宋世淹之后，先祖仕于建阳。因家焉，世习儒素。”《江南野史》又云：“少游庐山白鹿洞，师事处士陈贶，酷于诗句，二十余年，有风雅清丽之态，时已涌之。”

刘洞，庐陵人，生卒年不详。本年前已居庐山，师陈贶为诗。刘洞传，见《江南野史》卷九、马令《南唐书》卷一四、陆游《南唐书》卷一五及《十国春秋》卷三一。马《南唐书》传云：“刘洞，庐陵人也。少游庐山，学诗于陈贶，精思不懈，至浃日不盥。贶卒，犹居二十年。长于五言，自号‘五言金城’。后主即位，诣金陵，献诗百篇。后主览其首篇《石城怀古》云：‘石城古岸头，一望思悠悠。几许六朝事，不禁江水流。’后主掩卷为之改容，不复读其余者。洞羁旅二年，俟召不报。遂还庐陵，与同门夏宝松相善，陈贶尝谓已诗埒贾岛，洞亦自言有浪仙之体，恨不得与之同时。”《江南野史》及他书所载略同。［按，洞于李煜即位时（961）赴金陵献诗，逆推二十年，知其本年已在庐山］

南　汉

王定保（870—940）卒，年七十一。《十国春秋》卷五八《南汉纪》载：“是岁同平章事赵损卒，以宁远节度使王定保为中书侍郎、同平章事，寻亦卒。”《南汉纪》二载，定保卒于明年，且考云：“按《资治通鉴》，天福五年，汉主以王定保为中书侍郎同平章事，不逾年卒。是定保为相在十三年，卒于十四年，今据移入。”《唐摭言》卷三《散序》条云，“定保生于咸通庚寅岁”，亦即公元870年。《十国春秋》卷六二本传：“定保善文辞，高祖常作南宫，极土木之盛，定保献《南宫七奇赋》以美之，时称为绝论。所著《唐摭言》十九卷。”定保著述，《郡斋读书志》卷三下载《唐摭言》十五卷，注云："右唐王定保撰，八十三门，记唐朝进士应举登科杂事。"《直斋书录解题》卷一一所载同。《四库全书总目》提要卷一百四十子部五十小说家类一："《唐摭言》十五卷（副都御史黄登贤家藏本）五代王定保撰。旧本不题其里贯。其序称王溥为从翁，则溥之族也。陈振孙《书录解题》谓定保为吴融之壻，光化三年进士，丧乱后入湖南。《五代史·南汉世家》称定保为邕管巡官，遭乱不得还，刘隐辟置幕府，至刘龑僭号之时尚在，其所终则不得而详矣。考定保登第之岁，距朱温篡唐仅六年。又序中称溥为丞相，则是书成于周世宗显德元年以后，故题唐国号不复作内词。然定保生于咸通庚寅，至是年八十五矣，是书盖其暮年所作也。同时南唐乡贡士何晦亦有《唐摭言》十五卷，与定保书同名。今晦书未见，而定保书刻于商氏《稗海》者删削大半，殊失其真。此本为松江宋宾王所录，末有跋语，称以汪士鋐本校正，较《稗海》所载特为完备。近日扬州新刻，即从此本录出。惟是晁公武《读书志》称是书分六十三门，而此本实一百有三门，数目差舛，不应至是，岂商维濬之前已先有删本耶？是书述有唐一代贡举之制特详，多史志所未及，其一切杂事，亦足以觇名场之风气，验士习之淳浇。法戒兼陈，可为永鉴，不似他家杂录，但记异闻而已也。"除《唐摭言》十五卷今存外，定保其他著述皆未能传世。

楚

廖融，字元素，虔州赣（今江西赣州）人，廖匡图之侄。有集。生卒年无考。隐居不仕，于五代末至宋初之际隐居衡山，与王元、王正己、任鹄、陆蟾、伍彬等为诗友，与杨徽之、张观、何承矩等过往酬赠。约于雍熙（984—987）间卒于南岳。《十国春秋》卷七五有传。宋夏竦《文庄集》卷二八《朱昂行状》云："先有廖图者，与弟凝、侄融居南岳，皆工诗，有名于代，世有家法。"《诗话总龟》前集卷三三引《摭遗》："廖融处士，衡山人。有诗云：'云穿捣药屋，雪压钓鱼船。'……后六十余日果卒。"《诗话总龟》前集卷一〇引《雅言杂载》云："廖融字元素，隐于衡山，与逸人任鹄、王正己、凌（凌为陆之讹）蟾、王元皆一时名士，为诗相善。湘守杨徽之代归阙，枉道出南岳，宿融山斋，留诗曰：'清和春尚在，欢醉日何长。谷鸟随柯转，庭花夺酒香。初晴岩翠滴，向晚树阴凉。别有堪吟处，相留宿草堂。'……融卒，刺史何承矩葬之，进士郑铉表其墓。"文中所引廖融诗有《赠天台逸人》、《题寺古桧》、《梦仙谣》、《退宫妓》等四首。《十国春秋》卷七五传云："廖融字元素，隐居衡山，与逸人任鹄、王正已、凌蟾、王元游。所著《梦仙》、《题桧》、《退宫妓》诸诗，啧啧一时。当武穆、文昭二王时，避乱不仕，竟终于南岳。"廖融诗，《崇文总目》卷五录《廖融诗》二卷，《宋史·艺文志》则录为四卷。今不存。《全唐诗）卷七六二收其诗六首，断句六；《全唐诗补编·续拾》卷四九补二首。《全宋诗》亦收其诗八首，断句六。其中《谢翁宏以诗百篇见示》、《题伍彬屋壁》二首作于入宋后。

王元，字文元，桂林人。生卒年不详。五代末至宋初之际隐居湖南，与廖融、翁宏、曾弼、李韶等为诗友，后卒于长沙。撰《诗中旨格》。《诗话总龟》前集卷一〇引《郡阁雅谈》云："王元，字文元，桂林人。苦吟风月，终于贫病。妻黄氏，共持雅操，每遇得句，中夜必先起燃烛，供具纸笔，元甚重之。有《听琴诗》曰：‘拂琴开素匣，何事独颦眉！古调俗不乐，正声公自知。寒泉出涧涩，老桧倚风悲。纵有来听者，谁堪继子期?’事者画为图。”又《诗话总龟》前集卷一一引《雅言系述》：“王元，字文元，桂林人。有《登祝融峰诗》云：……与廖融为诗友，赠之云：……终于长沙。”《十国春秋》卷七五小传云：“王元字文元，桂林人。隐居不出，工于诗。”《登祝融峰》云：“势疑撞翼轸，翠欲滴潇湘。”《赠廖融》云：“伴行惟瘦鹤，寻寺入深云。”俱为文人所折服。后终于长沙。王元诗多未能传世，《全唐诗》卷七六二仅录存其诗五首，断句二。卷七七八录王玄《听琴》，即王元同题五律之前半首，元、玄形近而讹。《全唐诗补编·续补遗》卷一四补断句二。《全宋诗》卷一五亦收其诗五首，断句四。［按，诸诗皆无法确定具体作年，只能大致归为五代末至宋初之作］

后　蜀

赵崇祚辑《花间集》十卷。明正德复宋晁谦之刊《花间集》卷一署“银青光禄大夫行卫尉少卿赵崇祚”。卷首附欧阳炯《叙》，称“今卫尉少卿字弘基”。《直斋书录解题》卷二一录存此书，注云：“蜀欧阳炯作序，称卫尉少卿字宏基者所集，未详何人。其词自温飞卿而下十八人，凡五百首。此近世倚声填词之祖也。诗至晚唐五季，气格卑陋，千人一律，而长短句独精巧高丽，后世莫及。此事之不可晓者。”《实宾录》卷六：“五代后蜀赵崇祚，以门第为列卿，而俭素好士。大理少卿刘痹、国子司业王昭图，年德俱长，时号宿儒，崇（祚）友之，为忘年交。”崇祚善小学，曾助林罕编成《林氏字源编小说》。《十国春秋》之后蜀人物传中，另有赵崇溥、赵崇韬，崇韬传称“赵王廷隐之子”。［按，此书所载十八词人，为温庭筠、皇甫松、韦庄、薛昭蕴、牛峤、张泌、毛文锡、牛希济、欧阳炯、和凝、顾敻、孙光宪、魏承班、鹿虔扆、阎选、尹鹗、毛熙震、李洵］此为敦煌词以外现存最早词集，所收词人除少数晚唐人及北方朝廷者外，大多数为蜀人，亦可代表五代南方西部之词坛，与江南以南唐为主之词坛相并立。《花间集》是孟蜀初年纯娱乐性绮筵上流行歌词的选集，同时，编纂者又试图整理出晚唐五代艳词的发展过程，从历时性和共时性两个方面最大限度地容纳文人词的创作成就，从而体现了艳词本色当行的音乐体性和文学特征。这种追求绮艳化、女性化、富贵气的绣幌佳人之歌，是绮筵公子毫无政治功利目的、纯粹娱乐、自由适意的生活方式的有机组成部分，因此，编选者尽可能舍弃那些与政治现实有任何关联的词作，以保持竞富尊前、绮筵为欢的纯娱乐状态。

《花间集》今存宋刻有绍兴十八年晁谦之刻本、淳熙十一、十二年鄂州册子纸本（均藏中国国家图书馆）等，此外尚有明人增辑的十卷本、十二卷本及二卷本。今人整理本有李一氓《花间集校》（1958 年，人民文学出版社），华钟彦《花间集注》（1983 年，中州书画社）、李谊《花间集注释》（1986 年，四川文艺出版社）、毕宝魁、王素梅注《花间集》（1995 年，春风文艺出版社）等。日人青山宏编有《花间集索引》，东京大学东洋文化研究所东洋文献研究中心 1974 年出版。

《花间集》所载十八词人的基本情况列举如下：

温庭筠，约 801 年生，866 年任国子助教，此年冬卒。

皇甫松，约 820 年生，皇甫湜子，新安人。

韦庄，约 837 年生，901 年入蜀，908 年三任蜀门下侍郎同平章事（宰相），910 年卒。

薛昭蕴，昭蕴之名讹传已久，当为昭纬，888 年已任唐礼部员外郎，896 年任中书舍人，改礼部侍郎，次年在华州放进士榜，899 年自户部侍郎迁兵部侍郎，复授御史中丞，约 901 年贬澄州司马，907 年卒于洪州。

牛峤，约生于会昌、大中间，878 年进士及第，880 年随驾奔蜀，王建立国任秘书监，迁给事中。

张泌，有人定为南唐张泌，非。依作品可知当曾在长安、成都居住。亦曾游历湘桂。舍人之职是仕唐之职还是前、后蜀官守，不易考定。陈尚君先生颇疑即为张曙，张曙避黄巢乱自长安入川，中和初（881 年）在成都应进士第未中，891 年及第，官至右补闻，唐亡易名仕前蜀或马楚。从其词作可知二者年龄悬隔六十岁，此张泌非南唐张泌。

毛文锡，生年不详，14 岁登进士第，仕前蜀，历任中书舍人、翰林学士、礼部尚书、判枢密院事。916 年 8 月，兼文思殿大学士，加司徒，次年贬茂州司马，此后情况不详。

牛希济、牛峤父子，约 872 年生，约 916 年为王建所知，除起居郎，又曾任翰林学士，蜀亡时任御史中丞，蜀亡随王衍入洛，天成初以诗对为后唐明宗所赏，拜雍州节度副使，此后情况不详。

欧阳炯，896 年生，少事王衍为中书舍人，蜀亡随王衍入洛，补秦州从事。不久仕孟蜀为中书舍人，940 年夏四月时任武德军节度判官。

和凝，898 年生，916 年进士及第，928 年拜后唐殿中侍御史，历礼部员外郎，931 年诏入充翰林学士，937 年正月任后晋礼部侍郎，仍充学士，六月改明殿学士，939 年四月为翰林学士承旨，940 年八月为书侍郎同平章事。

顾夐，生年不详，事王建，见其亲骑军皆拳勇之夫，作大顺二年（891）武举榜嘲之。916 年为蜀廷小臣，曾为茂州刺史（年代不详），924 年为副使至洛贺后唐庄宗即位。陈尚君先生颇疑其即唐东川节度使顾彦朗之子顾琼（字在珣），可信，因为《碧鸡漫志》卷三记顾夐为顾琼，“琼”繁体为“瓊”，夐皆音形近可通，“琼”只是多一“玉”旁，又史载顾琼曾仕王衍任武勇军使，为狎客陪侍游宴，艳歌唱和，谈嘲谑浪，无所不至。925 年任特进、检校太傅，旋进加右金吾卫将军、开府仪同三司、检校太尉。前蜀亡，免死，此后情况不详。据此，顾夐当是顾琼。

孙光宪，约 895 年生于西蜀陵州，久居成都，926 年至荆南，938 年三月序齐己《白莲集》署“荆南节度副使检校秘书少监试御史中丞”。

魏承班，王建养子王宗弼（魏弘夫）之子，918 年宗弼翦除鹿虔扆兼中书令秉政，承班任驸马都尉，其加（检校）太尉当在此时或此后不久，925 年十一月后唐灭蜀，族宗弼，承班死。

鹿虔扆，除《花间集》记“太保”外，其他生平材料不见记载。明沈雄《古今词话》引《乐府纪闻》："鹿为永泰军节度使……国亡不仕，词多感叹之语。"无从履核，[按，前后蜀无永泰军，沈氏所引可能误记。国亡指唐亡或前蜀亦无考，"太保"当为鹿仕前蜀的加官之职]

阎选，蜀处士。

尹鹗，前蜀李珣友人，后蜀何光远《鉴戒录》称其为校书，成都烟月之士。曾任参卿。参卿系参佐官（如参军之类）的敬称，无官守、无品秩。

毛熙震，仕蜀，官秘书郎。

李珣，蜀波斯裔，唐末秀才，居蜀，应比欧阳炯年长，前蜀后主王衍昭仪弦之兄，前蜀时无官职，前蜀亡后情况不详。

田锡（940—1004）生。锡字表圣，嘉州洪雅（今属四川）人。宋太宗太平兴国三年（978），登进士第，除将作监丞、通判宣州。迁著作郎、京西北路转运判官。改左拾遗，直史馆。太平兴国六年，为河北转运副使。太平兴国七年，徙知相州，移睦州，还判登闻鼓院，知制诰。端拱二年（989），出知陈州，坐事责授海州团练副使，后徙单州。召还，直集贤院。真宗咸平（998—1003）初，出知泰州。咸平三年（1000），召还，官终右谏议大夫、史馆修撰。田锡在宋初较早提出了文与道的关系，并认为要多方汲取前人所长，达到"氤氲吻合，心与言会"（《贻宋小著书》）。作为一代名臣，诗文虽为其余事，但亦光明磊落，如其为人。有《咸平集》五十卷，今本三十卷。《宋史》卷二九三有传。《范文正公集》卷一二有其墓志铭。

公元941年（后晋高祖天福六年　南汉高祖大有十四年　闽景宗永隆三年　后蜀后主广政四年　南唐先主升元五年　辽会同四年）

二月

后唐诏户部侍郎张昭远、起居郎贾纬、秘书少监赵熙。吏部郎中郑受益、左司员外郎李为光等同修《唐书》，仍以宰臣赵莹监修。起居郎贾纬撰成《唐年补录》六十五卷。

五月

后蜀孟昶著《官箴》，颁布郡县。曰："朕念赤子，旰食宵衣……下民易虐，上天难欺……尔俸尔禄，民膏民脂……"

八月

吴越文穆王钱元瓘卒，钱弘佐即王位。

十月

闽王曦即皇帝位，王延政自称兵马元帅。

十二月

后晋封吴越钱弘佐为镇海、镇东军节度使兼中书令、吴越国王。参《旧五代史》卷八〇《晋高祖纪》六、《资治通鉴》卷二八二、《十国春秋》卷四九《后蜀纪》二、《吴越备史》卷二。

后　晋

成德节度使安重荣耻臣契丹，六月上表，请与吐谷浑、沙陀等部族联合，攻之。泰宁节度使桑维翰以为契丹士马精强，中原疮痍未复，府库虚竭，不宜出战。

七月

晋帝石敬瑭忧安重荣跋扈，以刘知远为北京留守，河东节度使。

十二月

安重荣举兵反晋，晋将杜重威与之战于魏州宗城西南，大败之，重荣以十余骑奔还镇州，会天寒，镇人战及冻死者二万余人。（见《资治通鉴》卷二八二）

本年

边珝、窦俨等十一人登进士第。礼部侍郎张允知贡举。

边珝，《宋太宗实录》："珝字待价，华州下邽人。曾祖颉，祖操，父蔚。珝晋天福六年举进士，解褐秘书省校书郎。"（见《登科记考》卷二六）

窦俨，字望之，蓟州渔阳人，窦仪弟。本年二十三岁。进士及第。《宋史·窦仪传》："弟俨，字望之，幼能属文。既冠，举晋天福六年进士。"《宋史》卷二六三窦俨传云："俨字望之，幼能属文。既冠，举晋天福六年进士，辟滑州从事。"此传复云："宋初……车驾征泽、潞，（俨）以疾不从。卒，年四十二。"考同书卷一《本纪》一，宋太祖亲征泽、潞，事在建隆元年（960）五月至六月间。由此逆推，知窦俨本年第进士时为二十三岁。又同书同卷《窦仪传》云："仪学问优博，风度峻整。弟俨、侃、偁、僖，皆相继登科。冯道与禹钧有旧，尝赠诗，有'灵椿一株老，丹桂五枝芳'之句，缙绅多讽诵之，当时号为'窦氏五龙'。"

扈蒙，原列卷二十七《附考·进士科》，徐氏考云："《宋史》本传：'蒙字日用，幽州安次人。曾祖洋，祖智，父曾。蒙晋天福中举进士。'"［按，光绪《畿辅通志》卷三四作本年进士及第，与程羽、窦俨同年］《宋史》卷二六九本传："晋天福中举进士。"徐氏收入附考。

仇华。《宋史·扈蒙传》载蒙"宋初，由中书舍人迁翰林学士，坐请托于同年仇华，黜为太子左赞善大夫"。知华与扈蒙为同年进士。

诸科四十五人。

知贡举：礼部侍郎张允。《旧五代史》本传："允，天福五年迁礼部侍郎，凡三典贡部。改御史中丞。"

公元942年（后晋高祖天福七年　南汉殇帝光天元年　闽景宗永隆四年　后蜀后主广政五年　南唐先主升元六年　辽会同五年　壬寅）

后　晋

本年

进士七人登第。礼部侍郎张允知贡举。见《登科记考》卷二六，但未载登第者姓名。

何承裕。《宋史》卷三四九《文苑传》："又有何承裕者，晋天福末，擢进士第。有俊才，好为歌诗而嗜酒狂逸。"《全唐诗》卷八七一："（何）承裕，曲江人，天福末，举进士。"依《登科记考》之例，何承裕应列入天福七年进士科之中。

六月

石敬瑭（892—942）卒，年五十一。长子齐王重贵即皇帝位。（见《资治通鉴》卷二八三）

南　唐

冯延巳以驾部郎中为齐王元帅府掌书记，时四十岁。《资治通鉴》卷二八三记："驾部郎中冯延巳，为齐王元帅府掌书记，性倾巧，与宋齐丘及宣副使陈觉相结；同府在己上者，延巳稍以计逐之。延巳尝戏谓中书侍郎孙晟曰：'公有何能，为中书郎？'晟曰：'晟，山东鄙儒，文章不如公，诙谐不如公，谄诈不如公。然主上使公与齐王游处，盖欲以仁义辅导之也。岂但为声色狗马之友也！晟诚无能，如公之能，适足为国家之祸耳。'延巳，歙州人也。又有魏岑者，亦在齐王府。给事中常梦锡屡言陈觉、冯延巳、魏岑皆佞邪小人，不宜侍东宫。司门郎中判大理寺萧俨表称陈觉奸回乱政；唐主颇感悟，未及去。"马令《南唐书》卷一于本年四月载："以驾部郎中冯延巳为元帅府掌记。"冯延巳与孙晟相互攻伐之事，又见陆游《南唐书·冯延巳传》、《钓矶立谈》等。《五壶清话》卷一〇《江南遗事》亦记常梦锡为给事中时，"历言宋（齐邱）、陈（觉）、冯（延巳）、魏（岑）辈，奸佞险诈，不宜置左右，（先）主深然之。事垂举而主殂，遂为朋党排击，黜池州判官"。

徐铉作《匡仁裕神道碑》。《徐公文集》卷一一录《唐故德胜军节度使检校太保同中书门下平章事扶风马匡公神道碑铭》，略云："公讳仁裕，字德宽，其先扶风人。子孙或徙官于徐方，今为彭城人也……春秋六十有三，升元六年闰三月五日，薨于庐州公署……以其年四月七日……葬于庐州合淝县乡里。"

公元 943 年（后晋高祖天福八年　南唐先主保大元年　南汉中宗乾和元年　闽景宗永隆五年　后蜀后主广政六年　辽会同六年　癸卯）

二月

南唐主李昪卒，其子李璟继位，改元保大。闽王延政称帝于建州，国号大殷，改元天德。

三月

南汉主刘玢被杀，其弟刘弘熙继位，更名晟，改元应乾。后晋国子祭酒兼户部侍郎田敏以印本《五经》上进，此书开雕于后唐天成二年，至此始成。

十一月

再改乾和。参《资治通鉴》卷二八三、《旧五代史》卷八一、八二。

后　晋

本年

北部地区蝗灾大起，民饿死者数十万人，流亡者不可胜数。《资治通鉴》卷二八三天福八年："是岁，春夏旱，秋冬水，蝗大起，东自海壖，西距陇坻，南逾江淮，北抵幽蓟，原野、山谷、城郭、庐舍皆满，竹木叶俱尽。重以官括民谷，使者督责严急，至封碓硙，不留其食，有坐匿谷抵死者。县令往往以督趣不办，纳印自劾去。民馁死者数十万口，流亡不可胜数。"

程羽等七人登进士第。礼部侍郎张允知贡举。见《登科记考》卷二六。

程羽，《宋太宗实录》："程羽，字冲远，深州陆泽人。少好学，能属文，晋天福八年擢进士第。解褐为郓州阳谷县主簿。"

南　唐

二月

先主李昪（888—943）卒，年五十六岁。三月，齐王璟嗣位，是为中主，年二十八。七月，诏以兄弟传国之意。《资治通鉴》卷二八三、《玉壶清话》卷九、马令《南唐书》卷一及陆游《南唐书》卷一等，均载李昪之卒，系由饵服仙丹所致。事繁不赘。昪之著述，《全唐诗》卷八存诗一首，《全唐文》卷一二八录存诏书七篇。

孙鲂本年前已卒。马令《南唐书》本传亦云："烈祖召见，授宗正郎，卒。"《江南野史》卷七云："先主受禅，（鲂）累迁正郎而卒。"李建勋《惜花寄孙员外》、齐己《寄江西幕中孙鲂员外》等诗，当作于鲂为正郎时。鲂之卒年无确考，然必在南唐烈祖之前。鲂之著述，《江南野史》卷七云："有集仅百篇。"马令《南唐书》本传则云："有诗百篇行于世。"《崇文总目》卷一二"别集类"、《通志》卷七〇《艺文略》八"诗别集类"皆著录《孙鲂诗》三卷；《宋史》卷二〇八《艺文志七》"别集类"著录《孙鲂诗集》三卷，又《孙鲂诗》五卷，或为元时所传两种版本。此集今佚。《全唐诗》卷七四三存鲂诗七首，同书卷八八六《全唐文补遗》补二十八首。

三月

韩熙载拜虞部员外郎、史馆修撰，兼太常博士，与江文蔚、萧俨同议烈祖庙号葬礼。十一月，以本官权知制诰。书命典雅，有元和风，与徐铉并称"韩徐"。为宋齐丘、冯延巳等所忌，寻罢知制诰。是年，荐史虚白于中主，召至金陵，虚白不欲与国事，复放还庐山。《徐公文集》卷一六《昌黎韩公墓铭》："元宗深器之。及践位，以为虞部员外郎、史馆修撰，赐绯。又以大礼繁迭。加太常博士。时有司议孝高庙宜称宗，司门郎中萧君俨上疏之，公与给事中江君文蔚协同其议，凡书疏论难，皆成于公手。由是，庙号尊谥，定于一言，君子以为真博士也。顷之，以本官权知制诰。初，公但以文章际会，未尝与政。及其当惟新之运，感知己之恩，未及听政，章疏相属，或驳正失礼，或指摘时病，由是大为权要所嫉，竟罢其职。"马令《南唐书》卷一三本传："烈祖山陵，以熙载知礼，遂兼太常博士。……既葬，迁知制诰。熙载性懒，朝直多阙，为冯延巳劾奏，罢其职。"陆游《南唐书》卷一二本传："元宗即位，拜虞部员外郎、史馆修撰，兼太常博士。乃慨然曰：'先帝知我而不显用，是以我为慕容绍宗也。'始数言朝廷事所当施行者，展尽无所回隐，宋齐丘冯延巳等皆侧目。元宗意独嘉之，命权知制诰。书命典雅，有元和之风，与徐铉齐名，时号韩徐。"［按，陆游《南唐书》卷一，烈祖十一月壬寅（28）日葬，则熙载加权知制诰在其月底］熙载保大五年（947）已任虞部郎中，史馆修撰依旧。参其年条，则冯延巳所奏罢者当为权知制诰，其时约在十二月。《江南野史》卷八"史虚白"条："嗣主即位。韩熙载荐之。诏至金陵，命登便殿燕饮，与之计事。虚白曰：'臣草野之人，渔钓而已，邦国大计不敢预知。'因醉溺于阶前。嗣主曰：'真处士也。'遂赐田五百石，还。"

吴越

二月

皮光邺（877—943）卒，年六十七。谥贞敬。著有《皮氏见闻录》十三卷，《妖怪录》五卷，《启颜录》六卷，《三余外志》三卷，《十国春秋》卷八六有传。《吴越备史》卷三：天福八年二月，"丙辰，吴越丞相皮光邺卒。光业，字文通。世为襄阳人，父日休，有盛名，为苏州军事判官，太常博士。光业生于姑苏，十岁能属文，及长，以所业谒武肃累署浙西节度推官，赐绯命。入贡京师，梁后主特赐进士及第，仍赐秘书郎授右补阙。……光业美容仪，善谈论，人或以为神仙中人。终年六十七岁。赠谥曰贞敬”。《清异录》卷四：“皮光邺最耽茗事。一日，中表请尝新柑，筵具殊丰，簪绂丛集。才至，未顾尊垒，而呼茶甚急，径进一巨瓯，题诗曰：‘未见甘心氏，先迎苦口师。’众噱曰：‘此师固清高，而难以疗饥也。’”《郡斋读书志》卷三下录《皮氏见闻录》五卷，云：“右唐皮光邺撰。光业唐末为钱镠从事，记当时诡异见闻。”《宋史·艺文志》录为十三卷，又录其《启颜录》六卷、《三余外志》三卷、《妖怪录》五卷。今皆不传。《全唐诗》卷七九五收其诗断句四。《全唐诗补编·续拾》卷四五又补断句二。《全唐文》卷八九八收其文二篇。《十国春秋》卷八六光业传：“子璨，或作文璨非；官元帅府判官，著有《鹿门家钞诗咏》。三世皆以文雄江东。识者荣之。”［按，《新唐书·艺文志》类书类录：“《皮氏鹿门家钞》九十卷。皮日休，字袭美。”］《直斋书录解题》类书类录《鹿门家钞诗咏》五〇卷，并云：“鸿胪少卿襄阳皮文璨撰。以群书分举事为诗而注解之。其祖日休有书名《鹿门家钞》，故今述其名。”《宋史·艺文志》录作《鹿门家钞籍咏》。其书今不传。

钱昱（943—999）生。昱，字就之，杭州临安人。吴越忠献王钱弘佐之长子。博学多才，多聚书，琴棋书画皆精擅。善吟咏，多与中朝士大夫唱酬。著有《竹谱》三卷、《太平兴国录》及文集《贰卿文稿》二十卷。《宋史》卷四八〇、《十国春秋》八三有传。《宋史》卷四百八十本传又云：“昱好学，多聚书，喜吟咏，多与中朝卿大夫唱酬。尝与沙门赞宁谈竹事，昱得百余条，因集为《竹谱》三卷。俄献《太平兴国录》。求换台省官，令学士院召试制诰三篇，改秘书监，判尚书都省。时新葺省署，昱撰记奏御，又尝以钟、王墨迹八卷为献，有诏褒美。出知宋州，改工部侍郎，历典寿、泗、宿三州，率无善政。至道中，郊祀，当进秩，太宗曰：‘昱贵家子无检操，不宜任丞郎。’以为郢州团练使。咸平二年，表入朝，以病不及陛见，卒，年五十七。善笔札，工尺牍，太祖尝取观赏之。赐以御书金花扇及《急就章》。昱聪敏能覆棋，工琴画，饮酒至斗余不乱。善谐谑。生平交旧终日谈宴，未曾犯一人家讳。有集二十卷。然贪猥纵肆，无名节可称。”《十国春秋》卷八三本传：“昱与从父俨皆以文章知名，中朝比之二陆。……有《贰卿文稿》二十卷。”诸书今皆不传。文渊阁《四库全书》本《事实类苑》卷六十一载：“钱昱献王长子也。读书强记，在故国与赞宁僧录迭举竹数束，得一事抽一条，昱得百余条，宁倍之。昱著竹谱三卷，宁著笋谱十卷，昱轻便美秀，太祖受禅，伯父俶遣持贡入阁，赐后苑宴射，时江南使者已先中的，令昱解之，应弦而中，赐玉带旌赏之，归朝愿以刺史求试，乞换台阁，送学士院试制诰三篇，格在优等，改秘书监。”《全唐诗补编·续拾》卷四六收其人宋前在台州、福州所作诗三首。《全宋》卷四七所录同。《全唐文》卷八九三收其文一篇，《全宋文》卷九七收三篇。

公元944年（后晋出帝开运元年　南汉中宗乾和二年　闽天德帝天德二年　后蜀后主广政七年　南唐中主保大二年　甲辰）

正月

契丹兵大举入侵，攻陷贝州，所杀万人。

三月

契丹主自潭州分兵两路而归，一出沧、德，一出深、冀，所过焚掠，民物殆尽。闽禁军将领朱文进、连重遇杀闽王曦，王闽政权亡。

六月

滑州河决，浸汴、曹、单、濮、郓五州之境；后梁复置翰林学士。

七月

后晋大赦，改元开运。

七月

南唐趁闽内乱，出兵建州。契丹再次大举入侵。参《资治通鉴》卷二八四、《旧五代史》卷八三《晋少帝本纪》三。

后　晋

本年

孟宾于、李昉等十三人登进士第。礼部侍郎符蒙知贡举。

孟宾于本年登第，寻南归。自后唐长兴末以来，游举场十余年，凡五举，为和凝、王易简等所知。游楚马希范幕，授永州军事判官。其应试诗传世，为宋人所称。《唐才子传》卷十：“宾于，字国仪，连州人。聪敏特异，有乡曲之誉。垂髫时，书所作百篇，名《金鳌集》，献之李若虚侍郎，若虚采猎佳句，记之尺书，使宾于驰诣洛阳，致诸朝达，声誉蔼然，留寓久之。晋天福九年，礼部侍郎符蒙知贡，宾于帘下投诗云：‘那堪雨后更闻蝉，溪隔重湖路七千。忆得故园杨柳岸，全家送上渡头船。’蒙得诗，以为相见之晚，遂擢第，时已败六举矣。与诗人李昉同年情厚。后，宾于来仕江南李主，调淦阳令，因犯法抵罪当死，会昉拜翰林学士，闻在缧绁，以诗寄之曰：‘初携书剑别湘潭，金榜名标第十三。昔日声尘喧洛下，迩来诗价满江南。长为邑令情终屈，纵处曹郎志未甘。莫学冯唐便休去，明君晚事未为惭。’后主偶见诗，遂释之。迁水部郎中，又知丰城县。兴国中致仕，居玉笥山，年七十余卒。自号‘群玉峰叟’。有集今传。”《江南野史》卷八本传：“孟宾于，湖湘连上人。少修儒业，早失其父，事母以孝闻。长好篇咏，有能诗名。天祐末，工部侍郎李若虚廉察于湘沅，宾于以诗敷百篇自命为《金鳌集》献之，大为称誉。因采择集中有可举者十数联，记之于书。使宾于驰诣洛阳，献诸朝廷，皆为数之，其誉蔼然。明年春，与故李司（空）昉同年擢进士第。寻属丧乱。遂归宁亲。数岁，天策府马氏辟为零陵从事。及江南攻下湘湖，宾于随马氏归朝。嗣主授以丰城簿，寻迁淦阳令。因黩货以罪当死，会昉迁翰林学士，闻其缧

线，以诗寄宾于云：'幼携书剑别湘潭，金榜标名第十三。昔日声名喧洛下，近年诗价满江南。……'后主见诗，贷之，复其官。"《诗话总龟》前集卷一八引："《郡阁雅谈》：宾于卜珓华山神，有如一年乞一珓，凡六掷，得大吉。后六举及第。"王禹偁《孟水部诗集》序："水部讳宾于，生于连州。其先太原人，故其诗云：'吾祖并州隔万山，吾家多难谪郴连。'幼擅诗名，吟咏忘倦。后唐长兴末，渡江赴举，岐帅李泰王皭馆于门下。晋相和鲁公凝、礼部王尚书易简、翰林承旨李学士慎仪、刑郎李侍郎详咸推荐之。由是诗名藉甚。游举场十年，故有'十载恋明主'之什凡八章。五上登第，故诗云：'两京游寺曾题榜，五举逢知始看花。'晋天福甲辰岁，礼部侍郎蒙门人也。"马令《南唐书》卷二三、《江南野史》卷八、《唐才子传》卷一〇、《十国春秋》卷七五有传。《全唐诗》卷七四〇收其诗八首，断句二四。《全唐诗补编·补逸》卷一六补一首，《全唐诗补编·续拾》卷四四补断句七及与其父联句诗一首。《全唐文》卷八七二收其文一篇。《全宋诗》卷三收其诗十首，断句三十一。

李昉，生卒年及仕历皆不详。［按，五代有两位诗人名李昉，一即本年与孟宾于同第进士之李昉，一为初仕后汉而最终入宋之李昉（详后）］前者仕历无考，后者及第于后汉乾祐元年，历仕汉、周，入宋后更为显达。《江南野史》卷八《孟宾于传》及《十国春秋·孟宾于传》称："时宋翰林学士李昉，宾于同年进士也。"是谓后一李昉，盖与孟宾于无涉。南唐李昉，事迹难以详察。《全唐诗》所录《寄孟宾于》一诗云："初携书剑别湘潭，金榜标名第十三。昔日声名喧洛下，近来诗价满江南。长为邑令情终屈，纵处曹郎志未甘。莫学冯唐便休去，明君晚事未为惭。"绎此诗意，当为南唐李昉作。由"初携书剑别湘潭"一句，即可知昉之籍属乃湘潭无疑。《野史》及《十国春秋》以此诗附会于宋之李昉，不可不察。徐松《登科记考》卷二十六引：《记纂渊海》引《江南野史》："孟宾于与李昉同擢第。后昉寄宾于诗：'初携宝剑别湘潭，金榜标名第十三。昔日声名喧洛下，只今诗句满江南。'"［按，《唐才子传》言诗人李昉，疑与汉乾祐元年登第者是二人］《十国春秋》以为即宋翰林学士李昉，恐误。

诸科五十六人。

知贡举：礼部侍郎符蒙。《旧五代史》本纪："天福八年五月，以中书舍人吴承范为李部侍郎。六月，礼部侍郎吴承范卒。"《吴承范传》云："少帝嗣位，迁礼部侍郎，知贡举。寻遘疾而卒。"是先以吴承范知举，承范卒，故以符蒙代之。

九月

符蒙卒。符蒙本年知贡举，有集。《登科记考》卷二六列符蒙本年知贡举。擢孟宾于等登第。《旧五代史》卷八三《晋少帝本纪》：开运元年九月，"礼部侍郎符蒙卒"。《直斋书最新题》卷一九录《符蒙集》一卷，《补五代史·艺文志》记为十卷，已佚。《全唐诗》卷七九五存断句二，《全唐诗补编·补逸》卷一三补一首，陈尚君《全唐诗补编·续拾》卷四二补三首。

南　唐

汤悦仍仕南唐为中书舍人。冬，入翰林，徐铉有诗贺之。冬，徐铉有诗酬汤悦、游简言、江文蔚。《徐公文集》卷二有《贺殷游二舍人入翰林江给事拜中丞》，江给事为江文蔚，是年拜御史中丞，参文蔚条；殷舍人为殷崇义，即汤悦。同书同卷又有《月真歌》云："扬州帝京多名贤，其间贤者殷德川。……殷郎去冬入翰林，九霄官署转深沉。"知汤悦以中书舍人入翰林在本年冬。《徐公文集》卷二有《贺殷游二舍人入翰林江给事拜中丞》诗，江文蔚是年拜御史中丞。殷舍人当为殷崇义，即汤悦，其入翰林在冬天。游舍人当为游简言。

吴　越

正月

林鼎（891—944）卒，年五十四。《十国春秋》卷八六本传云："开运元年正月卒，年五十四。谥曰贞献。有《吴江应用集》二十卷。"《吴越备史》卷三："开运元年春正月壬寅。丞相林鼎卒。鼎，字涣文，闽人也。父无隐。鼎生于明州大隐村。初刺史黄晟颇好礼士。无隐依之。有诗名，尝为诗云：'雪消二月江湖阔，花发千山道路香。'知言者以无隐必有贵子。鼎初谒武肃，以为观察押衙推。寻为文穆幕府。……文穆袭国，署镇海军掌书记、节度判官。鼎性谠正而强记，能书欧虞法；比及中年，夜读书，必达曙。所聚图书悉由手抄，其残编蠹简亦手缀之，无所厌倦。国建，乃掌教令，寻拜丞相。每正事即不逮者，鼎必极言之……著有文集行于世。终年五十四岁。"鼎之著述不传。《宋高僧传》卷一六《汉钱塘千佛寺希觉传》："注林鼎《金陵怀古》百韵诗、杂体四十章。"今皆不传。

公元945年（后晋出帝开运二年　南汉中宗乾和三年　闽天德帝天德三年　后蜀后主广政八年　南唐中主保大三年　乙巳）

正月

后晋拒契丹入侵，互有胜负。闽王延政入福州，遣将诣建州以拒南唐军。

三月

闽将李仁达立憎卓岩明为帝，五月又杀之，自称留后，向南唐称藩。

五月

南唐兵围建州，屡破泉州兵。

六月

后晋监修国史刘陶、史官张昭远等修成《旧唐书》二〇三卷上奏。

七月

南唐兵拔镡州，查文徽、魏岑、冯延巳、冯延鲁等以出师有功，皆踊跃赞成之，征求供亿，府库为之耗竭。

八月

南唐攻克建州，执王延政以归，旋置永安军于建州；延政至金陵，南唐以为羽林大将军。参《资治通鉴》卷二八四、二八五，《旧五代史》卷八四。

后　晋

本年

寇湘等十五人登进士第。工部尚书窦贞固知贡举。见《登科记考》卷二六。

寇湘，状元，见《玉芝堂谈荟》卷二。孙忭《寇准碑》："父湘，博古嗜学，有文章名。晋开运中登甲科，冠多士。后应辟为魏王记室终焉。"

张澹，《宋史》卷二六九本传："张澹，字成文，其先南阳人，徙家河南。澹幼而好学，有才藻。晋开运初，登进士第。"

诸科五十六人。

七月

刘昫进新修《唐书》二〇三卷。《旧五代史》卷八四：开运二年六月，"监修国史刘昫、史官张昭远等以新修《唐书》纪、志、列传并目录凡二百三卷上之，赐器帛有差"。《五代会要》 卷一八作二二〇卷，目录一卷。《郡斋读书志》卷二上、《直斋书录解题》卷四皆作二〇〇卷，书今传，为清人辑本。据《旧五代史·晋高帝本纪》与《晋少帝本纪》，又《五代会要》卷一八、《宋史》卷二六三《张昭传》等，《唐书》之正式编修始于天福六年二月，宰臣赵莹监修，张昭远、贾纬等同修；八年三月，改桑维翰监修；开运元年七月，复改刘昫监修。本年修成时正值昫监修，由其奏上，故题"刘昫等撰"。后为与北宋欧阳修等撰《新唐书》区别，遂称《旧唐书》。《全唐文》卷八五三于昫名下收《文苑表》。

南 唐

三月

汤悦携妓月真访徐铉，铉以诗酒酬之，汤悦时任南唐中书舍人，翰林学士。可见江南文士宴游风习。汤悦，原名殷崇义，陈州西华人，唐末诗人殷文圭之子。生卒年及初仕时间均未详。《徐公文集》卷二《月真歌》，题下原注云："广陵妓人，翰林殷舍人所录，携之垂访，筵上赠此。"诗云："扬州胜地多丽人，其间丽者名月真。月真初年十四五，能弹琵琶善歌舞。风前弱柳一枝春，花里娇莺百般语。扬州帝京多名贤，其间贤者殷德川。德川初秉纶闱笔，职近名高常罕出。花前月下或游从，一见月真如旧识。闲庭深院资贤宅，宅门严峻无凡客。垂帘偶坐唯月真，调弄琵琶郎为拍。……二月三月江南春，满城濛濛起香尘。隔墙试听歌一曲，乃是资贤宅里人。……殷郎去冬入翰林，九霄官署转深沉。人间想望不可见，唯向月真存旧心。……殷郎月真听我语，少壮光阴能几许。良辰美景数追随，莫教长说相思苦。"

闽

文彧与陈文亮唱和。彧，生卒年里不详。有《诗格》一卷，收《吟窗杂录》卷一二，今存，但《直斋书录解题》卷二二及《宋史·艺文志》卷八皆录作神彧撰，姑存疑。《全唐诗补编·续拾》卷四七据《诗话总龟》收其诗一首，断句二。文亮，亦有诗传世。《诗话总龟》前集卷三九："陈文亮，闽人。少为浮屠，后入王氏幕下，终遇害。僧文彧有诗赠之曰：'闻学汤休长鬓髭，罢修禅颂不披缁。龙盂虎锡安何处，像简银鱼得几时。宗炳社抛云一榻，李膺门醉酒千卮。莫言谁管你闲事，今日尘中复是谁。'文亮为僧尝为诗云：'谁管你闲事，尘中自有人。'故文彧讥之也。及遇害，文彧复吊之云：'不知冥漠下，今似鹧鸪无?'为文亮尝代迁客吟鹧鸪诗云：'毛羽锦生光，江南是你乡。四山声欲合，迁客路犹长。相应偎丛竹，低飞近夕阳。就中汨罗岸，非细断人肠。'"［按，闽王氏终于本年，故二人唱和应在是年前］

公元946年（后晋出帝开运三年　南唐中主保大四年　南汉中宗乾和四年　后蜀后主广政九年　辽会同九年　丙午）

七月

河决杨刘。

八月

南唐陈觉矫诏发汀、建、抚、信等州兵，进攻福州。

九月

契丹寇边，屡战屡败。

十月

吴越发兵救福州。

十一月

南唐与吴越争夺福州，南唐败。建、福之役，南唐府库消耗过半。契丹大举入侵。

十二月

后晋将李守贞。王周、王晖、李殷、张彦泽等相继投降契丹；契丹以张彦泽为先导长驱入洛，石重贵投降，后晋亡。详参《资治通鉴》卷二八五、《旧五代史》卷八四、八五《晋少帝本纪》。

后　晋

本年

贾黄中等二十人登进士第。工部尚书王松知贡举。

贾黄中，《宋太宗实录》："贾黄中，字娲民，沧州南皮人。唐相魏国公耽之四代孙，父玭严毅。善教子，每士大夫家有子弟好学，必持刺修谒，孜孜诲诱之。黄中幼听悟，日诵书千言。汉乾祐初，举童子科，年始六岁。"《宋史》卷二百六十五本传："黄中方五岁，玭每旦令正立，展书卷比之，谓之等身书，课其诵读，六岁举童子科。"钱塘厉鹗撰《宋诗纪事》卷五："黄中，字娲民，南皮人。六岁举童子科，十五举进士。太宗召试中书知制诰，充翰林学士。淳化二年参知政事，至道初拜礼部侍郎兼秘书监。卒，赠礼部尚书，有集。"《玉壶清话》："黄中举童子，状头及第。李文正昉以诗赠之曰：'七岁神童古所难，贾家门户有衣冠。七人科第排头上，五部经书诵舌端。见榜不知名字贵，登筵未识管弦欢。从兹稳上青云去，万里谁能测羽翰。'"《书录解题》、《邵氏闻见前录》、《玉壶清话》俱作七岁，今从《实录》、本传。黄中以宋至道二年卒，年五十六，是年六岁。见《登科记考》卷二六。

知贡举：工部尚书王松。《旧五代史·晋纪》："天福二年八月，以工部尚书王松权知贡举。"

皦惧景岩害己，匿山中。十二月，晋亡，皦有《感兴》诗伤之，卒年不详。著有《屠龙集》五卷、《南金集》二卷。宋人有谓五代道衰文丧，如熊皦志在忧国，文锥肤近者，甚为少见。《新五代史》卷四七《刘景岩传》："景岩又徙镇保义，居未几，又徙武胜。景岩乃悟皦为卖己。遂诬奏皦隐己玉带，皦坐贬商州上津令。皦惧景岩邀害之，道亡，匿山中。"《旧五代史》卷八四：开运二年六月，"邻州节度使刘景岩为陕州节度使"。三年正月，"以陕州节度使刘景岩为邓州节度使"。七月，"以前邓州节度使刘景岩为太子太师致仕"。《册府元龟》卷九四九："晋熊皦以少帝开运三年谪授商州上津县令，赴任至白马寺止宿，遇夜暗逃。"宋黄伯思《东观余论》卷下《跋石晋熊皦诗后》云："刘梦得言八音与政通，文章与时高下，昔人是之。五季道衰文丧，当是操笔牍士，率皆哇哇浅下，杂乱无章。其间能远不忘君，志在忧国，文锥肤近，而忠诚可取若皦者，盖鲜俪也。余读其《上国音书绝二十篇》，及晋末《感兴》诸诗而悲之。苏君又出当时集稿示余，虽不脱尔日风范，亦时有佳语，自可传后无疑。"所称晋末《感兴》诗，当感伤晋之亡国。《郡斋读书志》录其《屠龙集》五卷，并云："集有陶谷序。"《宋志》另录其《南金集》二卷。今皆不存。《全唐诗》：卷七三七于熊皦名下收诗二首，又于熊皦名下收四首，断句十，卷八八六于熊皦名下补六首，其中《早行》有二句已见前断句。《全唐诗补编·续拾》卷四一重录二句。

张咏（946—1015）生。咏字复之，自号乖崖子，濮州鄄城（今山东濮县）人。宋太宗太平兴国五年（980），登进士乙科，为大理评事、知鄂州崇阳县，再迁著作佐郎，以苏易简荐入为太子中允，迁秘书丞，通判麟州、相州。后选为外官，两知益州，一知杭州。归朝，复掌三班，领登闻检院，以疾出知异州，充异、宣等十州安抚使，进礼部尚书，出知陈州，卒于官，赠左仆射，谥忠定。咏为政宽猛并用，所至皆有惠政，在益州民畏而爱之。性刚烈，往往面折人过，与寇准最善，亦每每当面指摘其缺失。咏曾参与台阁酬唱，亦名列《西昆酬唱集》中，然其作品远较杨、刘诸家平易朴实，从《劝学篇》、《悼蜀四十韵》这些名篇中即可见一斑。其诗多言志抒怀之作，即使一些应酬题赠作品亦往往富于真情实感。如《寄田锡舍人》写当时士大夫"出仕"与"归隐"之矛盾，颇有代表性。咏工于七律，其对偶多疏宕劲健，如："吟爱好峰归越路，醉冲寒雨出秦关"（《归越东旧隐》），"汀苇乱摇寒夜雨，沙鸥闲异夕阳天"（《郊居寄朝中知己》）。七绝多清丽绵渺之作，有晚唐风调，如《雨夜》。著有《乖崖集》。《宋史》卷二九三有传。

公元947年（后汉高祖天福十二年　南唐中主保大五年　南汉中宗乾和五年　后蜀后主广政十年　辽大同元年　丁未）

正月

契丹主耶律德光入大梁，杀张彦泽。胡骑四出剽掠，谓之"打谷草"。东西两畿及郑、滑、曹、濮数百里间，财畜殆尽。原后晋秦、成、阶、风诸州相继归附于后蜀。刘知远即帝位于太原，改晋开运四年为天福十二年，史称后汉。

三月

吴越大败南唐军于福州。契丹主由大梁北返。

四月

耶律德光卒于栾城杀胡林。

五月

楚马希范卒。弟希广继位。

六月

吴越忠献王钱弘佐卒，钱弘倧袭位。刘知远至洛阳，入居宫中。契丹内讧，兀欲击败耶律太后，囚太后于阿保机墓地，改元天禄，自称天授皇帝。

七月

后汉封马希广为楚王。

十二月

吴越政变，钱弘倧废，钱弘俶立。详参《资治通鉴》卷二八六、二八七，《旧五代史》卷九九、一〇〇。

后　汉

本年

进士登第者二十五人。尚书左丞张昭知贡举。宋王钦若等撰《册府元龟》卷六百五十一云："张昭初仕晋为左丞，少帝开运三年，命知贡举。来岁属契丹犯阙，而诸侯受赂，请托甚峻。昭未尝摇动，但务公平，时皆服其镇静，得钜儒之体。"见《登科记考》卷二六。《宋史》卷二六三本传："张昭，字潜夫，本名昭远，避汉祖讳，止称昭。"[按，未载登第者姓名] 是年契丹入大梁，时局乱，是否按期举试，颇可疑。

夏

刘昫（888—947）卒，年六十。正月，契丹主入大梁，昫以眼疾乞休，授太保。《旧五代史》卷八九："契丹主至，不改其职。昫以眼疾乞休致，契丹主授守太保。契丹主北去，留于东京。其年夏，以病卒，年六十。"卷一〇〇：天福十二年七月，"故守司空兼门下侍郎、平章事、谯国公刘昫赠太保"。契丹主入汴在本年正月。《新五代史》卷五十五："刘昫，涿州归义人也。昫为人美风仪，与其兄暄、弟皞，皆以好学知名燕、蓟之间。后为定州王处直观察推官。处直为子都所囚，昫兄暄亦为怨家所杀，昫乃避之沧州。唐庄宗即位，拜昫太常博士，以为翰林学士，明宗时，累迁兵部侍郎居职。明宗素重眗而爱其风韵，迁端明殿学士。长兴三年，拜中书侍郎兼刑部尚书、同中书门下平章事，眗诣中兴殿门谢，是日大祠不坐，眗入谢端明殿。眗自端明殿学士拜相，当时以此为荣。废帝入立，迁吏部尚书、门下侍郎，监修国史。……晋高祖时，张从宾反，杀皇子重乂于洛阳，乃以眗为东都留守，判盐铁。开运中，拜司空、同中书门下平章事，复判三司。契丹犯京师，眗以目疾罢为太保，是岁卒，年六十。”监修《旧唐书》。《旧五代史》卷八四：开运二年六月，“监修国史刘眗、史官张昭远等以新修《唐书》纪、志、列传并目录凡二百三卷上之，赐器帛有差”。宋晁公武《郡斋读书志》卷五：“《唐书》二百卷，右石晋刘眗、张昭远等撰。因韦述旧史增损以成，繁略不均，校之实录，多所漏阙，又是非失实，其甚至以韩愈文章为大纰缪，故仁宗时删改，盖亦不可已焉。”《全唐文》卷八五三收乂文七篇，《唐文拾遗》卷四六补二篇。

南　唐

福州兵败，冯延巳上表自咎，以救陈觉、冯延鲁。为江文蔚、徐铉、韩熙载等所劾，罢相为太弟少保。《资治通鉴》卷二八六载：“唐主以矫诏败兵，皆陈觉、冯延鲁之罪，壬申，诏赦诸将，议斩二人以谢中外……知制诰会稽徐铉、史官修撰韩熙载上疏曰：‘觉、延鲁罪不容诛，但齐丘、延巳为之陈请，故陛下赦之。擅兴者不罪，则疆埸有生事者矣；丧师者获存，则行陈无效死者矣。请行显戮以重军威’。不从。中书侍郎、同平章事冯延巳罢为太弟少保，贬魏岑为太子洗马。”马、陆两《南唐书》及《十国春秋》本传所载皆同。

三月，徐知证（905—947）卒，年四十三。卒前为魏王、宣州大都督府长史。马令《南唐书》卷八、陆游《南唐书》卷八、《十国春秋》卷二〇有传。弟知谔，亦能诗，著《阁中集》十卷。马令《南唐书》卷三载，保大五年，“三月，宣州徐知证卒”。卷八本传：“魏王徐知证……及元宗之世，尤见优礼，每入宫，元宗辄以家人遇之，亲捧觞为寿，自起舞以祝之，知证亦以叔父自处。卒年四十三。”万历本《续道藏》收知证《徐仙翰藻》十四卷，元陈慕根辑，北京图书馆藏有元抄本《徐仙翰藻》十四卷。此书假托知证之名，述其成仙后种种经历，实不足信。又《全唐诗补编·续拾》卷四三收其与孟拱辰等联句诗一首。《全唐文》卷八七〇收其文一篇。

吴淑（947—1002）生。淑，字正仪，润州丹阳（今属江苏）人。淑，《宋史》卷四四一、《十国春秋》卷三一有传。《宋史》本传云：“吴淑，字正仪，润州丹阳人。父文正，事吴至太子中允。好学，多自缮写书。……（淑）咸平五年卒，年五十六。……淑性纯静好古，词学典雅。初，王师围建业，城中乏食。里闬有与淑同宗者，举家皆死，惟存二女孩，淑即收养如所生，及长，嫁之。时论多其义。有集十卷。善笔札，好篆籀，取《说文》有字义者千八百余条，撰《说文五义》三卷。又著《江淮异人录》三卷、《秘阁闲谈》五卷。”

柳开（947—1000）生。开，字仲涂，曾名肩愈，字绍先，号东郊野夫，又号补亡先生，大名（今属河北）人。宋太祖开宝六年（973），登进士第，补宋州司寇参军，

迁录事参军。太宗太平兴国四年（979），擢赞善大夫，知常州、润州、贝州，转殿中侍御史。雍熙二年（985），坐事贬上蔡令。雍熙三年，复授殿中侍御史。后为崇仪使，知宁边军，徙全州、桂州、环州、邠州、曹州、邢州。真宗即位，知代州、忻州。咸平三年（1000），徙沧州，道病卒，年五十四。为人尚气自任，不拘小节，喜议论经义，好韩愈、柳宗元文，与穆修一起，大力反对五代宋初华靡浅弱文风，积极提倡韩、柳散文，成为宋代诗文革新运动的先驱。文风质朴。传世之诗极少，仅数首，亦古朴劲健，如《塞上》。有《河东先生集》十五卷。《宋史》卷四四〇有传。

吴　越

六月

弘佐（928—947）卒，年二十。谥忠献。见《吴越备史》卷三，《旧五代史》卷一三三，《新五代史》卷六七，《十国春秋》卷八〇本传。《全唐诗补编·续补遗》卷一三收其诗二首。

楚

戴偃本年徙居永州，后不知所终。《五代史补》卷三云："（迁居湖上后）自是偃穷饿日至，无以为计，乃谓妻曰：'与汝结发，已生一男一女，今度不惟挤于沟壑，亦恐首领不得完全，宜分儿遁去，庶几可免，不然旦夕死矣。'于是举骰子与妻子相约曰：'彩多得儿，彩少得女。'既掷，偃彩少，乃携女相与痛哭而别。偃将奔岭南，至永州，会文昭薨，乃止。其后不知所终。"《十国春秋》卷七三传所载同此。戴偃诗今全佚。

公元 948 年（后汉隐帝乾祐元年　南汉中宗乾和六年　后蜀后主广政十一年　南唐中主保大六年　辽天禄二年　戊申）

正月

后汉大赦，改元乾祐；刘知远更名为嚣，旋病卒。

二月

刘知远子承佑即帝位，时年十八。

三月

契丹将耶律忠、麻答逃离定州。

八月

后汉封钱俶为吴越国王。

十月

荆南节度使兼中书令、南平文献王高从诲卒，子保融继位。参《资治通鉴》卷二八八。

后　汉

本年

王溥、李昉、邓洵美、李恽、窦侃、许仲宣等二十三人登进士第，知贡举户部侍郎王仁裕。

王溥，状元。《宋史》卷二百四十九："王溥，字齐物，并州祁人。父祚。为郡小吏，有心计，从晋祖入洛，掌盐铁案，以母老解职归汉祖，镇并门统行营兵，拒契丹，委祚经度刍粟，即位擢为三司副使。历周为随州刺史。汉法禁牛革，辇送京师，遇暑雨多腐坏，祚请班铠甲之式于诸，令裁之以输，民甚便之。移刺商州，以奉钱募人开大秦山岩梯路，行旅感其惠。显德初，置华州节度，以祚为刺史。未几，改镇颍州均部内租税，补实流徙，以出旧籍。州境旧有通商渠，距淮三百，岁久湮塞，祚疏导之，遂通舟楫，郡无水患。历郑州团练使。宋初，升宿州为防御，以祚为使。课民凿井修火备，筑城北堤以御水灾。因求致政，至阙下，拜左领军卫上将军，致仕。溥，汉乾祐中举进士甲科，为秘书郎。时李宗贞据河中，赵思绾反京兆，王景崇反凤翔，周祖将兵讨之，辟溥为从事。河中平，得贼中文书，多朝贵及藩相交结语。周祖籍其名，将按之，溥谏曰：'魑魅之形，伺夜而出，日月既照，氛沴自消。愿一切焚之，以安反侧。'周祖从之。师还，迁太常丞。从周祖镇邺。广顺顺初，授左谏议大夫、枢密直学士。二年，迁中书舍人、翰林学士。三年，加户部侍郎，改端明殿学士。周祖疾革，召学士草制，以溥为中书侍郎、平章事。宣制毕，周祖曰：'吾无忧矣。'即日崩。世宗将亲征泽、潞，冯道力谏止，溥独赞成之。凯还，加兼礼部尚书，监修国史。世宗尝从容问溥曰：'汉禁止李崧以蜡书与契丹，犹有记其词者，信有之耶?'溥曰：'崧为大臣，设有此谋，肯轻示外人？盖苏逢吉诬之耳。'世宗始悟，诏赠其官。世宗将讨秦、凤，求帅于溥，溥荐向拱。事平，世宗因宴酌酒赐溥曰：'为吾择帅成边功者，卿也。'从平寿春，制加阶爵。显德四年，丁外艰。起复，表四上，乞终丧。世宗大怒，宰相范质奏解之，溥惧入谢。六年夏，命参知枢密院事。恭帝嗣位，加右仆射。是冬，表请修《世宗实录》，遂奏吏馆修撰、都官郎中、知制诰扈蒙，右司员外郎、知制诰张淡，左拾遗王格，直史馆、左拾遗董淳，同加修纂，从之。宋初，进位司空，罢参知枢密院。乾德二年，罢为太子太保。旧制，一品班于台省之后，太祖因见溥，谓左右曰：'溥旧相，当宠异之。'即令分台省班东西，遂为定制。五年，丁内艰。服阕，加太子太傅。开宝二年，迁太子太师。中谢日，太祖顾左右曰：'溥十年作相，三迁一品，福履之盛，近世未见其比。'太平兴国初，封祁国公。七年八月，卒，年六十一。辍朝二日，赠侍中，谥文献。溥性宽厚，美风度，好汲引后进，其所荐至显位者甚众。颇吝啬。祚频领牧守，能殖货，所至有田宅，家累万金。溥在相位，祚以宿州防御使家居，每公卿至，必首谒。祚置酒上寿，溥朝服趋侍左右，坐客不安席，辄引避。祚曰：'此豚犬尔，勿烦诸君起。'溥讽祚求致政，祚意朝廷未之许也，既得请，祚大骂溥曰：'我筋力未衰，汝欲自固名位，而幽囚我。'举大梃将击之，亲戚劝谕乃止。溥好学，手不释卷，尝集苏冕《会要》及崔弦《续会要》，补其阙漏，为百卷，曰《唐会要》。又采朱梁至周为三十卷，曰《五十会要》。有集二十卷。"《广卓异记》引《五代史》："乾祐元年户部侍郎王仁裕放王溥状元及第。溥不数年拜相，仁裕时为太子少保，以诗贺曰：'一战文场拔赵旗，便调金鼎佐无为。白麻骤降恩何极，黄发初闻喜可知。跋敕案前人到少，筑沙堤上马归迟。押班长得遥相见，亲狎争如未贵时。'溥以韵和曰：'挥毫文阵偶搴旗，待诏金华亦强为。白社幸当宗伯选，赤心旋遇圣人知。九霄得路荣虽极，三接承恩出每迟。职在台司多少暇，亲师不及舞雩时。'"《石林诗话》："五代王仁裕知贡举，王丞相溥为状元，时年二十六，后六年遂相，周世宗犹及本朝以太子太保，罢归班年才四十二，前此所未有也。溥初拜相，仁裕犹致仕无恙，尝以诗贺溥。《容斋二笔》载王溥《自问诗》序云：'予年二十有五，举进士甲科。'"溥时年二十七岁，登汉进士第，为状元，授秘书郎。七月，充枢密使郭威从事，随郭威征河中。《宋史》卷二四九本传："溥，汉乾祐中举进士甲科，为秘书郎。"《登科记考》卷二六据《宋史》本传、《广卓异记》、《容斋三笔》等，列溥为乾祐元年进士状元。《宋史》本传又云："时李守贞据河中，赵思绾反京兆，王景崇反凤翔，周祖将兵讨之，辟溥为从事。"《旧五代史》卷一一〇：乾祐元年七月，"制授帝同平章事，即遣西征，以安慰招抚为名，诏西面诸军，并取节度"。孟二冬补正：《北京图书馆藏中国历代石刻拓本汇编》第三十七册第189页"门生"李昉撰雍熙三年（986）七月十六日《王仁裕墓碑》："公讳仁裕，字德辇，其先太原人，后世徙家秦陇，今为天水人也。……汉高祖顺三灵之睠命，救四海之倒悬，大实才登，中原亟定。有天下之逾月，拜公户部侍郎充学士承旨。明年，带内署之职，知贡举。制下之日，时论翕然，咸谓俊造孤子将得路矣。举罢，转户部尚书，承旨如故。……昔公之掌贡闱也，中进士第者凡二十有三人，时则有故宫师相国王公溥，今左谏议大夫判度支许公仲宣，大司扈李公惮，俱振美名，并升殊级。惟宫帅王公迪高时望，擢处首科，五年之中，位至宰相。小子固陋，亦预搜罗，玉堂冠于词臣，黄阁陪于元辅。逢时偶圣，何幸会以腧涯；卵化冀飞，岂生成之可报。其余陟乌台、登雉省，内游谏署，外佐侯府者，皆一时之名士也。"（《全宋文》卷四十六）

李昉，《宋史》卷二六五本传："李昉，字明远，深州饶阳人。父超，晋工部郎中、集贤殿直学士。从大父右资善大夫沼无子，以昉为后，荫补斋郎，选授太子校书。汉乾祐举进士，为秘书郎。宰相冯道引之，与吕端同直弘文馆，改右拾遗、集贤殿修撰。周显德二年，宰相李谷征淮南，昉为记室。世宗览军中章奏，爱其辞理明白，已知为昉所作，及见《相国寺文英院集》，乃昉与扈蒙、崔颂、刘衮、窦俨、赵逢及昉弟载所题，益善昉诗而称赏之曰：‘吾久知有此人矣。’师还，擢为主客员外郎、知制诰、集贤殿直学士。四年，加史馆修撰、判馆事。是年冬，世宗南征，从至高邮，会陶谷出使，内署书诏填委，乃命为屯田郎中、翰林学士。六年春，丁内艰。恭帝嗣位，赐金紫。宋初，加中书舍人。建隆三年，罢为给事中。四年，平湖湘，受诏祀南岳，就命知衡州，逾年代归。陶谷诬奏昉为所亲求京畿令，上怒，召吏部尚书张昭面质其事。昭老儒，气直，免冠上前，抗声云：‘翊罔上。’上疑之不释，出昉为彰武军行军司马，居延州为生业以老。三岁当内徙，昉不愿。宰相荐其可大用，开宝二年，召还，复拜中书舍人。未几，直学士院。三年，知贡举。五年，复知贡举。秋，预宴大明殿，上见昉坐卢多逊下，因问宰相，对曰：‘多逊学士，昉直殿尔。’即令真拜学士，令居多逊上。昉之知贡举也，其乡人武济川预选，既而奏对失次，昉坐左迁太常少卿，俄判国子监。明年五月，复拜中书舍人、翰林学士。冬，判吏部铨。时赵普为多逊所构，数以其短闻于上，上询于昉，对曰：‘臣职司书诏，普之所为，非臣所知。’普寻出镇，多逊遂参知政事。太宗即位，加昉户部侍郎，受诏与扈蒙、李穆、郭贽、宋白同修《太祖实录》。从政太原，车驾次常山，常山即昉之故里，因赐羊酒，俾召公侯相与宴饮尽欢，里中父老及尝与游从者咸预焉。七日而罢，人以为荣。师还，以劳拜工部尚书兼承旨。太平兴国中，改文明殿学士。时赵普、宋琪居相位久，求其能继之者，宿旧无逾于昉，遂命参知政事。至道元年正月望，上观灯干元楼，召昉赐坐于侧，酌御樽酒饮之，自取果饵以赐。上观京师繁盛，指前朝坊巷省署以谕近臣，令拓为通衢长廊，因论：‘晋、汉君臣昏暗猜贰，枉陷善良，时人不聊生，虽欲营缮，其暇及乎？’昉谓：‘晋、汉之事，臣所备经，何可与圣朝同日而语。若今日四海清晏，民物阜康，皆陛下恭勤所致也。’上曰：‘勤政忧民，帝王常事。朕不以繁华为乐，盖以民安为乐尔。’因顾侍臣曰：‘李昉事朕，两人中书，未尝有伤人害物之事，宜其今日所享如此，可谓善人君子矣。’二年，陪祀南郊，礼毕入贺，因拜舞仆地，台吏掖之以出，卧疾数日薨，年七十二。赠司徒，谥文正。昉和厚多恕，不念旧恶，在位小心循谨，无赫赫称。为文章慕白居易，尤浅近易晓。好接宾客，江南平，士大夫归朝者多从之游。”《舆地纪胜》：“仁裕知贡举时，所取进士三十三，皆一时名公卿，李昉、王溥为冠。”［按，“三十三”人，是“二十三”人之讹］见《登科记考》卷二六。户部侍郎王仁裕知贡举。李昉登进士第，授秘书郎。《全宋文》卷四六昉《王仁裕神道碑》：“昔公之滨贡闱也，中进士第者凡二十有三人……小于固陋，亦预搜罗。”王仁裕本年知举。《资治通鉴》卷二八八：乾祐元年十一月，“秘书郎真定李昉诣陶谷”。

邓洵美，生卒年无考，本年进士及第。邓洵美传，见《十国春秋》卷七五，云：“邓洵美，连州人（原注：《江南野史》又云郴郡人）。有敏才，工诗赋。时湖南朱昂号博学，一时士无当意者，独逊洵美，以为不如。天福中，与孟宾于并为李若虚所荐，入洛阳，登晋进士第。后还乡，上笺周行逢，署馆驿巡官……同年生王溥、李昉为中朝显官，溥闻洵美不得志，贻以诗云云。”《诗话总龟》前集卷十四引《雅言系述》：“邓洵美，连山人。乾祐二年中进士第，与司空昉、少保溥同年。谒刘氏，不礼，归武陵。时周氏有其地，且辟在幕府。未几，司空氏自禁林出使武陵，与洵美相遇，赠诗曰：‘忆昔词场共着鞭，当时莺谷喜同迁。关河契冈三千里，音信稀疏二十年。君遇已知依玉帐，我无才藻步花砖。时情人事堪惆怅，天外相逢一泫然。’洵美和云：‘词场几度让长鞭，又向清朝贺九迁。晶秩虽然殊此日，岁寒终不改当年。驰名早已超三院，侍直仍忻步八砖。今日相逢番自愧，闲吟对酒倍潸然。’相国归阙，率偕载，而辞以疾不行。相国语同年少保公。公时在黄阁，洵美在武陵，又为诗寄之云：‘衡阳归雁别重湖，衔到同人一纸书。忽见姓名双泪落，不知消息十年余。彩衣我已登黄阁，白社君犹茸旧居。南望荆门千里外，暮云重叠满晴虚。’周氏疑洵美泄密谋，急追捕（补）易俗场官而遇害。建隆初，王师下湖湘，相国复收衡阳，道经易俗场，作诗吊曰：‘十年衣染帝乡尘，踪迹仍传活计贫。高掇桂枝曾遂志，假拖蓝绶至终身。侯门寂寞非知己，泽国恓惶似旅人。今已向公坟畔过，不胜怀抱暗酸辛。’”宋周羽翀《三楚新录》卷三亦载：“有邓洵美者，连郡人也，登进士第。……同年王溥为相，闻洵美不得志，乃为诗曰：‘彩衣我已登黄阁，白社君犹困故庐。’自是行逢稍优给之。未几，给事中李昉至，昉亦洵美同年也。”言“天祐”、“乾祐二年”中第者误。［按，邓洵美籍贯，除连州（《诗话总龟》卷一四引《雅言系述》称洵美为“连山人”，检《旧唐书》卷四〇《地理志》三，江南西道连州，所属有连山县）郴郡两说外，又有奉化一说］《永乐大典》引《湟川志》云：“邓洵美，奉化乡人。与李昉汉乾祐二年同擢进士第。”（徐松《登科记考》卷二六引）洵美有《答同年李昉见赠次韵》等诗可证其确与李昉为同年进士。《雅言系述》亦称洵美“乾祐二年中进士第，与司空昉、少保溥同年”。今从徐松《登科记考》。

李恽，《十国春秋》：“李恽字孟深，汴州阳武人。乾祐初第进士，与王溥、李昉同年。”《宋太宗实录》卷四十四：“（李）恽字孟深，开封阳武人也。少力学为文，汉乾祐中举进士及第。……恽有器度，善谈名理，故相王溥、薛居正、李昉皆与之善，重其为人。溥与昉皆恽同门生也。”

窦侃，《宋史》卷二百六十三窦仪传：“仪学问优博，风度峻整。弟俨、侃、偁、僖，皆相继登科。冯道与禹钧有旧，尝赠诗，有‘灵椿一株老，丹桂五枝芳’之句，缙绅多讽诵之，当时号为窦氏五龙。……弟侃，汉乾祐初及第。至起居郎。僖，周广顺初及第，至左补阙。子绛、鹏、诰，俱登进士第，绛至都官员外郎，鹏至秘书丞。”

许仲宣，《宋史》本传：“仲宣字希粲，青州人。汉乾祐中登进士第，时年十八。”以淳化元年六十一推之，及第在上年丁未。然传明言乾祐，故载此年，则时年为十九矣。

诸科一百七十九人。按进士与诸科共二百零二人，王仁裕诗作“二百一十四门生”，则《登科》记数误。

知贡举：户部侍郎王仁裕。《新五代史·王仁裕传》：“仁裕字德辇，天水人也。仁裕与和凝于五代时皆以文章知名，又尝知贡举。仁裕门生王溥、凝门生范质皆至宰相，时称其得人。”王仁裕《与诸门生春日会饮繁台赋诗》曰：“柳阴如雾絮成堆，又引门生饮古台。淑景即随风雨去，芳樽宜命管弦开。谩夸列鼎鸣钟贵，宁免朝乌夜兔催。烂醉也须诗一首，不能空放马头回。”又《示诸门生诗》曰：“二百一十四门生，春风初长羽毛成。掷金换得天边桂，凿壁偷将榜上名。何幸不才逢圣世，偶将疏网罩群英。衰翁渐老见孙小，异日知谁略有情。”孟二冬［按，宋陶岳《五代史补》卷四“王仁

裕贼头”条：“王尚书仁裕，乾祐初一榜二百一十四人，乃自为诗云：‘二百一十四门生……凿壁偷将榜上名。’陶谷为尚书，素好谐，见诗，佯声曰：‘大奇，大奇，不意王仁裕今日做贼头也。’闻者皆大笑。”］又参见上王溥考引《王仁裕墓碑》。

二月

王周本年卒于镇。《旧五代史》传云：“乾祐元年二月，以疾卒于镇，辍视朝二日，赠中书令……”《王周集》，《直斋书录解题》卷一九录为一卷，《全唐诗》卷七六五录存周诗一卷，共五十三首。《全唐文》卷八五五录存其《蚋子赋并序》一篇。

五月

后汉国子监奏请雕刻《周礼》、《仪礼》、《公羊》、《谷梁》四经，得准。

冬

杨凝式有《起居帖》，时七十六岁，为太子太傅分司洛京。《全唐诗补编·续拾》卷四二据《铁网珊瑚·书品》卷一补凝式《起居帖》诗，并录诗后题云：“乾祐元年冬残腊暮，华阳焦上人尊师处传，杨凝式。”又录米友仁跋云：“右杨凝式书神仙起居法八行，臣米友仁鉴定真迹跋。”

吴越

赞宁三十岁，于钱俶时任吴越监坛、两浙都僧正，号称律虎。与钱俶、钱仪、钱俨、钱昱、崔仁骥、慎知礼、杨恽等过往唱和。本年前，释希觉以所撰《会释记》授赞宁。见王禹偁《通惠大师文集序》。

释希觉（864—948）卒，年八十五。俗姓商，晋陵（今江苏常州）人。少时曾佣于罗隐家，隐劝其修学。年二十五出家，后入天台，习《南山律钞》，著《增晖录》二十卷以广之。吴越时居杭州大钱寺，文穆王署文光大师，著有《拟江东谗书》五卷，杂诗赋十五卷，又注林鼎《金陵怀古》百韵诗及杂体四十章。《宋高僧传》卷一六《汉钱塘千佛寺希觉传》：“释希觉，字顺之，姓商氏，世居晋陵。觉生于溧阳，家系儒墨，属唐季丧乱，累被剽略，自尔贫窭。尝佣书于给事中罗隐家，偶问名居，隐曰：‘毗陵商家儿，何至于此。’叹息再三，多与雇直，劝归乡修学。至年二十五……忽求出家于温州开元寺，文德元年也。龙纪中受戒，续揣摩律部，崇教于西明寺慧则律师，时在天台山也。……以则出集要记解《南山钞》，不称所怀……遂著记广之，曰《增晖录》……二十卷成部。浙之东西，盛行斯录。暨乎则公氏往，乃讲训于永嘉。……徙于杭大钱寺。文穆王造千佛伽蓝，召为寺主，借紫，私署文光大师焉。四方学者骋骛而臻。觉外学偏多，长于《易》道，著《会释记》二十卷，解《易》，至上下系及末文甚备。常为人敷演此经，付授于都憎正赞宁。及乎老病，乞解见任僧职。既遂所怀，唯啸傲山房，以吟咏为乐。……嘱托言毕而绝，享年八十五。生常所著《拟江东谗书》五卷，杂诗赋十五卷，注林鼎《金陵怀古》百韵诗、杂体四十章。”

后　蜀

七月

徐光溥拜中书侍郎，兼礼部尚书、同平章事，时号“睡相”。十二月，坐以艳词挑前蜀安康长公主罢相，寻卒。有题黄筌画古诗传世。《十国春秋》卷五二本传：“徐光溥，景焕《野人闲话》作光浦，蜀人也。博学善诗歌。初仕（后蜀）高祖为观察判官。长兴初，上疏请高祖行墨制，略言我蜀被山带江，足食足兵，实天下之强国也。我公本仁祖义，允武允文，乃大下之贤主也。以我公之贤，拓土开封，取威定霸，固得其宜矣！而况内则有红莲上客，参帷幄之谋，外则仗细柳将军，专斧钺之任。率土之内，足可保磐石之固，泰山之安。顾惟冗贱何补高明，但念智者百虑必有一失，愚者百虑必有一得，狂夫之言，圣人择之，樵童之歌，哲王听焉。窃以惟赏与刑国之利器，惩恶劝善君之要权，不可偏行。尤须具举历观往典，备考前规，或王命而不通，或公室以多难，列国率闻于专制诸侯，或可以从权，苟有利于生灵，又何辞于通变。……广政十一年，改中书侍郎、兼礼部尚书，与李昊并同平章事。时有优人唱《康老子》曲，后主问曲何由名，光溥以康老老而无子所作，后主大加欣赏。居无何，坐以艳词挑前蜀安康长公主罢相，卒。光溥有辨才，遇事则发。会李昊等疾之，后有议论，光溥熟睡而已，时号睡相。”据《十国春秋》本传，光溥似当于本年十二月罢相后未几卒。《全唐诗》卷七六一载光溥诗二首，《全唐诗补编·续拾》卷五二重录诗题一首。《全唐文》卷八九一载其文一篇［按《全唐诗》载其《题黄居采秋山图》七言古诗一篇，颇有特色，五代时古诗有为此长篇者，甚少见，诗云：“忝与黄筌艺奇绝，笔精回感重瞳悦。运思潜通造化工，挥毫定得神仙诀。秋来奉诏写秋山，写在轻绡数幅间。高低向背无遗势，重峦叠嶂何孱颜。”颇流畅，有气势，中亦有佳句］

荆　南

十月

高从诲（891—948）卒，年五十八，子高保融嗣位。（见《资治通鉴》卷二八六）宋陶岳《五代史补》卷四“高从诲母梦”条：“高从诲，季兴之庶子而处长，为性宽厚，虽士大夫不如也。天成中，季兴叛，从诲力谏之，不从。及季兴卒，朝廷知从诲忠，使嗣，亦封南平王。初，季兴之事梁也，每行军，常以爱姬张氏自随。一旦军败，携之而窜，遇夜，误入深涧中。时张氏方妊，行迟，季兴恐为所累，俟其寝酣，以剑刺岸边而压杀之，然后驰去。既而岸欲崩，张氏且惊起，呼季兴曰：‘妾适梦大山崩而压妾身，有神人披金甲执戈，以手托之，遂免。’季兴闻之，谓：‘必生贵子’，遂挈之行，后生从诲。”

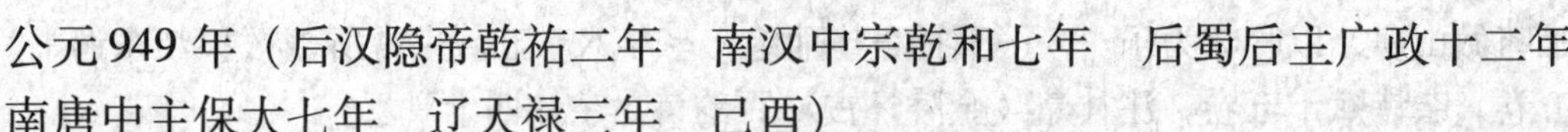

公元949年（后汉隐帝乾祐二年　南汉中宗乾和七年　后蜀后主广政十二年　南唐中主保大七年　辽天禄三年　己酉）

八月

楚马希萼发兵攻打马希广，楚地内乱。

十二月

南唐置清源军于泉州，以刘从效为节度使；是岁命仓曹参军王文炳摹勒古今法贴于石。详参《资治通鉴》卷二八八、《十国春秋》各政权本纪。

后　汉

本年

窦偁、鞠恒、赵逢、刘蟠等十九人登进士第。礼部侍郎司徒诩知贡举。（见《登科记考》卷二六）

窦偁，《宋史·窦仪传》："偁，字日章，汉乾祐二年举进士。周广顺初，补单州军事判官，迁秘书郎，出为绛州防御判官，宋初历武宁军掌书记西京留守判官，天雄归德军节度判官。开宝六年拜右补阙、知宋州。尝作遂命赋以自悼。太宗领开封府尹，选偁判官，时贾琰为推官，偁不乐其为人，太宗尝宴诸王，偁、琰与会，琰言矫诞，偁叱之……"

鞠恒，王禹偁《鞠君墓志》："公讳与今上御名同，字可久。祖直，登州黄县令。父庆孙，申州团练官。公即申州次子。幼聪悟，善属文。汉乾祐中一上登进士第，年二十一。榜中推为探花先辈。解褐秘书省校书郎。"《宋史·文苑传》作"鞠常"以避讳改也。"祖直"，传作"祖贞"。传云："常，密州高密人。汉乾祐二年擢进士第，裁二十一。常应举时，著《四时成岁》万余言，又为《春兰赋》，颇存寄托。"［按，墓志言恒开宝七年卒，年四十七］以是推之，则得第时年二十一。

赵逢，《宋史》二百七十本传："赵逢，字常夫，妫州怀戎人。性刚直，有吏干。父崇事刘守光为牙校。后唐天祐中，庄宗遣周德威平幽州，因诛崇。逢尚幼，德威录为部曲，令与诸子同就学。及德威战殁胡柳陂，逢乃游学河朔间。久之西游，客凤翔李从曮门下。从曮卒，侯益领节制，逢又依之。汉乾祐中，益入为开封尹，表逢为巡官，逢不乐，乃求举进士。是岁，礼部侍郎、集贤殿学士司徒翊典贡举，擢登甲科，解褐授秘书郎、直史馆。周广顺中，历左拾遗、右补阙，皆兼史职。世宗嗣位，迁礼部员外郎、史馆修撰。显德四年，改膳部员外郎、知制诰。逾年，转水部郎中，仍掌诰命，恭帝即位，赐金紫。宋初，拜中书舍人。太祖征泽、潞，逢从行。次河内，闻李筠拥兵入寇，又虑太行艰险，乃妄言坠马伤足，留于怀州。驾还京，有密旨除拜，逢当草制，又称疾不入。太祖谓宰相曰：'此人得非规避行役者耶?'对曰：'诚如圣言。'遂贬房州司户。会恩，量移汝州司马。乾德初，召赴阙，授都官郎中、知制诰，充史馆修撰、判馆事。二年，改判昭文馆。未几，充枢密直学士，加左谏议大夫。蜀平，出知阆州。时部内盗贼攻州城，逢防御有功。贼既平，诛灭者仅千家。妻朱氏病死京师，诏给葬事。代还，迁给事中，充职。六年，权知贡举。太祖征太原，以逢为随军转运使，铸印赐之。会发诸道丁壮数十万，筑堤壅汾水灌晋阳城。逢白太祖乞效用，即命督其版筑。时方盛暑，逢于烈日中亲课力役，因而遘疾，舆归京师。开宝八年，卒。逢扬历清近，所至有声，然伤惨酷，又言多诋讦，故缙绅目之为'铁橛'。大中祥符三年，特诏录其子极为三班借职。"

刘蟠，《宋史》二百七十六本传："刘蟠，字士龙，滨州渤海人。汉乾祐二年举进士，解褐益都主簿。宋初，历安远军及河阳节度推官、保义军掌书记。乾德五年，召拜监察御史，典染院事。初，苏晓掌京城市征，颇干集，及卒，选蟠代之。冬，命为太宗生辰使。开宝七年，与殿中丞刘德言同知淮南诸州转运事。太平兴国初，就迁仓部员外郎，改转运使，岁漕江东米四百万斛以给京师，颇为称职。秩满，部内僧道乞留，诏许再任，赐金紫，改驾部员外郎。八年，丁内艰，时以诸州纲运留滞，起复，知京城陆路发运司事。会河决韩村，大发丁夫塞之，命蟠调给其饷，未几河塞。朝廷方议封禅，以蟠为东封水陆计度转运使，会诏罢其礼。俄迁工部郎中，充河北水路转运使。改刑部郎中，就充水陆转运使，入判本部事。籍田毕，迁左谏议大夫。淳化初，兼同考京朝官差遣。二年，暴中风眩，上遣太医视之，赐以金丹。卒，年七十三。赐钱十万，给其丧事。蟠性清介寡合，能攻苦食淡，专事苛刻，好设奇诈，以售知人主。典染作日，太祖多临视之，蟠侦车驾至，辄衣短后衣，芒屩持梃以督役，头蓬不治，遽出迎谒。太祖以为勤事，赐钱二十万。尝受诏巡茶淮南，部民私贩者众。蟠乘羸马，伪称商人，抵民家求市茶，民家不疑，出与之，即擒置于法。子锴，初以父荫为大理评事，咸平二年，擢进士第。尝献《幸太学颂》。真宗中夜观书，得锴颂，颇嘉赏之，出以示辅臣，且言锴幼孤，能自立，召试，命直史馆。累迁至户部郎中、盐铁副使。"

高锡，原列卷二十七《附考·进士科》，徐氏考云："《宋史》本传：'锡字天福，河中虞乡人。汉乾祐中举进士。'"按胡补于本年著录"王谱"、"高锡"，考据《山西通志》卷六五（同下所引）。又陈补云："乾隆《陕西通志》卷六五：'乾祐二年造士：王溥，祁县人……王潜，祁县人；高锡，虞乡人，宋知制诰屯田员外郎。'王潜疑即王溥之误，不录。《宋史》卷二六九本传载锡为'乾祐中举进士。王晏镇徐州，辟掌书记。'徐氏收入附考。王晏镇徐州，始于广顺元年八月，见《旧五代史·周太祖纪》。"

梁勗，《皇朝事实类苑》卷三六引《杨文公谈苑》王某言："三十年已来，惟梁都官不受一钱，余无免者。乃梁勗也。勗，汉乾祐中司徒诩下进士及第，有文词，太祖欲令知制诰，为时宰所忌，遂免。"司徒诩知乾祐二年、三年贡举，姑附本年。

诸科八十人。

知贡举：礼部侍郎司徒诩。《旧五代史》本传："诩，字德普，清河郡人。少好读书，通《五经》大义。弱冠应乡举，不第。汉初，除礼部侍郎，凡三主贡举。"按本纪，乾祐元年二月，自工部侍郎为礼部侍郎。周广顺元年，改刑部侍郎。是乾祐二年三年及广顺元年皆诩知举。[按，"诩"一作"翊"]

王仁裕撰《玉堂闲话》十卷，时为翰林学士承旨、户部尚书。（见《太平广记》

卷二〇三）

南唐

若虚卒于庐山。若虚，释若虚。隐于庐山，数年持经，不出石室。江南国主李氏钦尚其道，累征，终不降就。唯言老僧无能，宁销王者归心。若更相呼，窜入深山矣。或衣物则避让，香则受之。以乾祐中盛夏坐终，身不沮坏。今湓城人供养影相焉。(《宋高僧传》卷二五本传)《全唐诗》卷八二五存其诗三首。

元日，李璟与太弟景遂、李建勋等十四人宴饮，赋春雪诗，群臣皆和，共二十一篇，并集名手图画。徐铉《徐公文集》卷一八："于是岁躔作噩，序首青阳。玄鸟司启之明晨，白兽称觞之节日，有唐中兴之一纪，皇上御历之七年，同云暗野，朔雪飞空。急势随风，影乱东郊之仗。凝华接曙，光浮元会之筵。……太弟以龙楼之盛，人奉垂旒。齐王以凤沼之崇，来参銮几。……笔落天波，言成学典。七言四韵，宣示群臣。乃命太弟太傅建勋，翰林学士、给事中朱巩、常梦锡，翰林学士、中书舍人殷崇义、游简言，吏部尚书毗陵郡公景运，工部尚书上饶郡公景逊，左常侍、勤政殿学士张义方，谏议大夫、勤政殿学士潘处常、魏岑，驾部员外郎、知制诰乔舜，主客员外郎、知制诰徐铉，膳部员外郎、知制诰张纬，光禄卿临汝郡公景辽，鸿胪卿文安郡公景游，太府少卿陈留郡公景逌，左卫将军乐安郡公弘茂，驾部郎中李瞻等，或赓元首之歌，或和阳春之曲……二十一篇，咸从奏御……有诏为序，以纪岁月（御批云：宿来健否？酒醒诗毕，可有余力？何妨一为之序？以纪岁月，呵呵）。"同眷《御制春雪涛后序》："臣建勋、义方、铉等，闻命在前，援简先就，因承中旨，入奉斯筵。而两省众篇，翌日咸集。故奉知者二十一首，而侍宴者十有四人。前序阙遗，被令重述，谨上。"《江表志》卷中载："保大五年元日，天忽大雪，上召太弟，以下登楼展宴，咸命赋诗。令中使第赐李建勋，建勋方会中书徐铉、勤政殿学士张义方于溪亭，即时和进。元宗乃召建勋、铉、义方同人，夜分方散。侍臣皆有兴咏，徐铉为前后序。太弟合为一图，集名公图绘，曲尽一时之妙。御容，高冲古主之；太弟以下侍臣、法部丝竹，周文矩主之；楼阁宫殿，朱澄主之；雪竹寒林，董元主之；池沼禽龟，徐崇嗣主之。图成，无非绝笔。"《江南余载》卷下、《图画见闻志》卷六亦载此事。[按，徐文云："有唐中兴之一纪，皇上御历之七年"，则当作于本年] 景遂保大五年正月始封太弟，参其年条，不可能元日已称太弟，作保大五年者误。又冯延巳是年在抚州任，故未预会，此亦可为旁证。元日，徐铉与李建勋、张义方聚会溪亭，中主赐《春雪》诗，遂和之，并作《御制春雪诗序》、《后序》。《春雷应制》、《进雪诗》二诗，亦为同时作。寻奉召入宫宴集。张义方本年为左散骑常侍、勤政殿学士，参加元日赋诗，后率兵平淮北之盗。卒年无考。

殷崇义，后更名汤悦，陈州西华人，唐末诗人殷文圭之子。生卒年及初仕时间均未详。本年为翰林学士、中书舍人，参加元日赋诗。殷崇义传，见马令《南唐书》卷二三、《十国春秋》卷二八。马令《南唐书》云："汤悦，其先陈州西华人。父殷文圭，唐末有才名。悦本名崇义，仕南唐为宰相。"《十国春秋》传云："殷崇义，陈州西华人。父文圭，为吴翰林学士。崇义博洽能文章（原注：《一统志》云：崇义自少颖悟，常见飞星坠水盘中，掬丽吞之，文思日丽）。仕元宗，官至学士。”另参徐铉《御制春雪诗序》。崇义所和诗今佚。

吴 越

钱惟治（949—1014）生。钱惟治，《宋史》卷四八〇、《十国春秋》卷八三有传。《宋史》本传：“惟治字和世，废王濬之长子，濬初迁于越而惟治生，俶爱之，养为己子。幼好读书，八岁授两浙衙内诸军指挥使，判军粮营田事，又改德化军使，迁检校太保、台州团练使。乾德四年四月，制授宁远军节度、检校太傅，仍兼衙职，与惟濬节旄同日而至，国人荣之。王师讨江南，惟治从俶率兵下常州，策勋改奉国军节度。俶入朝，命惟治权发遣军国事。俶还，令奉币入贡，抚谕命赐甚厚。惟治又献涂金银香狮子、香鹿凤鹤孔雀、宝装髹合、扣金瓷器万事，吴缭绫千匹。辞日，赐袭衣玉带、涂金鞍勒马、金银器、增彩逾万计。太宗嗣位，进检校太尉。太平兴国三年，俶再入觐，又权国事。一夕厩中火，惟治率兵临高下视。令亲信十数辈仗剑申令，敢后顾者斩，顷之火息。妻族有隶帐下者恃亲犯法，惟治命杖背于府门。俶既纳土，朝廷命考功郎中范旻知杭州，惟治奉兵民图籍、帑廪管籥授旻，与其弟惟渲、惟灏归朝。次近郊，遣内侍护诸司供帐迎劳至京师，即日召对长春殿，赐衣服、金带、鞍勒马、器币，改领镇国军节度。五年八月，车贺幸俶第，召见惟治，赐白金万两。惟治善草隶，尤好二王书，尝曰：‘心能御手，手脚御笔，则法在其中矣。’家藏书贴图书甚众，太宗知之，尝谓近臣曰，‘钱俶儿侄多工草书。’因命翰林书学贺丕显诣其第，遍取视之，曰：‘诸钱皆效浙僧亚栖之迹，故笔力软弱，独惟治为工耳。’惟治尝以钟繇、王羲之、唐玄宗墨迹凡七轴为献，优诏褒答。雍熙三年，大出师征幽州，命惟治知真定军府兵兼兵马都部署。前一日曲宴内殿，惟治献诗，帝览之悦，酒半，遣小黄门密谕北面之寄。至则训兵享士，颇勤政务，设厨馔于城门以待使传。初，惟浚虽俶嫡嗣，然俶以其放荡无检，故器惟治，再俾权国务。尝一夕俶暴疾，孙妃悉敛符籥付惟治，后惟浚知之，甚恚恨。洎入朝，惟濬止奉朝请，而委惟治藩任焉。俶薨召还，超复检校太师。移疾就第百日，有司请罢奉，特诏续给。累上表请罢市镇，优诏不许。惟治既病，心恍惚，家事不肃。咸平初，僮奴以奸私杀人于庭，事连闺闼，真宗为停按鞫，止授右监门卫上将军，其子驾部员外郎丕责授郢州团练副使。晚年颇贫匮。景德中，其弟惟演献文，上对宰相称其公王之后，能苦心翰墨，令记其名，因曰：‘钱氏继世忠顺，子孙可念，如闻惟治颇贫乏，尤可轸侧。’特转右武卫上将军，月给奉十万。累加左晓卫上将军、左神武统军。大中祥符七年七月，卒，年六十六，赠太师。初，有司援统军陈承昭、孟珏例，当赠东宫保傅，上以俶奉土归国，优其赠典。又闻群臣家贫乏者不欲官给丧事，为罢诏葬。录其因子官，及外弟、子婿、亲校并甄擢之。惟治好学，聚图书万余卷，多异本。慕皮、陆为诗，有集十卷。书迹多为人藏秘，晚年虽病废，犹或挥翰。真宗尝语惟演曰：‘朕知惟治工书，然以疾不欲遣使往取，卿为求数幅进来。’翌日，写圣制诗数十章以献，赐白金千两。”

公元950年（后汉隐帝乾祐三年　南汉中宗乾和八年　后蜀后主广政十三年　南唐中主保大八年　辽天禄四年　庚戌）

二月

南唐与吴越再战于福州，南唐又败。

八月

楚马希萼会群蛮以击希广，大败之。

十一月

后汉外戚、宦官合谋杀杨邠、史宏肇、王章。郭威起兵邺都，入大梁，后汉亡。

十二月

楚马希萼攻下长沙，自称天策上将军、楚王。杀马希广。南汉主以宫人卢琼仙、黄琼芝为女侍中，参决政事，朝政腐败。（参《资治通鉴》卷二八九）

后　汉

本年

王朴等十七人登进士第。礼部侍郎司徒诩知贡举。（见《登科记考》卷二六）

王朴，状元，本年三十六岁。（见明徐应秋撰《玉芝堂谈荟》卷十一）《旧五代史》卷一二八本传："朴字文伯，东平人。父序。以朴贵，赠左谏议大夫。朴幼警慧好学，善属文，汉乾祐中擢进士第，解褐授校书郎。依枢密使杨邠，馆于邠第。是时汉室寖乱，大臣交恶，朴度其必危，因乞告东都。未几，李业等作乱。害邠等三族，凡游其门下者，多被其祸，而朴独免。"《新五代史》卷三一本传同。[按，史弘肇与苏逢吉不谐及李业作乱，皆此年事，是朴于此年及第] 王禹偁《怀贤诗》王枢密朴云："文学中甲科，风云参霸府。"

明经科：

侯陟。《宋史》卷二百七十本传："陟，淄州长山人。汉末举明经。"

诸科八十四人。

知贡举礼部侍郎司徒诩。《册府元龟》："汉司徒诩为礼部侍郎，乾祐三年上言，开献书之路。"

十一月

汉隐帝听信左右，杀大臣杨邠、史弘肇、王章等，并遣使谋诛邺都留守。、枢密使郭威，中外人情忧骇。郭威领兵南下，至封丘。隐帝出走，为乱兵所杀。

十二月

闻契丹入侵，郭威领兵御之，至澶州，兵变，拥郭威为帝。见《资治通鉴》卷二八九。

冯道本年著《长乐老自叙》。十二月，郭威等议立徐州节度使刘赟为汉嗣，道受命，往迎之。回至宋州，身陷乱军，几为所害。《旧五代史》本传载此《叙》云："余世家宗族，本始平、长乐二郡，历代之名实，具载于国史家牒。余先自燕亡归晋，事庄宗、明宗、闵帝、清泰帝，又事晋高祖皇帝、少帝。契丹据汴京，为戎主所制，自镇州与文武臣僚、马步将士归汉朝，事高祖皇帝、今上……为时乃不足，不足者何?不能为大君致一统、定八方，诚有愧于历职历官，何以答乾坤之施。时开一卷，时饮一杯，食味、别声、被色，老安于当代耶！老而自乐，何乐如之！时乾祐三年朱明月长乐老序云。又记"及（周）太祖平内难，议立徐州节度使刘赟为汉嗣，遣道与秘书监赵上交。枢密直学士王度等往迎之。道寻与赟自徐赶汴，行至宋州，会澶州军变……道偃仰自适，略无惧色，寻亦获免焉。道微时尝赋诗云：'终闻海岳归明主，未省乾坤陷吉人。'至是其言验矣。"《资治通鉴》记此事于本年十二月。

南　唐

李建勋本年前后以司徒致仕，赐号"钟山公"，闲居蒋山别墅。宋释文莹《玉壶清话》卷一〇云："钟山相李建勋……营别墅于蒋山。泉石佳胜。再罢相，逼疾求退，以司徒致仕，赐号'钟山公'。或谓曰：'公未老无疾，求此命，无乃复为九华先生耶?'九华即宋齐丘，常乞骸，屡矫国主。公曰：'余尝笑宋公轻以出处，敢违素心。吾必非寿考之物，劳生纷扰，耗真蠹魂，求数年闲适尔。'尝蓄一玉磬，尺余，以沉香节安柄，叩之，声极清越。客有谈及猥俗之语者，则击玉磬数声于耳。客或问之，对曰：'聊代洗耳。'一轩，榜曰'四友轩'。以琴为峄阳友，以磬为泗滨友，《南华经》为心友，湘竹簟为梦友。果遂闲旷五年而卒。"《江表志》卷中亦云："先是宋齐丘自京口求退，归于九华青阳，号'九华先生'。未周岁，一征而起，时论薄之。建勋年德未衰，时望方重，或有以宋公比之，因为诗曰：'桃花流水须相信，不学刘郎去又来。'"

徐铉有诗多首与乔匡舜、陈乔、钟谟、陈觉、京妓越宾、陶敬宣、蒯亮等酬答。《徐公文集》卷三《亚元舍人不替深知猥贻佳作三篇清绝，不敢轻酬，因为长歌，聊以为报。未竟，复得子乔校书示问，故兼寄陈君，庶资一笑耳》："海陵城里春正月，海畔朝阳照残雪。城中有客独登楼，遥望天边白银阙。"诗中有注云："去年三月三十日步阻风。"知当作于本年正月。诗中又云："此处追飞皆俊彦，当年何事容疵贱。怀铅昼坐紫微宫，焚香夜直明光殿。王言简静官司闲，朋好殷勤多往还。新亭风景如东洛，邛岭林泉似北山。光阴暗度杯盂里，职业未妨谈笑间。有时邀宾复携妓，造门不问都非是。酣歌叫笑惊四邻，赋笔纵横动千字。任他银箭转更筹，不怕金吾司夜吏。……骎骎流景岁云暮，天涯望断故人书。春来凭槛方叹息，仰头忽见南来翼。足系红笺堕我前，引颈长鸣如有言。开缄试读相思字，乃是多情乔亚元。短韵三篇皆丽绝，小梅寄意情偏切（亚元诗云‘借问小梅应得信，春风新白海边来’）。……长卿曾作美人赋，玄成今有责躬诗（铉去春醉中赠醉妓长歌，酷为乔君所赏，来篇所引，故以谢之）。”由此可见铉及南唐文士在金陵之放任生活。[按，乔匡舜字亚元，见陆游《南唐书》卷八本传等] 陈乔，字子乔，见马令《南唐书》卷一七本传。《徐公文集》卷三《得浙西郝判官书未及报，闻燕王移镇京口，因寄此诗问方判官，田书记消息》：“秋风海上久离居，曾得刘公一纸书。”又《闻查建州陷贼寄钟郎中》，题下注：“谟即查从事也。”诗云：“闻道将军轻壮图，螺江城下委犀渠。旌旗零落沉荒服，簪履萧条返故居。皓首应全苏武节，故人谁得李陵书。自怜放逐无长策，空使卢谌泪满裾。”[按，《资治通鉴》卷二八九：是年“二月，唐主以东都留守燕王弘冀为润、宣二州大都督，镇润州。……福州人或诣建州告唐永安留后查文徽，云吴越兵已弃城去，请文徽为帅。文徽信之……唐兵大败，文徽堕马，为福人所执，士卒死者万人”。二诗当作于是春] 由后诗可知铉虽与宋党有隙，但与“五鬼”之一之查文徽关系尚好。同卷又有《陈觉放还至泰州以诗见寄作此答之》云：“朱云曾为汉家忧，不怕交亲作世仇。……劳寄新诗平宿憾，此生心气贯清秋。”[按，保大五年（947）陈觉建州兵败，铉曾上疏指斥，今觉先寄诗平憾，铉亦释之。此诗亦当作于本年前后居泰州时。觉原作不存]

楚

十一月

马希萼又自朗州出兵攻长沙。马希萼据长沙，自称楚王。见《资治通鉴》卷二八九。

十二月

长沙陷，马希广被执，后被杀。

李宏皋（？—950）卒。马希萼破马希广，捕宏皋及其弟宏节，脔食之。宏皋诗文与徐仲雅、刘昭禹齐名，有集。《十国春秋》卷七四有传。《诗话总龟》前集卷一五引《雅言杂载》：“李宏皋，唐末八座善夷之子。善夷左迁武陵宰，卒于官。宏皋舁榇归故园，途中值兵革，为马氏拥入湖湘。”《资治通鉴》卷二八九：乾祐三年十二月，马希萼破潭州。“希崇迎希萼入府视事，闭城，分捕希广及掌书记李弘皋、弟弘节、都军判官唐昭胤及邓懿文、杨涤等，皆获之。……脔食李弘皋、弘节、唐昭胤、杨涤，斩邓懿文于市”。《十国春秋》卷七四本传：“朗兵破长沙，宏皋为所执。恭孝王诘责之曰：‘吾虽生于庶孽，然托体先君，皆马氏子也。汝何见毁而不吾立邪！’弘皋无以对。命壮士脔食之。”《诗话总龟》前集卷一五引《雅言杂载》：“每笺奏至京，辞臣降叹，李嵩相国器之。"《玉壶清话》卷七："文莹至长沙。首访故国马氏天策府诸学士所著文章，擅其名者，惟徐东野、李弘皋尔。……又得弘皋杂文十卷，皆骈枝章句，虽龌龊者亦能道。"《通志》录李弘皋《表状》一卷，云"湖南马氏撰"，弘即宏。宏皋有《表状》一卷，传于世。《全唐诗》卷七六二李宏皋小传称："李宏皋，善夷之子，仕湖南为天策学士，官至刑部侍郎。集二卷，今存诗二首。"《全唐文》卷八九三录宏皋《复溪州铜柱记》一文。

后蜀

欧阳炯知贡举，判太常寺。详《十国春秋》卷五二本传。《锦里耆旧传》卷七载："十三年春，始置贡举。"是时，蜀中承平日久，国富民安。《蜀梼杌》卷下云："九月，令城上植芙蓉，尽以帏幕遮护。是时蜀中久安，赋役俱省，斗米三钱。城中之人子弟不识稻麦之苗，以笋芋俱生于林木之上，盖未尝出至郊外也。村落闾巷之间，弦管之声合宴，社会昼夜相接，府库之积，无一丝一粒入于中原，所以财币充实。城上尽种芙蓉，九月间盛开，望之皆如锦绣。昶谓左右曰：'自古以蜀为锦城，今日观之，真锦城也。'"《四库全书总目提要》卷一百九十九集部五十二载："《花间集》十卷（江苏巡抚采进本），后蜀赵崇祚编。崇祚，字宏基，事孟昶为卫尉少卿，而不详其里贯。《十国春秋》亦无传。案蜀有赵崇韬，为中书令廷隐之子。崇祚疑即其兄弟行也。诗余体变自唐，而盛行于五代。自宋以后，体制益繁，选录益众。而溯源星宿，当以此集为最古。唐末名家词曲，俱赖以仅存。其中《渔父词》、《杨柳枝》、《浪淘沙》诸调，唐人仍载入诗集，盖诗与词之转变在此数调故也。于作者不题名而题官，盖即《文选》书字之遗意。惟一人之词，时割数首入前后卷，以就每卷五十首之数，则体例为古所未有耳。陈振孙谓所录自温庭筠而下十八人，凡五百首，今逸其二。坊刻妄有增加，殊失其旧。此为明毛晋重刊宋本，犹为精审。前有蜀翰林学士中书舍人欧阳炯序，作于孟昶之广政三年，乃晋高祖之天福五年也。后有陆游二跋。其一称斯时天下岌岌，士大夫乃流宕如此，或者出于无聊。不知惟士大夫流宕如此，天下所以岌岌，游未反思其本耳。其二称唐季、五代，诗愈卑而倚声者辄简古可爱，能此不能彼，未易以理推也。不知文之体格有高卑，人之学力有强弱。学力不足副其体格，则举之不足。学力足以副其体格，则举之有余。律诗降于古诗，故中、晚唐古诗多不工，而律诗则时有佳作。词又降于律诗，故五季人诗不及唐，词乃独胜。此犹能举七十斤者举百斤则蹶，举五十斤则运掉自如，有何不可理推乎。"

十一月

欧阳彬（？—950）卒。详《蜀梼杌》卷下、《十国春秋》卷四九。《五代史补》卷三并称"彬特好学，工于辞赋"，所作有《九州歌》、《独鲤朝天赋》（《十国春秋》作《万里朝天赋》）等，"为文词切而理直"。《五代史补》卷三"欧阳彬入蜀"条："欧阳彬，衡山人。世为县吏，至彬特好学，工于词赋。马氏之有湖南也，彬将希其用，乃携所著诣府，求见之礼，必先通名纸。有掌客吏，众谓樊知客，好贿，阴使人谓彬曰：‘足下之来，非徒然也，实欲显族致身，而不以一物为贶，其可乎？’”彬耻以贿进，竟不与。既而彬之著述散佚殆尽，《全唐诗》卷七九五收佚诗两联，卷八九六收《生查子》词一首。《全唐文》卷八九一录《哀帝降表》一篇。

荆南

王贞范乾祐元年（948）至本年间，编集道家神仙诗为《洞天集》五卷。卒年未详。贞范与孙光宪为友，曾驳正杜预《左传注》数百条，并曾为其妹所传曲调制序。另编选唐人诗为《续正声集》五卷，并撰《文章龟鉴》五卷。《直斋书录解题》卷一五录：“《洞天集》五卷，汉王贞范集道家神仙隐逸诗篇，汉乾祐中也。”乾祐凡三年。

五代孙光宪撰《北梦琐言》20卷。孙光宪（895—968），字孟文，自号葆光子，陵州贵平（今四川仁寿东北）人。后唐天成初避地江陵，为高季兴掌书记，历检校秘书监兼御史大夫，入宋，授黄州刺史，卒。《北梦琐言》为其仕荆南高氏时所作（一说作于入宋后）。记中唐至五代十国士大夫言行，尤多文人轶事，自白居易、李商隐、温庭筠、韦庄等至李远、吴融、顾非熊、薛逢、陈陶、李洞、高蟾、李群玉、刘蜕辈均有记叙。自序云，“游处之间，专于博访”，“每聆一事，未敢孤信，三复参校，然始濡毫，非但垂之空言，亦欲因事劝戒”，故遗文琐语，往往足资考证。据自序，原书30卷，传本仅存20卷；清末缪荃孙刻《云自在龛丛书》时复自《太平广记》辑出“逸文”4卷。今有林艾园点校本，上海古籍出版社1981年出版。

公元951年（后周太祖广顺元年　南汉中宗乾和九年　后蜀后主广政十四年　南唐中主保大九年　北汉世祖乾祐四年　辛亥）

正月

郭威即皇帝位，更名崇，国号周，史称后周。郭威废斗余、称耗，罢进羡余，革除后汉苛刑。后汉刘崇即皇帝位于晋阳（太原），仍称汉，用汉乾祐年号，有十二州之地，史称北汉。

三月

南唐封马希萼为天策上将军，楚王。后周加吴越钱俶诸道兵马都元帅。

六月

契丹主遣使册命北汉主刘崇为大汉神武皇帝，刘崇更名旻。

九月

契丹主兀欲被杀，诸部立耶律德光之子述律为帝，改元应历。本月，楚王马希萼为军将所囚，弟马希崇称留后。楚将彭师嚣等奉马希萼附南唐。

十月

南唐大将边镐率师入湖南，马希崇投降，楚亡。详参《资治通鉴》卷二九〇、《旧五代史》卷一一〇、一一一《后周纪》。

后周

本年

窦僖等十三人登进士第。窦僖《宋史》卷二百六十三窦僖传："弟僖，周广顺初及第。"［按，曾巩《隆平集》以窦偁为周广顺初登第，《宋史》盖以僖与偁互讹。礼部侍郎司徒诩知贡举］见《登科记考》卷二六。

四月

卢文纪（876—951）卒，年七十六岁。《新五代史》卷五五本传云："周太祖入立，即拜司空于家。卒，年七十六，赠司徒。"文纪著述散佚殆尽。《全唐诗》卷七三七存诗一首；《全唐文》卷八五五收其文六篇，《唐文拾遗》补一篇。

楚

三月

马希萼为楚王，杀戮无度，纵酒荒淫，以军府事全委于马希崇，马希崇亦多私曲，政刑紊乱，上下离心。楚使者刘光辅密言子南唐云："湖南民疲主骄，可取也。"南唐主李璟以边镐为信州刺史，将兵屯袁州，潜谋进取。

九月

楚内乱，马步都指挥使徐威等执囚马希萼，并幽絷子衡山县，立马希崇为武安留后。希崇既袭位，亦纵酒荒淫。

十月

南唐命边镐率兵西进，马希崇出降，楚亡。后马希萼、希崇皆被送往金陵。见《资治通鉴》卷二九〇。

刘昭禹（？—951）卒。昭禹善诗，与徐仲雅、李弘皋齐名。有集一卷。《唐诗纪事》卷四六："在湖南累为宰字，后署天策府学士、严州刺史，卒于桂州幕中。"《诗话总龟》前集卷一〇引《郡阁雅谈》："刘昭禹字休明，婺州人。少师林宽，为诗刻苦，不惮风雨。诗云:‘句向夜深得,心从天外归。’言不虚耳。……尝与人论诗曰:‘五言如四十贤人,乱着一字,屠沽辈也。觅句者若掘得玉匣,有底有盖,但精求,必得其宝。’在湖南,累为宰。”《诗话总龟》前集卷三八引《雅言杂载》:“湖南徐仲雅与李弘皋、刘昭禹齐名。”《十国春秋》卷七十三本传:“刘昭禹字休明,桂阳人。起家湖南县令,事武穆王父子。历官容管节度推官,天策府学士,终严州刺史。有诗三百篇,为集一卷行世。昭禹少师林宽为诗,刻苦不惮风雨。平居论诗曰:‘五言如四十贤人,乱着一字,屠沽辈也。又云索句如获玉匣,精求必得其宝。’尝有诗云:‘句向夜深得,心从天外归。’……一云婺州人有《送休上人之衡岳》、《经费冠卿旧居》二章,甚称于时。昭禹善诗,而好折节下贤。”《唐诗纪事》谓共“有诗三百首”,《直斋书录解题》卷一九录《刘昭禹集》一卷,《十国春秋》本传云:“有诗三百篇,为集一卷行世。”今不存。《全唐诗》卷七六二收其诗九首,断句一四,卷八八六补五首;《全唐诗补编·续拾》卷四九补一首。

南 唐

拓跋恒本年为马希崇奉笺诣南唐军,后不知所终。《十国春秋》卷七三传云:“及边镐入醴陵,恭效王(马希萼)母弟希崇命恒奉笺诣军门降,恒叹曰:‘吾久不死,乃为小儿送降状!’后希崇入南唐,恒不知所终。”拓跋恒著述不传,《全唐文》卷八九三仅存其《谏楚文昭王书》一篇。

公元952年(后周太祖广顺二年　南汉中宗乾和十年　后蜀后主广政十五年　南唐中主保大十年　北汉世祖乾祐五年　壬子)

二月

南唐初设贡举,旋罢之。

十月

湖南又乱,武平军(朗州)节度使刘言派大将王逵攻入长沙,南唐武安军(潭州)节度使边镐弃城逃跑。刘言尽复马氏岭北故地。

十二月

刘言表归后周。参《资治通鉴》二九〇、二九一。

后 周

本年

扈载、梁周翰、董淳、鞠愉等十三人登进士第。

扈载，《新五代史》本传：“载字仲熙，北燕人也。少好学，善属文。广顺初，举进士及第。”《旧五代史》本传：“少好学，善属文，赋颂碑赞尤其所长。广顺初，随计于礼部，文价为一时之最，是岁升高等。”［按，《宋史》言载甲科，疑为此年状元］

梁周翰，《宋史·文苑传》：“梁周翰字元褒，郑州管城人。父彦温。周翰，周广顺二年举进士，授虞城主簿。”宋代章定撰《名贤氏族言行类稿》卷二十三：“梁周翰字元褒，郑州管城人也。幼好学，能为文章。周时举进士，为虞城簿。”

鞠愉，王禹偁《鞠恒墓志》：“恒同母弟愉，周广顺二年登进士第。仓部员外郎、知制诰□□以女妻之，生子曰孟容、季昌。”礼部侍郎赵上交知贡举。《宋史·文苑传》：“鞠常弟愉，与常齐名。”见《登科记考》卷二六。

董淳，《宋史》卷二百六十二赵上交传：“擢扈载甲科及取梁周翰、董淳之流，时称得士。”

诸科六十六人。

知贡举：礼部侍郎赵上交。《宋史》卷二百六十二：“广顺初，拜礼部侍郎。”盖是年以礼部侍郎知举，转户部侍郎。明年，以户部侍郎知举也。

郭威，本年六月幸曲阜县，谒孔于祠，拜孔于墓，时年四十九岁。《旧五代史》卷一一二《周太祖纪》三载：“六月乙酉朔，帝幸曲阜县，谒孔子祠。既奠，将致拜，左右曰：‘仲尼，人臣也，无致拜。’帝曰：‘文宣王，百代帝王师也，得无敬乎！’即拜奠于祠前。其所奠酒器、银炉并留于祠所。遂幸孔林，拜孔子墓。帝谓近臣曰：‘仲尼、亚圣之后，今有何人？’对曰：‘前曲阜令、袭文宣公孔仁玉，是仲尼四十三代孙；有乡贡《三礼》颜涉，是颜渊之后。’即召见。仁玉赐绯，口授曲阜令，颜涉授主簿，便令视事。仍敕兖州修葺孔子祠宇，墓侧禁樵采。”［按，从唐末至梁、唐、晋、汉四代，武夫专权，文人苟活，所谓文章礼乐之教，几成可有可无之事矣］郭威以帝王之尊，倡导孔子之学，儒家之教，其根本目的乃在改变当日重武轻文之世风；中原文人的政治、社会地位，由此便开始有了实质性的改变和提高。

南唐

南唐文雅之士较诸国为盛，但未设贡举，本年二月，设贡举，以翰林学士江文蔚知贡举。但不久又罢废。《资治通鉴》卷二九〇：广顺二年二月，“唐主好文学，故（韩）熙载与冯延巳、延鲁、江文蔚、潘佑、徐铉之徒皆至美官。……当时唐之文雅于诸国为盛，然未尝设科举，多因上书言事拜官。至是，始命翰林学士江文蔚知贡举，进士庐陵王克贞等三人及第。唐主问文蔚：‘卿取士何如前朝?’对曰：‘前朝公举、私谒相半，臣专任至公耳。’唐主悦。中书舍人张纬，前朝登第，闻而衔之。时执政皆不由科第，相与沮毁，竟罢贡举”。

五月

李建勋（？—952）卒。建勋，字致尧，广陵（今江苏扬州）人。少好学，工诗

文，有集。马令《南唐书》卷一〇、陆游《南唐书》卷九、《十国春秋》卷二一有传。《资治通鉴》卷二九〇：广顺二年五月，“唐司徒致仕李建勋卒。且死，戒其家人曰：‘时事如此，吾得良死幸矣。勿封土立碑，听人耕种于其上，免为他日开发之标’”。《唐才子传》卷十载：“建勋，字致尧，广陵人，仕南唐为宰相，后罢，出镇临川。未几，以司徒致仕，赐号‘钟山公’，年已八十，志尚散逸，多从仙侣参究玄门。时宋齐丘有道气，在洪州西山，建勋造谒致敬，欲授真果，题诗赠云：‘春来涨水波如活，晓出西山势似行。玉洞有人经劫在，携竿步步就长生。’归高安别墅，一夕无病而逝。能文赋诗，琢炼颇工，调既平妥，终少惊人之句也。有《钟山集》二十卷行于世。”《诗话总龟》前集卷二引《青琐后集》：“李建勋年八十，谒宋齐丘于洪州，题一绝于信果观壁，云：‘春来涨水流如活，晓出西山势似行。玉洞主人经劫在，携竿步步就长生。’归高安，无病而卒。”《玉壶清话》卷一〇评曰：“其为诗，少犹浮靡，晚年方造平淡。”《唐才子传》卷一〇：“能文赋诗，琢炼颇工，调既平妥，终少惊人之句。”王夫之《读通鉴论》卷三十云：“以道言之，江南虽云割据，而自杨氏、徐氏以来，以休兵息民保其国土，不随群雄力竞以争中夏。李璟父子未有善政，而无殃兆民、绝彝伦、淫虐之巨慝；严可求、李建勋皆贤者也，先后辅相之；冯延巳辈虽佞，而恶不大播于百姓；生聚完，文教兴，犹然彼都人士之余风也。孟知祥据土以叛君，阻兵而无保民之志，至于昶，骄淫侈肆，纵嬖倖以虐民也，殆无人理。则兴问罪之师以拯民于水火，固不容旦夕缓也。”建勋集，《崇文总目》卷五录为二卷，《直斋书录解题》卷一九录为一卷。《通志》录《李建勋集》二卷，《钟山公集》二十卷。今存《李丞相诗集》二卷。《全唐诗》卷七三九编其诗为一卷。《全唐诗补编·补逸》卷一四补一首，断句二，《全唐诗补编·续拾》卷四三补断句四。

八月

江文蔚（901—952）**卒，年五十二。**谥简。有集十卷。徐铉为其撰墓志、集序等。马令《南唐书》卷一三、陆游《南唐书》卷一〇、《十国春秋》卷二五有传。《资治通鉴》卷二九〇载：“唐主好文学，故熙载与冯延巳、延鲁、江文蔚、潘佑、徐铉之徒皆至美官。佑，幽州人也。当时唐之文雅于诸国为盛，然未尝设科举，多因上书言事拜官。至是，始命翰林学士江文蔚知贡举，进士庐陵王克贞等三人及第。唐主问文蔚：‘卿取士何如前朝？’对曰：‘前朝公举、私谒相半，臣专任至公耳。’唐主悦。中书舍人张纬，前朝登第，闻而衔之。时执政皆不由科第，相与沮毁，竟罢贡举。”《徐公文集》卷一五《唐故左谏议大夫翰林学士江君墓志铭》称：“公讳文蔚，字君章，其先济阳考城人也……徙籍建安，世为大姓。春秋五十有二，保大十年八月二日卒于京师官舍。”陆游《南唐书》及吴任臣《十国春秋》本传所载皆同。文蔚著述，宋代各家书目均未见著录。元脱脱等《宋史》卷二〇九《艺文志八》载录“江文蔚《唐吴英秀赋》七十二卷、《桂香赋集》三十卷”。今［按，《通志》卷七〇《艺文略》八录《唐吴英隽赋集》七十卷，或即《宋史·艺文志》所录之江文蔚《唐吴英秀赋》，然郑氏原注云：“伪吴杨氏撰。”知其作者原非文蔚］文蔚素以赋体擅名江表，与高越齐名，

时称“江高”。然其著述未能传世，《十国春秋》卷二五传亦仅谓：“文蔚雅善作赋”，有《天窗赋》、《土牛赋》云云。《全唐文》卷八七〇存其文一篇，《唐文拾遗》卷四七补录一篇。钦定《续通志》卷三百二十九列宋三十三云：“杨徽之，字仲猷，建州浦城人，祖郜仕闽为义军校家世尚武。父澄，独折节为儒，终浦城令，徽之幼刻苦为学，邑人江文蔚善赋，江为能诗。徽之与之游从遂与齐名。”《徐公文集》卷一《江君墓志铭》：“春秋五十有二，保大十年八月二日，卒于京师官舍。……公心平气和，貌古神正，雅好玄理，有方外之期。尤善词赋，得国风之体。去华简礼，不以位望骄人。怜才诱善，不以威名傲物。”陆游《南唐书》卷一〇本传：“谥曰简。”《湘山野录》卷下：“严仆射续以位高寡学，为时所鄙。又江文蔚尝作《蟹赋》讥续，略曰：‘外视多足，中无寸肠。’又有‘口里雌黄，每失途于相沫；胸中戈甲，尝聚众以横行’之句，续深赧之，强自激昂。”《南唐近事》：“高越……（与）江文蔚俱以词赋著名，故江南士人言体物者，以江、高为称首焉。”马令《南唐书》卷一三本传“有高才，与韩熙载名相上下。”《徐公文集》卷一八《翰林学士江简公集序》：“门生王克贞等，或搜诸经笥，或传于人口，或焚稿之外，或削材之余，汇聚群分，凡得十卷，授之执友，以命冠篇。铉族近情亲，官联迹密。每西垣景晏，北第风清，忘形樽俎之间，得意筌蹄之表。西江东海，俱为赋鹏之乡，北门右掖，并对受厘之问。”集今不传。《闽书》卷九五：“江文蔚……有《唐吴英秀赋》七十二卷，《桂香赋》三十卷。”其或有据。《全唐诗补编·续拾》卷四三收其断句二，《全唐文》卷八七〇收其文一篇，《唐文拾遗》卷四七补一篇。

伍乔本年前后居庐山国学。生卒年无考。伍乔传，见马令《南唐书》卷一四、陆游《南唐书》卷一五及《十国春秋》卷三一。两《南唐书》本传皆云：“庐江人。”《旧唐书》卷四〇《地理志》三载：淮南道庐州，所属有庐江县，即今安徽省庐江县。又《嘉庆一统志》卷一二二《庐州府·陵墓·五代》记：“伍乔墓在庐江县南马厂冈。”《十国春秋》概括马、陆两《南唐书》本传云：“伍乔，庐江人。性嗜学，以淮人无出己右者，遂渡江，居庐山国学，苦节自奋。一夕，见人掌自牖隙入，署‘读易’二字，忽不见。乔大叹异，辄取《易》读之，探索精微。”［按，乔举南唐进士，约在保大十二年；其入庐山国学当在本年左右］

公元953年（后周太祖广顺三年　南汉中宗乾和十一年　后蜀后主广政十六年　南唐中主保大十一年　北汉世祖乾祐六年　癸丑）

后　周

本年

雷德骧等十人登进士第。

雷德骧，《宋史》卷二百七十八本传。“德骧字善行，同州郃县人，周广顺三年举进士，解褐磁州军事判官。召为右拾遗，充三司判官，赐绯鱼。显德中，入受诏均定随州诸县民田屋税，称为平允。”户部侍郎赵上交知贡举。《旧五代史·太祖纪三》 卷一百一十二周书：“癸酉，以户部侍郎、知贡举赵上交为太子詹事。是岁，新进士中有李观者，不当策名，物议喧然，中书门下以观所试诗赋失韵，勾落姓名，故上交移官。丁丑，幸南庄，赐从官射。命客省使向训权知延州军州事。”见《登科记考》卷二六。

内落下二人：李观，见《册府元龟》卷九百九十八。侯璨，见《册府元龟》。

诸科八十三人。

赐出身一人：李峣，见《册府元龟》。

知贡举：户部侍郎赵上交。《旧五代史·周纪》：“广顺三年二月癸酉，以户部侍郎、知贡举赵上交为太子詹事。是岁新进士中有李观者，不当策名，物议谊然。中书门下以观所试诗赋失韵，勾落姓名，故上交移官。”又《王峻传》：“广顺三年，户部侍郎赵上交权知贡举。上交尝诣峻，峻言及一童子，上交不达其旨。榜出之日，童子不第，峻衔之。及贡院申中书门下，取日过堂，峻知印，判定过日。及上交引新及第人至中书，峻在政事堂厉声曰：‘今岁选士不公，当须覆试。’诸相曰：‘但缘已行指挥行过，临事不欲改移。况未敕下，覆试非晚。’峻愈怒，诟责上交，声闻于外。少顷，令引过。及罢，上交诣本厅谢峻，峻又延之饮酌从容。翌日，峻奏上交知举不公，请致之于法。太祖颔之而已。”《宋史·赵上交传》：“转户部侍郎。再知举，谤议纷然。时枢密使王峻用事，常荐童子，上交拒之。峻怒，奏上交选士失实，贬商州司马。朝议以为太重，会峻贬，乃止。但坐所取士李观、侯璨赋落韵，改太子詹事。显德初，迁宾客。二年，拜吏部侍郎。多请告不朝，时出游别墅。世宗因问陶谷曰：‘上交岂衰老乎?’谷对曰：‘上交昔掌贡举，放鬻市家子李观及第，受所献名园，多植花卉，优游自适。’世宗怒，免其官。”

六月

尚书左丞、兼判国子监事田敏献印板书《五经文字》、《九经字样》各二部。《册府元龟》卷六〇八载尚书左丞兼判国子监事田敏奏云：“自长兴三年校勘雕印《九经》书籍，经注繁多，年代殊藐，传写纰缪，渐失根源。臣守官胶庠，职司校定，旁求援据，上备雕镌。幸遇圣朝，克终盛事，播文德于有载，传世教以无穷。”《资治通鉴》卷二九一亦载，广顺三年六月，“初，唐明宗之世，宰相冯道、李愚请令判国子监田敏校正《九经》，刻板印卖，朝廷从之。丁巳，板成，献之。由是，虽乱世，《九经》传布甚广”。《五代会要》卷八《经籍》载本年六月，田敏奏进印板《五经文字》、《九经文字》各二部。徐松《登科记考》卷二六亦载此事，并按云：“《旧五代史》本纪载晋少帝天福八年田敏进印本《五经》，又于乾祐元年雕造《周礼》、《仪礼》、《公羊》、《谷梁》四经。是《九经》雕印已有成书，此年所进但《五经文字》、《九经字样》。盖以石经有此二书，故亦雕板。”唐侯官林侗撰《来斋金石刻考略》卷中载：“周太祖广顺三年六月，尚书左丞兼判国子监事田敏献印板书《五经文字》、《九经字样》各二部一百三十。奏曰：‘臣等自长兴三年校勘雕印《九经》书籍，经注繁多，年代殊邈，传写纰缪，渐失根源。臣守官胶庠，职司校定，旁求援据，上备雕镌。幸遇圣朝，克终

盛事，播文德于有载，传世教以无穷。谨具陈进，是此二书曾有印板，而自宋以来学者不之言何也。’”

王溥集翰林院学士唱和之作成《翰林酬唱集》一卷。《崇文总目》卷五录：“《翰林酬唱集》一卷，王溥等撰。”

南　唐

十二月

南唐从徐铉请，复行贡举。《资治通鉴》卷二九一，本年十二月：“唐祠部郎中、知制诰徐铉言贡举初设，不宜遽罢，乃复行之。”

郑文宝（953—1013）生。郑文宝，陆游《南唐书》卷一五、《宋史》卷二七七、《十国春秋》卷三〇有传。《宋史》本传：“郑文宝，字仲贤，右千牛卫大将军彦华之子。彦华初事李煜，文宝以荫授奉礼郎，掌煜子清源公仲寓书籍，迁校书郎。入宋，煜以环卫奉朝请，文宝欲一见，虑卫者难之，乃被蓑荷笠，以渔者见，陈圣主宽宥之意，宜谨节奉上，勿为他虑。煜忠之。后补广文馆生，深为李昉所知。太平兴国八年登进士第，除修武主簿。迁大理评事、知梓州录事参军事。州将表荐，转光禄寺丞。留一岁，代归。献所著文，召试翰林，改著作佐郎、通判颍州。丁外艰，起知州事。召拜殿中丞，使川、陕均税。次渝、涪，闻夔州广武卒谋乱，乃乘舸泛江，一夕数百里，以计平之。授陕西转运副使，许便宜从事。会岁歉，诱豪民出粟三万斛，活饥民八万六千口。既而李顺乱西蜀，秦陇贼赵包聚徒数千，将趋剑阁以附之。文宝移书蜀郡，分兵讨袭，获其渠魁，余党歼焉。文宝前后自环庆部粮越旱海入灵武者十二次，晓达蕃情，习其语。经由部落，每宿酋长帐中，其人或呼为父。迁太常博士。内侍方保吉出使陕右，颇恣横，且言文宝与陈尧叟交游，为荐其弟尧佐。驿召令辨对，途中上书自明。太宗察其事，坐保吉罪，厚赐文宝而遣之，俄又召至阙下，文宝奏对辩捷，上深眷遇。俄加工部员外郎……大中祥符初，改兵部员外郎……六年卒，年六十一。”文宝好谈方略，对西边山川形势、风俗人情很熟悉，同时又多才多艺，擅书法，有诗名，其诗风格轻盈柔软，颇有五代遗风，一些小诗如《柳枝词》等，颇有韦庄词风韵，明丽清秀。欧阳修赞美其工于造句（见《六一诗话》）。有文集二十卷，已佚。今存有《谈苑》、《江表志》、《南唐近事》、《江南余载》等书。《宋史》卷二七七有传。

后　蜀

毋昭裔本年前出私财办学馆，印《九经》，卒年无考。《资治通鉴》卷二九一本年五月载：“自唐末以来，所在学校废绝，蜀毋昭裔出私财百万营学馆，且请刻板印《九经》，蜀主从之。由是蜀中文学复盛。”《十国春秋》卷四九《后蜀本纪》二亦载此事于本年五月。同书卷五二《毋昭裔传》云：“蜀土自唐末以来，学校废绝，昭裔出私财营学宫，立黉舍。且请后主镂版印《九经》，由是文学复盛。又令门人句中正、孙逢吉书《文选》、《初学记》、《白氏六帖》，刻版行之。后于守素赍至中朝，诸书遂大彰于世。所著有《尔雅音略》三卷。”

泉州

钱熙（953—1002）生。入宋后，举进士，累官至参知政事，通判杭州、越州。咸平三年卒，年四十八。有文名，为李昉所赏，与杨亿友善。有集十卷，《杂言》十余篇。《全唐诗补编·续拾》卷四七收其入宋前所作诗三首。《全宋诗》卷五八收其诗五首，断句二。《宋史》卷四四〇有传，云：“钱熙，字太雅，泉州南安人。父居让，陈洪进署清溪令。熙幼颖悟，及长，博贯群籍，善属文，洪进嘉其才，以弟之子妻之。将署熙府职，辞不就，著《楚雁赋》以见志。寻复辟为巡官，专掌笺奏。洪进归朝，熙不叙旧职，举进士。雍熙初，携文谒宰相李昉，昉深加赏重，为延誉于朝，令子宗谔与之游。明年，登甲科，补度州观察推官。代还，寇准掌吏部选，上封荐钱若水、陈充、王扶洎熙皆有文，得试中书，迁殿中丞，赐绯鱼。著《四夷来王赋》以献，凡万余言，太宗嘉之，即以本官直史馆。淳化中，参知政事。苏易简对太宗言赵邻几追补《唐实录》，邻几卒，家睢阳，即命熙乘传而往，尽取其书来上。熙尝与杨徽之言及张洎、钱若水将被进用，熙与刘昌言同乡里，相亲善，又语及其事。昌言因以语洎，洎疑熙交构，诉之，熙坐削职、通判朗州，俄徙衡州，就改太常博士。真宗即位，迁右司谏。李宗谔、杨亿素厚善熙，乃与梁颢、赵况、赵安仁同表请复熙旧职，不报。寻通判杭州，政多专达，为转运使所奏，徙通判越州。熙负气好学，善谈笑，精笔札，狷躁务进。自罢职，因愤恚成疾，咸平三年卒，年四十八。尝拟古乐府，著《杂言》十数篇及《措刑论》，为识者所许。有集十卷。子蒙吉，亦进士及第。”

公元954年（后周世宗显德元年　南汉中宗乾和十二年　后蜀后主广政十七年　南唐中主保大十二年　北汉世祖乾祐七年　甲寅）

正月

后周改元显德。周太祖郭威卒，终年五十一岁，其义子晋王柴荣即帝位。晋王柴荣即皇帝位，是为周世宗。

二月

北汉主刘崇闻讯，引兵南侵。

三月

柴荣率军北上御之，战于晋城，北汉兵大败，退至太原，柴荣又率军围太原。

五月

后周进兵至晋阳城下，因士卒疲病者众，班师。高平之战以后，柴荣即开始整肃军纪，后周兵力从此更为强盛。

九月

后周以武安军节度副使、知潭州军府事周行逢为鄂州节度使，知潭州军府事，加检校太尉。

十一月

北汉主刘崇卒，子刘承钧即位，更名钧。契丹主赐诏，呼为“儿皇帝”。参《资治通鉴》卷二九一、二九二，《旧五代史》卷一一四。

后　周

本年

李穆、卢多逊等二十人登进士第。刑部侍郎徐台符知贡举。

李穆，《宋史》卷二百六十三有传：“李穆，字孟雍，开封府阳武人。父咸秩，陕西大都督府司马。穆幼能属文，有至行。行路得遗物，必访主归之。……昭素受《易》及《庄》、《老》书，尽究其义。昭素谓曰：‘子所得皆精理，往往出吾意表。’且语人曰：‘李生异日必为廊庙器。’以所著《易论》三十三篇授之。周显德初，以进士为郢、汝二州从事，迁右拾遗。宋初，以殿中侍御史选为洋州通判。既至，剖决滞讼，无留狱焉。移陕州通判，有司调郡租输河南，穆以本镇军食阙，不即应命，坐免。又坐举官，削前资。时弟肃为博州从事，穆将母就肃居，虽贫甚，兄弟相与讲学，意泊如也。开宝五年，以太子中允召。明年，拜左拾遗、知制诰。五代以还，词令尚华靡，至穆而独用雅正，悉矫其弊。穆与卢多逊为同门生，太祖尝谓多逊：‘李穆性仁善，辞学之外无所豫。’对曰：‘穆操行端直，临事不以生死易节，仁而有勇者也。’上曰：‘诚如是，吾当用之。’时将有事江南，已部分诸将，而未有发兵之端。乃先召李煜入朝，以穆为使。穆至谕旨，煜辞以疾，且言‘事大朝以望全济，今若此，有死而已。’穆曰：‘朝与否，国主自处之。然朝廷甲兵精锐，物力雄富，恐不易当其锋，宜熟思之，无自贻后悔。’使还，具言状，上以为所谕要切。江南亦谓其言诚实。太平兴国初，转左补阙。三年冬，加史馆修撰、判馆事，面赐金紫。四年，从征太原还，拜中书舍人。预修《太祖实录》，赐衣带、银器、缯彩。七年，以与卢多逊款狎，又为秦王廷美草朝辞笏记，为言者所劾，责授司封员外郎。八年春，与宋白等同知贡举，及侍上御崇政殿亲试进士，上悯其颜貌癯瘁，即日复拜中书舍人、史馆修撰、判馆事。五月，召为翰林学士。六月，知开封府，剖判精敏，奸猾无所假贷，由是豪右屏迹，权贵无敢干以私，上益知其才。十一月，擢拜左谏议大夫、参知政事。月余，丁母忧，未几，起复本官。穆三上表乞终制，诏强起之，穆益哀毁尽礼。九年正月，晨起将朝，风眩暴卒，年五十七。”见《登科记考》卷二六。

卢多逊，《宋史》卷二百六十四：“卢多逊，怀州河内人。曾祖得一、祖真启皆为邑宰。父亿，字子元，少笃学，以孝悌闻。举明经，调补新乡主簿。秩满，复试进士，校书郎、集贤校理。晋天福中，迁著作佐郎，出为郓州观察支使。节帅杜重威骄蹇黩货，幕府贿赂公行，唯亿清介自持。会景延广镇天平，表亿掌书记；留守西洛，又表为判官。时国用窘乏，取民财以助军，河南府计出二十万缗，延广欲并缘以图羡利，增为三十七万缗。亿谏曰：‘公位兼将相，既富且贵。今国帑空竭，不得已而取资于民，公何忍利之乎？’延广惭而止。宋初，迁少尹。亿性恬退，闻其子多逊知制诰，即上章求解。乾德二年，以少府监致仕。多逊，显德初，举进士，解褐秘书郎、集贤校理，迁左拾遗、集贤殿修撰。建隆三年，以本官知制诰，历祠部员外郎。乾德二年，权知贡举。三年，加兵部郎中。四年，复权知贡举。六年，加史馆修撰、判馆事。开宝二年，车驾征太原，以多逊知太原行府事。移幸常山，又命权知镇州。师还，直学士院。三年春，复知贡举。四年冬，命为翰林学士。六年，使江南还，因言江南衰弱可图之状。受诏同修《五代史》，迁中书舍人、参知政事。丁外艰，数日起复视事。会史馆修撰扈蒙请复修时政记，诏多逊专其事。金陵平，加吏部侍郎。太平兴国初，拜中书侍郎、平章事。四年，从平太原还，加兵部尚书。多逊博涉经史，聪明强力，文辞敏给，好任数，有谋略，发多奇中。太祖好读书，每取书史馆，多逊预戒吏令白己，知所取书，必通夕阅览，及太祖问书中事，多逊应答无滞，同列皆伏焉。”

赵孚，《宋史》卷二百八十七：“赵安仁，字乐道，河南洛阳人。曾祖武唐，虢州刺史。父孚，字大信。周显德初，举进士，调补开封尉。乾德中，为浦江令，持父丧，服阕，摄永宁令。会亲征太原，部送本邑粮馈，民怀其惠，列状以闻，即真授其任，擢宗正丞。开宝中，初置衣库，令孚主之。俄坐事连逮抵罪，语见《赵普传》。”

韩溥，《宋史》卷四百四十文苑二：“韩溥，京兆长安人，唐相休之裔孙。少俊敏，善属文。周显德初举进士，累迁历使府。开宝三年，自静难军掌书记召为监察御史，三迁至库部员外郎、知华州，同判灵州，再转司门郎中。淳化二年被病，表请辞职寻医，许之。溥博学善持论，详练台阁故事，多知唐朝氏族，与人谈，亹然可听，号为‘近世肉谱’，缙绅颇推重之。尤善笔札，人多藏尺牍。弟洎，亦进士及第。”

朱遵式，王禹偁《监察御史朱遵式墓志》：“遵式字咸则，祁州无极人。曾祖俨，祖公政，皆隐德不仕。考思琼，赠大理司直，公即司直第二子。幼而聪悟，始能言即好诵书，将举神童，内艰而罢。服阙，业文不舍昼夜。二十四应进士，凡四上，为权势所抑。周显德初，翰林承旨、兵部侍郎徐公典贡举，裒拔寒俊，精覈艺实，公始成名。”［按，墓志言遵式卒于太平兴国三年，年五十五，则得第时三十一岁］

明经科：

乔维岳，《宋史》卷三百七本传：“维岳字伯周，陈州南顿人，治《三传》。周显德初登第，授太湖主簿。”

诸科一百二十一人。

知贡举：刑部侍郎徐台符。《旧五代史·选举志》作“兵部侍郎”，今从《册府元龟》、《五代会要》。《宋史》卷二百六十二边光范传："为礼部侍郎。时礼部侍郎于贡部或掌或否，光范拜官，将及秋试，乃言于执政曰：'单门偶进，何言名第！若他曹公事，光范不敢辞。若处文衡，校阅名贤，命藻优劣，非下走所能。'执政曰：'公晋末为翰林、枢密直学士，勿避事也。'及期，光范辞疾不出，乃以翰林学士承旨徐台符掌之。时论多其自知。"

正月

郭威（904—954）卒，年五十一岁。郭威著述，《全唐文》卷一二二至卷一二四录存其文八十一篇，《唐文拾遗》卷一一补录二十四篇。

四月

冯道（882—954）卒，年七十三。追封瀛王，谥文懿。原有集，久佚。详《旧五代史》卷一二六、《新五代史》卷五四本传。在政权更迭频繁的五代，冯道"历仕四朝，三入中书，在相位二十余年"（王钦若等《册府元龟》卷三一〇宰辅部·清俭），"累朝不离将、相、三公、三师之位"（司马光《资治通鉴》卷二九一后周纪二），堪称五代最具影响力的士人之一，对当时的政治具有较大的影响。在五代及宋初，他享有极高的声誉。同僚范质称赞他："厚德稽古，宏才伟量，虽朝代迁贸，人无间言，屹若巨山，不可转也。"（同上）薛居正等史臣亦赞叹："道之履行，郁有古人之风；道之宇量，深得大臣之体。"（薛居正等《旧五代史·冯道传》）《资治通鉴》卷二九一载，柴荣欲亲征北汉，"冯道固争之，帝曰：'昔唐太宗定天下，未尝不自行，朕何敢偷安！'道曰：'未审陛下能为唐太宗否？'帝曰：'以吾兵力之强，破刘崇如山压卵耳！'道曰：'未审陛下能为山否？'帝不悦"。《旧五代史》卷一二六传云："道历任四朝，三入中书，在相位二十余年，以持重镇俗为己任，未尝以片简扰于诸侯。平生甚廉俭，逮至末年，闺庭之内，稍徇奢靡……史臣曰：道之履行，郁有古人之风；道之宇量，深得大臣之体。然而事四朝，相六帝，可得为忠乎！"《北梦琐言》卷一九"明宗奖冯道"云：明宗谓侍臣曰："冯道纯俭，顷在德胜寨，所居一茅庵，与从人同器而食，卧则当刍槀一束，其心晏如。及以父忧退归乡里，自耕耘樵采，与农夫杂处，不以素贵介怀，真士大夫也！"《旧五代史》本传又云："尤长于篇咏，秉笔而成，典丽之外，义含古道，必为远近传写。"《青箱杂记》卷二："冯瀛王道诗虽浅近而多谙理。"又云："枢密邵公亦蒙见知。一日阅相国寺书肆，得冯瀛王诗一帙而归，公曰：'子诗格似白乐天，今又爱冯瀛王，将来捻取个豁达李老。'（原注：庆历中，京师有民自号'豁达李老'，每好吟诗，而词多鄙俚，故公以戏之）遂皆大笑。"又宋人多有论道之为人者。《旧五代史》、《新五代史》本传、《资治通鉴》卷二九一载欧阳修、司马光语等皆谴责道历事五朝，臣节有亏。范质（《资治通鉴》卷二九一引）、《青箱杂记》卷二、《能改斋漫录》卷一〇等则称赏、袒护之。冯道于乾祐三年（950）自编文集，已见前。《宋史·艺文志》录《冯道集》六卷，又《河间集》五卷、《诗集》十卷。今并佚。《全唐诗》卷七三七存其诗五首，断句八，《全唐诗补编·续补遗》卷一〇补一首，《全唐诗

补编·续拾》卷四二补一首，断句一。《全唐文》卷八五七存其文十一篇，《唐文拾遗》卷四七补一篇。

十月

杨凝式（873—954）卒，年八十二。陕西省华阴人，号虚白，别号希维居士、关西老农、弘农人、癸巳人等。杨凝式出身于望族世家，凝式工诗文，笔札为一时之绝。《游宦纪闻》载《凝式年谱》云："唐咸通十四年癸巳，凝式是年生，故题识多自称癸巳人。"又，《别传》云："凝式，字景度。父涉，唐末梁初，再登台席，罢相守左仆射卒。"《欧阳史·杨涉传》云："祖收，父严。"吴缜《纂误》云："收与严乃兄弟，非父子也。"又，《游宦纪闻》载《杨氏家谱》云："唐修行杨氏，系出越公房，本出中山相结，次子继生洛州刺史晖，晖生河间太恩，恩生越恭公钧，出居冯翊，至藏器徙浔阳。"唐相杨收之父曰遗直，生四子，名皆从"又"，曰发、假、收、严，以四时为义，故发之子名皆从"木"，假之子从"火"，收之子从"金"，严之子从"水"。严生涉，涉生凝式，而收乃藏器之兄、涉之伯也。《新五代史记·唐六臣传》乃以收为涉之祖、严之父，非也。凝式体虽蕞眇，而精神颖悟，《宣和书谱》云："凝式形貌寝侻，然精神矍然，要大于身。凝式体虽蕞眇，而精神颖悟，富有文藻，大为时辈所推。……长于歌诗。"《别传》云："凝式诗什，亦多杂以诙谐，少从张全义辟，故作诗纪全义之德云：'洛阳风景实堪哀，昔日曾为瓦子堆。不是我公重葺理，至今犹自一堆灰。'他类若此。张从恩尹洛，凝式自汴还，时飞蝗蔽日，偶与之俱，凝式先以诗寄曰：'押引蝗虫到洛京，合消郡守远相迎。'从恩弗怪也。然凝式诗句自佳，其题壁有"院似禅心静，花如觉性圆'，清丽可喜。善于笔札，洛川寺观蓝墙粉壁之上，题纪殆遍，时人以其纵诞，有'风子'之号焉，题纪殆遍。"《别传》又云：凝式虽仕历五代，以心疾闲居，故时人目以"风子"。其笔迹遒放，宗师欧阳询与颜真卿，而加以纵逸。既久居洛，多遨游佛道祠，遇山水胜概，辄留连赏咏，有垣墙圭缺处，顾视引笔，且吟且书，若与神会，率宝护之。其号或以姓名，或称癸巳人，或称杨虚白，或称希维居士，或称关西老农。其所题后，或真或草，不可原诘，而论者谓其书自颜中书后一人而已。其佯狂之迹甚著，卜第于尹京之侧，遇入府，前舆后马，犹以为迟，乃策杖徒行，市人随笑之。尝迫冬，家人未挟纩，会有故人过洛，赠以绵五十两、绢百端，凝式悉留之修行尼舍，俾造袜以施崇德、普明两寺饭僧，其家虽号寒啼饥，而凝式不屑也。留守闻其事，乃自制衣给米遗之，凝式笑谓家人曰："我固知留守必见赈也。"每旦起将出，仆请所之，杨曰："宜东游广爱寺。"仆曰："不若西游石壁寺。"凝式举鞭曰："姑游广爱。"仆又以石壁为请，凝式乃曰："姑游石壁。"闻者拊掌。《五代史补》："杨凝式父涉为唐宰相。太祖之篡唐祚也，涉当送传国玺，时凝式方冠，谏曰：'大人为宰相，而国家至此，不可谓之无过，而更手持天子印绶以付他人，保富贵，其如千载之后云云何？其宜辞免之。'时太祖恐唐室大臣不利于己，往往阴使人来探访群议，缙绅之士及祸甚众，涉常不自保，忽闻凝式言，大骇曰：'汝灭吾族。'于是神色沮丧者数日。凝式恐事泄，即日遂佯狂，时人谓之'杨风子'也。"《洛阳缙绅旧闻记》卷一“少师佯狂”条：“杨少师凝式正史有传，博通经籍，能文工书，其笔雄健，自成一家。体襟量恢，廓居常自。既不登大用，多佯狂，以自在洛多游僧寺道观，遇水石松竹清凉幽胜之地，必逍遥畅适，吟咏忘归，故寺观墙壁之上，笔迹多满，僧道等护而宝之。院僧有少师，未留题咏之处，必先粉饰其壁，洁其下，俟其至，入院见其壁上光洁可爱，即箕踞顾视似发狂，引笔挥洒，且吟且书，笔与神会，书其壁尽方罢。略无倦怠之色，游客睹之无不叹赏！故冯瀛王次子少常于寺壁留题曰：‘少师真迹满僧居，只恐钟王也不如。为报远公须爱惜，此书书后更无书。’”并记其在洛佯狂事数端。《游宦纪闻》引本传：“凝式诗什，亦多杂以诙谐。”又云：“其笔迹遒放，宗师欧阳询与颜真卿，而加以纵逸。……世以凝式行书颇类颜鲁公，故谓之颜杨云。”《清异录》卷四“尺二冤家”条载凝式善书画、多求字者事。《宣和书谱》卷一九：“欧阳修尝跋其字，以谓……书画皆为一时之绝。后之议者又以谓唐末五代，文章卑污，字画随之。……而凝之笔迹独为雄强，与颜真卿行书相上下，自是当时翰墨中豪杰。”《全唐诗》卷七一五收其诗三首，断句三，卷八八六补一首；《全唐诗补编·续补遗》卷一〇、《全唐诗补编·续拾》卷四二各补一首。《全唐文》卷八五八存其文三篇，一篇为李浣作。

王禹偁（954—1001）生。王禹偁，字元之，济州钜野（今山东巨野）人。宋太宗太平兴国八年（983），登进士第，授成武主簿，徙知长洲县，改大理评事。端拱元年（988），擢直史馆，上《御戎十策》。端拱二年，迁知制诰。淳化二年（991），为徐铉雪诬，坐贬商州团练副使。淳化四年，召拜左正言，次年再知制诰。至道元年（995），为翰林学士，知审官院兼通进银台封驳司。坐谤讪罢知滁州，移扬州。真宗即位，复知制诰，以预修《太祖实录》，直书史事，降知黄州。真宗咸平四年（1001），徙蕲州，卒，年四十八。王禹偁世为农家，在朝为官，屡遭贬谪，仕途很不得意。他对宋初诗坛浮艳、纤巧诗风深为不满，提倡杜甫、白居易的诗，自称“本与乐天为后进，敢期子美是前身”。他的诗贴近社会现实，反映民生疾苦，诗风平易质朴而又耐人寻味，开宋诗革新之先河。吴之振在《宋诗钞》中称赞其“独开有宋风气，于是欧阳文忠得以承流接响”，肯定了禹偁在宋诗坛上的重要地位。许颉言其诗“语迫切而意从容”，《彦周诗话》，亦很中肯。有《小畜集》三十卷、《小畜外集》二十卷（今存八卷）。《宋史》卷二九三有传。

南 唐

本年

徐锴撰《说文解字系传》四十卷。《直斋书录解题》卷三录《说文解字系传》四十卷，云：“南唐校书郎广陵徐锴楚金撰。”宋晁公武《郡斋读书志》卷四云：右南唐徐锴撰《说文解字韵谱》十卷，“锴以许慎学绝，取其字分谱四声，殊便检阅，然不具载其解为可恨，颇意再编之”。陆游《南唐书》卷五本传：“然元宗爱其才，复召为虞部员外郎。”

李煜纳大周后。周后通书史，多才艺，与后主甚相得。马令《南唐书》卷六《昭惠周后传》："后主昭惠后，周氏，小字娥皇，大司徒宗之女。甫十九岁，归于王宫。通书史，善音律，尤工琵琶……殂于瑶光殿之西室，时乾德二年十一月甲戌也。享年二十九。"上推本年十九岁。陆游《南唐书》卷一六《昭惠国后周氏传》："通书史，善歌舞，尤工琵琶。尝为寿元宗前，元宗叹其工，以烧槽琵琶赐之。至于采戏弈棋，靡不妙绝。后主嗣位，立为后，宠嬖专房。创为高髻纤裳及首翘鬓朵之妆，人皆效之。"

公元955年（后周世宗显德二年　南唐中主保大十三年　南汉中宗乾和十三年　后蜀后主广政十八年　辽应历五年　北汉睿宗乾祐八年　乙卯）

正月

后周世宗柴荣规定令、录除授，须署举者姓名，令录犯法，举者连坐。

四月

后周比部郎中王朴献《平边策》。

五月

后周沙汰僧尼，废寺院三万三百三十六所。

十一月

后周尽得原属后蜀之秦、成、阶、凤四州，诏罢后蜀所立各色科徭。此役自四月底开始至十一月告捷。

十二月

柴荣诏谕吴越国王钱弘俶，使出兵击南唐。详参《资治通鉴》卷二九二。

后周

本月

李覃、何曮、杨徽之、赵邻几等十六人登进士第，严说、武允成等十二人重试落第。礼部侍郎刘温叟知贡举，以考试不公，被谪为太子詹事。见《登科记考》卷二六。

李覃，宋王钦若等撰《册府元龟》卷四十一："二年尚书吏部贡院进新及第进士李覃等十六人，所赋诗赋文论策文诏曰：'国家设贡举之司，求英俊之士，务询文行方中科名，比闻近年以来多有滥进，或以年老而得第，或因媒势以出身，今岁所放举人试

令看验果见纰缪，须至去留，其李覃、何曮、杨徽之、赵邻几等四人宜放及第，李震等一十二人艺学未精，并宜勾落且令苦学以俟再来。礼部侍郎刘温叟失于选士颇属因循，据其过，尤合行谴谪尚示宽恕，特与矜容刘温叟放罪。'"

李覃，见《册府元龟》卷四十一。

何曮，见《册府元龟》卷四十一。

杨徽之，见《册府元龟》卷四十一。《宋史》卷二百九十六："杨徽之，字仲猷，建州浦城人。祖郜，仕闽为义军校。家世尚武，父澄独折节为儒，终浦城令。徽之幼刻苦为学，邑人江文蔚善赋，江为能诗，徽之与之游从，遂与齐名。尝肄业于浔阳庐山，时李氏据有江表，乃潜服至汴、洛，以文投窦仪、王朴，深赏遇之。周显德中，举进士，刘温叟知贡部，中甲科。同时登第者十六人，世宗命覆试，惟徽之与李覃、何曮严、赵邻几中选。解褐校书郎、集贤校理。宰相范质深器重之。历著作佐郎、右拾遗。窦俨纂礼乐书，徽之预焉……徽之纯厚清介，守规矩，尚名教，尤疾非道以干进者。尝言：'温仲舒、寇准用搏击取贵位，使后辈务习趋竞，礼俗浸薄。'世谓其知言。徽之寡谐于俗，唯李昉、王祐深所推服，与石熙载、李穆、贾黄中为文义友。自为郎官、御史，朝廷即待以旧德。善谈论，多识典故，唐室以来士族人物，悉能详记。酷好吟咏，每对客论诗，终日忘倦。既没，有集二十卷留于家，上令夏侯峤取之以进。徽之无子。后徽之妻王卒，及葬，复以缗帛赐其家。'"杨徽之三十五岁登后周进士第，中甲科。同登第者十六人，世宗命复试，徽之仍中选。秋，释褐校书郎、集贤校理。《苏魏公（颂）文集》卷五一《文庄杨公墓志铭》："周显德二年第进士。同奏名者十六人，世宗命近臣核实，惟公洎李覃、何曮、赵邻几中选。解褐秘书省校书郎、集贤校理。"宋《杨亿集》、《杨徽之行状》："建州浦城县乾封乡长乐里杨徽之，字仲猷。时李氏建国，奄有淮淝，贽币不通，边关甚急。公不居一国，有志四方，思树勋于中原，耻镶安于故土。杖策径去，潜伏闲行，聿来上都，憩于逆旅。适及秋赋，假籍河南，首冠荐书，时誉愈出。时翰林学士窦公仪、枢密直学士王公朴，皆负公望，为一代龙门，公徧投以文。窦公倒屣相迎，王公置书为谢，待以奇士，名动一时。明年，礼部侍郎刘公温叟实掌文衡，擢于殊等。同时登第者凡十有六人，周世宗申命近官，再加考覆，惟公及李覃、何曮、赵邻几得预其选。"真德秀《杨文庄公书堂记》："按公名徽之，字仲猷。甫冠通群经，尤刻意于诗，得骚人之趣。时李氏王江表，公耻官伪廷，杖策走中原。以显德三年进士高第，入文馆，升谏垣。"

赵邻几，见《册府元龟》卷四十一。《宋史》卷四百三十九文苑一："字亚之，郓州须城人，家世为农。邻几少好学，能属文，尝作《禹别九州赋》，凡万余言，人多传诵。周显德二年举进士，解褐秘书省校书郎，历许州、宋州从事。太平兴国初，召为左赞善大夫、直史馆，改宗正丞。四年，郭贽、宋白授中书舍人，告谢日交荐之，俄而邻几献颂，上览而嘉之，迁左补阙、知制诰，数月卒，年五十九。中使护葬。"

知贡举：礼部侍郎刘温叟。《宋史》卷二百六十二本传："刘温叟，字永龄，河南洛阳人。性重厚方正，动遵礼法。唐武德功臣政会之后。叔祖崇望，相昭宗。父岳，后唐太常卿。温叟七岁能属文，善楷隶。岳时退居洛中，语家人曰：'吾儿风骨秀异，所未知者寿耳。今世难未息，得与老夫皆为温、洛之叟足矣。'故名之温叟。以荫补国子四门助教，河南府文学。清泰中，为左拾遗、内供奉。以母老乞归就养，改监察御史，分司。时台署废弛，温叟作新之。未几，召为右补阙。……显德初，迁礼部侍郎、知贡举，温叟知贡举，得进士十六人。有谮于帝者，帝怒，黜十二人，左迁太子詹事。温叟实无私，后数年，其被黜者相继登第。"《国老谈苑》："刘温叟，方正守道，累居显要。清贫尤甚，未尝受人馈。知贡举时，适有经学门生居畿内者，献粟草一车，温叟却之。其人曰：'此物出于躬耕，愿以致勤。'温叟不得已而受之，即命家人制衣一袭以为答，计其直即倍于粟草矣。自是无敢献遗者。"

四月

后周世宗限寺院数额，禁私度僧尼。本年，寺院存者二千六百九十四，废者三万三百三十六。后又有毁废佛像之措施。《资治通鉴》卷二九二于本年四月载限制寺院数额；九月又载："九月丙寅朔，敕始立监采铜铸钱，自非县官法物、军器及寺观钟磬钹铎之类听留外，自余民间铜器、佛像，五十日内悉令输官，给其值，过期隐匿不输，五斤以上其罪死，不及者论刑有差。上谓侍臣曰：'卿辈勿以毁佛为疑。'"

七月

和凝（898—955）卒，年五十八。著有《演纶》、《游艺》、《孝悌》、《疑狱》、《香奁》、《籯金》等集及《赋格》。有词编入《花间集》，为五代时名家。《新五代史》卷五十六、《旧五代史》卷一二七有传，事又见《北梦琐言》卷六。《旧五代史》卷一二七传云："和凝，字成绩。汶阳须昌人也。九代祖逢尧，唐高宗时为监察御史，自逢尧以下仕皆不显。曾祖敞祖濡皆以凝贵，累赠太师父。矩赠尚书令，矩性嗜酒，不拘礼节，虽素不知书，见士未尝有慢色，必罄家财以延接。凝幼而聪敏，姿状秀拔，神采射人，少好学，书一览者咸达其大义。年十七举明经，至京师，忽梦人以五色笔一束以与之，谓曰：'子有如此才，何不举进士？'自是才思敏赡。……显德二年秋，以背疽卒于其第，年五十八。辍视朝两日，诏赠侍中。凝性好修整，自释褐至登台辅，车服仆从，必加华楚，进退容止伟如也。又好延纳后进，士无贤不肖，皆虚怀以待之，或致其仕进，故甚有当时之誉。平生为文章，长于短歌艳曲，尤好声誉。有集百卷，自篆于板，模印数百帙，分惠于人焉。"《清异录》卷三："和鲁公慷慨厚德，每滑稽，则哄堂大笑。"《旧五代史》卷一二七本传："凝性好修整，自释褐至登台辅，车服仆从，必加华楚，进退容止伟如也。又好延纳后进，士无贤不肖，皆虚怀以待之，或致其仕进，故甚有当时之誉。平生为文章，长于短歌艳曲，尤好声誉。有集百卷，自篆于板，模印数百帙，分惠中于人。"郑振铎说："和凝是中原词人里唯一的被选入《花间集》里的一位。"插图本《中国文学史》王奕清等所著《历代词话》卷三也说："和凝少时好为曲子，布于京洛。洎入相，契丹号为曲子相公。"限于当时社会舆论对词这种新兴的文学样式还缺乏应有的认识，加之他本人也担心写作"艳曲"和自己的政治地位不相称，"洎入相，专托人收拾焚毁不暇"（《北梦琐言》卷六）不过，他并没有把自己的词全部焚毁掉，而是加以选择，把存而未毁者编成《红叶稿》，而这部《红叶稿》却成了中国词史上第一部个人的专集。郑文焯《大鹤山人词集跋尾》说："陆文圭谓'花间'以前无集谱，余谓词有专集，昉于后唐和凝之《红叶稿》，而冯正中之《阳春集》，李珣《橘瑶集》，皆其嗣响焉。"《崇文总目》卷五录凝《演纶集》五十卷、《游艺集》五十卷、《疑狱集》三卷。《宋史·艺文志》所录多《赋格》一卷、《红药编》五卷。《梦溪笔谈》卷一六云："和鲁公有艳词一编，名《香奁集》。凝后贵，乃嫁其名为韩偓。今世传韩偓《香奁集》，乃凝所为也。凝生平著述，分为《演纶》、《游艺》、《孝悌》、《疑狱》、《香奁》、《籝金》六集。自为《游艺集序》云：'余有《香奁》、《籝金》二集，不行于世。'凝在政府，避议论，讳其名，又欲后人知，故于《游艺集序》述之。此凝之意也。予在秀州，其曾孙和惇家藏诸书，皆鲁公旧物，末有印记甚完。"诸集今仅存《疑狱集》，四库本为四卷，出天一阁藏本。《四库全书总目》卷一〇一法家类："《疑狱集》四卷，五代和凝与其子𡺚同撰。……陈振孙《书录解题》称《疑狱》三卷，上一卷凝书，中、下二卷为𡺚所续。今本四卷，疑后人所分也。"书末附有和序，但书中多述及凝、𡺚身后事，则已经后人淆乱，非本来面目。《宋史·艺文志》文史类录《赋格》一卷。《花间集》录凝词二十首，《尊前集》收七首。毛晋《十家宫词》本有凝《宫词》一卷。刘毓盘刊唐宋词集有凝《红叶稿》一卷，谓出宋本，仅存词二十首，余为宫词，宋代皆未见著录。《全唐诗》卷七三五收其诗一卷，卷八九三收其词二十四首；《全唐诗补编·续补遗》卷一〇补诗一首，断句一，《全唐诗补编·续拾》卷四二补一首，断句二。《全唐文》卷八五九存其文四篇，《吴越文穆王钱元瓘碑铭》一文较有文采。五代之际，文学衰微，似冯道、和凝辈，若置身唐、宋则小小者也；然其生于乱世，惨淡经营，亦属难能可贵。《唐文拾遗》卷四七补二篇。

李昉本年前，与扈蒙、崔颂、刘衮、窦俨、赵逢、李载共撰《文英院集》，已佚。《宋史》卷二六五本传："周显德二年，宰相李谷征淮南，昉为记室。世宗览军中章奏，爱其辞理明白，已知为昉所作。及见相国寺《文英院集》，乃昉与扈蒙、崔颂、刘衮、窦俨、赵逢及昉弟载所题，益善昉诗，而称赏之曰：'吾久知有此人矣。'"《旧五代史》卷一一五：显德二年十一月，"以宰臣李谷为淮南道前军行营都部署，知庐、寿等州行府事"。

南　唐

十二月

李煜封郑王。陆游《南唐书》卷二："保大十三年……十二月，以安定郡公从嘉为沿江巡抚使。"马令《南唐书》卷五："初封安定郡公。淮上兵起，为神武军都虞侯、沿江巡抚使，累迁诸卫大将军、诸道副元帅，封郑王。"

公元956年（后周世宗显德三年　南唐中主保大十四年　南汉中宗乾和十四年　后蜀后主广政十九年　辽应历六年　丙辰）

正月

柴荣亲征淮南，后周与南唐大战于淮水之正阳，南唐败，大将刘彦贞被斩。后周再败南唐于涡口。

二月

后周发兵攻打滁、泰、扬各州，尽克之。南唐中主李昪遣翰林学士户部侍郎钟谟、工部侍郎文理院学士李德明奉表于周请和。朗州节度使王进逵为部将所杀，周行逢入朗州平乱。

三月

南唐再遣孙晟使周，请去帝号，割寿、濠、泗、楚、光、海六州之地，柴荣不许。李德明返金陵，劝唐主割江北之地于周，宋齐丘等谮之，唐主怒，斩德明于市。吴越与南唐大战于常州，吴越军大败。

七月

后周以武清军节度使、知潭州军府事周行逢为朗州大都督，充武平军节度使，加检校太尉、兼侍中。

八月

后周王朴、司天少监王处讷等撰成《显德钦天历》。详参《资治通鉴》卷二九二、二九三，《旧五代史》卷一一六《周世宗本纪》三。

后周

本年

贾黄中等六人登进士第，礼部侍郎窦仪知贡举。见《登科记考》卷二六。

贾黄中，《宋史》卷二百六十五载："贾黄中，字娲民，沧州南皮人，唐相耽四世孙。父玭字仲宝，晋天福三年进士，解褐。宋初，为刑部郎中，终水部员外郎、知浚仪县，年七十卒。玭严毅，善教子，士大夫子弟来谒，必谆谆诲诱之。初，通判镇州，葬乡党群从之未葬者十五丧，孤贫不自给者，咸教育而婚嫁之。黄中幼聪悟，方五岁，玭每旦令正立，展书卷比之，谓之'等身书'，课其诵读。六岁举童子科，七岁能属文，触类赋咏。父常令蔬食，曰："俟业成，乃得食肉。"十五举进士，授校书郎、集贤校理，迁著作佐郎、直史馆。建隆三年，迁左拾遗，历左补阙。开宝八年，通判定州，判太常礼院。黄中多识典故，每详定礼文，损益得中，号为称职。”《书录解题》：“黄中十六岁进士及第，第三人。”《宋太宗实录》：“黄中能属文，每触类必赋咏，多传诵人口。其父常令蔬食，曰：‘俟业成即得食肉。’十六举进士，中第，解褐校书郎、集贤校理。”［按，《邵氏闻见前录》、《宋史》俱作十五岁，今从《宋太宗实录》］

张霭，《闽书》卷九十七《英旧志·建事府·崇安县·周进士》：“显德三年：张霭。”四库本《福建通志》卷四十七《人物·建宁府·宋》：“张霭，字伯云，崇安人。初仕周为蕲州刺史，宋建隆中除侍御史。”考宋章定撰《名贤士族言行类稿》卷二十五：“张霭，字伯云，建州崇安人，国初尝任侍御史。”［按，天一阁藏嘉靖《建宁府志》卷十五《选举上·进士》、同上卷十八《人物·宦达》、四库本《福建通志》卷三十三作“周显德二年进士”，皆误］盖显德二年李覃等四人全榜，见徐松考。

骆仲舒，康熙《连州志》卷二《进士》：“显德丙辰，骆仲舒，起居舍人。”孟二冬补正：四库本《广东通志》卷三十一《选举志一·后周进士》：“显德三年丙辰：骆仲舒，连州人。”考四库本《福建通志》卷二十五《职官六·建宁府》：“宋知建州军事：骆仲舒、戚处休，太平兴国间任；王协、王元、韩成昂端拱间任。”是知仲舒于后周颢德三年擢第后，入宋尝知建州军事。

诸科二十九人。

七月

王仁裕（880—956）卒，年七十七。《新五代史》卷五七本传云：“显德三年卒，年七十七，赠太子少师。仁裕性晓音律，晋高祖初定雅乐，宴群臣于永福殿，奏黄钟，仁裕闻之曰：‘音不纯肃而无和声，当有争者起于禁中。’已而两军校斗升龙门外，声闻于内，人以为神。喜为诗。其少也，尝梦剖其肠胃，以西江水涤之，顾见江中沙石皆为篆籀之文，由是文思益进。乃集其平生所作诗万余首为百卷，号《西江集》。《宣和书谱》卷六：‘仁裕翰墨虽无闻于时，观其《送张禹偁诗》，正书清劲，自成一家。……今御府所藏正书一：《送张禹偁诗》。’仁裕与和凝于五代时皆以文章知名，又尝知贡举，仁裕门生王溥，凝门生范质，皆至宰相，时称其得人。”沈德潜《唐诗别裁集》选王仁裕诗二首。 王仁裕著述颇富，《十国春秋》卷四四本传：“生平作诗满万首，蜀人呼曰‘诗窖子’。”李昉《王仁裕神道碑》云：“公秉天地和气，负文章大名，信义著于交朋，仁孝被于姻族，闺门卒岁无闻诟詈之声，僮仆终身不知鞭挞之苦。可以见其为人也。每遇良辰美景必携生童，命俦侣，前管弦而后琴筑，左笔砚而右壶觞，怡怡然，陶陶然，曾不以家事为意，旷达高怀，世无其比。篇章赋咏，尤是所长，行路深闺，无不讽诵。妙于音律，精于历象，又不可得而论矣。……平生所著《秦亭篇》、《锦江集》、《入洛记》、《归山集》、《南行记》、《东南行》、《紫泥集》、《华夷百题》、《西江集》共六百八十五卷。又撰《周易说卦验》三卷、《转轮回纹金鉴铭》、《二十二样诗赋图》，并行于世。著述之多，流传之广，近代以来，乐天而已。”《崇文总目》卷二著录其《王氏见闻集》三卷、《入洛记》十卷、《南行记》一卷、《玉堂闲话》十卷，卷五又著录其《乘辂集》五卷、《紫阁集》十一卷、《国风总类》五十卷。《郡斋读书志》卷二上著录《入洛记》一卷，卷二下著录《南行记》三卷、《开元天宝遗事》四卷。《直斋书录解题》卷七著录《开元天宝遗事》二卷、《入洛记》一卷。《通志》卷七《艺文略》八"别集类"著录其《紫阁集》十一卷，又《乘辂集》五卷。元脱脱等撰《宋史》卷二〇八《艺文志七》载录则更为详尽，有《乘辂集》五卷、《紫阁集》五卷、《紫泥集》十二卷、《紫泥后集》四十卷、《诗集》十卷。是知王仁裕集至元代时尚有传本。清吴任臣《十国春秋》卷四四《王仁裕传》云："平生作诗满万首，蜀人呼曰'诗窖子'。所著《紫阁集》、《乘辂集》、《西江集》、《王氏见闻录》、《玉堂闲话》、《入洛记》、《开元天宝遗事》诸书传于世；又辑《国风总类》五十卷，时人称道之。"上述作品中《开元天宝遗事》及《玉堂闲话》等皆传世。《全唐诗》卷七三六编录王仁裕诗一卷，共十五首，断句一联，《全唐诗续拾》补诗一首。

南唐

十一月

孙晟（？—956）被杀于大梁。《资治通鉴》卷二九三："丙午，孙晟等至上所。庚戌，上遣中使以孙晟诣寿春城下，示刘仁赡，且诏谕之。仁赡见晟，戎服拜于城上。晟谓仁赡曰：'君受国厚恩，不可开门纳寇。'上闻之，甚怒，晟曰：'臣为唐宰相，岂可教节度使外叛邪！'上乃释之。唐主使李德明、孙晟言于上，请去帝号，割寿、濠、泗、楚、光、海六州之地。仍岁输金帛百万以求罢兵。上以淮南之地已半为周有，诸将捷奏日至，欲尽得江北之地，不许。德明见周兵日进，奏称：'唐主不知陛下兵力如此之盛，愿宽臣五日之诛，得归白唐主，尽献江北之地。'上乃许之。晟因奏遣王崇质与德明俱归。上遣供奉官安弘道送德明等归金陵，赐唐主诏，其略曰：'但存帝号，何爽岁寒！倘坚事大之心，终不迫人于险。'又曰：'俟诸郡之悉来，即大军之立罢。言尽于此，更不烦云，苟曰未然，请从兹绝。'又赐其将相书，使熟议而来。唐主复上表谢。李德明盛称上威德及甲兵之强，劝唐主割江北之地，唐主不悦。宋齐丘以割地为无益，德明轻佻，言多过实，国人亦不之信。枢密使陈觉、副使李征古素恶德明与孙晟，使王崇质异其言，因谮德明于唐主曰：'德明卖国求利。'唐主大怒，斩德明于市。……初，唐使者孙晟、钟谟从帝至大梁，帝待之甚厚，每朝会，班于中书省官之后。时召见，饮以醇酒，问以唐事。晟但言'唐主畏陛下神武，事陛下无二心'。及得唐蜡书，帝大怒，召晟，责以所对不实。晟正色抗辞，请死而已。问以唐虚实，默不对。十一月，乙巳，帝命都承旨曹翰送晟于右军巡院，更以帝意问之。翰与之饮酒数行，从容问之，晟终不言。翰乃谓曰：'有敕，赐相公死。'晟神色怡然，索鞋笏，整衣冠，南向拜曰：'臣谨以死报国！'乃就刑。并从者百余人皆杀之，贬钟谟耀州司马。既而帝怜晟忠节，悔杀之，召谟，拜卫尉少卿。"《十国春秋》卷二七本传载："周师南侵，围寿春，破滁州，擒皇甫晖，江左大震，以晟使周奉表，请得内附。晟见延巳曰：'公今当国，此行当属公。然晟若辞，是负先帝也。'既行，中夜叹息，语其副礼部尚书王崇质曰：'吾行，必不免，然吾终不负永陵一抔土也！'（临刑）晟声色怡然，索靴笏，正衣冠，南望而拜曰：'臣谨以死报国。'乃就刑。晟既死，周世宗怜其忠，颇悔杀之。元宗闻晟死，哀甚流涕，赠太傅，追封鲁国公，谥文忠。"《孙晟集》、《崇文总目》卷五、《通志》卷七〇、《艺文略》卷八及《宋史》卷二〇八、《艺文志七》等均录为五卷。《宋史·艺文志七》另录孙晟《续古阙文》一卷。晟集今佚，《全唐文》卷八六一录存其《佛窟寺碑》一文。

后　蜀

可朋居成都净众寺，朋卒年未详。有《玉垒集》。《唐诗纪事》卷七四："孟昶广政十九年，赐诗僧可朋钱十万，帛五十匹。孟蜀欧阳炯与可朋为友，是岁酷暑中，欧阳命同僚纳凉于净众寺，依林亭列樽俎，众方欢适。寺之外皆耕者，曝背烈日中耘田，击腰鼓以适倦。可朋遂作《耘田鼓》诗以贽欧阳，众宾阅已，遽命撤饮。诗曰：'农舍田头鼓，王孙筵上鼓。击鼓兮皆为鼓，一何乐兮一何苦。上有烈日，下有焦土。愿我天翁，降之以雨。令桑麻熟，仓箱富，不饥不寒，上下一般。'言虽浅近，而极于理。君子谓可朋善谏而欧阳善听焉。"可朋卒年未详。[按，《纪事》、《全唐诗》卷八四九皆录可朋《赠方干》诗，方干卒于光启元年（885）前后（参《唐才子传校笺》卷七），此诗若确为可朋作，以作诗时二十岁左右计，本年已九十岁左右]《类说》卷二七录《外史梼杌》，有《玉垒集》条，云："诗僧可朋有诗号《玉垒集》。曾题洞庭诗云：'水涵天影阔，山拔地形高。'赠友人曰：'来多不似客，坐久却垂帘。'欧阳炯以此比孟郊、贾岛。言其好饮酒，贫无以偿酒债，以诗偿之。可朋自号'醉髡'。"《唐诗纪事》卷七四沿袭此说，且录可朋《赠方干》、《赠齐己》、《赋洞庭》诸诗，并载其本年所作《耘田鼓》云："农舍田头鼓，王孙筵上鼓。击鼓兮皆为鼓，一何乐兮一何苦。上有烈日，下有焦土。愿我天翁，降之以雨。令桑麻熟，仓箱富。不饥不寒，上下一般。"[按，"方干乃晚唐人，可朋既与干赠答交游，知其年岁远在欧阳炯之上"]《唐诗纪事》又云："有诗千首，号《玉垒集》。"《宋史·艺文志》录其《玉垒集》十卷，今不存。《全唐诗》卷八四九收其诗四首，断句十二，其中四句录自《刘公诗话》，乃宋僧有朋诗误入；同书卷八八八补一首。《全唐诗补编·续拾》卷五二补一首，断句二，补题一，断句二已见《全唐诗》。《全唐诗续补遗》卷九补一首，陈尚君《全唐诗续拾》卷五二补一首一句。

公元957年（后周世宗显德四年　南唐中主保大十五年　南汉中宗乾和十五年　后蜀后主广政二十年　北汉睿宗天会元年　辽应历七年　丁巳）

正月

北汉大赦，改元天会。

二月

周世宗再次亲征淮南。

三月

南唐寿州监军使降后周，南唐大将刘仁赡病卒。

四月

后周疏汴水入五丈河，大梁与齐、鲁通航。

五月

后周详定《刑统》。

十月

后周设制科。

十一月

柴荣三次亲征淮南。详参《资治通鉴》卷二九三、《旧五代史》卷一一七。

后周

本年

李度等十人登进士第。中书舍人申文炳知贡举。

李度，《宋史》卷四百四十载："李度，河南洛阳人。周显德中举进士。度工于诗，有'醉轻浮世事，老重故乡人'之句。时翰林学士申文炳知贡举，枢密使王朴移书录其句以荐之，文炳即擢度为第三人。释褐永宁县主簿。累迁殿中丞、知歙州。坐事左迁绛州团练使，十年不调。度在歙州，尝以所著诗刻于石，有中黄门得其石本，传入禁中，太宗见之，谓宰相曰：'度今安在?'即令召至，对于便殿，与语甚悦，擢为虞部员外郎、直史馆，赐绯。端拱初，籍田毕，交州黎桓加恩，命度借太常少卿充官告国信副使，上赐诗以宠行。未至交州，卒于太平军传舍，年五十七。度之南使，每至州府，即借图经观其胜迹，皆形篇诗，以上所赐诗有'奉使南游多好景'之句，遂题为《奉使南游集》，未成编而亡。"［按，《玉壶清话》作李庆，误］见《登科记考》卷二六。

诸科三十五人。

上书拜官一人：段宏。《册府元龟》卷六百五十一："显德四年，屯田员外郎、知制诰扈蒙试进策入乡贡进士段宏等，内段宏赐同三傅出身。先是诏匦言事者甚众，命蒙以时务策试之。蒙选中者四人，帝览之，命枢密副使王朴覆试，惟留宏一人而已。蒙由是坐夺俸一月。"

知贡举：中书舍人申文炳。《旧五代史》卷一百三十一："申文炳，字国华，洛阳人也。父鄂，唐左千牛卫将军。文炳长兴中进士擢第，释褐中正军节度推官，历孟、怀支使，郓城、陕县二邑宰，自澶州观察判官入为右补阙。晋开运初，授虞部员外郎知制诰，转金部郎中充职。广顺中，为学士，迁中书舍人、知贡举。(《玉壶清话》：李庆，显德中举进士，工诗，有云："醉轻浮世事，老重故乡人。"枢密王朴以此一联荐于申文炳。文炳知贡举，遂为第三人。）显德五年秋，以疾解职，授左散骑常侍。六年秋，卒于家，时年五十。文炳为文典雅，有训诰之风。执性纾缓，待缙绅以礼，中年而卒，皆惜之。"［按，王朴于显德三年九月充枢密副使，荐李度。五年知举为刘涛。六年朴与文炳皆卒，则是年文炳知举无疑。《旧五代史·周纪》："显德六年正月，翰林学士、中书舍人申文炳为左散骑常侍。"是知举时正为中书舍人也。

八月

兵部尚书张昭上疏，请准唐朝故事，恢复制举试。

十月，下诏，于明年十月于京都集试。《登科记考》卷二六据《旧五代史·周纪》。

谭用之，字藏用，籍贯、生卒年及仕历无考。《十国春秋》卷一〇八《王景绝传》云："王景绝，太原人。少客燕地，感家世儒者，不当用材武进，乃南游嵩、洛。得谭用之为友，以文章相砥砺，浸以文称。天会中还家。"据此，则谭用之乃嵩、洛人。

南　唐

孟贯，字一之，建阳人。生卒年不详。本年献周世宗诗，释褐授官。《诗话总龟》前集卷一三引蔡居厚《诗史》称"闽岭孟贯"。《江南野史》卷八传云："孟贯，世居岭表，为建阳人。"《钓矶立谈》亦称"建阳孟贯"。《唐诗百名家全集》影宋本《孟一之诗集》署云：健安孟贯一之。"考《新唐书》卷四一《地理志》五，江南东道建州建安郡，所属有建安、建阳县。《江南野史》云："（贯）少好学，出游庐山，与江泊大谏杨徽之同学友善，故徽之诗集中多与贯为者。显德中周世宗征淮南，幸广陵，贯潜渡江，以所业诗一集于驾前献之。世宗览其卷首《贻楼隐洞谭先生》诗，至'不伐有巢树，多移无主花'，乃宜贯曰：'朕以元戎问罪伐叛吊民，非惧强凌弱，何有巢，无主之有！然献朕则可，若他人，卿应不免矣。'遂释褐授官。后不知其所终焉。"《唐才子传》卷一〇"孟贯"条所载略同。孟贯诗集，宋元公私书目均未著录，但今存《孟一之诗集》一卷，《全唐诗》卷七五八亦编其诗为一卷。

许坚于本年或稍后，以时事干南唐中主，不为礼，以诗上徐铉寄意。拂衣归隐，往来庐山、茅山、九华山等，多谈神仙事，行吟自若。马令《南唐书》卷一五、《十国春秋》卷三四有传。《诗话总龟》前集卷四六引《雅言杂载》云："许坚，江左人。为性薮野，似非今之人。……好餐鱼，能为诗，多谈神仙事。……早年，坚以时事干江南李氏，人讶其狂憨，以为风恙，莫与之礼。以一绝上舍人徐铉云：'几宵烟日锁楼台，欲寄侯门荐祢才。满面尘埃人不识，谩随流水出山来。'因拂衣归隐。"［按，徐铉本年始任中书舍人，参"徐铉"条］《江南余载》卷下："许坚往来句曲、庐阜之间，草装布囊，或卧于野，或和衣浴涧中，萧然不接人事，独笑独吟而已。"马令《南唐书》本传："许坚，不知其家世，或曰晋长史穆之裔。形陋而怪，或寓庐阜白鹿洞，桑门道馆，行吟自若。帻巾芒屦，短襕至骭，亦无赍装，唯自负布囊，常括不解。每沐浴不脱衣，就溪涧出而暵之。或问其故，则言天象昭布，虽白昼亦常参列，人自昧之尔，其可裸裎乎。坚癖嗜鱼，或得大鱼，则全体而烹，不加醯盐，熟即啖之。游溧阳下山寺，吟诗曰：'地枕吴溪与越峰，前朝恩赐云泉额。竹林层建雁塔高，石室幽栖几禅伯。荒榛芜没苍苔深，古池香泛荷花白。客有经年说二林，落日猿啼情脉脉。'后或居茅山，或入九华，适意往返，人不能测。"［按，《全唐诗》卷八六二小传："许坚，字介石，庐江人。"未详所出，其说或有据］

张洎约于本年赴进士举，为燕王李弘冀所荐，谒韩熙载，韩赏叹之。宋郑文宝《南唐近事》卷二："张洎计偕之岁，为润帅燕王冀所荐，首谒韩熙载，载一见待之如故，谓曰：'子好一中书舍人。'顷之，韩主文，洎擢第。不十年，果主纶闱之任。"［按，燕王、润州节度使李弘冀下年三月立为太子，见马令《南唐书》卷七本传；又《十国春秋》卷三〇洎本传："举进士，起家句容尉。"洎显德六年（959）六月已在句容尉任上，乾德五年（967）为中书舍人，参二年条，上推至下年为九年，与"不十年"合，则洎约于下年登第授句容尉，为弘冀荐及谒熙载事约在本年］

林逋（957—1028）生。林逋字君复，杭州钱塘（今浙江杭州）人。性恬淡，不趋荣华富贵，家贫衣食不足而怡然自乐。初游江淮间，不遇，久之而归杭州，隐居于西湖之孤山，二十年足不入城市。宋真宗闻其名，赐粟帛，诏长吏岁时抚问，薛映、李及在杭州，每造其庐，清谈终日而去。逋不娶无子，性喜清幽，所居植梅畜鹤，人因谓妻梅子鹤。尝自为墓于庐侧，临终为诗，有"茂陵他日求遗稿，犹喜曾无《封禅书》"之句。卒后州守上闻，仁宗嗟悼，赐谥和靖先生，赙以粟帛。逋善行书，喜为诗，既成稿随辄弃之，自谓："吾方晦迹林壑，且不欲以诗名一时，况后世乎？"（《宋史》本传）今所传诗，皆为好事者所记。林诗多以其清苦的隐逸生活为题材，咏梅之作尤多，《梅花》、《酬画师西湖春望》、《山村冬暮》、《湖上初春偶作》、《西湖》、《孤山雪中写望》、《孤山从上人林台写望》皆是其代表作品。今人钱钟书论及宋初隐逸诗人作品时言："他们的风格多少相像，都流露出晚唐诗人贾岛、姚合的影响。林逋算得这里面突出的作者，用一种细碎小巧的笔法来写清苦而又幽静的隐居生涯。他住在西湖的孤山，歌咏西湖风景的诗很多，也是他比较好的作品。"（见《宋诗选注》）有《和靖诗集》。《宋史》卷四五七有传。

公元958年（后周世宗显德五年　南汉后主大宝元年　后蜀后主广政二十一年　南唐中主中兴元年交泰元年　北汉睿宗天会二年　戊午）

后 周

正月

世宗督诸将攻楚州，克之。

二月

世宗至扬州。

三月

世宗至泰州，后至白沙迎銮镇，遣水军击唐兵，破之。南唐主李遣使臣奉表，献江北庐、舒、蕲、黄四州，岁输贡物十万。周于是尽得南唐江北之地，计州十四，县六十。

四月

周世宗自扬州北还。南唐中主李璟正式去帝号，奉后周正朔。

七月

后周颁布《大周刑统》，并向诸道颁赐《均田图》，均定税赋。

八月

南汉中主刘晟卒，其长子卫王继兴即帝位，更名𬬮，改元大宝。参《资治通鉴》卷二九四、《旧五代史》卷一一八。

本年

刘坦等十人登进士第，右谏议大夫刘涛知贡举。放榜后率新及第进士刘坦等十五人南下至行在谒见世宗，世宗见所作诗赋，词多纰缪，即命翰林学士李昉覆试。三月下诏，黜落郭峻等七人，刘涛以选士不当，责授右赞善大夫。（见《登科记考》卷二六）宋王钦若等撰《册府元龟》卷六百四十二贡举部载："五年三月，诏曰：'比者以近年贡举，颇是因循，频诏有司，精加试练。所翼去留无滥，优劣昭然。昨据贡院奏，今年新及第进士等所试文字，或有否臧，爰命词臣，再令考覆。庶泾渭之不杂，免玉石之相参。其刘坦、战（戴）贻庆、李颂、徐纬、张觐等，诗赋稍优，宜放及第。王汾据其文字，亦未精当，念以须曾剥落，特予成名。熊若谷、陈保衡皆是远人，深可嗟念，亦放及第。郭峻、赵保雍、杨丹、安元度、张昉、董咸则、杜思道等，未甚苦辛，并从退落。更宜修进，以俟将来。知贡院右谏议大夫刘涛，选士不当，有失用心，可责授右赞善大夫，俾令省过，以诫当官。’先是，涛于东京放榜后，率新及第进士刘坦以下一十五人来赴行在，以其所试诗赋进呈。上以其词纰缪，命翰林学士李昉复试，故有是命。”

战贻庆，见《周纪》、《册府元龟》、《会要》。《通志·氏族略》：“五代有战贻庆，登进士第。”按，“战”，《册府》、《会要》俱作“单”。

李颂、徐纬、张觐、王汾、熊若谷、陈保衡，见《周纪》、《册府元龟》卷六百四十二。

夏竦《朱昂行状》：“家世儒业，与进士熊若谷、邓洵美力学。”见《周纪》、《册府元龟》、《会要》。

内落下七人：郭峻、赵保雍、杨丹、安元度、张昉、董咸则、杜思道，均见《周纪》、《册府元龟》、《会要》。

诸科七十二人。

南唐

正月

李璟改元中兴。海、楚、雄等州陷。

三月

改元交泰，立燕王弘冀为太子。遣陈觉奉表贡方物子周，请传位太子，以国为附庸。复遣使上表称唐国主，尽献江北郡县之未陷者。周赐书许奉正朔罢兵，而不许传位太子。

五月

下令去帝号，称国主，去交泰年号，称显德五年，凡帝者仪制皆从贬损。详见《资治通鉴》卷二九四、马令《南唐书》卷四、陆游《南唐书》卷二。

七月

文益（885—958）卒，年七十四。谥大法眼禅师，公卿以下素服奉全身于江宁县丹阳乡起塔。李煜为《碑》颂德，韩熙载撰塔铭。后主时再谥大智藏大导师。其法嗣后人称法眼宗，为南禅五宗之一。著有《宗门十规论》，其语录为后嗣集为《大法眼文益禅师语录》，今存。有诗传世。《宋高僧传》卷十三本传：“释文益，姓鲁氏，余杭人也。年甫七龄，挺然出俗，削染于新定智通院，依全伟禅伯。弱年得形，俱无作法于越州开元寺，于时谢俗累以佛衣，出樊笼而矫翼，属律匠希觉师盛化其徒于鄮山育王

寺。甚得持犯之趣。又游文雅之场，觉师许命为我门之游夏也。寻则玄机一发，杂务俱损。振锡南游，止长庆禅师法会。已决疑滞，更约伴西出湖湘，尔日暴雨不进，暂望西院寄度信宿，避溪涨之患耳。遂参宣法大师。曾住漳浦罗汉，闽人止呼罗汉。罗汉素知益在长庆颖脱，锐意接之。倡导之由玄沙与雪峰血脉殊异。益疑山顿摧，正路斯得，欣欣然挂囊栖止，变涂回轨，确乎不拔。寻游方却抵临川，邦伯命居崇寿。四远之僧求益者不减千计。江南国主李氏始祖知重，迎住报恩禅院，署号'净慧'。厥后微言欲绝，大梦谁醒？既传法而有归，亦同凡而示灭，以周显德五年戊午岁秋七月十七日有恙，国主纡于方丈问疾。闰月五日，剃发澡身，与众言别，跏趺而尽，颜貌如生，俗年七十四，腊五十五。私谥曰大法眼，塔号无相。俾城下僧寺具威仪礼迎。引奉全身，于江宁县，丹阳乡，起塔焉。益好为文笔。特慕支、汤之体。时作偈颂真赞。别形纂录。法嗣弟子天台德韶、慧明，漳州智依，钟山道钦，润州光逸，吉州文遂。江南后主为《碑》颂德，韩熙载撰塔铭云。"《十国春秋》卷三三本传："公卿以下素服奉全身于江宁县丹阳起塔，谥大法眼禅师，塔曰无相。后主命文益弟子行言为导师开法，再谥大智藏大导师。"文益主张"理事不二，贵在圆融"，及"不著他求，境由心造"（《宗门十规论》）。著有《宗门十规论》，其语录为弟子编为《大法眼文益禅师语录》，今并传世。其法嗣后人称为法眼宗，为禅宗五家之一。《宋高僧传》本传："益好为文笔，特慕支、汤之体，时作偈颂真赞，别形纂录。"《全唐诗》卷八二五存诗一首，《全唐诗补编·补逸》卷一八补一首，《全唐诗补编·续拾》卷四三补十二首。

十一月

常梦锡（898—958）卒，年六十一。《徐公文集》卷二〇《公行状》云："戊午岁，冬十一月，方与客谈，奄然而逝。"陆游《南唐书》卷七本传亦云："交泰元年，方与客坐谈，忽奄然卒，年六十一。死后裁逾月，齐丘党与败，元宗叹曰：'梦锡平生欲去齐丘，恨不使见之。'赠右仆射，谥曰康。"《玉壶清话》卷一〇"江南遗事"条云："自割地之后，公卿在坐，有言及'大朝'者，梦锡大笑曰：'君辈尝言致君如尧、舜，何忽一旦自以大国为小朝，得无愧乎？'众皆默散。梦锡文章诗笔精赡合体，然懒于编收，故无文集。方与客坐，奄然而卒。前数日，谓所知曰：'齐丘、陈觉辈败在朝夕，但恨不能延数日之命，俾吾目见，然先在泉下，俟数子之诛。'果卒不久，齐丘自经于青阳，陈觉、李征古杀于鄱阳道中。"常梦锡著述今不见传。

十二月

宋齐丘（887－959）七十二岁，仍为太傅。唐主暴齐丘罪，放归九华山归隐。《资治通鉴》卷二九四载："初，唐太傅兼中书令楚公宋齐丘多树朋党，躁进之士争附之，推奖以为国之元老。枢密使陈觉、副使李征古恃齐丘之势，尤骄慢……会司天奏：'天文有变，人主宜避位禳灾。'唐主乃曰：'祸难方殷，吾欲释去万机，栖心冲寂，谁可以托国者？'征古曰：'宋公，造国手也，陛下如厌万机，何不举国授之！'觉曰：'陛下深居禁中，国事皆委宋公，先行后闻，臣等时入侍，谈释、老而已。'唐主心愠，即命中书舍人豫章陈乔草诏行之。乔惶恐请见，曰：‘陛下一署此诏，臣不复得见矣。’因极言其不可。唐主笑曰：‘尔亦知其非也？’乃止。由是，因晋王出镇，以征古为之副，觉自周还，亦罢近职。钟谟素与李德明善，以德明之死怨齐丘。及奉使归唐，言于唐主曰：‘齐丘乘国之危遽谋篡窃，陈觉、李征古为之羽翼，理不可容。’陈觉之自周还，矫以帝命谓唐主曰：‘闻江南连岁拒命，皆宰相严续之谋，当为我斩之。’唐主知觉素与续有隙，固未之信。钟谟请覆之于周，唐主乃因谟复命，上言：‘久拒王师，皆臣愚迷，非续之罪。’帝闻之，大惊曰：‘审如此，则续乃忠臣，朕为天下主，岂教人杀忠臣乎！’谟还，以白唐主……乙亥，唐主命知枢密院殷崇义草诏暴齐丘、觉、征古罪恶，听齐丘归九华山旧隐，官爵悉如故；觉责授国子博士，宣州安置；征古削夺官爵，赐自尽。”《江南野史》卷四《宋齐丘传》亦记此事，但对宋齐丘放归九华之原因另有评说，大抵以为敌党攻击使然。南唐党争为五代十国所仅见，其形成于烈祖末年，元宗保大初年后日趋激烈，影响到南唐王权、政治、经济、军事、文化等各个方面，至宋齐丘等人惨败始告结束。马令《南唐书》有《党与传》可参；夏承焘《冯正中年谱》亦对此有所考述。

公元959年（后周世宗显德六年　南汉后主大宝二年　后蜀后主广政二十二年　北汉睿宗天会三年　辽应历九年　己未）

四月

后周收复瓦桥关。

五月

契丹莫、瀛、易三州归降后周。后周以瓦桥关为雄州，益津关为霸州。

六月

后周以赵匡胤为殿前都点检，加检校太傅，依前忠武军节度使。

后　周

二月

高冕、石熙载等十人登进士第。中书舍人窦俨知贡举。（见《登科记考》卷二六）

石熙载，《宋史》卷二百六十三：“石熙载，字凝绩，河南洛阳人。周显德中，进士登第。疏俊有量，居家严谨，有礼法。宋初，太宗以殿前都虞侯领泰宁军节制，辟为掌书记。及尹京邑，表为开封府推官。授右拾遗，迁左补阙。丁外艰，将起复，以谗出为忠武、崇义二军掌书记。太宗即位，复以左补阙召，同知贡举。时梅山洞蛮屡为寇，以熙载知潭州。召还，擢为兵部员外郎，领枢密直学士。未几，签书枢密院事，诏赐官第一区。太平兴国四年，亲征河东，以给事中充枢密副使从行，还，迁刑部侍郎。五年，拜户部尚书、枢密使，以病足在告，寝疾久之未愈。八年，上表求解职，诏加慰抚，授尚书右仆射。九年，卒，年五十七。赠侍中，谥元懿。上为悲叹累日，且谓其事君之心，纯正无他，适当委用，而奄忽至此，深为可惜。国朝大臣谢事而卒，车驾临视者，唯熙载焉。熙载性忠实，遇事尽言，是非好恶，无所顾避。人有善，即推荐之，时论称其长者。初，微时，为养负米。尝行嵩阳道中，遇一叟，熟视熙载曰：'真人将兴，子当居辅弼之位。'言讫不见。及居太宗幕下，颇尽诚节。典枢务日，上眷注甚笃，方将倚以为相，俄遘疾不起。熙载事继母牛氏以孝闻。弟熙导，牛氏前夫子，随母归石氏。以熙载故，奏补殿直。从弟熙古，幼弟熙政，皆登进士第，熙载抚之如一。熙载卒时，子中孚、中立皆幼，熙政患熙导以异姓居己上，乃诈传上旨，令己籍熙导家财，由是交讼。有司归罪熙导，上召问中孚、中立，令有司再鞫得实。熙导还本姓，中孚亦养子勿问，熙政坐除名。上素知熙载以母故育熙导甚厚，虽令还宗，而不夺其官，复以财产量给之。"

高冕，见《册府元龟》卷九十七："六年二月辛卯以新及第进士高冕为右补阙，仍赐衣一袭乌金带一银器一百两，衣着二百疋，银鞍勒马一匹。"《宋太宗实录》卷三十四："（高）冕字子庄，河中人，左拾遗知制诰锡兄之子也。周显德中，以布衣诣阙上书，送礼部考试，有司以甲科处之。会世宗将北征，复召冕于中书试《平燕论》。世宗方经略北鄙，欲夸大其事以诧戎虏，韶并上其稿，郎以冕为左建议大夫。宰相范质固执，以为不可，授右补阙，赐银鞍勒马器币甚厚。将加大用，会世宗晏驾。"

诸科五十人。

知贡举：中书舍人窦俨。《宋史》卷二百六十三窦仪传："俨拜中书舍人。显德元年，加集贤殿学士。父忧去职。服阙，复旧官。世宗南征还，诏俨考正雅乐。俄权知贡今举。"

王朴（915—959）卒，年四十五，素晓音律，应世宗问，议礼乐与治心治国之关系。《资治通鉴》卷二九四显德六年正月："初，有司将立正仗，宿设乐悬于殿庭，帝观之，见钟磬有设而不击者，问乐工，皆不能对。乃命窦俨讨论古今，考正雅乐。王朴素晓音律，帝以乐事询之，朴上疏，以为：'礼以检形，乐以治心；形顺于外，心和于内，然而天下不治者未之有也。是以礼乐修于上，万国化于下，圣人之教不肃而成，其政不严而治，用此道也。夫乐生于人心而声成于物，物声既成，复能感人之心。'"以下具体论乐调，不录。《资治通鉴》于本年二月庚申载王朴卒。《旧五代史》卷一二八本传系于三月，谓年四十五。《旧五代史》卷一二八本传云："六年三月，世宗令树斗门于汴口，不逾时而归朝。是日，朴方过前司空李谷之第，交谈之顷，疾作而仆于座，遽以肩舁归第，是夕而卒，时年四十五。世宗闻之骇愕，即时幸其第，及柩前，以所执玉钺卓地而恸者数四……所撰《大周钦天历》及《律准》，并行于世。"据传，王朴字文伯，东平人，汉乾祐中登进士第。显德二年曾献《平边策》，建议先取吴蜀。史称朴神气劲峻，性刚决有断，凡所谋画，动惬世宗之意。《资治通鉴》所记略同。朴之著述，《通志》卷七〇《艺文略》八著录《王朴集》三卷，元脱脱等《宋史》卷二〇八《艺文志七》著录王朴《翰苑集》十卷，《乐赋》一卷。今《全唐文》卷八六〇仅收王朴《奏进钦天历表》、《详定雅乐疏》、《平边策》及《太清神鉴序》等四文。

六月

世宗卒，年三十九，第四子梁王宗训即帝位，年七岁。七月，以侍卫亲军都指挥使李重进领淮南节度使，副都指挥使韩通领天平节度使，赵匡胤领归德节度使。诸人皆为当时领军重将。（见《资治通鉴》卷二九四）

南 唐

正月

宋齐丘（887—959）自缢于九华之青阳，年七十三岁。谥“丑缪”。有集数种。马令《南唐书》卷二〇、陆游《南唐书》卷四、《十国春秋》卷二〇有传。《江南野史》卷四：“宋齐丘，字子嵩，世为庐陵淦阳皂山人。父诚，因巢寇之乱，与南昌人钟传同起于草野，唐主不能制。时高骈镇淮南，遂表传为洪州节度使，寻封为南平王。以诚为副使，卒于任所。齐丘因是以为故里焉。齐丘少孤，好学，为文其体颇质朴而无师授，授业贫窭，遂游学于诸郡，自以世乱乃笃志于商君长短机变权霸之术，与之谈者皆屈，莫能究其涯涘。”［按，《元和郡县图志》卷二八江南道吉州庐陵郡，所属有新淦县，“县有淦水，因以为名”］则齐丘当为吉州新淦人。《江南野史》卷四：“齐丘不知其旨，乃具舻舰，被诏促遣归九华，既至，遂绝粮七日而卒。齐丘昔尝着启，有曰：‘至于千恳万端，只为饥寒二字。人见其死，谓之自谶。齐丘所荐进者惟能，先萌未兆智策宏远才堪致化，理能易俗与已合志同方者乃授，拔擢凡数十人，名皆显达，贵历朝廷。岂以寻章摘句，戕贼经史，残剥古人之词为文士者哉？故齐丘之学，天才纵逸，颖出超群，混然而得，非耗蠹前修而为之辞。至如《凤台山亭》诗《延宾亭记》九华三表有古儒之风格；《化书》五十余篇，颇几于道家。凡建碑碣皆齐丘之文，命韩熙载八分书之。熙载尝以纸实其鼻，或问其故，答曰：‘其辞秽而且臭！’时见谤诽多此之类。”马令《南唐书》卷二〇本传：“齐丘为文有天才，而寡学不经，师友议论，诃尚诡诞，多违戾先王之旨，自以古今独步。书札不工，亦自矜炫，而呲鄙欧、虞之徒。冯延巳亦工书，远胜齐丘，而佯为师授以求媚。齐丘谓之曰：‘子书非不善，然不能精意，往往似虞世南，其何堪也。’其狂瞽如此。”陆游《南唐书》卷五本传：“元宗意谋出齐丘，大衔之。会钟谟使还，挟周以为己重，所言率见听而谟本善，李德明欲为报仇，屡陈齐丘乘国危殆，窃怀非望且党与众，谋不可测，元宗遂命殷崇义草诏曰：‘恶莫甚于无君，罪莫深于卖国，放归九华山而不夺其官爵。初命穴墙给食，俄又绝之以馁卒。谥丑缪。觉、征古皆诛死，未几元宗燕居，见齐丘为厉，叱之不退，遂迁南都。后主立召其家，还金陵，廪给甚厚。方齐丘败时，年七十三，且无子。若谓窥伺谋篡窃，则过也。特好权利，尚诡谲，造虚誉，植朋党，矜功忌能，饰诈护前，富贵满溢，犹不知惧，狃于要君，暗于知人，衅隙遂成，蒙大恶以死，悲夫。”郑文宝撰《南唐近事》卷二：“宋齐丘微时，相者相之曰：‘君贵不可说，然亚夫下狱之相，君实有之；位极之日，当早引退，庶几保全。齐丘登相位数载，致仕，复以大司徒就征，

保大末，坐陈觉谋干犯事，乃饿死于青阳。”宋齐丘著述，《崇文总目》卷五录《宋齐丘集》四卷，《郡斋读书志》卷三上及《直斋书录解题》卷一〇并录宋齐丘《化书》六卷。《通志》卷七〇《艺文略》八“别集”五录《宋齐丘集》六卷，“四六类”又录《宋齐丘四六》一卷。元脱脱等《宋史》卷二〇五《艺文志四》“杂家类”录宋齐丘《化书》六卷，又《理训》十卷；同书卷二〇六《艺文志五》录宋齐丘《玉管照神局》二卷；卷二〇八《艺文志七》录宋齐丘《祀玄集》三卷，又《宋齐丘文传》十三卷。今《全唐诗》卷七三八宋齐丘小传云：“集六卷，今存诗三首。断句二，卷八七九补酒令二句；《全唐诗补编·续拾》卷四三补断句三，酒令一首。《全唐文》卷八七〇载其文四篇。”《全唐文》卷八七〇收存其文四篇，《唐文拾遗》卷四七补其表、策二则。

九月

李煜开崇文馆招贤士。陆游《南唐书》卷一三《潘佑传》：“后主在东宫，开崇文馆以招贤士，佑预其间。”潘佑二十二岁，少狷洁，闭门苦学，不交人事，有文名。本年或稍前，以陈乔、韩熙载荐，为秘书省正字。九月，以本官直崇文馆，辅李煜于东宫。详夏承焘《南唐二主年谱》。

赵湘（959—?）生。赵湘字叔灵，祖籍南阳，居衢州西安（今浙江衢州）。宋太宗淳化三年（992），登进士第，授庐江尉。一生仕途偃蹇，怀才不遇，沉沦下僚。方回《罗寿可诗序》将他与魏野等人归为晚唐体诗人，称其诗深涵茂育，气势极盛。《四库全书总目提要》评价其诗：“大抵运意清新，而风骨不失苍秀。虽源出姚合，实与雕镂琐碎、务趋僻涩者迥殊。”吴侍跋其集云：“余首读其诗，清澄蠲洁，淡雅夷旷，名章秀句，前人之所罕道。”并言其可以“逾陶谢嵇阮之藩，而跻其堂”。《秦淮晚泊》、《华顶峰》、《题国清寺》、《春夕偶作》等为其代表作品。有《南阳集》，久佚，四库馆臣从《永乐大典》等书中辑出其诗文，编为六卷。事见《南阳集》卷五《释奠记》。

参考文献

（本书目包括古人相关资料及今人相关研究成果。实际使用的古籍版本与资料，部分超出了本书目，为避免繁冗，不一一罗列。实际参考的今人著述，由于体例的限制，也没有一一注明，在此一并致谢）

中国文学史大事年表，吴文治，黄山书社 1987 年版
中国文学家大辞典·唐五代卷，周祖撰主编，中华书局 1992 年版
唐五代文学编年史，傅璇琮主编，辽海出版社 1998 年版
中华大典·文学典·隋唐五代文学分典，卞孝萱主编，江苏古籍出版社 2000 年版
旧唐书，刘昫等，中华书局 1975 年校点本
新唐书，欧阳修等，中华书局 1975 年校点本
资治通鉴，司马光，中华书局 1956 年校点本
唐会要，王溥，上海古籍出版社 1991 年校点本
唐大诏令集，宋敏求，商务印书馆 1959 年版
文献通考，马端临，四库全书本
永乐大典，姚广孝等，中华书局 1960 年影印本
高适年谱，周勋初，上海古籍出版社 1980 年版
王维年谱，张清华，学林出版社 1988 年版
李太白年谱，黄锡珪，作家出版社 1958 年版
李白年谱，安旗、薛天纬，齐鲁书社 1982 年版。
杜甫年谱，四川文史馆，四川人民出版社 1958 年版
元次山年谱，孙望，上海古典文学出版社 1957 年版
韩文公年谱，马起华，台北商务印书馆 1978 年版
白居易年谱，朱金城，上海古籍出版社 1982 年
刘禹锡年谱，卞孝萱，中华书局 1963 年版
柳宗元年谱，施子瑜，湖北人民出版社 1958 年版
元稹年谱，卞孝萱，齐鲁书社 1980 年 6 月版
元稹年谱新编，周相录，上海古籍出版社 2004 年版

贾岛年谱，李嘉言，上海商务印书馆 1947 年版
皎然年谱，贾晋华，厦门大学出版社 1992 年版
李贺年谱会笺注，钱仲联，中国社会科学出版社 1984 年版《梦苕庵专著二种》
李德裕年谱，傅璇琮，齐鲁书社 1984 年版
牛僧孺年谱，丁鼎，辽海出版社 1997 年版
杜牧年谱，缪钺，人民文学出版社 1980 年版
玉溪生年谱会笺，张采田，上海古籍出版社 1983 年版
唐代诗人丛考，傅璇琮，中华书局 1980 年版
唐人行第录，岑仲勉，中华书局上海编辑所 1962 年版
唐诗人行年考，谭优学，四川人民出版社 1981 年版
唐诗人行年考（续编），谭优学，巴蜀书社 1987 年版
唐才子传校笺（第一册），傅璇琮主编，中华书局 1987 版
唐才子传校笺（第二册），傅璇琮主编，中华书局 1989 年版
唐才子传校笺（第三册），傅璇琮主编，中华书局 1990 年版
唐才子传校笺（第四册），傅璇琮主编，中华书局 1990 年版
全唐诗人名考，吴汝煜、胡可先，江苏教育出版社 1990 年版
全唐诗人名考证，陶敏，陕西人民教育出版社 1996 年版
唐宋词人年谱，夏承焘，上海古典文学出版社 1955 年版
崇文总目，王尧臣等，四库全书本
郡斋读书志，晁公武，上海古籍出版社 1990 年校点本
直斋书录解题，陈振孙，上海古籍出版社 1987 年校点本
元和姓纂，林宝，中华书局 1994 年整理本
太平御览，李昉等，中华书局 1960 年影印本
册府元龟，王钦若等，中华书局 1960 年影印本
玉海，王应麟，四库全书本
登科记考，徐松，中华书局 1984 年校点本
登科记考订补，岑仲勉，历史语言研究所集刊第 11 本
登科记考补正，孟二冬，北京燕山出版社 2003 年版
唐御史台精舍题名考，赵钺、劳格，中华书局 1997 年校点本
唐尚书省郎官石柱题名考，劳格、赵钺，中华书局 1992 年校点本
幽闲鼓吹，张固，中华书局上海编辑所 1958 年排印本
玉泉子，中华书局上海编辑所 1958 年排印本
金华子杂编，刘崇远，中华书局上海编辑所 1958 年排印本
北梦琐言，孙光宪，上海古籍出版社 1981 年校点本
唐摭言，王定保，古典文学出版社 1957 年排印本
唐语林，王谠，中华书局 1987 年周勋初校证本
宋景文笔记，宋祁，丛书集成初编本
冷斋夜话，释惠洪，中华书局 1988 排印本

邵氏闻见后录，邵博，中华书局 1983 年校点本
朱子语类，黎靖德编，王星贤点校，中华书局 1986 年版
野客丛书，王楙，上海古籍出版社 1991 年排印本
云麓漫钞，赵彦卫，中华书局 1998 年校点本
余师录，王正德，四库全书本
春渚纪闻，何薳，中华书局 1983 年排印本
却扫编，徐度，四库全书本
墨庄漫录，张邦基，四库全书本
梁溪漫志，费衮，上海古籍出版社 1985 年排印本
鹤林玉露，罗大经，中华书局 1983 年排印本
寓简，沈作喆，四库全书本
青箱杂记，吴处厚，中华书局 1985 年校点本
能改斋漫录，吴曾，上海古籍出版社排 1979 年印本
困学纪闻，王应麟，辽宁教育出版社 1998 年校点本
水东日记，叶盛，中华书局 1980 年排印本
震泽长语，王鏊，四库全书本
丹铅余录，杨慎，四库全书本
四友斋丛说，何良俊，中华书局 1959 年排印本
何氏语林，何良俊，四库全书本
焦氏笔乘、续笔乘，焦竑，奥雅堂丛书本
六研斋笔记，四库全书本
冷邸小言，邓云霄，道光刻本
徐氏笔精，徐𤊹，四库全书本
少室山房笔丛正集、续集，胡应麟，四库全书本
通雅，方以智，四库全书本
分甘余话，王士祯，中华书局 1997 年排印本
池北偶谈，王士祯，中华书局 1982 年排印本
居易录，王士祯，四库全书本
香祖笔记，王士祯，上海古籍出版社 1982 年排印本
义门读书记，何焯，中华书局 1987 年排印本
铁立文起，王之绩，康熙刻本
十驾斋养新录，钱大昕，商务印书馆 1957 年排印本
廿二史札记，赵翼，中国书店 1987 年排印本
援鹑堂笔记，姚范，道光刊本
霞外捃屑，平步青，中华书局 1959 年排印本
越缦堂读书记，李慈铭撰，由云龙辑，虞云国整理，辽宁教育出版社 2001 年版
唐诗选本六百种提要，孙琴安，陕西人民教育出版社 1987 年版
唐人选唐诗新编，傅璇琮，陕西人民教育出版社 1996 年版

全唐诗补编，陈尚君，中华书局 1992 年版
全唐诗重出误收考，佟培基，陕西人民教育出版社 1996 年版
全唐五代诗格校考，张伯伟，陕西人民教育出版社 1996 年版
全唐五代词，曾昭岷等，中华书局 1999 年版
唐人笔记小说考索，周勋初，江苏古籍出版社 1996 年版
唐五代传奇叙录，李剑国，南开大学出版社 1998 年版
新增千家唐文作者考，韩理洲，江西人民出版社 1995 年版
岑参集校注，陈铁民、侯忠义，上海古籍出版社 2004 年版
岑参诗集编年笺注，刘开扬，巴蜀书社 1995 年版
高适诗集编年笺注，刘开扬，中华书局 1992 年版
高适集校注，孙钦善，上海古籍出版社 1984 年
王维集校注，陈铁民，中华书局 1997 年版
王右丞集笺注，赵殿成，上海古籍出版社 1984 年排印本
李白全集校注汇释集评，詹锳编，百花文艺出版社 1994 年
李白全集编年注释，安旗主编，巴蜀书社 1990 年版
杜诗赵次公先后解辑校，林继中，上海古籍出版社 1994 年版
杜工部草堂诗笺，蔡梦弼，古逸丛书本
集千家注批点杜工部诗集，刘辰翁，台湾大通书局杜诗丛刊本
杜诗论文，吴见思，康熙刻本
读书堂杜诗注解，张溍，道光刻本
杜诗七言律解意，朱瀚等，康熙刻本
杜诗说，黄生，康熙一木堂刻本
杜诗提要，吴瞻泰，台湾大通书局杜诗丛刊本
杜诗详注，仇兆鳌，中华书局 1979 年排印本
读杜心解，浦起龙，中华书局 1961 年排印本
杜诗通，胡震亨，顺治刻本
杜臆，王嗣奭，上海古籍出版社 1962 年排印本
杜诗编年，李长祥等，清初刻本
读杜随笔，陈讦，雍正刻本
杜诗偶评，沈德潜，乾隆刻本
杜诗集说，江浩然，乾隆刻本
杜诗增注，夏力恕，乾隆刻本
杜诗谱释，毛张健，清刻本
杜诗镜铨，杨伦，上海古籍出版社 1962 年排印本
杜诗集评，刘濬，台湾大通书局杜诗刊本
杜诗百篇，杜甫撰，张燮承注，咸丰刻本
元次山集，孙望校，中华书局上海编辑所 1960 年版
刘长卿诗编年笺注，储仲君，中华书局 1996 年版

刘长卿集编年笺注，杨世明，人民文学出版社 1999 年版
韦应物集校注，陶敏、王友胜，上海古籍出版社 1998 年版
韦应物诗集系年校注，孙望，中华书局 2002 年版
钱起诗集校注，王定璋，浙江古籍出版社 1992 年版
卢纶诗集校注，刘初棠，上海古籍出版社 1989 版
戴叔伦诗集校注，蒋寅，上海古籍出版社 1993 年版
王建诗集，王建，中华书局上海编辑所 1959 年排印本
张籍诗集，张籍，中华书局上海编辑所 1959 年排印本
张祜诗集，严寿澄，江西人民出版社 1983 年版
李益诗注，范之麟，上海古籍出版社 1984 年版
李益集注，王亦军、裴豫敏，甘肃人民出版社 1989 版
李颀诗评注，刘宝和，山西教育出版社 1990 年版
张继诗注，周义敢，上海古籍出版社 1987 年版
顾况诗集，赵昌平校编，江西人民出版社 1983 年版
白居易集笺校，朱金城，上海古籍出版社 1988 年版
元稹集编年笺注·诗歌卷，杨军，三秦出版社 2002 年版
刘禹锡集笺证，瞿蜕园，上海古籍出版社 1989 年版
刘禹锡全集编年校注，陶敏、陶红雨校注，岳麓书社 2003 年
昌黎先生集考异，朱熹，上海古籍出版社 1985 年影印本
东雅堂昌黎集注，韩愈，四库全书本
韩文起，林云铭，清挹奎楼刻本
昌黎先生诗集注，朱彝尊、何焯评，顾嗣立删补，光绪翰墨园刻本
韩愈全集校注，屈守元、常思春主编，四川大学出版社 1996 年版
韩昌黎诗系年集释，钱仲联，上海古籍出版社 1984 年版
孙月峰评点柳柳州集，孙矿，原刻本
柳宗元集，吴文治，中华书局 1979 年校点本
长江集新校，李嘉言校，上海古籍出版社 1984 年排印本
贾岛集校注，齐文榜，人民文学出版社 2001 年版
孟郊诗集校注，华忱之、喻学才，人民文学出版社 1995 年版
笺注评点李长吉歌诗，刘辰翁等，明刻本
昌谷集，李贺撰，曾益注，清初刻本
昌谷集注，姚文燮，顺治刻本
李长吉诗集批注，方世举，上海古籍出版社 1978 年排印本
协律钩玄，陈本礼，嘉庆裛露轩刻本
李长吉集，黎二樵批点，黄陶庵评，光绪叶衍兰写刻朱墨套印本
李贺诗歌集注，王琦等，上海人民出版社 1977 年版
戎昱诗注，臧维熙，上海古籍出版社 1982 年版
唐女诗人集三种，陈文华校注，上海古籍出版社 1984 年版

薛涛诗笺，张蓬舟，四川人民出版社 1981 年版
雍陶诗注，周啸天、张效民注，上海古籍出版社 1988 年版
李商隐诗歌集解，刘学锴、余恕诚，中华书局 1998 年版
李商隐文编年校注，刘学锴、余恕诚，中华书局 2002 年版
李杜诗纬，应时，康熙刻本
箧中集，元结，上海古籍出版社 1978 年唐人选唐诗本
河岳英灵集，殷璠，上海古籍出版社 1978 年唐人选唐诗本
中兴间气集，高仲武，上海古籍出版社 1978 年唐人选唐诗本
文苑英华，李昉等，中华书局 1966 年影印本
唐文粹，姚铉，四部丛刊初编本
古文关键，吕祖谦，四库全书本
文章正宗，真德秀，四库全书本
三体唐诗，周弼编、释圆至注、高士奇补注，四库全书本
文章轨范，谢枋得，四库全书本
唐诗鼓吹，元好问编、郝天挺注，四库全书本
东岩草堂评订唐诗鼓吹，元好问编、郝天挺注、廖文炳解、朱三锡评，清有容堂刻本
瀛奎律髓汇评，方回选评、李庆甲集评校点，上海古籍出版社 2005 年版
批点唐音，杨士弘编选、顾璘批点，明嘉靖洛阳温氏刻本
唐诗品汇，高棅，上海古籍出版社 1982 年影印本
批点唐诗正声，高棅选编、桂天祥批点，嘉靖刻本
皇明文衡，程敏政，四部丛刊本
唐诗绝句类选，敖英等，明三色套印本
唐音类选，潘光统，明嘉靖本
唐诗直解，李攀龙、叶羲昂，乾隆刻本
批点唐诗，郝敬，崇祯刻本
精选唐诗分类评释绳尺，徐用吾，万历刻本
汇编唐诗，天启刻本
删补唐诗选脉笺释会通评林，周珽集注、陈继儒批点，明崇祯八年刻本
唐诗归，锺惺、谭元春，四库全书存目丛书本
名媛诗归，钟惺，民国排印本
唐宋八大家文钞，茅坤，四库全书本
四六法海，王志坚，四库全书本
文章辨体汇选，贺复徵，四库全书本
唐诗镜，陆时雍，四库全书本
唐诗解，唐汝询，河北大学出版社 2001 年排印本
唐风定，邢昉，思适斋 1934 年影刻本
明文海，黄宗羲，四库全书本

金圣叹批才子古文，张国光点校，湖北人民出版社 1986 年版
贯华堂选批唐才子诗，金人瑞，江苏古籍出版社 1986 年金圣叹全集本
唐诗评选，王夫之，岳麓书社 1996 年船山全书本
全唐诗，彭定求等，中华书局 1960 年排印本
全唐诗逸，(日）河世宁，中华书局 1960 年排印本
唐诗快，黄周星，康熙二十六年书带革堂刻本
唐诗贯珠，胡以梅，康熙五十四年素心堂刻本
唐七律选，毛奇龄等，康熙刻本
唐宋十大家全集录，储欣，光绪八年江苏书局刊本
唐宋八大家类选，储欣，光绪十八年湖北官书处重印本
古文观止，吴楚材、吴调侯，文学古籍刊行社 1956 年排印本
古文雅正，蔡世远，四库全书本
古文析义，林云铭，清刻本
古文释义，余诚，岳麓书社 2003 年排印本
古文眉诠，浦起龙，三吴书院刊本
古文小品咀华，王符曾，书目文献出版社 1983 年排印本
历代诗发，范大士，康熙刻本
唐宋文醇，四库全书本
唐宋诗醇，四库全书本
古唐诗合解，王尧衢，光绪七年书业德刻本
唐诗别裁集，沈德潜，上海古籍出版社 1979 年富寿荪校点本
山满楼笺注唐诗七言律，赵臣瑗，清刻本
唐律消夏录，顾安，乾隆二十七年嘉善何文焕刻本
唐诗成法，屈复，乾隆二十九年弱水草堂刻本
唐诗笺注，黄叔灿，乾隆刻本
唐诗笺要，吴瑞荣，乾隆刻本
大历诗略，乔亿，乾隆刻本
唐诗观澜集，李因培，乾隆刻本
唐贤清雅集，张天荪，乾隆刻本
唐诗摘抄（唐诗评)，黄生，黄山书社 1995 年排印本
唐诗摘抄（唐诗续评)，朱之荆等，黄山书社 1995 年排印本
唐诗摘抄（唐诗增评)，吴智临，黄山书社 1995 年排印本
唐诗向荣集，陶文藻，乾隆刻本
唐诗偶评，杨逢春，卧游轩钞本
读雪山房唐诗，管世铭，光绪刻本
古文辞类纂，姚鼐，中国书店影印世界书局本
五七言今体诗钞、唐人绝句诗钞，四部备要本
骈体文钞，李兆洛，上海古籍出版社 2001 年排印本

全唐文，董诰等，中华书局 1984 年缩印本
唐文拾遗，陆心源，中华书局 1984 年缩印本
唐文续拾，陆心源，中华书局 1984 年缩印本
唐文评注读本，王文濡，上海文明书局排印本
唐诗评注读本，王文濡，上海文明书局排印本
唐宋文举要，高步瀛，上海古籍出版社 1982 年排印本
唐宋诗举要，高步瀛，上海古籍出版社 1982 年排印本
诗式，皎然，中华书局 1981 年历代诗话本
本事诗，孟棨，中华书局 1983 年历代诗话续编本
六一诗话，欧阳修，中书书局 1981 年历代诗话本
温公续诗话，司马光，中华书局 1981 年历代诗话本
中山诗话，刘邠，中华书局 1981 年历代诗话本
后山诗话，陈师道，中华书局 1981 年历代诗话本
临汉隐居诗话，魏泰，中华书局 1981 年历代诗话本
冷斋夜话，释惠洪，中华书局 1988 年排印本
诗话总龟前集、后集，阮阅，人民文学出版社 1987 年排印本
唐诗纪事，计有功，中华书局 1965 年上海编辑所排印本
竹坡诗话，周紫芝，中华书局 1981 年历代诗话本
彦周诗话，许𫖮，中华书局 1981 年历代诗话本
文则，陈骙，人民文学出版社 1960 年排印本
石林诗话，叶梦得，中华书局 1981 年历代诗话本
唐子西文录，强行父，中华书局 1981 年历代诗话本
珊瑚钩诗话，张表臣，中华书局 1981 年历代诗话本
韵语阳秋，葛立芳，中华书局 1981 年历代诗话本
沧浪诗话，严羽，中华书局 1981 年历代诗话本
苕溪渔隐丛话前集、后集，胡仔，人民文学出版社 1962 年排印本
环溪诗话，吴沆，中华书局 1988 年排印本
荆溪林下偶谈，吴子良，丛书集成初编本
观林诗话，吴聿，中华书局 1983 年历代诗话续编本
诚斋诗话，杨万里，中华书局 1983 年历代诗话续编本
庚溪诗话，陈岩肖，中华书局 1983 年历代诗话续编本
杜工部草堂诗话，蔡梦弼，中华书局 1983 年历代诗话续编本
优古堂诗话，吴开，中华书局 1983 年历代诗话续编本
艇斋诗话，曾季貍，中华书局 1983 年历代诗话续编本
藏海诗话，吴可，中华书局 1983 年历代诗话续编本
岧溪诗话，黄彻，中华书局 1983 年历代诗话续编本
对床夜语，范晞文，中华书局 1983 年历代诗话续编本
岁寒堂诗话，张戒，中华书局 1983 年历代诗话续编本

娱书堂诗话，赵与虤，中华书局1983年历代诗话续编本
竹庄诗话，何汶，中华书局1984年排印本
诗人玉屑，魏庆之，中华书局上海古籍所1959年校勘本
后村诗话，刘克庄，四库全书本
诗林广记，蔡正孙，中华书局1982年排印本
臞翁诗评，敖陶孙，丛书集成初编本
诗法家数，杨载，中华书局1981年历代诗话本
木天禁语，范梈，中华书局1981年历代诗话本
吴礼部诗话，吴师道，中华书局1983年历代诗话续编本
文章精义，李涂，人民文学出版社1960年排印本
诗学梯航，周叙，明成化刊本
麓堂诗话，李东阳，中华书局1983年历代诗话续编本
艺圃撷余，王世懋，中华书局1981年历代诗话本
唐诗品，徐献忠，朱警唐百家诗卷首，嘉靖十九年刻本
升庵诗话，杨慎，中华书局1983年历代诗话续编本
艺苑卮言，王世贞，中华书局1983年历代诗话续编本
四溟诗话，谢榛，中华书局1983年历代诗话续编本
归田诗话，瞿佑，中华书局1983年历代诗话续编本
南濠诗话，都穆，中华书局1983年历代诗话续编本
骚坛秘语，周履靖，丛书集成初编本
诗薮，胡应麟，上海古籍出版社1979年排印本
诗源辩体，许学夷，人民出版社1987年排印本
唐音癸签，胡震亨，上海古籍出版社1981年排印本
诗镜总论，陆时雍，中华书局1983年历代诗话续编本
薑斋诗话，王夫之，上海古籍出版社1999年清诗话本
钝吟杂录，冯班撰、雪北山樵辑，上海古籍出版社1999年清诗话本
诗辩坻，毛先舒，上海古籍出版社1983年清诗话续编本
春酒堂诗话，周容，上海古籍出版社1983年清诗话续编本
抱真堂诗话，宋徵璧，上海古籍出版社1983年清诗话续编本
答万季埜诗问，吴乔，上海古籍出版社1999年清诗话本
围炉诗话，吴乔，上海古籍出版社1983年清诗话续编本
柳亭诗话，宋长白，丛书集成续编本
师友诗传录，王士祯等，上海古籍出版社1999年清诗话本
师友诗传续录，王士祯，上海古籍出版社1999年清诗话本
渔洋诗话，王士祯，上海古籍出版社1999年清诗话本
五代诗话，王士祯，人民文学出版社1989年排印本
带经堂诗话，王士祯，人民文学出版社1963年排印本
谈龙录，赵执信，上海古籍出版社1999年清诗话本

而庵说唐诗，徐增，康熙九浩堂刻本
原诗，叶燮，上海古籍出版社 1999 年清诗话本
说诗晬语，沈德潜，上海古籍出版社 1999 年清诗话本
全唐诗话续编，孙涛，上海古籍出版社 1999 年清诗话本
一瓢诗话，薛雪，上海古籍出版社 1999 年清诗话本
拜经楼诗话，吴骞，上海古籍出版社 1999 年清诗话本
消寒诗话，秦朝釪，上海古籍出版社 1999 年清诗话本
诗义固说，庞垲，上海古籍出版社 1983 年清诗话续编本
西圃诗说，田同之，上海古籍出版社 1983 年清诗话续编本
兰丛诗话，方世举，上海古籍出版社 1983 年清诗话续编本
岘斋诗谈，张谦宜，上海古籍出版社 1983 年清诗话续编本
小澥草堂杂论诗，牟愿相，上海古籍出版社 1983 年清诗话续编本
龙性堂诗话，叶矫然，上海古籍出版社 1983 年清诗话续编本
剑溪说诗，乔亿，上海古籍出版社 1983 年清诗话续编本
随园诗话，袁枚，人民文学出版社 1960 年排印本
瓯北诗话，赵翼，上海古籍出版社 1983 年清诗话续编本
诗学源流考，鲁九皋，上海古籍出版社 1983 年清诗话续编本
石洲诗话，翁方纲，上海古籍出版社 1983 年清诗话续编本
赋话，李调元，丛书集成初编本
雨村诗话，李调元，上海古籍出版社 1983 年清诗话续编本
读雪山房唐诗序例，管世铭，上海古籍出版社 1983 年清诗话续编本
四六丛话，孙梅，上海商务印书馆 1937 年万有文库本
重订中晚唐诗主客图，李怀民，清嘉庆十年刻本
瀛奎律髓刊误，纪昀，嘉庆五年双桂堂刻本
北江诗话，洪亮吉，人民文学出版社 1998 年排印本
诗比兴笺，陈沆，中华书局上海编辑所 1959 年排印本
诗比兴笺，陈沆，中华书局排印本
初月楼古文绪论，吴德旋、吕璜，人民文学出版社 1998 年校点本
唐音审体，钱良择，上海古籍出版社 1999 年清诗话本
秋窗随笔，马位，上海古籍出版社 1999 年清诗话本
野鸿诗的，黄子云，上海古籍出版社 1999 年清诗话本
贞一斋诗说，李重华，上海古籍出版社 1999 年清诗话本
诗筏，贺贻孙，上海古籍出版社 1983 年清诗话续编本
静居绪言，上海古籍出版社 1983 年清诗话续编本
石园诗话，余成教，上海古籍出版社 1983 年清诗话续编本
老生常谈，延君寿，上海古籍出版社 1983 年清诗话续编本
小清华园诗谈，王寿昌，上海古籍出版社 1983 年清诗话续编本
辍锻录，方南堂，上海古籍出版社 1983 年清诗话续编本

养一斋诗话、养一斋李杜诗话，潘德舆，上海古籍出版社 1983 年清诗话续编本
竹林答问，陈仅，上海古籍出版社 1983 年清诗话续编本
复小斋赋话，浦铣，丛书集成续编本
诗法易简录，李锳，道光二年十二笔舫刻本
昭昧詹言，方东树，人民文学出版社 1961 年校点本
射鹰楼诗话，林昌彝，上海古籍出版社 1988 年点校本
岘佣说诗，施补华，上海古籍出版社 1999 年清诗话本
问花楼诗话，陆蓥，上海古籍出版社 1983 年清诗话续编本
筱园诗话，朱庭珍，上海古籍出版社 1983 年清诗话续编本
艺概，刘熙载，上海古籍出版社 1978 年排印本
藻川堂谭艺，邓绎，北京图书馆出版社 2004 年中国诗话珍本丛书本
湘绮楼说诗，王闿运，成都日新社排印本
石遗室诗话，陈衍，辽宁教育出版社 1998 年版
三唐诗品，宋育仁，民国排印本
诗境浅说，俞陛云，北京出版社 2003 年版
诗学渊源，丁仪，上海书店 2002 年民国诗话丛编本
韩柳文研究法，林纾，商务印书馆 1914 年排印本
春觉斋论文，林纾，人民文学出版社 1959 年版
论文杂记，刘师培，人民文学出版社 1959 年版
唐诗论评类编，陈伯海主编，山东教育出版社 1992 年版
万首唐人绝句校注集评，霍松林，陕西教育出版社 1991 年版
唐宋八大家汇评，吴小林，齐鲁书社 1991 年版
唐五代词纪事会评，史双元，黄山书社 1995 年版
李白资料汇编，裴斐、刘善良编，中华书局 1994 版
杜甫资料汇编（上编：唐宋之部），华文轩编，中华书局 1964 年版
白居易资料汇编，陈友琴编，中华书局 1962 年版
韩愈资料汇编，吴文治编，中华书局 1983 年版
柳宗元资料汇编，吴文治编，中华书局 1964 年版
李贺资料汇编，吴企明编，中华书局 1994 年版

人名索引

H

J

K

L

X

Y

图书在版编目（CIP）数据

中国文学编年史. 隋唐五代卷（上、中、下）/ 陈文新主编；刘加夫（上）、熊礼汇　闵泽平（中）、霍有明（下）分册主编. —长沙：湖南人民出版社，2006.9

ISBN 7-5438-4531-8

Ⅰ.中… Ⅱ.①陈…②刘… Ⅲ.①文学史—编年史—中国—隋唐时期②文学史—编年史—中国—五代十国时期 Ⅳ.I209

中国版本图书馆 CIP 数据核字（2006）第 117657 号

中国文学编年史·隋唐五代卷（上、中、下）

责任编辑：李建国　胡如虹　曹有鹏
杨　纯　邓胜文　张志红　聂双武
特约编辑：熊治祁
主　　编：陈文新
书名题字：卢中南
装帧设计：陈　新
出　　版：湖南人民出版社
地　　址：长沙市营盘东路 3 号
市场营销：0731-2226732
网　　址：http://www.hnppp.com
邮　　编：410005
制　　作：湖南潇湘出版文化传播有限公司
电　　话：0731-2229693　2229692
印　　刷：中华商务联合印刷（广东）有限公司
经　　销：湖南省新华书店
版　　次：2006 年 9 月第 1 版第 1 次印刷
开　　本：787 × 1094　1/16
印　　张：108
字　　数：2,374,000
书　　号：ISBN 7-5438-4531-8/I · 448
定　　价：804.00 元(上、中、下册)